Collins Gem

français ▶ espagnol
español ▶ francés

DICTIONNAIRES LE ROBERT

grijalbo

Collins Gem

An Imprint of HarperCollinsPublishers

tercera edición/troisième édition 2003
© William Collins Sons & Co. Ltd. 1980
© HarperCollins Publishers 1999, 2003

HarperCollins Publishers
Westerhill Road, Bishopbriggs, Glasgow G64 2QT
Great Britain

www.collinsdictionaries.com

Collins Gem® is a registered trademark
of HarperCollins Publishers Limited

---

redactores/rédaction
Teresa Alvarez García, Jean-Benoît Ormal-Grenon
Christine Penman, Christian Salzedo

coordinación/coordination
Sharon J. Hunter

ayudante de redacción/secrétariat de rédaction
Emma Aeppli

informática/information éditoriale
John Podbielski

colección dirigida por/collection dirigée par
Lorna Sinclair Knight

Dictionnaires Le Robert
27, rue de la Glacière, 75013 Paris
ISBN 2-85036-892-X
Dépôt légal janvier 2003
Achevé d'imprimer novembre 2002

Grupo Editorial Random House Mondadori, S.L.
Travessera de Gràcia 47-49, 08021 Barcelona
www.diccionarioscollins.com
ISBN 84-253-3717-8

TABLE DES MATIÈRES   ÍNDICE

Marques déposées

Marcas Registradas

ABRÉVIATIONS   ABREVIATURAS

abréviation	abr	abreviatura
adjectif	adj	adjetivo
administration	ADMIN	administración
adverbe	adv	adverbio
agriculture	AGR	agricultura
quelqu'un	algn	alguien
Amérique Latine	AM	América Latina
anatomie	ANAT	anatomía
Andes	AND	Andes
architecture	ARQ, ARCHIT	arquitectura
automobile	AUTO	automóvil
aviation	AVIAT	aviación
biologie	BIO(L)	biología
botanique	BOT	botánica
chimie	CHIM	química
cinéma	CINE, CINÉ	cine
commerce	COM(M)	comercio
conjonction	conj	conjunción
construction	CONSTR	construcción
Argentine, Chili et Uruguay	CSUR	Cono Sur
Cuba	CU	Cuba
cuisine	CULIN	cocina
économie	ECON, ÉCON	economía
électricité, électronique	ELEC, ÉLEC	electricidad, electrónica
enseignement	ESCOL	escolar
Espagne	ESP	España
surtout	esp	especialmente
exclamation	excl	exclamación
féminin	f	femenino
familier	fam	familiar
vulgaire	fam!	vulgar
chemins de fer	FERRO	ferrocarril
figuré	fig	figurado
finance	FIN	finanzas
physique	FIS	física
photographie	FOTO	fotografía
en général, généralement	gen, gén	generalmente
géographie	GEO, GÉO	geografía
géométrie	GEOM, GÉOM	geometría
histoire	HIST	historia
industrie	IND	industria
informatique	INFORM	informática
invariable	inv	invariable
juridique	JUR	jurídico
linguistique	LING	lingüística
littérature	LIT(T)	literatura
masculin	m	masculino

iv

ABRÉVIATIONS

ABREVIATURAS

mathématiques	MAT, MATH	matemáticas
médecine	MED, MÉD	medicina
météorologie	MÉTÉO	meteorología
Mexique	MÉX, MEX	México
domaine militaire	MIL	militar
musique	MÚS, MUS	música
nom	n	nombre
nautisme	NÁUT, NAUT	náutica
Panama	PAN	Panamá
Pérou	PE	Perú
péjoratif	pey, péj	peyorativo
photographie	PHOTO	fotografía
physique	PHYS	física
physiologie	PHYSIOL	fisiología
pluriel	pl	plural
politique	POL	política
participe passé	pp	participio de pasado
préfixe	pref, préf	prefijo
préposition	prep, prép	preposición
pronom	pron	pronombre
psychologie	PSICO, PSYCH	psicología
quelque chose	qch	algo
quelqu'un	qn	alguien
chimie	QUÍM	química
chemins de fer	RAIL	ferrocarril
religion	REL	religión
enseignement	SCOL	escolar
singulier	sg	singular
subjonctif	subjun	subjuntivo
sujet	suj	sujeto
aussi	tb	también
technique	TEC(H)	técnica, tecnología
télécommunications	TELEC, TÉL	telecomunicaciones
typographie	TIP	tipografía
télévision	TV	televisión
typographie	TYPO	tipografía
université	UNIV	universitario
verbe	vb	verbo
Venezuela	VEN	Venezuela
verbe intransitif	vi	verbo intransitivo
verbe pronominal	vpr	verbo pronominal
verbe transitif	vt	verbo transitivo
zoologie	ZOOL	zoología
marque déposée	®	marca registrada
indique une équivalence culturelle	≈	indica un equivalente cultural

LA PRONONCIATION DE L'ESPAGNOL

La prononciation de l'espagnol pose peu de problèmes au francophone, du moins lorsqu'il s'agit de se faire comprendre sans essayer de passer pour un hispanophone. Nous ne montrerons donc ici pour mémoire que la dizaine de lettres ou groupes de lettres qui correspondent à une prononciation très différente de celle à laquelle le francophone pourrait s'attendre.

CONSONNES

ci, ce	le **c** se prononce comme le *th* anglais dans *thin*: on appelle ce son une dentale fricative sourde
ch	se prononcent *tch*
gi, ge, j	le son représenté ici par le **g** ou le **j** se prononce approximativement comme le *ch* de *nach* en allemand: on l'appelle une vélaire fricative sourde
ll	se prononcent approximativement comme le *lli* de *million*
ñ	se prononce comme le *gn* de *agneau*
r, rr	le **r** espagnol est roulé, le **rr** doublement roulé
v	se prononce approximativement comme *b* (un b prononcé de façon douce): on appelle ce son une bilabiale fricative sonore
z	se prononce comme le *th* anglais dans *thin*: on appelle ce son une dentale fricative sourde

VOYELLES

e	n'est jamais muet, mais se prononce toujours, comme un *é* ou *è*
u	se prononce comme le *ou* de *cou* (mais reste muet dans les groupes **gue**, **gui**)
an, en etc	il n'y a pas de nasales en espagnol: **tanto** se prononce *tann-to*, **viento** *bienne-to* etc

DIPHTONGUES

ai, ay	se prononcent *aille* comme dans *bataille*
ei, ey	se prononcent *eille* comme dans *bouteille*
oi, oy	se prononcent comme on prononcerait *oille*
eu	se prononcent *é-ou*: **deuda** *dé-ouda*
au	se prononcent *ao*: **causa** *kao-sa*

L'ACCENT TONIQUE

Il est très important pour être compris de placer correctement l'accent tonique. Voici les règles à observer:
a) mot se terminant par une voyelle (sauf *y*), par *n* ou *s*: accent sur l'avant-dernière syllabe
apar**ta**mento, ha**bla**mos, **co**men, **ma**dre
b) mot se terminant par *y*, par une consonne (sauf *n* ou *s*): accent sur la dernière syllabe
ca**rey**, ciu**dad**, ha**blar**, des**leal**
c) Les exceptions sont signalées dans l'orthographe espagnole par un accent (aigu) marquant la syllabe accentuée:
inte**rés**, co**mún**, dac**ti**lógrafo, **glán**dula

TRANSCRIPCIÓN FONÉTICA DEL FRANCÉS

CONSONANTES

poupée poupe	**p**	**f**	*fer phare gaffe*	
			paraphe	
bombe	**b**	**v**	*valve*	
tente thermal	**t**	**l**	*lent salle sol*	
dinde	**d**	**R**	*rare venir rentrer*	
coq qui képi sac	**k**	**m**	*maman femme*	
pastèque				
gag gare bague	**g**	**n**	*non nonne*	
gringalet				
sale ce ça dessous	**s**	**ɲ**	*gnôle agneau vigne*	
nation pouce tous		**h**	*hop! (avec h aspiré)*	
zéro maison rose	**z**	**j**	*yeux paille pied hier*	
chat tache	**ʃ**	**w**	*nouer oui*	
gilet juge	**ʒ**	**ɥ**	*huile lui*	

VOCALES

ici vie lyre	**i**	**œ**	*beurre peur*	
jouer été fermée	**e**	**ø**	*peu deux*	
lait jouet merci	**ɛ**	**ɔ**	*mort or homme*	
patte plat amour	**a**	**o**	*geôle mot dôme eau*	
			gauche chevaux	
bas pâte	**ɑ**	**u**	*genou roue*	
le premier	**ə**	**y**	*rue vêtu urne*	
matin plein brin	**ɛ̃**	**ɑ̃**	*vent sang an dans*	
brun	**œ̃**	**ɔ̃**	*bon ombre*	

DIVERSOS

para el francés:	**'**	pour l'espagnol:
no hay enlace		précède la syllabe
		accentué

A, a

a [a] *vb voir* **avoir**

MOT-CLÉ

à [a] (*à + le* = **au**, *à + les* = **aux**) *prép* **1** (*endroit, situation*) en; **être à Paris/au Portugal** estar en París/en Portugal; **être à la maison/à l'école/au bureau** estar en casa/en el colegio/en la oficina; **être à la campagne** estar en el campo; **c'est à 10 km/à 20 minutes (d'ici)** está a 10 km/a 20 minutos (de aquí); **à la radio/télévision** en la radio/televisión
2 (*direction*) a; **aller à Paris/au Portugal** ir a París/a Portugal; **aller à la maison/à l'école/au bureau** ir a casa/al colegio/a la oficina; **aller à la campagne** ir al campo
3 (*temps*) a; **à 3 heures/à minuit** a las tres/a medianoche; **à demain/lundi/la semaine prochaine!** ¡hasta mañana/el lunes/la semana que viene!; **au printemps/au mois de juin** en primavera/al mes de junio; **à cette époque là** en aquella época; **nous nous verrons à Noël** nos veremos por Navidad; **visites de 5 h à 6 h** visitas de 5 a 6
4 (*attribution, appartenance*) de; **le livre est à lui/à nous/à Paul** el libro es suyo/nuestro/de Pablo; **un ami à moi** un amigo a algn
5 (*moyen*): **se chauffer au gaz/à l'électricité** calentarse con gas/con electricidad; **à bicyclette** en bicicleta; **à pied** a pie; **à la main/machine** a mano/máquina; **pêcher à la ligne** pescar con caña
6 (*provenance*) de; **boire à la bouteille** beber de la botella
7 (*caractérisation, manière*): **l'homme aux yeux bleus/à la veste rouge** el hombre de ojos azules/de la chaqueta roja; **café au lait** café con leche; **à sa grande surprise** para su gran sorpresa; **à ce qu'il prétend** según pretende (él); **à l'européenne/la russe** a la europea/la rusa; **à nous trois nous n'avons pas su le faire** no hemos sabido hacerlo entre los tres
8 (*but, destination: de choses ou personnes*): **tasse à café** taza de café; **"à vendre"** "se vende"; **à bien réfléchir** pensándolo bien; **problèmes à régler** problemas *mpl* por solucionar
9 (*rapport, évaluation, distribution*): **100 km/unités à l'heure** 100 km/unidades por hora; **payé au mois/à l'heure** pagado por mes/por hora; **cinq à six** cinco a seis; **ils sont arrivés à quatre** llegaron cuatro

rebajar

abandon [abɑ̃dɔ̃] nm abandono; **être à l'~** estar abandonado(-a); **laisser à l'~** abandonar

abandonner [abɑ̃dɔne] vt abandonar ♦ vi (SPORT) abandonar; (INFORM) salir; **~ qch à qn** entregar algo a algn

abat-jour [abaʒuʀ] nm inv pantalla

abats [aba] vb voir **abattre** ♦ nmpl (CULIN) menudos mpl

abattement [abatmɑ̃] nm (déduction) deducción f; **~ fiscal** deducción fiscal

abattoir [abatwaʀ] nm matadero

abattre [abatʀ] vt (arbre) talar; (mur, maison, avion) derribar; (tuer) matar; (déprimer) desanimar; **s'~** vpr (mât, malheur) caerse; **s'~ sur** caer sobre; **~ du travail** (ou de la besogne) trabajar duro

abbaye [abei] nf abadía

abbé [abe] nm (d'une abbaye) abad m

abcès [apsɛ] nm absceso

abdiquer [abdike] vi abdicar ♦ vt (pouvoir, dignité) renunciar a

abdominal, e, -aux [abdɔminal, o] adj abdominal; **abdominaux** nmpl abdominales mpl; **faire des abdominaux** hacer abdominales

abeille [abɛj] nf abeja

aberrant, e [abeʀɑ̃, ɑ̃t] adj aberrante

aberration [abeʀasjɔ̃] nf aberración f

abîme [abim] nm abismo

abîmer [abime] vt estropear; **s'~** vpr estropearse; (fig) abismarse

aboiement [abwamɑ̃] nm ladrido

abolir [abɔliʀ] vt abolir

abominable [abɔminabl] adj

abominable

abondance [abɔ̃dɑ̃s] nf abundancia

abondant, e [abɔ̃dɑ̃, ɑ̃t] adj abundante; **abonder** vi abundar

abonné, e [abɔne] adj (à un journal) suscrito(-a); (au téléphone) abonado(-a) ♦ nm/f (au journal, à l'opéra) abonado(-a); (à un journal) suscriptor(a)

abonnement [abɔnmɑ̃] nm (à un journal) suscripción f; (transports en commun, théâtre) abono

abonner [abɔne] vt: **~ qn à** (revue) suscribir a algn a; **s'~** vpr: **s'~ à** (revue) suscribirse a; (téléphone) abonarse a

abord [abɔʀ] nm: **être d'un ~ facile/difficile** ser de fácil/difícil acceso; **~s** nmpl (d'un lieu) alrededores mpl; **d'~** primero, en primer lugar; **de prime ~, d'~** a primera vista

abordable [abɔʀdabl] adj (personne) accesible; (prix, marchandise) asequible

aborder [abɔʀde] vi abordar ♦ vt abordar

aboutir [abutiʀ] vi tener éxito; **~ à/dans/sur** (lieu) dar a

aboyer [abwaje] vi ladrar

abréger [abʀeʒe] vt acortar

abreuver [abʀœve] vt abrevar; (fig): **~ qn de** (injures) colmar a algn de; **s'~** vpr (fam) beber hasta reventar; **abreuvoir** nm abrevadero

abréviation [abʀevjasjɔ̃] nf abreviatura

abri [abʀi] nm refugio; **à l'~** (des intempéries, financièrement) a cubierto; (de l'ennemi) a salvo; **à l'~ de** (fig: erreur) protegido(-a) contra

abricot [abʀiko] nm albaricoque

m, damasco (AM)
abriter [abʁite] vt (*lieu*)
resguardar; **s'~** vpr resguardarse
abrupt, e [abʁypt] adj
abrupto(-a); (*personne, ton*)
rudo(-a)
abruti, e [abʁyti] (*fam*) nm/f
tonto(-a)
absence [apsɑ̃s] nf ausencia
absent, e [apsɑ̃, ɑ̃t] adj, nm/f
ausente m/f; **absenter:**
s'absenter vpr ausentarse
absolu, e [apsɔly] adj
absoluto(-a); **absolument** adv
(*oui*) sí, por supuesto
absorbant, e [apsɔʁbɑ̃, ɑ̃t] adj
absorbente
absorber [apsɔʁbe] vt absorber;
(*manger, boire*) tomar
abstenir [apstəniʁ]: **s'~** vpr
abstenerse; **s'~ de qch/de faire**
privarse de algo/de hacer
abstrait, e [apstʁɛ, ɛt] adj
abstracto(-a)
absurde [apsyʁd] adj absurdo(-a)
abus [aby] nm abuso; **abuser** vi
abusar; **abuser de** abusar de;
abusif, -ive adj abusivo(-a)
académie [akademi] nf
academia; (*UNIV*) ≃ distrito
universitario

Académie française

La **Académie française** fue
fundada por el cardenal Richelieu
en 1635 durante el reinado de
Luis XIII. Consta de cuarenta
eruditos y escritores electos a los
que se conoce como "les
Quarante" o "les Immortels". Una
de las funciones de la Academia
es regular el desarrollo de la
lengua francesa y sus
recomendaciones son con
frecuencia objeto de encendido

debate. Ha publicado varias
ediciones de su conocido
diccionario y concede diversos
premios literarios.

acajou [akaʒu] nm caoba
acariâtre [akaʁjɑtʁ] adj
desabrido(-a)
accablant, e [akablɑ̃, ɑ̃t] adj
(*témoignage, preuve*)
abrumador(a); (*chaleur, poids*)
agobiante
accabler [akable] vt
(*physiquement*) agobiar;
(*moralement*) abatir; (*suj: preuves,
témoignage*) inculpar; **~ qn
d'injures/de travail** colmar a
algn de injurias/de trabajo
accalmie [akalmi] nf calma,
tregua
accaparer [akapaʁe] vt acaparar
accéder [aksede]: **~ à** vt ind
(*lieu*) tener acceso a; (*fig*) acceder
a
accélérateur [akseleʁatœʁ] nm
acelerador m
accélérer [akseleʁe] vt, vi
acelerar
accent [aksɑ̃] nm acento; **mettre
l'~ sur** (*fig*) hacer hincapié en; **~
aigu/circonflexe/grave**
acento agudo/circunflejo/grave;
accentuer vt acentuar;
s'accentuer vpr acentuarse
acceptation [akseptasjɔ̃] nf
aceptación f, admisión f
accepter [aksepte] vt aceptar; **~
de faire** aceptar hacer
accès [aksɛ] nm acceso ♦ nmpl
(*routes, entrées*) accesos mpl; **~ de
colère** arrebato; **accessible**
adj accesible; (*prix, objet*)
asequible; (*livre, sujet*):
accessible (à qn) accesible (a

algn)

accessoire [akseswar] *adj* secundario(-a) ♦ *nm* accesorio *m*

accident [aksidɑ̃] *nm* accidente *m*; (*événement fortuit*) incidente *m*; **par ~** por accidente;

accidenté, e *adj* accidentado(-a); (*voiture*) estropeado(-a), dañado(-a);

accidentel, le *adj* accidental; (*fortuit*) casual

acclamer [aklame] *vt* aclamar

acclimater [aklimate] *vt* aclimatar; **s'~** *vpr* aclimatarse

accolade [akɔlad] *nf* abrazo

accommoder [akɔmɔde] *vt* (*CULIN*) aliñar; **s'~ de** contentarse con

accompagnateur, -trice [akɔ̃paɲatœr, tris] *nm/f* acompañante *m/f*

accompagner [akɔ̃paɲe] *vt* acompañar

accompli, e [akɔ̃pli] *adj* consumado(-a)

accomplir [akɔ̃plir] *vt* cumplir

accord [akɔr] *nm* (*entente*) acuerdo; (*consentement, autorisation*) consentimiento; (*MUS*) acorde *m*; **se mettre d'~** ponerse de acuerdo; **être d'~ (pour faire/que)** estar de acuerdo en hacer/en que); **d'~!** ¡de acuerdo!

accordéon [akɔrdeɔ̃] *nm* acordeón *m*

accorder [akɔrde] *vt* (*faveur, délai*) conceder; (*MUS*) afinar; **~ de l'importance/de la valeur à qch** dar importancia/valor a algo

accoster [akɔste] *vt* (*NAUT*) acostar ♦ *vi* acostar

accouchement [akuʃmɑ̃] *nm* parto

accoucher [akuʃe] *vi, vt* dar a luz

accouder [akude] *vb*: **s'~ à/sur** acodarse en/sobre; **accoudoir** *nm* brazo

accoupler [akuple] *vb*: **s'~** *vpr* aparearse

accourir [akurir] *vi* precipitarse

accoutumance [akutymɑ̃s] *nf* (*au climat*) adaptación *f*

accoutumé, e [akutyme] *adj* acostumbrado(-a)

accoutumer [akutyme] *vb*: **s'~ à qch/à faire** acostumbrarse a algo/a hacer

accroc [akro] *nm* (*déchirure*) desgarrón *m*; **sans ~s** (*fig*) sin contratiempos

accrochage [akroʃaʒ] *nm* (*accident*) choque *m*

accrocher [akroʃe]: **~ à** *vt ind* (*vêtement, tableau*) colgar en; (*véhicule*) chocar con; (*déchirer: robe, pull*) rasgar; (*fig: regard, client*) atraer; **s'~** *vpr* (*MIL, se disputer*) pelearse; **s'~ à** (*s'agripper*) agarrarse a; (*personne*) pegarse a

accroissement [akrwasmɑ̃] *nm* aumento

accroître [akrwatr]: **s'~** *vpr* acrecentarse

accroupir [akrupir]: **s'~** *vpr* ponerse en cuclillas

accru, e [akry] *adj* acrecentado(-a)

accueil [akœj] *nm* acogida; **centre/comité d'~** centro/comité *m* de recepción;

accueillir *vt* (*recevoir, saluer*) acoger; (*loger*) alojar

accumuler [akymyle] *vt* acumular; **s'~** *vpr* acumularse

accusation [akyzasjɔ̃] *nf* acusación *f*; **l'~** (*JUR*) la acusación; **mettre qn en ~** iniciar causa en contra de algn

accusé, e [akyze] *adj, nm/f*

acusado(-a); ~ **de réception** nm
acuse m de recibo

accuser [akyze] vt acusar; (fig:
souligner) acentuar; ~ **qn de qch**
acusar a algn de algo; ~
réception de acusar recibo de

acéré, e [asere] adj acerado(-a)

acharné, e [aʃaʀne] adj
encarnizado(-a)

acharner [aʃaʀne] vb: **s'~
contre/sur** ensañarse con

achat [aʃa] nm compra; **faire
des ~s** ir de compras

acheter [aʃ(ə)te] vt comprar; ~
qch à qn comprar algo a algn;
acheteur, -euse nm/f
comprador(a)

achever [aʃ(ə)ve] vt acabar,
finalizar; **s'~** vpr acabarse

acide [asid] adj ácido(-a) ♦ nm
ácido; **acidulé** adj ácido(-a);
bonbons acidulés caramelos
mpl ácidos

acier [asje] nm acero; ~
inoxydable acero inoxidable;
aciérie nf acería

acné [akne] nm acné f

acompte [akɔ̃t] nm (arrhes) señal
f; (sur somme due) adelanto

à-côté [akote] nm (point
accessoire) cuestión f secundaria;
(argent: aussi pl) dinero extra inv

à-coup [aku] nm **sans ~~s** sin
interrupción; **par ~~s** a tirones

acoustique [akustik] nf acústica

acquéreur [akeʀœʀ] nm
comprador(a)

acquérir [akeʀiʀ] vt comprar

acquis, e [aki, iz] pp de
acquérir ♦ nm (savoir, expérience)
conocimientos mpl ♦ nmpl: **les ~
sociaux** los logros sociales

acquitter [akite] vt (accusé)
absolver

âcre [ɑkʀ] adj acre

acrobate [akʀɔbat] nm/f acróbata
m/f

acrobatie [akʀɔbasi] nf acrobacia
f

acte [akt] nm (THÉÂTRE, action)
acto; (document) acta; ~**s** nmpl
(compte-rendu) actas fpl; **faire ~
de candidature** presentar una
candidatura

acteur, -trice [aktœʀ, tʀis] nm/f
actor (actriz)

actif, -ive [aktif, iv] adj activo(-a)
♦ nm activo; **l'~ et le passif** el
activo y el pasivo

action [aksjɔ̃] nf acción f;
(déploiement d'énergie) actividad f;
une bonne/mauvaise ~ una
buena/mala acción; **actionnaire**
nm/f accionista m/f; **actionner**
vt accionar

activer [aktive]: **s'~** vpr (se
presser) apresurarse; (s'affairer)
trajinar

activité [aktivite] nf actividad f

actrice [aktʀis] nf voir **acteur**

actualité [aktɥalite] nf actualidad
f; ~**s** nfpl: **les ~s** las noticias; **l'~
politique/sportive** la actualidad
política/deportiva

actuel, le [aktɥɛl] adj actual;
actuellement adv actualmente

acupuncture [akypɔ̃ktyʀ] nf
acupuntura

adaptateur, -trice [adaptatœʀ,
tʀis] nm (ÉLEC) adaptador m

adapter [adapte] vt: ~ **à** adaptar
a; **s'~** vpr (personne) adaptarse;
adaptarse (a)

addition [adisjɔ̃] nf (MATH) adición
f; (au restaurant) cuenta;
additionner vt sumar

adepte [adɛpt] nm/f (d'une
religion) adepto(-a); (d'un sport)
partidario(-a)

adéquat, e [adekwa(t), at] adj
adecuado(-a)

adhérent, e [aderã, ãt] *adj*
adherente ♦ *nm/f* miembro *m/f*

adhérer [adere] *vi* adherirse: **~ à**
♦ *vt ind* (*coller*) adherir a; (*devenir
membre de*) afiliarse a; **adhésif,
-ive** *adj* adhesivo(-a) ♦ *nm*
adhesivo

adieu [adjø] *excl* ¡adiós! ♦ *nm*
adiós *msg*; **dire ~ à qn** decir
adiós a algn

adjectif, -ive [adʒɛktif, iv] *nm*
adjetivo

adjoint, e [adʒwɛ̃, wɛ̃t] *nm/f*
adjunto(-a); **directeur adjoint**
director *m* adjunto; **~ au maire**
teniente *m* alcalde

admettre [admɛtʀ] *vt* admitir;
(*candidat*) admitir, aprobar;
admettons que ... admitamos
que ...

administrateur, -trice
[administʀatœʀ, tʀis] *nm/f*
administrador(a)

administration [administʀasjɔ̃]
nf administración *f*

administrer [administʀe] *vt*
administrar

admirable [admiʀabl] *adj*
admirable

admirateur, -trice [admiʀatœʀ,
tʀis] *nm/f* admirador(a)

admiration [admiʀasjɔ̃] *nf*
admiración *f*

admirer [admiʀe] *vt* admirar

admis, e [admi, iz] *pp de*
admettre

admissible [admisibl] *adj*
(*candidat*) admitido(-a);
(*comportement*: *gén nég*) admisible

ADN [adeɛn] *sigle m* (= *acide
désoxyribonucléique*) ADN *m*

adolescence [adɔlesãs] *nf*
adolescencia

adolescent, e [adɔlesã, ãt] *nm/f*
adolescente *m/f*

adopter [adɔpte] *vt* (*projet de loi*)
aprobar; (*politique, enfant*)
adoptar; **adoptif, -ive** *adj*
adoptivo(-a)

adorable [adɔʀabl] *adj* adorable

adorer [adɔʀe] *vt* adorar

adosser [adose] *vt*: **s'~ à/
contre** respaldarse en/contra

adoucir [adusiʀ] *vt* suavizar;
(*peine, douleur*) aliviar

adresse [adʀɛs] *nf* (*habileté*)
habilidad *f*; (*domicile*) dirección *f*

adresser [adʀese] *vt* (*expédier*)
enviar; (*écrire l'adresse sur*) poner
la dirección en; (*injure,
compliments*) dirigir; **s'~ à**
(*suj: livre, conseil*)
estar dirigido(-a) a; **~ la parole à
qn** dirigir la palabra a algn

adroit, e [adʀwa, wat] *adj* hábil

adulte [adylt] *nm/f* adulto(-a)

adverbe [advɛʀb] *nm* adverbio

adversaire [advɛʀsɛʀ] *nm/f*
adversario(-a)

aération [aeʀasjɔ̃] *nf* (*circulation
de l'air*) ventilación *f*

aérer [aeʀe] *vt* (*pièce, literie*)
ventilar

aérien, ne [aeʀjɛ̃, jɛn] *adj*
aéreo(-a); **ligne ~ne** línea aérea

aéro... [aeʀɔ] *préfixe*: **aérogare**
nf terminal *f*; (*en ville*) estación *f*
terminal; **aéroglisseur** *nm*
aerodeslizador *m*

aéronaval, e, -aux [aeʀonaval,
o] *adj* aéronaval ♦ *nf*: **l'A~e** las
Fuerzas aeronavales; **aérophagie**
nf aerofagia; **aéroport** *nm*
aeropuerto; **aérosol** *nm* aerosol
m

affaiblir [afebliʀ] *vt* debilitar; **s'~**
vpr debilitarse

affaire [afɛʀ] *nf* (*problème,
question*) asunto; (*scandale*)
escándalo; (*criminelle, judiciaire*)

caso; (*entreprise, magasin*) negocio, empresa; (*marché, transaction*) negocio; (*occasion intéressante*) ganga; **~s** nfpl negocios mpl; (*objets, effets personnels*) cosas fpl; **ce sont mes/tes ~s** (*cela me/te concerne*) es asunto mío/tuyo; **ceci fera l'~** esto bastará; **avoir ~ à qn/qch** (*comme contact*) estar en relación con algn/algo; **c'est une ~ de goût/d'argent** es una cuestión de gusto/dinero; **les A~s étrangères** Asuntos Exteriores; **affairer: s'affairer** *vpr* afanarse

affamé, e [afame] *adj* hambriento(-a)

affecter [afɛkte] *vt* (*toucher, émouvoir*) conmover, afectar; (*feindre*) fingir

affectif, -ive [afɛktif, iv] *adj* afectivo(-a)

affection [afɛksjɔ̃] *nf* afecto, cariño; **affectionner** *vt* querer; **affectueux, -euse** *adj* afectuoso(-a)

affichage [afiʃaʒ] *nm* anuncio; (*électronique*) marcador m; **"~ interdit"** "se prohibe fijar carteles"

affiche [afiʃ] *nf* cartel m, afiche m (AM); (*officielle*) anuncio

afficher [afiʃe] *vt* anunciar; (*électroniquement*) marcar; (*fig, péj*) ostentar

affilée [afile]: **d'~** *adv* de un tirón

affirmatif, -ive [afiʀmatif, iv] *adj* (*réponse*) afirmativo(-a)

affirmer [afiʀme] *vt* afirmar

affligé, e [afliʒe] *adj* afligido(-a); **~ d'une maladie/tare** aquejado(-a) por una enfermedad/tara

affliger [afliʒe] *vt* afligir

affluence [aflyɑ̃s] *nf* afluencia; **heure/jour d'~** hora/día m de afluencia

affluent [aflyɑ̃] *nm* afluente m

affolant, e [afɔlɑ̃, ɑ̃t] *adj* enloquecedor(a)

affolement [afɔlmɑ̃] *nm* pánico

affoler [afɔle] *vt* asustar; **s'~** *vpr* asustarse

affranchir [afʀɑ̃ʃiʀ] *vt* (*lettre, paquet*) franquear; (*esclave*) libertar; **affranchissement** *nm* (POSTES) franqueo

affreux, -euse [afʀø, øz] *adj* horrible

affront [afʀɔ̃] *nm* afrenta; **affrontement** *nm* enfrentamiento

affronter [afʀɔ̃te] *vt* (*adversaire*) afrontar, hacer frente a; (*tempête, critiques*) afrontar

affût [afy] *nm*: **à l'~ (de)** al acecho (de)

afin [afɛ̃]: **~ que** *conj* a fin de que; **~ de faire** a fin de hacer, con el fin de hacer

africain, e [afʀikɛ̃, ɛn] *adj* africano(-a) ♦ *nm/f*: **A~, e** africano(-a)

Afrique [afʀik] *nf* África; **~ australe/du Nord/du Sud** África austral/del Norte/del Sur

agacer [agase] *vt* molestar

âge [ɑʒ] *nm* edad f; **quel ~ as-tu?** ¿qué edad tienes?; **troisième ~** tercera edad; **âgé, e** *adj* de edad; **âgé de 10 ans** de 10 años de edad; **les personnes âgées** los ancianos

agence [aʒɑ̃s] *nf* agencia; (*succursale*) sucursal f; **~ immobilière/matrimoniale** agencia inmobiliaria/matrimonial

agenda [aʒɛ̃da] *nm* agenda

agenouiller [aʒ(ə)nuje]: **s'~** *vpr*

arrodillarse

agent, e [aʒɑ̃, ɑ̃t] *nm/f* (ADMIN) funcionario(-a) ♦ *nm* (élément, facteur) agente *m*, factor *m*; **~ (de police)** policía *m*, agente (AM); **~ immobilier** agente inmobiliario

agglomération [aglɔmerasjɔ̃] *nf* aglomeración *f*; **l'~ parisienne** el área metropolitana de París

aggraver [agʀave] *vt* agravar, empeorar; **s'~** *vpr* agravarse

agile [aʒil] *adj* ágil

agir [aʒiʀ] *vi* actuar; (avoir de l'effet) hacer efecto; **s'~** *vpr*: **il s'agit de faire** se trata de hacer; **il s'agit de** se trata de; **de quoi s'agit-il?** ¿de qué se trata?

agitation [aʒitasjɔ̃] *nf* agitación *f*

agité, e [aʒite] *adj* (gén enfant) revoltoso(-a); (vie, personne) agitado(-a); **une mer ~e** un mar agitado *ou* revuelto

agiter [aʒite] *vt* agitar; (personne) inquietar

agneau [aɲo] *nm* cordero

agonie [agɔni] *nf* agonía

agrafe [agʀaf] *nf* (MÉD, de bureau) grapa; **agrafer** *vt* (des feuilles de papier) grapar; **agrafeuse** *nf* grapadora

agrandir [agʀɑ̃diʀ] *vt* agrandar, ampliar; **s'~** *vpr* agrandarse; **agrandissement** *nm* (PHOTO) ampliación *f*

agréable [agʀeabl] *adj* agradable

agréé, e [agʀee] *adj*: **magasin/ concessionnaire ~** establecimiento/concesionario autorizado

agréer [agʀee] *vt*: **veuillez ~ ...** le saluda ...

agrégation [agʀegasjɔ̃] *nf* oposición *f*; **agrégé, e** *nm/f* catedrático(-a)

agrément [agʀemɑ̃] *nm* (accord) consentimiento

agresser [agʀese] *vt* agredir; **agresseur** *nm* agresor(a); **agressif, -ive** *adj* agresivo(-a); (couleur, toilette) provocador(a)

agricole [agʀikɔl] *adj* agrícola; **agriculteur, -trice** *nm/f* agricultor(a); **agriculture** *nf* agricultura

agripper [agʀipe] *vt* agarrar; **s'~** *vpr*: **s'~ à** agarrarse a, aferrarse a

agro-alimentaire [agʀoalimɑ̃tɛʀ] (*pl* **~~s**) *adj* agroalimenticio(-a)

agrumes [agʀym] *nmpl* agrios *mpl*

aguets [agɛ] *nmpl*: **être aux ~** estar al acecho

ai [ɛ] *vb voir* **avoir**

aide [ɛd] *nf* ayuda ♦ *nm/f* ayudante *m/f*; **à l'~ de** con (la) ayuda de; **appeler (qn) à l'~** pedir ayuda (a algn); **aide-éducateur, -trice** (*pl* **aides-éducateurs, -trices**) *nm/f* ayudante *m/f* de clase; **~ judiciaire** *nf* ayuda judicial; **aide-mémoire** *nm inv* memorándum *m*

aider [ede] *vt* ayudar; **s'~ de** *vpr* ayudarse de, servirse de; **~ à** (faciliter, favoriser) ayudar a; **aide-soignant, e** (*pl* **aides-soignants, es**) *nm/f* auxiliar *m/f* de enfermería

aie *etc* [ɛ] *vb voir* **avoir**

aïe [aj] *excl* ¡ay!

aigle [ɛgl] *nm* águila

aigre [ɛgʀ] *adj* agrio(-a); **aigre-doux, -douce** (*pl* **aigres-doux, -douces**) *adj* agridulce; **aigreur** *nf* acidez *f*; (d'un propos) acritud *f*; **aigreurs d'estomac** acidez de estómago

aigu, ë [egy] *adj* (objet, arête) afilado(-a); (voix, note, douleur)

agudo(-a)
aiguille [egɥij] *nf* aguja; **~ à
tricoter** aguja de tejer
aiguiser [egize] *vt* afilar; (*fig*)
aguzar
ail [aj] *nm* ajo
aile [ɛl] *nf* ala; (*de voiture*) aleta;
ailier *nm* extremo
aille *etc* [aj] *vb voir* **aller**
ailleurs [ajœʀ] *adv* en otra parte;
partout/nulle part ~ en
cualquier/en ninguna otra parte;
d'~ además; **par ~** por otra parte
aimable [emabl] *adj* amable
aimant, e [emɑ̃, ɑ̃t] *adj*
afectuoso(-a) ♦ *nm* imán *m*
aimer [eme] *vt* (*d'amour*) querer,
amar; (*d'amitié, affection*) querer;
(*chose, activité*) gustar; **bien ~
qn/qch** querer mucho a algn/
algo; **j'aimerais autant** *ou*
mieux y aller maintenant
preferiría ir ahora
aine [ɛn] *nf* ingle *f*
aîné, e [ene] *adj* mayor ♦ *nm/f*
primogénito(-a)
ainsi [ɛ̃si] *adv* (*de cette façon*) de
este modo; (*ce faisant*) así ♦ *conj*
entonces; **~ que** (*comme*) así
como; (*et aussi*) y también; **et ~
de suite** y así sucesivamente
air [ɛʀ] *nm* aire *m*; (*expression,
attitude*) aspecto; **prendre l'~**
tomar el aire; **avoir l'~** parecer,
verse (*AM*); **il a l'~ de manger/
dormir/faire** parece que está
comiendo/durmiendo/haciendo;
avoir l'~ d'un homme/clown
parecer un hombre/payaso
aisance [ɛzɑ̃s] *nf* (*facilité*)
facilidad *f*
aise [ɛz] *nf* (*confort*) comodidad *f*;
(*financière*) desahogo; *nfpl*:
prendre ses ~s instalarse a sus
anchas; **être à l'~** *ou* **à son ~**

estar a gusto; (*pas embarrassé*)
estar a sus anchas; (*financièrement*)
estar desahogado(-a); **se mettre
à l'~** ponerse a gusto; **être mal
à l'~** *ou* **à son ~** estar a
disgusto; **aisé, e** *adj* (*facile*) fácil;
(*assez riche*) acomodado(-a)
aisselle [ɛsɛl] *nf* axila
ait [ɛ] *vb voir* **avoir**
ajonc [aʒɔ̃] *nm* aulaga
ajourner [aʒuʀne] *vt* (*débat,
décision*) aplazar, postergar (*AM*)
ajouter [aʒute] *vt* añadir, agregar
(*esp AM*)
alarme [alaʀm] *nf* (*signal*) alarma;
donner l'~ dar la alarma;
alarmer *vt* alarmar; **alarmiste**
adj alarmista
album [albɔm] *nm* álbum *m*; **~ à
colorier/de timbres** álbum
para colorear/de sellos
albumine [albymin] *nf* albúmina;
avoir *ou* **faire de l'~** tener
albúmina
alcool [alkɔl] *nm*: **l'~** el alcohol;
un ~ un licor; **~ à 90°** alcohol
de 90°; **~ à brûler** alcohol de
quemar; **alcoolique** *adj, nm/f*
alcohólico(-a); **alcoolisé, e** *adj*
alcoholizado(-a); **alcoolisme** *nm*
alcoholismo; **alco(o)test** ® *nm*
(*objet*) alcohómetro; (*épreuve*)
prueba del alcohol; **faire subir
l'alcootest à qn** hacer la prueba
del alcohol a algn
aléatoire [aleatwaʀ] *adj*
aleatorio(-a)
alentour [alɑ̃tuʀ] *adv* alrededor;
~s *nmpl* alrededores *mpl*; **aux ~s
de** en los alrededores de
alerte [alɛʀt] *adj* vivo(-a) ♦ *nf*
(*menace*) alerta; **alerter** *vt* alertar
algèbre [alʒɛbʀ] *nf* álgebra
Alger [alʒe] *n* Argel *m*
Algérie [alʒeʀi] *nf* Argelia;

algérien, ne adj argelino(-a)

algue [alg] nf alga

alibi [alibi] nm coartada

aligner [aliɲe] vt alinear; (idées) ordenar; **s'~** vpr alinearse; **s'~ (sur)** (POL) estar alineado(-a) (con)

aliment [alimɑ̃] nm alimento; **alimentation** nf alimentación f; (en eau, en électricité) provisión f; **alimenter** vt alimentar; (en eau, électricité) alimentar (con); (en eau) alimentar (con), abastecer (con)

allaiter [alete] vt (femme) dar el pecho a

alléchant, e [aleʃɑ̃, ɑ̃t] adj (odeur) atrayente; (proposition etc) tentador(a)

allécher [aleʃe] vt (odeur) atraer; **~ qn** engatusar a algn

allée [ale] nf (de jardin, parc) paseo, sendero; (en ville) avenida

allégé, e [aleʒe] adj (yaourt etc) bajo(-a) en contenido graso

Allemagne [alman] nf Alemania; **allemand, e** adj alemán(-ana) ♦ nm/f: **Allemand, e** alemán(-ana)

MOT-CLÉ

aller [ale] nm ida; **aller (simple)** ida

♦ vi 1 ir; **aller à la chasse/pêche** ir a cazar/pescar, ir de caza/pesca; **aller au théâtre/au concert/au cinéma** ir al teatro/a concierto/al cine; **aller à l'école** ir al colegio

2 (situation, moteur, personne etc) andar, estar; **comment allez-vous?** ¿qué tal está usted?; **comment ça va?** ¿qué tal?; **ça va? - oui, ça va/non,** ça ne **va pas** ¿qué tal? - bien/mal; **ça ne va pas très bien (au bureau)** las cosas no van muy bien (en la oficina); **ça va bien/mal** anda bien/mal; **ça va** (approbation) bueno, todo va bien; **il va bien/mal** está bien/mal; **il n'y est pas allé par quatre chemins** (fig) no se anduvo con rodeos; **tu y vas un peu (trop) fort** exageras un poco; **aller à** (suj: forme, pointure etc) adaptarse a; **cette robe te va très bien** este vestido te sienta muy bien; **cela me va** (couleur, vêtement) esto me sienta ou va bien; **ça ira** (comme ça) está bien así; **se laisser aller** (se négliger) abandonarse; **aller jusqu'à Paris/100 F** (limite) llegar hasta París/100 francos; **ça va de soi** se cae por su propio peso; **ça va sans dire** ni qué decir tiene; **il va sans dire que ...** ni qué decir tiene que ...

3 (fonction d'auxiliaire): **je vais me fâcher/le faire** voy a enfadarme/hacerlo; **aller chercher/voir qn** ir a buscar o a ver a algn; **je vais m'en occuper demain** voy a ocuparme de ello mañana

4: **allons-y!** ¡vamos!; **allez!** ¡venga!; **allons donc!** ¡anda ya!; **aller mieux** ir mejor; **aller en empirant** ir empeorando; **allez, fais un effort** vamos, haz un esfuerzo; **allez, je m'en vais** bueno, me voy; **s'en aller** irse

allergique [alɛrʒik] adj alérgico(-a); **~ à** alérgico(-a) a

alliance [aljɑ̃s] nf alianza

allier [alje] vt aliar; (fig) unir; **s'~** vpr aliarse

allô [alo] excl dígame, aló (AM)

allocation [alɔkasjɔ̃] *nf*
asignación *f*; **~ (de) chômage**
subsidio de desempleo; **~s
familiales** ayuda *fsg* familiar

allonger [alɔ̃ʒe] *vt* (*objet, durée*)
alargar; (*bras*) estirar; **s'~** *vpr*
(*personne*) tumbarse

allumage [alymaʒ] *nm* encendido

allume-cigare [alymsigaʀ] *nm
inv* encendedor *m*

allumer [alyme] *vt* encender,
prender (*AM*); (*pièce*) alumbrar;
s'~ *vpr* encenderse

allumette [alymɛt] *nf* cerilla

allure [alyʀ] *nf* (*d'un véhicule*)
velocidad *f*; (*d'un piéton*) paso;
(*démarche, maintien*) presencia;
(*aspect, air*) aspecto; **avoir de l'~**
tener buena presencia; **à toute ~**
a toda velocidad

allusion [a(l)lyzjɔ̃] *nf* (*référence*)
referencia; (*sous-entendu*) insinuación *f*;
faire ~ à hacer referencia a;
(*avec sous-entendu*) hacer alusión
a

MOT-CLÉ

alors [alɔʀ] *adv* (*à ce moment-là*)
entonces; **il habitait alors à
Paris** vivía entonces en París
♦ *conj* (*par conséquent*) entonces;
tu as fini? alors je m'en vais
¿has acabado? entonces, me voy;
et alors? (*pour en savoir plus*)
¿entonces?; (*indifférence*) ¿y qué?;
alors que *conj* **1** (*au moment où*)
cuando; **il est arrivé alors que
je partais** llegó cuando me
iba

2 (*pendant que*) cuando, mientras;
**alors qu'il était à Paris, il a
visité ...** mientras estaba en
París, visitó ...

3 (*tandis que, opposition*) mientras
que; **alors que son frère**
travaillait dur, lui se reposait
mientras que su hermano
trabajaba duro, él descansaba

alourdir [aluʀdiʀ] *vt* hacer
pesado(-a)

Alpes [alp] *nfpl*: **les ~** los Alpes

alphabet [alfabɛ] *nm* alfabeto;
alphabétique *adj* alfabético(-a);
par ordre alphabétique por
orden alfabético

alpinisme [alpinism] *nm*
alpinismo, andinismo (*AM*);
alpiniste *nm/f* alpinista *m/f*,
andinista *m/f* (*AM*)

Alsace [alzas] *nf* Alsacia;
alsacien, ne *adj* alsaciano(-a) ♦
nm/f: **Alsacien, ne** alsaciano(-a)

alternateur [altɛʀnatœʀ] *nm*
alternador *m*

alternatif, -ive [altɛʀnatif, iv]
adj alternativo(-a); **alternative**
nf alternativa; **alterner** *vt*
(*choses*) alternar ♦ *vi* alternar

altitude [altityd] *nf* (*par rapport à
la mer*) altitud *f*

alto [alto] *nm* (*instrument*) viola ♦
nf (*chanteuse*) contralto *f*

aluminium [alyminjɔm] *nm*
aluminio

amabilité [amabilite] *nf*
amabilidad *f*

amaigrissant, e [amegʀisɑ̃, ɑ̃t]
adj: **régime ~** régimen *m* de
adelgazamiento

amande [amɑ̃d] *nf* almendra;
amandier *nm* almendro

amant [amɑ̃] *nm* amante *m*

amas [ama] *nm* montón *m*;
amasser *vt* amontonar

amateur [amatœʀ] *nm*
aficionado(-a); **en ~** (*péj*) como
aficionado(-a)

ambassade [ɑ̃basad] *nf*
embajada; **ambassadeur,**

-drice *nm/f* (POL, fig)
embajador(a)
ambiance [ãbjãs] *nf* ambiente *m*
ambigu, -uë [ãbigy] *adj*
ambiguo(-a)
ambitieux, -euse [ãbisjø, jøz]
adj, nm/f ambicioso(-a)
ambition [ãbisjɔ̃] *nf* ambición *f*
ambulance [ãbylãs] *nf*
ambulancia; **ambulancier,
-ière** *nm/f* conductor(a) de una
ambulancia
âme [ɑm] *nf* (spirituelle) alma
amélioration [ameljɔrasjɔ̃] *nf*
mejoría
améliorer [ameljɔre] *vt* mejorar;
s'~ *vpr* mejorarse
aménager [amenaʒe] *vt*
acondicionar; (installer) habilitar
amende [amãd] *nf* multa
amener [am(ə)ne] *vt* llevar;
(occasionner) provocar; **s'~** (fam)
vpr venirse; ~ **qn à qch/à faire**
incitar a algn a algo/a hacer
amer, amère [amɛr] *adj*
amargo(-a)
américain, e [amerikɛ̃, ɛn] *adj*
americano(-a) ♦ *nm/f*: **A~, e**
americano(-a)
Amérique [amerik] *nf* América;
~ **centrale/du Nord/du Sud/
latine** América central/del Norte/
del Sur/latina
amertume [amɛrtym] *nf*
amargura
ameublement [amœbləmã] *nm*
mobiliario
ami, e [ami] *nm/f* amigo(-a);
(amant/maîtresse) amante *m/f*;
pays/groupe ~ país *m*/grupo
aliado
amiable [amjabl] *adj* (gén)
amistoso(-a); **à l'~** amistosamente
amiante [amjãt] *nm* amianto
amical, e, -aux [amikal, o] *adj*

amistoso(-a); amicalement *adv*
amistosamente; (formule
épistolaire) cordialmente
amincir [amɛ̃sir] *vt* (suj: vêtement)
hacer más delgado(-a); **s'~** *vpr*
(personne) adelgazar
amincissant, e [amɛ̃sisã, ãt] *adj*
adelgazante
amiral, -aux [amiral, o] *nm*
almirante *m*
amitié [amitje] *nf* amistad *f*;
prendre en ~ tomar afecto a;
**faire ou présenter ses ~s à
qn** dar ou enviar recuerdos a algn;
~s (formule épistolaire)
cordialmente
amonceler [amɔ̃s(ə)le] *vt* (objets)
amontonar; **s'~** *vpr* amontonarse;
(fig) acumularse
amont [amɔ̃] *nm*: **en ~** (d'un
cours d'eau) río arriba
amorce [amɔrs] *nf* (sur un
hameçon) cebo; **amorcer** *vt*
(hameçon, munition) cebar; (fig:
négociations) emprender
amortir [amɔrtir] *vt* (choc, bruit)
amortiguar; (COMM) amortizar; ~
un abonnement amortizar un
abono; **amortissement** *nm*
amortiguador *m*
amour [amur] *nm* (sentiment,
goût) amor *m*; **faire l'~** hacer el
amor; **amoureux, -euse** *adj*
amoroso(-a) ♦ *nmpl* (amants)
amantes *mpl*; **amour-propre** (pl
amours-propres) *nm* amor *m*
propio
ampère [ãpɛr] *nm* amperio
amphithéâtre [ãfiteatr] *nm*
anfiteatro
ample [ãpl] *adj* amplio(-a);
amplement *adv* ampliamente;
amplement suffisant más que
suficiente; **ampleur** *nf* amplitud
f; (de vêtement) anchura

amplificateur [ɑ̃plifikatœʀ] *nm* amplificador *m*

amplifier [ɑ̃plifje] *vt (son, oscillation)* amplificar; *(importance, quantité)* acrecentar

ampoule [ɑ̃pul] *nf (ÉLEC)* bombilla, foco (AM), bombillo (AM); *(de médicament, aux mains)* ampolla

amusant, e [amyzɑ̃, ɑ̃t] *adj* divertido(-a)

amuse-gueule [amyzgœl] *nm pl* tapas *fpl*

amusement [amyzmɑ̃] *nm* diversión *f*

amuser [amyze] *vt* divertir; **s'~** *vpr* divertirse; *(péj: manquer de sérieux)* estar de juerga

amygdale [amidal] *nf* amígdala *f*

an [ɑ̃] *nm* año; **le jour de l'~, le premier de l'~, le nouvel** ~ el día de año nuevo, el año nuevo

analphabète [analfabɛt] *adj*, *nm/f* analfabeto(-a)

analyse [analiz] *nf* análisis *m inv*; **analyser** *vt* analizar

ananas [anana(s)] *nm* piña, ananá(s) *m* (AM)

anatomie [anatɔmi] *nf* anatomía *f*

ancêtre [ɑ̃sɛtʀ] *nm/f (parent)* antepasado(-a)

anchois [ɑ̃ʃwa] *nm* anchoa *f*

ancien, ne [ɑ̃sjɛ̃, jɛn] *adj* antiguo(-a), viejo(-a); *(de jadis, de l'antiquité)* antiguo(-a); *(précédent, ex-)* antiguo(-a), ex- ♦ *nm/f* anciano(-a); **un ~ ministre** un ex-ministro; **mon ~ne voiture** mi antiguo coche; **ancienneté** *nf* antigüedad *f*

ancre [ɑ̃kʀ] *nf* ancla; **jeter/lever l'~** echar/levar anclas; **ancrer** *vt (câble)* fijar

Andorre [ɑ̃dɔʀ] *nf* Andorra

andouille [ɑ̃duj] *nf* especie de

embutido

âne [ɑn] *nm* burro

anéantir [aneɑ̃tiʀ] *vt (pays, récolte, espoirs)* aniquilar

anémie [anemi] *nf* anemia

anémique [anemik] *adj* anémico(-a)

anesthésie [anɛstezi] *nf* anestesia; **~ générale/locale** anestesia general/local

ange [ɑ̃ʒ] *nm* ángel *m*

angine [ɑ̃ʒin] *nf* angina; **~ de poitrine** angina de pecho

anglais, e [ɑ̃glɛ, ɛz] *adj* inglés(-esa) ♦ *nm (LING)* inglés *m* ♦ *nm/f:* **A~, e** inglés(-esa); **les A~** los ingleses

angle [ɑ̃gl] *nm (coin)* esquina; *(GÉOM, fig)* ángulo; **~ droit** ángulo recto

Angleterre [ɑ̃glətɛʀ] *nf* Inglaterra

anglophone [ɑ̃glɔfɔn] *adj*, *nm/f* anglófono(-a)

angoisse [ɑ̃gwas] *nf* angustia; **avoir des ~s** estar angustiado(-a); **angoissé, e** *adj* angustiado(-a)

anguille [ɑ̃gij] *nf* anguila

animal, e, -aux [animal, o] *adj* animal ♦ *nm* animal *m*; **~ domestique/sauvage** animal doméstico/salvaje

animateur, -trice [animatœʀ, tʀis] *nm/f* animador(a); *(de spectacle)* presentador(a)

animation [animasjɔ̃] *nf* animación *f*

animé, e [anime] *adj (rue, lieu)* animado(-a)

animer [anime] *vt* animar; **s'~** *vpr* animarse

anis [ani(s)] *nm* anís *m*

ankyloser [ɑ̃kiloze]: **s'~** *vpr* anquilosarse

anneau, x [ano] *nm (de rideau)*

argolly; (de chaîne) anilla

année [ane] nf año

annexe [anɛks] adj (problème) anexo(-a); (document) adjunto(-a); (salle) contiguo(-a) ♦ nf anexo

anniversaire [anivɛRsɛR] nm (d'une personne) cumpleaños m inv; (d'un événement, bâtiment) aniversario

annonce [anɔ̃s] nf anuncio; **les petites ~s** anuncios mpl por palabras

annoncer [anɔ̃se] vt anunciar; **s'~ bien/difficile** presentarse bien/difícil

annuaire [anɥɛR] nm anuario; **~ téléphonique** guía telefónica

annuel, le [anɥɛl] adj anual

annulation [anylasjɔ̃] nf anulación f

annuler [anyle] vt anular

anonymat [anɔnima] nm anonimato; **garder l'~** mantener el anonimato

anonyme [anɔnim] adj anónimo(-a)

anorak [anɔRak] nm anorak m

anormal, e, -aux [anɔRmal, o] adj (exceptionnel, inhabituel) anormal; (injuste) injusto(-a); (personne) subnormal

ANPE [aɛnpe] sigle f (= Agence nationale pour l'emploi) ≈ INEM m (= Instituto Nacional de Empleo)

antarctique [ɑ̃taRktik] adj antártico(-a) ♦ nm: **l'A~** la Antártida; **le cercle/l'océan ~** el círculo polar antártico/el océano Antártico

antenne [ɑ̃tɛn] nf antena; (poste avancé, succursale, agence) unidad f; **avoir l'~** estar en conexión; **prendre l'~** conectar, sintonizar

antérieur, e [ɑ̃teRjœR] adj anterior

anti... [ɑ̃ti] préf anti...;

antialcoolique adj antialcohólico(-a); **antibiotique** nm antibiótico; **antibrouillard** adj: **phare antibrouillard** faro antiniebla

anticipation [ɑ̃tisipasjɔ̃] nf anticipación f, previsión f; **livre/ film d'~** libro/película de ciencia ficción

anticipé, e [ɑ̃tisipe] adj (règlement, paiement) por adelantado

anticiper [ɑ̃tisipe] vt (événement, coup) anticipar; (en imaginant) prever ♦ vi: **~ sur** anticiparse a

anti...: anticorps nm anticuerpo; **antidote** nm antídoto; **antigel** nm anticongelante m;

antihistaminique nm antihistamínico

antillais, e [ɑ̃tijɛ, ɛz] adj antillano(-a) ♦ nm/f: **A~, e** antillano(-a)

Antilles [ɑ̃tij] nfpl: **les ~** las Antillas; **les grandes/petites ~** las grandes/pequeñas Antillas

antilope [ɑ̃tilɔp] nf antílope m

anti...: antimite(s) adj, nm: **(produit) antimite(s)** antipolilla m; **antimondialisation** nf antiglobalización f;

antipathique adj antipático(-a);

antipelliculaire adj anticaspa

antiquaire [ɑ̃tikɛR] nm/f anticuario(-a)

antique [ɑ̃tik] adj (gréco-romain, très vieux) antiguo(-a); (démodé) anticuado(-a); **antiquité** nf (objet ancien) antigüedad f; **l'Antiquité** la Antigüedad; **magasin d'antiquités** tienda de antigüedades

anti...: antirabique adj

antirrábico(-a); **antirouille** *adj*
inv: **peinture/produit**
antirouille pintura/producto
antioxidante; **antisémite** *adj,*
nm/f antisemita; **antiseptique**
adj antiséptico(-a); **antivol** *nm*
antirrobo
anxiété [ɑ̃ksjete] *nf* ansiedad *f*
anxieux, -euse [ɑ̃ksjø, jøz] *adj*
ansioso(-a)
AOC *sigle f* (= *appellation d'origine*
contrôlée) denominación *f* de
origen

AOC es la categoría más alta de
los vinos franceses. Indica que
cumple con los criterios más
estrictos en lo referente a cepa de
origen, tipo de uva cultivada,
método de producción y volumen
alcohólico.

---

août [u(t)] *nm* agosto; *voir aussi*
juillet
apaiser [apeze] *vt* tranquilizar;
s'~ *vpr* tranquilizarse
apercevoir [apɛʀsəvwaʀ] *vt* (*voir*)
distinguir; (*constater, percevoir*)
percibir; **s'~ de/que** darse
cuenta de/de que
aperçu, e [apɛʀsy] *pp de*
apercevoir ♦ *nm* visión *f* de
conjunto; (*gén pl*: *intuition*) idea
apéritif, -ive [apeʀitif, iv] *adj*
aperitivo(-a) ♦ *nm* aperitivo
à-peu-près [apøpʀɛ] (*péj*) *nm inv*
aproximación *f*
apeuré, e [apœʀe] *adj*
atemorizado(-a)
aphte [aft] *nm* afta
apitoyer [apitwaje] *vt* apiadar;
s'~ (sur qn) apiadarse (de algn)
aplatir [aplatiʀ] *vt* aplastar; **s'~**

vpr aplastarse; (*fig*) tumbarse
aplomb [aplɔ̃] *nm* (*équilibre*)
equilibrio; (*sang-froid*) aplomo;
d'~ (*en équilibre*) verticalmente;
(*CONSTR*) aplomo
apostrophe [apɔstʀɔf] *nf* (*signe*)
apóstrofe *m*
apparaître [apaʀɛtʀ] *vi* aparecer;
(*avec attribut*) parecer
appareil [apaʀɛj] *nm* aparato; ~
digestif aparato digestivo; **qui**
est à l'~? ¿quién está al
aparato?; ~ **photographique, ~**
photo cámara de fotos;
appareiller *vi* zarpar ♦ *vt*
emparejar
apparemment [apaʀamɑ̃] *adv*
aparentemente, dizque (*AM*)
apparence [apaʀɑ̃s] *nf* apariencia
apparent, e [apaʀɑ̃, ɑ̃t] *adj*
(*visible*) aparente; (*évident*)
evidente; (*illusoire, superficiel*)
ilusorio(-a)
apparenté, e [apaʀɑ̃te] *adj*: ~ **à**
emparentado(-a) con
apparition [apaʀisjɔ̃] *nf* aparición
f
appartement [apaʀtəmɑ̃] *nm*
piso, departamento (*AM*)
appartenir [apaʀtəniʀ]: ~ **à** *vt*
ind pertenecer a
apparu, e [apaʀy] *pp de*
apparaître
appât [apɑ] *nm* cebo
appel [apɛl] *nm* llamada, llamado
(*AM*); (*nominal*) lista; (*MIL*)
alistamiento a filas; **faire ~ à**
(*invoquer*) apelar a; (*avoir recours*
à) recurrir a; (*nécessiter*) necesitar;
faire ~ (*JUR*) apelar; **faire l'~**
pasar lista; **~ d'offres** llamada a
licitación; ~ (**téléphonique**)
llamada (telefónica)
appelé, e [ap(ə)le] *nm* (*MIL*) recluta
m

appeler [ap(ə)le] vt llamar; (nécessiter) requerir; **s'~** vpr llamarse; **être appelé à** (fig) ser llamado a; **comment ça s'appelle?** ¿cómo se llama esto?

appendicite [apɛ̃disit] nf apendicitis f

appesantir [apəzãtiʀ]: **s'~ sur** vpr (fig) insistir en

appétissant, e [apetisã, ãt] adj apetitoso(-a)

appétit [apeti] nm apetito; **bon ~!** ¡buen provecho!

applaudir [aplodiʀ] vt, vi aplaudir; **applaudissements** nmpl aplausos mpl

application [aplikasjɔ̃] nf aplicación f

appliquer [aplike] vt aplicar; **s'~** vpr aplicarse

appoint [apwɛ̃] nm (fig) ayuda; **chauffage/lampe d'~** calefacción f/lámpara suplementaria

apporter [apɔʀte] vt (amener) traer; (soutien, preuve) aportar; (soulagement) procurar

appréciable [apʀesjabl] adj apreciable

apprécier [apʀesje] vt apreciar

appréhender [apʀeãde] vt (craindre) temer; (JUR, aborder) aprehender; **appréhension** nf aprehensión f

apprendre [apʀãdʀ] vt aprender; (nouvelle, résultat) conocer; **~ qch à qn** (informer) informar de algo a algn; (enseigner) enseñar algo a algn; **~ à faire qch** aprender a hacer algo; **~ à qn à faire qch** enseñar a algn a hacer algo; **apprenti, e** nm/f aprendiz(a); **apprentissage** nm aprendizaje m

apprêter [apʀete]: **s'~ à faire**

qch vpr disponerse a hacer algo

appris, e [apʀi, iz] pp de **apprendre**

apprivoiser [apʀivwaze] vt domesticar

approbation [apʀɔbasjɔ̃] nf (autorisation) aprobación f, conformidad f

approcher [apʀɔʃe] vi acercarse, aproximarse ♦ vt (vedette, artiste) relacionarse con; (rapprocher): **~ qch (de qch)** acercar algo (a algo); **s'~ de** vpr acercarse a; **~ de** (but, moment) acercarse a, estar más cerca de; (nombre, quantité) rozar

approfondir [apʀɔfɔ̃diʀ] vt (sujet, question) profundizar (en)

approprié, e [apʀɔpʀije] adj apropiado(-a), adecuado(-a)

approprier [apʀɔpʀije]: **s'~** vpr apropiarse de, adueñarse de

approuver [apʀuve] vt (autoriser) aprobar; (être d'accord avec) estar de acuerdo con

approvisionner [apʀɔvizjɔne] vt (magasin, personne) abastecer, proveer; (compte bancaire) cubrir; **s'~ en** proveerse de

approximatif, -ive [apʀɔksimatif, iv] adj aproximativo(-a)

appt abr = **appartement**

appui [apɥi] nm apoyo; (soutien, aide) apoyo, sostén m

appuyer [apɥije] vt (personne, demande) apoyar, respaldar; **~ qch sur/contre/à** apoyar algo en/contra/en

après [apʀɛ] prép después de ♦ adv después; **2 heures ~** 2 horas después; **~ qu'il est** ou **soit parti/avoir fait** después de que marchó/de haber hecho; **d'~** según; **~ coup** posteriormente; **~**

tout después de todo; **et (puis)
~!** ¿y qué?; **après-demain** adv
pasado mañana; **après-midi** nm
ou nf inv tarde f; **après-rasage**
(pl **après-rasages**) nm: **lotion
après-rasage** loción f para
después del afeitado; **après-
shampooing** nm inv
acondicionador m; **après-ski** (pl
après-skis) nm botas fpl
"après-ski"

apte [apt] adj: **~ à qch/à faire
qch** apto(-a) para algo/para hacer
algo

aquarelle [akwarɛl] nf acuarela

aquarium [akwarjɔm] nm acuario

arabe [arab] adj árabe ♦ nm
(LING) árabe m ♦ nm/f: **A~** árabe
m/f

Arable [arabi] nf Arabia; **l'~
saoudite** Arabia Saudita

arachide [araʃid] nf (plante)
cacahuete m; (graine) cacahuete,
maní m

araignée [arɛɲe] nf araña; **~ de
mer** araña de mar

arbitraire [arbitrɛr] adj
arbitrario(-a)

arbitre [arbitr] nm (SPORT)
árbitro; (JUR, TENNIS, CRICKET) juez m;
arbitrer vt (SPORT) arbitrar

arbre [arbr] nm árbol m

arbuste [arbyst] nm arbusto

arc [ark] nm arco

arcade [arkad] nf (ARCHIT) arcada;
~s nfpl (d'une rue) soportales mpl

arc-en-ciel [arkɑ̃sjɛl] (pl **~s-~~
~**) nm arco iris m

arche [arʃ] nf arco; **~ de Noé**
arca de Noé

archéologie [arkeɔlɔʒi] nf
arqueología; **archéologue** nm/f
arqueólogo(-a)

archet [arʃɛ] nm arco

archi- [arʃi] préf archi-

archipel [arʃipɛl] nm archipiélago

architecte [arʃitɛkt] nm
arquitecto(-a)

architecture [arʃitɛktyr] nf
arquitectura

archives [arʃiv] nfpl (documents)
archivos mpl; (local) archivo msg

arctique [arktik] adj ártico(-a) ♦
nm: **l'A~** el Ártico

ardent, e [ardɑ̃, ɑ̃t] adj ardiente;
(feu, soleil) ardiente, abrasador(a);
(prière) fervoroso(-a)

ardoise [ardwaz] nf pizarra

ardu, e [ardy] adj arduo(-a)

arène [arɛn] nf arena

arête [arɛt] nf (de poisson) espina;
(d'une montagne) cresta

argent [arʒɑ̃] nm (métal, couleur)
plata; (monnaie) dinero; **~ de
poche** dinero para gastos
menudos; **~ liquide** dinero
líquido; **argenterie** nf plata

argentin, e [arʒɑ̃tɛ̃, in] adj
argentino(-a)

Argentine [arʒɑ̃tin] nf Argentina

argile [arʒil] nf arcilla

argot [argo] nm argot m, jerga;
argotique adj argótico(-a)

argument [argymɑ̃] nm
argumento

argumenter [argymɑ̃te] vi
argumentar

aride [arid] adj (sol, pays)
árido(-a); (texte, sujet) árido(-a),
aburrido(-a)

aristocratie [aristɔkrasi] nf
aristocracia; **aristocratique** adj
aristocrático(-a)

arithmétique [aritmetik] adj
aritmético(-a) ♦ nf aritmética

arme [arm] nf arma; **~ à feu/
blanche** arma de fuego/blanca

armée [arme] nf ejército; (fig)
nube f, ejército; **~ de l'air/de
terre** ejército del aire/de tierra

armer [aʀme] vt armar; (*arme à feu, appareil photo*) montar

armistice [aʀmistis] nm armisticio; **l'A~** el armisticio

armoire [aʀmwaʀ] nf armario, closet ou clóset (AM); (*penderie*) ropero

armure [aʀmyʀ] nf armadura; **armurier** nm armero

arnaquer [aʀnake] vt (*fam*) timar

aromates [aʀɔmat] nmpl hierbas fpl aromáticas

aromatisé, e [aʀɔmatize] adj aromatizado(-a)

arôme [aʀom] nm aroma m

arracher [aʀaʃe] vt arrancar; (*clou, dent*) sacar, extraer; (*par explosion, accident*) desgarrar; **s'~** vpr (*personne, article très recherché*) disputarse

arrangement [aʀɑ̃ʒmɑ̃] nm (*compromis*) acuerdo

arranger [aʀɑ̃ʒe] vt (*appartement*) arreglar, disponer; (*voyage*) organizar; (*rendez-vous*) concertar; (*problème, difficulté*) arreglar, solucionar; **s'~** vpr (*se mettre d'accord*) ponerse de acuerdo; (*querelle, situation*) arreglarse; **je vais m'~** voy a arreglarme; **cela m'arrange** eso me conviene

arrestation [aʀɛstasjɔ̃] nf detención f

arrêt [aʀɛ] nm detención f, interrupción f; (*JUR*) fallo; **sans ~** (*sans interruption*) sin parar; (*très fréquemment*) continuamente; **~ de travail** permiso de trabajo

arrêter [aʀete] vt (*projet, maladie*) parar, interrumpir; (*voiture, personne*) detener, parar; (*chauffage*) parar; (*date, choix*) fijar, decidir; (*suspect, criminel*) detener; **s'~** vpr pararse; **~ de faire (qch)** dejar de hacer (algo)

arrhes [aʀ] nfpl arras fpl, señal f

arrière [aʀjɛʀ] adj inv (AUTO) trasero(-a) ♦ nm (*d'une voiture, maison*) parte f trasera; (SPORT) defensa; **siège ~** asiento trasero; **à l'~** detrás; **en ~** hacia atrás;

arrière-goût (pl **arrière-goûts**) nm regusto; **arrière-pays** nm inv interior m, tierra adentro; **arrière-pensée** (pl **arrière-pensées**) nf (*raison intéressée*) segunda intención f; **arrière-plan** (pl **arrière-plans**) nm segundo plano; **à l'arrière-plan** en segundo plano; **arrière-saison** (pl **arrière-saisons**) nf final m del otoño

arrimer [aʀime] vt estibar

arrivage [aʀivaʒ] nm arribada f

arrivée [aʀive] nf (*de bateau*) arribada; (*concurrent, visites*) llegada, arribo (*esp* AM); (*ligne d'arrivée*) línea de llegada; **~ d'air/de gaz** entrada de aire/de gas

arriver [aʀive] vi (*événement, fait*) ocurrir, suceder; **~ à qch/faire qch** lograr algo/hacer algo; **il arrive à Paris à 8 h** llega a París a las 8; **il arrive que** ocurre que; **il lui arrive de faire** suele hacer

arrogance [aʀɔgɑ̃s] nf arrogancia, prepotencia (*esp* AM)

arrogant, e [aʀɔgɑ̃, ɑ̃t] adj arrogante, prepotente (*esp* AM)

arrondissement [aʀɔ̃dismɑ̃] nm distrito

arroser [aʀoze] vt regar; (*fig*) mojar; **arrosoir** nm regadera f

arsenal, -aux [aʀsənal, o] nm arsenal m; (NAUT) arsenal, astillero

art [aʀ] nm arte m; (*expression artistique*): **l'~** el arte

artère [aʀtɛʀ] *nf* arteria

arthrite [aʀtʀit] *nf* artritis *f*

artichaut [aʀtiʃo] *nm* alcachofa

article [aʀtikl] *nm* artículo

articulation [aʀtikylasjɔ̃] *nf* articulación *f*

articuler [aʀtikyle] *vt* articular

artificiel, le [aʀtifisjɛl] *adj* artificial; (*jambe*) ortopédico(-a); (*péj*) artificial, fingido(-a)

artisan [aʀtizɑ̃] *nm* artesano(-a)

artisanal, e, -aux [aʀtizana, o] *adj* artesanal; **artisanat** *nm* artesanía

artiste [aʀtist] *adj* artista ♦ *nm/f* artista *m/f*; **artistique** *adj* artístico(-a)

as [ɑs] *vb voir* **avoir** ♦ *nm* as *m*

ascenseur [asɑ̃sœʀ] *nm* ascensor *m*, elevador (AM)

ascension [asɑ̃sjɔ̃] *nf* ascensión *f*; **l'Ascension** (REL) la Ascensión

---

Ascension

La **fête** de l'**Ascension** es una festividad francesa, que suele caer en Mayo. Como se celebra en jueves, muchos se toman el viernes libre para hacer puente y disfrutar de un largo fin de semana.

---

asiatique [azjatik] *adj* asiático(-a) ♦ *nm/f*: **A~** asiático(-a)

Asie [azi] *nf* Asia

asile [azil] *nm* asilo

aspect [aspɛ] *nm* aspecto, apariencia; (*fig*) aspecto; **à l'~ de ...** a la vista de ...

asperge [aspɛʀʒ] *nf* espárrago

asperger [aspɛʀʒe] *vt* rociar

asphalte [asfalt] *nm* asfalto

asphyxier [asfiksje] *vt* asfixiar

aspirateur [aspiʀatœʀ] *nm*
aspiradora

aspirer [aspiʀe] *vt* aspirar; (*liquide*) absorber; **~ à qch** aspirar a algo

aspirine [aspiʀin] *nf* aspirina

assagir [asaʒiʀ]: **s'~** *vpr* sosegarse, aplacarse

assaisonnement [asɛzɔnmɑ̃] *nm* aliño; (*ingrédient*) condimento

assaisonner [asɛzɔne] *vt* aliñar, condimentar

assassin [asasɛ̃] *nm* asesino(-a); **assassiner** *vt* asesinar

assaut [aso] *nm* asalto; **prendre d'~** tomar por asalto

assécher [aseʃe] *vt* desecar

assemblage [asɑ̃blaʒ] *nm* ensamblaje

assemblée [asɑ̃ble] *nf* asamblea

assembler [asɑ̃ble] *vt* (TECH, *gén*) ensamblar, juntar; **s'~** *vpr* reunirse

asseoir [aswaʀ]: **s'~** *vpr* sentarse

assez [ase] *adv* (*suffisamment*) bastante; (*passablement*) suficientemente, bastante; **~ de pain** bastante pan; **~ de livres** bastantes libros; **vous en avez ~** tiene bastante

assidu, e [asidy] *adj* asiduo(-a)

assied *etc* [asje] *vb voir* **asseoir**

assiérai *etc* [asjeʀe] *vb voir* **asseoir**

assiette [asjɛt] *nf* plato; **~ à dessert** plato de postre; **~ anglaise** plato de fiambres variados; **~ creuse** plato hondo; **~ plate** plato llano

assimiler [asimile] *vt* (*connaissances*, *idée*) asimilar; (*immigrants*) integrar; (*identifier*): **~ qch/qn à** equiparar algo/a algn con; **s'~** *vpr* integrarse

assis, e [asi, iz] *pp de* **asseoir** ♦ *adj* sentado(-a)

assistance [asistɑ̃s] *nf* (*public*)

asistencia, público; (aide)
asistencia

assistant, e [asistɑ̃, ɑ̃t] nm/f
(SCOL) lector(a); (d'un professeur,
cinéaste) ayudante m/f; **~e
sociale** asistenta social

assisté, e [asiste] adj (AUTO)
asistido(-a) ♦ nm/f beneficiario(-a)
(de la ayuda del estado)

assister [asiste] vt ayudar; **~ à** vt
ind asistir a

association [asɔsjasjɔ̃] nf
asociación f

associé, e [asɔsje] adj
asociado(-a)

associer [asɔsje] vt asociar; **s'~**
vpr asociarse; (un collaborateur)
asociarse con; **~ qch à** unir algo a

assoiffé, e [aswafe] adj
sediento(-a)

assommer [asɔme] vt (étourdir:
personne) dejar inconsciente de un
golpe; (étourdir, abrutir:
médicament) aturdir, atontar

Assomption [asɔ̃psjɔ̃] nf: **l'~ la**
Asunción

Assomption

La fête de l'Assomption del
15 de agosto es una fiesta
nacional francesa. Es costumbre
que grandes cantidades de
turistas realicen salidas en esta
fecha y provoquen con frecuencia
el caos circulatorio en las
carreteras.

---

assorti, e [asɔrti] adj (en
harmonie) combinado(-a);
fromages ~s quesos mpl
surtidos; **~ à** juego con;
assortiment nm (aussi COMM)
surtido

assortir [asɔrtir] vt combinar; **~**

qch à combinar algo con

assouplir [asuplir] vt (membres,
corps, aussi fig) flexibilizar

assumer [asyme] vt asumir;
(poste, rôle) desempeñar

assurance [asyrɑ̃s] nf (certitude)
certeza; (confiance en soi)
seguridad f; (contrat, secteur
commercial) seguro; **~ au tiers**
seguro contra terceros; **~ tous
risques** seguro a todo riesgo; **~s
sociales** seguros mpl sociales;
assurance-vie (pl
assurances-vie) nf seguro de
vida

assuré, e [asyre] adj: **~ de**
seguro(-a de ♦ nm/f
asegurado(-a); **assurément** adv
seguramente

assurer [asyre] vt asegurar;
(succès, victoire) asegurar,
garantizar; **~ (à qn) que** asegurar
(a algn) que); **s'~** vpr: **s'~
(contre)** asegurarse (contra); **~
qn de son amitié** garantizar a
algn su amistad; **~ qch à qn**
(emploi, revenu) garantizar algo a
algn; (fait etc) asegurar algo a
algn; **s'~ de/que** asegurarse de/
de que; **assureur** nm
asegurador(a)

asthme [asm] nm asma

asticot [astiko] nm cresa

astre [astr] nm astro

astrologie [astrɔlɔʒi] nf
astrología

astronaute [astrɔnot] nm/f
astronauta m/f

astronomie [astrɔnɔmi] nf
astronomía

astuce [astys] nf astucia;
(plaisanterie) picardía, broma;
astucieux, -euse adj
astucioso(-a)

atelier [atəlje] nm taller m; (de

peintre) estudio; **~ de musique/
poterie** taller de música/cerámica
athée [ate] *adj, nm/f* ateo(-a)
Athènes [atɛn] *n* Atenas
athlète [atlɛt] *nm/f* atleta *m/f*;
athlétisme *nm* atletismo
atlantique [atlɑ̃tik] *adj*
atlántico(-a) ♦ *nm*: **l'(océan) A~**
el (océano) Atlántico
atlas [atlɑs] *nm* atlas *m*
atmosphère [atmɔsfɛʀ] *nf*
atmósfera
atome [atom] *nm* átomo;
atomique *adj* atómico(-a)
atomiseur [atɔmizœʀ] *nm*
atomizador *m*
atout [atu] *nm* triunfo; (*fig*)
triunfo, ventaja
atroce [atʀɔs] *adj* atroz; (*très
désagréable, pénible*) atroz, terrible
attachant, e [ataʃɑ̃, ɑ̃t] *adj*
(*persona*) atrayente; (*animal*)
encantador(a)
attache [ataʃ] *nf* grapa; (*fig*) lazo
attacher [ataʃe] *vt* atar; (*bateau*)
amarrar; (*étiquette à qch*) pegar,
fijar ♦ *vi* (*poêle*) pegar; **s'~ à**
encariñarse con; **~ qch à** atar
algo a
attaque [atak] *nf* ataque *m*
attaquer [atake] *vt* atacar; *
(*entreprendre*) acometer ♦ *vi*
atacar; **~ en justice** entablar
una acción judicial contra algn
attarder [atarde]: **s'~** *vpr* (*sur
qch, en chemin*) demorarse; (*chez
qn*) entretenerse
atteindre [atɛ̃dʀ] *vt* alcanzar;
(*cible, fig*) conseguir; (*blesser*)
alcanzar, herir; **atteint, e**, *pp de*
atteindre ♦ *adj*: **être atteint
de** estar aquejado(-a) de;
atteinte *nf* (*à l'honneur, au
prestige*) ofensa; (*gén pl*: *d'un mal*)
ataque *m*; **hors d'atteinte** fuera

de mi *etc* alcance; **porter
atteinte à** atentar contra
attendant [atɑ̃dɑ̃] *adv*: **en ~**
(*dans l'intervalle*) entretanto,
mientras tanto; (*quoi qu'il en soit*)
de todos modos
attendre [atɑ̃dʀ] *vt* esperar ♦ *vi*
esperar; **s'~** *vpr*: **s'~ à (ce que)**
esperarse (que); **~ un enfant**
esperar un niño; **~ de faire/
d'être** esperar hacer/ser; **~ qch
de qn** *ou* **qch** esperar algo de
algn *ou* algo; **~ que** esperar que ♦
adv voir **attendant**
attendrir [atɑ̃dʀiʀ] *vt* (*personne*)
enternecer; **attendrissant, e**
adj enternecedor(a)
attendu, e [atɑ̃dy] *pp de*
attendre ♦ *adj* esperado(-a)
attentat [atɑ̃ta] *nm* atentado; **~ à
la bombe/à la pudeur**
atentado con bomba/contra el
pudor
attente [atɑ̃t] *nf* espera;
(*espérance*) espera, expectativa
attenter [atɑ̃te]: **~ à** *vt ind*
atentar contra; **~ à la vie de qn**
atentar contra la vida de algn
attentif, -ive [atɑ̃tif, iv] *adj*
(*auditeur, élève*) atento(-a)
attention [atɑ̃sjɔ̃] *nf* atención *f*;
(*prévenance*: *gén pl*) atenciones *fpl*;
à l'~ de (*pour*) a la atención de;
attirer l'~ de qn sur qch
llamar la atención de algn sobre
algo; **faire ~ à** (*remarquer, noter*)
prestar atención a; (*prendre garde
à*) tener cuidado con; **faire ~
que/à ce que** tener cuidado
que; **~!** ¡cuidado!; **attentionné,
e** *adj* atento(-a), solícito(-a)
atténuer [atenɥe] *vt* atenuar;
(*douleur*) aliviar
atterrir [ateʀiʀ] *vi* aterrizar;
atterrissage *nm* aterrizaje *m*

attestation [atestasjɔ̃] nf
certificato; **~ de paiement**
comprobante m de pago

attirant, e [atiʀɑ̃, ɑ̃t] adj
atractivo(-a)

attirer [atiʀe] vt atraer; **~ qn
dans un coin/vers soi** llevar a
algn a un rincón/hacia sí; **~
l'attention de qn sur qch**
llamar la atención de algn sobre
algo; **s'~ des ennuis** acarrearse
problemas

attitude [atityd] nf
(comportement) actitud f,
conducta; (position du corps)
postura; (état d'esprit) actitud,
disposición f

attraction [atraksjɔ̃] nf atracción
f; (de cabaret, cirque) atracción,
número

attrait [atrɛ] nm (de l'argent, de la
gloire) atractivo, incentivo

attraper [atrape] vt (saisir)
atrapar, coger, agarrar (AM);
(voleur, animal) atrapar, agarrar;
(train, maladie, amende) pillar;
(fam: réprimander) reñir; (: duper)
engañar

attrayant, e [atrɛjɑ̃, ɑ̃t] adj
atrayente

attribuer [atribɥe] vt (prix)
otorgar; (rôle, tâche) asignar

attrister [atriste] vt entristecer

attroupement [atrupmɑ̃] nm
aglomeración f

attrouper [atrupe]: **s'~** vpr
aglomerarse, agolparse

au [o] prép + dét voir **à**

aubaine [oben] nf (avantage
inattendu) suerte f; (COMM) ganga,
chollo (fam)

aube [ob] nf alba, madrugada,
amanecer m; **à l'~** al alba, de
madrugada, al amanecer

aubépine [obepin] nf espino

auberge [obɛʀʒ] nf posada,
mesón m; **~ de jeunesse**
albergue m de juventud

aubergine [obɛʀʒin] nf berenjena

aucun, e [okœ̃, yn] dét
ningún(-una) ♦ pron ninguno(-a),
nadie; **il n'a ~ sens** no tiene
ningún sentido, no tiene sentido
alguno

audace [odas] nf audacia; (péj)
descaro; **audacieux, -euse** adj
audaz

au-delà [od(ə)la] adv más allá ♦
nm inv l'**~** el más allá; **~~ de**
más allá de

au-dessous [odsu] prép abajo,
debajo; **~~ de** (dans l'espace)
debajo de; (dignité, condition,
somme) por debajo de

au-dessus [odsy] adv arriba,
encima; **~~ de** (dans l'espace)
arriba de, encima de; (limite,
somme, loi) por encima de

au-devant [od(ə)vɑ̃]: **~~ de**
prép al encuentro de; **aller ~~
de** (personne) ir al encuentro de;
(danger) hacer frente a; (désirs de
qn) adelantarse a

audience [odjɑ̃s] nf (auditeurs,
lecteurs) auditorio, público;
(entrevue, séance) audiencia

audiovisuel, le [odjovizɥɛl] adj
audiovisual ♦ nm (techniques)
técnicas fpl audiovisuales;
(méthodes) métodos mpl
audiovisuales; l'**~** los medios
audiovisuales

audition [odisjɔ̃] nf audición f;
(JUR) audiencia; (MUS, THÉÂTRE)
prueba, audición

auditoire [oditwaʀ] nm auditorio

augmentation [ɔgmɑ̃tasjɔ̃] nf
(action, résultat) aumento; (prix)
subida; **~ (de salaire)** aumento
(del salario)

augmenter [ɔgmɑ̃te] *vt* aumentar; (*prix*) subir; (*employé, salarié*) subir el sueldo a ♦ *vi* aumentar

augure [ogyʀ] *nm*: **de bon/mauvais ~** de buen/mal augurio

aujourd'hui [oʒuʀdɥi] *adv* hoy; (*de nos jours*) hoy en día

aumônier [omonje] *nm* capellán *m*

auparavant [opaʀavɑ̃] *adv* antes

auprès [opʀε]: **~ de** *prép* al lado de, cerca de; (*en comparaison de*) comparado(-a) con

auquel [okεl] *prép + pron voir* **lequel**

aurai *etc* [ɔʀe] *vb voir* **avoir**

aurons *etc* [oʀɔ̃] *vb voir* **avoir**

aurore [ɔʀɔʀ] *nf* aurora

ausculter [ɔskylte] *vt* auscultar

aussi [osi] *adv* también; (*de comparaison: avec adj, adv*) tan; (*si, tellement*) tan ♦ *conj* (*par conséquent*) por lo tanto; **~ fort/rapidement que** tan fuerte/rápidamente que

aussitôt [osito] *adv* enseguida, inmediatamente; **~ que** tan pronto como

austère [ostεʀ] *adj* austero(-a)

austral, e [ostʀal] *adj* austral

Australie [ostʀali] *nf* Australia; **australien, ne** *adj* australiano(-a)

autant [otɑ̃] *adv* (*tant, tellement*) tanto; (*comparatif*): **~ (que)** tanto (como), tan (como); **~ (de)** tanto(-a), tantos(-as); **~ partir/ne rien dire** mejor marchar/no decir nada; **~ dire que ...** eso es tanto como decir que ...; **d'~ plus/moins/mieux (que)** tanto más/menos/mejor (cuanto que)

autel [otεl] *nm* altar *m*

auteur [otœʀ] *nm* autor(a)

authenticité [otɑ̃tisite] *nf* autenticidad *f*

authentique [otɑ̃tik] *adj* auténtico(-a); (*récit, histoire*) auténtico(-a), cierto(-a)

auto [oto] *nf* coche *m*, carro (AM), auto (*esp AM*)

auto...: autobiographie *nf* autobiografía; **autobus** *nm* autobús *m*, camión *m* (MEX);

autocar *nm* autocar *m*

autochtone [ɔtɔktɔn] *adj*, *nm/f* autóctono(-a)

auto...: autocollant, e *adj* autoadhesivo(-a) ♦ *nm* autoadhesivo; **autocuiseur** *nm* olla a presión; **autodéfense** *nf* autodefensa; **groupe d'autodéfense** grupo de autodefensa; **autodidacte** *nm/f* autodidacta *m/f*; **auto-école** (*pl* **auto-écoles**) *nf* autoescuela; **autographe** *nm* autógrafo

automate [ɔtɔmat] *nm* autómata *m*

automatique [ɔtɔmatik] *adj* automático(-a); (*réflexe, geste*) automático(-a), mecánico(-a); **automatiquement** *adv* automáticamente

automne [otɔn] *nm* otoño

automobile [ɔtɔmɔbil] *nf* coche *m*, automóvil *m*: **l'~** la industria automovilística; **automobiliste** *nm/f* automovilista *m/f*

autonome [ɔtɔnɔm] *adj* autónomo(-a); **autonomie** *nf* autonomía

autopsie [ɔtɔpsi] *nf* autopsia

autoradio [otoʀadjo] *nm* autorradio

autorisation [ɔtɔʀizasjɔ̃] *nf* (*permission*) autorización *f*, permiso; (*papiers*) licencia, permiso

autorisé, e [ɔtɔʀize] *adj*

autorizado(-a)

autoriser [ɔtɔʀize] vt autorizar, permitir; (justifier, permettre) autorizar

autoritaire [ɔtɔʀitɛʀ] adj autoritario(-a)

autorité [ɔtɔʀite] nf autoridad f; **les ~s** las autoridades

autoroute [otoʀut] nf autopista

auto-stop [otostɔp] nm inv: **l'~ ~** el autostop; **faire de l'~~~** hacer autostop; **auto-stoppeur, -euse** (pl auto-stoppeurs, -euses) nm/f autostopista m/f

autour [otuʀ] adv alrededor, en torno; **~ de** (en cercle) alrededor de, en torno de ou a

MOT-CLÉ

autre [otʀ] adj 1 (différent) otro(-a); **je préférerais un autre verre** preferiría otro vaso 2 (supplémentaire): **je voudrais un autre verre d'eau** querría otro vaso de agua 3 (d'une paire, dans une dualité) otro(-a); **autre chose** otra cosa; **penser à autre chose** pensar en otra cosa; **autre part** (aller) a otra parte; (se trouver) en otra parte; **d'autre part** (en outre) además; **d'une part ..., d'autre part ...** por una parte ..., por otra parte ...

♦ pron: **un autre** otro; **nous autres** nosotros(-as); **vous autres** vosotros(-as); (politesse) ustedes; **les autres** otros(-as); **les autres** los (las) otros(-as); (autrui) los demás; **l'un et l'autre** uno y otro; **se détester l'un l'autre/les uns les autres** detestarse uno a otro/unos a otros; **d'une minute à l'autre** de un momento a otro; **entre**

autres entre otros(-as); **j'en ai vu d'autres** (indifférence) estoy curado de espanto; **à d'autres!** ¡cuéntaselo a otro!; **ni l'un ni l'autre** ni uno ni otro; **donnez-m'en un autre** deme otro; **de temps à autre** de vez en cuando; voir aussi **part**; **temps**; **un**

autrefois [otʀəfwa] adv antaño, en otro tiempo

autrement [otʀəmɑ̃] adv (d'une manière différente) de otro modo; (sinon) si no, de lo contrario; **je n'ai pas pu faire ~** no he podido hacer otra cosa; **~ dit** en otras palabras

Autriche [otʀiʃ] nf Austria; **autrichien, ne** adj austríaco(-a)

autruche [otʀyʃ] nf avestruz m

aux [o] prép +dét voir **à**

auxiliaire [ɔksiljɛʀ] adj auxiliar ♦ nm/f auxiliar m/f

auxquelles [okɛl] prép + pron voir **lequel**

auxquels [okɛl] prép + pron voir **lequel**

avalanche [avalɑ̃ʃ] nf avalancha

avaler [avale] vt tragar; (fig) devorar; (croire) tragarse

avance [avɑ̃s] nf avance m; (d'argent) adelanto, anticipo; (opposé à retard) adelanto; (être) **en ~** (sur l'heure fixée) (estar) adelantado(-a); **à l'~**, **par ~** de antemano; **d'~** por anticipado; **payer d'~** pagar por adelantado

avancé, e [avɑ̃se] adj avanzado(-a); (travail) adelantado(-a)

avancement [avɑ̃smɑ̃] nm (professionnel) ascenso; (de travaux) progreso

avancer [avɑ̃se] vi avanzar;

(*travail, montre, réveil*) adelantar ♦
vt adelantar; (*hypothèse, idée*)
proponer, sugerir; **s'~** vpr
(*s'approcher*) adelantarse,
acercarse; (*se hasarder*)
aventurarse
avant [avɑ̃] prép antes de ♦ adj
inv: **siège** ~ asiento delantero ♦
nm (*d'un véhicule, bâtiment*)
delantera, frente m; (SPORT)
delantero; ~ **qu'il (ne) parte/
de faire** antes de que marche/de
hacer; ~ **tout** ante todo; **à l'~**
(*dans un véhicule*) en la delantera;
en ~ (*marcher, regarder*) hacia
adelante; **en ~ de** (*en tête de,
devant*) delante de
avantage [avɑ̃taʒ] nm
(*supériorité*) ventaja; (*intérêt,
bénéfice*) ventaja, beneficio; **~s
sociaux** beneficios mpl sociales;
avantager vt favorecer;
avantageux, -euse adj
ventajoso(-a); (*portrait, coiffure*)
favorecedor(a)
avant...: avant-bras nm inv
antebrazo; **avant-coureur** (pl
avant-coureurs) adj: **signe
avant-coureur** signo
anunciador; **avant-dernier,
-ière** (pl **avant-derniers,
-ières**) adj, nm/f penúltimo(-a);
avant-goût (pl **avant-goûts**)
nm anticipo; **avant-hier** adv
anteayer; **avant-première** (pl
avant-premières) nf
preestreno; **avant-veille** (pl
avant-veilles) nf: **l'avant-
veille** la antevíspera
avare [avaʀ] adj, nm/f avaro(-a)
avec [avɛk] prép con; (*contre: se
battre*) con, contra; (*en plus de, en
sus de*) además de
avenir [avniʀ] nm: **l'~** el
porvenir, el futuro; **à l'~** en el

futuro; **métier/politicien d'~**
trabajo/político con futuro
aventure [avɑ̃tyʀ] nf aventura;
aventurer vt aventurar,
arriesgar; **s'aventurer à faire
qch** arriesgarse a hacer algo;
aventureux, -euse adj
(*personne*) aventurado(-a),
arriesgado(-a)
avenue [avny] nf avenida
avérer [aveʀe]: **s'~** vpr (*avec
attribut*): **s'~ faux/coûteux**
revelarse falso/costoso
averse [avɛʀs] nf aguacero,
chaparrón m
averti, e [avɛʀti] adj
entendido(-a)
avertir [avɛʀtiʀ] vt: ~ **qn
qch/que** prevenir a algn de
algo/de que; (*renseigner*) advertir;
avertissement nm advertencia;
(*blâme*) amonestación f;
avertisseur nm bocina
aveu [avø] nm confesión f,
declaración f
aveugle [avœgl] adj, nm/f
ciego(-a)
aviation [avjasjɔ̃] nf aviación f
avide [avid] adj ávido(-a); (*péj*)
codicioso(-a)
avion [avjɔ̃] nm avión m; **par ~**
por avión; **aller (quelque part)
en ~** ir (a algún sitio) en avión; ~
à réaction avión de ou a
reacción
aviron [aviʀɔ̃] nm remo; (*sport*):
l'~ el remo
avis [avi] nm (*point de vue*)
opinión f; (*conseil*) opinión,
consejo; (*notification*) aviso;
changer d'~ cambiar de opinión
aviser [avize] vt (*informer*): ~ **qn
de qch/que** avisar a algn de
algo/de que ♦ vi (*réfléchir*)
reflexionar

avocat, e [avɔka, at] nm/f
abogado(-a) ♦ nm (BOT, CULIN)
aguacate m, palta (AM); **~**
général fiscal m

avoine [avwan] nf avena

MOT-CLÉ

avoir [avwaʀ] vt **1** (posséder)
tener; **elle a 2 enfants/une**
belle maison tiene dos niños/
una casa bonita; **il a les yeux**
gris tiene los ojos grises; **vous**
avez du sel? ¿tiene sal?; **avoir**
du courage/de la patience
tener valor/paciencia; **avoir du**
goût tener gusto; **avoir horreur**
de tener horror a; **avoir**
rendez-vous tener una cita
2 (âge, dimensions) tener; **il a 3**
ans tiene 3 años; **le mur a 3**
mètres de haut la pared tiene 3
metros de alto; voir aussi **faim;**
peur etc
3 (fam: duper) pegársela a algn;
on vous a eu! ¡le han
engañado!
4: en avoir après ou **contre**
qn estar enojado(-a) con algn; **en**
avoir assez estar harto; **j'en ai**
pour une demi-heure tengo
para media hora
5 (obtenir: train, tickets) coger,
agarrar (AM)
♦ vb aux **1** haber; **avoir**
mangé/dormi haber comido/
dormido; **hier, j'ai pas**
mangé (verbe au passé simple
quand la phrase décrit une
période dans laquelle se
situe l'action est révolue) ayer no
comí
2 (avoir + à + infinitif): **avoir à**
faire qch tener que hacer algo;
vous n'avez qu'à lui
demander no tiene más que
preguntarle; (en colère) pregúntele

a él; **tu n'as pas à le savoir** no
tienes porqué saberlo
♦ vb impers **1: il y a** (+ sing, pl)
hay; **qu'y a-t-il?** ¿qué ocurre?;
qu'est-ce qu'il y a? ¿qué
pasa?; **il n'y a rien** no pasa
nada; **qu'as-tu?** ¿qué tienes?;
qu'est-ce que tu as? ¿qué te
pasa?; **il doit y avoir une**
explication tiene que haber una
explicación; **il n'y a qu'à**
recommencer ... no hay más
que volver a empezar ...; **il ne**
peut y en avoir qu'un no
puede haber más que uno; **il n'y**
a pas de quoi no hay de qué
2 (temporel): **il y a 8 ans** hace 8
años; **il y a 10 ans/longtemps**
que je le sais hace mucho/
mucho tiempo que lo sé; **il y a**
10 ans qu'il est arrivé hace
10 años que llegó
♦ nm haber m

avortement [avɔʀtəmɑ̃] nm
aborto

avouer [avwe] vt confesar,
declarar ♦ vi (se confesser)
confesar; (admettre) confesar,
reconocer; **~ avoir fait/être/**
que confesar haber hecho/ser/que

avril [avʀil] nm abril m; voir aussi
juillet

poisson d'avril

La broma o inocentada típica del
1 de abril en Francia es pegarle
en la espalda un pez de papel,
poisson d'avril, a alguien sin
ser visto.

axe [aks] nm eje m; (fig)
orientación f; **~ routier** carretera
general

ayons *etc* [εjɔ̃] *vb* voir **avoir**

azote [azɔt] *nm* nitrógeno

B, b

bâbord [babɔʀ] *nm:* **à** *ou* **par ~** a babor

baby-foot [babifut] *nm inv* futbolín *m*

bac[1] [bak] *abr, nm (bateau)* transbordador *m*; *(récipient)* cubeta

bac[2] [bak] *nm* = **baccalauréat**

baccalauréat [bakalɔʀea] *nm* título que se obtiene al finalizar BUP o COU

---

baccalauréat

En Francia el **baccalauréat** o **bac** es un título que se obtiene al terminar los estudios de enseñanza secundaria superior a la edad de diecisiete o dieciocho años y que permite el ingreso en la universidad. Se pueden escoger distintas combinaciones de asignaturas de entre un amplio plan de estudios.

---

bâcler [bakle] *vt* hacer de prisa y corriendo

baffe [baf] *(fam) nf* bofetada, torta

bafouiller [bafuje] *vi, vt* farfullar

bagage [bagaʒ] *nm (gén: bagages)* equipaje *m*; **~s à main** equipaje de mano

bagarre [bagaʀ] *nf* pelea; **bagarrer: se bagarrer** *vpr* pelearse

bagnole [baɲɔl] *(fam) nf* coche *m*; *(vieille)* cacharro

bague [bag] *nf* anillo, sortija; **~**

de fiançailles sortija de pedida; **~ de serrage** casquillo

baguette [bagɛt] *nf (bâton)* varilla; *(chinoise)* palillo; *(de chef d'orchestre)* batuta; *(pain)* barra; **~ magique** varita mágica

baie [bɛ] *nf* bahía; *(fruit)* baya; **~ (vitrée)** ventanal *m*

baignade [bɛɲad] *nf* baño

baigner [bɛɲe] *vt* bañar; **se ~** *vpr* bañarse; **baignoire** *nf* bañera, tina (AM)

bail [baj] *(pl* **baux**) *nm* (contrato de) arrendamiento

bâillement [bajmã] *nm* bostezo

bâiller [baje] *vi* bostezar

bain [bɛ̃] *nm* baño; **se mettre dans le ~** *(fig)* meterse en el asunto; **prendre un ~** tomar un baño; **~ de soleil** baño de sol; **~ moussant** baño de espuma; **bain-marie** *(pl* **bains-marie**) *nm* baño (de) María; **faire chauffer au bain-marie** calentar al baño (de) María

baiser [beze] *nm* beso ♦ *vt* besar; *(fam!)* tirarse a *(fam!)*, coger *(fam!)* (AM)

baisse [bɛs] *nf (de température, des prix)* descenso, baja

baisser [bɛse] *vt* bajar ♦ *vi (niveau, température)* bajar, descender; **se ~** *vpr* inclinarse, agacharse

bal [bal] *nm* baile *m*; **~ costumé** baile de disfraces

balade [balad] *nf (à pied)* paseo, vuelta; **balader** *vt* pasear; **se balader** *vpr* pasearse; **baladeur** *nm* walkman *m* ®

balai [balɛ] *nm* escoba

balance [balɑ̃s] *nf* balanza; *(ASTROL):* **la B~** Libra; **être (de la) B~** ser Libra; **~ commerciale** balanza comercial

balancer [balɑ̃se] vt balancear; (lancer) arrojar; (renvoyer, jeter) despedir ♦ vpr: **se ~** balancearse, mecerse; **je m'en balance** (fam) me importa un pito; **balançoire** nf (suspendue) columpio; (sur pivot) balancín m, subibaja m
balayer [baleje] vt barrer; (suj: radar, phares) explorar; **balayeur, -euse** nm/f barrendero(-a)
balbutier [balbysje] vi, vt balbucear
balcon [balkɔ̃] nm balcón m; (THÉÂTRE) principal m
baleine [balɛn] nf ballena
balise [baliz] nf baliza; **baliser** vt balizar; (fam) tener miedo
balle [bal] nf (de fusil) bala; (de tennis, golf) pelota; **~s** nfpl (fam: franc) francos mpl
ballerine [bal(ə)ʀin] nf bailarina
ballet [balɛ] nm ballet m
ballon [balɔ̃] nm (de sport) balón m; (AVIAT, jouet) globo; **~ de football** balón de fútbol
balnéaire [balneɛʀ] adj termal, balneario(-a) (AM)
balustrade [balystʀad] nf balaustrada
bambin [bɑ̃bɛ̃] nm niño(-a), chiquillo(-a)
bambou [bɑ̃bu] nm bambú m
banal, e [banal] adj trivial; **banalité** nf trivialidad f
banane [banan] nf plátano, banana (esp AM)
banc [bɑ̃] nm banco; **~ d'essai** (fig) banco de prueba; **~ de sable** banco de arena
bancaire [bɑ̃kɛʀ] adj bancario(-a)
bancal, e [bɑ̃kal] adj cojo(-a)
bandage [bɑ̃daʒ] nm vendaje m
bande [bɑ̃d] nf banda; (de tissu) faja; (pour panser) venda; (motif,

dessin) banda, franja; **une ~ de ...** (copains, voyous) una pandilla de ...; **faire ~ à part** hacer rancho aparte; **~ dessinée** (dans un journal) tira cómica, historieta; (livre) cómic m; **~ sonore** banda sonora

---
bande dessinée

La **bande dessinée** o BD goza de gran cantidad de seguidores entre los niños y los adultos en Francia. Todos los años en enero se celebra en Angulema el Salón Internacional del Cómic. Astérix, Tintín, Lucky Luke y Gaston Lagaffe son algunos de los personajes de tebeo más famosos.

---

bandeau [bɑ̃do] nm venda; (autour du front) cinta, venda, vincha (AND, CSUR)
bander [bɑ̃de] vt (blessure) vendar
bandit [bɑ̃di] nm bandido
bandoulière [bɑ̃duljɛʀ] nf: **en ~** en bandolera
banlieue [bɑ̃ljø] nf suburbio; **quartier de ~** barrio suburbano; **lignes/trains de ~** líneas fpl/trenes mpl de cercanías
banlieusard, e [bɑ̃ljøzaʀ, aʀd] nm/f habitante m/f de los suburbios
bannir [baniʀ] vt desterrar
banque [bɑ̃k] nf banco; (activités) banca; **~ d'affaires** banco de negocios
banquet [bɑ̃kɛ] nm banquete m
banquette [bɑ̃kɛt] nf banqueta
banquier [bɑ̃kje] nm banquero
banquise [bɑ̃kiz] nf banco de hielo, banquisa
baptême [batɛm] nm (sacrement) bautismo; **~ de l'air** bautismo

baptiser [batize] *vt* bautizar

bar [baʀ] *nm* bar *m*, cantina (*esp AM*)

baraque [baʀak] *nf* barraca; (*fam*) casucha; **~ foraine** barraca de feria; **baraqué, e** (*fam*) *adj* plantado(-a)

barbare [baʀbaʀ] *adj*, *nm/f* bárbaro(-a)

barbe [baʀb] *nf* barba; **au nez et à la ~ de qn** en las barbas de algn; **quelle ~!** (*fam*) ¡qué lata!; **~ à papa** algodón *m* de azúcar

barbelé [baʀbəle] *nm* alambrada

barbiturique [baʀbityʀik] *nm* barbitúrico

barbouiller [baʀbuje] *vt* (*couvrir, salir*) embadurnar; **avoir l'estomac barbouillé** tener el estómago revuelto

barbu, e [baʀby] *adj* barbudo(-a)

barder [baʀde] *vi* (*fam*): **ça va ~** se va a armar la gorda ♦ *vt* enalbardar

barème [baʀɛm] *nm* (*des prix, des tarifs*) baremo, tabla

baril [baʀi(l)] *nm* barril *m*

bariolé, e [baʀjɔle] *adj* abigarrado(-a)

baromètre [baʀɔmɛtʀ] *nm* barómetro

baron [baʀɔ̃] *nm* barón *m*

baroque [baʀɔk] *adj* (*ART*) barroco(-a); (*fig*) estrambótico(-a)

barque [baʀk] *nf* barca

barquette [baʀkɛt] *nf* (*en aluminium*) envase *m*

barrage [baʀaʒ] *nm* pantano, embalse *m*

barre [baʀ] *nf* barra; (*NAUT*) timón *m*; (*écrite*) raya

barreau, x [baʀo] *nm* barrote *m*; (*JUR*): **le ~** el foro, la abogacía

barrer [baʀe] *vt* (*route*) obstruir; (*mot*) tachar; (*chèque*) cruzar; (*NAUT*) timonear; **se ~** (*fam*) *vpr* largarse, pirarse

barrette [baʀɛt] *nf* (*pour les cheveux*) prendedor *m*

barricader [baʀikade] *vt* (*rue*) levantar barricadas en; (*porte, fenêtre*) atrancar

barrière [baʀjɛʀ] *nf* barrera

barrique [baʀik] *nf* barrica, tonel *m*

bas, basse [ba, bas] *adj* bajo(-a); (*vue*) corto(-a); (*action*) bajo(-a), vil ♦ *nm* (*de femme*) media; (*partie inférieure*): **le ~ de ...** la parte de abajo de... ♦ *adv* bajo; **au ~ mot** por lo menos, por lo bajo; **en ~** abajo; **en ~ de** debajo de, en la parte baja de; **"à ~ la dictature/l'école!"** "¡abajo la dictadura/la escuela!"

bas-côté [bakote] (*pl* **~~s**) *nm* (*de route*) arcén *m*

basculer [baskyle] *vi* (*tomber*) volcar; (*benne*) bascular ♦ *vt* (*gén: faire basculer*) volcar

base [baz] *nf* base *f*; **jeter les ~s de** sentar las bases de; **à la ~ de** (*fig*) en el origen de; **sur la ~ de** (*fig*) tomando como base; **principe/produit de ~** principio/producto de base; **à ~ de café** a base de café; **~ de données** (*INFORM*) base de datos; **baser** *vt*: **baser qch sur** basar algo en; **se baser sur** basarse en

bas-fonds [baf ɔ̃] *nmpl* (*fig*) bajos fondos *mpl*, hampa *fsg*

basilic [bazilik] *nm* albahaca

basket [baskɛt] *nm* = **basket-ball**

basket-ball [baskɛtbol] (*pl* **~~s**) *nm* baloncesto

basque [bask] *adj, nm/f* vasco(-a)
basse [bas] *adj f voir* **bas ♦** *nf*
bajo; **basse-cour** (*pl* **basses-cours**) *nf* (*cour*) corral *m*
bassin [basɛ̃] *nm* (*pièce d'eau*) estanque *m*; (*de fontaine*) pila; (*GÉO*) cuenca; (*ANAT*) pelvis *f*
bassine [basin] *nf* balde *m*
basson [basɔ̃] *nm* (*instrument*) fagot *m*
bat [ba] *vb voir* **battre**
bataille [batɑj] *nf* batalla
bateau, x [bato] *nm* barco ♦ *adj* (*banal, rebattu*) típico(-a);
bateau-mouche (*pl* **bateaux-mouches**) *nm* golondrina
bâti, e [bati] *adj* (*terrain*) edificado(-a); **bien** ~ (*personne*) bien hecho(-a), fornido(-a)
bâtiment [batimɑ̃] *nm* edificio; (*NAUT*) navío
bâtir [batiʀ] *vt* edificar, construir
bâtisse [batis] *nf* construcción *f*
bâton [batɔ̃] *nm* palo, vara
bats [ba] *vb voir* **battre**
battement [batmɑ̃] *nm* (*de cœur*) latido, palpitación *f*; (*intervalle*) intervalo; **10 minutes de** ~ 10 minutos de intervalo; ~ **de paupières** parpadeo
batterie [batʀi] *nf* batería; ~ **de cuisine** batería de cocina
batteur [batœʀ] *nm* (*MUS*) batería *m/f*; (*appareil*) batidora
battre [batʀ] *vt* golpear; (*suj: pluie, vagues*) golpear, azotar; (*vaincre*) vencer, derrotar; (*tapis*) sacudir ♦ *vi* (*cœur*) latir; (*volets etc*) golpear; **se** ~ *vpr* pelearse, luchar; ~ **de** ~ **des mains** aplaudir; ~ **la mesure** llevar el compás; ~ **son plein** estar en su apogeo
baume [bom] *nm* bálsamo
bavard, e [bavaʀ, aʀd] *adj* parlanchín(-ina); **bavarder** *vi*

charlar, platicar (*MEX*); (*indiscrètement*) charlatanear, irse de la lengua
baver [bave] *vi* babear; **en baver** (*fam*) pasar las de Caín, pasarlas negras
bavoir [bavwaʀ] *nm* babero
bavure [bavyʀ] *nf* rebaba, mancha; (*fig*) error *m*
bazar [bazaʀ] *nm* bazar *m*; (*fam*) leonera; **bazarder** (*fam*) *vt* liquidar
BCBG [besebeʒe] *sigle adj* (= *bon chic bon genre*): **une fille** ~ ≈ una chica bien vestida
BD *sigle f* (= *bande dessinée*) *voir* **bande**; (= *base de données*) base *f* de datos
bd *abr* (= *boulevard*) Blvr. (= bulevar)
béant, e [beɑ̃, ɑ̃t] *adj* abierto(-a)
beau (bel), belle, beaux [bo, bɛl] *adj* (*gén*) bonito(-a); (*plus formel*) hermoso(-a), bello(-a), lindo(-a) (*esp AM*) (*fam*); (*personne*) guapo(-a) ♦ *nm*: **avoir le sens du beau** tener sentido estético ♦ *adv*: **il fait beau** hace buen tiempo; **le temps est au beau** el tiempo se anuncia bueno; **un beau geste** un gesto noble; **un beau salaire** un buen salario; **un beau gâchis/rhume** (*iro*) un buen despilfarro/resfriado; **en faire/dire de belles** hacerlas/decirlas buenas; **le beau monde** la buena sociedad; **un beau jour ...** un buen día ...; **de plus belle** más y mejor; **bel et bien** de verdad; **le plus beau c'est que ...** lo mejor es que ...; **"c'est du beau!"** "¡qué bonito!"; **on a beau essayer ...** por más que se intente ...; **faire le beau** (*chien*) ponerse en dos patas;

beau parleur hombre *m* de labia

beaucoup [boku] *adv* mucho; **il boit ~** bebe mucho; **il ne rit pas ~** no ríe mucho; **il est ~ plus grand** es mucho más grande; **il en a ~** tiene mucho(s)(-a(s)); **~ trop de** demasiado(s)(-a(s)); **(pas) ~ de** (no) mucho(s)(-a(s)); **~ d'étudiants/de touristes** muchos estudiantes/turistas; **~ de courage** mucho valor; **il n'a pas ~ d'argent** no tiene mucho dinero; **de ~** con mucho; **~ le savent** (*emploi nominal*) muchos lo saben

beau...: beau-fils (*pl* **beaux-fils**) *nm* yerno; **beau-frère** (*pl* **beaux-frères**) *nm* cuñado; **beau-père** (*pl* **beaux-pères**) *nm* suegro; (*remariage*) padrastro

beauté [bote] *nf* belleza; **en ~: finir en ~** terminar brillantemente

beaux-arts [bozaʀ] *nmpl* bellas artes *fpl*

beaux-parents [bopaʀɑ̃] *nmpl* suegros *mpl*

bébé [bebe] *nm* bebé *m*

bec [bɛk] *nm* pico; (*d'une clarinette etc*) boquilla; **~ de gaz** farola

bêche [bɛʃ] *nf* pala; **bêcher** *vt* (*terre*) cavar

bedaine [bədɛn] *nf* barriga

bedonnant, e [bədɔnɑ̃, ɑ̃t] *adj* barrigudo(-a)

bée [be] *adj*: **bouche ~** boquiabierto(-a)

bégayer [begeje] *vi*, *vt* tartamudear

beige [bɛʒ] *adj* beige

beignet [bɛɲɛ] *nm* buñuelo

bel [bɛl] *adj m voir* **beau**

bêler [bele] *vi* balar

belette [bəlɛt] *nf* comadreja

belge [bɛlʒ] *adj* belga ♦ *nm/f*: **B~** belga *m/f*

Belgique [bɛlʒik] *nf* Bélgica

bélier [belje] *nm* (ZOOL) carnero; (ASTROL): **le B~** Aries *m*

belle [bɛl] *adj f voir* **beau** ♦ *nf* (SPORT): **la ~** el desempate; **belle-fille** (*pl* **belles-filles**) *nf* nuera; (*remariage*) hijastra; **belle-mère** (*pl* **belles-mères**) *nf* suegra; (*remariage*) madrastra; **belle-sœur** (*pl* **belles-sœurs**) *nf* cuñada

belvédère [belvedeʀ] *nm* mirador *m*

bémol [bemɔl] *nm* bemol *m*

bénédiction [benediksjɔ̃] *nf* bendición *f*

bénéfice [benefis] *nm* (COMM) beneficio; (*avantage*) beneficio, provecho; **bénéficier** *vi*: **bénéficier de** (*jouir de, avoir, obtenir*) disfrutar de; (*tirer profit de*) beneficiarse de, aprovecharse de; **bénéfique** *adj* benéfico(-a)

bénévole [benevɔl] *adj* (*personne*) benévolo(-a); (*aide etc*) voluntario(-a)

bénin, -igne [benɛ̃, iɲ] *adj* benigno(-a)

bénir [beniʀ] *vt* bendecir; **bénit, e** *adj* bendito(-a); **eau bénite** agua bendita

benne [bɛn] *nf* (*de camion*) volquete *m*; (*de téléphérique*) cabina

béquille [bekij] *nf* muleta; (*de bicyclette*) soporte *m*

berceau, x [bɛʀso] *nm* cuna

bercer [bɛʀse] *vt* acunar, mecer; (*suj: musique*) mecer; **~ qn de** ilusionar a algn con; **berceuse** *nf* (*chanson*) canción *f* de cuna, nana

béret (basque) [beʀɛ (bask(ə))] *nm* boina

berge [bɛʀʒ] *nf (d'un cours d'eau)* ribera

berger, -ère [bɛʀʒe, ʒɛʀ] *nm/f* pastor(a)

berner [bɛʀne] *vt* estafar

besogne [bəzɔɲ] *nf* tarea, faena

besoin [bəzwɛ̃] *nm* necesidad *f*; *(pauvreté)*: **le ~** la necesidad, la estrechez ♦ *adv*: **au ~** si es menester; **faire ses ~s** hacer sus necesidades; **avoir ~ de qch/de faire qch** tener necesidad de algo/de hacer algo

bestiole [bɛstjɔl] *nf* bicho

bétail [betaj] *nm* ganado

bête [bɛt] *nf (gén)* animal *m*; *(insecte, bestiole)* bicho ♦ *adj (stupide)* tonto(-a), bobo(-a); **chercher la petite ~** ser un chinche; **~ noire** pesadilla, bestia negra; **~s sauvages** fieras *fpl*, animales *mpl* salvajes

bêtement [bɛtmɑ̃] *adv* tontamente; **tout ~** simplemente, sin rodeos

bêtise [betiz] *nf (défaut d'intelligence)* estupidez *f*, tontería; *(action, remarque)* tontería

béton [betɔ̃] *nm* hormigón *m*; **en ~** *(alibi, argument)* sólido(-a); **~ armé** hormigón armado

betterave [bɛtʀav] *nf* remolacha, betarraga *(CHI)*

Beur [bœʀ] *nm/f* joven árabe nacido en Francia de padres emigrantes

beurre [bœʀ] *nm* mantequilla, manteca *(AM)*; **~ noir** mantequilla requemada; **beurrer** *vt* untar con mantequilla; **beurrier** *nm* mantequera

bi- [bi] *préf* bi-

biais [bjɛ] *nm (d'un tissu)* sesgo; *(moyen)* rodeo, vuelta; **en ~, de ~** *(obliquement)* al sesgo; *(fig)* con rodeos

bibelot [biblo] *nm* chuchería

biberon [bibʀɔ̃] *nm* biberón *m*

bible [bibl] *nf* biblia

biblio... [biblijo] *préfixe*:
bibliobus *nm* biblioteca ambulante, bibliobús *m*;
bibliothécaire *nm/f* bibliotecario(-a); **bibliothèque** *nf* biblioteca; **bibliothèque municipale** biblioteca municipal

bicarbonate [bikaʀbɔnat] *nm*: **~ (de soude)** bicarbonato (sódico)

biceps [bisɛps] *nm inv* bíceps *m inv*

biche [biʃ] *nf* cierva

bicolore [bikɔlɔʀ] *adj* bicolor

bicoque [bikɔk] *(péj) nf* casucha

bicyclette [bisiklɛt] *nf* bicicleta

bidet [bidɛ] *nm* bidé *m*

bidon [bidɔ̃] *nm (récipient)* bidón *m* ♦ *adj inv (fam)* amañado(-a)

bidonville [bidɔ̃vil] *nm* chabolas *fpl*

bidule [bidyl] *nm* trasto, chisme *m*

─── MOT-CLÉ ───

bien [bjɛ̃] *nm* **1** *(avantage, profit, moral)* bien *m*; **faire du bien à qn** hacer bien a algn; **faire le bien** hacer el bien; **dire du bien de qn/qch** hablar bien de algn/ algo; **c'est pour son bien** es por su bien; **mener à bien** llevar a buen término; **je te veux du bien** te quiero bien

2 *(possession, patrimoine)* bien; **son bien le plus précieux** su bien más preciado; **avoir du bien** tener fortuna; **biens de consommation** bienes *mpl* de consumo

♦ *adv* **1** *(de façon satisfaisante)*

bien-aimé

33

bigorneau

bien; **elle travaille/mange bien** trabaja/come bien; **vite fait, bien fait** pronto y bien; **croyant bien faire, je ...** creyendo hacer bien, yo ...
2 (valeur intensive) muy, mucho; **bien jeune** muy joven; **bien mieux** mucho mejor; **bien souvent** muy a menudo; **c'est bien fait!** (tu le mérites) ¡te está bien empleado!; **j'espère bien y aller** sí espero poder ir; **je veux bien le faire** (concession) me parece bien hacerlo; **il faut bien le faire** hay que hacerlo; **il faut bien l'admettre** hay que admitirlo; **il y a bien 2 ans** hace 2 años largos; **Paul est bien venu, n'est-ce pas?** Paul sí ha venido, ¿verdad?; **tu as eu bien raison de dire cela** hiciste muy bien en decir eso; **j'ai bien téléphoné** sí llamé por teléfono; **se donner bien du mal** molestarse mucho; **où peut-il bien être passé?** ¿dónde se habrá metido?; **on verra bien** ya veremos
3 (beaucoup): **bien des gens** mucha gente
♦ excl: **eh bien?** bueno, ¿qué?
♦ adj inv **1** (en bonne forme, à l'aise): **être/se sentir bien** estar/sentirse bien; **je ne me sens pas bien** no me siento bien; **on est bien dans ce fauteuil** se está bien en este sillón
2 (joli, beau) bien; **tu es bien dans cette robe** estás bien con este vestido
3 (satisfaisant, adéquat) bien; **elle est bien, cette maison** está bien esta casa; **elle est bien, cette secrétaire** es buena esta

secretaria; **c'est bien?** ¿está bien?; **mais non, c'est très bien** que no, está muy bien; **c'est très bien (comme ça)** está muy bien (así)
4 (juste, moral, respectable) bien inv; **ce n'est pas bien de ...** no está bien ...; **des gens bien** gente bien
5 (en bons termes): **être bien avec qn** estar a bien con algn; **si bien que** (résultat) de tal manera que; **tant bien que mal** así, así
6 bien que conj aunque
7 bien sûr adv desde luego

bien-aimé, e [bjɛnɛme] adj, nm/f bienamado(-a)
bien-être [bjɛnɛtR] nm bienestar m
bienfaisance [bjɛ̃fazɑ̃s] nf beneficencia
bienfait [bjɛ̃fɛ] nm favor m; (de la science) beneficio
bienfaiteur, -trice [bjɛ̃fɛtœR, tRis] nm/f bienhechor(a)
bien-fondé [bjɛ̃fɔ̃de] nm legitimidad f
bientôt [bjɛ̃to] adv pronto, luego; **à ~** hasta luego
bienveillant, e [bjɛ̃vɛjɑ̃, ɑ̃t] adj benévolo(-a)
bienvenu, e [bjɛ̃vny] adj bienvenido(-a); **souhaiter la bienvenue à** desear la bienvenida a; **bienvenue à** bienvenida a
bière [bjɛR] nf cerveza; (cercueil) ataúd m; **~ blonde/brune** cerveza dorada/negra; **~ (à la) pression** cerveza de barril
bifteck [biftɛk] nm bistec m, bisté m, bife m (ARG)
bigorneau, x [bigɔRno] nm bígaro

bigoudi [bigudi] *nm* bigudí *m*

bijou, x [biʒu] *nm* joya, alhaja; **bijouterie** *nf* (*bijoux*) joyas *fpl*; (*magasin*) joyería; **bijoutier, -ière** *nm/f* joyero(-a)

bikini [bikini] *nm* biquini *m*

bilan [bilɑ̃] *nm* balance *m*; **faire le ~ de** hacer el balance de; **déposer son ~** declararse en quiebra

bile [bil] *nf* bilis *f*; **se faire de la ~** (*fam*) hacerse mala sangre

bilieux, -euse [biljø, jøz] *adj* bilioso(-a); (*fig*) bilioso(-a), colérico(-a)

bilingue [bilɛ̃g] *adj* bilingüe

billard [bijaʀ] *nm* billar *m*

bille [bij] *nf* bola *f*; (*du jeu de billes*) canica

billet [bijɛ] *nm* billete *m*; (*de cinéma*) entrada; **~ aller retour** billete de ida y vuelta; **billetterie** *nf* emisión *f* y venta de billetes; (*distributeur*) taquilla; (*BANQUE*) cajero (automático)

billion [biljɔ̃] *nm* billón *m*

bimensuel, le [bimɑ̃sɥɛl] *adj* bimensual, quincenal

bio... [bjɔ] *préf* bio...; **biochimie** *nf* bioquímica; **biodiversité** *nf* biodiversidad *f*; **biographie** *nf* biografía; **biologie** *nf* biología; **biologique** *adj* biológico(-a); **biologiste** *nm/f* biólogo(-a); **bioterroriste** *nm/f* bioterrorista *m/f*

Birmanie [biʀmani] *nf* Birmania

bis¹, e [bi, biz] *adj* pardo(-a)

bis² [bis] *adv*: **12 ~** 12 bis ♦ *excl* ¡otra! ♦ *nm* bis *m*

biscotte [biskɔt] *nf* biscote *m*

biscuit [biskɥi] *nm* (*gâteau sec*) galleta; (*gâteau, porcelaine*) bizcocho

bise [biz] *adj f voir* **bis¹** ♦ *nf*

(*baiser*) beso; (*vent*) cierzo

bisou [bizu] (*fam*) *nm* besito

bissextile [bisɛkstil] *adj*: **année ~** año bisiesto

bistro(t) [bistʀo] *nm* bar *m*, café *m*, cantina (*esp AM*)

bitume [bitym] *nm* asfalto

bizarre [bizaʀ] *adj* raro(-a)

blague [blag] *nf* (*propos*) chiste *m*; (*farce*) broma; **"sans ~!"** (*fam*) "¡no me digas!"; **blaguer** *vi* bromear

blaireau, x [blɛʀo] *nm* (*ZOOL*) tejón *m*; (*brosse*) brocha de afeitar

blâme [blɑm] *nm* (*jugement*) reprobación *f*; (*sanction*) sanción *f*; **blâmer** *vt* (*réprouver*) reprobar

blanc, blanche [blɑ̃, blɑ̃ʃ] *adj* blanco(-a) ♦ *nm/f* blanco(-a) ♦ *nm* blanco; (*linge*) ropa blanca; (*aussi*: **~ d'œuf**) clara; (*aussi*: **~ de poulet**) pechuga; **à ~** (*chauffer*) al rojo vivo; (*tirer, charger*) con munición de fogueo; **chèque en ~** cheque en blanco; **~ cassé** color *m* hueso; **blanche** *nf* (*MUS*) blanca; **blancheur** *nf* blancura

blanchir [blɑ̃ʃiʀ] *vt* (*gén, argent*) blanquear; (*linge*) lavar; (*CULIN*) escaldar; (*disculper*) rehabilitar ♦ *vi* blanquear; (*cheveux*) blanquear, encanecer; **blanchisserie** *nf* lavandería

blason [blazɔ̃] *nm* blasón *m*

blasphème [blasfɛm] *nm* blasfemia

blazer [blazɛʀ] *nm* blázer *m*

blé [ble] *nm* trigo; **~ noir** trigo sarraceno

bled [blɛd] *nm* (*péj*) poblacho

blême [blɛm] *adj* pálido(-a)

blessant, e [blesɑ̃, ɑ̃t] *adj* hiriente

blessé, e [blese] *adj* herido(-a); (*offensé*) ofendido(-a) ♦ *nm/f* herido(-a)

blesser [blese] vt herir; (suj: souliers) hacer daño a; (offenser) ofender; **se ~** vpr herirse; **se ~ au pied** etc lastimarse el pie etc; **blessure** nf herida, (fig) herida, ofensa

bleu, e [blø] adj azul; (bifteck) poco hecho ♦ nm azul m; (contusion) cardenal m; (vêtement: aussi: **~s**) mono, overol m (AM); **~ marine** azul marino; **bleuet** nm aciano

bloc [blɔk] nm bloque m; (de papier à lettres) bloc m; (ensemble) montón m; **serré à ~** apretado a fondo; **en ~** en bloque; **~ opératoire** quirófano; **blocage** nm (aussi PSYCH) bloqueo; **bloc-notes** (pl **blocs-notes**) nm bloc m de notas

blond, e [blɔ̃, blɔ̃d] adj rubio(-a); (sable, blés) dorado(-a) ♦ nm/f rubio(-a); **~ cendré** rubio ceniciento

bloquer [blɔke] vt bloquear

blottir [blɔtir]: **se ~** vpr acurrucarse

blouse [bluz] nf bata

blouson [bluzɔ̃] nm cazadora; **~ noir** (fig) gamberro

bluff [blœf] nm exageración f, farol m; **bluffer** vi exagerar, farolear ♦ vt engañar

bobine [bɔbin] nf (de fil) carrete m; (de film) carrete, rollo; (ÉLEC) bobina

bocal, -aux [bɔkal, o] nm tarro (de vidrio)

bock [bɔk] nm jarra (de cerveza)

body [bɔdi] nm body m; (SPORT) malla

bœuf [bœf] nm buey m; (CULIN) carne f de vaca

bof! [bɔf] (fam) excl ¡bah!

bohémien, ne [bɔemjɛ̃, jɛn] nm/f bohemio(-a)

boire [bwar] vt beber, tomar (AM); **~ un coup** echar un trago

bois¹ [bwa] vb voir **boire**

bois² [bwa] nm (substance) madera; (forêt) bosque m; **de ~, en ~** de madera; **boisé, e** adj arbolado(-a)

boisson [bwasɔ̃] nf bebida

boîte [bwat] nf caja; (de fer) lata; **il a quitté sa ~** (fam: entreprise) ha dejado el curro (fam); **~ d'aliments en ~** alimentos mpl en lata; **~ à gants** guantera; **~ aux lettres** buzón m; **~ d'allumettes** caja de cerillas; **~ de conserves** lata de conservas; **~ (de nuit)** discoteca; **~ de vitesses** caja de cambios; **~ postale** apartado de correos

boiter [bwate] vi cojear, renguear (AM)

boîtier [bwatje] nm (d'appareil-photo) cuerpo

boive etc [bwav] vb voir **boire**

bol [bɔl] nm tazón m; **un ~ d'air** una bocanada de aire; **en avoir ras le ~** (fam) estar hasta la coronilla

bombarder [bɔ̃barde] vt (MIL) bombardear; **~ qn de** bombardear a algn con, acosar a algn con

bombe [bɔ̃b] nf bomba; (atomiseur) atomizador m

MOT-CLÉ

---

bon, bonne [bɔ̃, bɔn] adj **1** (agréable, satisfaisant) bueno(-a); (avant un nom masculin) buen; **un bon repas/restaurant** una buena comida/un buen restaurante; **vous êtes trop bon** es usted demasiado bueno; **avoir**

bon goût tener buen gusto; **elle est bonne en maths** se le dan bien las matemáticas

2 (*bienveillant, charitable*): **être bon** (*envers*) ser bueno (con)

3 (*correct*) correcto(-a); **le bon numéro** el número correcto; **le bon moment** el momento oportuno

4 (*souhaits*): **bon anniversaire!** ¡feliz cumpleaños!; **bon voyage!** ¡buen viaje!; **bonne chance!** ¡(buena) suerte!; **bonne année!** ¡feliz año nuevo!; **bonne nuit!** ¡buenas noches!

5 (*approprié, apte*): **bon à/pour** bueno/a para; **ces chaussures sont bonnes à jeter** estos zapatos están para tirarlos; **c'est bon à savoir** está bien saberlo

6 de bonne heure temprano; **bon marché** barato(-a); **bon sens** sentido común; **c'est un bon vivant** le gusta la buena vida

7 (*valeur intensive*) largo(-à); **ça m'a pris deux bonnes heures** me llevó dos horas largas ♦ *nm* **1** (*billet*) bono, vale *m*; **bon cadeau** vale regalo; **bon à rien** inútil *m/f*; **bon mot** ocurrencia

2: avoir du bon tener ventajas; **pour de bon** de verdad, en serio; **il y a du bon dans ce qu'il dit** lo que dice tiene sentido ♦ *adv*: **il fait bon** hace bueno; **sentir bon** oler bien; **tenir bon** resistir; **à quoi bon?** ¿para qué?; **juger bon de faire** ... juzgar oportuno hacer ...; **le bus/ton frère a bon dos** (*fig*) siempre es el autobús/tu hermano ♦ *excl*: **bon!** ¡bueno!; **ah bon?**

¿ah, sí?; **bon, je reste** bueno, me quedo; *voir aussi* **bonne**

bonbon [bɔ̃bɔ̃] *nm* caramelo

bond [bɔ̃] *nm* (*saut*) salto; (*d'une balle*) bote *m*; (*fig*) salto, avance *m*; **faire un ~** dar un salto

bondé, e [bɔ̃de] *adj* abarrotado(-a)

bondir [bɔ̃diʀ] *vi* saltar, brincar

bonheur [bɔnœʀ] *nm* felicidad *f*; **porter ~ (à qn)** dar buena suerte (a algn); **par ~** por fortuna

bonhomme [bɔnɔm] (*pl* **bonshommes**) *nm* hombre *m*; **~ de neige** muñeco de nieve

bonjour [bɔ̃ʒuʀ] *excl, nm* buenos días *mpl*

bonne [bɔn] *adj f voir* **bon** ♦ *nf* criada, mucama (*CSUR*), recamarera (*MEX*)

bonnet [bɔnɛ] *nm* gorro; (*de soutien-gorge*) copa; **~ de bain** gorro de baño

bonshommes [bɔ̃zɔm] *nmpl de* **bonhomme**

bonsoir [bɔ̃swaʀ] *excl, nm* buenas tardes; (*plus tard*) buenas noches

bonté [bɔ̃te] *nf* bondad *f*

bonus [bɔnys] *nm inv* (*ASSURANCE*) descuento en la prima por poca siniestralidad

bord [bɔʀ] *nm* (*de table, route, falaise*) borde *m*; (*de lac, route*) orilla, borde; (*NAUT*): **à ~** a bordo; **monter à ~** subir a bordo; **jeter par-dessus ~** arrojar por la borda; **le commandant/les hommes du ~** el comandante/ los hombres de a bordo; **au ~ de la mer/de la route** a orillas del mar/de la carretera; **être au ~ des larmes** (*fig*) estar a punto de llorar

bordeaux [bɔʀdo] *nm inv* (*vin*)

burdeos *m inv* ♦ *adj inv* (*couleur*)
burdeos *inv*, rojo violáceo *inv*
bordel [bɔʀdɛl] (*fam*) *nm* burdel
m; (*fig*) follón *m* ♦ *excl* ¡joder!
(*fam!*)
bordelais, e [bɔʀdəlɛ, ɛz] *adj*
bordelés(-esa) ♦ *nm/f*: **B~, e**
bordelés(-esa)
border [bɔʀde] *vt* (*être le long de*)
orillar, bordear; (*personne, lit*)
arropar; **~ qch de** (*garnir*)
ribetear algo de
bordure [bɔʀdyʀ] *nf* borde *m*; **en
~ de** a orillas de
borne [bɔʀn] *nf* (*pour délimiter*)
mojón *m*; (*gén*: borne kilométrique)
mojón; **~s** *nfpl* (*fig*) límites *mpl*;
dépasser les ~s pasarse de la
raya
borné, e [bɔʀne] *adj* limitado(-a)
borner [bɔʀne] *vt*: **se ~ à faire**
limitarse a hacer
bosquet [bɔskɛ] *nm* bosquecillo
bosse [bɔs] *nf* (*de terrain*)
montículo; (*sur un objet*)
protuberancia; (*enflure*) bulto; (*du
bossu, du chameau*) joroba; **avoir
la ~ des maths** ser ducho(-a) en
matemáticas
bosser [bɔse] (*fam*) *vt* empollar
bossu, e [bɔsy] *adj*, *nm/f*
jorobado(-a)
botanique [bɔtanik] *nf*: **la ~** la
botánica ♦ *adj* botánico(-a)
botte [bɔt] *nf* bota; **~
d'asperges** manojo de
espárragos; **~ de radis** manojo
de rábanos; **~s de caoutchouc**
botas *fpl* de goma
bottin [bɔtɛ̃] *nm* anuario del
comercio
bottine [bɔtin] *nf* botina
bouc [buk] *nm* (*animal*) macho
cabrío; (*barbe*) perilla
boucan [bukɑ̃] *nm* jaleo

bouche [buʃ] *nf* boca; **faire du
~-à-~ à qn** hacer el boca a boca
a algn; **~ de métro/d'incendie**
boca de metro/de incendios
bouché, e [buʃe] *adj* (*flacon*)
tapado(-a); (*temps, ciel*)
encapotado(-a); (*personne, carrière*)
cerrado(-a)
bouchée [buʃe] *nf* bocado; **~ à
la reine** pastel de hojaldre de
pollo
boucher [buʃe] *nm* carnicero;
(*colmater*) rellenar; (*passage*)
cerrar; (*porte*) obstruir; **se ~** *vpr*
(*tuyau*) taponarse; **se ~ le nez**
taparse la nariz; **boucherie** *nf*
carnicería *m*
bouchon [buʃɔ̃] *nm* (*en liège*)
corcho; (*autre matière*) tapón *m*;
(*embouteillage*) atasco; (*PÊCHE*)
flotador *m*
boucle [bukl] *nf* curva; (*objet*)
argolla; (*de ceinture*) hebilla; **~ (de
cheveux)** bucle; **~s d'oreilles**
pendientes *mpl*, aretes *mpl* (*esp
AM*)
bouclé, e [bukle] *adj* (*cheveux,
personne*) ensortijado(-a)
boucler [bukle] *vt* (*ceinture etc*)
cerrar, ajustar; (*affaire*) concluir;
(*budget*) equilibrar; (*enfermer*)
encerrar
bouder [bude] *vi* enojarse
boudin [budɛ̃] *nm* (*CULIN*) morcilla
boue [bu] *nf* barro, fango
bouée [bwe] *nf* (*de baigneur*)
flotador *m*; **~ (de sauvetage)**
salvavidas *m inv*
boueux, -euse [bwø, øz] *adj*
fangoso(-a)
bouffe [buf] (*fam*) *nf* comilona
bouffée [bufe] *nf* bocanada
bouffer [bufe] *vi* (*fam*) jalar
bouffi, e [bufi] *adj* hinchado(-a)
bouger [buʒe] *vi* moverse;

bougie [buʒi] *nf* vela; (*AUTO*) bujía

(changer) alterarse; *(agir)* agitarse ♦ *vt* mover

bouillabaisse [bujabɛs] *nf* sopa de pescado

bouillant, e [bujɑ̃, ɑ̃t] *adj* hirviendo

bouillie [buji] *nf* gachas *fpl*; *(de bébé)* papilla; **en ~** *(fig)* en papilla

bouillir [bujiʀ] *vi* hervir ♦ *vt* (*gén:* faire bouillir) hervir

bouilloire [bujwaʀ] *nf* hervidor *m*

bouillon [bujɔ̃] *nm* (*CULIN*) caldo; **bouillonner** *vi* borbotear

bouillotte [bujɔt] *nf* calentador *m*, bolsa de agua caliente

boulanger, -ère [bulɑ̃ʒe, ʒɛʀ] *nm/f* panadero(-a); **boulangerie** *nf* panadería

boule [bul] *nf* bola; *(pour jouer)* bolo; **~ de neige** bola de nieve

boulette [bulɛt] *nf* *(petite boule)* bolita

boulevard [bulvaʀ] *nm* bulevar *m*

bouleversant, e [bulvɛʀsɑ̃, ɑ̃t] *adj* (*émouvant*) conmovedor(a)

bouleversement [bulvɛʀsəmɑ̃] *nm* trastorno

bouleverser [bulvɛʀse] *vt* (*changer*) trastornar; *(émouvoir)* conmover; *(causer du chagrin à)* afectar

boulon [bulɔ̃] *nm* perno

boulot, te [bulo, ɔt] *(fam) nm* trabajo, curro

boum [bum] *nm* bum *m* ♦ *nf* fiesta

bouquet [bukɛ] *nm* *(de fleurs)* ramo, ramillete *m*

bouquin [bukɛ̃] *(fam) nm* libro; **bouquiner** *(fam) vi* leer; **bouquiniste** *nm/f* librero de viejo

bourdon [buʀdɔ̃] *nm* abejorro

bourg [buʀ] *nm* burgo

bourgeois, e [buʀʒwa, waz] *adj* (*souvent péj*) burgués(-esa); **bourgeoisie** *nf* burguesía

bourgeon [buʀʒɔ̃] *nm* brote *m*, yema

Bourgogne [buʀgɔɲ] *nf* Borgoña ♦ *nm*: **b~** *(vin)* vino de borgoña

bourguignon, ne [buʀgiɲɔ̃, ɔn] *adj, nm/f* borgoñón(-ona); **(bœuf) ~** encebollado de vaca

bourrasque [buʀask] *nf* borrasca

bourratif, -ive [buʀatif, iv] *adj* pesado(-a)

bourré, e [buʀe] *adj* (*fam*) trompa *inv*; **~ de** *(rempli)* cargado(-a) de

bourrer [buʀe] *vt* (*valise, poêle*) rellenar

bourru, e [buʀy] *adj* rudo(-a)

bourse [buʀs] *nf* (*subvention*) beca; *(porte-monnaie)* bolsa; **la B~** la Bolsa

boursier, -ière [buʀsje, jɛʀ] *adj* (*élève*) becario(-a); (*COMM*) bursátil ♦ *nm/f* becario(-a)

bous [bu] *vb voir* **bouillir**

bousculade [buskylad] *nf* (*précipitation*) atropello; **bousculer** *vt* empujar; *(presser)* meter prisa a

boussole [busɔl] *nf* brújula

bout¹ [bu] *vb voir* **bouillir**

bout² [bu] *nm* (*morceau*) trozo; *(extrémité)* punta; *(de table)* extremo; *(fin, rue)* final *m*; **au ~ de** *(après)* al cabo de, al final de; **pousser qn à ~** poner a algn al límite; **venir à ~ de qch** terminar algo; **venir à ~ de qn** poder con algn

bouteille [butɛj] *nf* botella; *(de gaz)* bombona

boutique [butik] *nf* tienda

bouton [butɔ̃] *nm* botón *m*; *(sur la peau)* grano; **boutonner** *vt* abotonar; **boutonnière** nf ojal m

bovin, e [bɔvɛ̃, in] adj bovino(-a);
~s nmpl ganado msg bovino

bowling [bulin] nm juego de
bolos; (salle) bolera

boxe [bɔks] nf boxeo, box m (AM);
boxeur, -euse nm/f
boxeador(a)

BP [bepe] sigle f (= boîte postale)
Apdo. (= Apartado de correos), C.P.
f (AM) (= Casilla Postal)

bracelet [braslɛ] nm pulsera

braconnier [brakɔnje] nm
cazador m/pescador m furtivo

brader [brade] vt vender a precio
de saldo; **braderie** nf (marché)
mercadillo

braguette [bragɛt] nf bragueta

braise [brɛz] nf brasas fpl

brancard [brɑ̃kar] nm (civière)
camilla; **brancardier** nm
camillero

branche [brɑ̃ʃ] nf rama

branché, e [brɑ̃ʃe] adj (fam)
(personne) a la última; (boîte de
nuit) de moda

brancher [brɑ̃ʃe] vt enchufar

brandir [brɑ̃dir] vt (arme) blandir

braquer [brake] vi (AUTO) girar ♦
vt (regard) clavar; ~ qch sur qn
(revolver) apuntar a algn con algo

bras [bra] nm brazo; ~ **droit** (fig)
brazo derecho

brassard [brasar] nm brazalete
m

brasse [bras] nf braza; ~
papillon braza mariposa

brassée [brase] nf brazada

brasser [brase] vt (bière) fabricar;
(remuer) mezclar

brasserie [brasri] nf (restaurant)
cervecería; (usine) fábrica de
cerveza

brave [brav] adj (courageux, aussi
péj) valiente; (bon, gentil)

bueno(-a)

braver [brave] vt (ordre) desafiar;
(danger) afrontar

bravo [bravo] excl, nm bravo

bravoure [bravur] nf bravura

break [brɛk] nm (AUTO) ranchera

brebis [brəbi] nf oveja

bredouiller [brəduje] vi, vt
farfullar

bref, brève [brɛf, ɛv] adj breve ♦
adv total

Brésil [brezil] nm Brasil

brésilien, ne adj brasileño(-a) ♦
nm/f: **Brésilien, ne** brasileño(-a)

Bretagne [brətaɲ] nf Bretaña

bretelle [brətɛl] nf (de vêtement)
tirante m; (d'autoroute) acceso
m; **~s** nfpl (pour pantalons) tirantes
mpl, suspensores mpl (AM)

breton, ne [brətɔ̃, ɔn] adj
bretón(-ona)

brève [brɛv] adj f voir **bref**

brevet [brəvɛ] nm certificado; ~
(d'invention) patente f;
breveté, e adj (invention)
patentado(-a)

bricolage [brikɔlaʒ] nm bricolaje
m

bricoler [brikɔle] vi hacer
chapuzas; (passe-temps) hacer
bricolaje; **bricoleur, -euse**
nm/f mañoso(-a), manitas m/f inv

bridge [bridʒ] nm (jeu) bridge m

brièvement [brijɛvmɑ̃] adv
brevemente

brigade [brigad] nf (gén)
cuadrilla; (POLICE, MIL) brigada;
brigadier nm (MIL) cabo; (POLICE)
jefe m

brillamment [brijamɑ̃] adv
estupendamente

brillant, e [brijɑ̃, ɑ̃t] adj brillante;
(luisant) reluciente ♦ nm brillante
m

briller [brije] vi brillar

brin [bʀɛ̃] nm hebra; **un ~ de** (fig) una pizca de; **~ d'herbe** brizna de hierba

brindille [bʀɛ̃dij] nf ramita

brioche [bʀijɔʃ] nf bollo, queque m (AM); (fam: ventre) buche m

brique [bʀik] nf ladrillo ♦ adj inv (couleur) de color teja

briquet [bʀikɛ] nm mechero, encendedor m

brise [bʀiz] nf brisa

briser [bʀize] vt (casser) romper; (fig) arruinar, destrozar; (grève) romper; **se ~** vpr romperse

britannique [bʀitanik] adj británico(-a)

brocante [bʀɔkɑ̃t] nf (objets) baratillo; **brocanteur, -euse** nm/f chamarilero(-a)

broche [bʀɔʃ] nf (bijou) broche m; (MÉD) alambre m; **à la ~** (CULIN) al asador

broché, e [bʀɔʃe] adj (livre) en rústica

brochet [bʀɔʃɛ] nm lucio

brochette [bʀɔʃɛt] nf pincho, brocheta

brochure [bʀɔʃyʀ] nf folleto

broder [bʀɔde] vt bordar; **broderie** [bʀɔdʀi] nf bordado

bronches [bʀɔ̃ʃ] nfpl bronquios mpl; **bronchite** [bʀɔ̃ʃit] nf bronquitis f inv

bronze [bʀɔ̃z] nm bronce m

bronzer [bʀɔ̃ze] vi broncearse; **se ~** vpr broncearse

brosse [bʀɔs] nf cepillo, escobilla (AM); **coiffé en ~** peinado al cepillo; **~ à cheveux** cepillo para el pelo; **~ à dents/à habits** cepillo de dientes/de (la) ropa; **brosser** vt (nettoyer) cepillar; (fig) bosquejar; **se brosser les dents** cepillarse los dientes

brouette [bʀuɛt] nf carretilla

brouillard [bʀujaʀ] nm niebla

brouiller [bʀuje] vt mezclar; (embrouiller) embarullar, enredar; (rendre trouble, confus) enturbiar; (amis) enemistar; **se ~** vpr (vue) nublarse; **se ~ (avec)** enfadarse (con)

brouillon, ne [bʀujɔ̃, ɔn] adj desordenado(-a) ♦ nm (écrit) borrador m, copia en sucio

broussailles [bʀusaj] nfpl maleza fsg; **broussailleux, -euse** adj cubierto(-a) de maleza

brousse [bʀus] nf monte m bajo

brouter [bʀute] vt pacer

brugnon [bʀynɔ̃] nm nectarina

bruiner [bʀɥine] vi: **il bruine** llovizna

bruit [bʀɥi] nm ruido; (rumeur) rumor m; **sans ~** sin ruido; **~ de fond** ruido de fondo

brûlant, e [bʀylɑ̃, ɑ̃t] adj ardiente; (liquide) hirviendo

brûlé, e [bʀyle] adj (démasqué) descubierto(-a) ♦ nm: **odeur de ~** olor m a quemado

brûler [bʀyle] vt quemar; (suj: eau bouillante) escaldar; (feu rouge, signal) saltarse ♦ vi (se consumer) consumirse; (jeu): **tu brûles** caliente-caliente; **se ~** vpr (accidentellement) quemarse

brûlure [bʀylyʀ] nf (lésion) quemadura; **~s d'estomac** ardores mpl de estómago

brume [bʀym] nf bruma

brun, e [bʀɛ̃, bʀyn] adj moreno(-a)

brushing [bʀœʃiŋ] nm marcado; **faire un ~** marcar y marcar

brusque [bʀysk] adj (soudain) repentino(-a); (rude) brusco(-a)

brut, e [bʀyt] adj bruto(-a); (pétrole) ~ crudo

brutal, e, -aux [bʀytal, o] adj

brutal; (*franchise*) rudo(-a)

Bruxelles [brysɛl] *n* Bruselas

bruyamment [brɥijamã] *adv* ruidosamente

bruyant, e [brɥijã, ãt] *adj* ruidoso(-a)

bruyère [brɥijɛr] *nf* brezo

BTS [beteɛs] *sigle m* (= *brevet de technicien supérieur*) diploma de enseñanza técnica

bu, e [by] *pp de* **boire**

buccal, e, -aux [bykal, o] *adj*: **par voie ~e** por vía oral

bûche [byʃ] *nf* leño; **~ de Noël** bizcocho de navidad

bûcher [byʃe] *vi, vt* (*fam*) empollar

budget [bydʒɛ] *nm* presupuesto

buée [bɥe] *nf* vaho

buffet [byfɛ] *nm* (*meuble*) aparador *m*; (*de réception*) buffet *m*; **~ (de gare)** cantina (de estación)

buis [bɥi] *nm* boj *m*

buisson [bɥisɔ̃] *nm* matorral *m*

bulbe [bylb] *nm* bulbo

Bulgarie [bylgari] *nf* Bulgaria

bulle [byl] *nf* burbuja

bulletin [byltɛ̃] *nm* boletín *m*; (*papier*) folleto; **~ d'informations** boletín informativo; **~ (de vote)** papeleta

bureau, x [byro] *nm* (*meuble*) escritorio; (*pièce*) despacho; **~ de change/de poste** oficina de cambio/de correos; **~ de tabac** estanco

bureaucratie [byrokrasi] *nf* burocracia

bus¹ [by] *vb voir* **boire**

bus² [bys] *nm* autobús *m*, bus *m* (*esp AM*), camión *m* (*MEX*)

buste [byst] *nm* busto

but¹ [by] *vb voir* **boire**

but² [byt] *nm* (*cible*) meta; (*d'un voyage*) destino; (*d'une entreprise, d'une action*) objetivo; (*FOOTBALL: limites*) portería, arco (*AM*); **avoir pour ~ de faire** tener como objetivo hacer; **dans le ~ de** con el propósito de

butane [bytan] *nm* butano

butiner [bytine] *vt, vi* libar

buvais *etc* [byvɛ] *vb voir* **boire**

buvard [byvar] *nm* secante *m*

buvette [byvɛt] *nf* puesto de bebidas

C, c

c' [s] *dét voir* **ce**

CA *sigle m* (= *chiffre d'affaires*) voir **chiffre**; (= *conseil d'administration*) voir **conseil**

ça [sa] *pron* (*proche*) esto; (*pour désigner*) eso; (*plus loin*) aquello; **~ va?** ¿qué tal?; (*d'accord?*) ¿vale?; **~ alors!** (*désapprobation*) ¡pero bueno!; (*étonnement*) ¡y entonces!

çà [sa] *adv*: **~ et là** aquí y allá

cabane [kaban] *nf* cabaña

cabaret [kabarɛ] *nm* cabaret *m*

cabillaud [kabijo] *nm* bacalao fresco

cabine [kabin] *nf* cabina; (*de bateau*) camarote *m*; (*de plage*) caseta; **~ d'essayage** probador *m*; **~ (téléphonique)** cabina (telefónica), locutorio

cabinet [kabinɛ] *nm* (*aussi POL*) gabinete *m*; (*de médecin*) gabinete, consulta; (*d'avocat, de notaire*) gabinete, despacho; **~s** *nmpl* servicios *mpl*; **~ de toilette** cuarto de aseo

câble [kabl] *nm* cable *m*

cacahuète [kakaɥɛt] *nf* cacahuete *m*, maní *m* (*AM*), cacahuate m (AM)

cacao [kakao] nm cacao

cache [kaʃ] nf (cachette) escondite m

cache-cache [kaʃkaʃ] nm inv: **jouer à ~~** jugar al escondite

cachemire [kaʃmiʀ] nm cachemira, cachemir m

cacher [kaʃe] vt ocultar, esconder; **se ~** vpr esconderse, ocultarse; **~ qch à qn** ocultar algo a algn

cachet [kaʃɛ] nm (MÉD) pastilla

cachette [kaʃɛt] nf escondite m; **en ~** a escondidas

cactus [kaktys] nm inv cactus m inv

cadavre [kadavʀ] nm cadáver m

caddie [kadi] nm (au supermarché) carrito

cadeau, x [kado] nm regalo; **faire un ~ à qn** hacer un regalo a algn

cadenas [kadnɑ] nm candado

cadet, te [kadɛ, ɛt] adj (plus jeune) menor; (le plus jeune) menor, más pequeño(-a) ♦ nm/f (de la famille) benjamín(-ina)

cadran [kadʀɑ̃] nm (de pendule, montre) esfera; **~ solaire** reloj m de sol

cadre [kadʀ] nm marco ♦ nm/f (ADMIN) ejecutivo(-a), cuadro; **dans le ~ de** (fig) en el marco de

cafard [kafaʀ] nm cucaracha; **avoir le ~** (fam) estar melancólico(-a)

café [kafe] nm café m; **~ noir** café solo; **~ tabac** café-estanco; **cafetière** nf cafetera

cage [kaʒ] nf jaula

cageot [kaʒo] nm caja

cagoule [kagul] nf (ski etc) gorro

cahier [kaje] nm (de classe) cuaderno, libreta; **~ d'exercices**

cuaderno de ejercicios; **~ de brouillon** cuaderno de sucio

caille [kaj] nf codorniz f

caillou, x [kaju] nm guijarro, piedra; **caillouteux, -euse** adj pedregoso(-a)

caisse [kɛs] nf caja; (recettes) caja, recaudación f; **~ d'épargne/de retraite** caja de ahorros/de jubilación; **caissier, -ière** nm/f cajero(-a)

cake [kɛk] nm plum-cake m

calandre [kalɑ̃dʀ] nf (AUTO) rejilla del radiador, calandra

calcaire [kalkɛʀ] nm caliza ♦ adj calcáreo(-a); (GÉO) calcáreo(-a), calizo(-a)

calcul [kalkyl] nm (aussi fig) cálculo; **~ (biliaire)** cálculo (biliar); **calculatrice** nf calculadora; **calculer** vt calcular; **calculette** nf calculadora de bolsillo

cale [kal] nf (de bateau) bodega; (en bois) cuña

calé, e [kale] adj (fam: personne) empollado(-a)

caleçon [kalsɔ̃] nm calzoncillos mpl

calendrier [kalɑ̃dʀije] nm calendario; (programme) calendario; programa m

calepin [kalpɛ̃] nm agenda

caler [kale] vt (fixer) calzar, fijar ♦ vi (fig: ne plus pouvoir continuer) rendirse; **~ (son moteur/véhicule)** calar (el motor/vehículo)

calibre [kalibʀ] nm (d'une arme) calibre m; (fig) calibre, envergadura

câlin, e [kɑlɛ̃, in] adj mimoso(-a)

calmant, e [kalmɑ̃, ɑ̃t] adj, nm calmante m

calme [kalm] adj tranquilo(-a);

(ville, mer, endroit) tranquilo(-a), apacible ♦ *nm (d'un lieu)* tranquilidad *f*; **~ plat** (NAUT) calma chicha; **calmer** *vt* tranquilizar, calmar; *(douleur, colère)* calmar, sosegar; **se calmer** *vpr* calmarse; *(personne)* calmarse, tranquilizarse

calorie [kalɔri] *nf* caloría

camarade [kamarad] *nm/f* compañero(-a), amigo(-a); *(POL, SYNDICATS)* camarada *m/f*

cambriolage [kübrijolaʒ] *nm* robo (con efracción);

cambrioler *vt* robar (con efracción); **cambrioleur, -euse** *nm/f* atracador(a), ladrón(-ona)

camelote [kamlɔt] *nf (fam)* baratija

caméra [kamera] *nf* cámara

caméscope [kameskɔp] *nm* cámara de vídeo

camion [kamjɔ̃] *nm* camión *m*; **camionnette** *nf* camioneta; **camionneur** *nm (chauffeur)* camionero(-a)

camomille [kamɔmij] *nf* manzanilla

camp [kɑ̃] *nm (militaire, d'expédition)* campo, campamento; *(réfugiés, prisonniers)* campamento; *(fig)* campo

campagnard, e [kɑ̃paɲar, ard] *adj, nm/f* campesino(-a)

campagne [kɑ̃paɲ] *nf* campo; *(MIL, POL, COMM)* campaña; **à la ~** en el campo; **~ électorale** campaña electoral

camper [kɑ̃pe] *vi* acampar; **campeur, -euse** *nm/f* campista *m/f*

camping [kɑ̃piŋ] *nm* camping *m*; **(terrain de) ~** *(terreno de)* camping; **faire du ~** hacer camping; **camping-car** *(pl*

camping-cars) *nm* coche caravana *m*

Canada [kanada] *nm* Canadá *m*; **canadien, ne** *adj* canadiense; **canadienne** *nf (veste)* cazadora

canal, -aux [kanal, o] *nm (rivière)* canal *m*; **canalisation** *nf (d'un cours d'eau)* canalización *f*; *(tuyau)* canalización, cañería

canapé [kanape] *nm (fauteuil)* canapé *m*, sofá *m*; *(CULIN)* canapé

canard [kanar] *nm* pato

cancer [kɑ̃ser] *nm (aussi fig)* cáncer *m*; *(ASTROL)*: **le C~** Cáncer *m*

candidat, e [kɑ̃dida, at] *nm/f (examen, POL)* candidato(-a); *(à un poste)* candidato(-a), aspirante *m/f*; **candidature** *nf* candidatura; **poser sa candidature** presentar su candidatura

cane [kan] *nf* pata

canette [kanet] *nf (de bière)* botellín *m*

canevas [kanva] *nm (COUTURE)* cañamazo

caniche [kaniʃ] *nm* caniche *m*

canicule [kanikyl] *nf* canícula

canif [kanif] *nm* navaja

canne [kan] *nf* bastón *m*; **~ à pêche** *(caña de pescar)*; **~ à sucre** caña de azúcar

cannelle [kanel] *nf* canela

canoë [kanɔe] *nm* canoa; **~ (kayak)** *(SPORT)* piragüismo

canot [kano] *nm (bateau)* bote *m*, lancha; **~ de sauvetage** bote salvavidas; **~ pneumatique** bote neumático

cantatrice [kɑ̃tatris] *nf* cantante *f*

cantine [kɑ̃tin] *nf (réfectoire)* cantina

canton [kɑ̃tɔ̃] *nm (en France)* distrito; *(en Suisse)* cantón *m*

caoutchouc [kautʃu] *nm* caucho;
(*bande élastique*) goma

CAP [seape] *sigle m* (= *certificat
d'aptitude professionnelle*) ≈ título
de FP1

cap [kap] *nm* (GÉO) cabo

capable [kapabl] *adj* (*compétent*)
competente; **~ de faire** capaz de
hacer; **il est ~ d'oublier** es
capaz de olvidar

capacité [kapasite] *nf* capacidad *f*

cape [kap] *nf* capa

CAPES [kapes] *sigle m* (= *certificat
d'aptitude au professorat de
l'enseignement du second degré*)
título de profesor de enseñanza
secundaria

capitaine [kapiten] *nm* capitán *m*

capital, e, -aux [kapital, o] *adj,
nm* capital *m*; **capitaux** *nmpl*
(*fonds*) capitales *mpl*; **capitale** *nf*
(*ville*) capital *f*; (*lettre*) mayúscula;
capitalisme *nm* capitalismo;
capitaliste *adj, nm/f* capitalista
m/f

caporal, -aux [kapɔral, o] *nm*
cabo

capot [kapo] *nm* capó

câpre [kɑpr] *nf* alcaparra

caprice [kapris] *nm* capricho,
antojo; **capricieux, -euse** *adj*
caprichoso(-a)

Capricorne [kaprikɔrn] *nm*
(ASTROL) Capricornio

capsule [kapsyl] *nf* cápsula; (*de
bouteille*) cápsula, chapa

capter [kapte] *vt* captar

captivant, e [kaptivɑ̃, ɑ̃t] *adj*
cautivador(-a)

capturer [kaptyre] *vt* capturar,
apresar

capuche [kapyʃ] *nf* capucha

capuchon [kapyʃɔ̃] *nm* capuchón

car [kar] *nm* autocar *m* ♦ *conj*
pues, porque

carabine [karabin] *nf* carabina

caractère [karaktɛr] *nm*
(*humeur, tempérament*) carácter *m*;
(*de choses*) naturaleza; (*cachet*)
carácter, personalidad *f*; **avoir
bon/mauvais ~** tener buen/mal
carácter; **en ~s gras** en negrita;
en ~s d'imprimerie en letras
mayúsculas

caractériser [karakterize] *vt*
caracterizar; **se ~ par** *vpr*
caracterizarse por

caractéristique [karakteristik]
adj característico(-a) ♦ *nf*
característica

carafe [karaf] *nf* (*d'eau, de vin*)
jarra

caraïbe [karaib] *adj* caribeño(-a);
les C~s *nfpl* el Caribe

caramel [karamel] *nm* caramelo;
(*bonbon*) caramelo blando

caravane [karavan] *nf* caravana;
caravaning *nm* (*camping*)
camping *m* en caravana

carbone [karbɔn] *nm* carbono;
(*aussi*: **papier ~**) papel *m* carbón;
carbonique *adj* carbónico(-a);
carbonisé, e *adj*
carbonizado(-a)

carburant [karbyrɑ̃] *nm*
carburante *m*

carburateur [karbyratœr] *nm*
carburador *m*

cardiaque [kardjak] *adj, nm/f*
cardíaco(-a)

cardigan [kardigɑ̃] *nm* rebeca

cardiologue [kardjɔlɔg] *nm/f*
cardiólogo(-a)

carême [karɛm] *nm*: **le C~**
Cuaresma

carence [karɑ̃s] *nf* (*manque*)
carencia

caresse [kares] *nf* caricia

caresser [karese] *vt* acariciar

cargaison [kaʀgɛzɔ̃] nf carga, cargamento

cargo [kaʀgo] nm carguero, buque m de carga

caricature [kaʀikatyʀ] nf caricatura

carie [kaʀi] nf caries f inv; **la ~ (dentaire)** la caries (dental)

carnaval [kaʀnaval] nm carnaval m

carnet [kaʀnɛ] nm libreta; (de loterie etc) taco; (de timbres) cuadernillo; **~ de chèques** talonario de cheques

carotte [kaʀɔt] nf zanahoria

carré, e [kaʀe] adj cuadrado(-a); **mètre/kilomètre ~** metro/ kilómetro cuadrado

carreau, x [kaʀo] nm (par terre) baldosa; (de fenêtre) cristal m; (CARTES: couleur) diamante mpl; (carte) diamante m; **papier/tissu à ~x** papel m/tela de cuadros

carrefour [kaʀfuʀ] nm encrucijada

carrelage [kaʀlaʒ] nm (sol) embaldosado

carrelet [kaʀlɛ] nm (poisson) platija, acedía

carrément [kaʀemɑ̃] adv (franchement) francamente; (sans détours, sans hésiter) directamente; (nettement) verdaderamente

carrière [kaʀjɛʀ] nf (de craie, sable) cantera; (métier) carrera; **militaire de ~** militar m de carrera

carrosserie [kaʀɔsʀi] nf carrocería

carrure [kaʀyʀ] nf (d'une personne) anchura de espalda; (fig) clase f

cartable [kaʀtabl] nm cartera

carte [kaʀt] nf mapa m; (GÉO, au restaurant) carta; (CARTES) carta,

naipe m; (d'abonnement etc) abono; (aussi: **~ postale**) postal f; (aussi: **~ de visite**) tarjeta; **à la ~** a la carta; **~ bancaire/de crédit** tarjeta bancaria/de crédito; **~ de séjour** permiso de residencia; **~ d'identité** carnet de identidad, documento nacional de identidad, cédula (de identidad) (AM); **~ grise** documentación f de un automóvil; **~ routière** mapa de carreteras

carter [kaʀtɛʀ] nm cárter m

carton [kaʀtɔ̃] nm (matériau, ART) cartón m; (boîte) caja (de cartón)

cartouche [kaʀtuʃ] nf (de fusil) cartucho; (de stylo) cartucho, recambio; (de cigarettes) cartón m

cas [kɑ] nm caso; **faire peu de ~/grand ~ de** hacer poco/ mucho caso a; **le ~ échéant** llegado el caso; **en aucun ~** en ningún caso, bajo ningún concepto; **au ~ où** en caso de que, por si acaso; **en ~ de** en caso de; **en ~ de besoin** en caso de necesidad; **en tout ~** de todas maneras

case [kɑz] nf casilla; (hutte) choza; (pour le courrier) casillero

caser [kɑze] vt colocar

caserne [kazɛʀn] nf cuartel m

casier [kazje] nm casillero; **~ judiciaire** antecedentes mpl penales

casino [kazino] nm casino

casque [kask] nm casco; (chez le coiffeur) secador m; (pour audition) casco, auricular m

casquette [kaskɛt] nf gorra

casse-croûte [kaskʀut] nm inv tentempié m

casse-noix [kasnwa] nm inv cascanueces m inv

casse-pieds [kaspje] (fam) adj,

nm/f inv pesado(-a)

casser [kase] *vt* (*verre etc*) romper; **se ~** *vpr* romperse; **~ les prix** romper los precios

casserole [kasʁɔl] *nf* cacerola, cazuela

casse-tête [kastɛt] *nm inv* (*fig*) quebradero de cabeza

cassette [kasɛt] *nf* (*bande magnétique*) cassette *f*, casete *f*

cassis [kasis] *nm* grosellero negro, casis *m*

cassoulet [kasulɛ] *nm* guiso de alubias

catalogue [katalɔg] *nm* catálogo

catalytique [katalitik] *adj*: **pot ~** catalizador *m*

catastrophe [katastʁɔf] *nf* catástrofe *f*

catéchisme [kateʃism] *nm* catecismo

catégorie [kategɔʁi] *nf* categoría; **catégorique** *adj* categórico(-a), tajante

cathédrale [katedʁal] *nf* catedral *f*

catholique [katɔlik] *adj*, *nm/f* católico(-a); **pas très ~** (*fig*) no muy católico(-a)

cauchemar [koʃmaʁ] *nm* pesadilla

cause [koz] *nf* causa; **à ~ de** (*gén*) debido a; **pour ~ de** por causa de, por; **(et) pour ~** claro está; **être en ~** (*personne*) tener parte de culpa; (*qualité, intérêts etc*) estar en juego; **mettre en ~** culpar; **remettre en ~** poner en tela de juicio; **causer** *vt* causar ♦ *vi* charlar

caution [kosjɔ̃] *nf* (*argent*, *JUR*) fianza; (*fig*) garantía, aval *m*; **libéré sous ~** libre bajo fianza

cavalier, -ière [kavalje, jɛʁ] *nm/f* (*à cheval*) jinete *m/f*; (*au bal*)

pareja

cave [kav] *nf* sótano; (*réserve de vins*) bodega

CD [sede] *sigle m* (= *compact disc*) CD *m*

CD-Rom [sedeʁɔm] *sigle m* CD-Rom

MOT-CLÉ

ce, c', cette [sə, sɛt] (*devant nm commençant par voyelle ou h aspiré* **cet**) (*pl* **ces**) *dét* (*proche*) este (esta); (*intermédiaire*) ese (esa); (*éloigné: plus loin*) aquel(la); **cette maison(-ci/là**) esta casa/esa *ou* aquella casa; **cette nuit** esta noche ♦ *pron* **1: c'est** es; **c'est un peintre/ce sont des peintres** (*métier*) es un pintor/ son pintores; (*en désignant*) es un pintor/son unos pintores; **c'est le facteur** (*à la porte*) es el cartero; **qui est-ce?** ¿quién es?; **c'est toi qui le dis** lo dices tú; **c'est toi qui lui as parlé** eres tú quien le hablaste; **c'est petit/ grand** es pequeño/grande

2: ce qui, ce que lo que; (*chose qui*) **il est bête, ce qui me chagrine** es tonto, lo cual me apena; **tout ce qui bouge** todo lo que se mueve; **tout ce que je sais** todo lo que sé; **ce dont j'ai parlé** eso de lo que hablé; *voir aussi* **-ci**; **est-ce que**; **n'est-ce que**; **c'est-à-dire**

ceci [səsi] *pron* esto

céder [sede] *vi* ceder; **~ à** (*tentation etc*) ceder a

CEDEX [sedɛks] *sigle m* (= *courrier d'entreprise à distribution exceptionnelle*) correo especial para empresas

CEI [seai] *sigle f* (= *Communauté*

des États indépendants) CEI *f* (= Comunidad de los Estados Independientes)

ceinture [sɛ̃tyʀ] *nf* cinturón *m*; *(d'un pantalon, d'une jupe)* cintura, cinturilla; **~ de sécurité** cinturón de seguridad

cela [s(ə)la] *pron* eso; *(plus loin)* aquello; **quand ~?** ¿cuándo?

célèbre [selɛbʀ] *adj* famoso(-a), célebre; **célébrer** *vt* celebrar; *(louer)* celebrar, encomiar

céleri [sɛlʀi] *nm*: **~-(rave)** apio (nabo); **~ en branche** apio

célibataire [selibatɛʀ] *adj* soltero(-a)

celle, celles [sɛl] *pron voir* **celui**

cellulite [selylit] *nf* celulitis *f inv*

celui, celle [səlɥi, sɛl] *(pl* **ceux,** *f* **celles)** *pron*: **celui-ci/celle-ci** éste/ésta; **~-là/celle-là** aquél/aquélla; **ceux-ci/celles-ci** éstos/éstas; **ceux-là/celles-là** ésos *ou* aquéllos/ésas *ou* aquéllas; **~ de mon frère** el de mi hermano; **~ du salon/du dessous** el del salón/de abajo; **~ qui bouge** *(pour désigner)* el que se mueve; **~ que je vois** el que veo; **~ dont je parle** *(personne)* ése del que hablo; *(chose)* eso de lo que hablo; **~ qui veut** *(valeur indéfinie)* el que quiera

cendre [sɑ̃dʀ] *nf* ceniza; **~s** *nfpl* cenizas *fpl*; **sous la ~** *(CULIN)* en las cenizas; **cendrier** *nm* cenicero

censé, e [sɑ̃se] *adj*: **je suis ~ faire 7 h par jour** se supone que hago 7 horas diarias

censeur [sɑ̃sœʀ] *nm (du lycée)* subdirector *m*; *(POL, PRESSE, CINÉ)* censor *m*

censure [sɑ̃syʀ] *nf* censura; **censurer** *vt* censurar

cent [sɑ̃] *adj (avant un nombre)* ciento; *(avant un substantif)* cien ♦ *nm* ciento; *(MATH)* cien *inv*; **~ cinquante** ciento cincuenta; **~ francs** cien francos; **pour ~** por ciento; **centaine** *nf* centena; **une centaine (de)** un centenar (de); **plusieurs centaines (de)** varios centenares (de); **des centaines (de)** centenares (de); **centenaire** *adj*, *nm/f* centenario(-a) ♦ *nm (anniversaire)* centenario; **centième** *adj*, *nm* centésimo(-a); **un centième de seconde** una centésima de segundo; *voir aussi* **cinquantième**; **centigrade** *nm* centígrado; **centilitre** *nm* centilitro; **centime** *nm* céntimo; **centimètre** *nm* centímetro; *(ruban)* cinta métrica

central, e, -aux [sɑ̃tʀal, o] *adj* central; **centrale** *nf (prison)* central *f*; **centrale électrique/ nucléaire** central eléctrica/ nuclear

centre [sɑ̃tʀ] *nm* centro; **le ~** *(POL)* el centro; **~ commercial/ culturel** centro comercial/ cultural; **centre-ville** *(pl* **centres-villes)** *nm* centro de la ciudad

cèpe [sɛp] *nm* seta

cependant [s(ə)pɑ̃dɑ̃] *conj* sin embargo, no obstante

céramique [seʀamik] *nf* cerámica

cercle [sɛʀkl] *nm* círculo

cercueil [sɛʀkœj] *nm* ataúd *m*, féretro

céréale [seʀeal] *nf* cereal *m*

cérémonie [seʀemɔni] *nf* ceremonia

cerf [sɛʀ] *nm* ciervo

cerf-volant [sɛʀvɔlɑ̃] *(pl* **~s-~s)** *nm* cometa

cerise [s(ə)ʀiz] *nf, adj inv* cereza; **cerisier** *nm* cerezo
cerner [sɛʀne] *vt* (*armée, ville*) cercar; (*problème*) delimitar
certain, e [sɛʀtɛ̃, ɛn] *adj* (*indéniable*) cierto(-a), seguro(-a); (*personne*): ~ **(de/que)** seguro(-a) (de/de que), convencido(-a) (de/ de que) ♦ *dét*: **un ~ Georges** un tal Georges; **d'un ~ âge** de cierta edad; **un ~ temps** cierto tiempo; **certainement** *adv* (*probablement*) probablemente; (*bien sûr*) sin duda, por supuesto
certes [sɛʀt] *adv* (*bien sûr*) por supuesto
certificat [sɛʀtifika] *nm* certificado
certifier [sɛʀtifje] *vt* asegurar
certitude [sɛʀtityd] *nf* certeza
cerveau, x [sɛʀvo] *nm* cerebro
cervelas [sɛʀvəla] *nm* salchicha corta y gruesa de carne y sesos
cervelle [sɛʀvɛl] *nf* (CULIN) sesos *mpl*
CES [seəɛs] *sigle m* (= *collège d'enseignement secondaire*) ≈ Instituto de Enseñanza Media
ces [se] *dét voir* **ce**
cesse [sɛs]: **sans ~** *adv* sin parar; **n'avoir de ~ que** no descansar hasta que; **cesser** *vt* detener ♦ *vi* parar, cesar; **cesser de faire** dejar de hacer; **cessez-le-feu** *nm inv* alto el fuego
c'est-à-dire [sɛtadiʀ] *adv* es decir; (*manière d'excuse*) es decir que
cet, cette [sɛt] *dét voir* **ce**
ceux [sø] *pron voir* **celui**
chacun, e [ʃakœ̃, yn] *pron* cada uno(-a)
chagrin [ʃagʀɛ̃] *nm* pena; **avoir du ~** sentir pena
chahut [ʃay] *nm* jaleo; **chahuter**

vt incordiar ♦ *vi* alborotar
chaîne [ʃɛn] *nf* cadena; (TV) cadena, canal *m*; **travail à la ~** trabajo en cadena; **~ (de fabrication)/(de montage)** cadena (de fabricación)/(de montaje); **~ (de montagnes)** cadena (de montañas), cordillera; **~ (hi-fi)** cadena (hi-fi) *ou* equipo de música; **~ stéréo** cadena *ou* equipo estéreo
chair [ʃɛʀ] *nf* carne *f*; **avoir la ~ de poule** tener la carne *ou* piel de gallina
chaise [ʃɛz] *nf* silla; **~ longue** tumbona, hamaca
châle [ʃɑl] *nm* chal *m*
chaleur [ʃalœʀ] *nf* calor *m*; **chaleureux, -euse** *adj* (*accueil, gens*) caluroso(-a)
chamailler [ʃamaje]: **se ~** (*fam*) *vpr* reñir
chambre [ʃɑ̃bʀ] *nf* (*d'un logement*) habitación *f*, cuarto; (TECH, POL, COMM) cámara; **~ à air** cámara de aire; **~ à coucher** dormitorio; **~ à un lit/deux lits** (*à l'hôtel*) habitación individual/ doble; **~ d'amis** cuarto de invitados; **~ d'hôte** habitación de huéspedes; **~ meublée** habitación amueblada
chameau, x [ʃamo] *nm* camello
chamois [ʃamwa] *nm* gamuza
champ [ʃɑ̃] *nm* campo; **laisser le ~ libre à qn** dejar el campo libre a algn; **~ de courses** hipódromo
champagne [ʃɑ̃paɲ] *nm* champán *m*
champignon [ʃɑ̃piɲɔ̃] *nm* seta; (BOT) hongo; **~ de couche** *ou* **de Paris** champiñón
champion, ne [ʃɑ̃pjɔ̃, jɔn] *nm/f* (SPORT) campeón(-ona); (*d'une*

cause) adalid *m/f*; **championnat**
nm campeonato

chance [ʃɑ̃s] *nf* suerte *f*;
(occasion) oportunidad *f*; **~s** *nfpl*
(probabilités) posibilidades *fpl*;
bonne ~! ¡buena suerte!; **je n'ai
pas de ~** no tengo suerte

Chandeleur [ʃɑ̃dlœʀ] *nf*: **la ~** la
Candelaria

change [ʃɑ̃ʒ] *nm* cambio

changement [ʃɑ̃ʒmɑ̃] *nm*
cambio; **~ de vitesse** cambio de
velocidades *ou* marchas

changer [ʃɑ̃ʒe] *vt* cambiar ♦ *vi*
cambiar; **se ~** *vpr* cambiarse; **~
de** cambiar de; **~ de vitesse**
(AUTO) cambiar de velocidad *ou* de
marcha; **il faut ~ à Lyon** hay
que cambiar en Lyon

chanson [ʃɑ̃sɔ̃] *nf* canción *f*

chant [ʃɑ̃] *nm* canto

chantage [ʃɑ̃taʒ] *nm* chantaje *m*;
faire du ~ chantajear *ou* hacer
chantaje

chanter [ʃɑ̃te] *vt* cantar; *(louer)*
alabar; **~ juste** cantar sin
desafinar; **~ faux** desafinar; **si
cela lui chante** *(fam)* si le
apetece; **chanteur, -euse** *nm/f*
cantante *m/f*

chantier [ʃɑ̃tje] *nm* obra; **~
naval** astillero

chantilly [ʃɑ̃tiji] *nf voir* **crème**

chantonner [ʃɑ̃tɔne] *vi, vt*
canturrear

chapeau, x [ʃapo] *nm* sombrero;
(PRESSE) entradilla; **~!** *(fam)* ¡bravo!

chapelle [ʃapɛl] *nf* capilla

chapitre [ʃapitʀ] *nm* capítulo;
(sujet) tema

chaque [ʃak] *dét* cada; **c'est
cinq francs ~** son cinco francos
cada uno(-a)

char [ʃaʀ] *nm* carro

charbon [ʃaʀbɔ̃] *nm* carbón *m*; **~**

de bois carbón de leña

charcuterie [ʃaʀkytʀi] *nf*
(magasin) charcutería; *(produits)*
embutidos *mpl*; **charcutier,
-ière** *nm/f* chacinero(-a)

chardon [ʃaʀdɔ̃] *nm* cardo

charge [ʃaʀʒ] *nf* carga; *(rôle,
mission)* misión *f*; **~s** *nfpl* (du
loyer)* facturas *fpl*; **à la ~ de** a
cargo de; **prendre en ~** hacerse
cargo de; **~s sociales** cargas
sociales

chargement [ʃaʀʒəmɑ̃] *nm*
(marchandises) cargamento

charger [ʃaʀʒe] *vt* cargar ♦ *vi*
cargar; **se ~ de** encargarse de

chariot [ʃaʀjo] *nm* carretilla;
(charrette) carreta

charité [ʃaʀite] *nf* caridad *f*

charmant, e [ʃaʀmɑ̃, ɑ̃t] *adj*
encantador(a)

charme [ʃaʀm] *nm* encanto;
charmer *vt (plaire)* fascinar

charpente [ʃaʀpɑ̃t] *nf (d'un
bâtiment)* esqueleto;
charpentier *nm* albañil *m*

charrette [ʃaʀɛt] *nf* carreta

charter [ʃaʀtɛʀ] *nm* chárter *m*

chasse [ʃas] *nf* caza; **prendre
en ~** perseguir, dar caza a; **tirer
la ~ (d'eau)** tirar de la cadena; **~
à courre** caza a caballo; **~
gardée** *(aussi fig)* coto vedado;
chasse-neige *nm inv*
quitanieves *m inv*; **chasser** *vt*
cazar; *(expulser)* echar;
chasseur, -euse *nm/f (de
gibier)* cazador(a)

chat [ʃa] *nm* gato

châtaigne [ʃɑtɛɲ] *nf* castaña;
châtaignier *nm* castaño

châtain [ʃɑtɛ̃] *adj inv* castaño(-a)

château, x [ʃɑto] *nm* castillo; **~
fort** fortaleza, alcázar *m*

châtiment [ʃatimɑ̃] *nm* castigo

chaton [ʃatɔ̃] nm (ZOOL) gatito

chatouiller [ʃatuje] vt hacer cosquillas

chatte [ʃat] nf gata

chaud, e [ʃo, ʃod] adj caliente; (très chaud) ardiente; (vêtement) abrigado(-a); (couleur) cálido(-a); (félicitations) ardiente, cálido(-a) ♦ nm calor m; **il fait ~** hace calor; **avoir ~** tener calor; **ça me tient ~** eso me abriga; **rester au ~** permanecer abrigado(-a)

chaudière [ʃodjɛʀ] nf caldera

chauffage [ʃofaʒ] nm calentamiento, calefacción f; (appareils) calefacción; **~ central** calefacción central

chauffe-eau [ʃofo] nm inv calentador m de agua

chauffer [ʃofe] vt calentar ♦ vi calentar; (trop chauffer) recalentar; **se ~** vpr (aussi fig) calentarse

chauffeur, -euse [ʃofœʀ, øz] nm/f chófer m, chofer m (AM); **chaumière** nf choza

chaussée [ʃose] nf calzada

chausser [ʃose] vt calzar; **~ du 38/42** calzar el 38/42

chaussette [ʃosɛt] nf calcetín m, media (AM)

chausson [ʃosɔ̃] nm zapatilla; (de bébé) patuco; **~ (aux pommes)** pastel m de manzana

chaussure [ʃosyʀ] nf zapato; **~s basses** zapatos mpl bajos; **~s de ski** botas fpl de esquí

chauve [ʃov] adj calvo(-a); **chauve-souris** (pl **chauves-souris**) nf murciélago

chauvin, e [ʃovɛ̃, in] adj, nm/f patriotero(-a)

chaux [ʃo] nf cal f; **blanchi à la ~** encalado

chef [ʃɛf] nm jefe m; **~ d'entreprise** empresario; **~**

d'équipe jefe de equipo; **~ d'État** jefe de estado; **~ d'orchestre** director m de orquesta; **~ de famille** cabeza de familia; **~ de gare** jefe de estación; **~ de rayon/de service** jefe de sección/de servicio; **chef-d'œuvre** (pl **chefs-d'œuvre**) nm obra maestra; **chef-lieu** (pl **chefs-lieux**) nm cabeza de distrito

chemin [ʃ(ə)mɛ̃] nm camino, sendero; (itinéraire) camino; (trajet) trayecto, camino; **en ~** por el camino; **les ~s de fer** (organisation) los ferrocarriles mpl

cheminée [ʃ(ə)mine] nf chimenea

chemise [ʃ(ə)miz] nf (vêtement) camisa; (dossier) carpeta

chemisier [ʃ(ə)mizje] nm blusa

chêne [ʃɛn] nm castaño

chenil [ʃ(ə)nil] nm perrera

chenille [ʃ(ə)nij] nf oruga

chèque [ʃɛk] nm cheque m, talón m; **~ de voyage** cheque de viaje; **~ sans provision** cheque sin fondos

chéquier [ʃekje] nm talonario de cheques

cher, chère [ʃɛʀ] adj (aimé) querido(-a); (coûteux) caro(-a) ♦ adv: **coûter ~** costar caro; **payer ~** pagar mucho dinero; **cela coûte ~** esto cuesta caro

chercher [ʃɛʀʃe] vt buscar; **~ des ennuis** buscarse problemas; **~ la bagarre** buscar pelea; **aller ~** ir a buscar; **~ à faire** tratar de hacer; **chercheur, -euse** nm/f investigador(a)

chéri, e [ʃeʀi] adj querido(-a); **(mon) ~** querido (mío)

cheval, -aux [ʃ(ə)val, o] nm caballo; **faire du ~** practicar equitación; **à ~** a caballo; **à ~**

sur (*mur etc*) a horcajadas en ou sobre; **~ de course** caballo de carreras

chevalier [ʃ(ə)valje] *nm* caballero

chevalière [ʃ(ə)valjɛʀ] *nf* (sortija de) sello

chevaux [ʃəvo] *nmpl voir* **cheval**

chevet [ʃ(ə)vɛ] *nm* presbiterio; au **~ de qn** al lecho de algn; **lampe de ~** lámpara de noche

cheveu, x [ʃ(ə)vø] *nm* cabello, pelo; **~x** *nmpl* pelo *msg*; **avoir les ~x courts/en brosse** tener el pelo corto/de punta; **tiré par les ~x** (*histoire*) inverosímil

cheville [ʃ(ə)vij] *nf* (ANAT) tobillo

chèvre [ʃɛvʀ] *nf* cabra ♦ *nm* queso de cabra

chèvrefeuille [ʃɛvʀəfœj] *nm* madreselva

chevreuil [ʃəvʀœj] *nm* corzo

chez [ʃe] *prép* (*à la demeure de*) en casa de; (: *direction*) a casa de; (*auprès de, parmi*) entre ♦ *nm inv*: **~-moi/~-soi/~-toi** casa; **~ qn** en casa de algn; **~ moi** (*à la maison*) en mi casa; (*direction*) a mi casa; **~ ce poète** en este poeta; **les Français/les renards** entre los franceses/los zorros; **~ lui c'est un devoir** es un deber en él; **aller ~ le boulanger/le dentiste** ir a la panadería/al dentista; **il travaille ~ Renault** trabaja en la Renault

chic [ʃik] *adj inv* (*élégant*) elegante; (*généreux*) amable ♦ *nm* (*élégance*) elegancia; **avoir le ~ pour** tener el don de

chicorée [ʃikɔʀe] *nf* achicoria

chien [ʃjɛ̃] *nm* perro

chienne [ʃjɛn] *nf* perra

chiffon [ʃifɔ̃] *nm* trapo; **chiffonner** *vt* arrugar

chiffre [ʃifʀ] *nm* cifra, número;

(*montant, total*) importe *m*; **~ d'affaires** volumen *m* de negocios; **chiffrer** *vt* (*dépense*) calcular; **se chiffrer à** *vpr* ascender a

chignon [ʃiɲɔ̃] *nm* moño

Chili [ʃili] *nm* Chile *m*; **chilien, ne** *adj* chileno(-a) ♦ *nm/f*: **Chilien, ne** chileno(-a)

chimie [ʃimi] *nf* química; **chimique** *adj* químico(-a); **produits chimiques** productos *mpl* químicos

chimpanzé [ʃɛ̃pɑ̃ze] *nm* chimpancé *m*

Chine [ʃin] *nf* China; **la république de ~** la república de China

chinois, e [ʃinwa, waz] *adj* chino(-a)

chiot [ʃjo] *nm* cachorro (de perro)

chips [ʃips] *nfpl* (*aussi:* **pommes ~**) patatas *fpl* fritas

chirurgie [ʃiʀyʀʒi] *nf* cirugía; **~ esthétique** cirugía estética; **chirurgien, ne** *nm/f* cirujano(-a)

chlore [klɔʀ] *nm* cloro

choc [ʃɔk] *nm* choque *m*; (*moral*) impacto; (*affrontement*) enfrentamiento

chocolat [ʃɔkɔla] *nm* chocolate *m*; (*bonbon*) bombón *m*; **~ à croquer** chocolate para crudo; **~ au lait** chocolate con leche

chœur [kœʀ] *nm* coro; **en ~** a coro

choisir [ʃwaziʀ] *vt* escoger, elegir; (*candidat*) elegir

choix [ʃwa] *nm* elección *f*; (*assortiment*) selección *f*, surtido; **avoir le ~ de/entre** tener la opción de/entre; **de premier ~** (COMM) de primera calidad; **au ~** a escoger

chômage [ʃomaʒ] *nm* paro,
cesantía (*AM*); **mettre au ~** dejar
en el paro; **être au ~** estar en
paro; **chômeur, -euse** *nm/f*
parado(-a)

choquer [ʃɔke] *vt* chocar

chorale [kɔral] *nf* coral *f*

chose [ʃoz] *nf* cosa; **c'est peu
de ~** es poca cosa

chou, x [ʃu] *nm* col *f*, berza;
chou à la crème pastelillo (de
crema); **choucroute** *nf* chucrut
m

chou-fleur [ʃuflœr] (*pl* **x~s**)
nm coliflor *f*

chrétien, ne [kretjɛ̃, jɛn] *adj,
nm/f* cristiano(-a)

Christ [krist] *nm*: **le ~** el Cristo;
christianisme *nm* cristianismo

chronique [krɔnik] *adj*
crónico(-a) ♦ *nf* crónica

chronologique [krɔnɔlɔʒik] *adj*
cronológico(-a)

chrono(mètre) [krɔnɔ(metr)]
nm cronómetro; **chronométrer**
vt cronometrar

chrysanthème [krizɑ̃tɛm] *nm*
crisantemo

chuchotement [ʃyʃɔtmɑ̃] *nm*
cuchicheo

chuchoter [ʃyʃɔte] *vt, vi*
cuchichear

chut [ʃyt] *excl* ¡chitón!

chute [ʃyt] *nf* caída; (*déchet*)
recorte *m*; **faire une ~ (de 10
m)** caerse (10 metros); **~ (d'eau)**
salto de agua; **~ libre** caída libre;
~s de neige nevadas *fpl*

Chypre [ʃipr] *n* Chipre *f*

ci-, -ci [si] *adv voir* **par; comme;
ci-contre** *etc* ♦ *dét*: **ce
garçon/cet homme-ci** este
chico/este hombre; **ces
hommes/femmes-ci** estos
hombres/estas mujeres

cible [sibl] *nf* blanco; (*fig*) blanco,
objetivo

ciboulette [sibulɛt] *nf* cebolleta

cicatrice [sikatris] *nf* cicatriz *f*;
cicatriser *vt* cicatrizar

ci-contre [sikɔ̃tr] *adv* al lado

ci-dessous [sidəsu] *adv* más
abajo

ci-dessus [sidəsy] *adv* arriba

cidre [sidr] *nm* sidra

Cie *abr* (= *compagnie*) Cía (=
compañía)

ciel [sjɛl] (*pl* **~s** *ou* (*litt*) **cieux**)
nm cielo; **cieux** *nmpl* cielos *mpl*;
à ~ ouvert a cielo abierto

cieux [sjø] *nmpl voir* **ciel**

cigale [sigal] *nf* cigarra

cigare [sigar] *nm* cigarro, puro

cigarette [sigarɛt] *nf* cigarrillo,
pitillo

ci-inclus, e [siɛ̃kly, yz] *adj*
incluso(-a)

ci-joint, e [siʒwɛ̃, ɛ̃t] *adj*
adjunto(-a)

cil [sil] *nm* pestaña

cime [sim] *nf* cima

ciment [simɑ̃] *nm* cemento

cimetière [simtjɛr] *nm*
cementerio, camposanto

cinéaste [sineast] *nm/f* cineasta
m/f

cinéma [sinema] *nm* cine *m*

cinq [sɛ̃k] *adj inv, nm inv* cinco
inv; **avoir ~ ans** tener cinco
años; **le ~ décembre** el cinco de
diciembre; **à ~ heures** a las
cinco; **nous sommes ~** somos
cinco; **Henri V (cinq)** Enrique V
(quinto); **cinquantaine** *nf*: **une
cinquantaine (de)** una
cincuentena (de); **cinquante** *adj
inv, nm inv* cincuenta *inv*; *voir
aussi* **cinq; cinquantenaire** *adj*
(*institution*) cincuentenario(-a);
(*personne*) cincuentón(-ona);

cinquantième adj, nm/f quincuagésimo(-a); **son ~ anniversaire** su cincuenta cumpleaños; **vous êtes le ~** Usted es el (número) cincuenta.

cinquième adj, nm/f quinto(-a); **un cinquième de la population** un quinto de la población; **trois cinquièmes** tres quintos

cintre [sɛ̃tʀ] nm percha

cintré, e [sɛ̃tʀe] adj (chemise) entallado(-a)

cirage [siʀaʒ] nm betún m

circonstance [siʀkɔ̃stɑ̃s] nf circunstancia; **~s atténuantes** circunstancias fpl atenuantes

circuit [siʀkɥi] nm circuito

circulaire [siʀkylɛʀ] adj, nf circular f

circulation [siʀkylasjɔ̃] nf circulación f; **bonne/mauvaise ~** (du sang) buena/mala circulación; **la ~** (AUTO) la circulación, el tráfico

circuler [siʀkyle] vi (aussi fig) circular; **faire ~** hacer circular

cire [siʀ] nf cera; **ciré, e** [siʀe] adj encerado(-a); **cirer** vt encerar

cirque [siʀk] nm circo

ciseaux [sizo] nmpl tijeras fpl

citadin, e [sitadɛ̃, in] nm/f, adj ciudadano(-a)

citation [sitasjɔ̃] nf (d'auteur) cita

cité [site] nf ciudad f; **~ universitaire** ciudad universitaria

citer [site] vt citar

citoyen, ne [sitwajɛ̃, jɛn] nm/f ciudadano(-a)

citron [sitʀɔ̃] nm limón m; **~ pressé** (boisson) zumo natural de limón; **~ vert** limón m verde; **citronnade** nf limonada

citrouille [sitʀuj] nf calabaza

civet [sive] nm encebollado

civière [sivjɛʀ] nf camilla

civil, e [sivil] adj civil; **dans le ~** en la vida civil; **mariage/ enterrement ~** matrimonio/ entierro civil

civilisation [sivilizasjɔ̃] nf civilización f

clair, e [klɛʀ] adj claro(-a) ♦ nm: **~ de lune** claro de luna; **y voir ~** (comprendre) verlo claro; **tirer qch au ~** sacar algo en claro; **mettre au ~** (notes etc) poner en limpio, pasar a limpio; **le plus ~ de son temps/argent** la mayor parte de su tiempo/dinero; **clairement** adv claramente

clairière [klɛʀjɛʀ] nf claro, calvero

clandestin, e [klɑ̃dɛstɛ̃, in] adj clandestino(-a); **passager ~** polizón m; **immigration ~e** inmigración f clandestina

claque [klak] nf bofetada; **claquer** vi (coup de feu) sonar; (porte) golpear ♦ vt (doigts) castañetear; **se claquer un muscle** distenderse un músculo; **claquettes** nfpl claquetas fpl

clarinette [klaʀinɛt] nf clarinete m

classe [klas] nf (aussi fig) clase f; (local) clase, aula; **aller en ~** ir a clase; **classement** nm clasificación f

classer [klase] vt clasificar; (JUR) archivar, cerrar; **se ~ premier/ dernier** clasificarse el primero/el último; **classeur** nm (cahier) clasificador m; (meuble) archivador m

classique [klasik] adj clásico(-a); (habituel) típico(-a)

clavecin [klav(ə)sɛ̃] nm clavicordio, clavecín m

clavicule [klavikyl] *nf* clavícula

clé [kle] *nf* = **clef**

clef [kle] *nf* llave *f*; (*fig*) clave *f*; **~ de contact** llave de contacto

clergé [klɛʀʒe] *nm* clero

cliché [kliʃe] *nm* cliché *m*

client, e [klijɑ̃, klijɑ̃t] *nm/f* cliente(-a); **clientèle** *nf* clientela

cligner [kliɲe] *vi*: **~ des yeux** (*rapidement*) parpadear; **~ de l'œil** guiñar (el ojo); **clignotant, e** [kliɲɔtɑ̃, ɑ̃t] *adj* intermitente ♦ *nm* (*AUTO*) intermitente *m*, direccional *m* (*AM*); **clignoter** *vi* parpadear

climat [klima] *nm* clima *m*

climatisation [klimatizasjɔ̃] *nf* climatización *f*; **climatisé, e** *adj* climatizado(-a)

clin d'œil [klɛ̃dœj] *nm* guiño; **en un ~ ~** en un abrir y cerrar de ojos

clinique [klinik] *adj* clínico(-a) ♦ *nf* clínica

clip [klip] *nm* clip *m*

clochard, e [klɔʃaʀ, aʀd] *nm/f* mendigo(-a)

cloche [klɔʃ] *nf* (*d'église*) campana; **clocher** *nm* campanario ♦ *vi* (*fam*) fallar, no andar bien

cloison [klwazɔ̃] *nf* tabique *m*

cloque [klɔk] *nf* ampolla

clôture [klotyʀ] *nf* (*des inscriptions*) cierre del plazo; (*barrière*) cercado, valla

clou [klu] *nm* clavo; **~s** *nmpl* paso de peatones; **~ de girofle** clavo de especia

clown [klun] *nm* payaso, clown *m*

club [klœb] *nm* club *m*

CNRS [seenɛʀɛs] *sigle m* (= *Centre national de la recherche scientifique*) ≃ CSIC *m* (= *Consejo Superior de Investigaciones Científicas*)

coaguler [kɔagyle] *vi* (*aussi*: **se ~**) coagularse

cobaye [kɔbaj] *nm* cobaya *m ou f*, conejillo de Indias; (*fig*) cobaya

coca [kɔka] *nm* coca

cocaïne [kɔkain] *nf* cocaína

coccinelle [kɔksinɛl] *nf* mariquita

cocher [kɔʃe] *vt* marcar (*con una cruz*)

cochon [kɔʃɔ̃] *nm* cerdo, cancho (*AM*) ♦ *nm/f* (*péj*) cerdo(-a) ♦ *adj* (*fam*: *livre, histoire, propos*) verde; **cochonnerie** (*fam*) *nf* porquería

cocktail [kɔktɛl] *nm* cóctel *m*, highball *ou* jaibol *m* (*AM*), daiquiri *ou* daiquirí *m* (*AM*)

cocorico [kɔkɔʀiko] *excl* ¡quiquiriquí!

cocotte [kɔkɔt] *nf* olla, cacerola; **~ (-minute)** ® olla a presión

code [kɔd] *nm* código; (*conventions*) reglas *fpl*; **se mettre en ~(s)** (*AUTO*) poner las luces de cruce; **éclairage** *ou* **phares ~(s)** luz *f* de cruce; **~ à barres** código de barras; **~ civil** código civil; **~ de la route** código de la circulación; **~ pénal** código penal; **~ postal** código postal

cœur [kœʀ] *nm* corazón *m*; (*CARTES: couleur*) corazones *mpl*; (: *carte*) corazón; **avoir bon/du ~** tener buen corazón; **avoir mal au ~** tener náuseas; **opérer qn à ~ ouvert** operar a algn a corazón abierto; **parler à ~ ouvert** hablar con el corazón en la mano; **de tout son ~** de todo corazón; **avoir le ~ gros** *ou* **serré** estar acongojado; **en avoir le ~ net** saber a qué atenerse; **avoir le ~ sur la main** ser muy generoso; **par ~** de memoria; **de bon/ grand ~** con toda el alma; **cela**

lui tient à ~ esto le apasiona;
prendre les choses à ~ tomar
las cosas a pecho; **s'en donner
à ~ joie** gozar; **être de (tout) ~
avec qn** apoyar a algn, estar
(moralmente) con algn

coffre [kɔfʀ] *nm (meuble)* arca;
(coffre-fort) cofre m; *(d'auto)*
maletero, baúl m *(AM)*, maletera
(AND, CSUR); **coffret** *nm* cofrecito

cognac [kɔɲak] *nm* coñac m

cogner [kɔɲe] *vt, vi* golpear

cohérent, e [kɔeʀɑ̃, ɑ̃t] *adj*
coherente

coiffé, e [kwafe] *adj*: **bien/mal
~** bien/mal peinado(-a); **~ en
brosse** peinado(-a) con el cepillo

coiffer [kwafe] *vt* peinear; **se ~** *vpr*
peinarse; **coiffeur, -euse** *nm/f*
peluquero(-a); **coiffeuse** *nf*
(table) tocador m, coqueta;
coiffure *nf (cheveux)* peinado m; **la
coiffure** la peluquería

coin [kwɛ̃] *nm (gén)* esquina;
l'épicerie du ~ el ultramarinos
de la esquina; **dans le ~** por aquí

coincé, e [kwɛ̃se] *adj (tiroir, pièce
mobile)* atascado(-a); *(fig)* corto(-a)

coincer [kwɛ̃se] *vt* calzar; *(fam:
par une question, une manœuvre)*
pillar; **se ~** *vpr* atascarse

coïncidence [kɔɛ̃sidɑ̃s] *nf*
coincidencia

coing [kwɛ̃] *nm* membrillo

col [kɔl] *nm* cuello; *(de montagne)*
puerto; **~ de l'utérus** cuello del
útero; **~ roulé** cuello vuelto

colère [kɔlɛʀ] *nf* ira, cólera, enojo
(esp AM); **être en ~ (contre qn)**
estar enfadado(-a) *ou* enojado(-a)
(esp AM) (con algn); **se mettre
en ~** enfadarse, enojarse *(esp AM)*;
coléreux, -euse *adj*
colérico(-a)

colin [kɔlɛ̃] *nm* merluza

colique [kɔlik] *nf* cólico

colis [kɔli] *nm* paquete m

collaborer [kɔ(l)labɔʀe] *vi (aussi
POL)* colaborar; **~ à** colaborar en

collant, e [kɔlɑ̃, ɑ̃t] *adj*
adherente; *(robe)* ajustado(-a);
(péj: personne) pegajoso(-a) ♦ *nm*
(bas) pantis *mpl*

colle [kɔl] *nf (à papier)*
pegamento m; *(à papiers peints)* cola;
(devinette) pega

collecte [kɔlɛkt] *nf* colecta;
collectif, -ive *adj* colectivo(-a)
♦ *nm* colectivo

collection [kɔlɛksjɔ̃] *nf* colección
f; **collectionner** *vt* coleccionar;
collectionneur, -euse *nm/f*
coleccionista m/f

collectivité [kɔlɛktivite] *nf*
colectivo; **~s locales**
administraciones *fpl* locales

collège [kɔlɛʒ] *nm* colegio;
collégien, ne [kɔlɛʒjɛ̃, jɛn] *nm/f*
colegial m/f

---

collège

El **collège** *es un colegio público
de educación secundaria para
niños de entre once y quince
años. Los alumnos siguen un
currículum que consta de una
serie de asignaturas comunes y
varias optativas. Los colegios
tienen libertad para elaborar sus
propios horarios y escoger su
propia metodología. Antes de que
abandonen el* **collège***, se evalúa
el trabajo de los alumnos durante
la etapa y se les examina para la
obtención del* **brevet des
collèges***.

---

collègue [kɔ(l)lɛg] *nm/f* colega
m/f

coller [kɔle] vt pegar; (papier peint) encolar; (SCOL: fam) catear ♦ vi (être collant) pegarse; (adhérer) pegar

collier [kɔlje] nm collar m

colline [kɔlin] nf colina

collision [kɔlizjɔ̃] nf colisión f; **entrer en ~ (avec)** chocar (con)

collyre [kɔliʀ] nm colirio

colombe [kɔlɔ̃b] nf paloma

Colombie [kɔlɔ̃bi] nf Colombia

colonie [kɔlɔni] nf colonia; **~ (de vacances)** colonia (de vacaciones)

colonne [kɔlɔn] nf columna; **~ (vertébrale)** columna vertebral

colorant, e [kɔlɔʀɑ̃, ɑ̃t] adj colorante

colorer [kɔlɔʀe] vt colorear

colorier [kɔlɔʀje] vt colorear, pintar

coloris [kɔlɔʀi] nm colorido

colza [kɔlza] nm colza

coma [kɔma] nm coma m; **être dans le ~** estar en coma

combat [kɔ̃ba] vb voir **combattre** ♦ nm (MIL) combate m; (fig) lucha; **~ de boxe** combate de boxeo; **combattant, e** [kɔ̃batɑ̃, ɑ̃t] vb voir **combattre** ♦ adj combatiente ♦ nm combatiente m; (d'une rixe) contendiente m; **ancien combattant** antiguo combatiente; **combattre** vt, vi combatir

combien [kɔ̃bjɛ̃] adv (interrogatif) cuánto(-a); (nombre) cuántos(-as); (exclamatif: comme, que) cómo, qué; **~ de** cuántos(-as); **~ de temps** cuánto tiempo; **~ coûte/pèse ceci?** ¿cuánto cuesta/pesa esto?; **ça fait ~?** ¿cuánto es?

combinaison [kɔ̃binεzɔ̃] nf combinación f; (astuce) plan m; (vestido, SPORT) traje m; (bleu de travail) mono, overol m (AM)

combiné [kɔ̃bine] nm (aussi: **~ téléphonique**) auricular m

comble [kɔ̃bl] adj abarrotado(-a) ♦ nm (du bonheur, plaisir) colmo; **c'est le ~!** ¡es el colmo!

combler [kɔ̃ble] vt (trou) llenar; (fig) llenar, cubrir; (satisfaire) colmar

comédie [kɔmedi] nf comedia; **~ musicale** comedia musical; **comédien, ne** nm/f (THÉÂTRE, fig) comediante(-a)

Comédie française

La **Comédie française**, fundada en 1680 por Luis XIV, es el teatro nacional de Francia. Financiada con fondos públicos, la compañía actúa principalmente en el Palais Royal de París y pone en escena fundamentalmente teatro clásico francés.

---

comestible [kɔmεstibl] adj comestible

comique [kɔmik] adj cómico(-a) ♦ nm cómico(-a)

commandant [kɔmɑ̃dɑ̃] nm comandante m

commande [kɔmɑ̃d] nf (COMM) pedido m; (INFORM) mando; **~s** nfpl mandos mpl; **passer une ~ (de)** cursar un pedido (de);

commander vt (COMM) encargar, pedir; (diriger, ordonner) mandar; **commander à qn de faire qch** ordenar a algn que haga algo

---
MOT-CLÉ
---

comme [kɔm] *prép* **1**
(*comparaison*) como; **como**
comme son père igual que su
padre; **fort comme un bœuf**
fuerte como un toro; **il est petit**
comme tout es muy pequeño;
comme c'est pas permis
(*fam*) como él (ella) solo(-a)
2 (*manière*) **comme ça** así,
comme ci, comme ça así, así;
faites comme cela hágalo así;
on ne parle pas comme ça à
... no se habla así a ...
3 (*en tant que*): **donner comme**
prix/heure dar como precio/
hora; **travailler comme**
secrétaire trabajar de secretaria
♦ *conj* **1** (*ainsi que*) como; **elle**
écrit comme elle parle escribe
como habla; **comme on dit**
como se dice; **comme si**
comme quoi ... (*disant que*)
en el/la/lo/las que dice *etc* que ...;
(*d'où il s'ensuit que*) lo que
demuestra que; **comme il faut**
como es debido
2 (*au moment où, alors que*)
cuando; **il est parti comme**
j'arrivais se marchó cuando yo
llegaba
3 (*parce que, puisque*) como;
comme il était en retard, ...
como se retrasaba, ...
♦ *adv* (*exclamation*): **comme**
c'est bon/il est fort! ¡qué
bueno está!/¡qué fuerte es!

commencement [kɔmɑ̃smɑ̃] *nm*
comienzo

commencer [kɔmɑ̃se] *vt, vi*
comenzar, empezar; **~ à** *ou* **de**
faire comenzar *ou* empezar a

hacer
comment [kɔmɑ̃] *adv*
(*interrogatif*) cómo; **~?** ¿cómo?,
¿mande (usted)?; **et ~!** ¡pero
cómo!
commentaire [kɔmɑ̃tɛʀ] *nm*
(*gén pl*) comentario
commerçant, e [kɔmɛʀsɑ̃, ɑ̃t]
adj (*rue, ville*) comercial ♦ *nm/f*
comerciante *m/f*
commerce [kɔmɛʀs] *nm* (*activité*)
comercio, negocio; (*boutique*)
comercio, tienda; **~ en** *ou* **de**
gros comercio al por mayor; **~**
extérieur comercio exterior
commercial, e, -aux
[kɔmɛʀsjal, jo] *adj* (*aussi péj*)
comercial; **commercialiser** *vt*
comercializar
commissaire [kɔmisɛʀ] *nm*
comisario; **commissariat** *nm*
comisaría
commission [kɔmisjɔ̃] *nf* (*course*)
encargo, recado; **~s** *nfpl* compras
fpl
commode [kɔmɔd] *adj*
cómodo(-a); (*personne*): **pas ~**
difícil ♦ *nf* cómoda
commun, e [kɔmœ̃, yn] *adj*
común, colectivo(-a); **en ~** en
común; **d'un ~ accord** de
común acuerdo
communauté [kɔmynote] *nf*
comunidad *f*
commune [kɔmyn] *adj f voir*
commun ♦ *nf* municipio
communication [kɔmynikasjɔ̃]
nf comunicación *f*; **~s** *nfpl*
comunicaciones *fpl*; **vous avez**
la ~ ya tiene la llamada; **mettre**
qn en ~ avec qn (*en contact*)
poner a algn en contacto con
algn; (*au téléphone*) poner a algn
en comunicación con
communier [kɔmynje] *vi*

comulgar

communion [kɔmynjɔ̃] *nf*
comunión *f*

communiquer [kɔmynike] *vt*
comunicar; (*demande, dossier*)
presentar; (*maladie, chaleur*)
transmitir ♦ *vi* comunicarse; **se ~
à** *vpr* tra(n)smitirse a

communisme [kɔmynism] *nm*
comunismo; **communiste** *adj,
nm/f* comunista *m/f*

commutateur [kɔmytatœr] *nm*
conmutador *m*

compact, e [kɔ̃pakt] *adj*
compacto(-a)

compagne [kɔ̃paɲ] *nf* compañera

compagnie [kɔ̃paɲi] *nf*
compañía; **tenir ~ à qn** hacer
compañía a algn; **en ~ de** en
compañía de; **~ aérienne**
compañía aérea

compagnon [kɔ̃paɲɔ̃] *nm*
compañero

comparable [kɔ̃parabl] *adj;* **~
(à)** comparable (a)

comparaison [kɔ̃parɛzɔ̃] *f*
comparación *f*

comparer [kɔ̃pare] *vt* comparar;
~ qch/qn à *ou* **et** comparar
algo/algn a *ou* con

compartiment [kɔ̃partimɑ̃] *nm*
(*de train*) compartim(i)ento

compas [kɔ̃pa] *nm* compás *m*

compatible [kɔ̃patibl] *adj;* **~
(avec)** compatible (con)

compatriote [kɔ̃patrijɔt] *nm/f*
compatriota *m/f*

compensation [kɔ̃pɑ̃sasjɔ̃] *f*
(*dédommagement*) compensación *f*

compenser [kɔ̃pɑ̃se] *vt*
compensar

compétence [kɔ̃petɑ̃s] *nf* (*aussi
JUR*) competencia

compétent, e [kɔ̃petɑ̃, ɑ̃t] *adj*
competente

compétition [kɔ̃petisjɔ̃] *nf*
competencia; (*SPORT*) competición
f

complément [kɔ̃plemɑ̃] *nm* (*gén,
aussi LING*) complemento; (*reste*)
resto; **~ d'information** (*ADMIN*)
suplemento (informativo);
complémentaire *adj*
complementario(-a)

complet, -ète [kɔ̃plɛ, ɛt] *adj*
completo(-a) ♦ *nm* (*aussi:* **~
veston**) traje *m*;
complètement *adv*
completamente; **compléter** *vt*
completar

complexe [kɔ̃plɛks] *adj*
complejo(-a) ♦ *nm* complejo; **~
industriel/portuaire/
hospitalier** complejo industrial/
portuario/hospitalario;
complexé, e *adj*
acomplejado(-a)

complication [kɔ̃plikasjɔ̃] *nf*
complicación *f;* **~s** *nfpl* (*MÉD*)
complicaciones *fpl*

complice [kɔ̃plis] *nm/f* cómplice
m/f

compliment [kɔ̃plimɑ̃] *nm*
cumplido; **~s** *nmpl* (*félicitations*)
enhorabuena *fsg*

compliqué, e [kɔ̃plike] *adj*
complicado(-a)

comportement [kɔ̃pɔrtəmɑ̃] *nm*
comportamiento

comporter [kɔ̃pɔrte] *vt* constar
de; (*impliquer*) conllevar; **se ~** *vpr*
comportarse

composer [kɔ̃poze] *vt* componer;
se ~ de componerse de; **~ un
numéro** marcar *ou* discar (*AM*) un
número; **compositeur, -trice**
nm/f (*MUS*) compositor(a);
composition *nf* composición *f;*
(*SCOL*) *d'histoire, de math*) prueba

composter [kɔ̃pɔste] *vt* (*dater*)

fechar; (*poinçonner*) picar, perforar

compote [kɔ̃pɔt] *nf* compota; ~ **de pommes** compota de manzana

compréhensible [kɔ̃pʀeãsibl] *adj* (*aussi fig*) comprensible

compréhensif, -ive [kɔ̃pʀeãsif, iv] *adj* comprensivo(-a)

comprendre [kɔ̃pʀãdʀ] *vt* (*se composer de, être muni de*) comprender, constar de; (*sens, problème*) comprender, entender; (*point de vue*) entender

compresse [kɔ̃pʀɛs] *nf* compresa

comprimé, e [kɔ̃pʀime] *nm* comprimido, pastilla

compris, e [kɔ̃pʀi, iz] *pp de* **comprendre** ♦ *adj* (*inclus*) incluido(-a); ~ **entre ...** (*situé*) situado(-a) entre ...; **y/non** ~ **la maison** inclusive la casa/sin incluir la casa; **100 F tout** ~ 100 francos con todo incluido

comptabilité [kɔ̃tabilite] *nf* contabilidad *f*

comptable [kɔ̃tabl] *nm/f, adj* contable *m/f*, contador *m* (AM)

comptant [kɔ̃tã] *adv*: **payer/ acheter** ~ pagar/comprar al contado

compte [kɔ̃t] *nm* cuenta; ~**s** *nmpl* (*comptabilité*) cuentas *fpl*; **rendre des** ~**s à qn** (*fig*) dar cuentas a algn; **en fin de** ~ (*fig*) a fin de cuentas; **à bon** ~ a buen precio; **avoir son** ~ (*fig*: *fam*) tener su merecido; **pour le** ~ **de qn** por cuenta de algn; **travailler à son** ~ trabajar por su cuenta; **rendre** ~ **(à qn) de qch** dar cuenta de algo (a algn); **tenir** ~ **de qch/ que** tener en cuenta algo/que; ~ **courant** cuenta corriente; ~ **rendu** informe *m*; **compte-gouttes** *nm inv* cuentagotas *m*

inv

compter [kɔ̃te] *vt* contar; (*facturer*) cobrar; (*comporter*) constar de ♦ *vi* contar; ~ **parmi** figurar entre; ~ **réussir/revenir** esperar aprobar/volver; ~ **sur** (*se fier à*) contar con

compteur [kɔ̃tœʀ] *nm* (*d'auto*) cuentakilómetros *m inv*; (*à gaz, électrique*) contador *m*; ~ **de vitesse** velocímetro

comptoir [kɔ̃twaʀ] *nm* (*de magasin*) mostrador *m*; (*de café*) barra

con, ne [kɔ̃, kɔn] (*fam!*) *adj, nm/f* gilipollas *m/f inv* (*fam!*)

concentré, e [kɔ̃sãtʀe] *adj* concentrado(-a) ♦ *nm* concentrado

concentrer [kɔ̃sãtʀe]: **se** ~ *vpr* concentrarse

concerner [kɔ̃sɛʀne] *vt* concernir a; **en ce qui me concerne** en lo que a mí respecta

concert [kɔ̃sɛʀ] *nm* (*MUS*) concierto; (*fig*) coro; **se concerter** *vpr* ponerse de acuerdo, concertarse

concessionnaire [kɔ̃sesjɔnɛʀ] *nm/f* concesionario(-a)

concevoir [kɔ̃s(ə)vwaʀ] *vt* concebir; (*décoration etc*) imaginar; (*machine*) diseñar; **appartement bien/mal conçu** piso bien/mal diseñado

concierge [kɔ̃sjɛʀʒ] *nm/f* portero(-a); (*d'hôtel*) conserje *m*

concis, e [kɔ̃si, iz] *adj* conciso(-a)

conclure [kɔ̃klyʀ] *vt* (*terminer*) concluir, terminar; **conclusion** *nf* conclusión *f*

conçois *etc* [kɔ̃swa] *vb voir* **concevoir**

concombre [kɔ̃kɔ̃bʀ] *nm* pepino

concours [kɔ̃kuʀ] *nm* concurso; (*SCOL*) examen *m* eliminatorio; ~ **de circonstances** cúmulo de

circunstancias; ~ **hippique**
concurso hípico
concret, -ète [kɔ̃krɛ, ɛt] *adj*
concreto(-a)
conçu, e [kɔ̃sy] *pp de* concevoir
concubinage [kɔ̃kybinaʒ] *nm*
concubinato
concurrence [kɔ̃kyrɑ̃s] *nf*
competencia; **jusqu'à ~ de** hasta
un total de
concurrent, e [kɔ̃kyrɑ̃, ɑ̃t] *adj*
(*société*) competidor(a) ♦ *nm/f*
(*SPORT, ÉCON*) competidor(a); (*SCOL*)
candidato(-a)
condamner [kɔ̃dɑne] *vt*
condenar; ~ **qn à 2 ans de
prison** condenar a algn a 2 años
de prisión
condensation [kɔ̃dɑ̃sasjɔ̃] *nf*
condensación *f*
condition [kɔ̃disjɔ̃] *nf* condición *f*;
~s *nfpl* (*tarif, prix, circonstances*)
condiciones *fpl*; **sans ~** *adj* sin
condición
conditionnement [kɔ̃disjɔnmɑ̃]
nm (*emballage*) embalaje *m*,
envasado
condoléances [kɔ̃dɔleɑ̃s] *nfpl*
pésame *m*
conducteur, -trice [kɔ̃dyktœr,
tris] *adj* conductor(a) ♦ *nm* (*ÉLEC*)
conductor *m* ♦ *nm/f* conductor(a)
conduire [kɔ̃dɥir] *vt* conducir;
(*passager*) llevar; (*diriger*) dirigir;
se ~ *vpr* comportarse, portarse; ~
vers/à (*suj: route*) conducir a,
llevar hacia/a; ~ **à** (*suj: attitude,
erreur*) llevar a; ~ **qn quelque
part** llevar a algn a algún sitio
conduite [kɔ̃dɥit] *nf*
(*comportement*) conducta; (*d'eau,
gaz*) conducto
confection [kɔ̃fɛksjɔ̃] *nf*
confección *f*; **la ~** (*COUTURE*) la
confección; **vêtement de ~** ropa
de confección
conférence [kɔ̃ferɑ̃s] *nf*
conferencia; ~ **de presse**
conferencia de prensa
confesser [kɔ̃fese] *vt* confesar;
confession *nf* confesión *f*
confiance [kɔ̃fjɑ̃s] *nf* confianza;
avoir ~ en tener confianza en; ~
en soi confianza en sí mismo
confiant, e [kɔ̃fjɑ̃, jɑ̃t] *adj*
confiado(-a)
confidence [kɔ̃fidɑ̃s] *nf*
confidencia; **confidentiel, le**
adj confidencial
confier [kɔ̃fje] *vt* confiar; ~ **à qn**
(*en dépôt, garde*) confiar a algn;
se ~ à qn confiarse a algn
confirmation [kɔ̃firmasjɔ̃] *nf*
confirmación *f*
confirmer [kɔ̃firme] *vt* confirmar
confiserie [kɔ̃fizri] *nf* confitería;
~s *nfpl* golosinas *fpl*
confisquer [kɔ̃fiske] *vt* (*JUR*)
confiscar; (*à un enfant*) quitar
confit, e [kɔ̃fi, it] *adj*: **fruits ~s**
frutas *fpl* confitadas; ~ **d'oie** *nm*
conserva de oca en su grasa
confiture [kɔ̃fityr] *nf* confitura,
mermelada
conflit [kɔ̃fli] *nm* conflicto; (*fig*)
choque *m*, conflicto
confondre [kɔ̃fɔ̃dr] *vt* confundir
conforme [kɔ̃fɔrm] *adj*: ~ **à**
conforme a; **copie certifiée ~
(à l'original)** copia compulsada;
conformément *adv*: **conformément à** conforme a, según;
conformer *vb*: **se conformer
à** adecuarse a, adaptarse a
confort [kɔ̃fɔr] *nm* confort *m*;
tout ~ con todas las
comodidades; **confortable** *adj*
confortable, cómodo(-a)
confronter [kɔ̃frɔ̃te] *vt*
confrontar

confus, e [kɔ̃fy, yz] *adj*
confuso(-a); **confusion** *nf*
confusión *f*
congé [kɔ̃ʒe] *nm* (*vacances*)
vacaciones *fpl*; (*arrêt de travail*)
descanso; **en ~** de vacaciones;
semaine/jour de ~ semana/día
m de vacaciones; **prendre ~ de
qn** despedirse de algn; **donner
son ~ à** despedir a; **~ de
maladie** baja por enfermedad; **~
de maternité** baja maternal; **~s
payés** vacaciones pagadas
congédier [kɔ̃ʒedje] *vt* despedir
congélateur [kɔ̃ʒelatœʀ] *nm*
congelador *m*
congeler [kɔ̃ʒ(ə)le] *vt* congelar
congestion [kɔ̃ʒɛstjɔ̃] *nf* (*routière,
postale*) congestión *f*; **~
cérébrale** derrame *m* cerebral
congrès [kɔ̃gʀɛ] *nm* congreso
conifère [kɔnifɛʀ] *nm* conífera
conjoint, e [kɔ̃ʒwɛ̃, wɛ̃t] *adj*
conjunto(-a) ♦ *nm/f* (*époux*)
cónyuge *m/f*
conjonctivite [kɔ̃ʒɔ̃ktivit] *nf*
conjuntivitis *f inv*
conjoncture [kɔ̃ʒɔ̃ktyʀ] *nf*
coyuntura *f*
conjugaison [kɔ̃ʒygɛzɔ̃] *nf*
conjugación *f*
conjuguer [kɔ̃ʒyge] *vt* (LING)
conjugar
connaissance [kɔnɛsɑ̃s] *nf*
(*savoir*) conocimiento; (*personne
connue*) conocido(-a); **être sans
~** (MÉD) estar sin conocimiento;
perdre/reprendre ~ perder/
recobrar el conocimiento; **à ma/
sa ~** por lo que sé/sabe
connaisseur, -euse [kɔnɛsœʀ,
øz] *nm/f* conocedor(a),
entendido(-a)
connaître [kɔnɛtʀ] *vt* conocer;
(*adresse*) conocer, saber; **se ~** *vpr*

conocerse; (*se rencontrer*)
conocerse, encontrarse; **~ qn de
nom/vue** conocer a algn de
nombre/vista
connecter [kɔnɛkte] *vt* conectar
connerie [kɔnʀi] (*fam!*) *nf*
gilipollez *f*
connu, e [kɔny] *pp de*
connaître ♦ *adj* conocido(-a)
conquête [kɔ̃kɛt] *nf* conquista
consacrer [kɔ̃sakʀe] *vt* (*fig*)
consagrar; **~ qch à** (*employer*)
dedicar algo a
conscience [kɔ̃sjɑ̃s] *nf*
conciencia; **avoir ~ de** ser
consciente de, tomar conciencia
de; **prendre ~ de** (*présence,
situation*) darse cuenta de;
(*responsabilité*) tomar conciencia
de; **avoir qch sur la ~** tener el
peso de algo en la conciencia;
perdre/reprendre ~ perder/
recuperar el conocimiento; **avoir
bonne/mauvaise ~** tener
buena/mala conciencia;
consciencieux, -euse *adj*
concienzudo(-a); **conscient, e**
adj consciente
consécutif, -ive [kɔ̃sekytif, iv]
adj consecutivo(-a); **~ à**
debido(-a) a
conseil [kɔ̃sɛj] *nm* consejo;
prendre ~ (auprès de qn)
consultar (a algn)
conseiller¹ [kɔ̃seje] *vt* aconsejar
a; **~ à qn de faire qch** aconsejar
a algn hacer algo
conseiller², -ère [kɔ̃seje, ɛʀ]
nm/f consejero(-a)
consentement [kɔ̃sɑ̃tmɑ̃] *nm*
consentimiento
consentir [kɔ̃sɑ̃tiʀ] *vt*: **~ (à
qch/à faire)** consentir (en algo/
en hacer)
conséquence [kɔ̃sekɑ̃s] *nf*

consecuencia; **~s** nfpl (effet,
répercussion) consecuencias fpl; **en
~** (donc) en consecuencia, por
consiguiente; (de façon appropriée)
en consecuencia; **conséquent,
e** adj: **par conséquent** por
consiguiente

conservateur, -trice
[kɔsɛʀvatœʀ, tʀis] adj
conservador(a) ♦ nm/f
conservador(a)

conservatoire [kɔsɛʀvatwaʀ]
nm (de musique) conservatorio

conserve [kɔsɛʀv] nf (gén pl:
aliments) conserva; **en ~** en
conserva

conserver [kɔsɛʀve] vt conservar;
(habitude) mantener, conservar

considérable [kɔsideʀabl] adj
considerable

considération [kɔsideʀasjɔ] nf
consideración f

considérer [kɔsideʀe] vt
considerar; **~ qch comme**
considerar algo como

consigne [kɔsiɲ] nf (de bouteilles)
importe m (del envase); (ordre,
instruction, de gare) consigna; **~
automatique** consigna
automática

consister [kɔsiste] vi: **~ en** ou
dans consistir en; **~ à faire**
consistir en hacer

consoler [kɔsɔle] vt consolar

consommateur, -trice
[kɔsɔmatœʀ, tʀis] nm/f (ÉCON)
consumidor(a); (dans un café)
cliente m/f

consommation [kɔsɔmasjɔ] nf
consumición f; **la ~** (ÉCON) el
consumo; **de ~** (biens) de
consumo; **~ aux 100 km** (AUTO)
consumo cada 100 km

consommer [kɔsɔme] vt
consumir ♦ vi (dans un café)

consumir, tomar

consonne [kɔsɔn] nf consonante
f

constamment [kɔstamɑ̃] adv
constantemente

constant, e [kɔstɑ̃, ɑ̃t] adj
constante

constat [kɔsta] nm (d'huissier)
acta; (après un accident) atestado

constatation [kɔstatasjɔ] nf (d'un
fait) constatación f

constater [kɔstate] vt (remarquer)
advertir, observar; (ADMIN, JUR)
testificar; (dégâts) constatar

consterner [kɔstɛʀne] vt
consternar

constipé, e [kɔstipe] adj
estreñido(-a)

constitué, e [kɔstitɥe] adj: **~ de**
constituido(-a) por, integrado(-a)
por

constituer [kɔstitɥe] vt constituir;
(équipe) crear; (dossier) elaborar;
(collection) reunir

constructeur [kɔstʀyktœʀ] nm
constructor m

constructif, -ive [kɔstʀyktif, iv]
adj constructivo(-a)

construction [kɔstʀyksjɔ] nf
construcción f

construire [kɔstʀɥiʀ] vt construir

consul [kɔsyl] nm cónsul m;
consulat nm consulado

consultant, e [kɔsyltɑ̃, ɑ̃t] adj
consultor(a)

consultation [kɔsyltasjɔ] nf
consulta; **heures de ~** (MÉD)
horas fpl de consulta

consulter [kɔsylte] vt consultar ♦
vi (médecin) examinar

contact [kɔtakt] nm contacto; **au
~ de** al contacto con; **mettre/
couper le ~** (AUTO) encender ou
poner/apagar ou quitar el
contacto; **prendre ~ avec**

ponerse en contacto con;
contacter vt contactar con
contagieux, -euse [kɔ̃taʒjø, jøz] adj contagioso(-a)
contaminer [kɔ̃tamine] vt contaminar
conte [kɔ̃t] nm cuento; ~ de fées cuento de hadas
contempler [kɔ̃tɑ̃ple] vt contemplar
contemporain, e [kɔ̃tɑ̃pɔrɛ̃, ɛn] adj, nm/f contemporáneo(-a)
contenir [kɔ̃t(ə)nir] vt contener; (local) tener una capacidad de ou para
content, e [kɔ̃tɑ̃, ɑ̃t] adj contento(-a); ~ de qn/qch contento(-a) con algo/algo;
contenter: se contenter de vpr contentarse con
contenu, e [kɔ̃t(ə)ny] pp de **contenir** ♦ nm contenido
conter [kɔ̃te] vt contar, relatar
contestable [kɔ̃tɛstabl] adj discutible
conteste [kɔ̃tɛst]: **sans ~** adv sin discusión; **contester** vt discutir, cuestionar ♦ vi discutir
contexte [kɔ̃tɛkst] nm contexto
continent [kɔ̃tinɑ̃] nm continente m
continu, e [kɔ̃tiny] adj continuo(-a) ♦ nm **(courant) ~** (corriente f) continua
continuel, le [kɔ̃tinɥɛl] adj (qui se répète) constante; (continu: pluie etc) continuo(-a)
continuer [kɔ̃tinɥe] vt continuar; (voyage, études etc) continuar, proseguir ♦ vi continuar; (voyageur) continuar, seguir; ~ à ou de faire seguir haciendo
contourner [kɔ̃turne] vt rodear, evitar
contraceptif, -ive [kɔ̃traseptif,

iv] adj anticonceptivo(-a) ♦ nm anticonceptivo; **contraception** nf contracepción f
contracté, e [kɔ̃trakte] adj (personne) tenso(-a)
contracter [kɔ̃trakte] vt contraer; (assurance) contratar; **se ~** vpr (métal, muscles) contraerse
contractuel, le [kɔ̃traktɥel] nm/f (agent) controlador(a) del estacionamiento
contradiction [kɔ̃tradiksjɔ̃] nf contradicción f; **en ~ avec** en contradicción con;
contradictoire [kɔ̃tradiktwar] adj contradictorio(-a)
contraignant, e [kɔ̃trɛɲɑ̃, ɑ̃t] vb voir **contraindre** ♦ adj apremiante
contraindre [kɔ̃trɛ̃dr] vt: **~ qn à qch/à faire qch** forzar a algn a algo/a hacer algo; **contrainte** nf coacción f
contraire [kɔ̃trɛr] adj contrario(-a), opuesto(-a); **au ~** al contrario
contrarier [kɔ̃trarje] vt (irriter) contrariar; **contrariété** nf contrariedad f
contraste [kɔ̃trast] nm contraste m
contrat [kɔ̃tra] nm contrato
contravention [kɔ̃travɑ̃sjɔ̃] nf (amende) multa
contre [kɔ̃tr] prép contra; (en échange) por; **par ~** en cambio
contrebande [kɔ̃trəbɑ̃d] nf contrabando
contrebas [kɔ̃trəba]: **en ~** adv más abajo
contrebasse [kɔ̃trəbas] nf contrabajo
contre...: contrecœur: à contrecœur adv de mala gana, a regañadientes; **contrecoup**

nm rebote *m*; **contredire** *vt*
contradecir

contrefaçon [kɔ̃trəfasɔ̃] *nf*
falsificación *f*

contre...: contre-indication
(*pl* **contre-indications**) *nf*
contraindicación *f*; **contre-
indiqué, e** (*pl* **contre-
indiqués, es**) *adj*
contraindicado(-a)

contremaître [kɔ̃trəmɛtr] *nm*
contramaestre *m*, capataz *m*

contre-plaqué [kɔ̃trəplake] (*pl*
~~s) *nm* contrachapado

contresens [kɔ̃trəsɑ̃s] *nm*
contrasentido *m*; **à ~** en sentido
contrario

contretemps [kɔ̃trətɑ̃] *nm*
contratiempo

contribuer [kɔ̃tribɥe]: **~ à** *vt ind*
contribuir a

contribution [kɔ̃tribysjɔ̃] *nf*
contribución *f*; **mettre à
contribution** utilizar los servicios
de

contrôle [kɔ̃trol] *nm* control *m*;
~ continu (*SCOL*) evaluación *f*
continua; **~ d'identité** control de
identidad

contrôler [kɔ̃trole] *vt* controlar;
(*vérifier*) comprobar; **contrôleur,
-euse** *nm/f* revisor(a),
inspector(a) de boletos (*AM*)

controversé, e [kɔ̃trɔvɛrse] *adj*
controvertido(-a)

contusion [kɔ̃tyzjɔ̃] *nf* contusión
f

convaincre [kɔ̃vɛ̃kr] *vt*: **~ qn
(de qch/de faire)** convencer a
algn (de algo/para que haga); **~
qn de** (*JUR*) inculpar a algn de

convalescence [kɔ̃valesɑ̃s] *nf*
convalecencia

convenable [kɔ̃vnabl] *adj*
(*personne, manières*) decoroso(-a),

correcto(-a); (*salaire, travail*)
aceptable

convenir [kɔ̃vnir] *vi* convenir; **~
à** (*être approprié à*) ser
apropiado(-a) para; **~ de**
(*admettre*) admitir, reconocer;
(*fixer*) convenir, acordar; **~ que**
(*admettre*) admitir que; **comme
convenu** como estaba acordado

convention [kɔ̃vɑ̃sjɔ̃] *nf* (*accord*)
convenio; (*ART, THÉÂTRE*) reglas *fpl*;
~s *nfpl* (*règles, convenances*)
convenciones *fpl*;
conventionné, e *adj* (*clinique*)
concertado(-a); (*médecin,
pharmacie*) que tiene un acuerdo
con la Seguridad Social

convenu, e [kɔ̃vny] *pp, adj*
(*heure*) acordado(-a)

conversation [kɔ̃vɛrsasjɔ̃] *nf*
conversación *f*

convertir [kɔ̃vɛrtir] *vt*: **~ qch
en** transformar algo en, convertir
algo en

conviction [kɔ̃viksjɔ̃] *nf*
convicción *f*

convienne *etc* [kɔ̃vjɛn] *vb voir*
convenir

convivial, e [kɔ̃vivjal, jo] *adj*
sociable; (*INFORM*) fácil de usar

convocation [kɔ̃vɔkasjɔ̃] *nf*
convocatoria

convoquer [kɔ̃vɔke] *vt* convocar

coopération [kɔɔperasjɔ̃] *nf*
cooperación *f*

coopérer [kɔɔpere] *vi*: **~ (à)**
cooperar (en)

coordonné, e [kɔɔrdɔne] *adj*
coordinado(-a); **~s** *nmpl*
(*vêtements*) coordinados *mpl*

coordonner [kɔɔrdɔne] *vt*
coordinar

copain, copine [kɔpɛ̃, kɔpin]
nm/f (*ami*) amigo(-a); (*de classe,
de régiment*) compañero(-a)

copie [kɔpi] *nf* copia; (*feuille d'examen*) hoja de examen;
copier *vt* copiar; **copier sur** copiar a; **copieur** *nm* copiadora
copieux, -euse [kɔpjø, jøz] *adj* (*repas*) copioso(-a), abundante; (*portion, notes, exemples*) abundante
copine [kɔpin] *nf voir* **copain**
coq [kɔk] *nm* gallo
coque [kɔk] *nf* (*de noix*) cáscara; (*de bateau, d'avion*) casco; (*mollusque*) berberecho; **à la ~** (*CULIN*) pasado por agua
coquelicot [kɔkliko] *nm* amapola
coqueluche [kɔklyʃ] *nf* (*MÉD*) tos *f* ferina
coquet, te [kɔkɛ, ɛt] *adj* (*qui veut plaire*) coqueto(-a); (*robe, appartement*) coquetón(-ona); (*somme*) bonito(-a)
coquetier [kɔk(ə)tje] *nm* huevera
coquillage [kɔkijaʒ] *nm* (*mollusque*) marisco; (*coquille*) concha
coquille [kɔkij] *nf* (*de mollusque*) concha; (*de noix, d'œuf*) cáscara; (*TYPO*) errata; **~ St Jacques** vieira
coquin, e [kɔkɛ̃, in] *adj* (*enfant, sourire, regard*) pícaro(-a)
cor [kɔr] *nm* (*MUS*) trompa; (*au pied*) callo
corail, -aux [kɔraj, o] *nm* coral *m*
Coran [kɔrɑ̃] *nm*: **le ~** el Corán
corbeau, x [kɔrbo] *nm* cuervo
corbeille [kɔrbɛj] *nf* cesta; **~ à papiers** cesto de los papeles
corde [kɔrd] *nf* (*gén*) cuerda; (*de violon, raquette*) cuerda; (*ATHLÉTISME, AUTO*) la cuerda; **~ à linge** tendedero; **~ à sauter** comba; **~s vocales** cuerdas *fpl* vocales
cordée [kɔrde] *nf* cordada

cordialement [kɔrdjalmɑ̃] *adv* cordialmente
cordon [kɔrdɔ̃] *nm* cordón *m*
cordonnerie [kɔrdɔnri] *nf* zapatería; **cordonnier** *nm* zapatero
Corée [kɔre] *nf* Corea; **la ~ du Sud/du Nord** Corea del Sur/del Norte; **la République (démocratique populaire de)** ~ la República (democrática popular de) Corea
coriace [kɔrjas] *adj* correoso(-a)
corne [kɔrn] *nf* cuerno
cornée [kɔrne] *nf* córnea
corneille [kɔrnɛj] *nf* corneja
cornemuse [kɔrnəmyz] *nf* cornamusa, gaita
cornet [kɔrnɛ] *nm* cucurucho
corniche [kɔrniʃ] *nf* (*route*) carretera de cornisa
cornichon [kɔrniʃɔ̃] *nm* pepinillo
corporel, le [kɔrpɔrɛl] *adj* corporal
corps [kɔr] *nm* cuerpo
correct, e [kɔrɛkt] *adj* (*exact, bienséant*) correcto(-a); (*passable*) correcto(-a), pasable;
correcteur, -trice *nm/f* (*d'examen*) examinador(a); (*TYPO*) corrector(a); **correction** *nf* corrección *f*; (*coups*) paliza, golpiza (*AM*)
correspondance [kɔrɛspɔ̃dɑ̃s] *nf* correspondencia; (*de train, d'avion*) empalme *m*; **cours par ~** curso por correspondencia; **vente par ~** venta por correo
correspondant, e [kɔrɛspɔ̃dɑ̃, ɑ̃t] *adj* correspondiente; (*au téléphone*) interlocutor(a)
correspondre [kɔrɛspɔ̃dr] *vi* corresponder; **~ à** corresponder a; **~ avec qn** cartearse con algn
corrida [kɔrida] *nf* corrida

corridor [kɔridɔr] nm pasillo

corrigé [kɔriʒe] nm (SCOL) solución f

corriger [kɔriʒe] vt (aussi MÉD) corregir; (punir) castigar; **~ qn** (SCOL) castigar; **~ qch** (défaut) corregir (algo) a algn

corrompre [kɔrɔ̃pr] vt corromper

corruption [kɔrypsjɔ̃] nf corrupción f

corse [kɔrs] adj corso(-a) ♦ nf: **C~** Córcega ♦ nm/f: **C~** corso(-a)

corsé, e [kɔrse] adj (café etc) fuerte; (problème) arduo(-a)

cortège [kɔrtɛʒ] nm (funèbre) comitiva; (de manifestants) desfile m

cortisone [kɔrtizɔn] nf cortisona

corvée [kɔrve] nf faena

cosmétique [kɔsmetik] nm (produit de beauté) cosmético

cosmopolite [kɔsmɔpɔlit] adj cosmopolita

costaud, e [kɔsto, od] adj robusto(-a)

costume [kɔstym] nm traje m; (de théâtre) vestuario; **costumé, e** adj disfrazado(-a)

cote [kɔt] nf (d'une valeur boursière) cotización f; (d'un candidat etc) popularidad f

côte [kot] nf (rivage) costa; (pente) cuesta; (ANAT, BOUCHERIE) costilla; **à ~** uno al lado de otra; **la ~ (d'Azur)** la costa Azul

côté [kote] nm (gén, GÉOM) lado; (du corps) costado; (feuille) cara; (de la rivière) orilla; **de tous les ~s** por todos lados, por todas partes; **de quel ~ est-il parti?** ¿en qué dirección salió?; **de ce/ de l'autre ~** de este/del otro lado; **d'un ~ ... de l'autre ~** por una parte ... por otra; **du ~ de** (provenance) por el lado de;

(direction) en dirección a; **du ~ de Lyon** (proximité) por Lyon; **de ~** (marcher, regarder) de lado; **laisser de ~** dejar de lado; **mettre de ~** poner a un lado; **de chaque ~ (de)** a cada lado (de), a ambos lados (de); **de mon ~** por mi parte; **à ~** al lado de; **à ~ de** al lado de

côtelette [kotlɛt] nf chuleta

côtier, -ière [kotje, jɛr] adj costero(-a)

cotisation [kɔtizasjɔ̃] nf (à un club, syndicat) cuota; (pour une pension, sécurité sociale) cotización f

cotiser [kɔtize] vi (à une assurance etc): **~ (à)** cotizar; **se ~** vpr pagar a escote

coton [kɔtɔ̃] nm algodón m; **~ hydrophile** algodón hidrófilo

Coton-tige ® [kɔtɔ̃tiʒ] (pl **~s- ~s**) nm bastoncillo

cou [ku] nm cuello

couchant [kuʃã] adj: **soleil ~** sol m poniente

couche [kuʃ] nf (de bébé) pañal m; (gén, GÉOLOGIE) capa; **~s sociales** capas fpl sociales

couché, e [kuʃe] adj tumbado(-a), tendido(-a); (au lit) acostado(-a)

coucher [kuʃe] nm (du soleil) puesta de sol ♦ vt (mettre au lit) acostar; (étendre) tumbar, tender; (loger) alojar; **se ~** vpr (pour dormir) acostarse; (pour se reposer) tumbarse, acostarse; (soleil) ponerse

couchette [kuʃɛt] nf litera

coucou [kuku] nm cuclillo ♦ excl ¡hola!

coude [kud] nm codo

coudre [kudr] vt, vi coser

couette [kwɛt] nf (édredon)

edredón m

couffin [kufɛ̃] nm (de bébé) moisés m

couler [kule] vi (fleuve) fluir; (liquide, sang) correr; (stylo) perder tinta; (récipient) gotear; (nez) moquear; (bateau) hundirse ♦ vt colar; (bateau) hundir; (entreprise) hundir, arruinar

couleur [kulœʀ] nf color m; (CARTES) palo; **~s** nfpl (du teint, dans un tableau) colores mpl, colorido; **film/télévision en ~s** película/televisión f en color; **de ~** de color

couleuvre [kulœvʀ] nf culebra

coulisses [kulis] nfpl (THÉÂTRE) bastidores mpl; (fig): **dans les ~** entre bastidores

coup [ku] nm golpe m; (avec arme à feu) disparo; (frappé par une horloge) campanada; (fam: fois) vez f; (SPORT: geste) jugada; **en ~ de vent** como un rayo; **donner ou passer un ~ de balai (dans)** dar un barrido (a), pasar la escoba (por); **boire un ~** echar un trago; **être dans le/hors du ~** estar/no estar en el ajo; **du ~** así que; **d'un seul ~** (subitement) de repente; (à la fois) de un solo golpe; **du premier ~** al primer intento; **du même ~** al mismo tiempo; **à ~ sûr ...** seguro que ...; **après ~** después; **sur ~** uno(-a) tras otro(-a); **sous le ~ de** (surprise etc) afectado(-a) por; **~ d'envoi** saque m de centro; **~ d'État** golpe de estado; **~ d'œil** vistazo, ojeada; **~ de chance** golpe de suerte; **~ de coude** codazo; **~ de couteau** cuchillada; **~ de feu** disparo; **~ de frein** (AUTO) frenazo; **~ de main** donner un coup de main

à qn echar una mano a algn; **~ de pied** patada; **~ de poing** puñetazo; **~ de soleil** insolación f; **~ de sonnette** timbrazo; **~ de téléphone** telefonazo, llamado (AM); **~ de tête** (fig) cabezonada; **~ de tonnerre** trueno

coupable [kupabl] adj, nm/f culpable m/f

coupe [kup] nf corte f; (verre, SPORT) copa; (à fruits) frutero

couper [kupe] vt cortar; (retrancher) suprimir; (eau, courant) cortar, quitar; (appétit, fièvre) quitar; (vin, liquide) aguar ♦ vi cortar; (prendre un raccourci) atajar; **se ~** vpr cortarse; **~ la parole à qn** quitar la palabra a algn, interrumpir a algn

couple [kupl] nm pareja

couplet [kuplɛ] nm (MUS) copla, estrofa

coupole [kupɔl] nf cúpula

coupon [kupɔ̃] nm (ticket) cupón m, bono

coupure [kupyʀ] nf corte m; (billet de banque) billete m de banco; **~ de courant/d'eau** corte de corriente/de agua

cour [kuʀ] nf (de ferme) corral m; (jardin, immeuble) patio; (JUR) tribunal m; (royale) corte f; **faire la ~ à qn** hacer la corte a algn; **~ de récréation** patio

courage [kuʀaʒ] nm valor m; (ardeur, énergie) coraje m; **courageux, -euse** adj valiente, valeroso(-a)

couramment [kuʀamɑ̃] adv (souvent) frecuentemente; (parler) con soltura

courant, e [kuʀɑ̃, ɑ̃t] adj (fréquent) corriente, común; (gén, COMM) corriente; (en cours) en curso ♦ nm corriente f; **être au ~**

(de) estar al corriente (de); **mettre qn au ~ (de)** poner a algn al corriente (de); **se tenir au ~ (de)** mantenerse al corriente (de); **dans le ~ de** durante; **~ d'air** corriente de aire; **~ électrique** corriente eléctrica

courbature [kuʀbatyʀ] *nf* agotamiento; (SPORT) agujetas *fpl*

courbe [kuʀb] *adj* curvo(-a) ♦ *nf* curva

coureur, -euse [kuʀœʀ, øz] *nm/f* corredor(a)

courge [kuʀʒ] *nf* calabaza; **courgette** *nf* calabacín *m*

courir [kuʀiʀ] *vi* correr ♦ *vt* (SPORT) disputar; (danger, risque) correr; **~ les magasins** ir de compras, ir de tiendas

couronne [kuʀɔn] *nf* (aussi fig) corona

courons etc [kuʀɔ̃] *vb voir* **courir**

courrier [kuʀje] *nm* correo; (rubrique) prensa

courroie [kuʀwa] *nf* correa

courrons etc [kuʀɔ̃] *vb voir* **courir**

cours [kuʀ] *vb voir* **courir** ♦ *nm* clase *f*; (série de leçons) clases *fpl*, curso; (établissement) academia; (des événements, d'une rivière) curso; (avenue) avenida, paseo; (COMM) valor *m*, precio; **donner libre ~** à dar rienda suelta a; **avoir ~** (monnaie) estar en circulación; (fig) estilarse; (SCOL) tener clase; **en ~** (année) en curso; (travaux) en curso, pendiente; **en ~ de route** en el camino; **au ~ de** durante, en el transcurso de; **le ~ du change** el cambio; **~ d'eau** río; **~ du soir** (SCOL) clase nocturna

course [kuʀs] *nf* (gén, d'un taxi, du soleil) carrera; **~s** *nfpl* compras

fpl; **faire** ou **ses ~s** ir de compras

court, e [kuʀ, kuʀt] *adj* (temps) corto(-a), breve; (en longueur, distance) corto(-a); (en hauteur) bajo(-a) ♦ *adv* corto ♦ *nm* (de tennis) pista, cancha; **à ~ de** escaso de; **court-circuit** (pl **courts-circuits**) *nm* cortocircuito

courtoisie [kuʀtwazi] *nf* cortesía

couru [kuʀy] *pp de* **courir**

cousais etc [kuze] *vb voir* **coudre**

couscous [kuskus] *nm* cuscús *m*, alcuzcuz *m*

cousin, e [kuzɛ̃, in] *nm/f* primo(-a)

coussin [kusɛ̃] *nm* cojín *m*

cousu, e [kuzy] *pp de* **coudre**

coût [ku] *nm* (d'un travail, objet) coste *m*, precio; **le ~ de la vie** el coste de la vida

couteau, x [kuto] *nm* cuchillo

coûter [kute] *vi* costar ♦ *vt* : **à qn** costarle a algn; **combien ça coûte?** ¿cuánto cuesta?, ¿cuánto vale?; **coûte que coûte** a toda costa; **coûteux, -euse** *adj* costoso(-a)

coutume [kutym] *nf* costumbre *f*

couture [kutyʀ] *nf* costura; **couturier** *nm* modisto; **couturière** *nf* modista

couvent [kuvɑ̃] *nm* convento

couver [kuve] *vt* (œufs, maladie) incubar

couvercle [kuvɛʀkl] *nm* tapa

couvert, e [kuvɛʀ, ɛʀt] *pp de* **couvrir** ♦ *adj* (ciel, coiffé d'un chapeau) cubierto(-a) ♦ *nm* cubierto; **~s** *nmpl* cubiertos *mpl*; **mettre le ~** poner la mesa

couverture [kuvɛʀtyʀ] *nf* (de lit) manta, frazada (AM), cobija (AM)

couvre-lit [kuvʀəli] (pl **~~-~s**) *nm*

colcha

couvrir [kuvʀiʀ] vt cubrir; (d'ornements, d'éloges): **~ qch/qn de** cubrir a algo/algn de; (erreur) ocultar; (distance) recorrer; **se ~** vpr cubrirse; **se ~ de** (fleurs, boutons) llenarse de

cow-boy [kɔbɔj] (pl **~~s**) nm vaquero

crabe [kʀab] nm cangrejo (de mar)

cracher [kʀaʃe] vi, vt escupir

crachin [kʀaʃɛ̃] nm llovizna, garúa (AM)

craie [kʀɛ] nf (substance) greda; (morceau) tiza, gis m (MEX)

craindre [kʀɛ̃dʀ] vt temer; (être sensible à) no tolerar

crainte [kʀɛ̃t] nf temor m; **(de) ~ de/que** por temor a/a que; **craintif, -ive** adj temeroso(-a)

crampe [kʀɑ̃p] nf calambre m

crampon [kʀɑ̃pɔ̃] nm (de semelle) taco; (ALPINISME) crampón m;

cramponner vb: **se cramponner (à)** agarrarse (a)

cran [kʀɑ̃] nm (de courroie) ojete m; (courage) agallas fpl

crapaud [kʀapo] nm sapo

craquement [kʀakmɑ̃] nm crujido

craquer [kʀake] vi (bois, plancher) crujir; (fil, branche) romperse; (couture) estallar; (s'effondrer) derrumbarse ♦ vt **je craque** (enthousiasme) me vuelvo loco(-a)

crasse [kʀas] nf mugre f; **crasseux, -euse** adj mugriento(-a), mugroso(-a) (AM)

cravache [kʀavaʃ] nf fusta

cravate [kʀavat] nf corbata

crawl [kʀol] nm crol m

crayon [kʀɛjɔ̃] nm lápiz m; **~ à bille** bolígrafo; **~ de couleur** lápiz de color; **crayon-feutre**

(pl **crayons-feutres**) nm rotulador m

création [kʀeasjɔ̃] nf creación f; (nouvelle robe, voiture etc) creación, diseño

crèche [kʀɛʃ] nf (de Noël) nacimiento, belén m; (garderie) guardería

crédit [kʀedi] nm (confiance, autorité, ÉCON) crédito; **~s** nmpl fondos mpl; **créditer** vt: **créditer un compte (de)** abonar en cuenta

créer [kʀee] vt crear; (spectacle) montar

crémaillère [kʀemajɛʀ] nf **pendre la ~** festejar el estreno de una casa

crème [kʀɛm] nf crema; (du lait) nata, crema ♦ adj inv crema; **un (café) ~** un café con leche; **~ à raser** crema de afeitar; **~ chantilly** nata Chantilly; **crémeux, -euse** adj cremoso(-a)

créneau, x [kʀeno] nm (de fortification) almena; (fig) hueco; (COMM) segmento de mercado; **faire un ~** (AUTO) aparcar hacia atrás

crêpe [kʀɛp] nf crêpe f, panqueque m (AM) ♦ nm (tissu) crespón m; **crêperie** nf crepería

crépuscule [kʀepyskyl] nm crepúsculo

cresson [kʀesɔ̃] nm berro

creuser [kʀøze] vt cavar; (bois) vaciar; (problème, idée) cavilar; **ça creuse** (l'estomac) eso abre el apetito; **se ~ la cervelle** ou **la tête** romperse la cabeza

creux, -euse [kʀø, kʀøz] adj hueco(-a) ♦ nm hueco; (fig) vacío; **heures creuses** (transports) horas fpl de menos tráfico;

(travail) horas muertas

crevaison [krəvɛzɔ̃] nf pinchazo

crevé, e [krəve] adj (pneu) pinchado(-a); (fam): **je suis ~** estoy reventado(-a)

crever [krəve] vt estallar, explotar ♦ vi (pneu, automobiliste) pinchar; (abcès, outre) reventar; (fam: mourir) palmarla

crevette [krəvɛt] nf: **~ rose** gamba; **~ grise** quisquilla, camarón m

cri [kri] nm grito

criard, e [krijar, krijard] adj (couleur) chillón(-ona)

cric [krik] nm (AUTO) gato

crier [krije] vi gritar ♦ vt (ordre) dar a gritos; (injure) lanzar

crime [krim] nm crimen m; **criminel, le** adj, nm/f criminal m/f

crin [krɛ̃] nm crin f

crinière [krinjɛr] nf (de cheval) crines fpl; (lion) melena

crique [krik] nf cala

criquet [krikɛ] nm langosta

crise [kriz] nf crisis f inv: **~ cardiaque** ataque m cardíaco; **~ de foie** cólico biliar; **~ de nerfs** ataque de nervios, crisis nerviosa

cristal, -aux [kristal, o] nm cristal m; (neige) cristal, copo

critère [kritɛr] nm criterio

critiquable [kritikabl] adj discutible

critique [kritik] adj crítico(-a) ♦ nf crítica ♦ nm crítico

critiquer [kritike] vt criticar

Croatie [krɔasi] nf Croacia

crochet [krɔʃɛ] nm gancho; (détour) desvío, rodeo; (TRICOT) ganchillo

crocodile [krɔkɔdil] nm cocodrilo

croire [krwar] vt creer; **se ~ fort**

considerarse fuerte; **~ que** creer que; **~ à** ou **en** creer en

crois [krwa] vb voir **croître**

croisade [krwazad] nf cruzada

croisement [krwazmɑ̃] nm (carrefour, BIOL) cruce m

croiser [krwaze] vt cruzar; (personne, voiture) cruzarse con, encontrar; **se ~** vpr cruzarse; **~ les jambes/les bras** cruzar las piernas/los brazos

croisière [krwazjɛr] nf crucero

croissance [krwasɑ̃s] nf desarrollo, crecimiento

croissant, e [krwasɑ̃, ɑ̃t] vb voir **croître** ♦ adj creciente ♦ nm (gâteau) croissant m

croître [krwatr] vi crecer

croix [krwa] nf cruz f; **en ~** adj en cruz; **la C~ Rouge** la Cruz Roja

croque-monsieur [krɔkmɔsjø] nm inv sandwich de jamón y queso (tostado)

croquer [krɔke] vt (manger, fruit) comer ♦ vi crujir; **chocolat à ~** chocolate m para comer

croquis [krɔki] nm croquis m inv, boceto

crotte [krɔt] nf caca; **crottin** nm (petit fromage de chèvre) quesito redondo de cabra

croustillant, e [krustijɑ̃, ɑ̃t] adj crujiente

croûte [krut] nf (du fromage, pain) corteza; (MÉD) costra, postilla; **en ~** (CULIN) en pastel

croûton [krutɔ̃] nm (CULIN) picatoste m; (extrémité: du pain) cuscurro

croyant, e [krwajɑ̃, ɑ̃t] vb voir **croire** ♦ adj (REL): **être/ne pas être ~** ser/no ser creyente

CRS [seɛrɛs] sigle fpl = Compagnies républicaines de

sécurité
cru, e [kʀy] pp de **croire** ♦ adj
(non cuit) crudo(-a); (lumière,
couleur) fuerte, vivo(-a);
(description, langage) crudo(-a);
(grossier) grosero(-a) ♦ nm
(vignoble) viñedo; (vin) caldo
crû [kʀy] pp de **croître**
cruauté [kʀyote] nf crueldad f
cruche [kʀyʃ] nf cántaro
crucifix [kʀysifi] nm crucifijo
crudités [kʀydite] nfpl (CULIN)
verduras fpl y hortalizas crudas
crue [kʀy] adj f voir **cru** ♦ nf
crecida
cruel, le [kʀyɛl] adj (personne,
sort) cruel; (froid) despiadado(-a)
crus etc [kʀy] vb voir **croire**
crûs etc [kʀy] vb voir **croître**
crustacés [kʀystase] nmpl
crustáceos mpl
Cuba [kyba] nm Cuba; **cubain,
e** adj cubano(-a) ♦ nm/f: **Cubain,
e** cubano(-a)
cube [kyb] nm cubo; (MATH): **2 au
~ = 8** 2 al cubo = 8; **mètre ~**
metro cúbico
cueillette [kœjɛt] nf recolección
f, cosecha
cueillir [kœjiʀ] vt recoger;
(attraper) pillar
cuiller, cuillère [kɥijɛʀ] nf
cuchara; **~ à café** cucharilla; **~ à
soupe** cuchara sopera;
cuillerée nf cucharada
cuir [kɥiʀ] nm cuero
cuire [kɥiʀ] vt (aliments, poterie)
cocer; (au four) asar ♦ vi cocerse;
bien cuit (viande) bien hecho ou
pasado; **trop cuit** demasiado
hecho ou pasado; **cuit à point**
hecho en su punto
cuisine [kɥizin] nf cocina;
(nourriture) comida; **faire la ~**
preparar la comida; **cuisiné, e**

adj: **plat cuisiné** plato cocinado;
cuisiner vt cocinar; (fam)
acribillar a preguntas a ♦ vi
cocinar; **cuisinier, -ière** nm/f
cocinero(-a); **cuisinière** nf
(poêle) cocina
cuisse [kɥis] nf (ANAT) muslo; (de
poulet) muslo; (de mouton) pierna
cuisson [kɥisɔ̃] nf cocción f
cuit, e [kɥi, kɥit] pp de **cuire** ♦
adj cocido(-a)
cuivre [kɥivʀ] nm cobre m; **les
~s** (MUS) los cobres
cul [ky] (fam!) nm culo (fam!)
culminant [kylminɑ̃] adj: **point
~** punto culminante
culot [kylo] nm (effronterie)
desfachatez f, descaro
culotte [kylɔt] nf (pantalon)
pantalón m corto; (de femme):
(petite) ~ bragas fpl, calzones
mpl (AM)
culte [kylt] nm culto
cultivateur, -trice [kyltivatœʀ,
tʀis] nm/f cultivador(a)
cultivé, e [kyltive] adj (terre)
cultivado(-a); (personne)
culto(-a)
cultiver [kyltive] vt cultivar
culture [kyltyʀ] nf cultivo;
(connaissances) cultura; **~
physique** culturismo; **culturel,
le** adj cultural
cumin [kymɛ̃] nm comino
cure [kyʀ] nf (MÉD) cura
curé [kyʀe] nm cura m, párroco
cure-dent [kyʀdɑ̃] (pl **~~s**) nm
palillo, mondadientes m inv
curieusement [kyʀjøzmɑ̃] adv
curiosamente
curieux, -euse [kyʀjø, jøz] adj
curioso(-a) ♦ nmpl curiosos mpl,
mirones mpl; **curiosité** nf
curiosidad f; (objet, site)
singularidad f

curriculum vitae
[kyrikylɔmvite] *nm inv* curriculum vitae *m*

cutané, e [kytane] *adj* cutáneo(-a)

cuve [kyv] *nf* cuba; *(à mazout etc)* depósito, tanque *m*

cuvette [kyvɛt] *nf (récipient)* palangana; *(des w-c)* taza; *(GÉO)* hondonada

CV [seve] *sigle m* (= *cheval vapeur*) C.V. (= *caballos de vapor*); = *curriculum vitae*

cyclable [siklabl] *adj:* **piste ~** pista para ciclistas

cycle [sikl] *nm (vélo)* velocípedo; *(naturel, biologique)* ciclo; **cyclisme** *nm* ciclismo; **cycliste** *nm/f* ciclista *m/f* ♦ *adj:* **coureur cycliste** corredor *m* ciclista

cyclomoteur [siklomɔtœr] *nm* ciclomotor *m*

cyclone [siklon] *nm* ciclón *m*

cygne [siɲ] *nm* cisne *m*

cylindre [silɛ̃dʀ] *nm* cilindro; **cylindrée** *nf* cilindrada

cymbale [sɛ̃bal] *nf* platillo *m*

cynique [sinik] *adj* cínico(-a)

cystite [sistit] *nf* cistitis *f*

D, d

d' [d] *prép voir* **de**

dactylo [daktilo] *nf (aussi:* **dactylographe**) mecanógrafa

dada [dada] *nm* tema *m* de siempre

daim [dɛ̃] *nm (ZOOL)* gamo; *(peau)* ante *m; (imitation)* piel *f* vuelta

dame [dam] *nf* señora; *(CARTES, ÉCHECS)* reina; **~s** *nfpl (jeu)* damas *nfpl*

Danemark [danmark] *nm*

Dinamarca

danger [dɑ̃ʒe] *nm:* **le ~** el peligro; **un ~** un peligro; **être/ mettre en ~** estar/poner en peligro; **dangereux, -euse** *adj* peligroso(-a)

danois, e [danwa, waz] *nm (LING, chien)* danés *msg* ♦ *nm/f:* **D~, e** danés(-esa)

MOT-CLÉ

dans [dɑ̃] *prép* **1** *(position)* en; **dans le tiroir/le salon** en el cajón/el salón; **marcher dans la ville** andar por la ciudad; **je l'ai lu dans un journal** lo leí en un periódico; **monter dans une voiture/le bus** subir en un coche/el autobús; **dans la rue** en la calle; **être dans les premiers** ser de los primeros
2 *(direction)* a; **elle a couru dans le salon** corrió al salón
3 *(provenance)* de; **je l'ai pris dans le tiroir/salon** lo saqué del cajón/salón; **boire dans un verre** beber en un vaso
4 *(temps)* dentro de; **dans 2 mois** dentro de dos meses; **dans quelques instants** dentro de unos momentos; **dans quelques jours** dentro de unos días; **il part dans quinze jours** se marcha dentro de quince días; **je serai là dans la matinée** estaré allí por la mañana
5 *(approximation)* alrededor de; **dans les 20 F/4 mois** alrededor de 20 francos/4 meses
6 *(intention)* con; **dans le but de faire qch** con objeto de hacer algo

danse [dɑ̃s] *nf* danza; **une ~** un baile; **danser** *vt, vi* bailar, danzar; **danseur, -euse** nm/f (de ballet) bailarín(-ina); (cavalier) pareja

date [dat] nf (jour) fecha; **de longue** ou **vieille ~** (amitié) viejo(-a); **~ limite** fecha límite; (d'un aliment: aussi: **date limite de vente**) fecha de caducidad; **~ de naissance** fecha de nacimiento; **dater** vt fechar ♦ vi estar anticuado(-a); **dater de** (remonter à) datar de; **à dater de** a partir de

datte [dat] nf dátil m

dauphin [dofɛ̃] nm delfín m

davantage [davɑ̃taʒ] adv más; (plus longtemps) más tiempo; **~ de** más

---

MOT-CLÉ

de, d' [də] (de + le = **du**, de + les = **des**) prép **1** (appartenance) de; **le toit de la maison** el tejado de la casa; **la voiture d'Élisabeth/de mes parents** el coche de Elisabeth/de mis padres

2 (moyen) con; **suivre des yeux** seguir con la mirada; **estimé de ses collègues** estimado por sus colegas

3 (provenance) de; **il vient de Londres** viene de Londres; **elle est sortie du cinéma** salió del cine

4 (caractérisation, mesure): **un mur de brique** un muro de ladrillo; **un verre d'eau** un vaso de agua; **un billet de 50 F** un billete de 50 francos; **une pièce de 2 m de large** ou **large de 2 m** una habitación de 2m de ancho; **un bébé de 10 mois** un bebé de 10 meses; **12 mois de crédit/travail** 12 meses de crédito/trabajo; **augmenter** etc **de 10 F** aumentar etc 10 francos; **3 jours de libres** 3 días libres; **de nos jours** en nuestros días; **être payé 20 F de l'heure** cobrar 20 francos por hora

5 (rapport): **de 14 à 18** de 14 a 18; **de Madrid à Paris** de Madrid a París; **voyager de pays en pays** viajar de país en país

6 (cause): **mourir de faim** morir(se) de hambre; **rouge de colère** rojo(-a) de ira

7 (vb + de + infinitif): **je vous prie de venir** le ruego que venga; **il m'a dit de rester** me dijo que me quedara

8: **cet imbécile de Pierre** el tonto de Pierre ♦ dét (partitif): **du vin/de l'eau/des pommes** vino/agua/manzanas; **des enfants sont venus** vinieron unos niños; **pendant des mois** durante meses; **il mange de tout** come de todo; **y a-t-il du vin?** ¿hay vino?; **il n'a pas de chance/d'enfants** no tiene suerte/niños

---

dé [de] nm (aussi: **~ à coudre**) dedal m; (à jouer) dado

déballer [debale] vt desembalar

débarcadère [debarkadɛr] nm desembarcadero

débardeur [debardœr] nm (maillot) camiseta corta sin mangas

débarquer [debarke] vt desembarcar ♦ vi desembarcar; (fam) plantarse

débarras [debara] nm trastero; (placard) armario trastero; **"bon ~!"** "¡anda y que te zurzan!";

débarrasser vt desalojar ♦ vi

quitar la mesa; **se débarrasser**
vpr: **se débarrasser de**
desembarazarse de; (habitude)
librarse de; **débarrasser la
table** quitar la mesa;
débarrasser qn de qch
(vêtements) recogerle algo a algn;
(paquets) ayudar a algn con
algo

débat [deba] nm debate m; **~s**
nmpl (POL) debate msg; **débattre**
vt (question, prix) debatir, discutir;
se débattre vpr debatirse

débit [debi] nm (fleuve) caudal m;
(élocution) cadencia; (d'un
magasin) ventas fpl; (bancaire)
débito; **~ de tabac** estanco

déblayer [debleje] vt despejar

débloquer [deblɔke] vt
desbloquear

déboîter [debwate] vt (AUTO)
salirse de la fila ♦ vt: **se ~**
dislocarse

débordé, e [debɔʀde] adj: **être
~** estar desbordado(-a)

déborder [debɔʀde] vi (rivière)
desbordarse; (eau, lait)
derramarse; (dépasser): **~ (de)
qch** rebosar de algo

débouché [debuʃe] nm (gén pl:
pour vendre un produit) mercado;
(perspectives d'emploi)
posibilidades fpl

déboucher [debuʃe] vt (évier,
tuyau etc) destapar; (bouteille)
descorchar; **~ sur** salir de;
~ de salir de

debout [d(ə)bu] adv (personne,
chose) de pie; (levé, éveillé)
levantado(-a); **être encore ~**
(fig) estar todavía en pie; **se
mettre ~** ponerse de pie; **se
tenir ~** mantenerse en pie;
"~!" "¡pie!"; (du lit) "¡arriba!"; **cette
histoire/ça ne tient pas ~**

esta historia/eso no se tiene en pie

déboutonner [debutɔne] vt
desabrochar, desabotonar

débraillé, e [debʀaje] adj (tenue)
desaliñado(-a)

débrancher [debʀɑ̃ʃe] vt
(appareil électrique) desenchufar;
(téléphone) desconectar

débrayage [debʀejaʒ] nm (AUTO:
aussi action) desembrague m;
débrayer vi (AUTO) desembragar

débris [debʀi] nm trozo ♦ nmpl
restos mpl

débrouillard, e [debʀujaʀ, aʀd]
adj avispado(-a)

débrouiller [debʀuje] vt (affaire,
cas) desembrollar; **se ~** vpr
arreglárselas

début [deby] nm comienzo,
principio; **débutant, e** nm/f, adj
principiante m/f; **débuter** vi
comenzar; (personne) debutar

décaféiné, e [dekafeine] adj
descafeinado(-a)

décalage [dekalaʒ] nm desfase
m; (écart) separación f; **~ horaire**
diferencia de horario

décaler [dekale] vt (changer de
position) desplazar; (dans le temps:
avancer) adelantar; (: retarder)
aplazar

décapotable [dekapɔtabl] adj
descapotable

décapsuleur [dekapsylœʀ] nm
abrebotellas m inv

décédé, e [desede] adj
fallecido(-a)

décéder [desede] vi fallecer

décembre [desɑ̃bʀ] nm
diciembre m; voir aussi **juillet**

décennie [deseni] nf decenio

décent, e [desɑ̃, ɑ̃t] adj decente

déception [desɛpsjɔ̃] nf
decepción f

décès [desɛ] nm fallecimiento

décevant, e [des(ə)vã, ãt] *adj*
decepcionante

décevoir [des(ə)vwaʀ] *vt*
decepcionar; *(espérances,
confiance)* defraudar

décharge [deʃaʀʒ] *nf (dépôt
d'ordures)* vertedero; **décharger**
vt descargar

déchausser [deʃose]: **se ~** *vpr
(personne)* descalzarse; *(dent)*
descarnarse

déchets [deʃe] *nmpl (ordures)*
restos *mpl*, residuos *mpl*

déchiffrer [deʃifʀe] *vt (nouvelle)*
leer; *(musique, partition)* ejecutar
por primera vez; *(texte illisible)*
descifrar

déchirant, e [deʃiʀã, ãt] *adj*
desgarrador(a)

déchirement [deʃiʀmã] *nm*
desgarrón *m*; *(chagrin)*
desgarramiento

déchirer [deʃiʀe] *vt (vêtement,
livre)* desgarrar; *(mettre en
morceaux)* rasgar; *(pour ouvrir)*
rasgar; *(arracher)* arrancar; *(fig)*
destrozar; **se ~** *vpr* desgarrarse;
(fig) destrozarse; **se ~ un
muscle/tendon** desgarrarse un
músculo/tendón

déchirure [deʃiʀyʀ] *nf* desgarrón
m; **~ musculaire** desgarrón
muscular

décidé, e [deside] *adj*
decidido(-a); **c'est ~** está
decidido; **décidément** *adv*
decididamente

décider [deside] *vt*: **~ qch** decidir
algo; **se ~** *vpr (personne)*
decidirse; *(problème, affaire)*
resolverse; **~ que** decidir que; **~
qn (à faire qch)** animar a algn
(a hacer algo); **~ de faire** decidir
hacer; **~ de qch** decidir algo; **se
~ à faire qch** decidirse a hacer
algo; **se ~ pour qch** decidirse

por algo

décimal, e, -aux [desimal, o]
adj decimal

décimètre [desimetʀ] *nm*
decímetro; **double ~** doble
decímetro

décisif, -ive [desizif, iv] *adj*
decisivo(-a)

décision [desizjɔ̃] *nf* decisión *f*

déclaration [deklaʀasjɔ̃] *nf*
declaración *f*; **~ (d'amour)**
declaración (de amor); **~ (de
perte)** denuncia (de pérdida); **~
(de sinistre)** declaración (de
siniestro); **~ (de vol)** denuncia
(de robo)

déclarer [deklaʀe] *vt* declarar;
(vol etc: à la police) denunciar;
(décès, naissance) certificar; **se ~**
vpr declararse

déclencher [deklãʃe] *vt* activar;
(attaque) lanzar; *(fig)* provocar; **se
~** *vpr* desencadenarse

décliner [dekline] *vi (jour, santé)*
declinar

décoiffer [dekwafe] *vt (déranger
la coiffure)* despeinar; **se ~** *vpr*
despeinarse

déçois *etc* [deswa] *vb voir*
décevoir

décollage [dekɔlaʒ] *nm* despegue
m, decolaje *m* (AM)

décoller [dekɔle] *vt, vi* despegar,
decolar (AM); **se ~** *vpr* despegarse

décolleté, e [dekɔlte] *adj*
escotado(-a) ♦ *nm* escote *m*

décolorer [dekɔlɔʀe] *vt*
decolorar; *(suj: âge, lumière)*
descolorir; **se ~** *vpr* decolorirse

décommander [dekɔmãde] *vt
(marchandise)* anular; **se ~** *vpr
(invité etc)* excusarse

déconcerter [dekɔ̃sɛʀte] *vt*
desconcertar

décongeler [dekɔ̃ʒ(ə)le] *vt*

descongelar

déconner [dekɔne] (*fam*) *vi* (*en parlant*) decir pijadas

déconseiller [dekɔ̃seje] *vt:* ~ **qch (à qn)** desaconsejar algo (a algn)

décontracté, e [dekɔ̃trakte] *adj* (*personne*) relajado(-a); (*ambiance*) distendido(-a)

décontracter [dekɔ̃trakte] *vt* descontraer; (*muscle*) relajar; **se ~** *vpr* (*personne*) relajarse

décor [dekɔr] *nm* (*d'un palais etc*) decoración f; (*paysage*) panorama m; (*gén pl*: THÉATRE, CINÉ) decorado; **décorateur, -trice** [dekɔratœr, tris] *nm/f* (*ouvrier*) decorador(a); (*CINÉ*) escenógrafo(-a); **décoration** *nf* decoración f; (*médaille*) condecoración f; **décorer** *vt* decorar; (*médailler*) condecorar

décortiquer [dekɔrtike] *vt* (*riz*) descascarillar; (*amandes, crevettes*) pelar; (*fig*) desmenuzar

découdre [dekudr]: **se ~** *vpr* descoserse

découper [dekupe] *vt* recortar; (*volaille, viande*) trinchar; (*fig*) fragmentar; **se ~ sur** (*le ciel, fond*) perfilarse en

décourager [dekuraʒe] *vt* desanimar, desalentar; **se ~** *vpr* desanimarse

décousu, e [dekuzy] *pp de* **découdre** ♦ *adj* descosido(-a); (*fig*) deshilvanado(-a)

découvert, e [dekuvɛr, ɛrt] *pp de* **découvrir** ♦ *adj* (*tête*) descubierto(-a) ♦ *nm* (*bancaire*) descubierto; **découverte** *nf* descubrimiento

découvrir [dekuvrir] *vt* descubrir; (*casserole*) destapar; (*apercevoir*) divisar

décriminaliser [dekriminalize]

vt despenalizar

décrire [dekrir] *vt* describir

décrocher [dekrɔʃe] *vt* descolgar; (*contrat etc*) conseguir; (*abandonner*) retirarse; (*perdre sa concentration*) desconectar

déçu, e [desy] *pp de* **décevoir** ♦ *adj* (*personne*) decepcionado(-a)

dédaigner [dedeɲe] *vt* desdeñar; **dédaigneux, -euse** *adj* desdeñoso(-a); **dédain** *nm* desdén

dedans [dədɑ̃] *adv* dentro, adentro (*esp AM*) ♦ *nm* interior m; **là-~** ahí dentro; **au ~** (*por*) dentro; **en ~** por dentro

dédicacer [dedikase] *vt* dedicar

dédier [dedje] *vt*: ~ **à** (*livre*) dedicar a; (*efforts*) consagrar a

dédommagement [dedɔmaʒmɑ̃] *nm* (*indemnité*) indemnización f

dédommager [dedɔmaʒe] *vt*: ~ **qn (de)** indemnizar a algn (por)

dédouaner [dedwane] *vt* aduanar

déduire [deduir] *vt*: ~ **qch (de)** deducir algo (de)

défaillance [defajɑ̃s] *nf* desfallecimiento; (*technique*) fallo; ~ **cardiaque** fallo cardíaco

défaire [defɛr] *vt* (*installation, échafaudage*) desmontar; (*paquet etc*) abrir; (*nœud*) desatar; (*vêtement*) descoser; (*déranger*) deshacer; (*cheveux*) despeinar; **se ~** *vpr* (*cheveux, nœud*) deshacerse

défait, e [defɛ, ɛt] *pp de* **défaire** ♦ *adj* deshecho(-a); (*nœud*) desatado(-a); (*visage*) descompuesto(-a); **défaite** *nf* (*MIL*) derrota; (*gén: échec*) fracaso

défaut [defo] *nm* (*moral*) defecto; (*d'étoffe, métal*) falla; ~ **de** (*manque, carence*) falto de; **en ~** en falta; **faire ~** faltar; **à ~** al menos; **à ~ de** a falta de

défavorable [defavɔʀabl] *adj* desfavorable

défavoriser [defavɔʀize] *vt* desfavorecer

défectueux, -euse [defɛktɥø, øz] *adj* defectuoso(-a)

défendre [defɑ̃dʀ] *vt* defender; *(interdire)* prohibir; **se ~** *vpr* defenderse; **~ à qn qch/de faire** prohibir a algn algo/hacer; **il se défend** *(fig)* va defendiéndose; **ça se défend** *(fig)* esto se sostiene; **se ~ de/contre** *(se protéger)* protegerse de/contra; **se ~ de** *(se garder de)* evitar

défense [defɑ̃s] *nf* defensa; **"~ de fumer"** "prohibido fumar"

défi [defi] *nm* desafío, reto

déficit [defisit] *nm* (COMM) déficit *m*

défier [defje] *vt* desafiar

défigurer [defigyʀe] *vt* desfigurar

défilé [defile] *nm* (GÉO) desfiladero; *(soldats, manifestants)* desfile *m*

défiler [defile] *vi* desfilar

définir [definiʀ] *vt* definir

définitif, -ive [definitif, iv] *adj* definitivo(-a); *(décision, refus)* irrevocable; **définitive** *nf*: **en définitive** en definitiva; **définitivement** *adv* definitivamente

déformer [defɔʀme] *vt* deformar; **se ~** *vpr* deformarse

défouler [defule]: **se ~** *vpr* (gén) desahogarse

défunt, e [defœ̃, œ̃t] *nm/f* difunto(-a)

dégagé, e [degaʒe] *adj* (ciel, vue) despejado(-a); *(ton, air)* desenvuelto(-a)

dégager [degaʒe] *vt* liberar; *(exhaler)* desprender;

(désencombrer) despejar; *(idée, aspect etc)* extraer; **se ~** *vpr* (odeur) desprenderse; *(passage bloqué, ciel)* despejarse

dégâts [dega] *nmpl*: **faire des ~** causar daños

dégel [deʒɛl] *nm* deshielo; **dégeler** *vi* deshelarse

dégivrer [deʒivʀe] *vt* (frigo) descongelar; *(vitres)* deshelar

dégonflé, e [degɔ̃fle] *adj* (pneu) desinflado(-a), deshinchado(-a)

dégonfler [degɔ̃fle] *vt* desinflar, deshinchar

dégouliner [deguline] *vi* chorrear

dégourdi, e [deguʀdi] *adj* espabilado(-a)

dégourdir [deguʀdiʀ]: **se ~** *vpr*: **se ~ (les jambes)** desentumecerse (las piernas)

dégoût [degu] *nm* asco; **dégoûtant, e** *adj* asqueroso(-a); **c'est dégoûtant!** *(injuste)* ¡no hay derecho!; **dégoûté, e** *adj* asqueado(-a); **dégoûté de** asqueado(-a) de; **dégoûter** *vt* asquear; **dégoûter qn de faire qch** quitarle a algn las ganas de hacer algo

dégrader [degʀade]: **se ~** *vpr* deteriorarse

degré [dəgʀe] *nm* grado; *(niveau, taux)* punto; **alcool à 90 ~s** alcohol *m* de 90 grados

dégressif, -ive [degʀesif, iv] *adj* decreciente

dégringoler [degʀɛ̃gɔle] *vi* caer rodando; *(prix, Bourse etc)* hundirse

déguisement [degizmɑ̃] *nm* disfraz *m*

déguiser [degize]: **se ~** *vpr* disfrazarse

dégustation [degystasjɔ̃] *nf* degustación *f*; *(vin)* cata

déguster [degyste] *vt* degustar;
(*vin*) catar; (*fig*) saborear

dehors [dəɔʀ] *adv* fuera, afuera
(*esp AM*) ♦ *nm* exterior *m* ♦ *nmpl*
(*apparences*) apariencias *fpl*;
mettre *ou* **jeter** ~ echar fuera;
au ~ (por) fuera; (*en apparence*)
por fuera; **au ~ de** fuera de; **en**
~ (*vers l'extérieur*) hacia afuera; **en**
~ **de** (*hormis*) fuera de

déjà [deʒa] *adv* ya

déjeuner [deʒœne] *vi* (*matin*)
desayunar; (*à midi*) almorzar,
comer ♦ *nm* (*petit déjeuner*)
desayuno; (*à midi*) almuerzo,
comida

delà [dala] *prép, adv*: **par-~** (*plus
loin que*) más allá de; (*de l'autre
côté de*) al otro lado de; **en ~
(de)/au-~ (de)** más allá de

délacer [delase] *vt* desatar

délai [delɛ] *nm* plazo; (*sursis*)
prórroga; **sans ~** sin demora; **à
bref ~** en breve plazo; **dans les
~s** dentro de los plazos

délaisser [delese] *vt* abandonar

délasser [delɑse] *vt*: **se ~** *vpr*
recrearse

délavé, e [delave] *adj*
descolorido(-a)

délayer [deleje] *vt* diluir

delco ® [dɛlko] *nm* (*AUT*) delco

délégué, e [delege] *adj*
delegado(-a) ♦ *nm/f* delegado(-a)

déléguer [delege] *vt* delegar

délibéré, e [delibere] *adj*
deliberado(-a); (*déterminé*)
resuelto(-a)

délicat, e [delika, at] *adj*
delicado(-a); (*attentionné*)
atento(-a); **délicatement** *adv*
delicadamente; (*subtilement*) con
delicadeza

délice [delis] *nm* delicia

délicieux, -euse [delisjø, jøz]

adj (*goût, femme*) delicioso(-a);
(*sensation*) placentero(-a)

délimiter [delimite] *vt* delimitar

délinquant, e [delɛ̃kɑ̃, ɑ̃t] *adj,
nm/f* delincuente *m/f*

délirer [delire] *vi* delirar

délit [deli] *nm* (*JUR, gén*) delito

délivrer [delivre] *vt* (*prisonnier*)
liberar; (*passeport, certificat*)
expedir

deltaplane ® [dɛltaplan] *nm* ala
delta

déluge [delyʒ] *nm* diluvio

demain [d(ə)mɛ̃] *adv* mañana; ~
matin/soir mañana por la
mañana/tarde; ~ **midi** mañana a
mediodía

demande [d(ə)mɑ̃d] *nf* petición *f*;
(*ADMIN, formulaire*) instancia,
solicitud *f*; **la ~** (*ÉCON*) la
demanda; ~ **d'emploi** solicitud
de empleo; **"~s d'emploi"**
"demandas *fpl* de empleo"

demandé, e [d(ə)mɑ̃de] *adj*:
très ~ muy solicitado(-a)

demander [d(ə)mɑ̃de] *vt* pedir;
(*autorisation*) solicitar; (*médecin,
plombier, infirmier*) necesitar; (*de
l'habileté, du courage*) requerir; ~
qch à qn preguntar algo a algn;
~ **l'heure/son chemin**
preguntar la hora/en el camino; ~ **à
qn de faire** pedir a algn que
haga; ~ **si/pourquoi** *etc*
preguntarse si/por qué *etc*; **on
vous demande au téléphone**
le llaman por teléfono; **il ne
demande que ça/qu'à faire
...** (*iro*) justo lo que quería/lo que
quería hacer ...; **je ne demande
pas mieux que ...** no deseo
otra cosa más que ...;
demandeur, -euse *nm/f*:
demandeur d'emploi
demandante *m/f* de empleo

démangeaison [demɑ̃ʒɛzɔ̃] *nf* picor *m*

démanger [demɑ̃ʒe] *vi* picar

démaquillant, e [demakijɑ̃, ɑ̃t] *adj* desmaquillador(-a)

démaquiller [demakije]: **se ~** *vpr* desmaquillarse

démarche [demaʀʃ] *nf (allure)* paso; *(intervention)* trámite *m*; *(intellectuelle etc)* proceso; **faire** *ou* **entreprendre des ~s (auprès de qn)** hacer *ou* iniciar gestiones (ante algn)

démarrage [demaʀaʒ] *nm (d'une voiture, SPORT)* salida

démarrer [demaʀe] *vi* arrancar; *(travaux, affaire)* ponerse en marcha; **démarreur** *nm (AUTO)* botón *m* de arranque

démêlant, e [demɛlɑ̃, ɑ̃t] *adj*: **crème ~e** *ou* **baume ~** crema suavizante

démêler [demele] *vt (fil, cheveux)* desenredar; **démêlés** *nmpl* diferencias *fpl*

déménagement [demenaʒmɑ̃] *nm* mudanza; **entreprise/ camion de ~** empresa/camión *m* de mudanzas

déménager [demenaʒe] *vt* mudar ♦ *vi* mudarse; **déménageur** *nm* encargado de mudanzas; *(entrepreneur)* empresario de mudanzas

démerder [demɛʀde] *(fam!) vi*: **se ~** arreglárselas

démettre [demɛtʀ]: **se ~** *vpr (épaule etc)* dislocarse

demeurer [dœmœʀe] *vi (habiter)* residir, vivir; *(séjourner)* permanecer; *(rester)* quedar, permanecer

demi, e [dœmi] *adj*: **~-rempli** medio lleno(-a) ♦ *nm (bière)* caña; *(FOOTBALL)* medio; **trois bouteilles et ~e** tres botellas y

media; **il est deux heures et ~e** son las dos y media; **à ~** a medias; **à la ~e** *(heure)* a la media; **demi-douzaine** *(pl demi-douzaines)* *nf* media docena; **demi-finale** *(pl demi-finales)* *nf* semifinal *f*; **demi-frère** *(pl demi-frères)* *nm* medio hermano, hermanastro; **demi-heure** *(pl demi-heures)* *nf* media hora; **demi-journée** *(pl demi-journées)* *nf* media jornada; **demi-litre** *(pl demi-litres)* *nm* medio litro; **demi-livre** *(pl demi-livres)* *nf* media libra; **demi-pension** *(pl demi-pensions)* *nf* media pensión *f*

démis, e [demi, iz] *pp de* **démettre ♦** *adj (épaule etc)* dislocado(-a)

demi-sœur [dœmisœʀ] *(pl ~~s)* *nf* media hermana, hermanastra

démission [demisjɔ̃] *nf* dimisión *f*; **donner sa ~** presentar la dimisión; **démissionner** *vi* dimitir

demi-tarif [dœmitaʀif] *(pl ~~s)* *nm* media tarifa

demi-tour [dœmituʀ] *(pl ~~s)* *nm* media vuelta; **faire ~~** dar la vuelta

démocratie [demɔkʀasi] *nf* democracia; **démocratique** *adj* democrático(-a)

démodé, e [demɔde] *adj* pasado(-a) de moda

demoiselle [d(ə)mwazɛl] *nf* señorita; **~ d'honneur** dama de honor

démolir [demɔliʀ] *vt (bâtiment)* demoler

démon [demɔ̃] *nm* demonio; **le D~** el demonio

démonstration [demɔ̃stʀasjɔ̃] *nf* demostración *f*

démonter [demɔ̃te] *vt* desmontar

démontrer [demɔ̃tre] *vt* demostrar

démouler [demule] *vt (gâteau)* extraer del molde

démuni, e [demyni] *adj* pelado(-a)

dénicher [deniʃe] *vt* dar con

dénier [denje] *vt* negar

dénivellation [denivelasjɔ̃] *nf* desnivel *m*

dénombrer [denɔ̃bre] *vt (compter)* contar; *(énumérer)* enumerar

dénomination [denɔminasjɔ̃] *nf (nom)* denominación *f*

dénoncer [denɔ̃se] *vt* denunciar

dénouement [denumɑ̃] *nm* desenlace *m*

dénouer [denwe] *vt* desatar

denrée [dɑ̃re] *nf* producto; **~s alimentaires** productos *mpl* alimenticios

dense [dɑ̃s] *adj* denso(-a); **densité** *nf* densidad *f*

dent [dɑ̃] *nf* diente *m*; **avoir une ~ contre qn** tener manía a algn; **en ~s de scie** dentado(-a); **~ de lait** diente de leche; **~ de sagesse** muela del juicio; **dentaire** *adj* dental

dentelle [dɑ̃tɛl] *nf* encaje *m*

dentier [dɑ̃tje] *nm* dentadura

dentifrice [dɑ̃tifʁis] *nm* dentífrico

dentiste [dɑ̃tist] *nm/f* dentista *m/f*

dentition [dɑ̃tisjɔ̃] *nf (dents)* dentadura; *(formation)* dentición *f*

dénué, e [denye] *adj*: **~ de** desprovisto(-a) de

déodorant [deɔdɔrɑ̃] *nm* desodorante *m*

déontologie [deɔtɔlɔʒi] *nf* deontología

dépannage [depanaʒ] *nm*

reparación *f*; **service de ~** *(AUTO)* servicio de reparaciones

dépanner [depane] *vt* reparar; *(fig)* sacar de apuros;

dépanneuse *nf* grúa

dépareillé, e [depareje] *adj (collection, service)* descabalado(-a); *(gant, volume, objet)* desparejado(-a)

départ [depar] *nm* partida, marcha; *(d'un employé)* despido; *(SPORT, sur un horaire)* salida; **à son ~** a su marcha; **au ~** al principio

département [departamɑ̃] *nm* ≈ provincia; *(d'université)* departamento; *(de magasin)* sección *f*

---
département

Francia se halla dividida en 96 unidades administrativas denominadas **départements**. *Al frente de estas divisiones de la administración local se encuentra el* **préfet**, *nombrado por el gobierno, y su administración corre a cargo de un* **Conseil général** *electo. Los* **départements** *suelen tomar su nombre de algún hito geográfico importante, como un río o una cordillera; véase también* DOM-TOM.
---

dépassé, e [depase] *adj* pasado(-a) de moda; *(fig)* desbordado(-a)

dépasser [depase] *vt (véhicule, concurrent)* adelantar; *(endroit)* dejar atrás; *(somme, limite fixée, prévisions)* rebasar; *(fig)* superar; *(être en saillie sur)* sobresalir ♦ *vi (AUTO)* adelantarse; *(ourlet, jupon)* sobresalir; **se ~** *vpr (se surpasser)* superarse; **être dépassé** estar desbordado

dépaysé, e [depeize] *adj* extrañado(-a)

dépaysement [depeizmã] *nm* extrañamiento

dépêcher [depeʃe]: **se ~** *vpr* darse prisa, apresurarse, apurarse *(AM)*

dépendance [depãdãs] *nf* dependencia; *(MÉD)* adicción *f*

dépendre [depãdʀ] *vt* descolgar; **~ de** depender de

dépens [depã] *nmpl*: **aux ~ de** a expensas de

dépense [depãs] *nf* gasto; *(fig)* consumo; **dépenser** *vt* gastar; *(fig)* consumir; **se dépenser** *vpr* fatigarse

dépeupler [depœple]: **se ~** *vpr* despoblarse

dépilatoire [depilatwaʀ] *adj* depilatorio(-a)

dépister [depiste] *vt (MÉD)* identificar

dépit [depi] *nm* despecho; **en ~ de** a pesar de; **en ~ du bon sens** sin sentido común; **dépité, e** *adj* contrariado(-a)

déplacé, e [deplase] *adj* fuera de lugar *inv*

déplacement [deplasmã] *nm* traslado; *(voyage)* viaje *m*; **en ~** de viaje

déplacer [deplase] *vt* mover

déplaire [deplɛʀ] *vt* desagradar; **ceci me déplaît** esto no me desagrada; **déplaisant, e** *vb voir* **déplaire ♦** *adj* desagradable

dépliant [deplijã] *nm* folleto

déplier [deplije] *vt* desplegar

déposer [depoze] *vt* poner, dejar; *(à la banque)* ingresar; *(ADMIN, JUR)* presentar; *(JUR)*: **~ (contre)**

declarar (contra); **se ~** *vpr* depositarse; **dépositaire** *nm/f (COMM)* concesionario(-a)

déposition *nf (JUR)* deposición *f*

dépôt [depo] *nm (d'argent)* ingreso; *(entrepôt)* depósito

dépourvu, e [depuʀvy] *adj*: **~ de** desprovisto(-a) de; **au ~: prendre qn au ~** coger a algn desprevenido(-a)

dépression [depʀesjɔ̃] *nf* depresión *f*; **~ (nerveuse)** depresión (nerviosa)

déprimant, e [depʀimã, ãt] *adj* deprimente

déprimer [depʀime] *vt* deprimir

depuis [dəpɥi] *prép* desde ♦ *adv (temps)* desde entonces; **~ que** desde que; **qu'il m'a dit ça** desde que me dijo eso; **~ combien de temps?** ¿cuánto tiempo hace?; **il habite Paris ~ 5 ans** vive en París desde hace 5 años, lleva 5 años viviendo en París; **~ quand le connaissez-vous?** ¿desde cuándo lo conoce usted?; **je le connais ~ 9 ans** lo conozco desde hace 9 años; **~ quand?** *(excl)* ¿desde cuándo?; **il a plu ~ Metz** ha estado lloviendo desde Metz; **elle a téléphoné ~ Valence** llamó por teléfono desde Valencia; **~ les plus petits jusqu'aux plus grands** desde los más pequeños hasta los más grandes; **je ne lui ai pas parlé ~** no he vuelto a hablar con él *ou* ella; **~ lors** desde entonces

député [depyte] *nm (POL)* diputado(-a)

dérangement [deʀãʒmã] *nm* molestia; **en ~** averiado(-a)

déranger [deʀãʒe] *vt* desordenar; *(personne)* molestar; *(projet)* desarreglar; **se ~** *vpr* molestarse

déraper [deʀape] *vi* *(voiture)* derrapar, patinar; *(personne, couteau)* resbalar

dérégler [deʀegle] *vt* *(mécanisme)* estropear; *(estomac)* indisponer

dérisoire [deʀizwaʀ] *adj* irrisorio(-a)

dérive [deʀiv] *nf* (NAUT) orza de quilla; **aller à la ~** (NAUT, *fig*) ir a la deriva

dérivé, e [deʀive] *nm* derivado

dermatologue [dɛʀmatɔlɔg] *nm/f* dermatólogo(-a)

dernier, -ière [dɛʀnje, jɛʀ] *adj* último(-a) ♦ *nm/f* último(-a) ♦ *nm* *(étage)* último piso; **lundi/le mois ~** el lunes/el mes pasado; **en ~** al final, por último; **ce ~/ cette dernière** este último/esta última; **dernièrement** *adv* últimamente

dérogation [deʀɔgasjɔ̃] *nf* contravención *f*

dérouiller [deʀuje] *vt*: **se ~ les jambes** estirar las piernas

déroulement [deʀulmã] *nm* desenrollamiento

dérouler [deʀule] *vt* *(ficelle, papier)* desenrollar; **se ~** *vpr* *(avoir lieu)* desarrollarse

dérouter [deʀute] *vt* *(avion, train)* desviar; *(fig)* despistar

derrière [dɛʀjɛʀ] *prép* detrás de; *(fig)* tras, más allá de ♦ *nm* *(d'une maison)* trasera; *(postérieur)* trasero; **les pattes/roues de ~** las patas/ruedas traseras; **par ~** por detrás

des [de] *dét* voir **de** ♦ *prép* + *dét* = **de**

dès [dɛ] *prép* desde; **~ que** tan pronto como; **son retour** en cuanto vuelva; **~ lors** desde entonces

désaccord [dezakɔʀ] *nm* desacuerdo

désagréable [dezagʀeabl] *adj* desagradable

désagrément [dezagʀemã] *nm* desagrado

désaltérer [dezalteʀe]: **se ~** *vpr* beber

désapprobateur, -trice [dezapʀɔbatœʀ, tʀis] *adj* desaprobatorio(-a)

désapprouver [dezapʀuve] *vt* desaprobar

désarmant, e [dezaʀmã, ãt] *adj* conmovedor(a)

désastre [dezastʀ] *nm* desastre *m*; **désastreux, -euse** *adj* desastroso(-a)

désavantage [dezavãtaʒ] *nm* *(handicap)* inferioridad *f*; *(inconvénient)* desventaja; **désavantager** *vt* desfavorecer

descendre [desãdʀ] *vt* bajar; *(abattre)* cargarse; *(boire)* pimplar, soplar ♦ *vi* bajar, descender; *(passager)* bajar(se); **~ à pied/en voiture** bajar a pie/en coche; **~ de** *(famille)* descender de; **~ du train/d'un arbre/d'un cheval** bajar(se) del tren/de un árbol/del caballo; **~ à l'hôtel** quedarse en un hotel

descente [desãt] *nf* bajada, descenso; *(route)* pendiente *f*; *(SKI)* descenso; **au milieu de la ~** en medio de la bajada

description [deskʀipsjɔ̃] *nf* descripción *f*

déséquilibre [dezekilibʀ] *nm* desequilibrio; **en ~** desequilibrado(-a)

désert, e [dezɛʀ, ɛʀt] *adj* desierto(-a) ♦ *nm* desierto; **désertique** *adj* desértico(-a)

désespéré, e [dezespeʀe] *adj*,

nm/f desesperado(-a); **état ~**
(MÉD) estado desesperado
désespérer [dezespeʀe] *vi*
desesperar; **~ de qn/qch** perder
la esperanza en algn/algo;
désespoir *nm* desesperación *f*,
desesperanza
déshabiller [dezabije] *vt*
desvestir; **se ~** *vpr* desnudarse,
desvestirse (*esp* AM)
déshydraté, e [dezidʀate] *adj*
deshidratado(-a)
desiderata [deziderata] *nmpl*
desiderata *fsg*
désigner [dezipe] *vt* (*montrer*)
enseñar; (*dénommer*) designar
désinfectant, e [dezɛ̃fɛktɑ̃, ɑ̃t]
adj desinfectante ♦ *nm*
desinfectante *m*
désinfecter [dezɛ̃fɛkte] *vt*
desinfectar
désintéressé, e [dezɛ̃teʀese]
adj desinteresado(-a)
désintéresser [dezɛ̃teʀese] *vt*:
se ~ (de qn/qch) desinteresarse
(por algn/algo), perder el interés
(por algn/algo)
désintoxication [dezɛ̃tɔksikasjɔ̃]
nf (MÉD) desintoxicación *f*; **faire
une cure de ~** hacer una cura
de desintoxicación
désinvolte [dezɛ̃vɔlt] *adj*
impertinente
désir [deziʀ] *nm* deseo; **désirer**
vt desear; **je désire ...** (*formule
de politesse*) desearía ...
désister [deziste]: **se ~** *vpr*
desistir
désobéir [dezɔbeiʀ] *vi*: **~ (à
qn/qch)** desobedecer (a algn/
algo); **désobéissant, e** *adj*
desobediente
désodorisant, e [dezɔdɔʀizɑ̃,
ɑ̃t] *adj* desodorante
désolé, e [dezɔle] *adj*

desolado(-a); **je suis ~, il n'y
en a plus** lo siento, ya no hay
más
désordonné, e [dezɔʀdɔne] *adj*
desordenado(-a)
désordre [dezɔʀdʀ] *nm* desorden
m; **en ~** en desorden
désormais [dezɔʀmɛ] *adv* (de
ahora) en adelante
desquelles [dekɛl] *prép* + *pron*
voir **lequel**
desquels [dekɛl] *prép* + *pron* voir
lequel
dessécher [deseʃe]: **se ~** *vpr*
secarse
desserrer [deseʀe] *vt* aflojar;
(*poings, dents*) abrir
dessert [deseʀ] *vb voir*
desservir ♦ *nm* (*moment du
repas*) postres *mpl*; (*mets*) postre
m
desservir [deseʀviʀ] *vt* (*suj:
moyen de transport*) cubrir el
servicio de; (: *voie de
communication*) comunicar
dessin [desɛ̃] *nm* dibujo; **~
animé** dibujos *mpl* animados; **~
humoristique** dibujo
humorístico, viñeta
dessinateur, -trice *nm/f*
dibujante *m/f*; **dessinateur
industriel** delineante *m/f*;
dessiner *vt* dibujar; (*concevoir*)
diseñar
dessous [d(ə)su] *adv* debajo,
abajo ♦ *nm* parte *f* inferior; (*de
voiture*) bajos *mpl* ♦ *nmpl* (*fig*)
secretos *mpl*; (*sous-vêtements*)
ropa interior *fsg*; **en ~** (*sous*)
debajo; (*plus bas*) por debajo;
par-~ *adv* por debajo; **par ~** *prép*
por debajo de; **au-~** abajo,
debajo; **au-~ de tout**
incalificable; **avoir le ~** tener *ou*
llevar la peor parte; **dessous-**

de-plat *nm inv* salvamanteles *m inv*

dessus [d(ə)sy] *adv* encima, arriba ♦ *nm* parte *f* superior; **c'est écrit ~** está ahí; **par-~** *adv* por encima, por arriba ♦ *prép* por encima de, por arriba de; **au-~** encima, arriba; **avoir/ prendre le ~** ir ganando; **reprendre le ~** recobrarse; **sens ~ dessous** patas arriba; **dessus-de-lit** *nm inv* colcha

destin [dɛstɛ̃] *nm* destino

destinataire [dɛstinatɛʀ] *nm/f* destinatario(-a)

destination [dɛstinasjɔ̃] *nf* destino; (*usage*) función *f*; **à ~ de** con destino a

destiner [dɛstine] *vt*: **~ qch à qn** destinar a algn para algo; **se ~ à l'enseignement** pensar dedicarse a la enseñanza; **être destiné à** estar destinado(-a) a; (*usage*) ser para

détachant [detaʃɑ̃] *nm* quitamanchas *m inv*

détacher [detaʃe] *vt* (*ôter*) desprender; (*délier*) desatar, soltar; **se ~** *vpr* (*tomber, se défaire*) desprenderse; **se ~ sur** (*se dessiner*) destacarse en

détail [detaj] *nm* detalle *m*; **au ~** (*COMM*) al por menor; **en ~** en detalle; **détaillant, e** [detajɑ̃, ɑ̃t] *nm/f* minorista *m/f*; **détaillé, e** *adj* detallado(-a); **détailler** *vt* detallar

détecter [detɛkte] *vt* detectar; **détective** [detɛktiv] *nm*: **~ (privé/privée)** detective *m/f*

déteindre [detɛ̃dʀ] *vi* desteñir

détendre [detɑ̃dʀ] *vt* aflojar; (*atmosphère* etc) relajar; **se ~** *vpr* (*ressort*) aflojarse; (*se reposer*) descansar

détenir [det(ə)niʀ] *vt* poseer; (*otage*) retener; (*prisonnier*) tener preso a; (*record*) ostentar; **~ le pouvoir** (*POL*) ostentar el poder

détente [detɑ̃t] *nf* distensión *f*, relajación *f*; (*politique, sociale*) distensión; (*loisirs*) esparcimiento, descanso

détention [detɑ̃sjɔ̃] *nf* posesión *f*; (*d'un otage*) retención *f*; (*d'un prisonnier*) encarcelamiento

détenu, e [det(ə)ny] *pp de* **détenir** ♦ *nm/f* (*prisonnier*) preso(-a)

détergent [detɛʀʒɑ̃] *nm* detergente *m*

détériorer [deteʀjɔʀe]: **se ~ ø** *vpr* deteriorarse

déterminé, e [detɛʀmine] *adj* (*personne, air*) decidido(-a); (*but, intentions*) claro(-a)

déterminer [detɛʀmine] *vt* (*date* etc) determinar; **~ qn à faire qch** decidir a algn a hacer algo

détester [detɛste] *vt* (*haïr*) detestar, odiar; (*sens affaibli*) detestar

détour [detuʀ] *nm* rodeo; (*tournant, courbe*) curva, recodo; **sans ~** (*fig*) sin rodeos

détourné, e [detuʀne] *adj* (*sentier, chemin*) indirecto(-a); (*moyen*) dudoso(-a)

détourner [detuʀne] *vt* desviar; (*avion: par la force*) secuestrar; (*yeux*) apartar; (*tête*) volver; (*de l'argent*) malversar; **se ~** *vpr* (*tourner la tête*) apartar la cara

détraquer [detʀake] *vt* fastidiar, cargarse; (*santé, estomac*) estropear; **se ~** *vpr*: **ma montre s'est détraquée** se me ha fastidiado el reloj

détriment [detʀimɑ̃] *nm*: **au ~ de** en detrimento de

détroit [detʀwa] *nm* estrecho; **le ~ de Be(h)ring/de Gibraltar/de Magellan** el estrecho de Bering/de Gibraltar/de Magallanes

détruire [detʀɥiʀ] *vt* destruir

dette [dɛt] *nf* deuda

DEUG [døg] *sigle m* (= *diplôme d'études universitaires générales*) diplomatura

deuil [dœj] *nm* luto

deux [dø] *adj inv, nm inv* dos *m inv*; **les ~** los (las) dos, ambos(-as); **ses ~ mains** las dos manos; **~ points** (*ponctuation*) dos puntos *mpl*; *voir aussi* **cinq**

deuxième *adj, nm/f* segundo(-a); *voir aussi* **cinquième**; **deuxièmement** *adv* en segundo lugar; **deux-pièces** *nm inv* dos piezas *m inv*; (*appartement*) apartamento de dos habitaciones; **deux-roues** *nm inv* vehículo de dos ruedas

devais [dəvɛ] *vb voir* **devoir**

dévaluation [devalɥasjɔ̃] *nf* devaluación *f*

devancer [d(ə)vɑ̃se] *vt* adelantar; (*arriver avant, aussi fig*) adelantarse a

devant [d(ə)vɑ̃] *vb voir* **devoir** ♦ *adv* delante, adelante ♦ *prép* (*en face de*) delante de, frente a; (*passer, être*) delante de; (*en présence de*) ante; (*face à*) ante, delante de ♦ *nm* (*de maison*) fachada; (*vêtement, voiture*) delantera; **prendre les ~s** adelantarse; **de ~** delantero(-a); **par ~** por delante; **aller au-~ de qn** ir al encuentro de algn; **aller au-~ de** (*désirs de qn*) anticiparse a

devanture [d(ə)vɑ̃tyʀ] *nf* (*étalage, vitrine*) escaparate *m*, vidriera (*AM*)

développement [dev(ə)lɔpmɑ̃] *nm* desarrollo; (*photo*) revelado; (*exposé*) exposición *f*; (*gén pl*) evolución *f*

développer [dev(ə)lɔpe] *vt* desarrollar; (*PHOTO*) revelar; **se ~** *vpr* desarrollarse; (*affaire*) evolucionar

devenir [dəv(ə)niʀ] *vt* volverse; **que sont-ils devenus?** ¿qué ha sido de ellos?; **~ médecin** hacerse médico

devez [dəve] *vb voir* **devoir**

déviation [devjasjɔ̃] *nf* desviación *f*; (*AUTO*) desvío

devienne *etc* [dəvjɛn] *vb voir* **devenir**

deviner [d(ə)vine] *vt* adivinar; (*apercevoir*) atisbar; **devinette** *nf* adivinanza

devins *etc* [dəvɛ̃] *vb voir* **devenir**

devis [d(ə)vi] *nm* presupuesto

devise [dəviz] *nf* (*formule*) lema *m*, divisa; (*ÉCON*) divisa; **~s** *nfpl* dinero *msg* extranjero

dévisser [devise] *vt* desatornillar

devoir [d(ə)vwaʀ] *nm* deber *m* ♦ *vt* deber; **il doit le faire** (*obligation*) debe hacerlo, tiene que hacerlo; **cela devait arriver** (*fatalité*) tenía que ocurrir (un día); **il doit partir demain** (*intention*) se va mañana; **il doit être tard** (*probabilité*) debe (de) ser tarde

dévorer [devɔʀe] *vt* devorar

dévoué, e [devwe] *adj* dedicado(-a)

dévouer [devwe] *vb*: **se ~ (pour)** sacrificarse (por); **se ~ à** dedicarse a

devrai [dəvʀe] *vb voir* **devoir**

diabète [djabɛt] *nm* (*MÉD*) diabetes *f inv*; **diabétique** *adj, nm/f* diabético(-a)

diable [djabl] *nm* diablo

diabolo [djabɔlo] *nm* (*boisson*) mezcla de gaseosa y almíbar

diagnostic [djagnɔstik] *nm* diagnóstico; **diagnostiquer** *vt* diagnosticar

diagonal, e, -aux [djagɔnal, o] *adj* diagonal; **diagonale** *nf* diagonal *f*

diagramme [djagʀam] *nm* diagrama *m*

dialecte [djalɛkt] *nm* dialecto

dialogue [djalɔg] *nm* diálogo

diamant [djamɑ̃] *nm* diamante *m*

diamètre [djamɛtʀ] *nm* diámetro *m*

diapositive [djapozitiv] *nf* diapositiva

diarrhée [djaʀe] *nf* diarrea

dictateur [diktatœʀ] *nm* dictador *m*; **dictature** *nf* dictadura

dictée [dikte] *nf* dictado

dicter [dikte] *vt* (*aussi fig*) dictar

dictionnaire [diksjɔnɛʀ] *nm* diccionario

dièse [djɛz] *nm* sostenido

diesel [djezɛl] *nm* diesel *m*

diète [djɛt] *nf* dieta; **diététique** *adj* dietético(-a) ♦ *nf* dietética; **magasin diététique** tienda de dietética

dieu, x [djø] *nm* dios *msg*; **D~** Dios; **mon D~!** ¡Dios mío!

différemment [difeʀamɑ̃] *adv* de forma diferente

différence [difeʀɑ̃s] *nf* diferencia; **à la ~ de** a diferencia de; **différencier** *vt* diferenciar; **se différencier (de)** diferenciarse (de)

différent, e [difeʀɑ̃, ɑ̃t] *adj*: **~ (de)** distinto(-a) (de), diferente (de); **~s objets/personnes** varios objetos/personajes

différer [difeʀe] *vt* diferir, postergar (*AM*) ♦ *vi*: **~ (de)** diferir (de)

difficile [difisil] *adj* difícil; **difficilement** *adv* difícilmente

difficulté [difikylte] *nf* dificultad *f*; **en ~** en apuros

diffuser [difyze] *vt* emitir; (*nouvelle, idée*) difundir; (*COMM*) distribuir

digérer [diʒeʀe] *vt* digerir; **digestif, -ive** [diʒɛstif, iv] *adj* digestivo(-a) ♦ *nm* licor *m*; **digestion** *nf* digestión *f*

digne [diɲ] *adj* (*respectable*) digno(-a); **~ d'intérêt/ d'admiration** digno de interés/ de admiración; **~ de foi** digno de fe; **~ de qn/qch** digno de algn/ algo; **dignité** *nf* dignidad *f*

digue [dig] *nf* dique *m*

dilemme [dilɛm] *nm* dilema *m*

diligence [diliʒɑ̃s] *nf* diligencia

diluer [dilɥe] *vt* diluir

dimanche [dimɑ̃ʃ] *nm* domingo; *voir aussi* **lundi**

dimension [dimɑ̃sjɔ̃] *nf* dimensión *f*; (*gén pl*: cotes, coordonnées) dimensiones *fpl*

diminuer [diminɥe] *vt* disminuir; (*dénigrer*) desacreditar ♦ *vi* disminuir; **diminutif** *nm* (*surnom*) diminutivo cariñoso

dinde [dɛ̃d] *nf* pava

dindon [dɛ̃dɔ̃] *nm* pavo

dîner [dine] *nm* cena, comida (*AM*) ♦ *vi* cenar

dingue [dɛ̃g] (*fam*) *adj* chalado(-a)

dinosaure [dinɔzɔʀ] *nm* dinosaurio

diplomate [diplɔmat] *nm/f* diplomático(-a); **diplomatie** *nf* diplomacia

diplôme [diplom] *nm* diploma *m*, título; (*examen*) examen *m* de diplomatura; **diplômé, e** *adj*, *nm/f* titulado(-a), diplomado(-a)

dire [diʀ] *vt* decir; (*suj: horloge*) decir, marcar; (*ordre, invitation*): **~ à qn qu'il fasse** *ou* **de faire qch** decir a algn que haga algo; (*objecter*): **n'avoir rien à ~ (à)** no tener nada que decir (a); (*penser*): **que dites-vous de ...?** ¿qué opina usted de ...?; (*se prétendre*): **se ~ malade** *etc* pretenderse enfermo(-a) *etc*; **ça se dit ... en anglais** se dice ... en inglés; **~ quelque chose/ce qu'on pense** decir algo/lo que uno piensa; **~ la vérité/l'heure** decir la verdad/la hora; **on dirait que** parece que; **ça ne me dit rien** no me apetece; (*rappeler qch*) no me suena; **pour ainsi ~** por decirlo así; **cela va sans ~** ni qué decir tiene; **dis donc!/ dites donc!** (*pour attirer attention*) ¡oye!/¡oiga!; (*agressif*) ¡oye!/¡oiga Vd!; **et ~ que ...** y pensar que ...; **ceci** *ou* **cela dit** a pesar de todo; (*à ces mots*) dicho esto; **il n'y a pas à ~** realmente

direct, e [diʀɛkt] *adj* directo(-a); (*personne*) franco(-a); **en ~** en directo; **directement** *adv* directamente

directeur, -trice [diʀɛktœʀ, tʀis] *nm/f* director(a)

direction [diʀɛksjɔ̃] *nf* dirección *f*; **"toutes ~s"** (*AUTO*) "todas las direcciones"

dirent [diʀ] *vb voir* **dire**

dirigeant, e [diʀiʒɑ̃, ɑ̃t] *adj, nm/f* dirigente *m/f*

diriger [diʀiʒe] *vt* dirigir; **se ~** *vpr* orientarse; **~ sur** (*regard*) dirigir hacia; **se ~ vers** *ou* **sur** dirigirse hacia

dis [di] *vb voir* **dire**

discerner [disɛʀne] *vt* (*apercevoir*) divisar

discipline [disiplin] *nf* disciplina; **discipliner** *vt* disciplinar

discontinu, e [diskɔ̃tiny] *adj* discontinuo(-a)

discontinuer [diskɔ̃tinɥe] *vi*: **sans ~** sin interrupción

discothèque [diskɔtɛk] *nf* discoteca

discours [diskuʀ] *nm* discurso

discret, -ète [diskʀɛ, ɛt] *adj* discreto(-a); **discrétion** [diskʀesjɔ̃] *nf* discreción *f*

discrimination [diskʀiminasjɔ̃] *nf* discriminación *f*; **sans ~** sin discriminación

discussion [diskysjɔ̃] *nf* discusión *f*

discutable [diskytabl] *adj* discutible

discuter [diskyte] *vt, vi* discutir

dise [diz] *vb voir* **dire**

disjoncteur [disʒɔ̃ktœʀ] *nm* (*ÉLEC*) interruptor *m*

disloquer [dislɔke]: **se ~** *vpr* se **~ l'épaule** dislocarse el hombro

disons [dizɔ̃] *vb voir* **dire**

disparaître [dispaʀɛtʀ] *vi* desaparecer; **faire ~ qch/qn** hacer desaparecer algo/a algn

disparition [dispaʀisjɔ̃] *nf* desaparición *f*

disparu, e [dispaʀy] *pp* de **disparaître ♦** *nm/f* (*dont on a perdu la trace*) desaparecido(-a)

dispensaire [dispɑ̃sɛʀ] *nm* dispensario

dispenser [dispɑ̃se] *vt* (*soins etc*) prestar; (*exempter*): **~ qn de qch/faire qch** dispensar a algn de algo/hacer algo

disperser [dispɛʀse] *vt* dispersar

disponible [dispɔnibl] *adj* disponible

disposé, e [dispoze] *adj* dispuesto(-a); **bien/mal ~ de**

buen/mal humor; **être bien/mal ~ pour** *ou* **envers qn** estar bien/mal dispuesto(-a) hacia algn; **~ à** dispuesto(-a) a
disposer [dispoze] *vt* disponer ♦ *vi:* **~ de** disponer de; **se ~ à faire qch** disponerse a hacer algo
dispositif [dispozitif] *nm* dispositivo
disposition [dispozisjɔ̃] *nf* disposición *f;* (*arrangement*) distribución *f;* (*gén pl: mesures*) medidas *fpl;* (: *préparatifs*) preparativos *mpl;* **à la ~ de qn** a disposición de algn
disproportionné, e [dispʀɔpɔʀsjɔne] *adj* desproporcionado(-a)
dispute [dispyt] *nf* riña, disputa; **disputer: se disputer** *vpr* reñir
disqualifier [diskalifje] *vt* descalificar
disque [disk] *nm* disco; **~ compact** disco compacto; **~ d'embrayage** (*AUTO*) disco de embrague; **~ laser** disco láser; **disquette** *nf* (*INFORM*) diskette *m*
dissertation [disɛʀtasjɔ̃] *nf* (*SCOL*) redacción *f*
dissimuler [disimyle] *vt* disimular, ocultar
dissipé, e [disipe] *adj* (*indiscipliné*) distraído(-a)
dissolvant [disɔlvɑ̃] *nm* (*CHIM*) disolvente *m*
dissuader [disɥade] *vt:* **~ qn de faire qch/de qch** disuadir a algn de hacer algo/de algo
distance [distɑ̃s] *nf* distancia; **une ~ de 10 km** una distancia de 10 km; **distancer** *vt* (*concurrent*) distanciarse de
distant, e [distɑ̃, ɑ̃t] *adj* distante; **~ de 5 km** distante 5km
distillerie [distilʀi] *nf* destilería

distinct, e [distɛ̃(kt), ɛ̃kt] *adj* distinto(-a); **distinctement** *adv* (*voir*) con nitidez; (*parler*) con claridad; **distinctif, -ive** *adj* distintivo(-a)
distingué, e [distɛ̃ge] *adj* distinguido(-a)
distinguer [distɛ̃ge] *vt* distinguir
distraction [distʀaksjɔ̃] *nf* distracción *f*
distraire [distʀɛʀ] *vt* distraer; (*amuser*) distraer, entretener; **se ~** *vpr* distraerse; **distrait, e** *pp de* distraire ♦ *adj* distraído(-a)
distrayant, e [distʀɛjɑ̃, ɑ̃t] *vb voir* distraire ♦ *adj* distraído(-a), entretenido(-a)
distribuer [distʀibɥe] *vt* repartir; (*CARTES*) dar; **distributeur** *nm:* **distributeur (automatique)** máquina (expendedora)
dit [di] *pp de* **dire**
dites [dit] *vb voir* **dire**
divan [divɑ̃] *nm* sofá *m*
divers, es [divɛʀ, ɛʀs] *adj* (*varié*) diverso(-a), vario(-a); (*différent*) variado(-a) ♦ *dét* (*plusieurs*) varios(-as), diversos(-as); **(frais) ~** gastos *mpl* varios
diversité [divɛʀsite] *nf* diversidad *f*
divertir [divɛʀtiʀ]: **se ~** *vpr* divertirse; **divertissement** *nm* diversión *f*
diviser [divize] *vt* dividir; **division** *nf* división *f*
divorce [divɔʀs] *nm* divorcio; **divorcé, e** *adj, nm/f* divorciado(-a); **divorcer** *vi* divorciarse; **divorcer de** *ou* **d'avec qn** divorciarse de algn
divulguer [divylge] *vt* divulgar
dix [dis] *adj inv, nm inv* diez *m inv; voir aussi* **cinq**
dix-huit [dizɥit] *adj inv, nm inv*

dieciocho m inv; voir aussi **cinq**

dix-huitième [dizµitjɛm] adj,
nm/f decimoctavo(-a) ♦ nm
(partitif) dieciochoavo; voir aussi
cinquantième; **dixième** adj,
nm/f décimo(-a) ♦ nm décimo;
voir aussi **cinquième**

dix-neuf [diznœf] adj inv, nm inv
diecinueve m inv; voir aussi **cinq**

dix-neuvième [diznœvjɛm] adj,
nm/f decimonoveno(-a) ♦ nm
(partitif) diecinueveavo; voir aussi
cinquantième

dix-sept [disɛt] adj inv, nm inv
diecisiete m inv; voir aussi **cinq**

dix-septième [disɛtjɛm] adj,
nm/f decimoséptimo(-a) ♦ nm
(partitif) diecisieteavo; voir aussi
cinquantième

dizaine [dizɛn] nf (unité) decena;
une ~ de ... unos(-as) diez ...

do [do] nm inv (MUS) do

docile [dɔsil] adj dócil

dock [dɔk] nm dique m; **docker**
nm estibador m

docteur [dɔktœʀ] nm (médecin)
médico, doctor(a); **doctorat** nm
(aussi: **doctorat d'État**)
doctorado

doctrine [dɔktʀin] nf doctrina

document [dɔkymɑ̃] nm
documento; **documentaire** nm:
(**film**) **documentaire**
documental m;
documentaliste nm/f
documentalista m/f;
documentation nf
documentación f; **documenter**
vb: **se documenter (sur)**
documentarse (sobre)

dodo [dodo] nm: **aller faire** ~ ir
a la cama

dogue [dɔg] nm (perro) dogo

doigt [dwa] nm dedo; **être à
deux ~s de** estar a dos dedos de

doit etc [dwa] vb voir **devoir**

dollar [dɔlaʀ] nm dólar m

domaine [dɔmɛn] nm dominio

domestique [dɔmɛstik] adj
doméstico(-a) ♦ nm/f
doméstico(-a), sirviente(-a),
criado(-a)

domicile [dɔmisil] nm domicilio;
à ~ a domicilio, **e**
adj: **être domicilié à** estar
domiciliado(-a) en

dominant, e [dɔminɑ̃, ɑ̃t] adj
dominante

dominer [dɔmine] vt dominar;
(passions etc) dominar, controlar;
(surpasser) sobrepasar a ♦ vi
dominar

domino [dɔmino] nm dominó m

dommage [dɔmaʒ] nm daño,
perjuicio; (gén pl: dégâts, pertes)
daños mpl, pérdidas fpl; **c'est ~
de faire/que ...** es una lástima
hacer/que ...; **~s matériels**
daños materiales

dompter [dɔ̃(p)te] vt domar;
dompteur, -euse nm/f
domador(a)

DOM-TOM [dɔmtɔm] sigle m ou
mpl (= département(s) d'outre-
mer/territoire(s) d'outre-mer)
provincias y territorios franceses de
ultramar

don [dɔ̃] nm (cadeau) regalo;
(charité) donativo; (aptitude) don
m; **avoir des ~s pour** tener don
ou tener gracia para

donc [dɔ̃k] conj (en conséquence)
por tanto; (après une digression) así
pues

donné, e [dɔne] adj (convenu):
prix/jour ~ precio/día m
determinado; **c'est ~** es tirado,
está regalado; **étant ~ que ...**
puesto ou dado que ...; **donnée**
nf dato

donner [dɔne] vt dar; (offrir) regalar; (maladie) pegar; (film, spectacle) echar, poner ♦ vi (fenêtre, chambre): ~ **sur** dar a; **se** ~ vpr: **se** ~ **à fond (à son travail)** entregarse a fondo (a su trabajo); ~ **qch à qn** dar algo a algn

MOT-CLÉ

dont [dɔ̃] pron rel **1** (complément d'un nom sujet) cuyo(-a), cuyos(-as); **une méthode dont je ne connais pas les résultats** un método cuyos resultados desconozco; **c'est le chien dont le maître habite en face** es el perro cuyo dueño vive enfrente
2 (complément de verbe ou adjectif): **le voyage dont je t'ai parlé** el viaje del que te hablé; **le pays dont il est originaire** el país del que es originario; **la façon dont il l'a fait** la forma en que lo hizo
3 (parmi lequel(le)s): **2 livres, dont l'un est gros** 2 libros, uno de los cuales es gordo; **il y avait plusieurs personnes, dont Gabrielle** había varias personas, entre ellas Gabriela; **10 blessés, dont 2 grièvement** 10 heridos, 2 de ellos de gravedad

doré, e [dɔre] adj dorado(-a)
dorénavant [dɔrenavɑ̃] adv en adelante, en lo sucesivo
dorer [dɔre] vt dorar ♦ vi (CULIN: poulet): **(faire)** ~ dorar
dorloter [dɔrlɔte] vt mimar
dormir [dɔrmir] vi dormir; (être endormi) dormir, estar dormido(-a)
dortoir [dɔrtwar] nm dormitorio
dos [do] nm espalda; (d'un animal,

de livre) lomo; (d'un chèque etc) dorso; **voir au** ~ véase al dorso; **de** ~ de espaldas; ~ **à** ~ de espaldas uno a otro
dosage [dozaʒ] nm dosificación f
dose [doz] nf dosis f inv; **doser** vt (aussi fig) dosificar
dossier [dosje] nm expediente m; (chemise, enveloppe) carpeta; (de chaise) respaldo; (PRESSE) dossier m
douane [dwan] nf aduana; (taxes) arancel m; **douanier, -ière** adj, nm/f aduanero(-a)
double [dubl] adj doble ♦ adv: **voir** ~ ver doble ♦ nm (autre exemplaire) copia; (sosie) doble; **le** ~ **(de)** el doble (de); ~ **messieurs/mixte** (TENNIS) dobles mpl masculinos/mixtos; **en** ~ por duplicado
doubler [duble] vt duplicar; (vêtement, chaussures) forrar; (voiture etc) adelantar; (film) doblar; (acteur) doblar a ♦ vi duplicarse
doublure [dublyr] nf (de vêtement) forro; (acteur) doble m
douce [dus] adj voir **doux**; **douceâtre** [dusatr] adj dulzón(-ona); **doucement** adv (délicatement) con cuidado; (à voix basse) bajo; (lentement) despacio; **douceur** nf suavidad f; (d'une personne, saveur etc) dulzura; (de gestes) delicadeza
douche [duʃ] nf ducha; ~**s** nfpl (salle) duchas fpl; **prendre une** ~ ducharse; **doucher: se** ~ vpr ducharse
doué, e [dwe] adj dotado(-a); ~ **de** (possédant) dotado(-a) de
douille [duj] nf (ÉLEC) casquillo
douillet, te [dujɛ, ɛt] adj (péj) delicado(-a)
douleur [dulœr] nf dolor m; **douloureux, -euse** adj

doloroso(-a)

doute [dut] *nm* duda; **sans ~** seguramente; **mettre en ~** poner en duda; **douter** *vt* dudar; **douter de** dudar de; **se douter de qch/que** sospechar algo/que; **je m'en doutais** me lo figuraba; **douteux, -euse** *adj* dudoso(-a); *(discutable)* discutible; *(péj)* de aspecto dudoso

doux, douce [du, dus] *adj* suave; *(personne, saveur)* dulce; *(climat, région)* templado(-a); *(eau)* blando(-a)

douzaine [duzɛn] *nf* docena; **une ~ (de)** unos(-as) doce

douze [duz] *adj inv, nm inv* doce *m inv; voir aussi* **cinq**; **douzième** *adj, nm/f* duodécimo(-a) ♦ *nm* duodécimo; *voir aussi* **cinquième**

dragée [dʀaʒe] *nf* peladilla

draguer [dʀage] *vt (rivière)* dragar; *(fam: filles)* ligar con ♦ *vi* ligar

dramatique [dʀamatik] *adj* dramático(-a) ♦ *nf (TV)* teledrama *m*

drame [dʀam] *nm* drama *m*

drap [dʀa] *nm* sábana; *(tissu)* paño

drapeau, x [dʀapo] *nm* bandera

drap-housse [dʀaus] *(pl ~s-~s)* *nm* sábana ajustable

dresser [dʀese] *vt* levantar; *(liste)* redactar; *(animal domestique)* entrenar; *(animal de cirque)* amaestrar; **se ~** *vpr (église, falaise)* erguirse; *(obstacle)* presentarse

drogue [dʀɔg] *nf* droga; **drogué** *nm/f* drogadicto(-a); **droguer** *vt* drogar; **se droguer** *vpr* drogarse

droguerie [dʀɔgʀi] *nf* droguería

droguiste *nm/f* droguero(-a)

droit, e [dʀwa, dʀwat] *adj* derecho(-a), recto(-a); *(opposé à gauche)* derecho(-a); *(fig)* recto(-a)

♦ *adv* derecho ♦ *nm* derecho;
avoir le ~ de tener el derecho de; **avoir ~ à** tener derecho a; **être dans son ~** estar en su derecho; **de quel ~?** ¿con qué derecho?; **~s d'auteur** derechos de autor; **~s d'inscription** matrícula; **droite** *nf (direction)* derecha; *(MATH)* recta; *(POL)*: **la droite** la derecha; **à droite (de)** a la derecha (de); **de droite** *(POL)* de derechas; **droitier, -ière** *adj, nm/f* diestro(-a)

drôle [dʀol] *adj* gracioso(-a); *(bizarre)* raro(-a)

dromadaire [dʀɔmadɛʀ] *nm* dromedario

du [dy] *prép + dét voir* **de**

dû, e [dy] *pp de* **devoir** ♦ *adj (somme)* debido(-a); **~ à** debido a

dune [dyn] *nf* duna

duplex [dyplɛks] *nm (appartement)* dúplex *m*

duquel [dykɛl] *prép + pron voir* **lequel**

dur, e [dyʀ] *adj* duro(-a); *(problème)* difícil; *(pain)* almidonado(-a) ♦ *adv (travailler, taper etc)* duramente, mucho

durant [dyʀɑ̃] *prép* durante; **~ des mois, des mois ~** durante meses enteros

durcir [dyʀsiʀ] *vt, vi* endurecer; **se ~** *vpr* endurecerse

durée [dyʀe] *nf* duración *f*

durement [dyʀmɑ̃] *adv (très)* fuertemente; *(traiter)* severamente, duramente

durer [dyʀe] *vi* durar

dureté [dyʀte] *nf* dureza

durit® [dyʀit] *nm* durita

dus *etc* [dy] *vb voir* **devoir**

duvet [dyve] *nm* plumón *m*; **(sac de couchage)** ~ saco de dormir (de plumón)

dynamique [dinamik] *adj*
dinámico(-a); **dynamisme** *nm*
dinamismo
dynamo [dinamo] *nf* dinamo *f* (*m*
en AM)
dysenterie [disɑ̃tʀi] *nf* disentería
dyslexie [disleksi] *nf* dislexia

E, e

eau, x [o] *nf* agua; **prendre l'~**
(*chaussure etc*) dejar pasar el agua;
tomber à l'~ (*fig*) fracasar; **~**
courante/douce/salée agua
corriente/dulce/salada; **~ de**
Cologne/de toilette agua de
Colonia/de olor; **~ de javel** lejía;
~ oxygénée agua oxigenada; **~**
plate/minérale/gazeuse agua
natural (del grifo)/mineral/con
gas; **eau-de-vie** (*pl* **eaux-de-**
vie) *nf* aguardiente *m*
ébène [ebɛn] *nf* ébano;
ébéniste *nm* ebanista *m/f*
éblouir [ebluiʀ] *vt* deslumbrar
éboueur [ebwœʀ] *nm* basurero
ébouillanter [ebujɑ̃te] *vt* escaldar
éboulement [ebulmɑ̃] *nm*
derrumbamiento
ébranler [ebʀɑ̃le] *vt* (*vitres,*
immeuble) estremecer; (*résolution,*
personne) hacer vacilar
ébullition [ebylisjɔ̃] *nf* ebullición
f; **en ~** en ebullición
écaille [ekaj] *nf* (*de poisson*)
escama; (*de coquillage*) concha;
(*matière*) concha, carey *m*; (*de*
peinture) desconchón *m*; **écailler**
vt (*poisson*) escamar; **s'écailler**
vpr (*peinture*) desconcharse
écart [ekaʀ] *nm* (*de temps*) lapso;
(*dans l'espace*) separación *f*; (*de*
prix etc) diferencia; (*embardée,*
mouvement) desvío brusco; **à l'~**

(*éloigné*) alejado(-a), apartado(-a)
écarté, e [ekaʀte] *adj* (*isolé*)
apartado(-a); (*ouvert*) abierto(-a);
les jambes ~es las piernas
abiertas; **les bras ~s** los brazos
abiertos
écarter [ekaʀte] *vt* (*éloigner*)
alejar; (*personnes*) separar; (*ouvrir*)
abrir; (CARTES, *candidat, possibilité*)
descartar; **s'~** *vpr* (*parois, jambes*)
abrirse; **s'~ de** alejarse de
échafaudage [eʃafodaʒ] *nm*
(CONSTR) andamiaje *m*
échalote [eʃalɔt] *nf* chalote *m*,
chalota
échange [eʃɑ̃ʒ] *nm* intercambio;
échanger *vt* intercambiar;
échanger qch (contre)
(*troquer*) canjear algo (por)
échantillon [eʃɑ̃tijɔ̃] *nm* muestra
échapper [eʃape]: **~ à** *vt ind*
escapar de; (*punition, péril*) librarse
de; **s'~** *vpr* escaparse; **~ à qn**
escapársele a algn; **l'~ belle**
escapar por los pelos
écharpe [eʃaʀp] *nf* (*cache-nez*)
bufanda; **avoir un bras en ~**
tener un brazo en cabestrillo
échauffer [eʃofe]: **s'~** *vpr* (SPORT)
calentarse
échéance [eʃeɑ̃s] *nf* (*date*)
vencimiento; **à brève/longue ~**
adj, adv a corto/largo plazo
échéant [eʃeɑ̃]: **le cas ~** *adv*
llegado el caso
échec [eʃɛk] *nm* fracaso; **~s** *nmpl*
(*jeu*) ajedrez *msg*; **~ et mat/au**
roi jaque mate/al rey
échelle [eʃɛl] *nf* (*de bois*) escalera
de mano; (*fig*) escala
échelon [eʃlɔ̃] *nm* (*d'échelle*)
escalón *m*; (ADMIN) escalafón *m*;
(SPORT) categoría; **échelonner** *vt*
escalonar
échiquier [eʃikje] *nm* tablero

écho [eko] *nm* eco; *(potins)* cotilleo; **échographie** *nf* ecografía

échouer [eʃwe] *vi (tentative)* fracasar; *(candidat)* suspender; *(bateau)* encallar; **s'~** *vpr* embarrancarse

éclabousser [eklabuse] *vt* salpicar

éclair [eklɛʀ] *nm (d'orage)* relámpago; *(de génie, d'intelligence)* chispa

éclairage [eklɛʀaʒ] *nm* iluminación *f*

éclaircie [eklɛʀsi] *nf* escampada

éclaircir [eklɛʀsiʀ] *vt* aclarar; **s'~** *vpr (ciel)* despejarse; **éclaircissement** *nm (gén pl: explication)* aclaración *f*

éclairer [eklɛʀe] *vt (suj: lampe, lumière)* iluminar; *(avec une lampe de poche)* alumbrar ♦ *vi:* **~ bien/mal** iluminar bien/mal

éclat [ekla] *nm (de bombe, verre)* fragmento; *(du soleil, d'une couleur)* brillo; **~ de rire** carcajada; **~s de voix** subidas *fpl* de tono

éclatant, e [eklatɑ̃, ɑ̃t] *adj (couleur)* brillante; *(lumière)* resplandeciente; *(succès)* clamoroso(-a)

éclater [eklate] *vi* estallar; **~ de rire/en sanglots** reventar de risa/en llanto

écluse [eklyz] *nf* esclusa

écœurant [ekœʀɑ̃] *adj* asqueroso(-a)

écœurer [ekœʀe] *vt (suj: gâteau, goût)* dar asco; *(personne, attitude)* desagradar; *(démoraliser)* destrozar

école [ekɔl] *nf* escuela; **aller à l'~** ir a la escuela; **~ maternelle** escuela de párvulos; **~ élémentaire, ~ primaire** escuela primaria; **~ privée/publique/secondaire** escuela privada/pública/secundaria; **écolier, -ière** *nm/f* escolar *m/f*

école maternelle

En Francia la escuela infantil (l'école maternelle) está financiada por el estado y, pese a no ser obligatoria, la mayoría de los niños de entre dos y seis años acuden a ella. La educación obligatoria comienza con la educación primaria (l'école primaire) que abarca desde los seis hasta los diez u once años.

écologie [ekɔlɔʒi] *nf* ecología; **écologique** *adj* ecológico(-a); **écologiste** *nm/f* ecologista *m/f*

économe [ekɔnɔm] *adj* ahorrador(a)

économie [ekɔnɔmi] *nf* economía; *(vertu)* ahorro; **~s** *nfpl* ahorros *mpl*; **économique** *adj* económico(-a); **économiser** *vt* ahorrar, economizar

écorce [ekɔʀs] *nf* corteza; *(de fruit)* piel *f*

écorcher [ekɔʀʃe] *vt (animal)* desollar; *(égratigner)* arañar; **écorchure** *nf* arañazo

écossais, e [ekɔsɛ, ɛz] *adj* escocés(-esa)

Écosse [ekɔs] *nf* Escocia

écouter [ekute] *vt* escuchar; *(fig)* hacer caso de *ou* a, escuchar a; **s'~** *vpr (s'apitoyer)* hacerse caso; **si je m'écoutais** *(suivre son impulsion)* si por mí fuera; **écouteur** *nm (téléphone)* auricular *m*

écran [ekʀɑ̃] *nm* pantalla; **le petit ~** la pequeña pantalla

écrasant, e [ekʀɑzɑ̃, ɑ̃t] *adj*
(*responsabilité, travail*) agobiante
écraser [ekʀɑze] *vt* (*broyer*)
aplastar; (*suj: voiture, train etc*)
atropellar; (*ennemi, équipe adverse*)
aplastar; **s'~ (au sol)** (*avion*)
estrellarse (contra el suelo)
écrevisse [ekʀəvis] *nf* cangrejo
de río
écrire [ekʀiʀ] *vt, vi* escribir; **s'~**
vpr (*réciproque*) escribirse; (*mot*):
ca s'écrit comment? ¿cómo se
escribe eso?; **écrit, e** [ekʀi, it] *pp*
de **écrire** ♦ *adj*: **bien/mal écrit**
bien/mal escrito(-a) ♦ *nm* escrito;
par écrit por escrito
écriteau, x [ekʀito] *nm* letrero
écriture [ekʀityʀ] *nf* escritura;
l'É~ (sainte) la (sagrada)
Escritura
écrivain [ekʀivɛ̃] *nm* escritor(a)
écrou [ekʀu] *nm* tuerca
écrouler [ekʀule]: **s'~** *vpr* (*mur*)
derrumbarse; (*bâtiment*) desmoronarse; (*prix,
marché*) hundirse
écru [ekʀy] *adj* crudo(-a)
écu [eky] *nm* (*monnaie de la CE*)
ecu *m*
écume [ekym] *nf* espuma
écureuil [ekyʀœj] *nm* ardilla
écurie [ekyʀi] *nf* cuadra
eczéma [egzema] *nm* eczema *m*
EDF [ədeɛf] *sigle f* = Électricité de
France
éditer [edite] *vt* editar; **éditeur,
-trice** *nm/f* editor(a); **édition** *nf*
edición *f*; **l'édition** (*industrie du
livre*) la edición
édredon [edʀedɔ̃] *nm* edredón *m*
éducateur, -trice [edykatœʀ,
tʀis] *nm/f* educador(a)
éducatif, -ive [edykatif, iv] *adj*
educativo(-a)
éducation [edykasjɔ̃] *nf*

educación *f*; **bonne/mauvaise
~ buena/mala educación; ~
physique** educación física
éduquer [edyke] *vt* educar
effacer [efase] *vt* borrar
effarant, e [efaʀɑ̃, ɑ̃t] *adj*
espantoso(-a)
effectif [efɛktif] *adj* efectivo(-a) ♦
nm (MIL, COMM: *gén pl*) efectivos
mpl; **effectivement** *adv*
efectivamente; (*réellement*)
realmente
effectuer [efɛktɥe] *vt* efectuar;
(*mouvement*) realizar
effervescent, e [efɛʀvesɑ̃, ɑ̃t]
adj efervescente
effet [efɛ] *nm* efecto; **faire de l'~**
(*médicament, menace*) hacer
efecto; **en ~** en efecto
efficace [efikas] *adj* eficaz;
efficacité *nf* eficacia
effondrer [efɔ̃dʀe]: **s'~** *vpr* (*mur,
bâtiment*) desmoronarse; (*prix,
marché*) hundirse
efforcer [efɔʀse]: **s'~ de** *vpr*
esforzarse por; **s'~ de faire**
esforzarse por hacer
effort [efɔʀ] *nm* esfuerzo; **faire
un ~** hacer un esfuerzo
effrayant, e [efʀejɑ̃, ɑ̃t] *adj*
horroroso(-a), espantoso(-a)
effrayer [efʀeje] *vt* asustar; **s'~
(de)** *vpr* asustarse (de)
effréné, e [efʀene] *adj*
desenfrenado(-a)
effronté, e [efʀɔ̃te] *adj*
descarado(-a)
effroyable [efʀwajabl] *adj*
espantoso(-a)
égal, e, -aux [egal, o] *adj* (*gén*)
igual; (*vitesse, rythme*) regular ♦
nm/f igual *m/f*; **être ~ à** ser igual
a; **ça lui/nous est ~** le/nos da
igual; **sans ~** sin igual; **d'~ à
~** de igual a igual; **également** *adv*

(*partager etc*) en partes iguales;
(*en outre, aussi*) igualmente;

égaler *vt* igualar; **égaliser** *vt*
igualar ♦ *vi* (*SPORT*) empatar;

égalité *nf* igualdad *f*; **être à
égalité (de points)** estar
empatados(-as) (en tantos)

égard [egaʀ] *nm* consideración *f*;
~s *nmpl* (*marques de respect*)
atenciones *fpl*; **à cet ~/certains
~s/tous ~s** a este respecto/ en
ciertos aspectos/por todos los
conceptos; **en ~ à** en
consideración a; **par/sans ~
pour** por/sin consideración para;
à l'~ de con respecto a

égarer [egaʀe] *vt* (*perdre*) perder;
(*personne*) echar a perder; **s'~** *vpr*
perderse; (*objet*) extraviarse

églefin [egləfɛ̃] *nm* abadejo *m*

église [egliz] *nf* iglesia; **aller à
l'~** (*être pratiquant*) ir a la iglesia

égoïsme [egɔism] *nm* egoísmo *m*;
égoïste *adj, nm/f* egoísta *m/f*

égout [egu] *nm* alcantarilla

égoutter [egute] *vt* escurrir ♦ *vi*
gotear; **s'~** *vpr* escurrirse

égouttoir [egutwaʀ] *nm* escurridero
m

égratignure [egʀatiɲyʀ] *nf*
rasguño

Égypte [eʒipt] *nf* Egipto;
égyptien, ne *adj* egipcio(-a) ♦
nm/f: **Égyptien, ne** egipcio(-a)

eh [e] *excl* ¡eh!; **~ bien!** (*surprise*)
¡pero bueno!; **~ bien?** (*attente,
doute*) ¿y bien?

élaborer [elabɔʀe] *vt* elaborar

élan [elɑ̃] *nm* (*ZOOL*) alce *m*;
(*mouvement, lancée*) impulso *m*;
(*fig*) arrebato; **prendre de l'~** tomar
carrerilla; **prendre son ~** tomar
impulso

élancer [elɑ̃se]: **s'~** *vpr* lanzarse

élargir [elaʀʒiʀ] *vt* (*porte, route*)
ensanchar; (*vêtement*) sacar a; **s'~**

vpr ensancharse

élastique [elastik] *adj* elástico(-a)
♦ *nm* (*de bureau*) elástico, goma;
(*pour la couture*) goma

élection [eleksjɔ̃] *nf* elección *f*;
~s *nfpl* (*POL*) elecciones *fpl*

électricien, ne [elektʀisjɛ̃, jen]
nm/f electricista *m/f*

électricité [elektʀisite] *nf*
electricidad *f*; **allumer/éteindre
l'~** encender/apagar la luz

électrique [elektʀik] *adj*
eléctrico(-a); (*fig*) tenso(-a)

électrocuter [elektʀɔkyte] *vt*
electrocutar

électroménager
[elektʀɔmenaʒe] *adj*: **appareils
~s** aparatos *mpl*
electrodomésticos; **l'~** (*secteur
commercial*) el sector de
electrodomésticos

électronique [elektʀɔnik] *adj*
electrónico(-a) ♦ *nf* electrónica

élégance [elegɑ̃s] *nf* elegancia

élégant, e [elegɑ̃, ɑ̃t] *adj* elegante

élément [elemɑ̃] *nm* elemento;
élémentaire *adj* elemental

éléphant [elefɑ̃] *nm* elefante *m*

élevage [el(ə)vaʒ] *nm* (*de bétail,
de volaille etc*) cría; (*activité, secteur
économique*) ganadería

élevé, e [el(ə)ve] *adj* elevado(-a);
bien/mal ~ bien/mal
educado(-a)

élève [elev] *nm/f* alumno(-a)

élever [el(ə)ve] *vt* (*enfant,
animaux, vin*) educar, criar;
(*hausser*) subir; (*monument, âme,
esprit*) elevar; **s'~** *vpr* (*avion,
alpiniste*) ascender; (*clocher,
montagne*) ascender; (*protestations*)
levantar; (*cri*) oírse; (*niveau*) subir;
(*température*) ascender; **s'~
contre qch** rebelarse contra
algo; **s'~ à** (*frais, dégâts*) elevarse

a; **éleveur, -euse** nm/f (de bétail) ganadero(-a)
éliminatoire [eliminatwaʀ] adj eliminatorio(-a) ♦ nf eliminatoria
éliminer [elimine] vt eliminar
élire [eliʀ] vt (POL etc) elegir
elle [el] pron ella; **Marie est-~ grande?** ¿María es grande?; **c'est à ~** es suyo(-a), es de ella; **ce livre est à ~** ese libro es suyo; (après préposition) sí misma; **avec ~** (réfléchi) consigo; **elle-même** ella misma
éloigné, e [elwaɲe] adj (gén) alejado(-a); (date, échéance, parent) lejano(-a)
éloigner [elwaɲe] vt (échéance, but) retrasar; (soupçons, danger) ahuyentar; **s'~ vpr** alejarse, distanciarse; **~ qch (de)** alejar algo (de); **~ qn (de)** distanciar a algn (de)
élu, e [ely] pp de **élire** ♦ nm/f (POL) elegido(-a), electo(-a)
Élysée [elize] nm: **l'~, le palais de l'~** el Elíseo, el palacio del Elíseo
émail, -aux [emaj, o] nm esmalte m
émanciper [emãsipe] vt (JUR) emancipar; (gén: aussi moralement) liberar; **s'~ vpr** (fig) liberarse
emballage [ãbalaʒ] nm embalaje m; (d'un cadeau) envoltura
emballer [ãbale] vt (gén, moteur) embalar; (cadeau) envolver; (fig: fam) apetecer; **s'~ vpr** (moteur, personne) embalarse; (cheval) desbocarse; (fig) propasarse
embarcadère [ãbaʀkadeʀ] nm embarcadero
embarquement [ãbaʀkəmã] nm embarque m
embarquer [ãbaʀke] vt, vi embarcar; **s'~ vpr** embarcarse;

s'~ dans (affaire, aventure) embarcarse en
embarras [ãbaʀa] nm (gén pl: obstacle) inconveniente m; (confusion) turbación f
embarrassant, e [ãbaʀasã, ãt] adj molesto(-a)
embarrasser [ãbaʀase] vt (encombrer) estorbar; (gêner) molestar; (troubler) turbar
embaucher [ãboʃe] vt contratar
embêtement [ãbɛtmã] nm (gén pl) contratiempo
embêter [ãbete] vt (importuner) molestar; embromar (AM); (ennuyer) aburrir; (contrarier) fastidiar; **s'~ vpr** aburrirse
emblée [ãble]: **d'~ adv** de golpe
embouchure [ãbuʃyʀ] nf (GÉO) desembocadura
embourber [ãbuʀbe]: **s'~ vpr** atascarse
embouteillage [ãbutejaʒ] nm embotellamiento
embranchement [ãbʀãʃmã] nm (routier) bifurcación f; (SCIENCE) tipo
embrasser [ãbʀase] vt (étreindre) abrazar; (donner un baiser) besar
embrayage [ãbʀɛjaʒ] nm embrague m
embrouiller [ãbʀuje] vt enredar; **s'~ vpr** enredarse
embruns [ãbʀɛ̃] nmpl salpicaduras fpl
embué, e [ãbɥe] adj empañado(-a)
émeraude [em(ə)ʀod] nf, adj inv esmeralda
émerger [emɛʀʒe] vi emerger; (fig) surgir
émeri [em(ə)ʀi] nm: **papier ~** papel m de esmeril
émerveiller [emɛʀveje] vt maravillar; **s'~ vpr: s'~ (de qch)**

maravillarse (de algo)
émettre [emetʀ] vt, vi emitir
émeus etc [emø] vb voir
émouvoir
émeute [emøt] nf motín m
émigrer [emigʀe] vi emigrar
émincer [emɛ̃se] vt (viande)
trinchar; (oignons etc) cortar en
rodajas finas
émission [emisjɔ̃] nf emisión f
emmêler [ɑ̃mele] vt enmarañar;
s'~ vpr enmarañarse
emménager [ɑ̃menaʒe] vi
mudarse; **~ dans** instalarse en
emmener [ɑ̃m(ə)ne] vt llevar;
(comme otage, capture, avec soi)
llevarse; **~ qn au cinéma/
restaurant** llevar a algn al cine/
restaurante
emmerder [ɑ̃mɛʀde] (fam!) vt
dar el coñazo (fam!), fregar (AM)
(fam!); **s'~** vpr aburrirse la hostia
(fam!)
émotif, -ive [emɔtif, iv] adj
(troubles etc) emocional; (personne)
emotivo(-a)
émotion [emosjɔ̃] nf emoción f
émouvoir [emuvwaʀ] vt (troubler)
turbar; (attendrir) conmover; **s'~**
vpr (se troubler) turbarse;
(s'attendrir) conmoverse
empaqueter [ɑ̃pakte] vt
empaquetar
emparer [ɑ̃paʀe]: **s'~ de** vpr
apoderarse de; (MIL) adueñarse de
empêchement [ɑ̃peʃmɑ̃] nm
impedimento
empêcher [ɑ̃peʃe] vt impedir; **~
qn de faire qch** impedir a algn
que haga algo; **il n'empêche
que** lo que no quiere decir que; **il
n'a pas pu s'~ de rire** no
pudo evitar reírse
empereur [ɑ̃pʀœʀ] nm
emperador m

empiffrer [ɑ̃pifʀe]: **s'~** vpr (péj)
atracarse
empiler [ɑ̃pile] vt apilar
empire [ɑ̃piʀ] nm imperio; (fig)
dominio
empirer [ɑ̃piʀe] vi empeorar
emplacement [ɑ̃plasmɑ̃] nm
emplazamiento
emplettes [ɑ̃plɛt] nfpl: **faire
des ~** ir de tiendas
emploi [ɑ̃plwa] nm empleo; **l'~**
(COMM, ÉCON) el empleo; **offre/
demande d'~** oferta/demanda
de empleo; **~ du temps** horario
employé, e [ɑ̃plwaje] nm/f
empleado(-a); **~ de bureau**
oficinista m/f
employer [ɑ̃plwaje] vt emplear;
employeur, -euse nm/f
patrón(-ona), empresario(-a)
empoigner [ɑ̃pwaɲe] vt empuñar
empoisonner [ɑ̃pwazɔne] vt
(volontairement) envenenar;
(accidentellement, empester)
intoxicar; (fam: embêter): **~ qn**
fastidiar a algn
emporter [ɑ̃pɔʀte] vt llevar; (en
dérobant, enlevant) arrebatar; (suj:
courant, vent, avalanche, choc)
arrastrar; (gagner, MIL) lograr; **s'~**
vpr enfurecerse; **boissons/plats
chauds à ~** bebidas frías/comidas
fpl calientes para llevar
empreinte [ɑ̃pʀɛ̃t] nf huella; **~s
(digitales)** huellas fpl (dactilares)
empressé, e [ɑ̃pʀese] adj
solícito(-a)
empresser [ɑ̃pʀese]: **s'~** vpr
apresurarse; **s'~ de faire**
apresurarse a hacer
emprisonner [ɑ̃pʀizɔne] vt
encarcelar
emprunt [ɑ̃pʀœ̃] nm (gén, FIN)
préstamo
emprunter [ɑ̃pʀœ̃te] vt (gén, FIN)

pedir *ou* tomar prestado; (*route, itinéraire*) seguir

ému, e [emy] *pp de* **émouvoir** ♦ *adj* (*de joie, gratitude*) emocionado(-a)

---MOT-CLÉ---

en [ɑ̃] *prép* **1** (*endroit, pays*) en; (*direction*) a; **habiter en France/en ville** vivir en Francia/en la ciudad; **aller en France/en ville** ir a Francia/a la ciudad
2 (*temps*) en; **en 3 jours/20 ans** en 3 días/20 años; **en été/juin** en verano/junio
3 (*moyen*) en; **en avion/taxi** en avión/taxi
4 (*composition*) de; **c'est en verre/bois** es de cristal/madera; **un collier en argent** un collar de plata
5 (*description, état*): **une femme en rouge** una mujer de rojo; **peindre qch en rouge** pintar algo de rojo; **en T/étoile** en forma de T/en estrella; **en chemise/chaussettes** en camisa/calcetines; **en soldat** de soldado; **en deuil** de luto; **cassé en plusieurs morceaux** roto en varios pedazos; **en réparation** en reparación; **partir en vacances** marcharse de vacaciones; **le même en plus grand** el mismo en tamaño más grande; **expert/licencié en ...** experto/licenciado en ...; **fort en maths** fuerte en matemáticas; **être en bonne santé** estar bien de salud; **en deux volumes/une pièce** en dos volúmenes/una pieza; (*pour locutions avec 'en'*) *voir* **tant**; **croire** *etc*
6 (*en tant que*): **en bon chrétien** como buen cristiano; **je te parle en ami** te hablo como amigo
7 (*avec gérondif*): **en travaillant/dormant** al trabajar/dormir, trabajando/durmiendo; **en apprenant la nouvelle/sortant, ...** al saber la noticia/al salir, ...; **sortir en courant** salir corriendo
♦ *pron* **1** (*indéfini*): **j'en ai ...** tengo ...; **en as-tu?** ¿tienes?; **en veux-tu?** ¿quieres?; **je n'en veux pas** no quiero; **j'en ai 2** tengo dos; **j'en ai assez** (*fig*) tengo bastante; (*j'en ai marre*) estoy harto de eso; **combien y en a-t-il?** ¿cuántos hay?; **où en étais-je?** ¿dónde estaba?
2 (*provenance*) de allí; **j'en viens/sors** vengo/salgo (de allí)
3 (*cause*): **il en est malade/perd le sommeil** está enfermo/pierde el sueño (por ello)
4 (*complément de nom, d'adjectif, de verbe*): **j'en connais les dangers/défauts** conozco los peligros/defectos de eso; **j'en suis fier** estoy orgulloso de ello; **j'en ai besoin** lo necesito

encadrer [ɑ̃kadʀe] *vt* (*tableau, image*) enmarcar; (*fig: entourer*) rodear; (*personnel*) formar
encaisser [ɑ̃kese] *vt* (*chèque, argent*) cobrar; (*coup, défaite*) encajar
en-cas [ɑ̃ka] *nm inv* tentempié *m*
enceinte [ɑ̃sɛ̃t] *adj f:* **~ (de tempé 6 mois)** encinta *ou* embarazada (de 6 meses) ♦ *nf* (*mur*) muralla; (*espace*) recinto; **~ (acoustique)** bafle *m*
encens [ɑ̃sɑ̃] *nm* incienso
enchaîner [ɑ̃ʃene] *vt* encadenar ♦

vi proseguir
enchanté, e [ãʃãte] *adj*
encantado(-a); **~ de faire votre
connaissance** encantado(-a) de
conocerle
enchère [ãʃɛʁ] *nf* oferta;
mettre/vendre aux ~s sacar/
vender en subasta
enclencher [ãklãʃe] *vt*
(*mécanisme*) enganchar; **s'~** *vpr*
ponerse en marcha
encombrant, e [ãkɔ̃bʁã, ãt] *adj*
voluminoso(-a); **encombrement**
nm (*de circulation*)
embotellamiento; (*des lignes
téléphoniques*) saturación *f*
encombrer [ãkɔ̃bʁe] *vt* (*couloir,
rue*) obstruir; (*personne*) estorbar;
s'~ de *vpr* (*bagages etc*) cargarse
de *ou* con

MOT-CLÉ

encore [ãkɔʁ] *adv* **1**
(*continuation*) todavía; **il travaille
encore** trabaja todavía; **pas
encore** todavía no
2 (*de nouveau*): **elle m'a
encore demandé de l'argent**
me ha vuelto a pedir dinero;
encore! (*insatisfaction*) ¡otra vez!;
encore un effort un esfuerzo
más; **j'irai encore demain** iré
también mañana; **encore une
fois** una vez más; **encore deux
jours** dos días más
3 (*intensif*): **encore plus fort/
mieux** aún más fuerte/mejor;
hier encore todavía ayer; **non
seulement ... , mais encore**
no sólo ... sino también
4 (*restriction*) al menos; **encore
pourrais-je le faire, si j'avais
de l'argent** al menos tuviera
dinero, podría hacerlo; **si encore**
si por lo menos; **(et puis) quoi

encore? ¿y qué más?; **encore
que**
♦ *conj* aunque

encourager [ãkuʁaʒe] *vt*
(*personne*) animar
encourir [ãkuʁiʁ] *vt* exponerse a
encre [ãkʁ] *nf* tinta
encyclopédie [ãsiklɔpedi] *nf*
enciclopedia
endetter [ãdete]: **s'~** *vpr*
endeudarse
endive [ãdiv] *nf* endibia
endormi, e [ãdɔʁmi] *pp de*
endormir ♦ *adj* dormido(-a)
endormir [ãdɔʁmiʁ] *vt*
adormecer, dormir; (*MÉD*)
anestesiar; **s'~** *vpr* dormirse
endroit [ãdʁwa] *nm* lugar *m*,
sitio; (*opposé à l'envers*) derecho; **à
l'~** (*vêtement*) al derecho
endurance [ãdyʁãs] *nf*
resistencia
endurant, e [ãdyʁã, ãt] *adj*
resistente
endurcir [ãdyʁsiʁ]: **s'~** *vpr*
endurecerse
endurer [ãdyʁe] *vt* aguantar
énergétique [enɛʁʒetik] *adj*
energético(-a)
énergie [enɛʁʒi] *nf* energía;
énergique *adj* enérgico(-a)
énervant, e [enɛʁvã, ãt] *adj*
irritante
énerver [enɛʁve] *vt* poner
nervioso, enervar; **s'~** *vpr* ponerse
nervioso, enervarse
enfance [ãfãs] *nf* (*âge*) niñez *f*
enfant [ãfã] *nm/f* (*garçon, fillette*)
niño(-a); (*fils, fille*) hijo(-a);
enfantin, e *adj* infantil
enfer [ãfɛʁ] *nm* infierno
enfermer [ãfɛʁme] *vt* (*à clef etc*)
encerrar
enfiler [ãfile] *vt* (*perles*) ensartar;

(aiguille) enhebrar; **~ qch**
(vêtement) ponerse algo
enfin [ãfɛ̃] *adv (pour finir)*
finalmente; *(en dernier lieu, pour
conclure)* por último; *(de restriction,
résignation)* en fin
enflammer [ãflame] *vt* inflamar;
s'~ *vpr* inflamarse
enflé, e [ãfle] *adj* hinchado(-a)
enfler [ãfle] *vi (MÉD)* inflamar,
hincharse
enfoncer [ãfɔ̃se] *vt (clou)* clavar;
(forcer, défoncer, faire pénétrer)
hundir ♦ *vi (dans la vase etc)*
hundirse; **s'~** *vpr* hundirse; **s'~
dans** hundirse en
enfouir [ãfwiʀ] *vt (dans le sol)*
enterrar; *(dans un tiroir, une poche)*
meter en el fondo
enfuir [ãfɥiʀ]: **s'~** *vpr* huir
engagement [ãgaʒmã] *nm*
compromiso
engager [ãgaʒe] *vt (embaucher)*
contratar; *(débat)* iniciar; *(:
négociations)* entablar; *(lier)*
comprometer; *(impliquer,
entraîner)* implicar; **s'~** *vpr
(s'embaucher)* incorporarse; *(MIL)*
alistarse; *(politiquement, promettre)*
comprometerse; *(: négociations)*
entablarse; **s'~ dans** *(affaire,
pénétrer)* meter algo en; **s'~ à
faire qch** comprometerse a hacer
algo; **s'~ dans** *(rue, passage)*
enfilar; *(voie, carrière, discussion)*
meterse en
engelures [ãʒlyʀ] *nfpl* sabañones
mpl
engin [ãʒɛ̃] *nm* máquina; *(péj)*
artefacto
engloutir [ãglutiʀ] *vt* tragar
engouement [ãgumã] *nm*
apasionamiento
engouffrer [ãgufʀe] *vt* engullir;
s'~ dans *vpr (suj: vent, eau)*

penetrar en
engourdir [ãguʀdiʀ] *vt
(membres)* entumecer; *(esprit)*
entorpecer; **s'~** *vpr* entumecerse;
entorpecerse
engrais [ãgʀɛ] *nm* abono
engraisser [ãgʀese] *vt (animal)*
cebar ♦ *(péj: personne)* forrarse
engrenage [ãgʀənaʒ] *nm*
engranaje *m*
engueuler [ãgœle] *(fam)* *vt*: **~
qn** cabrearse con algn
enhardir [ãaʀdiʀ]: **s'~** *vpr*
envalentonarse
énigme [enigm] *nf* enigma *m*
enivrer [ãnivʀe] *vt* embriagar,
emborrachar
enjamber [ãʒãbe] *vt* franquear
enjeu, x [ãʒø] *nm* apuesta; *(d'une
élection, d'un match)* lo que está
en juego
enjoué, e [ãʒwe] *adj* alegre
enlaidir [ãlediʀ] *vt* afear ♦ *vi*
afearse
enlèvement [ãlɛvmã] *nm (rapt)*
rapto
enlever [ãl(ə)ve] *vt* quitar;
(ordures, meubles à déménager)
recoger; *(kidnapper)* raptar; *(prix,
victoire)* conseguir; **~ qch à qn**
(possessions, espoir) quitar algo a
algn
enliser [ãlize]: **s'~** *vpr* hundirse
enneigé, e [ãneʒe] *adj (pente,
col)* nevado(-a)
ennemi, e [ɛnmi] *adj, nm/f*
enemigo(-a)
ennui [ãnɥi] *nm (lassitude)*
aburrimiento; *(difficulté)* problema
m; **avoir/s'attirer des ~s**
tener/buscarse problemas
ennuyer *vt (importuner, gêner)*
molestar; *(contrarier)* fastidiar;
(lasser) aburrir; **s'ennuyer** *vpr (se
lasser)* aburrirse; **s'ennuyer de**

qch/qn (*regretter*) echar de menos algo/a algn; **ennuyeux, -euse** *adj* (*lassant*) aburrido(-a); (*contrariant*) molesto(-a)

énorme [enɔʀm] *adj* enorme; **énormément** *adv* (*avec vb*) muchísimo; **énormément de neige/gens** muchísima nieve/ gente

enquête [ɑ̃kɛt] *nf* (*judiciaire, administrative, de police*) investigación f; (*de journaliste, sondage*) encuesta; **enquêter** *vi* (*gén, police*) investigar; (*journaliste, sondage*) hacer una encuesta

enragé, e [ɑ̃ʀaʒe] *adj* (MÉD) rabioso(-a); (*passionné*) apasionado(-a)

enrageant, e [ɑ̃ʀaʒɑ̃, ɑ̃t] *adj* irritante

enrager [ɑ̃ʀaʒe] *vi* dar rabia

enregistrement [ɑ̃ʀ(ə)ʒistʀəmɑ̃] *nm* (*d'un disque*) grabación f; (*d'un fichier, d'une plainte*) registro; **~ des bagages** facturación f

enregistrer [ɑ̃ʀ(ə)ʒistʀe] *vt* (MUS, INFORM) grabar; (ADMIN, COMM, fig) registrar; (*aussi:* **faire ~:** *bagages*) facturar

enrhumer [ɑ̃ʀyme] : **s'~** *vpr* acatarrarse, constiparse, resfriarse

enrichir [ɑ̃ʀiʃiʀ] *vt* enriquecer; **s'~** *vpr* enriquecerse

enrouer [ɑ̃ʀwe] : **s'~** *vpr* enronquecer

enrouler [ɑ̃ʀule] *vt* enrollar; **s'~** *vpr* enrollarse; **~ qch autour de** enrollar algo alrededor de

enseignant, e [ɑ̃sɛɲɑ̃, ɑ̃t] *adj, nm/f* docente *m/f*

enseignement [ɑ̃sɛɲ(ə)mɑ̃] *nm* enseñanza

enseigner [ɑ̃sɛɲe] *vt* (*suj: professeur*) enseñar, dar clase de; **~ qch à qn** enseñar algo a algn

ensemble [ɑ̃sɑ̃bl] *adv* (*l'un avec l'autre*) juntos(-as); (*en même temps*) juntos(-as) ♦ *nm* conjunto; **l'~ du/de la** la totalidad del/de la; **aller ~** (*être assorti*) combinarse; **dans l'~** (*en gros*) en conjunto

ensoleillé, e [ɑ̃sɔleje] *adj* soleado(-a)

ensuite [ɑ̃sɥit] *adv* (*dans une succession: après*) a continuación; (*plus tard*) después; **~ de quoi** después de lo cual

entamer [ɑ̃tame] *vt* (*pain, bouteille*) empezar; (*hostilités, pourparlers*) iniciar

entasser [ɑ̃tase] *vt* (*empiler*) amontonar; **s'~** *vpr* amontonarse; hacinarse

entendre [ɑ̃tɑ̃dʀ] *vt* oír; (*comprendre*) entender; (*vouloir dire*) querer decir; **s'~** *vpr* (*sympathiser*) entenderse; (*: se mettre d'accord*) ponerse de acuerdo; **j'ai entendu dire que** he oído que; **~ parler de** oír hablar de; **je m'entends** sé lo que (me) digo; **laisser ~ que**, **donner à ~ que** dar a entender que

entendu, e [ɑ̃tɑ̃dy] *pp de* **entendre** ♦ *adj* (*affaire*) concluido(-a); (*air*) entendido(-a); **(c'est) ~!** ¡de acuerdo!; **c'est ~** (*concession*) entendido; **bien ~!** ¡por supuesto!

entente [ɑ̃tɑ̃t] *nf* (*entre amis, pays*) entendimiento; (*accord, traité*) acuerdo

enterrement [ɑ̃tɛʀmɑ̃] *nm* entierro

enterrer [ɑ̃tɛʀe] *vt* enterrar

entêtant, e [ɑ̃tɛtɑ̃, ɑ̃t] *adj* (*odeur, atmosphère*) mareante

entêté, e [ɑ̃tɛte] *adj*

obstinado(-a), cabezota

en-tête [ɑ̃tɛt] (pl ~~-s) nm membrete m; **enveloppe/ papier à ~~** sobre m/papel m con membrete

entêter vt: **s'~** vpr obstinarse, empeñarse; **s'~ (à faire)** empeñarse (en hacer)

enthousiasme [ɑ̃tuzjasm] nm entusiasmo m; **enthousiasmer** vt entusiasmar; **s'enthousiasmer** vpr: **s'enthousiasmer (pour qch)** entusiasmarse (con algo); **enthousiaste** adj, nm/f entusiasta m/f

entier, -ère [ɑ̃tje, jɛʀ] adj entero(-a); (en totalité) completo(-a), completo(-a); **en ~** por completo; **lait ~** leche f entera; **entièrement** adv enteramente

entonnoir [ɑ̃tɔnwaʀ] nm (ustensile) embudo

entorse [ɑ̃tɔʀs] nf esguince m

entourage [ɑ̃tuʀaʒ] nm (personnes proches) allegados mpl; (ce qui enclôt) cerco

entourer [ɑ̃tuʀe] vt (par une clôture etc) cercar; (faire cercle autour de) rodear; (apporter son soutien à) atender; **s'~ de** vpr (collaborateurs) rodearse de; **~ qch de** rodear algo con algo

entracte [ɑ̃tʀakt] nm entreacto

entraide [ɑ̃tʀɛd] nf ayuda mutua

entrain [ɑ̃tʀɛ̃] nm ánimo, brío; **avec ~** con entusiasmo

entraînement [ɑ̃tʀɛnmɑ̃] nm entrenamiento

entraîner [ɑ̃tʀene] vt (tirer) arrastrar; (charrier) acarrear; (moteur, poulie) accionar; (emmener) llevarse; (joueurs, soldats) guiar; (SPORT) entrenar; (influencer) influenciar; (impliquer, causer) ocasionar; **s'~** vpr (SPORT)

entrenarse; **~ qn à/à faire qch** (inciter) arrastrar a algn a/a hacer algo; **s'~ à qch/à faire qch** (s'exercer) ejercitarse en algo/en hacer algo; **entraîneur, -euse** nm/f (SPORT) entrenador(a); (HIPPISME) picador(a)

entre [ɑ̃tʀ] prép entre; **l'un d'~ eux/nous** uno de ellos/nosotros; **~ autres (choses)** entre otras (cosas); **~ nous, ...** entre nosotros, ...; **ils se battent ~ eux** se pelean entre sí; **entrecôte** nf entrecot(e) m

entrée [ɑ̃tʀe] nf entrada; **~ en vigueur** entrada en vigor

entre...: entrefilet nm noticia breve; **entremets** nm postre m

entrepôt [ɑ̃tʀəpo] nm almacén m, galpón m (CSUR)

entreprendre [ɑ̃tʀəpʀɑ̃dʀ] vt emprender

entrepreneur [ɑ̃tʀəpʀənœʀ] nm empresario m; **~ (en bâtiment)** contratista m/f (de obras)

entreprise [ɑ̃tʀəpʀiz] nf empresa

entrer [ɑ̃tʀe] vi entrar; (INFORM) meter; **(faire) ~ qch dans** (objet) meter algo en; **~ dans** entrar en; (entrer en collision avec) chocar con; **~ au couvent/à l'hôpital** ingresar en el convento/en el hospital; **faire ~** hacer pasar

entre-temps [ɑ̃tʀətɑ̃] adv entretanto

entretenir [ɑ̃tʀət(ə)niʀ] vt mantener

entretien [ɑ̃tʀətjɛ̃] nm (d'une maison, d'une famille, service) mantenimiento; (discussion) conversación f; (audience) entrevista

entrevoir [ɑ̃tʀəvwaʀ] vt entrever; (solution, problème) vislumbrar

entrevue [ãtrəvy] *nf* entrevista
entrouvert, e [ãtruvɛr, ɛrt] *adj* entreabierto(-a)
énumérer [enymere] *vt* enumerar
envahir [ãvair] *vt* invadir; **envahissant, e** *adj* (*péj: personne*) avasallador(a)
enveloppe [ãv(ə)lɔp] *nf* sobre *m*; **envelopper** *vt* envolver
enverrai *etc* [ãvere] *vb voir* **envoyer**
envers [ãver] *prép* hacia ♦ *nm*: **l'~** (*d'une feuille*) el dorso; (*d'un vêtement*) el revés; **à l'~** al revés
envie [ãvi] *nf* envidia; **avoir ~ de qch/de faire qch** tener ganas de algo/de hacer algo; **avoir ~ que** tener ganas de que; **ça lui fait ~** le da envidia; **envier** *vt* envidiar; **envieux, -euse** *adj, nm/f* envidioso(-a)
environ [ãvirɔ̃] *adv* aproximadamente; **3 h/2 km ~** 3 h/2 km aproximadamente
environnant, e [ãvirɔnã, ãt] *adj* cercano(-a)
environnement [ãvirɔnmã] *nm* medioambiente
environs [ãvirɔ̃] *nmpl* alrededores *mpl*; (*fig: temps, somme*) alrededor de
envisager [ãvizaʒe] *vt* considerar; (*avoir en vue*) prever
envoler [ãvɔle]: **s'~** *vpr* (*oiseau*) echarse a volar; (*papier, neige*) volarse; (*espoir, illusion*) esfumarse
envoyé, e [ãvwaje] *nm/f* (*POL*) enviado(-a)
envoyer [ãvwaje] *vt* enviar; (*projectile, ballon*) lanzar; **~ chercher qch/qn** mandar a buscar algo/a algn
épagneul, e [epaɲœl] *nm/f* podenco(-a)

épais, se [epɛ, ɛs] *adj* espeso(-a); **épaisseur** *nf* (*v adj*) espesor *m*, grosor *m*
épanouir [epanwir]: **s'~** *vpr* (*fleur*) abrirse; (*visage*) iluminarse; (*fig*) florecer
épargne [eparɲ] *nf* ahorro
épargner [eparɲe] *vt* ahorrar; (*ennemi, récolte, région*) perdonar ♦ *vi* ahorrar; **~ qch à qn** evitarle algo a algn
éparpiller [eparpije] *vt* esparcir; (*pour répartir*) diseminar; **s'~** *vpr* esparcirse; (*fig: étudiant, chercheur etc*) dispersarse los esfuerzos
épatant, e [epatã, ãt] (*fam*) *adj* estupendo(-a)
épater [epate] (*fam*) *vt* impresionar
épaule [epol] *nf* (*ANAT*) hombro; (*CULIN*) espaldilla
épave [epav] *nf* restos *mpl*
épée [epe] *nf* espada
épeler [ep(ə)le] *vt* deletrear
éperon [eprɔ̃] *nm* (*de botte*) espuela
épervier [epervje] *nm* (*ZOOL*) gavilán *m*; (*PÊCHE*) esparavel *m*
épi [epi] *nm* (*de blé*) espiga
épice [epis] *nf* especia
épicé, e [epise] *adj* picante
épicer [epise] *vt* condimentar
épicerie [episri] *nf* (*magasin*) tienda de ultramarinos, boliche *m* (*AM*); **~ fine** ultramarinos *mpl* finos; **épicier, -ière** *nm/f* tendero(-a)
épidémie [epidemi] *nf* epidemia
épiderme [epiderm] *nm* epidermis *f inv*
épier [epje] *vt* (*personne*) espiar; (*arrivée, occasion*) estar pendiente de
épilepsie [epilɛpsi] *nf* epilepsia
épiler [epile] *vt* depilar

épinards [epinar] *nmpl* espinacas *fpl*

épine [epin] *nf* espina

épingle [epɛ̃gl] *nf* alfiler *m*; ~ **de nourrice** *ou* **de sûreté** imperdible *m*

épisode [epizɔd] *nm* episodio; **film en trois ~s** película en tres episodios; **épisodique** *adj* episódico(-a)

épluche-légumes [eplyʃlegym] *nm inv* pelador *m*, mondador *m*

éplucher [eplyʃe] *vt (fruit, légumes)* pelar; *(fig: texte)* examinar minuciosamente; **épluchures** *nfpl* mondas *fpl*

éponge [epɔ̃ʒ] *nf* esponja ♦ *adj*: **tissu** ~ tela de felpa; **éponger** *vt (liquide, fig)* enjugar; *(surface)* pasar una esponja por; **s'éponger le front** enjugarse la frente

époque [epɔk] *nf* época; **d'~** *(meuble etc)* de época

épouse [epuz] *nf* esposa; **épouser** *vt* casarse con

épousseter [epuste] *vt* limpiar el polvo de

épouvantable [epuvɑ̃tabl] *adj* horroroso(-a); *(bruit, vent etc)* espantoso(-a)

épouvantail [epuvɑ̃taj] *nm* espantapájaros *m inv*

épouvante [epuvɑ̃t] *nf* espanto; **film/livre d'~** película/novela de terror; **épouvanter** *vt (terrifier)* horrorizar; *(sens affaibli)* espantar

époux, épouse [epu, uz] *nm/f* esposo(-a) ♦ *nmpl*: **les** ~ los esposos

épreuve [eprœv] *nf* prueba; *(SCOL)* examen *m*; **mettre à l'~** poner a prueba

éprouvé, e [epruvɑ̃, ɑ̃t] *adj* duro(-a)

éprouver [epruve] *vt (fatigue, douleur)* sufrir, padecer; *(sentiment)* sentir; *(difficultés etc)* encontrar

épuisé, e [epɥize] *adj* agotado(-a); **épuisement** *nm* agotamiento

épuiser [epɥize] *vt* agotar; **s'~** *vpr* agotarse

épuisette [epɥizɛt] *nf (PÊCHE)* salabre *m*

équateur [ekwatœr] *nm* ecuador *m*; **Équateur** Ecuador *m*

équation [ekwasjɔ̃] *nf* ecuación *f*

équerre [ekɛr] *nf (pour dessiner, mesurer)* escuadra

équilibre [ekilibr] *nm* equilibrio; **être/mettre en ~** estar/poner en equilibrio; **garder/perdre l'~** guardar/perder el equilibrio; **équilibré, e** *adj* equilibrado(-a); **équilibrer** *vt* equilibrar

équipage [ekipaʒ] *nm (de bateau, d'avion)* tripulación *f*

équipe [ekip] *nf (de joueurs)* equipo; *(de travailleurs)* cuadrilla *f*

équipé, e [ekipe] *adj* equipado(-a)

équipement [ekipmɑ̃] *nm* equipo; *(d'une cuisine)* instalación *f*

équiper [ekipe] *vt* equipar

équipier, -ière [ekipje, jɛr] *nm/f* compañero(-a) de equipo

équitation [ekitasjɔ̃] *nf* equitación *f*

équivalent, e [ekivalɑ̃, ɑ̃t] *adj* equivalente

équivaloir [ekivalwar]: ~ **à** *vt ind* equivaler a

érable [erabl] *nm* arce *m*

érafler [erafle] *vt* arañar; **éraflure** *nf* rasguño, arañazo

ère [ɛr] *nf* era; **en l'an 1050 de notre ~** en el año 1050 de nuestra era

érection [erɛksjɔ̃] *nf* erección *f*

éroder [eʀɔde] *vt* erosionar; *(suj: acide)* corroer

érotique [eʀɔtik] *adj* erótico(-a)

errer [eʀe] *vi* vagar

erreur [eʀœʀ] *nf* error *m*; **par ~** por error; **faire ~** equivocarse

éruption [eʀypsjɔ̃] *nf* erupción *f*; *(de joie, colère)* arrebato

es [ɛ] *vb voir* **être**

ès [ɛs] *prép*: **licencié ~ lettres/ sciences** licenciado en letras/ ciencias

escabeau, x [ɛskabo] *nm (tabouret)* escabel *m*; *(échelle)* escalera de tijera

escalade [ɛskalad] *nf* escalada; **escalader** *vt* escalar

escale [ɛskal] *nf* escala; **faire ~ (à)** hacer escala (en)

escalier [ɛskalje] *nm* escalera; **dans l'~** *ou* **les ~s** en la escalera *ou* las escaleras; **~ roulant** *ou* **mécanique** escalera mecánica

escapade [ɛskapad] *nf* escapada

escargot [ɛskaʀgo] *nm* caracol *m*

escarpé, e [ɛskaʀpe] *adj* escarpado(-a)

esclavage [ɛsklavaʒ] *nm* esclavitud *f*

esclave [ɛsklav] *nm/f* esclavo(-a)

escompte [ɛskɔ̃t] *nm* descuento

escrime [ɛskʀim] *nf* esgrima

escroc [ɛskʀo] *nm* estafador *m*

escroquer [ɛskʀɔke] *vt*: **~ qn (de qch)** timar a algn (con algo); **~ qch (à qn)** estafar algo (a algn); **escroquerie** *nf* estafa

espace [ɛspas] *nm* espacio

espacer [ɛspase] *vt* espaciar; **s'~** *vpr* espaciarse

espadon [ɛspadɔ̃] *nm* pez *m* espada *inv*, emperador *m*

espadrille [ɛspadʀij] *nf* alpargata

Espagne [ɛspaɲ] *nf* España;

espagnol, e *adj* español(a) ♦ *nm (LING)* español *m*, castellano *(esp AM)* ♦ *nm/f*: **Espagnol, e** español(a)

espèce [ɛspɛs] *nf* especie *f*; **~s** *nfpl (COMM)* metálico; *(sorte, genre)* clases *fpl*; **une ~ de** una especie de; **~ de maladroit/de brute!** ¡pedazo de *ou* so inútil/ bruto!; **payer en ~s** pagar en metálico

espérance [ɛspeʀɑ̃s] *nf* esperanza; **~ de vie** esperanza de vida

espérer [ɛspeʀe] *vt* esperar; **j'espère (bien)** eso espero; **~ que/faire** esperar que/hacer; **~ en qn/qch** confiar en algn/algo

espiègle [ɛspjɛgl] *adj* travieso(-a)

espion, ne [ɛspjɔ̃, jɔn] *nm/f* espía *m/f*; **espionnage** *nm* espionaje *m*; **espionner** *vt* espiar

espoir [ɛspwaʀ] *nm* esperanza; **dans l'~ de/que** con la esperanza de/de que; **reprendre ~** recuperar la esperanza

esprit [ɛspʀi] *nm* espíritu *m*; **faire de l'~** hacerse el gracioso; **reprendre ses ~s** recuperar el sentido; **avoir bon/mauvais ~** tener buenas/malas intenciones

esquimau, de, x [ɛskimo, od] *adj* esquimal; *(glace)* pingüino ♦ *nm/f*: **É~, de** esquimal *m/f*

essai [ɛse] *nm (d'une voiture, d'un vêtement)* prueba; *(tentative, aussi SPORT)* intento; *(RUGBY, LITT)* ensayo; **à l'~** a prueba; **~ gratuit** prueba gratuita

essaim [ɛsɛ̃] *nm* enjambre *m*

essayer [ɛseje] *vt* probar ♦ *vi* intentar, tratar de; **~ de faire qch** intentar hacer algo, tratar de hacer algo

essence [ɛsɑ̃s] *nf (carburant)*

gasolina, nafta (ARG), bencina (CHI); (d'une plante, fig) esencia; (espèce: d'arbre) especie f

essentiel, le [esãsjɛl] adj esencial; **c'est l'~** es lo esencial; **l'~ de** la mayor parte de

essieu, x [esjø] nm eje m

essor [esɔʀ] nm (de l'économie etc) auge m

essorer [esɔʀe] vt escurrir; (à la machine) centrifugar; **essoreuse** nf (à rouleaux) escurridor m; (à tambour) secadora

essouffler [esufle] vt sofocar; **s'~** vpr sofocarse

essuie-glace [esɥiglas] nm inv limpiaparabrisas m inv

essuyer [esɥije] vt secar; (épousseter) limpiar; **s'~** vpr secarse; **~ la vaisselle** secar los platos

est¹ [ɛ] vb voir **être**

est² [ɛst] nm este m ♦ adj inv este inv; **à l'~** (situation) al este; (direction) hacia el este; **à l'~ de** al este de; **les pays de l'E~** los países del Este

est-ce que [ɛskə] adv: **~~~ c'est cher/c'était bon?** ¿es caro?/¿estaba bueno?; **quand est-ce qu'il part?** ¿cuándo es marcha?

esthéticienne [ɛstetisjɛn] nf (d'institut de beauté) esteticista

esthétique [ɛstetik] adj estético(-a)

estimation [ɛstimasjɔ̃] nf valoración f

estime [ɛstim] nf estima; **estimer** vt (personne, qualité) estimar, apreciar; (expertiser: objet etc) valorar; (évaluer: prix, distance) calcular; **estimer que/être ...** (penser) estimar que/ser ..., considerar que/ser ...

estival, e, -aux [ɛstival, o] adj estival

estivant, e [ɛstivã, ãt] nm/f veraneante m/f

estomac [ɛstɔma] nm estómago m

estragon [ɛstʀagɔ̃] nm estragón m

estuaire [ɛstɥɛʀ] nm estuario m

et [e] conj y; **~ aussi/lui** y también/él; **~ alors** ou **(puis) après?** (qu'importe!) ¿y qué?; (ensuite) ¿y entonces?

étable [etabl] nf establo

établi, e [etabli] adj (en place, solide) establecido(-a) ♦ nm banco

établir [etabliʀ] vt establecer; (facture) hacer, realizar; (liste, programme) establecer, fijar; (installer: entreprise, camp) establecer, instalar; (relations, liens d'amitié) entablar, establecer; **s'~** vpr establecerse; (colonie) asentarse; **s'~ (à son compte)** establecerse (por su cuenta)

établissement [etablismã] nm establecimiento; **~ scolaire** establecimiento escolar

étage [etaʒ] nm (d'immeuble) piso, planta; **habiter à l'~/au deuxième** vivir en el primer/segundo piso

étagère [etaʒɛʀ] nf estante m

étai [etɛ] nm puntal m

étain [etɛ̃] nm estaño

étais etc [etɛ] vb voir **être**

étaler [etale] vt (carte, nappe) extender, desplegar; (beurre, liquide) extender; (paiements, dates) escalonar; (richesses, connaissances) ostentar; **s'~** vpr: **s'~ sur** (suj: travaux, paiements) repartirse en

étalon [etalɔ̃] nm (cheval) semental m

étanche [etãʃ] adj impermeable

étang [etɑ̃] *nm* estanque *m*

étant [etɑ̃] *vb voir* **être; donné**

étape [etap] *nf* etapa

état [eta] *nm* estado; **en bon/ mauvais ~** en buen/mal estado; **être en ~ (de marche)** funcionar; **remettre en ~** volver a poner en condiciones, arreglar; **être en ~/hors d'~ de faire qch** estar/no estar en condiciones de hacer algo; **être dans tous ses ~s** estar fuera de sí; **être en ~ d'arrestation** (*JUR*) quedar arrestado(-a), estar detenido(-a); **~ civil** (*ADMIN*) estado civil; **~ des lieux** estado del inmueble; **États-Unis** *nmpl*: **les États-Unis** los Estados Unidos

etc. [etsetera] *abr* (= *et c(a)etera*) etc.

et c(a)etera [etsetera] *adv* etcétera

été [ete] *pp de* **être** ♦ *nm* verano

éteindre [etɛ̃dʀ] *vt* apagar; (*incendie*) extinguir, apagar; **s'~** *vpr* apagarse; **éteint, e** *pp de* **éteindre** ♦ *adj* apagado(-a)

étendre [etɑ̃dʀ] *vt* extender; (*carte, tapis*) extender, desplegar; (*lessive, linge*) tender, colgar; (*blessé, malade*) tender; **s'~** *vpr* extenderse; **s'~ (sur)** (*personne*) tenderse (sobre *ou* en); (*fig: sujet, problème*) extenderse (en); **s'~ jusqu'à/d'un endroit à un autre** extenderse hasta/de un sitio a otro

étendu, e [etɑ̃dy] *adj* (*terrain*) extenso(-a); (*connaissances, pouvoirs etc*) amplio(-a)

éternel, le [etɛʀnɛl] *adj* eterno(-a); (*habituel*) inseparable

éternité [etɛʀnite] *nf* eternidad *f*

éternuement [etɛʀnymɑ̃] *nm* estornudo

éternuer [etɛʀnɥe] *vi* estornudar

êtes [et(z)] *vb voir* **être**

étiez [etje] *vb voir* **être**

étinceler [etɛ̃s(ə)le] *vi* resplandecer

étincelle [etɛ̃sɛl] *nf* chispa, fulgor *m*

étiquette [etiket] *nf* etiqueta; **l'~** (*protocole*) la etiqueta; **sans ~** (*POL*) sin etiqueta

étirer [etiʀe] *vt* estirar; **s'~** *vpr* estirarse; (*convoi, route*): **s'~ sur plusieurs kilomètres** extenderse por varios kilómetros

étoile [etwal] *nf* estrella; (*signe*) asterisco; **à la belle ~** al sereno, al aire libre; **étoile de mer** estrella de mar; **étoile filante** estrella fugaz

étonnant, e [etɔnɑ̃, ɑ̃t] *adj* (*surprenant*) asombroso(-a), sorprendente; (*valeur intensive*) sorprendente

étonnement [etɔnmɑ̃] *nm* asombro, estupefacción *f*; **à mon grand ~ ...** con gran asombro mío ...

étonner [etɔne] *vt* asombrar, sorprender; **s'~ de que/de** asombrarse de que/de; **cela m'étonnerait (que)** me sorprendería (que)

étouffer [etufe] *vt* (*personne*) ahogar; (*bruit*) acallar; (*nouvelle, scandale*) ocultar, tapar ♦ *vi* ahogarse; (*avoir trop chaud*) sofocarse, ahogarse; **s'~** *vpr* (*en mangeant*) atragantarse

étourderie [etuʀdəʀi] *nf* descuido

étourdi, e [etuʀdi] *adj* aturdido(-a), distraído(-a)

étourdir [etuʀdiʀ] *vt* (*assommer*) aturdir, atontar; (*griser*) aturdir; **étourdissement** *nm* étrange 108 euh

aturdimiento

étrange [etʀɑ̃ʒ] adj extraño(-a),
raro(-a)

étranger, -ère [etʀɑ̃ʒe, ɛʀ] adj
(d'un autre pays) extranjero(-a),
gringo(-a) (AM); (pas de la famille)
extraño(-a) ♦ nm/f (d'un autre
pays) extranjero(-a); (inconnu)
extraño(-a); **de l'~** del extranjero

étrangler [etʀɑ̃gle] vt
(intentionnellement) estrangular;
(accidentellement) ahogar; **s'~** vpr
(en mangeant etc) atragantarse

MOT-CLÉ

être [etʀ] vb + attribut, vi **1**
(qualité essentielle, permanente,
profession) ser; **il est fort/
intelligent** es fuerte/inteligente;
être journaliste ser periodista
2 (état temporaire, position, + adj/
pp) estar; **comme tu es belle!**
¡qué guapa estás!; **être marié**
estar casado; **il est à Paris/au
salon** está en París/en el salón; **je
ne serai pas ici demain** no
estaré aquí mañana; **ça y est!** ¡ya
está!
3: **être à** (appartenir) ser de; **le
livre est à Paul** el libro es de
Pablo; **c'est à moi/eux** es
mío(-a)/suyo(-a) ou de ellos
4 (+de: provenance, origine): **il est
de Paris** es de París; (:
appartenance): **il est des nôtres**
es de los nuestros; **être de
Genève/de la même famille**
ser de Ginebra/de la misma familia
5 (date): **nous sommes le 5
juin** estamos a 5 de junio
♦ vb aux **1** haber; **être arrivé/
allé.** haber llegado/ido; **il est
parti** (él) se ha marchado; **il est
parti hier** (verbe au passé simple
quand la période dans laquelle se

situe l'action est révolue) se marchó
ayer
2 (forme passive) ser; **être fait
par** ser hecho por; **il a été
promu** ha sido ascendido
3 (+à: obligation): **c'est à
faire/réparer** está por hacer/
reparar; **c'est à essayer** está
por ensayar; **il est à espérer/
souhaiter que** es de esperar/
desear que
♦ vb impers **1:** **il est** +adjectif es;
il est impossible de le faire
es imposible hacerlo; **il serait
facile/souhaitable que** sería
fácil/deseable que
2 (heure, date): **il est 10
heures** son las 10
3 (emphatique): **c'est moi** soy
yo; **c'est à lui de le faire/de
décider** tiene que hacerlo/
decidirlo él
♦ nm ser m; **être humain** ser
humano

étrennes [etʀɛn] nfpl (cadeaux)
regalos mpl

étrier [etʀije] nm estribo

étroit, e [etʀwa, wat] adj (gén,
fig) estrecho(-a); **à l'~** con
estrechez

étude [etyd] nf estudio; (SCOL:
salle de travail) sala de estudio; **~s**
nfpl (SCOL) estudios mpl; **faire
des ~s de droit/médecine**
cursar estudios de ou estudiar
derecho/medicina

étudiant, e [etydjɑ̃, jɑ̃t] nm/f
(UNIV) estudiante m/f,
universitario(-a)

étudier [etydje] vt, vi estudiar

étui [etɥi] nm (à lunettes) funda,
estuche m

eu, eue [y] pp de **avoir**

euh [ø] excl ¡ee!

Europe [ørɔp] nf Europa;
 européen, ne adj europeo(-a)
eus etc [y] vb voir **avoir**
eux [ø] pron ellos
évacuer [evakɥe] vt evacuar
évader [evade]: **s'~** vpr evadirse
évaluer [evalɥe] vt evaluar,
 calcular
évangile [evɑ̃ʒil] nm evangelio;
 (texte de la Bible): **É~** Evangelio
évanouir [evanwiʀ]: **s'~** vpr
 desmayarse, desvanecerse; (fig)
 desvanecerse, desaparecer;
 évanouissement nm (MÉD)
 desmayo, desvanecimiento
évaporer [evapɔʀe]: **s'~** vpr
 evaporarse
évasion [evazjɔ̃] nf evasión f
éveillé, e [eveje] adj despierto(-a)
éveiller [eveje] vt despertar; **s'~**
 vpr despertarse
événement [evenmɑ̃] nm
 acontecimiento; **~s** nmpl (POL etc:
 situation générale) acontecimientos
 mpl
éventail [evɑ̃taj] nm abanico
éventualité [evɑ̃tɥalite] nf
 eventualidad f; **dans l'~ de** en la
 eventualidad de
éventuel, le [evɑ̃tɥɛl] adj
 eventual; **éventuellement** adv
 eventualmente
évêque [evɛk] nm obispo
évidemment [evidamɑ̃] adv
 evidentemente; **~!** ¡claro!
évidence [evidɑ̃s] nf evidencia;
 de toute ~ a todas luces; **en ~**
 en evidencia; **mettre en ~**
 (problème, détail) poner de
 manifiesto; **évident, e** adj
 evidente
évier [evje] nm fregadero
éviter [evite] vt evitar; (fig:
 problème, question) evitar, eludir;
 (importun, raseur: fuir) rehuir,

evitar; (coup, projectile, obstacle)
 esquivar; **~ de faire/que qch**
 ne se passe evitar hacer/que
 algo suceda; **~ qch à qn** evitar
 algo a algn
évoluer [evɔlɥe] vi evolucionar;
 évolution nf evolución f
évoquer [evɔke] vt evocar
ex- [eks] préf: **ex-ministre/**
 président ex-ministro/
 -presidente; **son ex-mari/**
 -femme su ex-marido/-mujer
ex. abr (= exemple) ej (= ejemplo)
exact, e [ɛgza(kt), ɛgzakt] adj
 (précis) exacto(-a); (personne:
 ponctuel) puntual; **l'heure ~e** la
 hora exacta; **exactement** adv
 exactamente
ex aequo [ɛgzeko] adv iguales
exagéré, e [ɛgzaʒeʀe] adj
 exagerado(-a)
exagérer [ɛgzaʒeʀe] vt exagerar ♦
 vi (abuser) abusar; (déformer les
 faits, la vérité) exagerar
examen [ɛgzamɛ̃] nm examen m;
 ~ médical examen ou
 reconocimiento médico
examinateur, -trice
 [ɛgzaminatœʀ, tʀis] nm/f
 examinador(a)
examiner [ɛgzamine] vt examinar
exaspérant, e [ɛgzaspeʀɑ̃, ɑ̃t]
 adj exasperante
exaspérer [ɛgzaspeʀe] vt
 exasperar
exaucer [ɛgzose] vt (vœu) otorgar
excéder [ɛksede] vt (dépasser)
 exceder, sobrepasar; (agacer)
 crispar
excellent, e [ɛksela, ɑ̃t] adj
 excelente
excentrique [ɛksɑ̃tʀik] adj
 excéntrico(-a)
excepté, e [ɛksɛpte] adj: **les**
 élèves ~s/dictionnaires ~s

excepto los alumnos/los
diccionarios ♦ *prép:* **~ les élèves**
salvo los alumnos; **~ si/quand
...** salvo si/cuando ...
exception [ɛksɛpsjɔ̃] *nf* excepción
f; **à l'~ de** con excepción de;
exceptionnel, le *adj*
excepcional;
exceptionnellement *adv*
excepcionalmente
excès [ɛksɛ] *nm* exceso ♦ *nmpl*
(abus) excesos *mpl;* **~ de vitesse**
exceso de velocidad; **excessif,
-ive** *adj* excesivo(-a)
excitant, e [ɛksitɑ̃, ɑ̃t] *adj, nm*
excitante *m;* **excitation** *nf*
excitación *f*
exciter [ɛksite] *vt* excitar; **s'~** *vpr*
excitarse
exclamer [ɛksklame]: **s'~** *vpr*
exclamar
exclure [ɛksklyʀ] *vt* excluir;
(d'une salle, d'un parti) expulsar,
excluir; **exclusif, -ive** *adj*
exclusivo(-a); **exclusion** *nf*
expulsión *f*, exclusión *f*; **à
l'exclusion de** con exclusión
de; **exclusivité** *nf* exclusividad
f; **en exclusivité** en exclusiva
excursion [ɛkskyʀsjɔ̃] *nf*
excursión *f*
excuse [ɛkskyz] *nf* excusa; **~s**
nfpl (expression de regret) disculpas
fpl; **excuser** *vt* excusar,
disculpar; **s'excuser** *vpr (par
politesse)* disculparse, excusarse;
s'excuser (de) disculparse (de),
excusarse (por); **"excusez-moi"**
"discúlpeme"; *(pour attirer
l'attention)* "perdón"
exécuter [ɛɡzekyte] *vt (INFORM,
MUS, prisonnier)* ejecutar;
(opération, mouvement) efectuar,
realizar

exemplaire [ɛɡzɑ̃plɛʀ] *adj*
ejemplar ♦ *nm* ejemplar *m*
exemple [ɛɡzɑ̃pl] *nm* ejemplo;
par ~ por ejemplo; *(valeur
intensive)* ¡no es posible!; **donner
l'~** dar ejemplo; **prendre ~ sur
qn** tomar ejemplo de algn
exercer [ɛɡzɛʀse] *vt* ejercer;
(former: personne) acostumbrar;
(animal) adiestrar; *(faculté, partie
du corps)* ejercitar ♦ *vi (médecin)*
ejercer; **s'~** *vpr (sportif)*
entrenarse; *(musicien)* practicar;
s'~ (sur/contre) *(pression,
poussée)* ejercerse (sobre/contra)
exercice [ɛɡzɛʀsis] *nm* ejercicio
exhiber [ɛɡzibe] *vt* exhibir; **s'~**
vpr exhibirse
exhibitionniste [ɛɡzibisjɔnist]
nm/f exhibicionista *m/f*
exigeant, e [ɛɡziʒɑ̃, ɑ̃t] *adj*
exigente
exiger [ɛɡziʒe] *vt* exigir
exil [ɛɡzil] *nm* exilio; **exiler:
s'exiler** *vpr* exiliarse
existence [ɛɡzistɑ̃s] *nf* existencia
exister [ɛɡziste] *vi* existir; **il
existe une solution/des
solutions** existe una solución/
existen soluciones
exorbitant, e [ɛɡzɔʀbitɑ̃, ɑ̃t] *adj*
exorbitante
exotique [ɛɡzɔtik] *adj* exótico(-a)
expédier [ɛkspedje] *vt (lettre)*
expedir; *(troupes, renfort)* enviar;
(péj: faire rapidement) despachar;
expéditeur, -trice *nm/f*
remitente *m/f;* **expédition** *nf
(d'une lettre)* envío; *(MIL,
scientifique)* expedición *f*
expérience [ɛksperjɑ̃s] *nf*
experiencia; **une ~** *(scientifique)*
un experimento
expérimenté, e [ɛksperimɑ̃te]
adj experimentado(-a)

expérimenter [ɛkspeʀimɑ̃te] vt
experimentar

expert, e [ɛkspɛʀ, ɛʀt] adj: ~ **en**
experto(-a) en ♦ nm experto(-a),
perito(-a); **expert-comptable**
(pl **experts-comptables**) nm
perito contable

expirer [ɛkspiʀe] vi (passeport,
bail) vencer, expirar; (respirer)
espirar

explication [ɛksplikasjɔ̃] nf
explicación f; (discussion) discusión
f

explicite [ɛksplisit] adj explícito(-a)

expliquer [ɛksplike] vt explicar

exploit [ɛksplwa] nm hazaña;
exploitant nm (AGR)
agricultor(a), labrador(a);
exploitation nf explotación f;
exploitation agricole
explotación agrícola; **exploiter**
vt explotar; (tirer parti de: faiblesse
de qn) aprovecharse de

explorer [ɛksplɔʀe] vt (pays,
grotte) explorar

exploser [ɛksploze] vi (bombe)
explotar, estallar; (joie, colère)
estallar; **explosif** adj
explosivo(-a); **explosion** nf
explosión f

exportateur, -trice
[ɛkspɔʀtatœʀ, tʀis] adj, nm/f
exportador(a)

exportation [ɛkspɔʀtasjɔ̃] nf
exportación f

exporter [ɛkspɔʀte] vt exportar

exposant [ɛkspozɑ̃] nm
(personne) expositor m

exposé, e [ɛkspoze] adj (orienté)
orientado(-a) ♦ nm (écrit) informe
m; (oral) charla; (SCOL) exposición
f; **à l'est/au sud** orientado(-a)
al este/al sur; **bien ~** bien
orientado(-a)

exposer [ɛkspoze] vt exponer;

(orienter: maison) orientar;
exposition nf exposición f

exprès¹, expresse [ɛkspʀɛs]
adj expreso(-a) ♦ adj inv: **lettre/
colis ~** carta/paquete m urgente

exprès² [ɛkspʀɛ] adv
(délibérément) a propósito, adrede;
(spécialement) expresamente

express [ɛkspʀɛs] adj, nm:
(café) ~ (café) exprés m; **(train)
~** (tren) expreso

expressif, -ive [ɛkspʀesif, iv]
adj expresivo(-a)

expression [ɛkspʀesjɔ̃] nf
expresión f

exprimer [ɛkspʀime] vt
(sentiment, idée) expresar

expulser [ɛkspylse] vt expulsar;
(locataire) echar

exquis, e [ɛkski, iz] adj (personne,
élégance, parfum) exquisito(-a)

extasier: s'~ vpr: **s'~ sur**
extasiarse ante

exténuer [ɛkstenɥe] vt extenuar

extérieur, e [ɛksteʀjœʀ] adj
exterior; (pressions, calme)
externo(-a) ♦ nm exterior m; **à l'~**
(dehors) fuera, afuera (AM); (à
l'étranger) en el exterior

externat [ɛkstɛʀna] nm externado m

externe [ɛkstɛʀn] adj externo(-a)
♦ nm/f externo(-a); (étudiant en
médecine) alumno(-a) en prácticas

extincteur [ɛkstɛ̃ktœʀ] nm
extintor m

extinction [ɛkstɛ̃ksjɔ̃] nf extinción
f; **~ de voix** afonía

extra [ɛkstʀa] adj inv, préf extra ♦
nm extra m

extracommunautaire
[ɛkstʀakɔmynotɛʀ] adj
extracomunitario(-a)

extraire [ɛkstʀɛʀ] vt extraer; **~
qch de** extraer algo de; **extrait**
pp de **extraire** ♦ nm extracto; (de

film, livre) pasaje *m*; **extrait de naissance** partida de nacimiento
extraordinaire [ɛkstraɔrdinɛr] *adj* extraordinario(-a)
extravagant, e [ɛkstravagã, ãt] *adj* extravagante
extraverti, e [ɛkstraverti] *adj* extravertido(-a), extrovertido(-a)
extrême [ɛkstrɛm] *adj* extremo(-a); **extrêmement** *adv* extremadamente; **Extrême-Orient** *nm* Extremo Oriente *m*
extrémité [ɛkstremite] *nf* extremo; (*d'un doigt, couteau*) punta
exubérant, e [ɛgzyberã, ãt] *adj* exuberante

F, f

F [ɛf] *abr* = **franc**; (*appartement*): **un F2/F3** un piso de 2/3 habitaciones
fa [fa] *nm inv* fa *m*
fabricant [fabrikã] *nm* fabricante *m/f*
fabrication [fabrikasjɔ̃] *nf* fabricación *f*
fabrique [fabrik] *nf* fábrica; **fabriquer** *vt* (*produire*) producir; (*construire*) fabricar; **qu'est-ce qu'il fabrique?** (*fam*) ¿qué está tramando?
fac [fak] (*pl* **fam**) *abr f* = **faculté**
façade [fasad] *nf* fachada
face [fas] *nf* (*visage*) cara, rostro; (*côté*) cara; (*d'un problème, sujet*) aspecto ♦ *adj*: **le côté ~** cara; **en ~ de** enfrente de; (*fig*) frente a; **de ~** de frente; **~ à** frente a, ante; **faire ~ à qn/qch** hacer frente o cara a algn/algo; **~ à ~** *adv* frente a frente ♦ *nm inv* debate *m*

fâché, e [faʃe] *adj* enfadado(-a)
fâcher [faʃe] *vt* enfadar; **se ~** *vpr*: **se ~** (**contre** *ou* **avec qn**) enfadarse (con algn)
facile [fasil] *adj* (*aussi péj*) fácil; (*accommodant*) sencillo(-a); **facilement** *adv* con facilidad, fácilmente; (*au moins*) por lo menos; **facilité** *nf* facilidad *f*; **faciliter** *vt* facilitar
façon [fasɔ̃] *nf* modo, manera; **~s** *nfpl* (*péj*) modales *mpl*; **de quelle ~ l'a-t-il fait/construit?** ¿cómo lo ha hecho/construido?; **sans ~** *adv* simplemente; **de ~ à** faire/à ce que de modo que haga/de modo que; **de (telle) ~ que** de tal forma que; **de toute ~** de todos modos
facteur, -trice [faktœr, tris] *nm/f* cartero(-a) ♦ *nm* (MATH, *fig*) factor *m*
facture [faktyr] *nf* factura
facultatif, -ive [fakyltatif, iv] *adj* facultativo(-a)
faculté [fakylte] *nf* facultad *f*; **~s** *nfpl* (*moyens intellectuels*) facultades *fpl*
fade [fad] *adj* soso(-a), insípido(-a)
faible [fɛbl] *adj* débil; (*sans volonté*) apático(-a); (*rendement, revenu*) bajo(-a) ♦ *nm*: **le ~ de qn/qch** el punto flaco de algn/ algo; **faiblesse** *nf* debilidad *f*; (*défaillance*) desmayo; **faiblir** *vi* debilitarse; (*vent*) amainar
faïence [fajãs] *nf* loza
faignant, e [fɛɲã, ãt] *nm/f, adj* = **fainéant**
faillir [fajir] *vi*: **j'ai failli tomber/lui dire** estuve a punto de caer/decirle
faillite [fajit] *nf* (*échec*) fracaso; **être à/faire ~** (COMM) estar en/hacer quiebra

faim [fɛ̃] nf hambre f; **avoir ~** tener hambre

fainéant, e [feneã, ãt] adj, nm/f holgazán(-ana), flojo(-a) (AM)

MOT-CLÉ

---

faire [fɛʀ] vt **1** (fabriquer, être l'auteur de) hacer; (blé, soie) producir; **faire du vin/une offre/un film** hacer vino/una oferta/una película; **faire du bruit** hacer ruido; **fait à la main/la machine** hecho a mano/máquina

2 (effectuer: travail, opération) hacer; **que faites-vous?** ¿qué hace?; **(quel métier etc)** ¿a qué se dedica (usted)?; **faire la lessive** hacer la colada; **faire la cuisine/le ménage/les courses** hacer la cocina/la limpieza/las compras; **faire les magasins/l'Europe** ir de tiendas/por Europa

3 (étudier, pratiquer): **faire du droit/du français** hacer derecho/francés; **faire du sport/rugby** hacer deporte/rugby; **faire du cheval** montar a caballo; **faire du ski/du vélo** ir a esquiar/en bicicleta; **faire du violon/piano** tocar el violín/piano

4 (simuler): **faire le malade/l'ignorant** hacerse el enfermo/el ignorante

5 (transformer, avoir un effet sur): **faire de qn un frustré/avocat** hacer de algn un frustrado/abogado; **ça ne me fait rien** ou **ni chaud ni froid** no me importa nada; **ça ne fait rien** no importa

6 (calculs, prix, mesures): **2 et 2 font 4** 2 y 2 son 4; **9 divisé par**

3 fait 3 9 entre 3 es 3; **ça fait 10 m/15 F** son 10 m/15 francos; **je vous le fais 10 F** (j'en demande 10 F) se lo dejo en 10 francos; voir **mal**; **entrer**; **sortir**

7: qu'a-t-il fait de sa valise/ de sa sœur? ¿qué ha hecho con su maleta/con su hermana?; **que faire?** ¿qué voy etc a hacer?; **tu fais bien de me le dire** haces bien en decírmelo

8: ne faire que: il ne fait que critiquer no hace más que criticar

9 (dire) decir; **"vraiment?" fit-il** "¿de verdad?" dijo

10 (maladie) tener; **faire du diabète/de la tension/de la fièvre** tener diabetes/tensión/ fiebre

♦ vi **1** (agir, s'y prendre) hacer; (faire ses besoins) hacer sus necesidades; **il faut faire vite** hay que darse prisa; **comment a-t-il fait?** ¿cómo ha hecho?; **faites comme chez vous** está en su casa

2 (paraître): **tu fais jeune dans ce costume** ese traje te hace joven; **ça fait bien** queda bien

♦ vb substitut hacer; **je viens de le faire** acabo de hacerlo; **ne le casse pas comme je l'ai fait** no lo rompas como he hecho yo; **je peux le voir? - faites!** ¿puedo verlo? - desde luego

♦ vb impers **1: il fait beau** hace bueno; voir aussi **jour**; **froid** etc

2 (temps écoulé, durée): **ça fait 5 ans/heures qu'il est parti** hace 5 años/horas que se fue; **ça fait 2 ans/heures qu'il y est** hace 2 años/horas que está allí

♦ vb semi-aux: **faire** + infinitif hacer + infinitivo;

tomber/bouger qch hacer caer/mover algo; **cela fait dormir** esto hace dormir; **faire réparer qch** llevar algo a arreglar; **que veux-tu me faire croire/comprendre?** ¿qué quieres hacerme creer/comprender?; **il m'a fait ouvrir la porte** me hizo abrir la puerta; **il m'a fait traverser la rue** me ayudó a cruzar la calle; **se faire** ♦ *vi* **1** (*vin, fromage*) hacerse **2: cela se fait beaucoup** eso se hace mucho; **cela ne se fait pas** eso no se hace **3: se faire** + *nom ou pron:* **se faire une jupe** hacerse una falda; **se faire des amis** hacer amigos; **se faire du souci** inquietarse; **il ne s'en fait pas** no se preocupa; **se faire des illusions** hacerse ilusiones; **se faire beaucoup d'argent** hacer mucho dinero **4: se faire** + *adj* (*devenir*): **se faire vieux** hacerse viejo; (*délibérément*): **se faire beau** ponerse guapo **5: se faire à** (*s'habituer*) acostumbrarse a; **je n'arrive pas à me faire à la nourriture/au climat** no acabo de acostumbrarme a la comida/al clima **6: se faire** +*infinitif:* **se faire opérer/examiner la vue** operarse/examinarse la vista; **se faire couper les cheveux** cortarse el pelo; **il va se faire tuer/punir** le van a matar/ castigar; **il s'est fait aider par qn** le ha ayudado algn; **se faire faire un vêtement** hacerse un vestido; **se faire ouvrir (la porte)** hacerse abrir (la puerta);

je me suis fait expliquer le texte par Anne Anne me explicó el texto **7** (*impersonnel*): **comment se fait-il que ...?** ¿cómo es que ...?; **il peut se faire que ...** puede ocurrir que ...

faire-part [fɛʀpaʀ] *nm inv:* ~~~ **de mariage** participación *f* de boda; ~~~ **de décès** esquela de defunción

faisan, e [fəzɑ̃] *nm/f* faisán(-ana)

faisons [fəzɔ̃] *vb voir* **faire**

fait¹ [fɛ] *vb voir* **faire** ♦ *nm* hecho; **le ~ que ...** el hecho de que ...; **le ~ de manger/travailler** el hecho de comer/ trabajar; **être au ~** estar al corriente de; **au ~** a propósito; **aller droit au ~** ir al grano; **en venir au ~** pasar a los hechos; **de ~** *adj* (*opposé à: de droit*) de hecho ♦ *adv* (*en fait*) en realidad; **du ~ que** por el hecho de que; **du ~ de** a causa de; **de ce ~** por esto; **en ~** de hecho; **en ~ de repas/vacances** a guisa de comida/vacaciones; **c'est un ~** es un hecho, es verdad; **prendre qn sur le ~** coger a algn con las manos en la masa; **les ~s et gestes de qn** todos los movimientos de algn; ~ **divers** suceso

fait², e [fɛ, fɛt] *pp de* **faire** ♦ *adj* (*fromage*) curado(-a); (*melon*) maduro(-a); **c'en est ~ de lui** es su fin; **c'en est ~ de notre tranquillité** se acabó la tranquilidad; **tout(e) fait(e)** (*préparé à l'avance*) ya listo(-a), ya preparado(-a); **c'est bien pour lui!** ¡le está bien empleado!

faites [fɛt] *vb voir* **faire**

falaise [falɛz] *nf* acantilado

falloir [falwar] *vb impers* (*besoin*):
il va ~ 100 F se necesitarán 100
francos; **il doit ~ du temps
pour ...** se necesitará tiempo
para ...; **il faut faire les lits**
(*obligation*) hay que hacer las
camas; **il me faut/faudrait
100 F/de l'aide** necesito/
necesitaría 100 francos/ayuda;
**nous avons ce qu'il (nous)
faut** tenemos lo necesario; **il faut
que je fasse les lits** tengo que
hacer las camas; **il a fallu que je
parte** tuve que irme; **comme il
faut** *adj, adv* (*bien, convenable*)
como Dios manda; **s'en ~**: **il
s'en faut/s'en est fallu de 5
minutes/100 F (pour que ...)**
faltan/faltaron 5 minutos/100
francos (para que ...); **il ne fallait
pas** (*pour remercier*) no era
necesario; **il faudrait que ...**
convendría que ...; **il s'en est
fallu de peu que ...** faltó poco
para que ...

famé, e [fame] *adj*: **mal ~** de
mala fama

fameux, -euse [famø, øz] *adj*
(*illustre*) famoso(-a), ilustre; (*bon*)
excelente

familial, e, -aux [familjal, jo]
adj familiar

familiarité [familjarite] *nf*
familiaridad *f*; **~s** *nfpl*
familiaridades *fpl*, confianzas *fpl*

familier, -ière [familje, jɛʀ] *adj*
(*connu*) familiar; (*rapports*) de
confianza; (*LING*) familiar, coloquial
♦ *nm* asiduo(-a); **tu es un peu
trop ~ avec lui** (*cavalier,
impertinent*) te tomas demasiadas
confianzas con él

famille [famij] *nf* familia; **il a de
la ~ à Paris** tiene familia en París

famine [famin] *nf* hambruna

fanatique [fanatik] *adj, nm/f*
fanático(-a); **~ de rugby/de
voile** (*sens affaibli*) entusiasta *m/f*
del rugby/de la vela

faner [fane]: **se ~** *vpr* (*fleur*)
marchitarse

fanfare [fɑ̃faʀ] *nf* fanfarria,
charanga; (*musique*) fanfarria

fantaisie [fɑ̃tezi] *nf* fantasía;
(*caprice*) capricho ♦ *adj*: **bijou/
pain ~** joya/pan *m* de fantasía

fantasme [fɑ̃tasm] *nm* fantasma
m

fantastique [fɑ̃tastik] *adj*
fantástico(-a)

fantôme [fɑ̃tom] *nm* fantasma *m*

faon [fɑ̃] *nm* cervatillo

farce [faʀs] *nf* (*viande*) relleno;
(*THÉÂTRE*) broma; **faire une ~ à qn**
gastar una broma a algn; **farcir**
vt (*viande*) rellenar

farder [faʀde] *vt* maquillar

farine [faʀin] *nf* harina

farouche [faʀuʃ] *adj* (*animal*)
arisco(-a); (*personne*) esquivo(-a)

fart [faʀt] *nm* (*SKI*) cera

fascination [fasinasjɔ̃] *nf* (*fig*)
fascinación *f*

fasciner [fasine] *vt* fascinar

fascisme [faʃism] *nm* fascismo

fasse *etc* [fas] *vb voir* **faire**

fastidieux, -euse [fastidjø, jøz]
adj fastidioso(-a)

fatal, e [fatal] *adj* mortal;
(*inévitable*) fatal; **fatalité** *nf*
fatalidad *f*

fatidique [fatidik] *adj* fatídico(-a)

fatigant, e [fatigɑ̃, ɑ̃t] *adj*
fatigante; (*agaçant*) pesado(-a)

fatigue [fatig] *nf* fatiga,
cansancio; **fatigué, e** *adj*
fatigado(-a); **fatiguer** *vt*
(*personne, membres*) fatigar,
cansar; (*moteur etc*) forzar;

(importuner) cansar ♦ vi *(moteur)*
forzarse; **se fatiguer** vpr
fatigarse, cansarse

fauché, e [foʃe] *(fam)* adj
pelado(-a)

faucher [foʃe] vt *(aussi fig)* segar;
(herbe) segar, cortar; *(fam: voler)*
birlar

faucon [fokɔ̃] nm halcón m

faudra [fodra] vb voir **falloir**

faufiler [fofile] vt hilvanar; **se ~**
vpr: **se ~ dans/parmi/entre**
deslizarse en/entre

faune [fon] nf *(fig, péj)* fauna

fausse [fos] adj voir **faux²**;
faussement adv *(accuser)* en
falso

fausser [fose] vt *(serrure, objet)*
torcer; *(résultat, données)* falsear

faut [fo] vb voir **falloir**

faute [fot] nf *(de calcul)* error m;
(SPORT, d'orthographe) falta; *(REL)*
pecado, culpa; **c'est de sa/ma
~ es** culpa suya/mía; **être en ~**
hacer mal; *(être responsable)* tener
la culpa; **~ de** por falta de; **~ de
mieux ...** a falta de algo mejor
...; **sans ~** *(à coup sûr)* sin falta;
~ de frappe error de máquina; **~
professionnelle** error
profesional

fauteuil [fotœj] nm sillón m; **~
d'orchestre** *(THÉÂTRE)* butaca de
patio; **~ roulant** sillón de ruedas

fautif, -ive [fotif, iv] adj
(incorrect) erróneo(-a);
(responsable) culpable

fauve [fov] nm fiera

faux¹ [fo] nf *(AGR)* guadaña

faux², fausse [fo, fos] adj
falso(-a); *(inexact)* erróneo(-a);
(rire, personne) falso(-a), hipócrita;
(barbe, dent) postizo(-a); *(MUS)*
desafinado(-a); *(opposé à bon,
correct: numéro, clé)*

confundido(-a) ♦ adv: **jouer/
chanter ~** tocar/cantar
desafinadamente ♦ nm *(peinture,
billet)* falsificación f; **le ~** *(opposé
au vrai)* lo falso; **faire fausse
route** ir por mal camino; **faire ~
bond à qn** fallarle a algn; **fausse
alerte** falsa alarma; **fausse
couche** aborto; **fausse
note** *(MUS, fig)* nota discordante;
~ frais nmpl gastos mpl
menudos; **~ mouvement**
movimiento en falso; **~ pas** *(aussi
fig)* paso en falso; **~ témoignage**
(délit) falso testimonio; **faux-filet**
(pl **faux-filets**) nm solomillo bajo

faveur [favœr] nf favor m; **à la ~
de** *(la nuit, une erreur)*
aprovechando; **en ~ de qn/qch**
en favor de algn/algo

favorable [favɔrabl] adj favorable

favori, te [favɔri, it] adj, nm/f
favorito(-a) *(aussi SPORT)*

favoriser [favɔrize] vt favorecer

fécond, e [fekɔ̃, ɔ̃d] adj fértil,
fecundo(-a); **féconder** vt
fecundar

féculents [fekylɑ̃] nmpl féculas fpl

fédéral, e, -aux [federal, o] adj
federal; **fédération** nf federación
f; **la Fédération française de
football** la Federación Francesa
de Fútbol

fée [fe] nf hada

feignant, e [feɲɑ̃, ɑ̃t] adj, nm/f =
fainéant

feindre [fɛ̃dr] vt, vi fingir

fêler [fele] vt *(verre, assiette)*
resquebrajar

félicitations [felisitasjɔ̃] nfpl
felicidades fpl

féliciter [felisite] vt felicitar; **~ qn
(de qch/d'avoir fait qch)**
felicitar a algn (por algo/por haber
hecho algo)

félin [felɛ̃] *nm* felino

femelle [fəmɛl] *nf* hembra

féminin, e [feminɛ̃, in] *adj*
femenino(-a); (*vêtements etc*) de
mujer ♦ *nm* (LING) femenino

féministe [feminist] *adj, nm/f*
feminista *m/f*

femme [fam] *nf* mujer *f*; **~ au
foyer** ama de casa; **~ de
chambre** doncella; **~ de
ménage** asistenta

fémur [femyʀ] *nm* fémur *m*

fendre [fɑ̃dʀ] *vt* hender

fenêtre [f(ə)nɛtʀ] *nf* ventana

fenouil [fənuj] *nm* hinojo

fente [fɑ̃t] *nf* (*fissure*) grieta,
hendidura; (*de boîte à lettres*)
ranura

fer [fɛʀ] *nm* hierro; (*de cheval*)
herradura; **santé/main de ~**
salud *f*/mano de hierro; **~ à
cheval** herradura; **~ (à
repasser)** plancha; **~ forgé**
hierro forjado

ferai *etc* [fʀe] *vb voir* **faire**

fer-blanc [fɛʀblɑ̃] (*pl* **~s-~s**) *nm*
hojalata

férié, e [feʀje] *adj*: **jour ~** día *m*
festivo

ferions *etc* [fəʀjɔ̃] *vb voir* **faire**

ferme [fɛʀm] *adj* firme; (*chair*)
prieto(-a) ♦ *adv*: **travailler ~**
trabajar mucho ♦ *nf* granja

fermé, e [fɛʀme] *adj* (*aussi fig*)
cerrado(-a); (*gaz, eau*) cortado(-a)

fermenter [fɛʀmɑ̃te] *vi* fermentar

fermer [fɛʀme] *vt* cerrar; (*rideaux*)
correr; (*eau, électricité, route*)
cortar ♦ *vi* cerrar; **se ~** *vpr*
cerrarse; **~ à clef** cerrar con llave

fermeté [fɛʀməte] *nf* firmeza; (*des
muscles*) dureza

fermeture [fɛʀmətyʀ] *nf* cierre
m, cerradura; (*dispositif*) cerradura;
~ éclair ® cierre relámpago

fermier, -ière [fɛʀmje, jɛʀ] *adj*:
beurre/cidre ~ mantequilla/
sidra de granja ♦ *nm/f* (*locataire*)
granjero(-a), colono; **fermière** *nf*
(*femme de fermier*) granjera

féroce [feʀɔs] *adj* feroz

ferons [fəʀɔ̃] *vb voir* **faire**

ferrer [feʀe] *vt* (*cheval*) herrar;
(*poisson*) enganchar con el anzuelo

ferroviaire [feʀɔvjɛʀ] *adj*
ferroviario(-a)

ferry(-boat) [feʀe(bot)] (*pl*
ferry-boats *ou* **ferries**) *nm*
ferry *m*, transbordador *m*

fertile [fɛʀtil] *adj* fértil

fervent, e [fɛʀvɑ̃, ɑ̃t] *adj*
ferviente

fesse [fɛs] *nf* nalga; **fessée** *nf*
nalgada

festin [fɛstɛ̃] *nm* festín *m*

festival [fɛstival] *nm* festival *m*

festivités [fɛstivite] *nfpl* fiestas
fpl

fêtard [fɛtaʀ, aʀd] (*péj*) *nm/f*
juerguista *m/f*

fête [fɛt] *nf* fiesta; (*kermesse*)
romería; (*d'une personne*) santo;
faire la ~ irse de juerga *ou* de
farra (AM); **faire ~ à** festejar a
algn; **les ~s (de fin d'année)**
las fiestas (de fin de año); **salle/
comité des ~s** sala/comité *m* de
fiestas; **la ~ des Mères/des
Pères** el día de la madre/del
padre; **la F~ Nationale**
*aniversario de la revolución
francesa*; **~ foraine** feria; **fêter**
vt (*personne*) festejar; (*événement,
anniversaire*) festejar, celebrar

feu, x [fø] *nm* fuego; (*signal
lumineux*) luz *f*; (*fig*) fuego, ardor
m; **~x** *nmpl* (*éclat, lumière*)
destello *msg*; (*AUTO: de circulation*)
semáforo *msg*; **au ~!** ¡fuego!; **à ~
doux/vif** a poco fuego/fuego

vivo; **à petit ~** a fuego lento; (fig) lentamente; **ne pas faire long ~** (fig) no durar mucho; **prendre ~** (maison) incendiarse; (vêtements, rideaux) prender fuego; **mettre le ~ à** meterle fuego a; **faire du ~** hacer fuego; **avez-vous du ~?** ¿tiene fuego?; **~ arrière** (AUTO) luz f trasera, piloto trasero; **~ d'artifice** fuegos mpl de artificio; **~ de joie** fogata; **~ orange/rouge/vert** (AUTO) disco ámbar/rojo/verde; **~x de brouillard/de croisement/de position/de stationnement** (AUTO) luces fpl de niebla/de cruce/de posición/intermitentes; **~x de route** (AUTO) luces largas ou de carretera

feuillage [fœjaʒ] nm follaje m

feuille [fœj] nf hoja; **~ de maladie** informe m médico; **~ (de papier)** hoja (de papel); **~ de paye** aviso de pago; **~ volante** hoja suelta

feuillet [fœjɛ] nm pliego, página

feuilleté, e [fœjte] adj (CULIN) hojaldrado(-a)

feuilleter [fœjte] vt (livre) hojear

feuilleton [fœjtɔ̃] nm serial m

feutre [føtʀ] nm fieltro; (chapeau) sombrero de fieltro; (stylo) rotulador m; **feutré, e** adj (tissu) afelpado(-a); (pas, voix, atmosphère) amortiguado(-a)

fève [fɛv] nf haba; (dans la galette des Rois) sorpresa

février [fevʀije] nm febrero; voir aussi **juillet**

FFF sigle f (= Fédération française de football) voir **fédération**

fiable [fjabl] adj fiable

fiançailles [fjɑ̃sɑj] nfpl noviazgo

fiancé, e [fjɑ̃se] nm/f novio(-a)

fiancer [fjɑ̃se]: **se ~ vpr**: **se ~ (avec)** prometerse (con)

fibre [fibʀ] nf fibra; (de bois) veta

ficeler [fis(ə)le] vt atar

ficelle [fisɛl] nf cordón; (pain) violín m; **~s** nfpl (procédés cachés) artificios mpl

fiche [fiʃ] nf ficha; (formulaire) ficha, impreso; (ÉLEC) enchufe m

ficher [fiʃe] vt (pour un fichier) anotar en fichas; (suj: police, personne) fichar; **il ne fiche rien** (fam) no da golpe; **fiche(-moi) le camp** (fam) lárgate; **fiche-moi la paix** (fam) déjame en paz; **se ~ de** vpr (fam) tomar el pelo a

fichier [fiʃje] nm fichero

fichu, e [fiʃy] pp de **ficher ♦** adj (fam: fini, inutilisable) estropeado(-a) **♦** nm (foulard) pañoleta; **être mal ~** (fam: santé) estar fastidiado(-a); **bien/mal ~** (fam: habillé) bien/mal arreglado(-a); **~ temps** tiempo pajolero

fictif, -ive [fiktif, iv] adj ficticio(-a); (promesse, nom) falso(-a)

fiction [fiksjɔ̃] nf ficción f

fidèle [fidɛl] adj fiel; (loyal) fiel, leal **♦** nm/f (REL, fig) devoto(-a); **les ~s** (REL) los fieles; **fidélité** nf fidelidad f

fier¹ [fje] vb: **se ~ à** fiarse de

fier², fière [fjɛʀ] adj orgulloso(-a); (hautain, méprisant) arrogante, altivo(-a); **~ de qch** orgulloso(-a) de algo/algn; **fierté** nf orgullo; arrogancia

fièvre [fjɛvʀ] nf (aussi fig) fiebre f; **avoir de la ~/39 de** tener fiebre/39 de fiebre; **fiévreux, -euse** adj febril

figer [fiʒe]: **se ~** vpr (sang) coagularse; (personne, sourire) petrificarse

fignoler [fiɲɔle] vt dar el último

toque a
figue [fig] *nf* higo; **figuier** *nm* higuera

figurant, e [figyrɑ̃, ɑ̃t] *nm/f* figurante *m/f*

figure [figyR] *nf* (*visage*) cara; (*illustration, dessin*) figura, ilustración *f*

figuré, e [figyRe] *adj* figurado(-a)

figurer [figyRe] *vi* figurar ♦ *vt* representar, figurar; **se ~ qch/ que** imaginarse algo/que

fil [fil] *nm* hilo; (*du téléphone*) cable *m*; (*tranchant*) filo; **au ~ des heures/des années** a lo largo *ou* con el correr de las horas/de los años; **le ~ d'une histoire/de ses pensées** el hilo de una historia/de sus pensamientos; **au ~ de l'eau** a favor de la corriente; **donner/ recevoir un coup de ~** dar/ recibir un telefonazo; **~ à coudre** hilo de coser; **~ à pêche** sedal *m*; **~ de fer** alambre *m*; **~ de fer barbelé** alambre de espino; **~ électrique** cable eléctrico

file [fil] *nf* (*de voitures*) fila; (*de clients*) cola; **prendre la ~ de droite** (*AUTO*) coger el carril de la derecha; **à la ~** (*d'affilée*) seguidos(-as); (*l'un derrière l'autre*) en fila; **à la queue ~ ~** en fila india; **~ (d'attente)** cola

filer [file] *vt* hilar; (*prendre en filature*) seguir los pasos a ♦ *vi* (*bas, maille*) correrse, hacerse una carrera; (*aller vite*) pasar volando; (*fam: partir*) largarse; **~ qch à qn** (*fam: donner*) dar algo a algn

filet [filɛ] *nm* red *f*; (*de poisson*) filete *m*; (*viande*) solomillo; (*d'eau, sang*) hilo; **~ (à provisions)** bolsa (de la compra)

filiale [filjal] *nf* filial *f*, sucursal *f*

filière [filjɛR] *nf* escalafón *m*

fille [fij] *nf* chica; (*opposé à fils*) hija; **vieille ~** solterona; **fillette** *nf* chiquilla

filleul, e [fijœl] *nm/f* ahijado(-a)

film [film] *nm* película; (*couche*) capa

fils [fis] *nm* hijo; **~ à papa** (*péj*) niño de papá

filtre [filtR] *nm* filtro; **filtrer** *vt* filtrar; (*candidats, nouvelles*) hacer una criba de ♦ *vi* filtrarse

fin¹ [fɛ̃] *nf* final *m*; (*d'un projet, d'un rêve: aussi mort*) final, fin *m*; **~s** *nfpl* (*desseins*) fines *mpl*; **prendre ~** terminar, acabar; **mettre ~ à qch** poner fin a algo; **à la ~** finalmente; **sans ~** sin fin, interminable; (*sans cesse*) sin cesar

fin², e [fɛ̃, fin] *adj* fino(-a); (*taille*) delgado(-a); (*effilé*) afilado(-a); (*subtil*) agudo(-a) ♦ *adv* fino; **avoir la vue ~e/l'ouïe ~e** tener vista aguda/buen oído; **vin ~** vino selecto; **~es herbes** hierbas *fpl* aromáticas

final, e [final] *adj* último(-a) ♦ *nm* (*MUS*) final *m*; **quart/8èmes/ 16èmes de ~e** cuarto/octavos/ dieciseisavos de final; **finale** *nf* (*SPORT*) final *f*; **finalement** *adv* finalmente; (*après tout*) al final, después de todo

finance [finɑ̃s] *nf*: **la ~** las finanzas; **~s** *nfpl* (*d'un club, pays*) fondos *mpl*; (*activités et problèmes financiers*) finanzas; **financer** *vt* financiar; **financier, -ière** *adj* financiero(-a)

finesse [finɛs] *nf* finura; delgadez *f*; afilamiento; agudeza; **~s** *nfpl* (*subtilités*) sutilezas *fpl*

fini, e [fini] *adj* terminado(-a), acabado(-a); (*MATH, PHILOSOPHIE*) finito(-a) ♦ *nm* (*d'un objet*) *manufacturé*) perfección f; **bien/mal ~** (*travail, vêtement*) bien/mal terminado(-a), bien/mal rematado(-a)

finir [finiʀ] *vt* acabar, terminar; (*être placé en fin de: période, livre*) finalizar ♦ *vi* terminarse, acabarse; **~ de faire qch** (*terminer*) acabar de hacer algo; **~ par qch/par faire qch** (*gén*) acabar con algo/haciendo un por hacer algo; **il finit par m'agacer** acaba molestándome; **~ en tragédie** acabar en tragedia; **en ~ (avec qn/qch)** acabar (con algn/algo); **cela/il va mal ~** eso/él acabará mal

finition [finisjɔ̃] *nf* acabado, último toque m

finlandais, e [fɛ̃lɑ̃dɛ, ɛz] *adj* finlandés(-esa) ♦ *nm/f*: **F~, e** finlandés(-esa)

Finlande [fɛ̃lɑ̃d] *nf* Finlandia

firme [fiʀm] *nf* firma

fis [fi] *vb voir* **faire**

fisc [fisk] *nm*: **le ~** el fisco

fiscal, e, -aux [fiskal, o] *adj* fiscal; **fiscalité** *nf* (*système*) régimen m tributario; (*charges*) cargas *fpl* fiscales

fissure [fisyʀ] *nf* fisura; **fissurer**: **se fissurer** *vpr* agrietarse

fit [fi] *vb voir* **faire**

fixation [fiksasjɔ̃] *nf* fijación f; **~ (de sécurité)** (*de ski*) fijación f (de seguridad)

fixe [fiks] *adj* fijo(-a) ♦ *nm* (*salaire de base*) sueldo base; **à date/heure ~** en fecha/hora fijas; **menu à prix ~** menú m de precio fijo

fixé, e [fikse] *adj*: **être ~ (sur)** saber a qué atenerse (respecto a)

fixer [fikse] *vt* fijar; (*poser son*

regard sur) fijar la mirada en; **se ~ quelque part** establecerse en algún sitio; **se ~ sur** (*suj: regard, attention*) fijarse en

flacon [flakɔ̃] *nm* frasco

flageolet [flaʒɔlɛ] *nm* (*MUS*) chirimía; (*CULIN*) frijol m

flagrant, e [flagʀɑ̃, ɑ̃t] *adj* flagrante; **prendre qn en ~ délit** coger a algn en flagrante delito

flair [flɛʀ] *nm* olfato; **flairer** *vt* olfatear

flamand, e [flamɑ̃, ɑ̃d] *adj* flamenco(-a) ♦ *nm* (*LING*) flamenco ♦ *nm/f*: **F~, e** flamenco(-a); **les F~s** los flamencos

flamant [flamɑ̃] *nm* (*ZOOL*) flamenco

flambant [flɑ̃bɑ̃] *adv*: **~ neuf** nuevo flamante

flambé, e [flɑ̃be] *adj*: **banane/crêpe ~e** plátano/crêpe m flameado

flambée [flɑ̃be] *nf* llamarada

flamber [flɑ̃be] *vi* llamear

flamboyer [flɑ̃bwaje] *vi* (*aussi fig*) resplandecer

flamme [flam] *nf* llama; (*fig*) pasión f; **en ~s** en llamas

flan [flɑ̃] *nm* flan m

flanc [flɑ̃] *nm* (*ANAT*) costado; (*montagne*) ladera

flancher [flɑ̃ʃe] *vi* flaquear

flanelle [flanɛl] *nf* franela

flâner [flɑne] *vi* callejear, deambular

flanquer [flɑ̃ke] *vt* flanquear; **~ qch sur/dans** (*fam: mettre*) tirar algo a/en; **~ par terre** (*fam*) arrojar al suelo; **~ à la porte** (*fam*) echar a la calle

flaque [flak] *nf* charco

flash [flaʃ] (*pl* **~es**) *nm* (*PHOTO: dispositif*) flash m; **~**

d'information flash informativo

flatter [flate] vt (personne)
halagar, adular; **flatteur, -euse**
adj (photo, profil) halagüeño(-a);
(éloges) halagador(-a) ♦ nm/f
(personne) adulador(a)

flèche [flɛʃ] nf flecha; (de clocher
aguja; (de grue) aguilón m;
monter en ~ (fig) subir como
una flecha; **fléchettes** nfpl (jeu)
dardos mpl

flétrir [fletʀiʀ] se ~ vpr (fleur)
marchitarse; (peau, visage) ajarse

fleur [flœʀ] nf flor f; **être en ~**
estar en flor

fleuri, e [flœʀi] adj florido(-a)

fleurir [flœʀiʀ] vi florecer ♦ vt
poner flores en

fleuriste [flœʀist] nm/f florista
m/f

fleuve [flœv] nm río

flexible [flɛksibl] adj flexible

flic [flik] (fam: péj) nm poli m

flipper¹ [flipœʀ] nm flíper m

flipper² [flipe] vi (fam)
amargarse

flirter [flœʀte] vi flirtear

flocon [flɔkɔ̃] nm copo

flore [flɔʀ] nf flora

florissant, e [flɔʀisɑ̃, ɑ̃t] vb voir
fleurir ♦ adj (entreprise,
commerce) floreciente,
próspero(-a)

flot [flo] nm (fig) oleada; (de
paroles, etc) río; **~s** nmpl (de la
mer) olas fpl, mar fsg; **à ~s** a
raudales

flottant, e [flɔtɑ̃, ɑ̃t] adj
(vêtement) de vuelo, ancho(-a);
(non fixe) fluctuante

flotte [flɔt] nf flota; (fam: eau)
agua; (: pluie) lluvia

flotter [flɔte] vi flotar; (drapeau,
cheveux) ondear; (vêtements) volar;
(ÉCON) fluctuar ♦ vb impers (fam):

il flotte llueve; **flotteur** nm
(d'hydravion etc) flotador m; (de
canne à pêche) boya

flou, e [flu] adj borroso(-a); (idée)
vago(-a)

fluide [flɥid] adj fluido(-a)

fluor [flyɔʀ] nm flúor m

fluorescent, e [flyɔʀesɑ̃, ɑ̃t] adj
fluorescente

flûte [flyt] nf flauta; (verre) copa;
(pain) barra pequeña de pan; **~!**
¡caramba!; **~ à bec/traversière**
flauta dulce/travesera

flux [fly] nm flujo; **le ~ et le
reflux** el flujo y el reflujo

FM [ɛfɛm] sigle f (= fréquence
modulée) FM f (= frecuencia
modulada)

foc [fɔk] nm foque m

foi [fwa] nf fe f; **avoir ~ en** tener
fe en; **digne de ~** fidedigno(-a);
être de bonne/mauvaise ~
actuar con buena/mala fe, **ma ~!**
¡lo juro!

foie [fwa] nm hígado

foin [fwɛ̃] nm heno

foire [fwaʀ] nf mercado; (fête
foraine) feria, romería; **faire la ~**
(fig: fam) irse de juerga ou de farra
(AM); **~ (exposition)** feria de
muestras

fois [fwa] nf: **une/deux ~** una
vez/dos veces; **2 ~ 2** 2 por 2;
**deux/quatre ~ plus grand
(que)** dos/cuatro veces mayor
(que); **une (bonne) ~ pour
toutes** de una vez por todas;
une ~ que c'est fait una vez
que esté hecho; **à la ~** (ensemble)
a la vez; **des ~** a veces; **chaque
~ que** cada vez que

fol [fɔl] adj voir **fou**

folie [fɔli] nf locura; **faire des ~s**
hacer locuras, gastar a lo loco

folklorique [fɔlklɔʀik] adj

folklórico(-a); (*péj*)
estrambótico(-a)

folle [fɔl] *adj f, nf voir* **fou;**
follement *adv* (*amoureux*)
locamente; (*drôle, intéressant*)
tremendamente; **avoir**
follement envie de tener unos
celos tremendos de

foncé, e [fɔ̃se] *adj* oscuro(-a)

foncer [fɔ̃se] *vt* oscurecer; (*fam:
aller vite*) ir volando; **~ sur** (*fam*)
arremeter contra

fonction [fɔ̃ksjɔ̃] *nf* función *f*;
(*profession*) profesión *f*; (*poste*)
cargo; **~s** *nfpl* (*activité, pouvoirs*)
competencias *fpl*; **entrer en/**
reprendre ses ~s tomar
posesión de/reincorporarse a su
cargo; **voiture/maison de ~**
coche *m*/casa oficial; **être ~ de**
depender de; **en ~ de**
dependiendo de; **faire ~ de** (*suj:
personne*) hacer las veces de;
(*chose*) servir para; **la ~ publique**
la función pública;

fonctionnaire [fɔ̃ksjɔnɛʀ] *nm/f*
funcionario(-a); **fonctionner** *vi*
funcionar

fond [fɔ̃] *nm* fondo; **un ~ de**
verre/bouteille el resto del
vaso/de la botella; **le ~** (*SPORT*) el
fondo; **au ~ de** (*récipient*) en el
fondo de; (*salle*) al fondo de;
sans ~ (*très profond*) sin fondo;
toucher le ~ (*aussi fig*) tocar
fondo; **à ~** (*soutenir*) a
capa y espada; **à ~ (de train)**
(*fam*) a todo correr, a toda
marcha; **dans le ~, au ~** en
resumidas cuentas; **de ~ en**
comble de arriba a abajo; **~ de**
teint maquillaje *m* de fondo; **~**
sonore fondo sonoro

fondamental, e, -aux
[fɔ̃damɑ̃tal, o] *adj* fundamental

fondant, e [fɔ̃dɑ̃, ɑ̃t] *adj*: **la**
neige/glace ~e la nieve/el hielo
que se derrite

fondation [fɔ̃dasjɔ̃] *nf* fundación
f; **~s** *nfpl* (*d'une maison*)
cimientos *mpl*

fondé, e [fɔ̃de] *adj* fundado(-a)

fondement [fɔ̃dmɑ̃] *nm*: **sans ~**
sin fundamento

fonder [fɔ̃de] *vt* fundar; **~ qch**
sur (*fig*) basar algo en; **se ~ sur**
qch (*personne*) basarse en algo

fonderie [fɔ̃dʀi] *nf* fundición *f*

fondre [fɔ̃dʀ] *vt* (*neige, glace*)
fundir, derretir; (*métal*) fundir;
(*dans l'eau: sucre*) disolver;
(*mélanger*) mezclar ♦ *vi* fundirse,
derretirse; (*métal*) fundirse;
(*argent, courage*) esfumarse; **~ sur**
(*se précipiter*) abatirse sobre; **faire**
~ derretir; (*sucre*) disolver; **~ en**
larmes deshacerse en lágrimas

fonds [fɔ̃] *nm* fondo ♦ *nmpl*
(*argent*) fondos *mpl*; **~ (de**
commerce) fondo de comercio

fondu, e [fɔ̃dy] *adj* (*beurre*)
derretido(-a); (*neige*) fundido(-a),
derretido(-a); (*métal*) fundido(-a);
fondue *nf*: **fondue**
(savoyarde)/bourguignonne
fondue *f* (saboyana)/burguiñona

font [fɔ̃] *vb voir* **faire**

fontaine [fɔ̃tɛn] *nf* fuente *f*

fonte [fɔ̃t] *nf* (*de la neige*) deshielo
f; (*métal*) hierro colado

foot(ball) [fut(bol)] *nm* fútbol *m*;
footballeur, -euse *nm/f*
futbolista *m/f*

footing [futiŋ] *nm*: **faire du ~**
hacer footing

forain, e [fɔʀɛ̃, ɛn] *adj* ferial ♦
nm/f (*marchand*) feriante *m/f*

forçat [fɔʀsa] *nm* forzado *m*

force [fɔʀs] *nf* fuerza; (*d'une
armée*) potencia; (*intellectuelle,
morale*) fortaleza; **~s** *nfpl* (MIL,

physiques) fuerzas *fpl*; **ménager ses/reprendre des ~s** ahorrar/recuperar fuerzas; **être à bout de ~** estar agotado(-a); **à ~ de critiques/de le critiquer/ de faire** a fuerza de críticas/de criticarlo/de hacer; **de ~** (*prendre, enlever*) a la fuerza; **être de ~ à faire qch** ser capaz de hacer algo; **les ~s de l'ordre** las fuerzas del orden; **c'est une ~ de la nature** (*personne*) un sansón

forcé, e [fɔʀse] *adj* (*rire, attitude*) forzado(-a); (*bain, atterrissage*) forzoso(-a); **forcément** *adv* (*obligatoirement*) forzosamente; (*bien sûr*) como es lógico

forcer [fɔʀse] *vt* forzar; (*AGR*) impulsar el crecimiento de ♦ *vi* esforzarse; **~ qn à qch/à faire qch** obligar a algn a algo/a hacer algo; **se ~ à qch/faire qch** obligarse a algo/a hacer algo; **~ la main à qn** apretarle los tornillos a algn

forestier, -ière [fɔʀestje, jeʀ] *adj* forestal

forêt [fɔʀe] *nf* bosque *m*

forfait [fɔʀfe] *nm* (*COMM*) ajuste *m*; (*crime*) crimen *m*; **déclarer ~** (*SPORT*) retirarse; **travailler à ~** trabajar a destajo; **forfaitaire** *adj* concertado(-a)

forge [fɔʀʒ] *nf* forja; **forgeron** *nm* herrero

formaliser: **se ~** *vpr* molestarse; **se ~ de qch** molestarse por algo

formalité [fɔʀmalite] *nf* requisito, trámite *m*; **simple ~** mera formalidad *f*

format [fɔʀma] *nm* formato; **formater** *vt* formatear

formation [fɔʀmasjɔ̃] *nf*

formación *f*; (*apprentissage*) educación *f*; **la ~ permanente/ continue** la formación permanente/continua; **la ~ professionnelle/des adultes** la formación profesional/de adultos

forme [fɔʀm] *nf* forma; (*type*) tipo; **~s** *nfpl* (*manières*) formas *fpl*; **en ~ de poire** con forma de pera; **être en (bonne/pleine) ~** estar en (buena/plena) forma; **avoir la ~** estar en forma

formel, le [fɔʀmel] *adj* (*preuve, décision*) categórico(-a); (*logique*) formal; **formellement** *adv* absolutamente

former [fɔʀme] *vt* formar; **se ~** *vpr* formarse

formidable [fɔʀmidabl] *adj* (*important: excellent*) estupendo(-a)

formulaire [fɔʀmyleʀ] *nm* impreso

formule [fɔʀmyl] *nf* fórmula; (*de vacances, crédit*) sistema *m*; **~ de politesse** fórmula de cortesía

fort, e [fɔʀ, fɔʀt] *adj* (*aussi fig*) fuerte; (*gros*) grueso(-a); (*quantité*) importante; (*soleil*) intenso(-a) ♦ *adv* (*frapper, serrer, sonner*) con fuerza; (*parler*) alto; (*beaucoup*) mucho; (*très*) muy ♦ *nm* (*édifice, fig*) fuerte *m*; **être ~ (en)** ser bueno(-a) (en); **au plus ~ de** en lo más álgido de; **forteresse** *nf* fortaleza

fortifiant [fɔʀtifjɑ̃] *adj* fortificante

fortune [fɔʀtyn] *nf* fortuna; **faire ~** hacer fortuna; **de ~** improvisado(-a); **fortuné, e** *adj* afortunado(-a)

fosse [fos] *nf* fosa

fossé [fose] *nm* zanja

fossette [fɔset] *nf* hoyuelo

fossile [fɔsil] *nm* fósil *m*

fou (fol), folle [fu, fɔl] *adj* loco(-a); *(fam: extrême)* inmenso(-a) ♦ *nm/f* loco(-a) ♦ *nm (d'un roi)* bufón *m*; **être fou de** estar loco(-a) por; **faire le fou** hacer el tonto *ou* el niño; **avoir le fou rire** tener un ataque de risa; **ça prend un temps fou** *(fam)* esto lleva mucho tiempo; **il a eu un succès fou** *(fam)* tuvo un éxito loco

foudre [fudʀ] *nf* rayo

foudroyant, e [fudʀwajɑ̃, ɑ̃t] *adj* fulminante

fouet [fwɛ] *nm* látigo, fuete *(AM)*, rebenque *(AM)*; *(CULIN)* batidor *m*; **de plein ~** *(heurter)* de frente; **fouetter** *vt* dar latigazos a

fougère [fuʒɛʀ] *nf* helecho

fougue [fug] *nf* fogosidad *f*; **fougueux, -euse** *adj* fogoso(-a)

fouille [fuj] *nf (v vt)* cacheo, registro; **~s** *nfpl (archéologiques)* excavaciones *fpl*; **fouiller** *vt (suspect)* registrar; *(local, quartier)* registrar; *(creuser)* excavar; *(approfondir)* ahondar en; **fouillis** *nm* revoltijo

foulard [fulaʀ] *nm* pañuelo

foule [ful] *nf*: **la ~** la muchedumbre, el gentío; **une ~ de** una multitud de

foulée [fule] *nf (SPORT)* zancada

fouler [fule] *vt (écraser)* prensar; **se ~** *vpr (fam)* matarse trabajando; **se ~ la cheville/le bras** torcerse el tobillo/el brazo; **foulure** *nf* esguince *m*

four [fuʀ] *nm* horno; *(échec)* fracaso

fourche [fuʀʃ] *nf* horca

fourchette [fuʀʃɛt] *nf* tenedor *m*; *(STATISTIQUE)* gama

fourgon [fuʀgɔ̃] *nm* furgón *m*;

fourgonnette *nf* furgoneta

fourmi [fuʀmi] *nf* hormiga; **avoir des ~s dans les jambes/mains** *(fig)* tener un hormigueo en las piernas/manos; **fourmilière** *nf* hormiguero; **fourmiller** *vi (gens)* hormiguear

fourneau, x [fuʀno] *nm* horno

fourni, e [fuʀni] *adj (barbe, cheveux)* tupido(-a), poblado(-a); **bien/mal ~ (en)** bien/mal equipado(-a) (en)

fournir [fuʀniʀ] *vt* proporcionar; *(effort)* realizar; *(chose)* dar, proporcionar; **fournisseur, -euse** *nm/f* proveedor(a); **fournitures** *nfpl* material *msg*

fourrage [fuʀaʒ] *nm* forraje *m*

fourré, e [fuʀe] *adj (bonbon)* relleno(-a); *(manteau, botte)* forrado(-a) ♦ *nm* maleza

fourrer [fuʀe] *(fam) vt*: **~ qch dans** meter algo en; **se ~** *vpr*: **se ~ dans/sous** meterse en/bajo

fourrière [fuʀjɛʀ] *nf (pour chiens)* perrera; *(voitures)* depósito de coches

fourrure [fuʀyʀ] *nf* piel *f*; **manteau/col de ~** abrigo/cuello de piel

foutre [futʀ] *(fam!) vt* = **ficher**; **foutu, e** *(fam!) adj* = **fichu**

foyer [fwaje] *nm* hogar *m*; *(fig)* foco

fracassant, e [fʀakasɑ̃, ɑ̃t] *adj (fig)* estrepitoso(-a)

fraction [fʀaksjɔ̃] *nf* fracción *f*; *(MATH)* fracción, quebrado

fracture [fʀaktyʀ] *nf (MÉD)* fractura; **fracturer** *vt (coffre, serrure)* forzar; **se fracturer la jambe/le crâne** fracturarse la pierna/el cráneo

fragile [fʀaʒil] *adj (aussi fig)* frágil;

(*santé, personne*) delicado(-a);
fragilité *nf* fragilidad *f*

fragment [fʀagmɑ̃] *nm* (*d'un objet*) fragmento, trozo; (*d'un discours*) fragmento

fraîche [fʀɛʃ] *adj voir* **frais**;

fraîcheur *nf* (*voir frais*) frescor *m*, frescura; lozanía; frialdad *f*;

fraîchir *vi* refrescar; (*vent*) levantarse

frais, fraîche [fʀɛ, fʀɛʃ] *adj* fresco(-a); (*teint*) lozano(-a); (*accueil*) frío(-a) ♦ *adv*: **il fait ~** hace *ou* está fresco ♦ *nm*: **mettre au ~** poner en el frigorífico ♦ *nmpl* (*COMM, dépenses*) gastos *mpl*; **à boire/servir ~** beber/servir frío; **légumes/fruits ~** verduras *fpl*/frutas *fpl* frescas; **prendre le ~** tomar el fresco; **faire des ~** hacer gasto; **~ de scolarité** gastos de matrícula; **~ généraux** gastos generales

fraise [fʀɛz] *nf* (*BOT, TECH*) fresa, frutilla (*AM*); **~ des bois** fresa silvestre

framboise [fʀɑ̃bwaz] *nf* frambuesa

franc, franche [fʀɑ̃, fʀɑ̃ʃ] *adj* franco(-a); (*refus, couleur*) claro(-a); (*coupure*) limpio(-a); (*intensif*) auténtico(-a) ♦ *adv*: **à parler ~** francamente ♦ *nm* (*monnaie*) franco; **~ de port** porte pagado

français, e [fʀɑ̃sɛ, ɛz] *adj* francés(-esa) ♦ *nm* (*LING*) francés *m* ♦ *nm/f*: **F~, e** francés(-esa); **les F~** los franceses

France [fʀɑ̃s] *nf* Francia

franche [fʀɑ̃ʃ] *adj voir* **franc**; **franchement** *adv* francamente; (*tout à fait*) realmente

franchir [fʀɑ̃ʃiʀ] *vt* (*aussi fig*) salvar; (*seuil*) franquear

franchise [fʀɑ̃ʃiz] *nf* franqueza;

(*douanière, ASSURANCE*) franquicia; (*COMM*) licencia

franc-maçon [fʀɑ̃masɔ̃] (*pl* **~~s**) *nm* francmasón(-ona)

franco [fʀɑ̃ko] *adv* (*COMM*): **~ (de port)** porte pagado

francophone [fʀɑ̃kɔfɔn] *adj*, *nm/f* francófono(-a)

franc-parler [fʀɑ̃paʀle] *nm inv* franqueza

frange [fʀɑ̃ʒ] *nf* fleco, franja; (*de cheveux*) flequillo; (*fig*) franja

frangipane [fʀɑ̃ʒipan] *nf* crema almendrada

frappant, e [fʀapɑ̃, ɑ̃t] *adj* sorprendente

frappé, e [fʀape] *adj* (*vin, café*) helado(-a); **~ de** *ou* **par qch** impresionado(-a) por algo

frapper [fʀape] *vt* golpear; (*fig*) impresionar; (*malheur, impôt*) afectar; (*monnaie*) acuñar; **~ dans les mains** golpear con las manos; **~ du poing sur** dar un puñetazo en

fraternel, le [fʀatɛʀnɛl] *adj* fraterno(-a); **fraternité** *nf* fraternidad *f*

fraude [fʀod] *nf* fraude *m*; **passer qch en ~** pasar algo fraudulentamente

frayeur [fʀɛjœʀ] *nf* pavor *m*

fredonner [fʀədɔne] *vt* tararear

freezer [fʀizœʀ] *nm* congelador *m*

frein [fʀɛ̃] *nm* freno; **sans ~** sin freno; **~s à disques** frenos *mpl* de disco; **~ à main** freno de mano; **~s à tambours** frenos de tambor; **freiner** *vi* frenar ♦ *vt* frenar, parar

frêle [fʀɛl] *adj* frágil

frelon [fʀəlɔ̃] *nm* abejón *m*

frémir [fʀemiʀ] *vi* estremecerse; (*eau*) empezar a hervir

frêne [fʀɛn] nm fresno

fréquemment [fʀekamɑ̃] adv frecuentemente, seguido (AM)

fréquent, e [fʀekɑ̃, ɑ̃t] adj frecuente; (opposé à rare) corriente

fréquentation [fʀekɑ̃tasjɔ̃] nf frecuentación f, trato; **~s** nfpl (relations): **de bonnes ~s** buenas relaciones

fréquenté, e [fʀekɑ̃te] adj: **très ~** muy concurrido(-a); **mal ~** frecuentado(-a) por gente indeseable

fréquenter [fʀekɑ̃te] vt frecuentar; (personne) tratar, frecuentar; (courtiser) salir con; **se ~** vpr tratarse, frecuentarse

frère [fʀɛʀ] nm hermano

fresque [fʀɛsk] nf fresco; (LITT) retrato

fret [fʀɛ(t)] nm flete m

friand, e [fʀijɑ̃, fʀijɑ̃d] adj: **~ de** entusiasta de

friandise [fʀijɑ̃diz] nf golosina

fric [fʀik] (fam) nm pasta

friche [fʀiʃ]: **en ~** adj, adv inculto(-a)

friction [fʀiksjɔ̃] nf fricción f

frigidaire ® [fʀiʒidɛʀ] nm nevera, frigorífico

frigo [fʀigo] nm = **frigidaire**

frigorifique [fʀigɔʀifik] adj frigorífico(-a)

frileux, -euse [fʀilø, øz] adj friolero(-a); (fig) encogido(-a)

frimer [fʀime] (fam) vi chulear

fringale [fʀɛ̃gal] nf: **avoir la ~** tener un hambre canina

fringues [fʀɛ̃g] (fam) nfpl trapos mpl

fripé, e [fʀipe] adj arrugado(-a)

frire [fʀiʀ] vt (aussi: **faire ~**) freír

frisé, e [fʀize] adj rizado(-a)

frisson [fʀisɔ̃] nm escalofrío, estremecimiento; **frissonner** vi

tiritar, estremecerse; (fig) temblar

frit, e [fʀi, fʀit] pp de **frire ♦** adj frito(-a); **(pommes) ~es** patatas fpl ou papas fpl (AM) fritas; **frite** nf patata frita; **friteuse** nf freidora; **friture** nf (huile) aceite m; (RADIO) ruido de fondo; **friture (de poissons)** fritura (de pescado)

froid, e [fʀwa, fʀwad] adj frío(-a); **il fait ~** hace frío; **avoir/prendre ~** tener/coger frío; **à ~** en frío; **jeter un ~** (fig) provocar el asombro; **être en ~ avec qn** estar enfadado(-a) con algn; **froidement** adv con frialdad

froisser [fʀwase] vt arrugar; (fig) ofender; **se ~** vpr arrugarse; **se ~ un muscle** distendérsele a algn un músculo

frôler [fʀole] vt rozar

fromage [fʀɔmaʒ] nm queso; **~ blanc** queso fresco, requesón m

froment [fʀɔmɑ̃] nm trigo

froncer [fʀɔ̃se] vt fruncir; **~ les sourcils** fruncir el ceño

front [fʀɔ̃] nm frente f; **de ~** de frente; (rouler) al lado; (simultanément) al mismo tiempo; **faire ~ à** hacer frente a; **~ de mer** paseo marítimo

frontalier, -ière [fʀɔ̃talje, jɛʀ] adj fronterizo(-a) ♦ nm/f: **(travailleurs) ~s** (trabajadores mpl) fronterizos mpl

frontière [fʀɔ̃tjɛʀ] nf frontera

frotter [fʀɔte] vi frotar ♦ vt frotar; (pour nettoyer) frotar, estregar; **une allumette** encender una cerilla

fruit [fʀɥi] nm fruta; **~s de mer** mariscos mpl; **~s secs** frutos secos; **fruité, e** adj afrutado(-a); **fruitier, -ière** adj: **arbre fruitier** árbol m frutal

frustrer [fʀystʀe] vt frustrar

fuel(-oil) [fjul(ɔjl)] (pl
fuels(-oils)) nm fuel(-oil) m

fugace [fygas] adj fugaz

fugitif, -ive [fyʒitif, iv] adj (lueur,
amour) efímero(-a); (prisonnier etc)
fugitivo(-a) ♦ nm/f fugitivo(-a)

fugue [fyg] nf: **faire une ~**
fugarse

fuir [fɥiʀ] vt huir ♦ vi huir; (gaz,
eau) escapar; (robinet) perder agua

fuite [fɥit] nf huida; (des capitaux
etc) fuga; (d'eau) escape m;
(divulgation) filtración f; **être en
~** ser un(a) prófugo(-a); **mettre
en ~** ahuyentar

fulgurant, e [fylgyʀɑ̃, ɑ̃t] adj
fulgurante

fumé, e [fyme] adj ahumado(-a);
fumée nf humo

fumer [fyme] vi echar humo;
(personne) fumar ♦ vt (cigarette,
pipe) fumar

fûmes [fym] vb voir **être**

fumeur, -euse [fymœʀ, øz] nm/f
fumador(a)

fumier [fymje] nm estiércol m

funérailles [fyneʀaj] nfpl funeral
msg

fur [fyʀ]: **au ~ et à mesure** adv
poco a poco; **au ~ et à mesure
que** a medida que, conforme

furet [fyʀɛ] nm (ZOOL) hurón m

fureter [fyʀ(ə)te] (péj) vi husmear,
fisgonear

fureur [fyʀœʀ] nf furia, cólera;
faire ~ estar en boga, hacer furor

furie [fyʀi] nf furia; **en ~**
desencadenado(-a); **furieux,
-euse** adj furioso(-a)

furoncle [fyʀɔ̃kl] nm forúnculo

furtif, -ive [fyʀtif, iv] adj
furtivo(-a)

fus [fy] vb voir **être**

fusain [fyzɛ̃] nm (BOT) bonetero;

(ART) carboncillo

fuseau, x [fyzo] nm (pantalon)
fuso; (pour filer) huso; **~ horaire**
huso horario

fusée [fyze] nf cohete m

fusible [fyzibl] nm fusible m

fusil [fyzi] nm (de guerre, à canon
rayé) fusil m; (de chasse, à canon
lisse) escopeta; **fusillade** nf
(bruit) tiroteo; **fusiller** vt fusilar

fusionner [fyzjɔne] vi fusionarse

fût [fy] vb voir **être**

fût² [fy] nm (tonneau) tonel m,
barril m; (de canon) caña

futé, e [fyte] adj ladino(-a)

futile [fytil] adj fútil

futur, e [fytyʀ] adj futuro(-a) ♦
nm: **le ~** (LING) el futuro; (avenir)
el futuro, el porvenir

fuyard, e [fɥijaʀ, aʀd] nm/f
fugitivo(-a)

G, g

gâcher [gɑʃe] vt arruinar,
estropear; (vie) arruinar; (argent)
malgastar; **gâchis** nm (gaspillage)
despilfarro

gaffe [gaf] nf (instrument) bichero;
(fam: erreur) metedura de pata;
faire ~ (fam) tener cuidado

gage [gaʒ] nm (dans un jeu,
comme garantie) prenda; (fig: de
fidélité) prueba; **mettre en ~**
empeñar

gagnant, e [gaɲɑ̃, ɑ̃t] adj:
billet/numéro ~ billete m/
número premiado

gagne-pain [gaɲpɛ̃] nm inv
medio de vida

gagner [gaɲe] vt ganar; (suj:
maladie, feu) extenderse a;
(envahir) invadir ♦ vi (être
vainqueur) ganar; **~ du temps/**

de la place ganar tiempo/espacio; **~ sa vie** ganarse la vida; **~ du terrain** (*aussi fig*) ganar terreno

gai, e [ge] *adj* alegre; **gaiement** *adv* alegremente; (*de bon cœur*) con entusiasmo; **gaieté** *nf* alegría; **de gaieté de cœur** de buena gana

gain [gɛ̃] *nm* (*revenu*) ingreso; (*bénéfice: gén pl*) ganancias *fpl*; **avoir ~ de cause** (*fig*) ganar, tener razón

gala [gala] *nm* gala

galant, e [galɑ̃, ɑ̃t] *adj* galante; (*entreprenant*) galanteador(a)

galerie [galʁi] *nf* galería; (*THÉÂTRE*) palco; (*de voiture*) baca; (*fig: spectateurs*) público, galería; **~ de peinture** galería de arte; **~ marchande** centro comercial, galería comercial

galet [galɛ] *nm* guijarro; (*TECH*) arandela

galette [galɛt] *nf* (*gâteau*) roscón *m*; (*crêpe*) crepe *f*, panqueque *m* (*AM*)

galipette [galipɛt] *nf*: **faire des ~s** hacer piruetas

Galles [gal] *nfpl*: **le pays de ~** el país de Gales; **gallois, e** *adj* galés(-esa) ♦ *nm* (*LING*) galés *m* ♦ *nm/f*: **Gallois, e** galés(-esa)

galon [galɔ̃] *nm* galón *m*

galop [galo] *nm* galope *m*; **galoper** *vi* galopar

gambader [gɑ̃bade] *vi* brincar

gamin, e [gamɛ̃, in] *nm/f* chiquillo(-a), chamaco(-a) (*CAM, MEX*), pibe(-a) (*ARG*), cabro(-a) (*AND, CHI*)

gamme [gam] *nf* (*MUS*) escala; (*fig*) gama

gang [gɑ̃g] *nm* banda

gant [gɑ̃] *nm* guante *m*; **~ de**

toilette manopla de baño

garage [gaʁaʒ] *nm* garaje *m*; **garagiste** *nm/f* (*propriétaire*) dueño(-a) de un garaje; (*mécanicien*) mecánico

garantie [gaʁɑ̃ti] *nf* garantía; **(bon de) ~** (bono de) garantía

garantir [gaʁɑ̃tiʁ] *vt* garantizar; **~ de qch** proteger contra *ou* de algo

garçon [gaʁsɔ̃] *nm* niño; **mon/son ~** (*fils*) mi/su hijo; (*célibataire*) soltero; **~ de café** camarero; **~ manqué** medio chico

garde [gaʁd(ə)] *nm* guardia *m*; (*de domaine etc*) guarda *m* ♦ *nf* guardia *f*; **de ~** *adj, adv* de guardia; **mettre en ~** poner en guardia; **prendre ~ (à)** tener cuidado (con); **être sur ses ~s** estar en guardia; **monter la ~** montar la guardia; **~ à vue** *nf* (*JUR*) detención *f* provisional; **~ champêtre** *nm* guarda rural; **~ d'enfants** *nf* niñera; **~ des Sceaux** *nm* ≈ ministro de Justicia; **~ du corps** *nm* guardaespaldas *m inv*, guarura *m* (*MEX*) (*fam*); **garde-boue** *nm inv* guardabarros *m inv*; **garde-chasse** (*pl* **gardes-chasse(s)**) *nm* guarda de caza

garder [gaʁde] *vt* (*conserver: personne*) mantener; (: *sur soi: vêtement, chapeau*) quedarse con; (*surveiller: enfants*) cuidar; (: *prisonnier, lieu*) vigilar; **se ~** *vpr* (*aliment*) conservarse; **~ le lit** guardar cama; **~ la chambre** permanecer en la habitación; **se ~ de faire qch** abstenerse de hacer algo; **pêche/chasse gardée** coto de pesca/caza

garderie [gaʁdəʁi] *nf* guardería

garde-robe [gaʁdəʁɔb] (*pl* **~~s**)

nf (*meuble*) ropero; (*vêtements*) guardarropa *m*

gardien, ne [gaʀdjɛ̃, jɛn] *nm/f* (*garde*) vigilante *m/f*; (*de prison*) oficial *m/f*; (*de domaine, réserve, cimetière*) guarda *m/f*; (*de musée etc*) guarda, vigilante; (*de phare*) farero; (*fig: garant*) garante *m/f*; (*d'immeuble*) portero(-a); **~ de but** portero, arquero (*esp AM*); **~ de la paix** guardia *m* del orden público; **~ de nuit** vigilante de noche

gare [gaʀ] *nf* estación *f* ♦ *excl*: **~ à ...** cuidado con ...; **~ à toi** cuidado con lo que haces; **~ routière** estación de autobuses

garer [gaʀe] *vt* aparcar; **se ~** *vpr* (*véhicule, personne*) aparcar; (*pour laisser passer*) apartarse

garni, e [gaʀni] *adj* (*plat*) con guarnición ♦ *nm* (*appartement*) piso amueblado

garniture [gaʀnityʀ] *nf* (*CULIN: légumes*) guarnición *f*; (*décoration*) adorno; (*protection*) revestimiento; **~ de frein** (*AUTO*) forro de freno

gars [ga] *nm* (*fam: garçon*) chico; (*homme*) tío

Gascogne [gaskɔɲ] *nf* Gasconia

gas-oil [gazwal] *nm* gas-oil *m*

gaspiller [gaspije] *vt* derrochar, malgastar

gastronome [gastʀɔnɔm] *nm/f* gastrónomo(-a); **gastronomie** *nf* gastronomía; **gastronomique** *adj*: **menu gastronomique** menú *m* gastronómico

gâteau, x [gɑto] *nm* pastel *m*; **~ sec** galleta

gâter [gɑte] *vt* (*personne*) mimar; (*plaisir, vacances*) estropear; **se ~** *vpr* (*dent, fruit*) picarse; (*temps, situation*) empeorar

gauche [goʃ] *adj* izquierda; (*personne, style*) torpe ♦ *nf* izquierda; **à ~** a la izquierda; **de ~** a la izquierda

gaucher, -ère *adj, nm/f* zurdo(-a); **gauchiste** *adj, nm/f* izquierdista *m/f*

gaufre [gofʀ] *nf* (*pâtisserie*) gofre *m*

gaufrette [gofʀɛt] *nf* barquillo

gaulois, e [golwa, waz] *adj* galo(-a) ♦ *nm/f*: **G~, e** galo(-a)

gaz [gaz] *nm inv* gas *m*; **avoir des ~** tener gases

gaze [gaz] *nf* gasa

gazette [gazɛt] *nf* gaceta

gazeux, -euse [gazø, øz] *adj* gaseoso(-a); **eau/boisson gazeuse** agua/bebida con gas

gazoduc [gazɔdyk] *nm* gaseoducto

gazon [gazɔ̃] *nm* césped *m*

geai [ʒɛ] *nm* arrendajo

géant, e [ʒeɑ̃, ɑ̃t] *adj* gigante ♦ *nm/f* gigante(-a)

geindre [ʒɛ̃dʀ] *vi* gemir

gel [ʒɛl] *nm* (*temps*) helada; (*de l'eau*) hielo; (*fig*) congelación *f*; (*produit de beauté*) gel *m*

gélatine [ʒelatin] *nf* gelatina

gelée [ʒ(ə)le] *nf* (*CULIN*) gelatina; (*MÉTÉO*) helada

geler [ʒ(ə)le] *vt* (*sol, liquide*) helar ♦ *vi* (*sol, personne*) helarse; **il gèle** hiela

gélule [ʒelyl] *nf* gragea

Gémeaux [ʒemo] *nmpl* (*ASTROL*): **les ~** Géminis *mpl*

gémir [ʒemiʀ] *vi* gemir

gênant, e [ʒenɑ̃, ɑ̃t] *adj* (*aussi fig*) molesto(-a)

gencive [ʒɑ̃siv] *nf* encía

gendarme [ʒɑ̃daʀm] *nm* gendarme *m*; ≃ guardia *m* civil; **gendarmerie** *nf* ≃ Guardia Civil; (*caserne, bureaux*) ≃ cuartel

gendre *m* de la Guardia Civil

gendre [ʒãdʀ] *nm* yerno

gêné, e [ʒene] *adj* embarazoso(-a)

gêner [ʒene] *vt* (*incommoder*) molestar; (*encombrer*) estorbar; ~ **qn** (*embarrasser*) violentar a algn; **se** ~ *vpr* molestarse

général, e, -aux [ʒeneʀal, o] *adj*, *nm* general; **en** ~ en general; **généralement** *adv* (*communément*) al nivel general; (*habituellement*) generalmente; **généraliser** *vt*, *vi* generalizar; **se généraliser** *vpr* generalizarse; **généraliste** *nm* médico general

génération [ʒeneʀasjɔ̃] *nf* generación *f*

généreux, -euse [ʒeneʀø, øz] *adj* generoso(-a)

générique [ʒeneʀik] *adj* genérico(-a) ♦ *nm* (CINÉ, TV) ficha técnica

générosité [ʒeneʀozite] *nf* generosidad *f*

genêt [ʒ(ə)nɛ] *nm* retama

génétique [ʒenetik] *adj* genético(-a)

Genève [ʒ(ə)nɛv] *n* Ginebra

génial, e, -aux [ʒenjal, jo] *adj* (*aussi fam*) genial

génie [ʒeni] *nm* genio

genièvre [ʒənjɛvʀ] *nm* (BOT, CULIN) enebro

génisse [ʒenis] *nf* ternera

génital, e, -aux [ʒenital, o] *adj* genital

génoise [ʒenwaz] *nf* bizcocho

genou, x [ʒ(ə)nu] *nm* rodilla; **à ~x** de rodillas

genre [ʒãʀ] *nm* género; (*allure*) estilo; **avoir bon/mauvais ~** (*allure*) tener buena/mala presencia

gens [ʒã] *nmpl, parfois nfpl* gente

gentil, le [ʒãti, ij] *adj* (*aimable*) amable; (*enfant*) bueno(-a); (*endroit etc*) agradable; **gentillesse** *nf* (*v adj*) amabilidad *f*; bondad *f*; lo agradable; encanto; **gentiment** *adv* con amabilidad

géographie [ʒeɔgʀafi] *nf* geografía

géologie [ʒeɔlɔʒi] *nf* geología

géomètre [ʒeɔmɛtʀ] *nm/f*: (**arpenteur-**)~ agrimensor(a)

géométrie [ʒeɔmetʀi] *nf* geometría; **géométrique** *adj* geométrico(-a)

géranium [ʒeʀanjɔm] *nm* geranio

gérant, e [ʒeʀã, ãt] *nm/f* gerente *m/f*

gerbe [ʒɛʀb] *nf* (*de fleurs*) ramo

gercé, e [ʒeʀse] *adj* agrietado(-a)

gerçure [ʒeʀsyʀ] *nf* grieta

gérer [ʒeʀe] *vt* administrar

germain, e [ʒeʀmɛ̃, ɛn] *adj voir* **cousin**

germe [ʒeʀm] *nm* germen *m*; (*pousse*) brote *m*; **germer** *vi* germinar

geste [ʒɛst] *nm* gesto

gestion [ʒɛstjɔ̃] *nf* gestión *f*

gibier [ʒibje] *nm* caza

gicler [ʒikle] *vi* brotar

gifle [ʒifl] *nf* bofetada; **gifler** *vt* abofetear

gigantesque [ʒigãtɛsk] *adj* gigantesco(-a)

gigot [ʒigo] *nm* pierna

gigoter [ʒigɔte] *vi* patalear

gilet [ʒile] *nm* (*de costume*) chaleco; (*tricot*) chaqueta de punto; (*sous-vêtement*) camiseta; ~ **de sauvetage** chaleco salvavidas

gin [dʒin] *nm* ginebra

gingembre [ʒɛ̃ʒãbʀ] *nm* jenjibre

m

girafe [ʒiʀaf] *nf* jirafa

giratoire [ʒiʀatwaʀ] *adj*: **sens ~** sentido giratorio

girofle [ʒiʀɔfl] *nf*: **clou de ~** clavo

girouette [ʒiʀwɛt] *nf* veleta

gitan, e [ʒitã, an] *nm/f* gitano(-a)

gîte [ʒit] *nm* (*maison*) morada; **~ rural** casa de turismo rural

givre [ʒivʀ] *nm* escarcha; **givré, e** *adj*: **citron/orange givré(e)** limón *m* escarchado/naranja escarchada

glace [glas] *nf* hielo; (*crème glacée*) helado; (*verre*) cristal *m*; (*miroir*) espejo; (*de voiture*) ventanilla

glacé, e [glase] *adj* helado(-a); (*fig*) frío(-a)

glacer [glase] *vt* (*lac, eau*) helar; (*CULIN, papier, tissu*) glasear

glacial, e [glasjal] *adj* glacial

glacier [glasje] *nm* (*GÉO*) glaciar *m*; (*marchand*) heladero

glacière [glasjɛʀ] *nf* nevera

glaçon [glasɔ̃] *nm* témpano; (*pour boisson*) cubito de hielo

glaïeul [glajœl] *nm* gladiolo

glaise [glez] *nf* greda

gland [glã] *nm* (*de chêne*) bellota; (*décoration*) borla

glande [glãd] *nf* glándula

glissade [glisad] *nf* (*par jeu*) deslizamiento; (*chute*) resbalón *m*; **faire des ~s** deslizarse

glissant, e [glisã, ãt] *adj* resbaladizo(-a)

glissement [glismã] *nm* (*aussi fig*) deslizamiento; **~ de terrain** corrimiento de tierra

glisser [glise] *vi* resbalar; (*patineur, fig*) deslizarse ♦ *vt* (*introduire: erreur, citation*) deslizar; (*mot, conseil*) decir discretamente;

se ~ dans/entre (*personne*) deslizarse *ou* escurrirse en/entre

global, e, -aux [glɔbal, o] *adj* global

globe [glɔb] *nm* globo

globule [glɔbyl] *nm* glóbulo

gloire [glwaʀ] *nf* gloria; (*mérite*) mérito; (*personne*) celebridad *f*

glousser [gluse] *vi* (*rire*) reír ahogadamente

glouton, ne [glutɔ̃, ɔn] *adj* glotón(-ona)

gluant, e [glyã, ãt] *adj* pegajoso(-a)

glucose [glykoz] *nm* glucosa

glycine [glisin] *nf* glicina

GO [ʒeo] *sigle fpl* (= *grandes ondes*) OL

goal [gol] *nm* portero, guardameta *m*

gobelet [gɔblɛ] *nm* cubilete *m*

goéland [gɔelã] *nm* gaviota

goélette [gɔelɛt] *nf* goleta

goinfre [gwɛ̃fʀ] *adj, nm/f* tragón(-ona)

golf [gɔlf] *nm* golf *m*

golfe [gɔlf] *nm* golfo

gomme [gɔm] *nf* (*à effacer*) goma (de borrar); **gommer** *vt* borrar

gonflé, e [gɔ̃fle] *adj* hinchado(-a); **être ~** (*fam*) tener jeta

gonfler [gɔ̃fle] *vt* hinchar ♦ *vi* hincharse; (*CULIN, pâte*) inflarse

gonzesse [gɔ̃zɛs] (*fam*) *nf* tía (*fam*)

gorge [gɔʀʒ] *nf* garganta; (*poitrine*) pecho; (*GÉO*) garganta, desfiladero

gorgée [gɔʀʒe] *nf* trago

gorille [gɔʀij] *nm* gorila

gosse [gɔs] *nm/f* chiquillo(-a), chamaco(-a) (*CAM, MEX*), pibe(-a) (*ARG*), cabro(-a) (*AND, CHI*)

goudron [gudʀɔ̃] *nm* alquitrán *m*; **goudronner** *vt* alquitranar

gouffre [gufʀ] *nm* sima, precipicio; *(fig)* abismo

goulot [gulo] *nm* cuello; **boire au ~** beber a morro

goulu, e [guly] *adj* glotón(-ona)

gourde [guʀd] *nf (récipient)* cantimplora; *(fam)* zoquete *m/f*

gourdin [guʀdɛ̃] *nm* porra

gourmand, e [guʀmɑ̃, ɑ̃d] *adj* goloso(-a)

gourmandise [guʀmɑ̃diz] *nf* gula

gourmet [guʀme] *nm* gastrónomo(-a)

gousse [gus] *nf (récipient)* vaina; **~ d'ail** diente *m* de ajo

goût [gu] *nm* gusto, sabor *m*; *(fig)* gusto; **de bon/mauvais ~** de buen/mal gusto; **prendre ~ à** aficionarse a

goûter [gute] *vt (aussi: ~ à: essayer)* probar; *(apprécier)* apreciar ♦ *vi* merendar ♦ *nm* merienda

goutte [gut] *nf* gota; **goutte-à-goutte** *nm inv* bomba de perfusión

gouttière [gutjɛʀ] *nf* canalón *m*

gouvernail [guvɛʀnaj] *nm* timón *m*

gouvernement [guvɛʀnəmɑ̃] *nm* gobierno

gouverner [guvɛʀne] *vt* gobernar

grâce [gʀɑs] *nf* gracia; *(JUR)* indulto; **de bonne/mauvaise ~** de buena/mala gana; **faire ~ à qn de qch** perdonar algo a algn; **demander ~** pedir perdón; **~ à** gracias a; **gracieux, -euse** *adj* elegante

grade [gʀad] *nm* grado; **monter en ~** ascender de grado

gradin [gʀadɛ̃] *nm* grada; **~s** *nmpl (de stade)* gradas *fpl*

gradué, e [gʀadɥe] *adj*

graduado(-a); *(exercices)* progresivo(-a)

graduel, le [gʀadɥel] *adj* gradual

graduer [gʀadɥe] *vt* graduar; *(effort)* dosificar

graffiti [gʀafiti] *nmpl* grafiti *mpl*

grain [gʀɛ̃] *nm* grano; *(averse)* aguacero; **~ de beauté** lunar *m*; **~ de café/de poivre** grano de café/de pimienta; **~ de poussière** mota de polvo; **~ de raisin** uva

graine [gʀen] *nf* semilla

graissage [gʀesaʒ] *nm* engrase *m*

graisse [gʀes] *nf* grasa; **graisser** *vt* engrasar; *(tacher)* manchar de grasa; **graisseux, -euse** *adj* grasiento(-a); *(ANAT)* adiposo(-a)

grammaire [gʀa(m)mɛʀ] *nf* gramática

gramme [gʀam] *nm* gramo

grand, e [gʀɑ̃, gʀɑ̃d] *adj* grande; *(avant le nom)* gran; *(haut)* alto(-a); *(fil, voyage, période)* largo(-a) ♦ *adv*: **~ ouvert** abierto de par en par; **un ~ homme/artiste** un gran hombre/artista; **au ~ air** al aire libre; **~ blessé/brûlé** herido/quemado grave; **~ ensemble** gran barriada; **~e personne** persona mayor; **~es écoles** universidades de élite francesas; **~es lignes** líneas *fpl* principales; **~e surface** hipermercado; **~es vacances** vacaciones *fpl* de verano; **~ magasin** grandes almacenes *mpl*; **grand-chose** *nm/f inv*: **pas grand-chose** poca cosa; **Grande-Bretagne** *nf* Gran Bretaña; **grandeur** *nf* tamaño; *(mesure, quantité, aussi fig)* magnitud *f*; *(gloire, puissance)* grandeza; **grandeur nature** *adj*

tamaño natural; **grandiose** adj
grandioso(-a); **grandir** vi (enfant,
arbre) crecer; **grand-mère** (pl
grand(s)-mères) nf abuela;
grand-peine: à grand-peine
adv a duras penas; **grand-père**
(pl **grands-pères**) nm abuelo;
grands-parents nmpl abuelos
mpl

grange [gʀɑ̃ʒ] nf granero

granit [gʀanit] nm granito

graphique [gʀafik] adj gráfico(-a)
♦ nm gráfico

grappe [gʀap] nf (BOT) racimo; ~
de raisin racimo de uvas

gras, se [gʀɑ, gʀɑs] adj (viande,
soupe) graso(-a); (personne)
gordo(-a); (surface, cheveux)
grasiento(-a); (toux) flemático(-a);
(rire) ordinario(-a); (crayon)
grueso(-a); (TYPO) en negrita ♦ nm
(CULIN) gordo; **faire la ~se
matinée** levantarse tarde;
grassement adv: **grassement
payé** largamente pagado

gratifiant, e [gʀatifjɑ̃, jɑ̃t] adj
gratificante

gratin [gʀatɛ̃] nm gratín m;
gratiné, e adj gratinado(-a);
(fam) espantoso(-a)

gratis [gʀatis] adv, adj gratis

gratitude [gʀatityd] nf gratitud f

gratte-ciel [gʀatsjɛl] nm inv
rascacielos m inv

gratter [gʀate] vt (frotter) raspar;
(enlever) quitar, borrar; (bras,
bouton) rascar; **se ~** vpr rascarse

gratuit, e [gʀatɥi, ɥit] adj
gratuito(-a)

grave [gʀav] adj grave; (sujet,
problème) grave, serio(-a);
gravement adv gravemente

graver [gʀave] vt grabar; ~ **qch
dans son esprit/sa mémoire**
(fig) grabar algo en su alma/su

memoria

gravier [gʀavje] nm grava;

gravillons nmpl gravilla

gravir [gʀaviʀ] vt subir

gravité [gʀavite] nf (aussi PHYS)
gravedad f

graviter [gʀavite] vi (aussi fig): ~
autour de gravitar alrededor de

gravure [gʀavyʀ] nf grabado m

gré [gʀe] nm: **à son** ~ a su gusto;
contre le ~ de qn contra la
voluntad de algn; **de son (plein)**
~ por su propia voluntad; **de** ~
ou de force por las buenas o por
las malas; **il faut le faire bon** ~
mal ~ hay que hacerlo, queramos
o no

grec, grecque [gʀɛk] adj
griego(-a) ♦ nm/f: **G~, Grecque**
griego(-a)

Grèce [gʀɛs] nf Grecia

greffe [gʀɛf] nf (AGR) injerto; (MÉD)
tra(n)splante m ♦ nm (JUR) archivo;
~ **du rein** transplante de riñón;
greffer vt (tissu) injertar; (organe)
transplantar

grêle [gʀɛl] adj flaco(-a) ♦ nf
granizo; **grêler** vb impers: **il
grêle** graniza; **grêlon** nm
granizo

grelot [gʀəlo] nm cascabel m

grelotter [gʀəlɔte] vi tiritar

grenade [gʀənad] nf granada;
grenadine nf granadina

grenier [gʀənje] nm (de maison)
desván m, altillo (AM), entretecho
(AM)

grenouille [gʀənuj] nf rana

grès [gʀɛ] nm (roche) arenisca;
(poterie) gres msg

grève [gʀɛv] nf huelga; (plage)
playa; **se mettre en/faire** ~
declararse en/hacer huelga; ~ **de
la faim** huelga de hambre; ~ **sur
le tas** huelga de brazos caídos

gréviste [gʀevist] nm/f huelguista m/f

grièvement [gʀijɛvmɑ̃] adv gravemente

griffe [gʀif] nf garra; (fig: d'un couturier, parfumeur) marca; **griffer** vt arañar

grignoter [gʀiɲɔte] vt roer; (argent, temps) consumir

gril [gʀil] nm parrilla; **grillade** nf carne f a la parrilla, asado (AM)

grillage [gʀijaʒ] nm (treillis) reja; (clôture) alambrada

grille [gʀij] nf reja; (fig) red f

grille-pain [gʀijpɛ̃] nm inv tostador m de pan

griller [gʀije] vt (aussi: **faire ~**: pain, café) tostar; (: viande) asar; (ampoule, résistance) fundir; (feu rouge) saltar

grillon [gʀijɔ̃] nm grillo

grimace [gʀimas] nf mueca; **faire des ~** hacer muecas

grimper [gʀɛ̃pe] vt trepar a ou por ♦ vi empinarse; (prix, nombre) subir; (SPORT) escalar

grincer [gʀɛ̃se] vi (porte, roue) chirriar; (plancher) crujir; **~ des dents** rechinar los dientes

grincheux, -euse [gʀɛ̃ʃø, øz] adj cascarrabias

grippe [gʀip] nf gripe f; **grippé, e** adj: **être grippé** estar griposo(-a); (moteur) estar gripado(-a)

gris, e [gʀi, gʀiz] adj gris inv; (ivre) alegre

grisaille [gʀizaj] nf gris msg

griser [gʀize] vt (fig) embriagar

grive [gʀiv] nf tordo

Groenland [gʀɔenlɑ̃d] nm Groenlandia

grogner [gʀɔɲe] vi gruñir; (personne) gruñir, refunfuñar; **grognon, ne** adj gruñón(-ona)

grommeler [gʀɔm(ə)le] vi mascullar

gronder [gʀɔ̃de] vi (canon, tonnerre) retumbar; (fig) amenazar con estallar ♦ vt regañar

gros, se [gʀo, gʀos] adj (personne) gordo(-a); (paquet, problème, fortune) gran, grande; (travaux, dégâts) importante; (commerçant) acaudalado(-a); (orage, bruit) fuerte; (trait, fil) grueso(-a)/- ♦ nm (COMM): **le ~** el por mayor; **en ~** en líneas generales; **prix de/vente en ~** precio/venta al por mayor; **par ~ temps** con temporal; **par ~se mer** con mar gruesa; **le ~ de** (troupe, fortune) el grueso de; **~ lot** premio gordo; **~ mot** palabrota; **~ œuvre** (CONSTR) obra bruta; **~ plan** (PHOTO) primer plano; **~se caisse** (MUS) bombo; **~ sel** sal f gorda; **~ titre** (PRESSE) titular m

groseille [gʀozɛj] nf grosella; **~ à maquereau** grosella espinosa

grosse [gʀos] adj voir **gros**; **grossesse** nf embarazo; **grosseur** nf (d'une personne) gordura; (d'un paquet) tamaño; (d'un trait) grosor m; (tumeur) bulto

grossier, -ière [gʀosje, jɛʀ] adj (vulgaire) grosero(-a); (travail, finition) tosco(-a); (erreur) burdo(-a), craso(-a);

grossièrement adv groseramente; toscamente; (en gros, à peu près) aproximadamente; **il s'est grossièrement trompé** ha cometido un craso error

grossièreté [gʀosjɛʀte] nf grosería

grossir [gʀosiʀ] vi engordar; (fig) aumentar; (rivière, eaux) crecer ♦ vt (suj: vêtement): ~ **qn** hacer gordo a algn; (nombre, importance) aumentar; (histoire, erreur) exagerar

grossiste [gʀosist] nm/f (COMM) mayorista m/f

grotesque [gʀɔtɛsk] adj grotesco(-a)

grotte [gʀɔt] nf gruta

groupe [gʀup] nm grupo; ~ **électrogène** grupo electrógeno; ~ **sanguin/scolaire** grupo sanguíneo/escolar; ~ **de parole** grupo de apoyo; **grouper** vt agrupar

grue [gʀy] nf grúa; (ZOOL) grulla

guépard [gepaʀ] nm guepardo

guêpe [ɡɛp] nf avispa

guère [ɡɛʀ] adv (avec adjectif, adverbe): **ne ...** ~ poco; (avec verbe) poco, apenas; **tu n'es** ~ **raisonnable** eres poco razonable; **il ne la connaît** ~ apenas la conoce; **il n'y a** ~ **de** apenas hay; **il n'y a** ~ **que toi qui puisse le faire** apenas hay otro que puede hacerlo más que tú

guérilla [ɡeʀija] nf guerrilla

guérillero [ɡeʀijeʀo] nm guerrillero

guérir [ɡeʀiʀ] vt curar ♦ vi (personne, chagrin) curarse; **guérison** nf curación f; **guérisseur, -euse** nm/f curandero(-a)

guerre [ɡɛʀ] nf guerra; ~ **atomique/de tranchées/ d'usure** guerra atómica/de trincheras/de desgaste; **en** ~ en guerra; **faire la** ~ **à** hacer la guerra a; **guerrier, -ière** adj, nm/f guerrero(-a)

guet [ɡɛ] nm: **faire le** ~ estar al acecho

guet-apens [ɡetapɑ̃] nm inv emboscada; **guetter** vt (pour épier, surprendre) acechar; (attendre) aguardar

gueule [ɡœl] nf (d'animal) hocico; (fam: visage) jeta; **ta** ~! (fam) ¡cierra el pico!; ~ **de bois** (fam) resaca; **gueuler** (fam) vi chillar

gui [ɡi] nm muérdago

guichet [ɡiʃɛ] nm (d'un bureau, d'une banque) ventanilla

guide [ɡid] nm guía m; (livre) guía f; **guider** vt guiar

guidon [ɡidɔ̃] nm manillar m

guillemets [ɡijmɛ] nmpl: **entre** ~ entre comillas

guindé, e [ɡɛ̃de] adj estirado(-a)

guirlande [ɡiʀlɑ̃d] nf guirnalda

guise [ɡiz] nf: **à votre** ~ como guste; **en** ~ **de** (en manière de, comme) a guisa de; (à la place de) en lugar de

guitare [ɡitaʀ] nf guitarra

gymnase [ʒimnaz] nm gimnasio; **gymnaste** nm/f gimnasta m/f; **gymnastique** nf gimnasia

gynécologie [ʒinekɔlɔʒi] nf ginecología; **gynécologique** adj ginecológico(-a); **gynécologue** nm/f ginecólogo(-a)

H, h

habile [abil] adj hábil; **habileté** [abilte] nf habilidad f

habillé, e [abije] adj vestido(-a); (robe, costume) elegante

habiller [abije] vt vestir; **s'~** vpr vestirse; (mettre des vêtements chic) vestir bien, ir bien vestido(-a)

habit [abi] nm traje m; **~s** nmpl (vêtements) ropa; ~ **(de soirée)**

traje de etiqueta
habitant, e [abitɑ̃, ɑ̃t] *nm/f*
habitante *m/f*; (*d'une maison*)
ocupante *m/f*; (*d'un immeuble*)
vecino(-a)
habitation [abitɑsjɔ̃] *nf* (*fait de
résider*) habitación *f*; **~s à loyer
modéré** viviendas oficiales de
bajo alquiler
habiter [abite] *vt* vivir en; (*suj:
sentiment, envie*) anidar ♦ *vi*: **~ à**
ou **dans** vivir en
habitude [abityd] *nf* costumbre *f*;
avoir l'~ de faire/qch tener la
costumbre de hacer/algo; **d'~**
normalmente; **comme d'~** como
de costumbre
habitué, e [abitye] *adj*: **être ~ à**
estar acostumbrado(-a) a ♦ *nm/f*
(*d'une maison*) amigo(-a); (*client:
d'un café etc*) parroquiano(-a)
habituel, le [abityɛl] *adj* habitual
habituer [abitye] *vt*: **~ qn à
qch/faire** acostumbrar a algn a
algo/hacer; **s'~ à** acostumbrarse
a
'hache ['aʃ] *nf* hacha *f*
'hacher ['aʃe] *vt* (*viande, persil*)
picar; (*entrecouper*) cortar;
hachis *nm* picadillo
'haie ['ɛ] *nf* seto; (*SPORT*) valla
'haillons ['ajɔ̃] *nmpl* harapos *mpl*,
andrajos *mpl*
'haine ['ɛn] *nf* odio
'haïr ['aiʀ] *vt* odiar
'hâlé, e ['ale] *adj* bronceado(-a)
haleine [alɛn] *nf* aliento; **hors
d'~** sin aliento; **tenir en ~** tener
en vilo
'haleter ['alte] *vi* jadear
'hall ['ol] *nm* vestíbulo
'halle ['al] *nf* mercado; (*marché
principal*) mercado central
hallucination [alysinasjɔ̃] *nf*
alucinación *f*

'halte ['alt] *nf* alto; (*excl*) ¡alto!;
faire ~ hacer un alto, pararse
haltère [altɛʀ] *nm* pesa; **~s** *nmpl*
(*activité*): **faire des ~s** hacer
pesas; **haltérophilie** *nf*
halterofilia
'hamac ['amak] *nm* hamaca
'hameau, x ['amo] *nm* aldea
hameçon [amsɔ̃] *nm* anzuelo
'hanche ['ɑ̃ʃ] *nf* cadera
'handball ['ɑ̃dbal] (*pl* **~s**) *nm*
balonmano
handicapé, e ['ɑ̃dikape] *adj*,
nm/f disminuido(-a); **~ mental**
disminuido(-a) psíquico; **~
moteur** paralítico(-a); **~
physique** minusválido(-a) físico/an
disminuido(-a) físico-a/an
'hangar ['ɑ̃gaʀ] *nm* cobertizo,
galpón *m* (*CSUR*); (*AVIAT*) hangar *m*
'hanneton ['antɔ̃] *nm* abejorro
'hanter ['ɑ̃te] *vt* (*suj: fantôme*)
aparecer en
'hantise ['ɑ̃tiz] *nf* obsesión *f*
'haras ['aʀa] *nm* acaballadero
'harceler ['aʀsəle] *vt* (*MIL*)
hostigar; (*CHASSE, fig*) acosar
'hardi, e ['aʀdi] *adj* audaz
'hareng ['aʀɑ̃] *nm* arenque *m*
'hargne ['aʀɲ] *nf* saña;
'hargneux, -euse *adj*
arisco(-a), hosco(-a); (*critiques*)
acerbo(-a)
'haricot ['aʀiko] *nm* (*BOT*) judía; **~
blanc/rouge** alubia blanca/
pinta; **~ vert** judía verde
harmonica [aʀmɔnika] *nm*
armónica
harmonie [aʀmɔni] *nf* armonía;
harmonieux, -euse *adj*
armonioso(-a)
'harpe ['aʀp] *nf* arpa
'hasard ['azaʀ] *nm* azar *m*; **un ~**
una casualidad; **au ~** al azar; (*à
l'aveuglette*) a ciegas; **par ~** por

casualidad; **à tout ~** por si acaso
'**hâte** ['ɑt] *nf* prisa; **à la ~** de prisa; **en ~** rápidamente; **avoir ~ de** tener prisa por; '**hâter** *vt* apresurar; **se hâter** *vpr* apresurarse; '**hâtif, -ive** *adj* precipitado(-a); (*fruit, légume*) temprano(-a)
'**hausse** ['os] *nf* alza; (*température*) en aumento; '**hausser** *vt* subir; '**hausser les épaules** encogerse de hombros
'**haut, e** ['o, 'ot] *adj* alto(-a); (*température, pression*) elevado(-a), alto(-a) ♦ *adv*: **être/monter/lever ~** estar/subir/levantar en alto ♦ *nm* alto; **de 3 m de ~** de 3 m de alto *ou* altura; **des ~s et des bas** altibajos *mpl*; **en ~ lieu** en las altas esferas; **à ~e voix, tout ~** en voz alta; **du ~ de** desde lo alto de; **de ~ en bas** (*regarder*) de arriba abajo; **plus ~** más alto; (*dans un texte*) más arriba; **en ~** arriba; **en ~ de** (*être situé*) por encima de; **"~ les mains!"** "¡arriba las manos!"; **~e fidélité** (*ÉLEC*) alta fidelidad *f*
'**hautain, e** ['otɛ̃, ɛn] *adj* altanero(-a)
'**hautbois** ['obwa] *nm* oboe *m*
'**hauteur** ['otœʀ] *nf* altura; (*noblesse*) grandeza; **à la ~ de** al nivel de; **à la ~** (*fig*) a la altura
'**haut-parleur** ['oparlœʀ] (*pl ~~s*) *nm* altavoz *m*
hebdomadaire [ɛbdɔmadɛʀ] *adj* semanal
hébergement [ebɛʀʒəmɑ̃] *nm* alojamiento, hospedaje *m*
héberger [ebɛʀʒe] *vt* alojar, hospedar; (*réfugiés*) alojar
hébreu, x ['ebʀø] *adj* hebreo(-a)
hectare [ɛktaʀ] *nm* hectárea
'**hein** ['ɛ̃] *excl* (*comment?*) ¿eh?; **tu**

m'approuves, ~? ¿estás de acuerdo, eh?
'**hélas** ['elɑs] *excl* ¡ay! ♦ *adv* desgraciadamente
'**héler** ['ele] *vt* llamar
hélice [elis] *nf* hélice *f*
hélicoptère [elikɔptɛʀ] *nm* helicóptero
helvétique [ɛlvetik] *adj* helvético(-a)
hématome [ematom] *nm* hematoma *m*
hémisphère [emisfɛʀ] *nm*: **~ nord/sud** hemisferio norte/sur
hémorragie [emɔʀaʒi] *nf* hemorragia
hémorroïdes [emɔʀɔid] *nfpl* almorranas *fpl*, hemorroides *fpl*
hépatite ['eniʀ] *vi* relinchar
hépatite [epatit] *nf* hepatitis *f*
herbe [ɛʀb] *nf* hierba; **en ~** en cierne; **herbicide** *nm* herbicida *m*; **herboriste** *nm/f* herbolario(-a)
héréditaire [eʀeditɛʀ] *adj* hereditario(-a)
'**hérisson** [eʀisɔ̃] *nm* erizo
héritage [eʀitaʒ] *nm* herencia
hériter [eʀite] *vi*: **~ qch (de qn)** heredar algo (de algn) ♦ *vt*: **il a hérité 2 millions de son oncle** heredó 2 millones de su tío
héritier, -ière [eʀitje, jɛʀ] *nm/f* heredero(-a)
hermétique [ɛʀmetik] *adj* hermético(-a); (*étanche*) impermeable
hermine [ɛʀmin] *nf* armiño
'**hernie** ['ɛʀni] *nf* hernia
héroïne [eʀɔin] *nf* heroína
héroïque [eʀɔik] *adj* heroico(-a)
'**héron** ['eʀɔ̃] *nm* garza
'**héros** ['eʀo] *nm* héroe *m*
hésitant, e [ezitɑ̃, ɑ̃t] *adj* vacilante, indeciso(-a)

hésitation [ezitɑsjɔ̃] nf indecisión f, vacilación f

hésiter [ezite] vi: ~ (à faire) vacilar ou dudar (en hacer)

hétérosexuel, le [eterɔsɛkɥel] adj heterosexual

'hêtre [ɛtR] nm haya

heure [œR] nf hora; (SCOL) clase f; **c'est l'~** es la hora; **quelle ~ est-il?** ¿qué hora es?; **2 ~s (du matin)** las 2 (de la mañana); **être à l'~** ser puntual; (montre) estar en hora; **mettre à l'~** poner en hora; **à toute ~** a todas horas; **24 ~s sur 24** 24 horas al día; **à l'~ qu'il est** a esta hora; **sur l'~** inmediatamente; **d'~ en ~** cada hora; **de bonne ~** de madrugada; **~ de pointe** hora punta; **~s supplémentaires/ de bureau** horas fpl extraordinarias/de oficina

heureusement [œRøzmɑ̃] adv afortunadamente

heureux, -euse [œRø, øz] adj feliz; (caractère) optimista

'heurt [œR] nm choque m; **~s** nmpl (fig: bagarre) choques mpl

'heurter [œRte] vt (mur, porte) chocar con ou contra; (personne) tropezar con; (fig: personne, sentiment) chocar (con); **se ~ à** (fig) enfrentarse a

hexagone [ɛgzagɔn] nm hexágono; (la France) Francia

hiberner [ibɛRne] vi hibernar

'hibou, x ['ibu] nm búho

'hideux, -euse ['idø, øz] adj horrendo(-a)

hier [jɛR] adv ayer; **~ matin/ soir/midi** ayer por la mañana/ por la tarde/al mediodía; **toute la journée/la matinée d'~** todo el día/toda la mañana de ayer

'hiérarchie ['jeRaRʃi] nf jerarquía

hindou, e [ɛ̃du] adj hindú ♦ nm/f: **H~, e** hindú m/f

hippique [ipik] adj hípico(-a); **hippisme** nm hipismo

hippodrome [ipɔdRom] nm hipódromo

hippopotame [ipɔpɔtam] nm hipopótamo

hirondelle [iRɔ̃dɛl] nf golondrina

'hisser ['ise] vt izar

histoire [istwaR] nf historia; (chichis: gén pl) lío; **~s** nfpl (ennuis) problemas mpl;

historique adj histórico(-a)

hiver [ivɛR] nm invierno

hivernal, e, -aux [ivɛRnal, o] adj invernal; **hiverner** vi invernar

HLM ['aʃɛlɛm] sigle m ou f (= habitations à loyer modéré) viviendas oficiales de bajo alquiler

'hobby ['ɔbi] nm hobby m

'hocher ['ɔʃe] vt: ~ **la tête** cabecear; (signe négatif ou dubitatif) menear la cabeza

'hockey ['ɔkɛ] nm: ~ **(sur glace/gazon)** hockey m (sobre hielo/hierba)

'hold-up ['ɔldœp] nm inv atraco a mano armada

'hollandais, e ['ɔlɑ̃dɛ, ɛz] adj holandés(-esa) ♦ nm (LING) holandés msg ♦ nm/f: **H~, e** holandés(-esa); **les H~** los holandeses

'Hollande ['ɔlɑ̃d] nf Holanda

'homard ['ɔmaR] nm bogavante m

homéopathique [ɔmeɔpatik] adj homeopático(-a)

homicide [ɔmisid] nm homicidio; ~ **involontaire** homicidio involuntario

hommage [ɔmaʒ] nm homenaje m; **rendre ~ à** rendir homenaje a

homme [ɔm] nm hombre m;

(*individu de sexe masculin*) hombre, varón m; **l'~ de la rue** el hombre de la calle; **~ d'affaires** hombre de negocios; **~ d'État** estadista m

homo...: homogène *adj* homogéneo(-a); **homologue** *nm/f* homólogo(-a);
homologué, e *adj* homologado(-a); **homonyme** *nm* (LING) homónimo; (*d'une personne*) tocayo(-a);
homosexuel, le *adj* homosexual

'**Hongrie** ['ɔ̃gri] *nf* Hungría;
'**hongrois, e** *adj* húngaro(-a) ♦ *nm* (LING) húngaro ♦ *nm/f*:
Hongrois, e húngaro(-a)

honnête [ɔnɛt] *adj* (*intègre*) honrado(-a), honesto(-a); (*juste, satisfaisant*) justo(-a), razonable;
honnêtement *adv* honestamente; (*équitablement*) justamente; **honnêteté** *nf* honestidad f

honneur [ɔnœR] *nm* honor m; (*mérite*) **"j'ai l'~ de ..."** "tengo el honor de ..."; **en l'~ de** (*personne*) en honor de; (*événement*) en celebración de;
faire ~ à (*engagements*) cumplir con; (*famille, professeur*) hacer honor a; (*repas*) hacer los honores a
honorable [ɔnɔrabl] *adj* honorable; (*suffisant*) satisfactorio(-a)

honoraire [ɔnɔRɛR] *adj* honorario(-a); **~s** *nmpl* honorarios *mpl*

honorer [ɔnɔRe] *vt* honrar; (*estimer*) respetar; (COMM: *chèque, dette*) pagar

'**honte** ['ɔ̃t] *nf* vergüenza; **avoir ~ de** tener vergüenza de; **faire ~ à qn** avergonzar a algn; '**honteux,**

-euse *adj* avergonzado(-a); (*conduite, acte*) vergonzoso(-a)

hôpital, -aux [ɔpital, o] *nm* hospital m

'**hoquet** ['ɔkɛ] *nm* hipo; **avoir le ~** tener hipo

horaire, -ère [ɔRɛR] *adj* por hora ♦ *nm* horario; **~s** *nmpl* (*conditions, heures de travail*) horario *msg*; **~ souple** *ou* (*laid*) **flexible** horario flexible

horizon [ɔRizɔ̃] *nm* horizonte m; (*paysage*) panoráma m

horizontal, e, -aux [ɔRizɔ̃tal, o] *adj* horizontal

horloge [ɔRlɔʒ] *nf* reloj m; **horloger, -ère** *nm/f* relojero(-a)

'**hormis** ['ɔRmi] *prép* excepto

horoscope [ɔRɔskɔp] *nm* horóscopo

horreur [ɔRœR] *nm* horror m; **avoir ~ de qch** sentir horror por algo; **horrible** *adj* horrible, horrendo(-a); (*laid*) horroroso(-a); **horrifier** *vt* horrorizar

'**hors** ['ɔR] *prép* salvo; **~ de** fuera de; **~ de propos** fuera de lugar; **être ~ de soi** estar fuera de sí; **~ pair** fuera de serie; **~ service/ d'usage** fuera de servicio/de uso; '**hors-bord** *nm inv* fuera borda m inv; '**hors-d'œuvre** *nm inv* entremés m; '**hors-la-loi** *nm inv* forajido; '**hors-taxe** *adj* libre de impuestos

hortensia [ɔRtɑ̃sja] *nm* hortensia

hospice ['ɔspis] *nm* (*de vieillards*) asilo

hospitalier, -ière [ɔspitalje, jɛR] *adj* hospitalario(-a)

hospitaliser [ɔspitalize] *vt* hospitalizar

hospitalité [ɔspitalite] *nf* hospitalidad f

hostie [ɔsti] *nf* (REL) hostia

hostile [ɔstil] *adj* hostil; ~ **à** contrario(-a) a; **hostilité** *nf* hostilidad *f*; **hostilités** *nfpl* (MIL) hostilidades *fpl*

hôte [ot] *nm* (*maître de maison*) anfitrión m ♦ *nm/f* (*invité*) huésped m/f; ~ **payant** huésped de pago

hôtel [otel] *nm* hotel m; **aller à l'~** ir a un hotel; ~ **de ville** ayuntamiento m; ~ (**particulier**) palacete m; **hôtellerie** *nf* (*profession*) hostelería

hôtesse [otes] *nf* (*maîtresse de maison*) anfitriona; (*dans une agence, une foire*) azafata, recepcionista; ~ (**de l'air**) azafata (de aviación), aeromoza (AM); ~ (**d'accueil**) azafata (de recepción)

'houblon [ubl5] *nm* lúpulo

'houille ['uj] *nf* hulla; ~ **blanche** hulla blanca

'houle [ul] *nf* marejada; **'houleux, -euse** *adj* (*mer*) encrespado(-a); (*discussion*) agitado(-a)

'hourra ['uʀa] *nm* hurra m ♦ *excl* ¡hurra!

'housse ['us] *nf* funda

'houx ['u] *nm* acebo

'hublot ['yblo] *nm* portilla

'huche ['yʃ] *nf*: ~ **à pain** artesa

'huer ['ɥe] *vt* abuchear

huile [ɥil] *nf* aceite m; (ART) óleo; (*fam*) pez m gordo

huissier [ɥisje] *nm* ordenanza m; (JUR) ujier m

huit ['ɥi(t)] *adj inv, nm inv* ocho m *inv*; **samedi en** ~ el sábado en ocho días; *voir aussi* **cinq**; **'huitaine** *nf*: **une huitaine de** unos ocho; **'huitième** *adj, nm/f* octavo(-a) ♦ *nm* (*partitif*) octavo; *voir aussi* **cinquième**

huître [ɥitʀ] *nf* ostra

humain, e [ymɛ̃, ɛn] *adj* humano(-a) ♦ *nm* humano m; **humanitaire** *adj* humanitario(-a); **humanité** *nf* humanidad *f*

humble [œbl] *adj* humilde

humer ['yme] *vt* aspirar, oler

humeur [ymœʀ] *nf* (*momentanée*) humor m; (*tempérament*) carácter m; (*irritation*) mal humor; **de bonne/mauvaise** ~ de buen/mal humor

humide [ymid] *adj* húmedo(-a)

humilier [ymilje] *vt* humillar

humilité [ymilite] *nf* humildad *f*

humoristique [ymɔʀistik] *adj* humorístico(-a)

humour [ymuʀ] *nm* humor m; **avoir de l'~** tener sentido del humor; ~ **noir** humor negro

'huppé, e ['ype] (*fam*) *adj* encopetado(-a)

'hurlement ['yʀləmã] *nm* aullido, alarido

'hurler ['yʀle] *vi* (*animal*) aullar; (*personne*) dar alaridos

'hutte ['yt] *nf* choza

hydratant, e [idʀatã, ãt] *adj* hidratante

hydraulique [idʀolik] *adj* hidráulico(-a)

hydravion [idʀavjɔ̃] *nm* hidroavión m

hydrogène [idʀɔʒɛn] *nm* hidrógeno

hydroglisseur [idʀɔglisœʀ] *nm* hidroplano

hyène [jɛn] *nf* hiena

hygiénique [iʒenik] *adj* higiénico(-a)

hymne [imn] *nm* himno

hypermarché [ipeʀmaʀʃe] *nm* hipermercado

hypermétrope [ipeʀmetʀɔp] *adj* hipermétrope

hypertension [ipɛʁtɑ̃sjɔ̃] nf
hipertensión f
hypnose [ipnoz] nf hipnosis fsg;
hypnotiser vt hipnotizar
hypocrisie [ipɔkʁizi] nf
hipocresía; **hypocrite** adj, nm/f
hipócrita f
hypothèque [ipɔtɛk] nf hipoteca
hypothèse [ipɔtɛz] nf hipótesis f
inv
hystérique [isteʁik] adj
histérico(-a)

I, i

iceberg [ajsbɛʁg] nm iceberg m
ici [isi] adv aquí; **jusqu'~** hasta
aquí; (temporel) hasta ahora; **d'~
là** para entonces; (en attendant)
mientras tanto; **d'~ peu** dentro
de poco
idéal, e, -aux [ideal, o] adj ideal
♦ nm (modèle, type parfait) ideal
m; **idéaliste** adj, nm/f idealista
m/f
idée [ide] nf idea; **~s noires**
pensamientos mpl negros; **~s
reçues** ideas preconcebidas
identifier [idɑ̃tifje] vt identificar;
s'~ avec ou **à qch/qn**
identificarse con algo/algn
identique [idɑ̃tik] adj
idéntico(-a); **~ à** idéntico a
identité [idɑ̃tite] nf (d'une
personne) identidad f
idiot, e [idjo, idjɔt] adj (péj:
personne) idiota, estúpido(-a);
(film, réflexion) estúpido(-a) ♦ nm/f
idiota m/f
idole [idɔl] nf (aussi fig) ídolo m
if [if] nm (BOT) tejo
ignoble [iɲɔbl] adj (individu,
procédé) ruin, innoble
ignorant, e [iɲɔʁɑ̃, ɑ̃t] adj, nm/f

ignorante m/f
ignorer [iɲɔʁe] vt (loi, faits)
ignorar; (personne, demande) no
hacer caso a, ignorar a; (être sans
expérience de: plaisir, guerre)
desconocer
il [il] pron él; **~s** ellos; **~ fait froid**
hace frío; **~ est midi** es
mediodía; **Pierre est-~ arrivé?**
¿ha llegado Pedro?; voir aussi
avoir
île [il] nf isla
illégal, e, -aux [i(l)legal, o] adj
ilegal
illimité, e [i(l)limite] adj
ilimitado(-a); (confiance)
infinito(-a)
illisible [i(l)lizibl] adj
(indéchiffrable) ilegible
illogique [i(l)lɔʒik] adj ilógico(-a)
illuminer [i(l)lymine] vt iluminar
illusion [i(l)lyzjɔ̃] nf ilusión f; **se
faire des ~s** hacerse ilusiones;
faire ~ dar el pego
illustration [i(l)lystʁasjɔ̃] nf
ilustración f
illustré, e [i(l)lystʁe] adj
ilustrado(-a) ♦ nm (périodique)
revista ilustrada; (pour enfants)
tebeo
illustrer [i(l)lystʁe] vt ilustrar
ils [il] pron voir **il**
image [imaʒ] nf imagen f; **~ de
marque** (d'un produit) imagen de
marca; (d'une personne, entreprise)
reputación f; **imagé, e** adj rico(-a)
en imágenes
imaginaire [imaʒinɛʁ] adj
imaginario(-a)
imagination [imaʒinasjɔ̃] nf
imaginación f
imaginer [imaʒine] vt imaginar;
(inventer) idear; **s'~** vpr (scène)
imaginarse; **~ que** suponer que;
j'imagine qu'il a voulu

plaisanter me figuro que habrá
querido bromear; **s'~ que**
imaginarse que; **s'~ à 60 ans/
en vacances** imaginarse a los
60 años/en vacaciones; **il
s'imagine pouvoir faire ...** se
imagina que va a poder hacer ...;
ne t'imagine pas que no te
imagines que

imbécile [ɛ̃besil] *adj, nm/f* imbécil
m/f

imbu, e [ɛ̃by] *adj*: **~ de**
imbuido(-a) de

imitateur, -trice [imitatœʀ,
tʀis] *nm/f* imitador(a)

imitation [imitasjɔ̃] *nf* imitación *f*

imiter [imite] *vt* imitar; (*ressembler
à*) imitar a

immangeable [ɛ̃mɑ̃ʒabl] *adj*
incomible

immatriculation [imatʀikylasjɔ̃]
nf (*Auto*) matrícula; (*à l'université*)
inscripción *f*

immatriculer [imatʀikyle] *vt*
matricular; **se faire ~**
matricularse, inscribirse

immédiat, e [imedja, jat] *adj*
inmediato(-a) ♦ *nm*: **dans l'~** por
ahora; **immédiatement** *adv*
inmediatamente

immense [i(m)mɑ̃s] *adj*
inmenso(-a); (*succès, influence,
avantage*) enorme

immerger [imɛʀʒe] *vt* sumergir;
s'~ vpr (*sous-marin*) sumergirse

immeuble [imœbl] *nm* (*bâtiment*)
edificio, **~ locatif** edificio de
alquiler

immigration [imigʀasjɔ̃] *nf*
inmigración *f*

immigré, e [imigʀe] *nm/f*
inmigrado(-a)

imminent, e [iminɑ̃, ɑ̃t] *adj*
inminente

immobile [i(m)mɔbil] *adj* inmóvil

immobilier, -ière [imɔbilje, jɛʀ]
adj inmobiliario(-a) ♦ *nm*: **l'~**
(*COMM*) el sector inmobiliario

immobiliser [imɔbilize] *vt*
inmovilizar; (*file, circulation*)
detener; **s'~ vpr** (*personne*)
inmovilizarse; (*machine, véhicule*)
pararse

immoral, e, -aux [i(m)mɔʀal, o]
adj inmoral

immortel, -elle [imɔʀtɛl] *adj*
inmortal

immunisé, e [i(m)mynize] *adj*: **~
contre** inmunizado(-a) contra

immunité [imynite] *nf* inmunidad
f

impact [ɛ̃pakt] *nm* impacto

impair, e [ɛ̃pɛʀ] *adj* impar ♦ *nm*
(*gaffe*) torpeza

impardonnable [ɛ̃paʀdɔnabl] *adj*
imperdonable

imparfait, e [ɛ̃paʀfɛ, ɛt] *adj*
(*guérison, connaissance*)
incompleto(-a); (*imitation*)
deficiente ♦ *nm* (*LING*) (pretérito)
imperfecto

impartial, e, -aux [ɛ̃paʀsjal, jo]
adj imparcial

impasse [ɛ̃pɑs] *nf* callejón *m* sin
salida

impassible [ɛ̃pasibl] *adj*
impasible

impatience [ɛ̃pasjɑ̃s] *nf*
impaciencia

impatient, e [ɛ̃pasjɑ̃, jɑ̃t] *adj*
impaciente; **~ de faire qch**
impaciente por hacer algo;
impatienter: s'~ vpr
impacientarse

impeccable [ɛ̃pekabl] *adj*
impecable; (*employé*) impecable,
intachable; (*fam: formidable*)
fenomenal

impensable [ɛ̃pɑ̃sabl] *adj*
(*inconcevable*) impensable

imper [ɛpɛʀ] *nm* = **imperméable**

impératif, -ive [ɛpeʀatif, iv] *adj* imperioso(-a) ♦ *nm* (LING): **l'~** el imperativo

impératrice [ɛpeʀatʀis] *nf* emperatriz *f*

imperceptible [ɛpɛʀsɛptibl] *adj* imperceptible

impérial, e, -iaux [ɛpeʀjal, jo] *adj* imperial

impérieux, -ieuse [ɛpeʀjø, jøz] *adj* (*air, ton*) imperioso(-a); (*pressant*) imperioso(-a), urgente

impérissable [ɛpeʀisabl] *adj* imperecedero(-a)

imperméable [ɛpɛʀmeabl] *adj* imperméable ♦ *nm* imperméable *m*

impertinent, e [ɛpɛʀtinɑ̃, ɑ̃t] *adj* impertinente

impitoyable [ɛpitwajabl] *adj* despiadado(-a)

implanter [ɛplɑ̃te] *vt* (*usine*) instalar; (*MÉD, usage, mode*) implantar; (*idée*) inculcar

impliquer [ɛplike] *vt*: **~ qn (dans)** implicar a algn (en); (*supposer, entraîner*) implicar, suponer

impoli, e [ɛpɔli] *adj* descortés

impopulaire [ɛpɔpylɛʀ] *adj* impopular

importance [ɛpɔʀtɑ̃s] *nf* importancia; **sans ~** sin importancia; **quelle ~?** ¿qué más da?; **d'~** de importancia

important, e [ɛpɔʀtɑ̃, ɑ̃t] *adj* importante; (*péj: airs, ton*) de importancia ♦ *nm*: **l'~ (est de/ est que)** lo importante (es/es que)

importateur, -trice [ɛpɔʀtatœʀ, tʀis] *adj, nm/f* importador(a)

importation [ɛpɔʀtasjɔ̃] *nf* (*de marchandises, fig*) importación *f*

importer [ɛpɔʀte] *vt* (COMM) importar; (*maladies, plantes*) importar; (*introduire*) ♦ *vi* (*être important*) importar; **peu m'importe** (*je n'ai pas de préférence*) ¡me da igual!; (*je m'en moque*) ¡a mí qué me importa!; **peu importe!** ¡qué importa!

importun, e [ɛpɔʀtɛ̃, yn] *adj* (*curiosité, présence*) importuno(-a); (*visite, personne*) inoportuno(-a) ♦ *nm/f* inoportuno(-a);

importuner *vt* importunar; (*suj: insecte, bruit*) molestar

imposant, e [ɛpozɑ̃, ɑ̃t] *adj* imponente

imposer [ɛpoze] *vt* (*taxer*) gravar; (*faire accepter par force*) imponer; **s'~** *vpr* imponerse; (*montrer sa prééminence*) destacar; (*être importun*) molestar; **~ qch à qn** imponer algo a algn; **en ~ à qn** impresionar a algn

impossible [ɛposibl] *adj* (*irréalisable, improbable*) imposible; (*enfant*) insoportable, inaguantable; (*absurde, extravagant*) increíble; **il m'est ~ de le faire** me resulta imposible hacerlo; **faire l'~** hacer lo imposible

imposteur [ɛpostœʀ] *nm* impostor(a)

impôt [ɛpo] *nm* (*taxe*) impuesto; **~s** *nmpl* (*contributions*) impuestos *mpl*; **~ direct/foncier/indirect** impuesto directo/sobre la propiedad/indirecto; **~s locaux** impuestos municipales; **~ le revenu** impuesto sobre el capital/la renta

impotent, e [ɛpotɑ̃, ɑ̃t] *adj* (*personne*) impedido(-a), inválido(-a)

impraticable [ɛpʀatikabl] *adj*

(projet, idée) impracticable; *(piste, chemin, sentier)* intransitable, impracticable

imprécis, e [ɛ̃presi, iz] *adj (contours, renseignement)* impreciso(-a); *(souvenir)* impreciso(-a), borroso(-a)

imprégner [ɛ̃preɲe] *vpr:* **s'~ de** impregnarse de

imprenable [ɛ̃prənabl] *adj (forteresse, citadelle)* inexpugnable; **vue ~** vista panorámica asegurada

impression [ɛ̃presjɔ̃] *nf (sentiment, sensation: d'étouffement etc)* sensación *f;* (PHOTO, *d'un ouvrage)* impresión *f; (d'un tissu, papier peint)* imprimación *f;* **faire bonne/mauvaise ~** causar buena/mala impresión; **faire/produire une vive ~** *(émotion)* causar/producir una viva impresión; **donner l'~ d'être ...** dar la impresión de ser ...;
impressionnant, e *adj* impresionante; **impressionner** *vt* impresionar

imprévisible [ɛ̃previzibl] *adj* imprevisible

imprévu, e [ɛ̃prevy] *adj (événement, succès)* imprevisto(-a); *(dépense, réaction, geste)* inesperado(-a) ♦ *nm:* **l'~** lo imprevisto; **en cas d'~** en caso de imprevisto

imprimante [ɛ̃primɑ̃t] *nf* (INFORM) impresora

imprimé, e [ɛ̃prime] *adj (motif, tissu)* estampado(-a); *(livre, ouvrage)* impreso(-a) ♦ *nm* impreso; *(tissu)* estampado

imprimer [ɛ̃prime] *vt* imprimir; *(tissu)* estampar; **imprimerie** *nf* imprenta; *(technique)* tipografía; **imprimeur** *nm* impresor *m*

impropre [ɛ̃prɔpr] *adj (incorrect)* incorrecto(-a), impropio(-a); **~ à** *(suj: personne)* inepto(-a) para

improviser [ɛ̃prɔvize] *vt, vi* improvisar; **s'~ cuisinier** improvisarse como *ou* de cocinero

improviste [ɛ̃prɔvist]: **à l'~** *adv* de improviso

imprudence [ɛ̃prydɑ̃s] *nf* imprudencia

imprudent, e [ɛ̃prydɑ̃, ɑ̃t] *adj, nm/f* imprudente *m/f*

impuissant, e [ɛ̃pɥisɑ̃, ɑ̃t] *adj* impotente; *(effort)* inútil, vano(-a); **~ à faire qch** incapaz de hacer algo

impulsif, -ive [ɛ̃pylsif, iv] *adj* impulsivo(-a)

impulsion [ɛ̃pylsjɔ̃] *nf* impulso

inabordable [inabɔrdabl] *adj (cher, exorbitant)* exorbitante

inacceptable [inakseptabl] *adj* inaceptable

inaccessible [inaksesibl] *adj (endroit)* inaccesible; *(obscur)* incomprensible; *(personne)* inaccesible, inabordable

inachevé, e [inaʃ(ə)ve] *adj* inacabado(-a)

inactif, -ive [inaktif, iv] *adj* inactivo(-a)

inadapté, e [inadapte] *adj, nm/f* inadaptado(-a)

inadéquat, e [inadekwa(t), kwat] *adj* inadecuado(-a)

inadmissible [inadmisibl] *adj* inadmisible

inadvertance [inadvɛrtɑ̃s]: **par ~** *adv* por inadvertencia, por descuido

inanimé, e [inanime] *adj* inanimado(-a)

inanition [inanisjɔ̃] *nf:* **tomber/mourir d'~** caer/morir de inanition

inaperçu, e [inapɛʀsy] *adj*:
passer ~ pasar desapercibido(-a)

inapte [inapt] *adj*: **~ à qch/faire
qch** incapaz para *ou* de algo/
hacer algo

inattendu, e [inatɑ̃dy] *adj*
inesperado(-a)

inattentif, -ive [inatɑ̃tif, iv] *adj*
(*lecteur, élève*) desatento(-a); **~ à**
(*dangers, détails matériels*)
despreocupado(-a) de;
inattention *nf*: **faute** *ou*
erreur d'inattention despiste
m; **une minute d'inattention**
un momento de despiste

inauguration [inogyʀasjɔ̃] *nf*
inauguración *f*, descubrimiento;
discours/cérémonie d'~
discurso/ceremonia de
inauguración

inaugurer [inogyʀe] *vt* inaugurar;
(*statue*) descubrir; (*politique*)
inaugurar, estrenar

inavouable [inavwabl] *adj*
inconfesable

incalculable [ɛ̃kalkylabl] *adj*
incalculable

incapable [ɛ̃kapabl] *adj* incapaz;
~ de faire qch incapaz de hacer
algo

incapacité [ɛ̃kapasite] *nf*
(*incompétence*) incapacidad *f*; **je
suis dans l'~ de vous aider**
(*impossibilité*) me resulta imposible
ayudarle

incarcérer [ɛ̃kaʀseʀe] *vt*
encarcelar

incassable [ɛ̃kasabl] *adj*
irrompible

incendie [ɛ̃sɑ̃di] *nm* incendio; **~
criminel/de forêt** incendio
doloso/forestal; **incendier** *vt*
incendiar

incertain, e [ɛ̃sɛʀtɛ̃, ɛn] *adj*

incerto(-a); (*éventuel, douteux*)
inseguro(-a), incierto(-a); (*temps*)
inestable; (*indécis, imprécis*)

indéfinido(-a); **incertitude** *nf*
(*d'un résultat, d'un fait*)
incertidumbre *f*; (*d'une personne*)
indecisión *f*

incessamment [ɛ̃sesamɑ̃] *adv*
inmediatamente

incident, e [ɛ̃sidɑ̃, ɑ̃t] *adj* (*JUR:
accessoire*) incidental ♦ *nm*
incidente *m*; **~ de parcours** (*fig*)
pequeño contratiempo; **~
technique** dificultad *f* técnica

incinérer [ɛ̃sineʀe] *vt* incinerar

incisive [ɛ̃siziv] *nf* incisivo

inciter [ɛ̃site] *vt*: **~ qn à (faire)
qch** incitar a algn a (hacer) algo

inclinable [ɛ̃klinabl] *adj*
reclinable

inclinaison [ɛ̃klinɛzɔ̃] *nf*
inclinación *f*; **~ de (la) tête**
inclinación de (la) cabeza

incliner [ɛ̃kline] *vt* inclinar ♦ *vi*: **~
à qch/à faire** tender a algo/a
hacer; **s'~** *vpr* (*personne, toit*)
inclinarse; (*chemin, pente*) bajar,
descender; **~ la tête** *ou* **le front**
(*pour saluer*) inclinar la cabeza;
s'~ devant (qn/qch) (*rendre
hommage à*) inclinarse (ante algn/
algo); **s'~ (devant qch)** (*céder*)
ceder (ante algo)

inclure [ɛ̃klyʀ] *vt* incluir; (*joindre à
un envoi*) adjuntar

incognito [ɛ̃kɔɲito] *adv* de
incógnito ♦ *nm*: **garder l'~**
mantener el incógnito

incohérent, e [ɛ̃kɔeʀɑ̃, ɑ̃t] *adj*
incoherente

incollable [ɛ̃kɔlabl] *adj* (*riz*) que
no se pega

incolore [ɛ̃kɔlɔʀ] *adj* incoloro(-a);
(*style*) insulso(-a)

incommoder [ɛ̃kɔmɔde] *vt*

incomodar

incomparable [ɛ̃kɔ̃paʀabl] *adj*
(*inégalable*) incomparable

incompatible [ɛ̃kɔ̃patibl] *adj*
incompatible

incompétent, e [ɛ̃kɔ̃petɑ̃, ɑ̃t] *adj*
(*ignorant*): **~ (en)** incompetente
(en); (*incapable*) incapaz

incomplet, -ète [ɛ̃kɔ̃plɛ, ɛt] *adj*
incompleto(-a)

incompréhensible
[ɛ̃kɔ̃pʀeɑ̃sibl] *adj* incomprensible

incompris, e [ɛ̃kɔ̃pʀi, iz] *adj*
incomprendido(-a)

inconcevable [ɛ̃kɔ̃s(ə)vabl] *adj*
inconcebible

inconfortable [ɛ̃kɔ̃fɔʀtabl] *adj*
(*aussi fig*) incómodo(-a)

incongru, e [ɛ̃kɔ̃gʀy] *adj*
(*attitude, remarque*) improcedente;
(*visite*) intempestivo(-a),
inoportuno(-a)

inconnu, e [ɛ̃kɔny] *adj*
desconocido(-a); (*joie, sensation*)
desconocido(-a), extraño(-a) ♦
nm/f desconocido(-a); (*étranger,
tiers*) extraño(-a) ♦ *nm*: **l'~** lo
desconocido; **inconnue** *nf* (*MATH,
fig*) incógnita

inconsciemment [ɛ̃kɔ̃sjamɑ̃]
adv inconscientemente

inconscient, e [ɛ̃kɔ̃sjɑ̃, jɑ̃t] *adj*
inconsciente ♦ *nm* (*PSYCH*): **l'~** el
inconsciente ♦ *nm/f* inconsciente
m/f; **il est ~ de ...**
(*conséquences*) no es consciente
de ...

inconsidéré, e [ɛ̃kɔ̃sideʀe] *adj*
desconsiderado(-a)

inconsistant, e [ɛ̃kɔ̃sistɑ̃, ɑ̃t] *adj*
inconsistente; (*caractère, personne*)
débil

inconsolable [ɛ̃kɔ̃sɔlabl] *adj*
inconsolable

incontestable [ɛ̃kɔ̃tɛstabl] *adj*

indiscutible

incontinent, e [ɛ̃kɔ̃tinɑ̃, ɑ̃t] *adj*
(*MÉD*) incontinente

incontournable [ɛ̃kɔ̃tuʀnabl] *adj*
inevitable

incontrôlable [ɛ̃kɔ̃tʀolabl] *adj*
(*invérifiable*) no comprobable

inconvénient [ɛ̃kɔ̃venjɑ̃] *nm*
inconveniente *m*, desventaja; (*d'un
remède, changement*)
inconveniente; **~s** inconvenientes
mpl

incorporer [ɛ̃kɔʀpɔʀe] *vt*
incorporar; **~ (à)** (*mélanger*)
incorporar (a); **~ (dans)** (*insérer*)
insertar (en)

incorrect, e [ɛ̃kɔʀɛkt] *adj*
incorrecto(-a)

incorrigible [ɛ̃kɔʀiʒibl] *adj*
incorregible

incrédule [ɛ̃kʀedyl] *adj* (*personne,
moue*) incrédulo(-a), escéptico(-a)

incroyable [ɛ̃kʀwajabl] *adj*
increíble

incruster [ɛ̃kʀyste] *vt*: **~ qch
dans** (*ART*) incrustar algo en; **s'~
vpr*: **s'~ dans** incrustarse en;
(*invité*) instalarse en, aposentarse
en

inculpé, e [ɛ̃kylpe] *nm/f*
inculpado(-a), acusado(-a)

inculper [ɛ̃kylpe] *vt*: **~ (de)**
inculpar (de), acusar (de)

inculquer [ɛ̃kylke] *vt*: **~ qch à
qn** inculcar algo a *ou* en algn

Inde [ɛ̃d] *nf* India

indécent, e [ɛ̃desɑ̃, ɑ̃t] *adj*
indecente, indecoroso(-a);
(*inconvenant, déplacé*)
desconsiderado(-a)

indéchiffrable [ɛ̃deʃifʀabl] *adj*
(*aussi fig*) indescifrable; (*pensée,
personnage*) inescrutable

indécis, e [ɛ̃desi, iz] *adj* (*paix,
victoire*) dudoso(-a); (*temps*)

dudoso(-a), inestable; *(personne)* indeciso(-a)

indéfendable [ɛdefɑ̃dabl] *adj (aussi fig)* indefendible

indéfini, e [ɛdefini] *adj* indefinido(-a); *(nombre)* ilimitado(-a); *(LING: article)* indeterminado(-a); **passé ~** perfecto; **indéfiniment** *adv* indefinidamente; **indéfinissable** *adj* indefinible

indélébile [ɛdelebil] *adj* indeleble

indélicat, e [ɛdelika, at] *adj (grossier)* falto(-a) de delicadeza; *(malhonnête)* deshonesto(-a)

indemne [ɛdɛmn] *adj* indemne; **indemniser** *vt* indemnizar; **indemniser qn de qch** indemnizar a algn por algo

indemnité [ɛdemnite] *nf (dédommagement)* indemnización *f; (allocation)* subsidio; **~ de licenciement** indemnización por despido

indépendamment [ɛdepɑ̃damɑ̃] *adv* independientemente; **~ de** *(en faisant abstraction de)* independientemente de; *(par surcroît, en plus)* además de

indépendance [ɛdepɑ̃dɑ̃s] *nf* independencia

indépendant, e [ɛdepɑ̃dɑ̃, ɑ̃t] *adj* independiente; **travailleur ~** trabajador autónomo

indescriptible [ɛdɛskriptibl] *adj* indescriptible

indésirable [ɛdezirabl] *adj* indeseable

indestructible [ɛdɛstryktibl] *adj* indestructible

indéterminé, e [ɛdetɛrmine] *adj* indeterminado(-a)

index [ɛdɛks] *nm* índice *m*

indicateur, -trice [ɛdikatœr, tris] *nm/f (de la police)* confidente

m/f ♦ *adj:* **poteau ~** indicador, señal *f* de orientación; **panneau ~** panel *m* informativo

indicatif [ɛdikatif] *nm (LING)* indicativo; *(RADIO)* sintonía; *(téléphonique)* prefijo ♦ *adj:* **à titre ~** a título informativo

indication [ɛdikasjɔ̃] *nf* indicación *f;* **~s** *nfpl (directives)* indicaciones *fpl,* instrucciones *fpl*

indice [ɛdis] *nm* indicio; *(POLICE)* indicio, pista; *(ÉCON, SCIENCE, TECH, ADMIN)* índice *m*

indicible [ɛdisibl] *adj (joie, charme)* inefable; *(peine)* indecible

indien, ne [ɛdjɛ̃, jɛn] *adj* indio(-a), hindú ♦ *nm/f:* **I~, ne** *(d'Amérique)* indio(-a)

indifféremment [ɛdiferamɑ̃] *adv* indiferentemente, indistintamente

indifférence [ɛdiferɑ̃s] *nf* indiferencia

indifférent, e [ɛdiferɑ̃, ɑ̃t] *adj* indiferente; **~ à qn/qch** indiferente a algn/algo

indigène [ɛdiʒɛn] *adj, nm/f* indígena, criollo(-a) *(AM)*

indigeste [ɛdiʒɛst] *adj* indigesto(-a)

indigestion [ɛdiʒɛstjɔ̃] *nf* indigestión *f*

indigne [ɛdiɲ] *adj* indigno(-a); **~ de** indigno(-a) de

indigner [ɛdiɲe] *vt* indignar; **s'~** *vpr:* **s'~ (de qch/contre qn)** *(se fâcher)* indignarse (por *ou* con algo/contra *ou* con algn)

indiqué, e [ɛdike] *adj (date, lieu)* indicado(-a), acordado(-a); *(adéquat)* indicado(-a), adecuado(-a); **ce n'est pas très ~** no es muy adecuado

indiquer [ɛdike] *vt* indicar; *(heure, solution)* indicar, informar; *(déterminer)* señalar, fijar; **~ qch**

qn du doigt/du regard
(*désigner*) indicar *ou* señalar algo/a
algn con el dedo/con la mirada; **à
l'heure indiquée** a la hora
acordada; **pourriez-vous m'~
les toilettes/l'heure?** ¿puede
indicarme dónde están los
servicios/decirme la hora?
indiscipliné, e [ɛ̃disipline] *adj*
(*écolier, troupes*) indisciplinado(-a)
indiscret, -ète [ɛ̃diskʀɛ, ɛt] *adj*
indiscreto(-a)
indiscutable [ɛ̃diskytabl] *adj*
indiscutible
indispensable [ɛ̃dispɑ̃sabl] *adj*
(*garanties, précautions, condition*)
indispensable; (*objet,
connaissances, personne*)
imprescindible
indisposé, e [ɛ̃dispoze] *adj*
indispuesto(-a)
indistinct, e [ɛ̃distɛ̃(kt), ɛ̃kt] *adj*
(*objet*) indistinto(-a)
indistinctement *adv*
indistintamente; **tous les
Français indistinctement**
todos los franceses sin distinción
individu [ɛ̃dividy] *nm* individuo;
individuel, le *adj* individual;
(*opinion*) personal; (*cas*) particular;
chambre/maison individuelle
habitación *f*/casa individual
indolore [ɛ̃dɔlɔʀ] *adj* indoloro(-a)
Indonésie [ɛ̃dɔnezi] *nf* Indonesia
indu, e [ɛ̃dy] *adj*: **à des heures
~es** (*travailler*) tarde
indulgent, e [ɛ̃dylʒɑ̃, ɑ̃t] *adj*
indulgente
industrialiser [ɛ̃dystʀijalize] *vt*
industrializar; **s'~** *vpr*
industrializarse
industrie [ɛ̃dystʀi] *nf* industria;
industriel, le *adj, nm/f*
industrial *m/f*
inébranlable [inebʀɑ̃labl] *adj*

inquebrantable; (*personne,
certitude*) firme
inédit, e [inedi, it] *adj* inédito(-a)
inefficace [inefikas] *adj* ineficaz;
(*machine, employé*) ineficiente
inégal, e, -aux [inegal, o] *adj*
desigual; (*partage, part*)
desproporcionado(-a); (*humeur*)
variable; **inégalable** *adj*
inigualable; **inégalé, e** *adj*
inigualado(-a); **inégalité** *nf*
desigualdad *f*
inépuisable [inepɥizabl] *adj*
inagotable; **il est ~ sur** es
inagotable en
inerte [inɛʀt] *adj* inerte
inespéré, e [inespeʀe] *adj*
inesperado(-a)
inestimable [inestimabl] *adj*
inestimable
inévitable [inevitabl] *adj*
inevitable; (*hum: rituel*)
consabido(-a)
inexact, e [inegza(kt), akt] *adj*
inexacto(-a); (*non ponctuel*)
impuntual
inexcusable [inɛkskyzabl] *adj*
inexcusable
inexplicable [inɛksplikabl] *adj*
inexplicable
in extremis [inɛkstʀemis] *adv* de
milagro ♦ *adj* (*préparatifs,
sauvetage*) en el último momento
infaillible [ɛ̃fajibl] *adj* infalible
infarctus [ɛ̃faʀktys] *nm*: **~ (du
myocarde)** infarto (de
miocardio)
infatigable [ɛ̃fatigabl] *adj*
infatigable, incansable
infect, e [ɛ̃fɛkt] *adj* pestilente;
(*goût*) asqueroso(-a); (*personne*)
odioso(-a)
infecter [ɛ̃fɛkte] *vt* (*atmosphère,
eau*) contaminar; (*personne*)
contagiar; **s'~** *vpr* infectarse

infection [ɛ̃fɛksjɔ̃] nf (MÉD) infección f

inférieur, e [ɛ̃ferjœr] adj inferior; **~ à** inferior a

infernal, e, -aux [ɛ̃fɛrnal, o] adj infernal; (satanique) diabólico(-a); **tu es ~!** (fam: enfant) ¡eres un diablo!

infidèle [ɛ̃fidɛl] adj infiel

infiltrer [ɛ̃filtre] vb: **s'~ dans** infiltrarse en

infime [ɛ̃fim] adj ínfimo(-a)

infini, e [ɛ̃fini] adj infinito(-a); (précautions) extremo(-a) ♦ nm: **l'~** (MATH, PHOTO) el infinito; **à l'~** (MATH) al infinito; (discourir) interminablemente; (agrandir, varier) ampliamente; **infiniment** adv infinitamente; **infinité** nf: **une infinité de** una infinidad de

infinitif, -ive [ɛ̃finitif, iv] nm (LING) infinitivo m

infirme [ɛ̃firm] adj, nm/f inválido(-a)

infirmerie [ɛ̃firməri] nf enfermería

infirmier, -ière [ɛ̃firmje, jɛr] nm/f enfermero(-a), A.T.S. m/f ♦ adj: **élève ~** alumno(-a) de enfermería; **infirmière chef** enfermera jefe; **infirmière visiteuse** enfermera domiciliaria

infirmité [ɛ̃firmite] nf invalidez f

inflammable [ɛ̃flamabl] adj inflamable

inflation [ɛ̃flasjɔ̃] nf inflación f

influençable [ɛ̃flyɑ̃sabl] adj influenciable

influence [ɛ̃flyɑ̃s] nf influencia; (d'une drogue) efecto; (POL) predominio; **influencer** vt influir; **influent, e** adj influyente

informaticien, ne [ɛ̃fɔrmatisjɛ̃, jɛn] nm/f informático(-a)

information [ɛ̃fɔrmasjɔ̃] nf información f; **~s** nfpl (RADIO)

noticias fpl

informatique [ɛ̃fɔrmatik] nf informática; **informatiser** vt informatizar

informer [ɛ̃fɔrme] vt: **~ qn (de)** informar a algn (de); **s'~** vpr: **s'~ (sur)** informarse (sobre)

infos [ɛ̃fo] nfpl voir **information**

infraction [ɛ̃fraksjɔ̃] nf infracción f; **être en ~** haber cometido una infracción

infranchissable [ɛ̃frɑ̃ʃisabl] adj infranqueable; (fig) insalvable

infrarouge [ɛ̃fraruʒ] adj infrarrojo(-a) ♦ nm infrarrojo

infrastructure [ɛ̃frastryktyr] nf infraestructura; **~s** nfpl (d'un pays etc) infraestructuras fpl; **~ touristique/hôtelière/routière** infraestructura turística/hotelera/viaria

infuser [ɛ̃fyze] vt (aussi: **faire ~**) dejar reposar; **infusion** nf infusión f

ingénier [ɛ̃ʒenje]: **s'~** vpr: **s'~ à faire qch** ingeniárselas para hacer algo

ingénierie [ɛ̃ʒeniri] nf ingeniería

ingénieur [ɛ̃ʒenjœr] nm ingeniero; **~ agronome/du son** ingeniero agrónomo/de sonido

ingénieux, -ieuse [ɛ̃ʒenjø, jøz] adj ingenioso(-a)

ingrat, e [ɛ̃gra, at] adj (personne, travail) ingrato(-a); (sol) estéril; (visage) poco agraciado(-a) ♦ nm/f ingrato(-a); **~ envers** ingrato con

ingrédient [ɛ̃gredjɑ̃] nm ingrediente m

inhabité, e [inabite] adj (régions) despoblado(-a); (maison) deshabitado(-a)

inhabituel, le [inabityɛl] adj inhabitual

inhibition [inibisjɔ̃] nf inhibición f

inhumain, e [inymɛ̃, ɛn] *adj* (*barbare*) inhumano(-a)

inimaginable [inimaʒinabl] *adj* inimaginable

ininterrompu, e [inɛ̃tɛʀɔ̃py] *adj* ininterrumpido(-a); (*flot, vacarme*) continuo(-a)

initial, e, -aux [inisjal, jo] *adj*, *nf* inicial; **~es** *nfpl* iniciales f

initiation [inisjasjɔ̃] *nf* iniciación f

initiative [inisjativ] *nf* (*aussi* POL) iniciativa; **de sa propre ~** por propia iniciativa

initier [inisje] *vt* iniciar; **s'~** *vpr*: **s'~ à** iniciarse en; **~ qn à** iniciar a algn en

injecter [ɛ̃ʒɛkte] *vt* inyectar; **injection** *nf* inyección f; **injection intraveineuse/ sous-cutanée** inyección intravenosa/subcutánea; **à injection** (*moteur, système*) de inyección

injure [ɛ̃ʒyʀ] *nf* insulto; **injurier** *vt* insultar; **injurieux, -ieuse** *adj* injurioso(-a)

injuste [ɛ̃ʒyst] *adj* injusto(-a); **~ (avec** *ou* **envers qn)** injusto(-a) (con algn); **injustice** *nf* injusticia

inlassable [ɛ̃lɑsabl] *adj* incansable, infatigable

inné, e [i(n)ne] *adj* innato(-a)

innocent, e [inɔsɑ̃, ɑ̃t] *adj* inocente; (*jeu, plaisir*) inofensivo(-a); **innocenter** *vt* disculpar

innombrable [i(n)nɔ̃bʀabl] *adj* incontable

innover [inɔve] *vt* innovar ♦ *vi*: **~ en art/en matière d'art** innovar en arte o en temas de arte

inoccupé, e [inɔkype] *adj* desocupado(-a)

inodore [inɔdɔʀ] *adj* inodoro(-a)

inoffensif, -ive [inɔfɑ̃sif, iv] *adj*

inofensivo(-a); (*plaisanterie*) inocente

inondation [inɔ̃dasjɔ̃] *nf* inundación f

inonder [inɔ̃de] *vt* inundar; (*envahir*) invadir; **~ de** inundar de

inopportun, e [inɔpɔʀtœ̃, yn] *adj* inoportuno(-a)

inoubliable [inublijabl] *adj* inolvidable

inouï, e [inwi] *adj* inaudito(-a)

inox [inɔks] *adj, nm abr* acero inoxidable

inquiet, -ète [ɛ̃kjɛ, ɛ̃kjɛt] *adj* inquieto(-a); **inquiétant, e** *adj* inquietante, preocupante; **inquiéter** *vt* inquietar, preocupar; **s'inquiéter** *vpr* inquietarse, preocuparse; **s'inquiéter de** preocuparse por; **inquiétude** *nf* inquietud f, preocupación f

insaisissable [ɛ̃sezisabl] *adj* (*nuance*) imperceptible

insalubre [ɛ̃salybʀ] *adj* insalubre

insatisfait, e [ɛ̃satisfɛ, ɛt] *adj* insatisfecho(-a)

inscription [ɛ̃skʀipsjɔ̃] *nf* inscripción f; (*à une institution*) inscripción, matrícula

inscrire [ɛ̃skʀiʀ] *vt* escribir, inscribir; (*renseignement*) anotar; (*nom: sur une liste etc*) anotar, apuntar; **s'~** *vpr* (*pour une excursion etc*) apuntarse, inscribirse; **~ qn à** matricular *ou* apuntar a algn a; **s'~ (à)** (*un club, parti*) apuntarse (a), matricularse (en); (*l'université, un examen*) matricularse (en)

insecte [ɛ̃sɛkt] *nm* insecto; **insecticide** *adj* insecticida ♦ *nm* insecticida m

insensé, e [ɛ̃sɑ̃se] *adj* insensato(-a)

insensible [ɛ̃sɑ̃sibl] *adj* insensible; (*pouls, mouvement*) imperceptible; **~ aux compliments/à la chaleur** insensible a los halagos/al calor

inséparable [ɛ̃separabl] *adj* inseparable

insigne [ɛ̃siɲ] *nm* emblema *m*

insignifiant, e [ɛ̃siɲifjɑ̃, jɑ̃t] *adj* insignificante

insinuer [ɛ̃sinɥe] *vt* insinuar; **s'~** *vpr*: **s'~ dans** (*odeur, humidité*) filtrarse en

insipide [ɛ̃sipid] *adj* insípido(-a), insulso(-a)

insister [ɛ̃siste] *vi* insistir; **~ sur** insistir en

insolation [ɛ̃sɔlasjɔ̃] *nf* insolación *f*

insolent, e [ɛ̃sɔlɑ̃, ɑ̃t] *adj* insolente, descarado(-a)

insolite [ɛ̃sɔlit] *adj* extraño(-a)

insomnie [ɛ̃sɔmni] *nf* insomnio

insouciant, e [ɛ̃susjɑ̃, jɑ̃t] *adj* despreocupado(-a); (*imprévoyant*) dejado(-a)

insoupçonnable [ɛ̃supsɔnabl] *adj* insospechable

insoupçonné, e [ɛ̃supsɔne] *adj* insospechado(-a)

insoutenable [ɛ̃sut(ə)nabl] *adj* (*argument, opinion*) insostenible; (*lumière, chaleur, spectacle*) insoportable; (*effort*) insufrible

inspecter [ɛ̃spɛkte] *vt* inspeccionar; (*personne*) dar un repaso a; (*maison*) revisar

inspecteur, -trice *nm/f* inspector(a); **inspecteur (de police)** inspector (de policía); **inspecteur des Finances** ou **des impôts** inspector de hacienda; **inspection** *nf* inspección *f*

inspirer [ɛ̃spire] *vt* inspirar ♦ *vi* inspirar; **s'~** *vpr*: **s'~ de qch** inspirarse en algo; **~ qch à qn** sugerir algo a algn; (*crainte, horreur*) inspirar algo a algn; **ça ne m'inspire pas beaucoup/ vraiment pas** eso no me dice mucho/nada

instable [ɛ̃stabl] *adj* inestable

installation [ɛ̃stalasjɔ̃] *nf* instalación *f*; **~s** *nfpl* (*équipement*): **~s portuaires** instalaciones *fpl* portuarias; **une ~ provisoire** ou **de fortune** un alojamiento provisional; **l'~ électrique** la instalación eléctrica

installer [ɛ̃stale] *vt* instalar; **s'~** *vpr* instalarse; (*à un emplacement*) acomodarse; (*maladie, grève*) arraigarse; **s'~ à l'hôtel/chez qn** alojarse en el hotel/en casa de algn

instance [ɛ̃stɑ̃s] *nf*: **être en ~ de divorce** estar en trámites de divorcio

instant [ɛ̃stɑ̃] *nm* instante *m*; **en** ou **dans un ~** en un instante; **à l'~: je l'ai vu à l'~** lo he visto hace nada; **à chaque** ou **tout ~** a cada instante; **pour l'~** por el momento; **par ~s** por momentos; **de tous les ~s** constante

instantané, e [ɛ̃stɑ̃tane] *adj* instantáneo(-a) ♦ *nm* (PHOTO) instantánea

instar [ɛ̃star]: **à l'~ de** *prép* a semejanza de

instaurer [ɛ̃stɔre] *vt* implantar; **s'~** *vpr* establecerse

instinct [ɛ̃stɛ̃] *nm* instinto; **instinctivement** *adv* instintivamente

instituer [ɛ̃stitɥe] *vt* establecer; (*un organisme*) fundar

institut [ɛstity] nm instituto; **~ de beauté** instituto de belleza; **l~ universitaire de technologie (IUT)** ≃ Escuela Politécnica

instituteur, -trice [ɛstitytœr, tris] nm/f maestro(-a)

institution [ɛstitysjɔ̃] nf institución f; (collège) colegio privado

instructif, -ive [ɛstryktif, iv] adj instructivo(-a)

instruction [ɛstryksjɔ̃] nf (enseignement) enseñanza; (savoir) cultura; (JUR, INFORM) instrucción f; **~s** nfpl (directives, mode d'emploi) instrucciones fpl

instruire [ɛstrɥir] vt (élèves) enseñar; (MIL, JUR) instruir; **s'~** vpr instruirse; **instruit, e** pp de **instruire ♦** adj instruido(-a), culto(-a)

instrument [ɛstrymɑ̃] nm herramienta; **~ à cordes/à percussion/à vent/de musique** instrumento de cuerda/de percusión/de viento/ musical

insu [ɛsy] nm: **à l'~ de qn** a espaldas de algn; **à son ~** a sus espaldas

insuffisant, e [ɛsyfizɑ̃, ɑ̃t] adj insuficiente

insulaire [ɛsyler] adj insular; (attitude) cerrado(-a)

insuline [ɛsylin] nf insulina

insulte [ɛsylt] nf insulto; **insulter** vt insultar

insupportable [ɛsyportabl] adj insoportable

insurmontable [ɛsyrmɔ̃tabl] adj insuperable; (angoisse, aversion) invencible

intact, e [ɛtakt] adj intacto(-a)

intarissable [ɛtarisabl] adj inagotable; **il est ~ sur ...** es

incansable cuando habla de ...

intégral, e, -aux [ɛtegral, o] adj total; (édition) completo(-a); **intégralement** adv totalmente, completamente; **intégralité** nf totalidad f; **dans son intégralité** en su totalidad

intégrant, e adj: **faire partie intégrante de qch** formar parte integrante de algo

intègre [ɛtegr] adj íntegro(-a)

intégrer [ɛtegre] vt (personnes) integrar; (théories, paragraphe) incorporar; **s'~** vpr: **s'~ à** ou **dans qch** integrarse en algo

intégrisme [ɛtegrism] nm integrismo

intellectuel, le [ɛtelektɥel] adj, nm/f intelectual m/f

intelligence [ɛteliʒɑ̃s] nf inteligencia; (compréhension) comprensión f

intelligent, e [ɛteliʒɑ̃, ɑ̃t] adj inteligente

intelligible [ɛteliʒibl] adj: **parler de façon peu ~** hablar de forma poco clara

intempéries [ɛtɑ̃peri] nfpl tiempo inclemente

intenable [ɛt(ə)nabl] adj inaguantable, insoportable

intendant, e [ɛtɑ̃dɑ̃, ɑ̃t] nm/f (MIL) intendente m; (SCOL régisseur) administrador(a)

intense [ɛtɑ̃s] adj intenso(-a); **intensif, -ive** adj intensivo(-a)

intenter [ɛtɑ̃te] vt: **~ un procès/une action contre** ou **à qn** entablar proceso/una acción contra algn

intention [ɛtɑ̃sjɔ̃] nf intención f; (but, objectif) propósito; **avoir l'~ de faire qch** tener la intención de hacer algo; **à l'~ de qn** para algn; (film,

ouvrage) dedicado(-a) a algn;
intentionné, e *adj*: **être bien/mal intentionné** tener buena/mala intención

interactif, -ive [ɛteraktif, iv] *adj* (*aussi* INFORM) interactivo(-a)

intercepter [ɛtɛrsepte] *vt* interceptar; (*lumière etc*) impedir el paso de

interchangeable [ɛtɛrʃɑ̃ʒabl] *adj* intercambiable

interdiction [ɛtɛrdiksjɔ̃] *nf* interdicción f, prohibición f

interdire [ɛtɛrdir] *vt* prohibir; (ADMIN, REL: *personne*) inhabilitar; **~ à qn de faire qch** prohibir a algn hacer algo; (*suj: chose*) impedir que algn haga algo

interdit, e [ɛtɛrdi, it] *pp de* **interdire** ♦ *nm* pauta; **film ~ aux moins de 18/13 ans** película prohibida a los menores de 18/13 años; **sens/ stationnement ~** dirección f prohibida/estacionamiento prohibido; **~ de séjour** expulsado(-a)

intéressant, e [ɛteresɑ̃, ɑ̃t] *adj* interesante

intéressé, e [ɛteresee] *adj* interesado(-a)

intéresser [ɛterese] *vt* (*élèves etc*) interesar; (ADMIN: *mesure, loi*) concernir; **ce film m'a beaucoup intéressé** he encontrado muy interesante esta película; **ça n'intéresse personne** eso no interesa a nadie; **s'~ à qch/à ce que fait qn/qch** interesarse por algn/por lo que hace algn/algo

intérêt [ɛtere] *nm* interés *msg*; **il a ~ à acheter cette voiture** le interesa comprar ese coche; **tu aurais ~ à te taire!** ¡más te vale callarte!

intérieur, e [ɛterjœr] *adj* interior ♦ *nm* interior *m*; **ministère de l'I~** ministerio del Interior; **un ~ bourgeois/confortable** una decoración burguesa/confortable; **à l'~ (de)** en el interior *ou* dentro *ou* adentro (*esp* AM) (de); (*fig*) dentro (de); **intérieurement** *adv* por dentro

intérim [ɛterim] *nm* interinidad f; **faire de l'~** hacer sustituciones

intérimaire [ɛterimɛr] *adj, nm/f* interino(-a)

interlocuteur, -trice [ɛtɛrlɔkytœr, tris] *nm/f* interlocutor(a)

intermédiaire [ɛtɛrmedjɛr] *adj* intermedio(-a) ♦ *nm/f* intermediario(-a); **par l'~ de** por mediación de

interminable [ɛtɛrminabl] *adj* interminable

intermittence [ɛtɛrmitɑ̃s] *nf*: **par ~** (*travailler*) con intermitencias

internat [ɛterna] *nm* internado

international, e, -aux [ɛternasjɔnal, o] *adj* internacional ♦ *nm/f* (SPORT) jugador(a) internacional

internaute [ɛternot] *nmf* internauta *mf*

interne [ɛtern] *adj* interno(-a) ♦ *nm/f* (*élève*) interno(-a); (MÉD) médico(-a) interno(-a)

Internet [ɛternɛt] *nm* Internet *m*

interpeller [ɛtɛrpəle] *vt* interpelar; (*police*) detener

interphone [ɛtɛrfɔn] *nm* interfono(-a); (*d'un appartement*) portero automático

interposer [ɛtɛrpoze] *vt* interponer; **s'~** *vpr* interponerse

interprète [ɛtɛrprɛt] *nm/f* intérprete *m/f*

interpréter [ɛ̃tɛrprete] *vt* interpretar

interrogatif, -ive [ɛ̃terɔgatif, iv] *adj* interrogativo(-a)

interrogation [ɛ̃terɔgasjɔ̃] *nf* interrogación *f*; **~ écrite/orale** (SCOL) control *m* escrito/oral

interrogatoire [ɛ̃terɔgatwar] *nm* interrogatorio

interroger [ɛ̃terɔʒe] *vt* interrogar; (*données*) consultar; (*candidat*) examinar

interrompre [ɛ̃terɔ̃pr] *vt* interrumpir; (*circuit électrique, communications*) cortar; **s'~** *vpr* interrumpirse; **interrupteur** *nm* interruptor *m*; **interruption** *nf* interrupción *f*; **sans interruption** sin interrupción; **interruption (volontaire) de grossesse** interrupción (voluntaria) del embarazo

intersection [ɛ̃tersɛksjɔ̃] *nf* intersección *f*

intervalle [ɛ̃terval] *nm* intervalo; **dans l'~** mientras tanto

intervenir [ɛ̃tervənir] *vi* (*survenir*) ocurrir, tener lugar; **~ dans** intervenir en; **~ (pour faire qch)** intervenir (para hacer algo); **~ auprès de qn/en faveur de qn** interceder ante algn/en favor de algn; **intervention** *nf* intervención *f*; **intervention (chirurgicale)** intervención (quirúrgica)

interview [ɛ̃tervju] *nf* interviú *f*, entrevista

intestin, e [ɛ̃tɛstɛ̃, in] *nm* intestino

intime [ɛ̃tim] *adj* íntimo(-a); (*convictions*) profundo(-a) ♦ *nm/f* íntimo(-a)

intimider [ɛ̃timide] *vt* intimidar

intimité [ɛ̃timite] *nf* intimidad *f*; **dans l'~** en la intimidad; (*sans formalités*) informalmente

intolérable [ɛ̃tɔlerabl] *adj* (*chaleur*) insoportable; (*inadmissible*) intolerable

intoxication [ɛ̃tɔksikasjɔ̃] *nf* intoxicación *f*; **~ alimentaire** intoxicación alimenticia

intoxiquer [ɛ̃tɔksike] *vt* intoxicar; (*fig aussi*) contaminar

intraitable [ɛ̃tretabl] *adj* despiadado(-a); **~ (sur)** intransigente (en)

intransigeant, e [ɛ̃trɑ̃ziʒɑ̃, ɑ̃t] *adj* intransigente; (*morale, passion*) firme

intrépide [ɛ̃trepid] *adj* intrépido(-a)

intrigue [ɛ̃trig] *nf* intriga; **intriguer** *vi, vt* intrigar

introduction [ɛ̃trɔdyksjɔ̃] *nf* introducción *f*, incorporación *f*

introduire [ɛ̃trɔdɥir] *vt* introducir; **~ qn auprès de qn** conducir a algn ante algn; **~ qn dans un club** introducir a algn en un club; **s'~ dans** introducirse en

introuvable [ɛ̃truvabl] *adj* (*personne*) ilocalizable; (COMM: *rare: édition, livre*) imposible de encontrar

intrus, e [ɛ̃try, yz] *nm/f* intruso(-a)

intuition [ɛ̃tɥisjɔ̃] *nf* intuición *f*

inusable [inyzabl] *adj* duradero(-a)

inutile [inytil] *adj* inútil; (*superflu*) innecesario(-a); **inutilement** *adv* inútilmente; **inutilisable** *adj* inutilizable

invalide [ɛ̃valid] *adj, nm/f* inválido(-a); **~ de guerre** inválido de guerra

invariable [ɛ̃varjabl] *adj*

invariable
invasion [ɛ̃vazjɔ̃] nf (aussi fig)
invasion f; (de sauterelles, rats)
plaga, invasión
inventaire [ɛ̃vɑ̃tɛr] nm inventario
inventer [ɛ̃vɑ̃te] vt inventar;
(moyen) idear; **inventeur,**
-trice [ɛ̃vɑ̃tœr, tris] nm/f
inventor(a); **inventif, -ive** adj
inventivo(-a); **invention** nf
invención f
inverse [ɛ̃vɛrs] adj (ordre)
inverso(-a) ♦ nm: **l'~** lo contrario;
dans l'ordre ~ en orden
inverso; **dans le sens ~ des**
aiguilles d'une montre en
sentido contrario a las agujas del
reloj; **en** ou **dans le sens ~** en
sentido contrario; **à l'~** al
contrario; **inversement** adv
inversamente; **inverser** vt
invertir
investir [ɛ̃vɛstir] vt (argent,
capital) invertir;
investissement nm inversión f
invisible [ɛ̃vizibl] adj invisible
invitation [ɛ̃vitasjɔ̃] nf invitación f
invité, e [ɛ̃vite] nm/f invitado(-a)
inviter [ɛ̃vite] vt invitar; **~ qn à**
faire qch (engager, exhorter)
invitar a algn a hacer algo
invivable [ɛ̃vivabl] adj
insoportable
involontaire [ɛ̃vɔlɔ̃tɛr] adj
involuntario(-a)
invoquer [ɛ̃vɔke] vt invocar;
(excuse, argument) invocar, alegar
invraisemblable [ɛ̃vrɛsɑ̃blabl]
adj (histoire) inverosímil
iode [jɔd] nm yodo
irai etc [ire] vb voir **aller**
Irak [irak] nm Irak m; **irakien,**
ne [irakjɛ̃, ɛn] adj iraquí ♦ nm/f: **Irakien, ne**
iraquí m/f
Iran [irɑ̃] nm Irán m; **iranien,**

ne adj iraní ♦ nm (LING) iraní m ♦
nm/f: **Iranien, ne** iraní m/f
irions etc [irjɔ̃] vb voir **aller**
iris [iris] nm (BOT) lirio; (ANAT) iris
m inv
irlandais, e [irlɑ̃dɛ, ɛz] adj
irlandés(-esa) ♦ nm (LING) irlandés
m ♦ nm/f: **I~, e** irlandés(-esa); **les**
I~ los irlandeses
Irlande [irlɑ̃d] nf Irlanda f; **la mer**
d'~ el mar de Irlanda; **~ du**
Nord/Sud Irlanda del Norte/Sur
ironie [irɔni] nf ironía; **~ du sort**
ironía del destino; **ironique** adj
irónico(-a); **ironiser** vi ironizar
irons etc [irɔ̃] vb voir **aller**
irradier [iradje] vi irradiar ♦ vt
irradiar, difundir
irraisonné, e [irɛzɔne] adj
irrazonable
irrationnel, le [irasjɔnɛl] adj
irracional
irréalisable [irealizabl] adj
irrealizable
irrécupérable [irekyperabl] adj
irrecuperable
irréel, le [ireɛl] adj irreal
irréfléchi, e [irefleʃi] adj
irreflexivo(-a)
irrégularité [iregylarite] nf
irregularidad f; **~s** nfpl
irregularidades fpl
irrégulier, -ière [iregylje, jɛr]
adj irregular; (développement,
accélération) irregular, desigual
irrémédiable [iremedjabl] adj
irremediable
irremplaçable [irɑ̃plasabl] adj
(personne) irremplazable,
insustituible
irréparable [ireparabl] adj (aussi
fig) irreparable
irréprochable [ireprɔʃabl] adj
(personne, vie) irreprochable,
intachable; (tenue, toilette)

intachable
irrésistible [iʀezistibl] *adj*
irresistible; (*concluant: logique*)
contundente; (*qui fait rire*)
graciosísimo(-a)
irrésolu, e [iʀezɔly] *adj*
irresoluto(-a)
irrespectueux, -euse
[iʀɛspɛktɥø, øz] *adj*
irrespetuoso(-a)
irresponsable [iʀɛspɔ̃sabl] *adj,*
nm/f irresponsable *m/f*
irriguer [iʀige] *vt* irrigar
irritable [iʀitabl] *adj* irritable
irriter [iʀite] *vt* irritar
irruption [iʀypsjɔ̃] *nf* irrupción *f*;
**faire ~ dans un endroit/chez
qn** irrumpir en un lugar/en casa
de algn
Islam [islam] *nm*: **l'~** el Islam;
islamique *adj* islámico(-a)
Islande [islɑ̃d] *nf* Islandia
isolant, e [izɔlɑ̃, ɑ̃t] *adj, nm*
aislante *m*
isolation [izɔlasjɔ̃] *nf*: **~
acoustique/thermique**
aislamiento acústico/térmico
isolé, e [izɔle] *adj* aislado(-a);
(*éloigné*) apartado(-a)
isoler [izɔle] *vt* aislar; **s'~** *vpr*
(*pour travailler*) aislarse
Israël [isʀaɛl] *nm* Israel *m*;
israélien, ne *adj* israelí ♦ *nm/f*:
Israélien, ne israelí *m/f*;
israélite *adj* (REL) israelita ♦ *nm/
f*: **Israélite** israelita *m/f*
issu, e [isy] *adj*: **~ de**
descendiente de; (*fig*) resultante
de; **issue** *nf* salida; (*solution*)
salida, solución *f*; **à l'issue de** al
concluir; **chemin/rue sans
issue** camino/calle *f* sin salida
Italie [itali] *nf* Italia; **italien, ne**
adj italiano(-a) ♦ *nm* (LING) italiano
♦ *nm/f*: **Italien, ne** italiano(-a)

italique [italik] *nm*: **(mettre un
mot) en ~(s)** (poner una
palabra) en cursiva
itinéraire [itineʀɛʀ] *nm* itinerario
IUT *sigle m* (= *Institut universitaire
de technologie*) *voir* **institut**
IVG *sigle f* (= *interruption volontaire
de grossesse*) interrupción *f*
voluntaria del embarazo
ivoire [ivwaʀ] *nm* marfil *m*
ivre [ivʀ] *adj* (*saoul*) ebrio(-a),
beodo(-a); **~ de colère/de
bonheur** ebrio(-a) de ira/de
felicidad; **ivrogne** *nm/f*
borracho(-a)

J, j

j' [ʒ] *pron voir* **je**
jacinthe [ʒasɛ̃t] *nf* jacinto
jadis [ʒadis] *adv* antaño
jaillir [ʒajiʀ] *vi* (*liquide*) brotar;
(*fig*) surgir
jais [ʒɛ] *nm* azabache *m*
jalousie [ʒaluzi] *nf* celos *mpl*;
(*store*) celosía
jaloux, -se [ʒalu, uz] *adj*
(*envieux*) envidioso(-a)
jamais [ʒamɛ] *adv* nunca, jamás;
(*sans négation*) alguna vez; **ne ...
~** no ... nunca; **si ~ ...** si alguna
vez ...; **à (tout) ~**, **pour ~** para
siempre
jambe [ʒɑ̃b] *nf* (ANAT) pierna;
(*d'un pantalon*) pernil *m*
jambon [ʒɑ̃bɔ̃] *nm* jamón *m*
jante [ʒɑ̃t] *nf* llanta
janvier [ʒɑ̃vje] *nm* enero; *voir
aussi* **juillet**
Japon [ʒapɔ̃] *nm* Japón *m*;
japonais, e *adj* japonés(-esa) ♦
nm (LING) japonés *m* ♦ *nm/f*:
Japonais, e japonés(-esa)
jardin [ʒaʀdɛ̃] *nm* jardín *m*;

jardinage nm jardinería;
jardiner vi cuidar el jardín;
jardinier, -ière nf (de
fenêtre) jardinera; **jardinière (de
légumes)** (CULIN) menestra
jargon [ʒaʀgɔ̃] nm jerga
jarret [ʒaʀɛ] nm (ANAT) corva;
(CULIN) morcillo
jauge [ʒoʒ] nf (instrument) aspilla,
varilla graduada
jaune [ʒon] adj amarillo(-a) ♦ nm
amarillo; (aussi: ~ d'œuf) yema ♦
nm/f (péj): **J~** (de race jaune)
amarillo(-a); **jaunir** vt amarillear;
jaunisse nf ictericia
Javel [ʒavɛl] nf voir **eau**
javelot [ʒavlo] nm jabalina
je [ʒ] pron yo
jean [dʒin] nm (TEXTILE) tela
vaquera
Jésus-Christ [ʒezykʀi(st)] n
Jesucristo
jet[1] [dʒɛt] nm (avion) jet m, avión
m a reacción
jet[2] [ʒɛ] nm (lancer) lanzamiento;
(jaillissement, tuyau) chorro; **du
premier ~** a la primera; **~ d'eau**
chorro de agua
jetable [ʒ(ə)tabl] adj desechable
jetée [ʒate] nf (digue) escollera
jeter [ʒ(ə)te] vt (lancer) lanzar,
botar (AM); (se défaire de) tirar;
(passerelle, pont) construir, tender;
(bases, fondations) establecer,
sentar; (lumière, son) dar; **~ qn
coup d'œil (à)** echar un vistazo
(a); **~ qch à qn** lanzar algo a
algn; **~ un sort à qn** echar una
maldición a algn; **se ~ dans** (suj:
fleuve) desembocar en; **se ~ à
l'eau** (fig) lanzarse a hacer algo
jeton [ʒ(ə)tɔ̃] nm ficha
jette etc [ʒɛt] vb voir **jeter**
jeu, x [ʒø] nm juego;

(interprétation) actuación f,
interpretación f; (MUS)
interpretación; (TECH) juego,
holgura; (défaut de serrage)
holgura; **être/remettre en ~**
(FOOTBALL) estar/poner en juego;
entrer/mettre en ~ (fig)
entrar/poner en juego; **se piquer
ou se prendre au ~** cegarse por
el juego; **~ de cartes** juego de
naipes; **~ de clés/d'aiguilles**
(série) juego de llaves/de agujas; **~
d'échecs** ajedrez m; **~ de
hasard/de mots** juego de azar/
de palabras
jeudi [ʒødi] nm jueves m inv; **~
saint** jueves santo; voir aussi
lundi
jeun [ʒœ̃] nm ayuno
jeune [ʒœn] adj joven; (récent)
joven, reciente; **~ fille** muchacha,
chica; **~ homme** muchacho,
chico; **~s gens** jóvenes mpl
jeûne [ʒøn] nm ayuno
jeunesse [ʒœnɛs] nf juventud f
jeuniste [ʒœnist] adj (en faveur
des jeunes) projoven; (contre les
jeunes) antijoven
joaillier, -ière [ʒaje, jɛʀ] nm/f
joyero(-a)
joie [ʒwa] nf (bonheur intense)
alegría, gozo; (vif plaisir) alegría
joindre [ʒwɛ̃dʀ] vt juntar, unir; **~
qch à** (ajouter) adjuntar algo a; **~
qn** (réussir à contacter) dar con
algn, localizar a algn; **~ les deux
bouts** (fig) llegar a final de mes;
se ~ à (s'unir) unirse a
joint, e [ʒwɛ̃, ɛ̃t] pp de **joindre** ♦
adj junto(-a) ♦ nm (articulation,
assemblage) junta, empalme m
joli, e [ʒɔli] adj bonito(-a),
lindo(-a) (AM) (fam); **une ~e
somme** una buena suma; **c'est
du ~!** (iron) ¡muy bonito!; **c'est**

bien ~ mais ... está muy bien pero ...

jonc [ʒɔ̃] nm (BOT) junco

jonction [ʒɔ̃ksjɔ̃] nf (action) unión f; (point de) ~ (de routes) empalme m, enlace m

jongleur, -euse [ʒɔ̃glœr, øz] nm/f malabarista m/f

jonquille [ʒɔ̃kij] nf junquillo

Jordanie [ʒɔʀdani] nf Jordania

joue [ʒu] nf mejilla

jouer [ʒwe] vt jugar; (pièce de théâtre) representar; (film, rôle) interpretar; (simuler) fingir; (morceau de musique) ejecutar, tocar ♦ vi jugar; (CINÉ, THÉÂTRE) actuar; (bois, porte) combarse; ~ **au héros** dárselas de héroe; ~ **sur** (miser) jugar con; ~ **de** (instrument) tocar; ~ **à** (jeu, sport) jugar a; ~ **avec** (sa santé etc) jugar con; **se** ~ **de** (difficultés) pasar por alto; ~ **un tour à qn** jugar una mala pasada a algn; **à toi de** ~ (fig) te toca a ti

jouet [ʒwɛ] nm juguete m

joueur, -euse [ʒwœr, øz] nm/f jugador(a); (fig) jugador(a); **être beau/mauvais** ~ (fig) ser un buen/mal perdedor

jouir [ʒwiʀ]: ~ **de** vt ind (avoir) gozar de; (savourer) disfrutar de

jour [ʒuʀ] nm día m; (clarté) luz f; (ouverture) hueco, abertura; **de nos** ~**s** hoy en día; **sous un** ~ **favorable/nouveau** (fig) bajo el aspecto más favorable/nuevo; **de** ~ de día; **au** ~ **le** ~, **de** ~ **en** ~ día a día; **il fait** ~ se de día; **au grand** ~ (fig) a todas luces, de forma evidente; **mettre au** ~ (découvrir) sacar a la luz; **être/mettre à** ~ estar/poner al día; **donner le** ~ **à** dar a luz a; **voir le** ~ salir a la luz; ~ **férié** día festivo

journal, -aux [ʒuʀnal, o] nm periódico; (personnel) diario; ~ **télévisé** diario televisado, telediario

journalier, -ière [ʒuʀnalje, jɛʀ] adj diario(-a)

journalisme [ʒuʀnalism] nm periodismo; **journaliste** nm/f periodista m/f

journée [ʒuʀne] nf día m; (travail d'une journée) jornada

joyau, x [ʒwajo] nm joya

joyeux, -euse [ʒwajø, øz] adj feliz, alegre; ~ **Noël!** ¡feliz Navidad!; ~ **anniversaire!** ¡feliz cumpleaños!

jubiler [ʒybile] vi regocijarse

judas [ʒyda] nm mirilla

judiciaire [ʒydisjɛʀ] adj judicial

judicieux, -euse [ʒydisjø, jøz] adj juicioso(-a), sensato(-a)

judo [ʒydo] nm judo

juge [ʒyʒ] nm juez m/f; ~ **d'instruction/de paix** juez de instrucción/de paz

jugé [ʒyʒe]: **au** ~ adv a bulto

jugement [ʒyʒmã] nm (JUR) sentencia; (gén) juicio

juger [ʒyʒe] vt juzgar; (JUR) juzgar, sentenciar; ~ **bon de faire ...** juzgar oportuno hacer ...; ~ **de qch** juzgar algo

juif, -ive [ʒɥif, ʒɥiv] adj judío(-a) ♦ nm/f: **J~, -ive** judío(-a)

juillet [ʒɥijɛ] nm julio; **le premier** ~ el uno de julio; **le deux/onze** ~ el dos/once de julio; **début/fin** ~ a primeros/finales de julio; **le 14** ~ el 14 de julio (la fiesta nacional francesa)

---

14 juillet

En Francia, **le 14 juillet** es una fiesta nacional en conmemoración del asalto a la Bastilla durante la

Revolución Francesa, celebrada con desfiles, música, baile y fuegos artificiales. En París tiene lugar un desfile militar por los Champs-Élysées en presencia del Presidente.

---

juin [ʒɥɛ̃] *nm* junio; *voir aussi* **juillet**

jumeau, -elle, x [ʒymo, ɛl] *adj, nm/f* gemelo(-a)

jumeler [ʒym(ə)le] *vt* (*TECH*) acoplar; (*villes*) hermanar

jumelle [ʒymɛl] *vb voir* **jumeler**
♦ *adj, nf voir* **jumeau**; **~s** *nfpl* (*instrument*) gemelos *mpl*

jument [ʒymɑ̃] *nf* yegua

jungle [ʒœ̃gl] *nf* jungla, selva

jupe [ʒyp] *nf* falda, pollera (*AM*)

jupon [ʒypɔ̃] *nm* enaguas *fpl*

juré [ʒyʀe] *nm* jurado

jurer [ʒyʀe] *vt* jurar ♦ *vi* jurar; **~ (avec)** (*couleurs*) *etc* chocar (con), desentonar (con); **~ de faire/ que** jurar hacer/que; **~ de qch** jurar algo, responder de algo

juridique [ʒyʀidik] *adj* jurídico(-a)

juron [ʒyʀɔ̃] *nm* juramento

jury [ʒyʀi] *nm* (*JUR*) jurado

jus [ʒy] *nm* jugo, zumo (*Esp*); (*de viande*) jugo; **~ de fruits** jugo *ou* zumo (*Esp*) de frutas

jusque [ʒysk]: **jusqu'à** *prép* hasta; **jusqu'au matin/soir** hasta la mañana/la tarde; **jusqu'à ce que** hasta que; **jusqu'à présent** *ou* **maintenant** hasta ahora; **~ sur/dans** hasta arriba de/en; (*y compris*) hasta, incluso

justaucorps [ʒystokɔʀ] *nm* malla

juste [ʒyst] *adj* (*exact*): (*légitime*) justo(-a), legítimo(-a); (*étroit*) ajustado(-a); (*insuffisant*) escaso(-a)
♦ *adv* (*avec exactitude, précision*)

con precisión; (*étroitement*) apretado; (*chanter*) afinado; **~ assez/au-dessus** bastante/ hasta por encima de; **au ~** exactamente; **le ~ milieu** el término medio; **à ~ titre** con razón; **justement** *adv* justamente; **c'est justement ce qu'il fallait faire** es precisamente lo que había que hacer; **justesse** *nf* (*exactitude, précision*) precisión *f*, exactitud *f*; (*d'une remarque*) propiedad *f*; (*d'une opinion*) rectitud *f*; **de justesse** por poco

justice [ʒystis] *nf* justicia

justificatif, -ive [ʒystifikatif, iv] *adj* justificativo(-a)

justifier [ʒystifje] *vt* justificar; **~ de** probar; **justifié à droite/ gauche** justificado a la derecha/ izquierda

juteux, -euse [ʒytø, øz] *adj* jugoso(-a); (*fam*) jugoso(-a), sustancioso(-a)

juvénile [ʒyvenil] *adj* juvenil

K, k

K [ka] *abr* (= kilooctet) K

kaki [kaki] *adj inv* caqui

kangourou [kɑ̃guʀu] *nm* canguro

karaté [kaʀate] *nm* kárate *m*

kascher [kaʃɛʀ] *adj inv* de acuerdo con las normas dietéticas de la ley hebraica

kayak [kajak] *nm* kayak *m*

képi [kepi] *nm* quepis *m*

kermesse [kɛʀmɛs] *nf* romería

kidnapper [kidnape] *vt* secuestrar

kilo [kilo] *nm* kilo

kilo...: kilobit *nm* kilobit *m*; **kilogramme** *nm* kilogramo; **kilométrage** *nm* kilometraje *m*;

kilomètre *nm* kilómetro;
kilométrique *adj* kilométrico(-a)
kinésithérapeute
[kineziterapøt] *nm/f*
kinesiólogo(-a)
kiosque [kjɔsk] *nm* (*de jardin, à journaux*) kiosco *ou* quiosco
kir [kir] *nm* kir *m* (*vino blanco con licor de grosella negra*)
kiwi [kiwi] *nm* kiwi *m*
klaxon [klaksɔn] *nm* bocina, claxon *m*; **klaxonner** *vi* tocar la bocina *ou* el claxon
km *abr* (= *kilomètre(s)*) km. (= *kilómetro(s)*)
km/h *abr* (= *kilomètres/heure*) km/h.
K.-O. [kao] *adj inv* K.O.
kyste [kist] *nm* quiste *m*

L, l

l' [l] *dét voir* **le**
la [la] *nm* (*MUS*) la *m inv* ♦ *dét, pron voir* **le**
là [la] *adv* (*plus loin*) ahí, allí; (*ici*) aquí; (*dans le temps*) entonces;
elle n'est pas ~ no está; **c'est ~ que** ahí *ou* allí es donde; (*ici*) aquí es donde; **~ où** allí donde;
par ~ (*fig*) con eso; **tout est ~** todo está ahí; **là-bas** *adv* allí
laboratoire [labɔratwar] *nm* laboratorio
laborieux, -ieuse [labɔrjø, jøz] *adj* laborioso(-a)
labourer [labure] *vt* labrar
labyrinthe [labirɛ̃t] *nm* laberinto
lac [lak] *nm* lago
lacet [lasɛ] *nm* (*de chaussure*) cordón *m*
lâche [laʃ] *adj* (*poltron*) cobarde; (*desserré, pas tendu*) flojo(-a) ♦ *nm/f* cobarde *m/f*

lâcher [laʃe] *vt* soltar; (*SPORT: distancer*) despegarse de ♦ *vi* soltar; **~ les chiens** (*contre*) soltar los perros
lacrymogène [lakrimɔʒɛn] *adj* lacrimógeno(-a)
lacune [lakyn] *nf* laguna
là-dedans [ladadɑ̃] *adv* ahí dentro
là-dessous [ladsu] *adv* ahí debajo; (*fig*) detrás de eso
là-dessus [ladsy] *adv* ahí encima; (*fig*) luego; (*à ce sujet*) al respecto
lagune [lagyn] *nf* laguna
là-haut [lao] *adv* allí arriba
laid, e [lɛ, lɛd] *adj* feo(-a);
laideur *nf* fealdad *f*
lainage [lɛnaʒ] *nm* (*vêtement*) jersey *m ou* chaqueta de lana
laine [lɛn] *nf* lana; **pure ~** pura lana
laïque [laik] *adj*, *nm/f* laico(-a)
laisse [lɛs] *nf* (*de chien*) correa;
tenir en ~ tener atado(-a); (*fig*) manejar a su antojo
laisser [lese] *vt* dejar; **~ qch quelque part** dejar algo en algún sitio; **se ~ aller** abandonarse; **laisse-toi faire** déjate hacer; **rien ne laisse penser que ...** nada permite pensar que ...; **laisser-aller** *nm inv* (*péj*) desaliño; **laissez-passer** *nm inv* salvoconducto
lait [lɛ] *nm* leche *f*; **frère/sœur de ~** hermano/hermana de leche; **~ concentré/condensé** leche concentrada/condensada; **~ de beauté** leche de belleza; **laitage** *nm* producto lácteo; **laiterie** *nf* lechería; **laitier, -ière** *adj* (*produit, industrie*) lácteo(-a); **vache laitière** vaca lechera
laiton [lɛtɔ̃] *nm* latón *m*
laitue [lety] *nf* lechuga

lambeau, x [lɑ̃bo] *nm* jirón *m*; **en ~x** hecho(-a) jirones

lame [lam] *nf* (*de couteau etc*) hoja; (*de parquet etc*) lámina; (*vague*) ola; **~ de fond** mar *m* de fondo; **~ de rasoir** cuchilla de afeitar; **lamelle** *nf* laminilla

lamentable [lamãtabl] *adj* lamentable

lamenter [lamãte] *vb*: **se ~ (sur)** quejarse (de)

lampadaire [lɑ̃padɛʀ] *nm* lámpara de pie

lampe [lɑ̃p] *nf* lámpara; **~ de chevet/halogène** lámpara de mesa/halógena; **~ à pétrole** lámpara de petróleo, quinqué *m*; **~ à souder** soplete *m*; **~ de poche** linterna

lance [lɑ̃s] *nf* lanza; **~ d'incendie/d'arrosage** manguera de incendios/de riego

lancée [lɑ̃se] *nf*: **être/continuer sur sa ~** aprovechar el impulso inicial

lancement [lɑ̃smã] *nm* lanzamiento

lance-pierres [lɑ̃spjɛʀ] *nm inv* tirachinas *m inv*

lancer [lɑ̃se] *nm* lanzamiento ♦ *vt* lanzar; (*emprunt*) emitir; **~ qch à qn** lanzar algo a algn; (*de façon agressive*) arrojar algo a algn; **~ un appel** lanzar un llamamiento; **se ~** *vpr* lanzarse; **se ~ sur** ou **contre** lanzarse sobre ou contra; **se ~ dans** lanzarse en; **~ du poids** lanzamiento de peso

landau [lɑ̃do] *nm* coche *m* ou carro de niño

lande [lɑ̃d] *nf* landa

langage [lɑ̃gaʒ] *nm* lenguaje *m*

langouste [lɑ̃gust] *nf* langosta; **langoustine** *nf* cigala

langue [lɑ̃g] *nf* lengua; **~ de terre** franja de tierra; **tirer la ~ (à)** sacar la lengua (a); **de ~ française** de lengua francesa; **~ maternelle** lengua materna; **~ vivante** lengua viva

langueur [lɑ̃gœʀ] *nf* languidez *f*

languir [lɑ̃giʀ] *vi* languidecer; **faire ~ qn** hacer esperar a algn

lanière [lanjɛʀ] *nf* tralla

lanterne [lɑ̃tɛʀn] *nf* linterna; (*de voiture*) luz *f* de población; **~ rouge** (*fig*) farolillo rojo

laper [lape] *vt* beber a lengüetadas

lapidaire [lapidɛʀ] *adj* lapidario(-a)

lapin [lapɛ̃] *nm* conejo

Laponie [lapɔni] *nf* Laponia

laps [laps] *nm*: **~ de temps** lapso

laque [lak] *nm* ou *f* laca

laquelle [lakɛl] *pron voir* **lequel**

larcin [laʀsɛ̃] *nm* ratería

lard [laʀ] *nm* tocino

lardon [laʀdɔ̃] *nm* (*CULIN*) torrezno

large [laʀʒ] *adj* ancho(-a); **~ d'esprit** de mentalidad abierta ♦ *adv*: **calculer ~** calcular por lo alto; **voir ~** ver con amplitud ♦ *nm*: **5 m de ~** 5m de ancho; **le ~** alta mar; **au ~ de** a la altura de; **largement** *adv* ampliamente; (*au minimum*) al menos; (*sans compter*) generosamente; **largesse** *nf* esplendidez *f*, largueza; **largesses** *nfpl* (*dons*) regalos *mpl* espléndidos; **largeur** *nf* anchura; (*impression visuelle, fig*) amplitud *f*

larguer [laʀge] *vt* (*fam*) pasar de; **~ les amarres** soltar amarras

larme [laʀm] *nf* lágrima; **une ~ de** (*fig*) una gota de; **en ~s**

llorando; **larmoyer** vi *(yeux)* lagrimear

larvé, e [laʁve] *adj* larvado(-a)

laryngite [laʁɛ̃ʒit] *nf* laringitis *f inv*

las, lasse [lɑ, lɑs] *adj* fatigado(-a)

laser [lazeʁ] *nm*: **(rayon)** ~ (rayo) láser *m*; **disque** ~ disco láser

lasse [lɑs] *adj f voir* **las**

lasser [lɑse] *vt (ennuyer)* cansar; **se** ~ **de** *vpr* cansarse de

latéral, e, -aux [lateʁal, o] *adj* lateral

latin, e [latɛ̃, in] *adj* latino(-a)

latitude [latityd] *nf* latitud *f*

lauréat, e [lɔʁea, at] *nm/f* galardonado(-a)

laurier [lɔʁje] *nm* laurel *m*

lavable [lavabl] *adj* lavable

lavabo [lavabo] *nm* lavabo

lavage [lavaʒ] *nm* lavado; **~ de cerveau** lavado de cerebro

lavande [lavɑ̃d] *nf* lavanda

lave [lav] *nf* lava

lave-linge [lavlɛ̃ʒ] *nm inv* lavadora

laver [lave] *vt* lavar; **se** ~ *vpr* lavarse; **se** ~ **les dents/les mains** lavarse los dientes/las manos; **s'en** ~ **les mains** *(fig)* lavarse las manos con respecto a algo; **laverie** *nf*: **laverie (automatique)** lavandería; **lavette** *nf* estropajo; *(fig: péj)* calzonazos *m inv*; **laveur, -euse** *nm/f (de carreaux)* lavacristales *m inv*; *(de voitures)* lavacoches *m/f inv*; **lave-vaisselle** *nm inv* lavaplatos *m inv*; **lavoir** *nm* lavadero

laxatif, -ive [laksatif, iv] *adj, nm* laxante *m*

layette [lɛjɛt] *nf* canastilla

MOT-CLÉ

le [lə], **l'**, **la** *(pl* **les**) *art déf* **1** *(masculin)* el; *(féminin)* la; *(pluriel)* los (las); **la pomme/l'arbre** la manzana/el árbol; **les étudiants/femmes** los estudiantes/las mujeres

2 *(indiquant la possession)*: **avoir les yeux gris** tener los ojos grises

3 *(temps)*: **travailler le matin/le soir** trabajar por la mañana/la tarde; **le jeudi** *(d'habitude)* los jueves; *(ce jeudi-là)* el jueves; **le lundi je vais toujours au cinéma** los lunes voy siempre al cine

4 *(distribution, évaluation)* el (la); **10 F le mètre/la douzaine** 10 francos el metro/la docena; **le tiers/quart de** el tercio/cuarto de

♦ *pron* **1** *(masculin)* lo; *(féminin)* la; *(pluriel)* los (las); **je le/la/les vois** lo/la/los(las) veo

2 *(remplaçant une phrase)*: **je ne le savais pas** no lo sabía; **il était riche et ne l'est plus** era rico y ya no lo es

---

lécher [leʃe] *vt* lamer; **~ les vitrines** mirar escaparates; **lèche-vitrines** *nm inv*: **faire du lèche-vitrines** mirar escaparates

leçon [l(ə)sɔ̃] *nf* clase *f*; *(fig)* lección *f*; **faire la** ~ dar la lección; **~s de conduite** clases de conducir

lecteur, -trice [lɛktœʁ, tʁis] *nm/f* lector(a) ♦ *nm (TECH)*: **~ de cassettes** cassette *m*; *(INFORM)*: **~ de disquette(s)** *ou* **de disque** lector *m* de disquete(s) *ou* de disco

lecture [lɛktyʀ] *nf* lectura

légal, e, -aux [legal, o] *adj* legal;
légaliser *vt* legalizar; **légalité**
nf legalidad *f*

légendaire [leʒɑ̃dɛʀ] *adj*
legendario(-a)

légende [leʒɑ̃d] *nf* leyenda;
(d'une photo) pie *m*

léger, -ère [leʒe, ɛʀ] *adj*
ligero(-a); *(erreur, retard)* leve; *(peu
sérieux, personne)* superficial;
(volage) frívolo(-a); **à la légère** a
la ligera; **légèrement** *adv*
ligeramente, suavemente;
légèreté *nf* ligereza; *(d'une
personne)* superficialidad *f*

Légion d'honneur

Creada por Napoleón en 1802
para premiar los servicios
prestados al estado, la **Légion
d'honneur** es una prestigiosa
orden encabezada por el
Presidente de la República, el
"Grand Maître". Sus miembros
reciben una paga anual libre de
impuestos.

législatif, -ive [leʒislatif, iv] *adj*
legislativo(-a); **législatives** *nfpl*
elecciones *fpl* legislativas

légitime [leʒitim] *adj* legítimo(-a);
en (état de) ~ défense *(JUR)* en
(estado de) legítima defensa

legs [lɛg] *nm* (JUR, fig) legado

léguer [lege] *vt*: **~ qch à qn**
legar algo a algn

légume [legym] *nm* verdura

lendemain [lɑ̃dmɛ̃] *nm*: **le ~** el
día siguiente; **le ~ matin/soir** el
día siguiente por la mañana/por la
noche; **le ~ de** el día después de;
sans ~ sin futuro, sin porvenir

lent, e [lɑ̃, lɑ̃t] *adj* lento(-a);

lentement *adv* lentamente;
lenteur *nf* lentitud *f*

lentille [lɑ̃tij] *nf* (OPTIQUE) lente *f*;
~s de contact lentillas *fpl*

léopard [leɔpaʀ] *nm* leopardo

lèpre [lɛpʀ] *nf* lepra

lequel, laquelle [ləkɛl, lakɛl] (*pl*
lesquels, *f* lesquelles) *(à +
lequel = **auquel**, de + lequel =
duquel etc)* pron *(interrogatif)*
cuál; *(relatif: personne)* el/la cual,
que; *(: après préposition)* el/la cual;
**laquelle des chambres est la
sienne?** ¿cuál de las habitaciones
es la suya?; **un homme sur la
compétence duquel on ne
peut compter** un hombre con
cuya competencia no se puede
contar ♦ pron: **il prit un livre, ~
livre ...** cogió un libro, el cual ...

les [le] *dét voir* **le**

lesbienne [lɛsbjɛn] *nf* lesbiana

lesdits, lesdites [ledi, ledit] *dét
voir* **ledit**

léser [leze] *vt* perjudicar

lésiner [lezine] *vi*: **~ (sur)**
escatimar (en)

lésion [lezjɔ̃] *nf* lesión *f*

lesquels, lesquelles [lekɛl]
pron voir **lequel**

lessive [lesiv] *nf* detergente *m*;
(linge) colada; *(opération)* lavado;
lessiver *vt* lavar

lest [lɛst] *nm* lastre *m*

leste [lɛst] *adj* ágil, ligero(-a);
(osé) atrevido(-a)

lettre [lɛtʀ] *nf* carta; *(TYPO)* letra;
~s *nfpl* (ART, SCOL) letras *fpl*; **à la
~** *(fig)* al pie de la letra; **en
toutes ~s** por extenso, sin
abreviar; **~ morte: rester
morte** quedarse en papel
mojado; **~ ouverte** *(POL, de
journal)* carta abierta

leucémie [løsemi] *nf* leucemia

leur [lœr] *adj possessif* su ♦ *pron* (*objet indirect*) les; (: *après un autre prénom à la troisième personne*) se; **~ maison** su casa; **~s amis** sus amigos; **à ~ avis** en su opinión; **à ~ approche** al acercarse ellos; **à ~ vue** al verles; **je ~ ai dit la vérité** les dije la verdad; **je le ~ ai donné** se lo di; **le(la) ~, les ~s** (*possessif*) el (la) suyo(-a), los (las) suyos(-as)

leurs [lœr] *adj voir* **leur**

levain [ləvɛ̃] *nm* levadura

levé, e [ləve] *adj*: **être ~** estar levantado(-a); **au pied ~** de forma improvisada; **levée** *nf* (*POSTES*) recogida; (*CARTES*) baza; **levée de boucliers** (*fig*) levantamiento de protestas

lever [l(ə)ve] *vt* levantar; (*vitre*) subir; (*impôts*) recaudar; (*armée*) reclutar; **se ~** *vpr* levantarse; (*soleil*) salir ♦ *vi* (*CULIN*) levantarse; (*semis, graine*) brotar ♦ *nm*: **au ~** al amanecer; **~ de soleil/du jour** amanecer *m*; **~ du rideau** subida del telón

levier [ləvje] *nm* palanca

lèvre [lɛvr] *nf* labio; **du bout des ~s** (*manger*) con desgana

lévrier [levrije] *nm* galgo

levure [l(ə)vyr] *nf* levadura

lexique [lɛksik] *nm* glosario

lézard [lezar] *nm* lagarto

lézarde [lezard] *nf* grieta

liaison [ljɛzɔ̃] *nf* (*rapport*) relación *f*; (*RAIL, AVIAT, PHONÉTIQUE*) enlace *m*; (*relation amoureuse*) relaciones *fpl*; (*hum*) lío; **entrer/être en ~ avec** entrar/estar en comunicación con

liane [ljan] *nf* liana

liasse [ljas] *nf* fajo

Liban [libɑ̃] *nm* Líbano

libanais, e *adj* libanés(-esa) ♦

nm/f: **Libanais, e** libanés(-esa)

libeller [libele] *vt*: **~ (au nom de)** extender (a la orden de)

libellule [libelyl] *nf* libélula

libéral, e, -aux [liberal, o] *adj*, *nm/f* liberal *m/f*; **les professions ~es** las profesiones liberales

libérer [libere] *vt* liberar; (*de prison*) poner en libertad; **se ~** *vpr* (*de rendez-vous*) escaparse

liberté [liberte] *nf* libertad *f*; **mettre/être en ~** poner/estar en libertad; **en ~ provisoire/surveillée/conditionnelle** en libertad provisional/vigilada/condicional; **~ d'association/de la presse/syndicale** libertad de asociación/de prensa/sindical; **~s individuelles** libertades individuales

libraire [librer] *nm/f* librero(-a)

librairie [libreri] *nf* librería

libre [libr] *adj* libre; (*propos, manières*) atrevido(-a); (*ligne téléphonique*) desocupado(-a); (*SCOL*) privado(-a); **~ de qch/de faire** libre de algo/de hacer; **en vente ~** de venta libre; **~ arbitre** libre albedrío; **libre-échange** *nm* librecambio; **libre-service** (*pl* **libres-services**) *nm* autoservicio

Libye [libi] *nf* Libia

licence [lisɑ̃s] *nf* licencia; (*diplôme*) ≃ licenciatura

licencié, e [lisɑ̃sje] *nm/f*: **~ ès lettres/en droit** ≃ licenciado(-a) en letras/derecho; (*SPORT*) poseedor(a) de licencia

licenciement [lisɑ̃simɑ̃] *nm* despido

licencier [lisɑ̃sje] *vt* despedir

licite [lisit] *adj* lícito(-a)

lie [li] *nf* heces *fpl*

lié, e [lje] *adj*: **être très ~ avec qn** *(fig)* tener mucha confianza con algn; **être ~ par** *(serment, promesse)* estar comprometido(-a) por

liège [ljɛʒ] *nm* corcho

lien [ljɛ̃] *nm* ligadura; *(rapport affectif, culturel)* vínculo; **~ de parenté** lazo de parentesco

lier [lje] *vt (attacher)* atar; *(joindre)* unir, ligar; *(fig)* unir; *(moralement)* vincular; *(sauce)* espesar; **se ~ (avec qn)** relacionarse (con algn); **~ qch à** *(attacher)* atar algo a; **~ amitié** *(avec)* trabar amistad (con); **~ conversation (avec)** entablar conversación (con); **~ connaissance (avec)** entablar relación (con), trabar conocimiento (con)

lierre [ljɛʀ] *nm* hiedra

lieu, x [ljø] *nm (position)* lugar *m*, sitio; *(endroit)* lugar; **~x** *nmpl (habitation, salle)*: **vider** *ou* **quitter les ~x** desalojar el lugar; *(d'un accident, manifestation)* **arriver/être sur les ~x** llegar al/estar en el lugar; **en ~ sûr** en lugar seguro; **en haut ~** en altas esferas; **en premier/dernier ~** en primer/último lugar; **avoir ~** tener lugar, suceder; **donner ~ à** dar lugar a; **au ~ de** en lugar de, en vez de; **~ commun** lugar común; **~ public** lugar público; **lieu-dit** *(pl* **lieux-dits)** *nm* aldea

lieutenant [ljøt(ə)nɑ̃] *nm* teniente *m*

lièvre [ljɛvʀ] *nm* liebre *f*

ligament [ligamɑ̃] *nm* ligamento

ligne [liɲ] *nf* línea; **entrer en ~ de compte** entrar en cuenta; **~ de conduite** línea de conducta; **~ fixe** línea fija

lignée [liɲe] *nf* linaje *m*

ligoter [ligɔte] *vt (bras, personne)* amarrar

ligue [lig] *nf (association)* liga, asociación *f*

lilas [lila] *nm* lila

limace [limas] *nf* babosa

limande [limɑ̃d] *nf* gallo

lime [lim] *nf* lima; **~ à ongles** lima de uñas; **limer** *vt* limar

limitation [limitasjɔ̃] *nf* limitación *f*; **~ de vitesse** limitación de velocidad

limite [limit] *nf* límite *m*; **à la ~** *(au pire)* como mucho; **vitesse/ charge ~** velocidad *f*/carga límite; **cas ~** caso límite; **date ~ de vente/consommation** fecha límite de venta/consumo; **limiter** *vt (délimiter)* delimitar; **limitrophe** *adj* limítrofe

limoger [limɔʒe] *vt* destituir

limon [limɔ̃] *nm* limo

limonade [limɔnad] *nf* gaseosa

lin [lɛ̃] *nm* lino

linceul [lɛ̃sœl] *nm* mortaja

linge [lɛ̃ʒ] *nm* ropa blanca; *(pièce de tissu)* lienzo; *(aussi:* **~ de corps)** ropa interior; *(lessive)* colada; **lingerie** *nf* lencería

lingot [lɛ̃go] *nm* lingote *m*

linguistique [lɛ̃ɡɥistik] *adj* lingüístico(-a) ♦ *nf* lingüística

lion, ne [ljɔ̃, ɔn] *nm/f* león *m* (leona); **lionceau, x** *nm* cachorro de león

liqueur [likœʀ] *nf* licor *m*

liquidation [likidasjɔ̃] *nf* liquidación *f*

liquide [likid] *adj* líquido(-a) ♦ *nm* líquido; **en ~** *(COMM)* en líquido; **liquider** *vt* liquidar

lire [liʀ] *nf (monnaie italienne)* lira ♦ *vt, vi* leer

lis [lis] *vb voir* **lire** ♦ *nm* = **lys**

lisible [lizibl] *adj* legible

lisière [lizjɛʀ] *nf* (*d'une forêt*)
lindero, linde *m ou f*

lisons [lizõ] *vb voir* **lire**

lisse [lis] *adj* liso(-a)

liste [list] *nf* lista; **faire la ~ de**
hacer la lista de; **~ de mariage**
lista de boda; **~ électorale/**
noire lista electoral/negra;

listing *nm* (INFORM) listado

lit [li] *nm* cama; (*de rivière*) lecho;
faire son ~ hacerse la cama;
aller/se mettre au ~ ir a/
meterse en la cama; **~ d'enfant**
cuna; **~ de camp** cama de
campaña; **~ simple/double**
cama sencilla/de matrimonio

literie [litʀi] *nf* ropa de cama

litige [litiʒ] *nm* litigio

litre [litʀ] *nm* litro

littéraire [literɛʀ] *adj* literario(-a)

littéral, e, -aux [literal, o] *adj*
literal

littérature [literatyʀ] *nf* literatura

littoral, e, -aux [litɔʀal, o] *adj*,
nm litoral *m*

livide [livid] *adj* lívido(-a)

livraison [livʀɛzõ] *nf* entrega,
reparto

livre [livʀ] *nm* libro ♦ *nf* (*poids*,
monnaie) libra; **~ d'or** libro de
oro; **~ de bord** diario de
navegación; **~ de poche** libro de
bolsillo

livré, e [livʀe] *adj*: **~ à** (*soumis à*)
sometido(-a) a; **~ à soi-même**
abandonado a sí mismo

livrer [livʀe] *vt* (*marchandises*,
otage, complice) entregar;
(*plusieurs colis etc*) repartir; (*secret,
information*) revelar; **se ~ à** *vpr*
entregarse a

livret [livʀɛ] *nm* (*petit livre*) librito;
(*d'opéra*) libreto; **~ de caisse**
d'épargne libreta de ahorros; **~**
de famille libro de familia; **~**

scolaire libro escolar

livreur, -euse [livʀœʀ, øz] *nm/f*
repartidor(a)

local, e, -aux [lɔkal, o] *adj* local
♦ *nm* local *m*; **locaux** *nmpl* (*d'une*
compagnie) locales *mpl*; **localité**
nf localidad *f*

locataire [lɔkatɛʀ] *nm/f*
inquilino(-a)

location [lɔkasjõ] *nf* alquiler *m*;
(*par le propriétaire*) arriendo,
alquiler; **"~ de voitures"**
"alquiler de coches"

locomotive [lɔkɔmɔtiv] *nf*
locomotora

locution [lɔkysjõ] *nf* (LING)
locución *f*

loge [lɔʒ] *nf* (*d'artiste*) camerino;
(*de spectateurs*) palco; (*de*
concierge) portería, conserjería; (*de*
franc-maçon) logia

logement [lɔʒmã] *nm*
alojamiento; (*maison, appartement*)
vivienda; **chercher un ~** buscar
una vivienda; **~ de fonction**
alojamiento de servicio

loger [lɔʒe] *vt* alojar ♦ *vi* vivir; **se**
~ *vpr*: **trouver à se ~** encontrar
dónde alojarse *ou* vivir; **logeur,**
-euse *nm/f* casero(-a)

logiciel [lɔʒisjɛl] *nm* (INFORM)
software *m*

logique [lɔʒik] *adj* lógico(-a) ♦ *nf*
lógica

logo [lɔgo] *nm* (COMM) logotipo

loi [lwa] *nf* ley *f*; **faire la ~** dictar
la ley

loin [lwɛ̃] *adv* lejos; **au ~** a lo
lejos; **de ~** de lejos; (*de beaucoup*)
con mucho; **il revient de ~** (*fig*)
ha vuelto a nacer; **~ de là** ni
mucho menos

lointain, e [lwɛ̃tɛ̃, ɛn] *adj*
lejano(-a)

loir [lwaʀ] *nm* lirón *m*

loisir [lwaziʀ] nm: **heures de ~** horas fpl de ocio; **~s** nmpl tiempo libre msg; (activités) diversiones fpl
londonien, ne [lɔ̃dɔnjɛ̃, jɛn] adj londinense ♦ nm/f: **L~, ne** londinense m/f
Londres [lɔ̃dʀ] n Londres
long, longue [lɔ̃, lɔ̃g] adj largo(-a) ♦ adv: **en dire/savoir ~** decir/saber mucho ♦ nm: **de 5 mètres de ~** de 5 metros de largo; **au ~** (NAUT) de altura; **de longue date** de antiguo; **longue durée** larga duración; **(tout) le ~ de** (rue, bord) a lo largo de; **tout au ~ de** (année, vie) a lo largo de; **de ~ en large** de un lado a otro
longer [lɔ̃ʒe] vt bordear, costear
longiligne [lɔ̃ʒiliɲ] adj longilíneo(-a)
longitude [lɔ̃ʒityd] nf longitud f
longtemps [lɔ̃tɑ̃] adv mucho tiempo; **avant ~** dentro de poco; **pour/pendant ~** para/durante mucho tiempo; **mettre ~ à faire qch** costarle mucho tiempo a algn ou algo hacer algo; **elle/il en a pour ~** (à le faire) le va a llevar un buen rato (hacerlo); **il y a ~ que je n'ai pas travaillé** llevo mucho tiempo sin trabajar
longue [lɔ̃g] adj f voir **long** ♦ nf: **à la ~** a la larga; **longuement** adv mucho tiempo, largamente
longueur [lɔ̃gœʀ] nf longitud f; **en ~** a lo largo; **tirer en ~** alargarse demasiado; **à ~ de journée** durante todo el día
loquet [lɔkɛ] nm picaporte m
lorgner [lɔʀɲe] vt mirar de reojo
lors [lɔʀ]: **~ de** prép durante
lorsque [lɔʀsk] conj cuando
losange [lɔzɑ̃ʒ] nm rombo
lot [lo] nm lote m; (de loterie)

premio; **~ de consolation** premio de consolación
loterie [lɔtʀi] nf (tombola) lotería, rifa
lotion [losjɔ̃] nf loción f
lotissement [lɔtismɑ̃] nm (de maisons, d'immeubles) urbanización f
loto [lɔto] nm lotería; (jeu de hasard) loto

Loto

La Loto es un sorteo nacional de lotería que distribuye grandes sumas de dinero. Los apostantes escogen 7 números de entre 49. Cuantos más números acertados, mayor es el premio. El sorteo se televisa dos veces a la semana.

---

lotte [lɔt] nf (de mer) rape m
louanges [lwɑ̃ʒ] nfpl (compliments) elogios mpl, alabanzas fpl
loubard [lubaʀ] nm macarra m
louche [luʃ] adj sospechoso(-a) ♦ nf cucharón m; **loucher** vi bizquear
louer [lwe] vt alquilar; (réserver) reservar; **"à ~"** "se alquila"
loup [lu] nm lobo; (poisson) róbalo, lubina
loupe [lup] nf (OPTIQUE) lupa; **~ de noyer** (MENUISERIE) nudo de nogal; **à la ~** (fig) con lupa
louper [lupe] (fam) vt (train etc) perder; (examen) catear
lourd, e [luʀ, luʀd] adj pesado(-a); (chaleur, temps) bochornoso(-a); (responsabilité) importante; **~ de** (conséquences, menaces) lleno(-a) de; **lourdaud, e** (péj) adj torpe, tosco(-a); **lourdement** adv: **marcher/**

tomber lourdement andar con paso pesado/caer como un plomo; **se tromper lourdement** equivocarse burdamente

loutre [lutʀ] nf nutria

louveteau, x [luv(ə)to] nm (ZOOL) lobezno; (scout) joven scout m

louvoyer [luvwaje] vi (NAUT) bordear; (fig) andar con rodeos

loyal, e, -aux [lwajal, o] adj leal; (fair-play) legal; **loyauté** nf lealtad f

loyer [lwaje] nm alquiler m

lu [ly] pp de **lire**

lubie [lybi] nf capricho, antojo

lubrifiant [lybʀifjɑ̃] nm lubrificante m

lubrifier [lybʀifje] vt lubrificar

lubrique [lybʀik] adj lúbrico(-a)

lucarne [lykaʀn] nf tragaluz m

lucide [lysid] adj lúcido(-a)

lucratif, -ive [lykʀatif, iv] adj lucrativo(-a); **à but non ~** sin ánimo de lucro

lueur [lɥœʀ] nf resplandor m, (fig: de désir, colère) señal f; (d'espoir) rayo, chispa

luge [lyʒ] nf trineo (pequeño)

lugubre [lygybʀ] adj lúgubre; (lumière, temps) lóbrego(-a)

lui [lɥi] pron (objet indirect) le; (: après un autre pronom à la troisième personne) se; (sujet, objet direct: aussi forme emphatique) él; **je ~ ai donné de l'argent** le di dinero; **je le ~ donne** se lo doy; **elle est riche, ~ est pauvre** ella es rica, él es pobre; **~, il est à Paris** él está en París; **c'est ~ qui l'a fait** lo hizo él; **à ~** (possessif) suyo(-a), suyos(-as), de él; **cette voiture est à ~** ese coche es suyo; **je le connais mieux que ~** la conozco mejor

que él; **~-même** él mismo; **il a agi de ~-même** obró por sí mismo

luire [lɥiʀ] vi brillar, relucir

lumière [lymjɛʀ] nf luz f; (personne) lumbrera; **~s** nfpl (d'une personne) luces fpl; **mettre qch en ~** (fig) poner algo en claro, sacar algo a la luz; **~ du jour/du soleil** luz del día/del sol

luminaire [lyminɛʀ] nm luminaria

lumineux, -euse [lyminø, øz] adj luminoso(-a)

lunatique [lynatik] adj lunático(-a)

lundi [lœdi] nm lunes m inv; **on est ~** estamos a lunes; **le(s) lundi(s)** (chaque lundi) el (los) lunes; **"à ~"** "hasta el lunes"; **~ de Pâques** lunes de Pascua

lune [lyn] nf luna; **être dans la ~** estar en la luna; **~ de miel** luna de miel

lunette [lynɛt] nf: **~s** nfpl gafas fpl, anteojos mpl (AM); **~ arrière** (AUTO) ventanilla trasera; **~s noires/de soleil** gafas negras/de sol

lustre [lystʀ] nm araña; (éclat) brillo; **lustrer** vt lustrar

luth [lyt] nm laúd m

lutin [lytɛ̃] nm duende m

lutte [lyt] nf lucha; **lutter** vi luchar

luxe [lyks] nm lujo; **de ~** de lujo

Luxembourg [lyksɑ̃buʀ] nm Luxemburgo

luxer [lykse] vt: **se ~ l'épaule/le genou** luxarse el hombro/la rodilla

luxueux, -euse [lyksɥø, øz] adj lujoso(-a)

lycée [lise] nm instituto, liceo (AM); **lycéen, ne** nm/f alumno(-a) de instituto

lyophilisé, e [ljɔfilize] *adj* liofilizado(-a)

lyrique [liʀik] *adj* lírico(-a)

lys [lis] *nm* (BOT) lirio; (*emblème*) lis *m*

M, m

M *abr* (= *Monsieur*) Sr. (= *Señor*)

m' [m] *pron voir* **me**

ma [ma] *dét voir* **mon**

macaron [makaʀɔ̃] *nm* mostachón *m*

macaroni [makaʀɔni] *nm* macarrones *mpl*

macédoine [masedwan] *nf*: **~ de fruits** macedonia de frutas

macérer [maseʀe] *vi, vt* macerar

mâcher [mɑʃe] *vt* masticar; **ne pas ~ ses mots** no tener pelos en la lengua

machin [maʃɛ̃] *(fam) nm* chisme *m*

machinal, e, -aux [maʃinal, o] *adj* maquinal; **machinalement** *adv* mecánicamente

machination [maʃinasjɔ̃] *nf* maquinación *f*

machine [maʃin] *nf* máquina; **~ à coudre/à écrire/à tricoter** máquina de coser/de escribir/de tricotar; **~ à laver** lavadora; **~ à sous** máquina tragaperras *inv*

mâchoire [mɑʃwaʀ] *nf* mandíbula

mâchonner [mɑʃɔne] *vt* mordisquear

maçon [masɔ̃] *nm* albañil *m*; **maçonnerie** *nf* albañilería; (*murs*) muros *mpl*

Madame [madam] (*pl* **Mesdames**) *nf*: **~ X** la señora X; **occupez-vous de ~/de Monsieur/de Mademoiselle** atienda a la señora/al señor/a la

señorita; **bonjour ~/ Monsieur/Mademoiselle** (*ton déférent*) buenos días señora/ señor/señorita; **~/monsieur** (*pour appeler*) ¡(oiga) señora/ señor!; **~/Monsieur/ Mademoiselle** (*sur lettre*) Señora/Señor/Señorita; **chère ~/ cher Monsieur/chère Mademoiselle** estimado(-a) Señora/Señor/Señorita; **Mesdames** Señoras

madeleine [madlɛn] *nf (gâteau)* magdalena

Mademoiselle [madmwazɛl] (*pl* **Mesdemoiselles**) *nf* Señorita; *voir aussi* **Madame**

madère [madɛʀ] *nm* madeira *m*

magasin [magazɛ̃] *nm* tienda; (*entrepôt*) almacén *m*

magazine [magazin] *nm* revista; (*radiodiffusé, télévisé*) magazine *m*

Maghreb [magʀɛb] *nm* Magreb *m*

magicien, ne [maʒisjɛ̃, jɛn] *nm/f* mago(-a)

magie [maʒi] *nf* magia; **magique** *adj* mágico(-a)

magistral, -aux [maʒistʀal, o] *adj* magistral; **cours ~** (*ex cathedra*) clase *f* teórica

magistrat [maʒistʀa] *nm* magistrado

magnétique [maɲetik] *adj* magnético(-a)

magnétophone [maɲetɔfɔn] *nm* magnetófono; **~ (à cassettes)** cassette *m*

magnétoscope [maɲetɔskɔp] *nm* magnetoscopio

magnifique [maɲifik] *adj* magnífico(-a)

magret [magʀɛ] *nm*: **~ de canard** filete *m* de pechuga de pato

mai [mɛ] *nm* mayo; *voir aussi* **juillet**

---
mai

Le **premier mai** es una fiesta oficial en Francia que marca las movilizaciones sindicales de 1886 en Estados Unidos para conseguir la jornada laboral de ocho horas. Es costumbre intercambiar y llevar puestas ramitas de lirio de los valles. Le **8 mai** es una fiesta oficial en Francia para conmemorar la rendición del ejército alemán ante Eisenhower el 7 de mayo de 1945. En la mayoría de las poblaciones se hacen desfiles de veteranos de guerra. La agitación social que tuvo lugar en mayo y junio de 1968, con manifestaciones estudiantiles, huelgas y disturbios, se conoce genéricamente como *"les événements de mai 68"*. El gobierno de De Gaulle resistió, aunque se vio abocado a realizar reformas educativas y a avanzar hacia la descentralización.

maigre [mɛgʀ] *adj (après nom: personne, animal)* delgado(-a), flaco(-a); (: *viande, fromage)* magro(-a); *(fig: avant nom: repas, salaire, profit)* escaso(-a);
maigreur *nf* delgadez *f*, flaqueza; **maigrir** *vi* adelgazar
maille [maj] *nf (boucle)* eslabón *m*; *(ouverture: dans un filet etc)* punto; **avoir ~ à partir avec qn** andar en dimes y diretes con algn; **~ à l'endroit/à l'envers** punto del derecho/del revés
maillet [majɛ] *nm (outil)* mazo

maillon [majɔ̃] *nm (d'une chaîne)* eslabón *m*
maillot [majo] *nm* malla; *(de sportif)* camiseta; **~ (de corps)** camiseta; **~ (de bain)** traje *m* de baño, bañador *m*
main [mɛ̃] *nf* mano *f*; **à la ~** a mano; **se donner la ~** darse la mano; **donner** *ou* **tendre la ~ à qn** dar *ou* tender la mano a algn; **serrer la ~ à qn** estrechar la mano a algn; **sous la ~** a mano; **haut les ~s** arriba las manos; **attaque à ~ armée** ataque *m* a mano armada; **à remettre en ~s propres** a entregar en mano; **mettre la dernière ~ à qch** dar el último toque a algo; **mettre la ~ à la pâte** poner manos a la obra; **forcer la ~ à qn** obligar a algn; **s'en laver les ~s** *(fig)* lavarse las manos; **se faire la ~** entrenarse; **perdre la ~** estar desentrenado(-a); **en un tour de ~** *(fig)* en un periquete; **~ courante** pasamanos *m inv*;
main-d'œuvre *(pl* **mains-d'œuvre)** *nf* mano *f* de obra;
mainmise *nf (fig)*: **avoir la mainmise sur** tener control sobre
maint, e [mɛ̃, mɛ̃t] *adj* varios(-as); **à ~es reprises** en repetidas ocasiones
maintenant [mɛ̃t(ə)nɑ̃] *adv* ahora; *(ceci dit)* ahora bien
maintenir [mɛ̃t(ə)niʀ] *vt* mantener; **se ~** *vpr* mantenerse
maintien [mɛ̃tjɛ̃] *nm* mantenimiento; *(attitude, allure, contenance)* compostura
maire [mɛʀ] *nm* alcalde *m*, intendente *m* (CSUR), regente *m* (MEX); **mairie** *nf* ayuntamiento
mais [mɛ] *conj* pero; **~ non!** ¡que

no!; **~ enfin!** ¡pero bueno!; **~ encore** sino que

maïs [mais] *nm* maíz *m*

maison [mɛzɔ̃] *nf* casa ♦ *adj inv* (CULIN) casero(-a); **~ de repos** casa de reposo; **~ de santé** centro de salud; **~ des jeunes** casa de la juventud

---

maisons des jeunes et de la culture

Maisons des jeunes et de la culture *son centros juveniles que organizan una amplia gama de actividades deportivas y culturales y, asimismo, realizan trabajo social. Están parcialmente financiados por el estado.*

---

maître, maîtresse [mɛtʀ, mɛtʀɛs] *nm/f* (chef) jefe(-a); (SCOL) maestro(-a) ♦ *nm* (peintre etc) maestro; (JUR): **M~** título que se da en Francia a abogados, procuradores y notarios ♦ *adj* maestro(-a); **être ~ de** dominar; **une ~sse femme** toda una mujer; **~ chanteur** chantajista *m*; **~ d'hôtel** (d'hôtel) jefe de comedor, maître *m*; **~ nageur** monitor(a) de natación.

maîtresse *nf* (amante) amante *f*; (SCOL) maestra; **maîtresse de maison** (hôtesse) señora *ou* dueña de la casa

maîtrise [metʀiz] *nf* (aussi: **~ de soi**) dominio de sí mismo; (habileté, virtuosité) maestría; (suprématie) dominio; (diplôme) ≈ licenciatura; **maîtriser** *vt* dominar; **se maîtriser** *vpr* dominarse

majestueux, -euse [maʒɛstɥø, øz] *adj* majestuoso(-a)

majeur, e [maʒœʀ] *adj* mayor;

(JUR: personne) mayor de edad; (préoccupation) principal ♦ *nm/f* (JUR) mayor *m/f* de edad ♦ *nm* (doigt) corazón *m*; **en ~e partie** en su mayor parte

majorer [maʒɔʀe] *vt* recargar

majoritaire [maʒɔʀitɛʀ] *adj* mayoritario(-a)

majorité [maʒɔʀite] *nf* mayoría; (JUR) mayoría de edad; **en ~** en su mayoría; **avoir la ~** tener la mayoría

majuscule [maʒyskyl] *adj, nf*: **(lettre) ~** (letra) mayúscula

mal, maux [mal, mo] *nm* (tort, épreuve, malheur) desgracia; (douleur physique) dolor *m*; (maladie) mal *m*; (difficulté) dificultad *f* ♦ *adv* mal ♦ *adj inv*: **c'est ~ (de faire)** está mal (hacer); **être ~ (mal installé)** estar incómodo(-a); **se sentir/se trouver ~** sentirse/encontrarse mal; **il a ~ compris** ha entendido mal; **~ tourner** ir mal; **dire du ~ de qn** hablar mal de algn; **penser du ~ de qn** pensar mal de algn; **ne voir aucun ~ à** no ver ningún mal en; **faire du ~ à qn** hacer daño a algn; **se donner du ~ pour faire qch** tomarse trabajo para hacer algo; **se faire ~** hacerse daño; **ça fait ~** duele; **j'ai ~ (ici)** me duele (aquí); **j'ai ~ au dos** me duele la espalda; **avoir ~ à la tête/aux dents** tener dolor de cabeza/de muelas; **avoir ~ au cœur** tener náuseas; **j'ai du ~ à faire...** me cuesta hacer...; **avoir le ~ du pays** tener morriña; **~ en point** *adj inv* bastante mal

malade [malad] *adj* enfermo(-a); (poitrine, jambe) malo(-a) ♦ *nm/f* enfermo(-a); **tomber ~** caer

enfermo(-a); **être ~ du cœur** estar enfermo(-a) del corazón; **~ mental** enfermo mental;
maladie *nf* enfermedad f;
maladif, -ive *adj* enfermizo(-a)
maladresse [maladʀɛs] *nf* torpeza
maladroit, e [maladʀwa, wat] *adj* torpe
malaise [malɛz] *nm* malestar m
malaria [malaʀja] *nf* malaria
malaxer [malakse] *vt* amasar
malbouffe [malbuf] *nf* comida basura
malchance [malʃɑ̃s] *nf* mala suerte; **par ~** por desgracia;
malchanceux, -euse *adj* desafortunado(-a)
mâle [mɑl] *nm* macho ♦ *adj* macho; (enfant) varón; (viril) varonil, viril; **prise f ~** (ÉLEC) clavija
malédiction [malediksjɔ̃] *nf* maldición f
mal...: malentendant, e *nm/f*:
les malentendants las personas con defectos de audición; **malentendu** *nm* malentendido; **malfaçon** *nf* defecto; **malfaisant, e** *adj* (bête) dañino(-a); (être) malo(-a); (idées, influence) nocivo(-a); **malfaiteur** *nm* malhechor m; (voleur) ladrón m;
malfamé, e *adj* de mala fama
malgache [malgaʃ] *adj* malgache ♦ *nm* (LING) malgache m ♦ *nm/f*:
M~ malgache m/f
malgré [malgʀe] *prép* (contre le gré de) contra la voluntad de; (en dépit de) a pesar de; **~ tout** a pesar de todo
malheur [malœʀ] *nm* desgracia;
faire un ~ (fam) explotar;
malheureusement *adv* desgraciadamente;

malheureux, -euse *adj* (triste: personne) infeliz, desdichado(-a); (existence, accident) desgraciado(-a), desdichado(-a); (malchanceux: candidat) derrotado(-a); (insignifiant) miserable ♦ *nm/f* desgraciado(-a); **la malheureuse victime** la desdichada víctima; **les malheureux** los desamparados
malhonnête [malɔnɛt] *adj* deshonesto(-a); **malhonnêteté** *nf* falta de honradez
malice [malis] *nf* malicia; **malicieux, -ieuse** *adj* malicioso(-a)
malin, -igne [malɛ̃, maliɲ] *adj* (f gén maline) astuto(-a); (MÉD) maligno(-a)
malingre [malɛ̃gʀ] *adj* enteco(-a)
malle [mal] *nf* baúl m; **mallette** *nf* maletín m
malmener [malməne] *vt* maltratar; (fig: adversaire) dejar maltrecho(-a)
malodorant, e [malɔdɔʀɑ̃, ɑ̃t] *adj* maloliente
malpoli, e [malpɔli] *nm/f* maleducado(-a)
malsain, e [malsɛ̃, ɛn] *adj* malsano(-a); (esprit, curiosité) morboso(-a)
malt [malt] *nm* malta
Malte [malt] *nf* Malta
maltraiter [maltʀete] *vt* maltratar
malveillance [malvejɑ̃s] *nf* mala intención f; (JUR) malevolencia
malversation [malvɛʀsasjɔ̃] *nf* malversación f
maman [mamɑ̃] *nf* mamá
mamelle [mamɛl] *nf* teta
mamelon [mam(ə)lɔ̃] *nm* pezón m
mamie [mami] (fam) *nf* abuelita, nana

mammifère [mamifɛʀ] nm mamífero

mammouth [mamut] nm mamut m

manche [mɑ̃ʃ] nf manga; (d'un jeu, tournoi) partida; (GÉO): **la M—** Canal m de la Mancha; **faire la ~** tocar en la calle ♦ nm mango; **~ à balai** nm palo de escoba

manchette [mɑ̃ʃɛt] nf (de chemise) puño; (coup) golpe dado con el antebrazo; (PRESSE) cabecera, titular m

manchot, e [mɑ̃ʃo, ɔt] adj manco(-a) ♦ nm (ZOOL) pingüino

mandarine [mɑ̃daʀin] nf mandarina

mandat [mɑ̃da] nm (postal) giro; (d'un député, président) mandato; (POLICE) orden f; **~ d'arrêt** orden de arresto; **mandataire** nm/f mandatario(-a)

manège [manɛʒ] nm (école d'équitation) picadero; (à la foire) tiovivo; (fig: manœuvre) maniobra

manette [manɛt] nf palanca

mangeable [mɑ̃ʒabl] adj comible

mangeoire [mɑ̃ʒwaʀ] nf pesebre m

manger [mɑ̃ʒe] vt comer; (ronger: suj: rouille etc) carcomer ♦ vi comer

mangue [mɑ̃g] nf mango

maniable [manjabl] adj manejable

maniaque [manjak] adj maniático(-a) ♦ nm/f (obsédé, fou) maníaco(-a)

manie [mani] nf manía

manier [manje] vt manejar

manière [manjɛʀ] nf manera; **~s** nfpl (attitude) modales mpl; (chichis) melindres mpl; **de ~ à** con objeto de; **de telle ~ que** de tal manera que; **de cette ~ de**

esta manera; **d'une ~ générale** en general; **de toute ~** de todas maneras; **d'une certaine ~** en cierto sentido

maniéré, e [manjeʀe] adj amanerado(-a)

manifestant, e [manifɛstɑ̃, ɑ̃t] nm/f manifestante m/f

manifestation [manifɛstasjɔ̃] nf manifestación f; (fête, réunion etc) acto

manifeste [manifɛst] adj manifiesto(-a) ♦ nm manifiesto; **manifester** vt manifestar ♦ vi (POL) manifestarse; **se manifester** vpr manifestarse; (témoin) presentarse

manigancer [manigɑ̃se] vt tramar

manipulation [manipylasjɔ̃] nf manipulación f; **~ génétique** manipulación genética

manipuler [manipyle] vt manipular

manivelle [manivɛl] nf manivela

mannequin [mankɛ̃] nm (COUTURE) maniquí m; (MODE) modelo

manœuvre [manœvʀ] nf maniobra ♦ nm obrero; **fausse ~** maniobra falsa; **manœuvrer** vt maniobrar; (levier, personne) manejar ♦ vi maniobrar

manoir [manwaʀ] nm casa solariega

manque [mɑ̃k] nm falta; **~s** nmpl (lacunes) lagunas fpl

manqué, e [mɑ̃ke] adj fracasado(-a), fallido(-a)

manquer [mɑ̃ke] vi faltar; (échouer) fracasar ♦ vt (coup, objectif) fallar; (cours, réunion) faltar a ♦ vb impers: **il (nous)** **manque encore 100 F** nos faltan todavía 100 francos; **il**

manque des pages faltan páginas; **~ à qn: il/cela me manque** le/lo echo de menos; **~ à** (ses responsabilités etc) faltar a; **~ de** carecer de; **~ (de) faire: il a manqué (de) se tuer** por poco se mata

mansarde [mɑ̃saʀd] nf buhardilla; **mansardé, e** adj abuhardillado(-a)

manteau, x [mɑ̃to] nm abrigo

manucure [manykyʀ] nf manicura

manuel, le [manɥɛl] adj manual ♦ nm (livre) manual m

manufacture [manyfaktyʀ] nf manufactura; **manufacturé, e** adj manufacturado(-a)

manuscrit, e [manyskʀi, it] adj manuscrito(-a) ♦ nm manuscrito

manutention [manytɑ̃sjɔ̃] nf manipulación f

mappemonde [mapmɔ̃d] nf mapamundi m

maquereau, x [makʀo] nm (ZOOL) caballa; (fam: proxénète) chulo

maquette [makɛt] nf maqueta

maquillage [makijaʒ] nm maquillaje m

maquiller [makije] vt maquillar; **se ~** vpr maquillarse

maquis [maki] nm (GÉO) monte m bajo; (MIL) maquis m inv

maraîcher, -ère [maʀeʃe, ɛʀ] adj: **cultures maraîchères** cultivos mpl de huerta ♦ nm/f hortelano(-a)

marais [maʀɛ] nm pantano

marasme [maʀasm] nm marasmo

marathon [maʀatɔ̃] nm maratón m

marbre [maʀbʀ] nm mármol m

marc [maʀ] nm (de raisin, pommes) orujo

marchand, e [maʀʃɑ̃, ɑ̃d] nm/f comerciante m/f; (au marché) vendedor(a) ♦ adj: **valeur ~** valor m comercial; **~ de fruits** frutero(-a); **~ de journaux** vendedor de periódicos; **~ de légumes** verdulero(-a); **~ de poisson** pescadero(-a);

marchander vt, vi regatear;

marchandise nf mercancía

marche [maʀʃ] nf marcha; (d'escalier) escalón m; **ouvrir/ fermer la ~** abrir/cerrar la marcha; **dans le sens de la ~** (RAIL) en el sentido de la marcha; **monter/prendre en ~** subir/ coger en marcha; **mettre en ~** poner en marcha; **se mettre en ~** ponerse en marcha; **~ à suivre** pasos mpl a seguir; (sur notice) método; **~ arrière** (AUTO) marcha atrás; **faire marche arrière** (AUTO) dar marcha atrás

marché [maʀʃe] nm mercado; (accord, affaire) trato; **par dessus le ~** por añadidura; **~ aux puces** rastro, mercadillo; **~ noir** mercado negro

marcher [maʀʃe] vi andar; (se promener) caminar; (fonctionner) funcionar; **d'accord, je marche** (fam) bueno, me parece bien; **~ sur** (mettre le pied sur) pisar; **~ dans** (herbe etc) caminar por; **faire ~ qn** (pour rire) tomar el pelo a algn; **marcheur, euse** nm/f andarín(-ina)

mardi [maʀdi] nm martes m inv; **M~ gras** martes de Carnaval; voir aussi **lundi**

mare [maʀ] nf charco

marécage [maʀekaʒ] nm ciénaga; **marécageux, -euse** adj cenagoso(-a)

maréchal, -aux [maʀeʃal, o] nm

mariscal *m*

marée [maʀe] *nf* marea; **~ basse/haute** marea baja/alta; **~ montante/descendante** flujo/reflujo; **~ noire** marea negra

marelle [maʀɛl] *nf* rayuela

margarine [maʀɡaʀin] *nf* margarina

marge [maʀʒ] *nf* margen *m*; **en ~ (de)** al margen (de); **~ bénéficiaire** (COMM) margen de beneficios

marginal, e, -aux [maʀʒinal, o] *adj* marginal

marguerite [maʀɡəʀit] *nf* margarita

mari [maʀi] *nm* marido

mariage [maʀjaʒ] *nm* matrimonio; (*noce*) boda; (*fig: de mots, couleurs*) combinación *f*; **~ blanc** matrimonio no consumado; **~ civil/religieux** matrimonio civil/religioso

marié, e [maʀje] *adj* casado(-a) ♦ *nm/f* novio(-a); **les ~s** los novios

marier [maʀje] *vt* casar; (*fig: couleur*) combinar; **se ~ (avec)** casarse (con)

marin, e [maʀɛ̃, in] *adj* marino(-a) ♦ *nm* marino; (*matelot*) marinero

marine [maʀin] *adj f voir* **marin** ♦ *nf* marina; **~ marchande/de guerre** marina mercante/de guerra

mariner [maʀine] *vt, vi* escabechar

marionnette [maʀjɔnɛt] *nf* marioneta

maritalement [maʀitalmɑ̃] *adv* maritalmente

maritime [maʀitim] *adj* marítimo(-a)

mark [maʀk] *nm* marco

marmelade [maʀməlad] *nf* mermelada

marmite [maʀmit] *nf* (*récipient*) marmita

marmonner [maʀmɔne] *vt* mascullar

marmotter [maʀmɔte] *vt* mascullar

Maroc [maʀɔk] *nm* Marruecos *msg*

Marocain, e [maʀɔkɛ̃, ɛn] *adj* marroquí ♦ *nm/f*: **M~, e** marroquí *m/f*

maroquinerie [maʀɔkinʀi] *nf* marroquinería

marquant, e [maʀkɑ̃, ɑ̃t] *adj* destacado(-a); (*personnalité*) especial

marque [maʀk] *nf* marca; **de ~** *adj* (COMM: *produit*) de marca; (*fig*) destacado(-a); **~ déposée** marca registrada

marquer [maʀke] *vt* marcar; (*inscrire*) anotar; (*suj: chose: laisser une trace sur*) dejar una marca en; (*fig: impressionner*) impresionar; (*assentiment, refus*) manifestar ♦ *vi* (SPORT) marcar; **~ le pas** (*fig*) marcar el paso

marqueterie [maʀkɛtʀi] *nf* marquetería

marquis, e [maʀki, iz] *nm/f* marqués(-esa)

marraine [maʀɛn] *nf* madrina

marrant, e [maʀɑ̃, ɑ̃t] (*fam*) *adj* divertido(-a); **ce n'est pas ~** no tiene gracia

marre [maʀ] (*fam*) *adv*: **en avoir ~ de** estar harto(-a) de

marrer [maʀe]: **se ~** (*fam*) *vpr* desternillarse de risa

marron, ne [maʀɔ̃, ɔn] *nm* castaña ♦ *adj inv* (*couleur*) marrón *inv*; **marronnier** *nm* castaño

mars [maʀs] *nm* marzo; *voir aussi* **juillet**

Marseille [maʀsɛj] *n* Marsella

marsouin [maʀswɛ̃] *nm* marsopa

marteau [maʀto] *nm* martillo;
marteau-piqueur (*pl*
marteaux-piqueurs) *nm*
martillo neumático

marteler [maʀtəle] *vt* martillear

martien, ne [maʀsjɛ̃, jɛn] *adj*
marciano(-a)

martyr, e [maʀtiʀ] *nm/f* mártir
m/f; **martyre** *nm* martirio;
martyriser *vt* martirizar

marxiste [maʀksist] *adj, nm/f*
marxista *m/f*

mascara [maskaʀa] *nm* rímel *m*

masculin, e [maskylɛ̃, in] *adj*
masculino(-a) ♦ *nm* masculino

masochiste [mazɔʃist] *adj, nm/f*
masoquista *m/f*

masque [mask] *nm* máscara; ~
de plongée gafas *fpl* de bucear;
masquer *vt* ocultar

massacre [masakʀ] *nm* matanza;
massacrer *vt* matar, exterminar

massage [masaʒ] *nm* masaje *m*

masse [mas] *nf* masa; (*maillet*)
maza; **la** ~ (*péj: peuple*) la masa;
les ~**s laborieuses** las masas
trabajadoras; **en** ~ juntos(-as);
(*plus nombreux*) en masa

masser [mase] *vt* (*personne,
jambe*) dar masaje a; **se** ~ *vpr* (*se
regrouper*) concentrarse;
masseur, -euse *nm/f* masajista
m/f

massif, -ive [masif, iv] *adj*
(*porte, silhouette, or*) macizo(-a);
(*dose, déportations*) masivo(-a) ♦
nm macizo

massue [masy] *nf* maza

mastic [mastik] *nm* masilla

mastiquer [mastike] *vt* masticar

mat, e [mat] *adj* mate *inv*; (*son*)
sordo(-a); **être** ~ (*ÉCHECS*) ser
mate

mât [mɑ] *nm* (*NAUT*) mástil *m*;
(*poteau*) poste *m*

match [matʃ] *nm* partido; ~
aller/retour partido de ida/de
vuelta; **faire match nul** empatar

matelas [mat(ə)la] *nm* colchón
m; ~ **pneumatique** colchón de
aire

matelot [mat(ə)lo] *nm* marinero

mater [mate] *vt* (*personne*)
someter; (*révolte*) dominar

matérialiser [mateʀjalize]: **se** ~
vpr materializarse

matérialiste [mateʀjalist] *adj,
nm/f* materialista *m/f*

matériau [mateʀjo] *nm* material
m

matériel, le [mateʀjɛl] *adj*
material ♦ *nm* material *m*; (*de
camping*) equipo; (*de pêche*)
aparejos *mpl*; (*INFORM*) soporte *m*
físico

maternel, le [mateʀnɛl] *adj*
(*amour*) maternal; (*par filiation*:
grand-père etc) materno(-a);
maternelle *nf* (*aussi*: **école
maternelle**) escuela de párvulos

maternité [mateʀnite] *nf*
maternidad *f*

mathématiques [matematik]

nfpl matemáticas *fpl*

maths [mat] *(fam)* *nfpl*
matemáticas *fpl*, mates *fpl* *(fam)*

matière [matjɛʀ] *nf* (PHYS)
materia; (COMM, TECH) material *m*;
(*d'un livre etc*) tema *m*; (SCOL)
asignatura; **en ~ de** en materia
de; (*en ce qui concerne*) en cuanto
a; **~ grise** materia gris; **~s
grasses** grasas *fpl*; **~s
premières** materias primas

---

hôtel Matignon

L'hôtel Matignon *es el
despacho y residencia del primer
ministro francés en París. Por
extensión, el término "Matignon"
se emplea frecuentemente para
designar al primer ministro o a su
equipo.*

---

matin [matɛ̃] *nm* mañana; **le ~**
por la mañana; **dimanche ~** el
domingo por la mañana; **le
lendemain ~** a la mañana
siguiente; **hier/demain ~** ayer/
mañana por la mañana; **du ~ au
soir** de la mañana a la noche;
une heure du ~ la una de la
mañana; **à demain ~!** ¡hasta
mañana por la mañana!; **de
grand** *ou* **bon ~** de madrugada

matinal, e, -aux [matinal, o] *adj*
(*toilette, gymnastique*)
matutino(-a), matinal; (*de bonne
heure*) tempranero(-a); **être ~**
(*personne*) ser madrugador(a);
matinée *nf* mañana; (*spectacle*)
función *f* de tarde, vermú *m* (AM)

matou [matu] *nm* gato

matraque [matʀak] *nf* (*de
malfaiteur*) cachiporra; (*de policier*)
porra

matricule [matʀikyl] *nf* matrícula

♦ *nm* (MIL) número de registro

matrimonial, e, -aux
[matʀimɔnjal, o] *adj* matrimonial

maudit, e [modi, it] *adj*
maldito(-a)

maugréer [moɡʀee] *vi* refunfuñar

maussade [mosad] *adj*
(*personne*) malhumorado(-a); (*ciel,
temps*) desapacible

mauvais, e [movɛ, ɛz] *adj*
malo(-a); (*placé avant le nom*) mal;
(*rire*) perverso(-a) ♦ *adv*: **il fait ~**
hace malo; **sentir ~** oler mal; **la
mer est ~e** el mar está agitado;
~ joueur mal jugador *m*; **~ pas**
mal paso; **~e herbe** mala hierba;
~e langue lengua viperina; **~e
tête** terco(-a)

mauve [mov] *nm* malva ♦ *adj*
malva *inv*

maux [mo] *nmpl voir* **mal**

maximum [maksimɔm] *adj*
máximo(-a) ♦ *nm* máximo; **au ~**
adv (*le plus possible*) al máximo;
(*tout au plus*) como máximo

mayonnaise [majɔnɛz] *nf*
mayonesa

mazout [mazut] *nm* fuel-oil *m*

me [mə] *pron me*; **il m'a donné
un livre** me ha dado un libro

mec [mɛk] *(fam) nm* tío

mécanicien, ne [mekanisjɛ̃, jɛn]
nm/f mecánico(-a)

mécanique [mekanik] *adj*
mecánico(-a) ♦ *nf* mecánica; **s'y
connaître en ~** saber de
mecánica; **ennui ~** problema *m*
mecánico

mécanisme [mekanism] *nm*
mecanismo

méchamment [meʃamɑ̃] *adv*
cruelmente

méchanceté [meʃɑ̃ste] *nf*
maldad *f*, malicia

méchant, e [meʃɑ̃, ɑ̃t] *adj*

(*personne*) malvado(-a); (*sourire*) malicioso(-a); (*animal*) malo(-a); (*avant le nom: affaire, humeur*) mal; (: *intensif*) malísimo(-a)

mèche [mɛʃ] *nf* mecha; (*de cheveux: coupés*) mechón *m*; **vendre la ~** irse de la lengua; **être de ~ avec qn** estar conchabado(-a) con algn

méchoui [meʃwi] *nm* cordero asado

méconnaissable [mekɔnesabl] *adj* irreconocible

méconnaître [mekɔnɛtʀ] *vt* (*ignorer*) desconocer; (*méjuger*) infravalorar

mécontent, e [mekɔ̃tɑ̃, ɑ̃t] *adj*: **~ (de)** descontento(-a) (con); **mécontentement** *nm* descontento

médaille [medaj] *nf* medalla

médaillon [medajɔ̃] *nm* medallón *m*

médecin [med(ə)sɛ̃] *nm* médico(-a); **~ généraliste/ légiste/traitant** médico general/forense/de cabecera

médecine [med(ə)sin] *nf* medicina; **~ légale/préventive** medicina legal/preventiva

médiatique [medjatik] *adj* mediático

médical, e, -aux [medikal, o] *adj* médico(-a)

médicament [medikamɑ̃] *nm* medicamento

médiéval, e, -aux [medjeval, o] *adj* medieval

médiocre [medjɔkʀ] *adj* mediocre

méditer [medite] *vt* meditar; (*préparer*) planear

Méditerranée [mediteʀane] *nf*: **la (mer) ~** el (mar) Mediterráneo; **méditerranéen,**

ne *adj* mediterráneo(-a) ♦ *nm/f*: **Méditerranéen, ne** mediterráneo(-a)

méduse [medyz] *nf* medusa

méfait [mefɛ] *nm* (*faute*) fechoría; **~s** *nmpl* (*ravages*) daños *mpl*

méfiance [mefjɑ̃s] *nf* desconfianza, recelo

méfiant, e [mefjɑ̃, jɑ̃t] *adj* desconfiado(-a), receloso(-a)

méfier [mefje]: **se ~** *vpr* desconfiar; **se ~ de** desconfiar de; (*faire attention*) tener cuidado con

mégarde [megaʀd] *nf*: **par ~** por descuido; (*par erreur*) por equivocación

mégère [meʒɛʀ] (*péj*) *nf* arpía, bruja

mégot [mego] *nm* colilla

meilleur, e [mɛjœʀ] *adj* mejor; (*superlatif*): **le ~ (de)** (*chose*) el mejor (de); (*chose*) lo mejor (de) ♦ *nm*: **le ~** (*personne*) el mejor; (*chose*) lo mejor ♦ *nf*: **la ~e** la mejor; **le ~ des deux** el mejor de los dos; **c'est la ~e!** ¡es el colmo!; **~ marché** más barato

mélancolie [melɑ̃kɔli] *nf* melancolía; **mélancolique** *adj* melancólico(-a)

mélange [melɑ̃ʒ] *nm* mezcla; **mélanger** *vt* mezclar; **vous mélangez tout!** ¡usted lo mezcla todo!

mêlée [mele] *nf* (*bataille*) pelea, contienda; (*RUGBY*) melé *f*

mêler [mele] *vt* mezclar; **se ~** *vpr* mezclarse; **se ~ à** mezclarse con; **se ~ de** entrometerse en; **~ qn à une affaire** implicar a algn en un asunto

mélodie [melɔdi] *nf* melodía; **mélodieux, -euse** *adj* melodioso(-a)

melon [m(ə)lɔ̃] nm melón m
membre [mɑ̃br] nm miembro ♦
adj miembro inv
mémé [meme] (fam) nf abuelita

MOT-CLÉ

même [mɛm] adj **1** (avant le nom)
mismo(-a); **en même temps** al
mismo tiempo; **ils ont les
mêmes goûts** tienen los mismos
gustos; **la même chose** lo
mismo
2 (après le nom: renforcement): **il
est la loyauté même** es la
lealtad misma; **ce sont ses
paroles mêmes** son sus mismas
palabras
♦ pron: **le(la) même** el (la)
mismo(-a)
♦ adv **1** (renforcement): **il n'a
même pas pleuré** ni siquiera
lloró; **même lui l'a dit** incluso él
lo dijo; **ici même** aquí mismo
**2: à même: à même la
bouteille** de la botella misma; **à
même la peau** junto a la piel;
être à même de faire estar en
condiciones de hacer
3: de même: faire de même
hacer lo mismo; **lui de même**
también él; **de même que** lo
mismo que; **de lui-même** por sí
mismo; **il en va de même pour**
lo mismo va para
4: même si conj aunque
(+subjonctif)

mémoire [memwar] nf memoria;
à la ~ de en memoria de, en
recuerdo de ♦ nm (ADMIN, JUR,
SCOL) memoria; **~s** nmpl
(souvenirs) memorias fpl; **pour ~**
adv a título de información; **de ~**
adv de memoria; **mettre en ~**
(INFORM) guardar en memoria; **~**

morte/vive memoria ROM/RAM
mémorable [memɔrabl] adj
memorable
menace [mənas] nf amenaza;
menacer vt amenazar
ménage [menaʒ] nm quehaceres
mpl domésticos, limpieza; (couple)
matrimonio; **faire le ~** hacer la
limpieza; **ménagement** nm
deferencia
ménager[1] [menaʒe] vt
(personne) tratar con deferencia;
(monture) no fatigar; (ouverture)
instalar; **se ~** vpr cuidarse
ménager[2]**, -ère** [menaʒe, ɛr]
adj doméstico(-a); **ménagère** nf
ama de casa
mendiant, e [mɑ̃djɑ̃, jɑ̃t] nm/f
mendigo(-a), pordiosero(-a)
mendier [mɑ̃dje] vt, vi mendigar
mener [m(ə)ne] vt dirigir;
(enquête, vie, affaire) llevar ♦ vi
(SPORT) estar a la cabeza, ir en
cabeza; **~ à/dans/chez**
(emmener) llevar a/en/a casa de; **~
qch à bonne fin/à terme/à
bien** llevar algo a buen fin/a
término/a buen término; **~ à
rien/à tout** llevar ou conducir a
nada/a todas partes
meneur, -euse [mənœr, øz]
nm/f dirigente m/f; (péj: agitateur)
cabecilla m/f
méningite [menɛ̃ʒit] nf
meningitis f
ménopause [menopoz] nf
menopausia
menottes [mənɔt] nfpl esposas
fpl
mensonge [mɑ̃sɔ̃ʒ] nm mentira;
mensonger, -ère adj falso(-a)
mensualité [mɑ̃sɥalite] nf
mensualidad f
mensuel, le [mɑ̃sɥɛl] adj
mensual

mensurations [mɑ̃syʀasjɔ̃] *nfpl* medidas *fpl*

mental, e, -aux [mɑ̃tal, o] *adj* mental; **mentalité** *nf* mentalidad *f*

menteur, -euse [mɑ̃tœʀ, øz] *nm/f* mentiroso(-a), embustero(-a)

menthe [mɑ̃t] *nf* menta

mention [mɑ̃sjɔ̃] *nf* mención *f*; (SCOL, UNIV): **~ passable/assez bien/bien/très bien** aprobado/bien/notable/ sobresaliente; **"rayer la ~ inutile"** (ADMIN) "tache lo que no proceda"; **mentionner** *vt* mencionar

mentir [mɑ̃tiʀ] *vi* mentir

menton [mɑ̃tɔ̃] *nm* (ANAT) mentón *m*, barbilla

menu, e [məny] *adj* menudo(-a); (*voix*) débil; (*frais*) módico(-a) ♦ *adv*: **couper/hacher ~** cortar/ picar en trocitos ♦ *nm* menú *m*

menuiserie [mənɥizʀi] *nf* carpintería; **menuisier** *nm* carpintero

méprendre [mepʀɑ̃dʀ]: **se ~** *vpr* equivocarse, confundirse; **se ~ sur** confundirse en, equivocarse en

mépris [mepʀi] *pp de* **méprendre** ♦ *nm* desprecio, menosprecio; **au ~ de** a despecho de; **méprisable** *adj* despreciable; **méprisant, e** *adj* despreciativo(-a); **méprise** *nf* equivocación *f*; **mépriser** *vt* despreciar, menospreciar

mer [mɛʀ] *nf* mar *m*; **en ~** en el mar; **prendre la ~** hacerse a la mar; **en haute/pleine ~** en alta mar

mercenaire [mɛʀsənɛʀ] *nm* mercenario

mercerie [mɛʀsəʀi] *nf* mercería

merci [mɛʀsi] *excl* gracias ♦ *nf* merced *f*; **à la ~ de qn/qch** a merced de algn/algo; **~ de/pour** gracias por

mercredi [mɛʀkʀədi] *nm* miércoles *m inv*; **~ des cendres** miércoles de Ceniza; *voir aussi* **lundi**

mercure [mɛʀkyʀ] *nm* mercurio

merde [mɛʀd] (*fam!*) *nf* mierda (*fam!*) ♦ *excl* ¡mierda! (*fam!*); (*surprise, impatience*) ¡¡joder! (*fam!*), ¡coño! (*fam!*)

mère [mɛʀ] *nf* madre *f*; (*fam*) tía; **~ célibataire/de famille** madre soltera/de familia

merguez [mɛʀgez] *nf* salchicha muy condimentada

méridional, e, -aux [meʀidjɔnal, o] *adj* meridional; (*du midi de la France*) del Sur de Francia ♦ *nm/f* nativo(-a) *ou* habitante *m/f* del Sur de Francia

meringue [məʀɛ̃g] *nf* merengue *m*

mérite [meʀit] *nm* mérito; (*valeur*) mérito, valor *m*; **mériter** *vt* merecer, ameritar (AM)

merle [mɛʀl] *nm* mirlo

merveille [mɛʀvɛj] *nf* maravilla; **faire ~/des ~s** hacer maravillas; **à ~** a las mil maravillas; **merveilleux, -euse** *adj* maravilloso(-a)

mes [me] *dét voir* **mon**

mésange [mezɑ̃ʒ] *nf* herrerillo

mésaventure [mezavɑ̃tyʀ] *nf* infortunio

Mesdames [medam] *nfpl voir* **Madame**

Mesdemoiselles [medmwazɛl] *nfpl voir* **Mademoiselle**

mesquin, e [mɛskɛ̃, in] *adj*: **esprit ~/personne ~e** espíritu ruin/persona mezquina;

mesquinerie nf mezquindad f
message [mesaʒ] nm mensaje m;
messager, -ère nm/f
mensajero(-a)
messe [mɛs] nf misa; **aller à la
~** ir a misa; **~ de minuit** misa del
gallo
Messieurs [mesjø] nmpl voir
Monsieur
mesure [m(ə)zyʀ] nf (dimension,
étalon) medida f; (évaluation)
medición f; (MUS) compás msg;
(modération, retenue) mesura,
comedimiento; **sur ~** a la
medida; **dans la ~ de/où** en la
medida de/en que; **à ~ que** a
medida que; **en ~** (MUS) al
compás; **être en ~ de** estar en
condiciones de
mesurer [mazyʀe] vt medir; **se ~
avec/à qn** medirse con algn; **il
mesure 1 m 80** mide 1 m 80
métal, -aux [metal, o] nm metal
m; **métallique** adj metálico(-a)
météo [meteo] nf (bulletin)
tiempo; (service) servicio
meteorológico
météorologie [meteɔrɔlɔʒi] nf
meteorología
méthode [metɔd] nf método
méticuleux, -euse [metikylø,
øz] adj meticuloso(-a)
métier [metje] nm oficio;
(technique, expérience) práctica;
(aussi: **~ à tisser**) telar m
métis, se [metis] adj, nm/f
mestizo(-a), cholo(-a) (AND)
métrage [metʀaʒ] nm: **long/
moyen/court** (CINÉ)
largometraje/mediometraje/
cortometraje m
mètre [mɛtʀ] nm metro;
métrique adj: **système
métrique** sistema métrico
métro [metʀo] nm metro,

subterráneo (AM)
métropole [metʀɔpɔl] nf
metrópoli f, metrópolis f inv
mets [mɛ] vb voir **mettre ♦** nm
plato
metteur [metœʀ] nm: **~ en
scène** (THÉÂTRE) director m
escénico; (CINÉ) director

MOT-CLÉ

mettre [mɛtʀ] vt **1** (faire
poner;
mettre en bouteille embotellar;
mettre en sac poner en sacos;
mettre en pages compaginar;
mettre en examen detener
(para ser interrogado); **mettre à
la poste** echar al correo
2 (vêtements: revêtir) poner; (: soi-
même) ponerse; (: installer) poner;
mets ton gilet ponte el chaleco
3 (faire fonctionner: chauffage,
réveil) poner; (: lumière) dar;
(installer: gaz, eau) poner; **faire
mettre le gaz/l'électricité**
poner gas/electricidad; **mettre
en marche** poner en marcha
4 (consacrer): **mettre du
temps/2 heures à faire qch**
tardar tiempo/dos horas en hacer
algo
5 (noter, écrire): **qu'est-ce
que tu as mis sur la carte?**
¿qué has puesto en la postal?;
mettre au pluriel poner en
plural
6 (supposer): **mettons que ...**
pongamos que ...
7: **y mettre du sien** (dans une
affaire) poner de su parte
se mettre vpr: **vous pouvez
vous mettre là** puede ponerse
allí; **où ça se met?** ¿dónde se
pone eso?; **se mettre au lit** meterse en la cama; **se mettre de
l'encre sur les doigts**

mancharse los dedos de tinta; **se mettre en maillot de bain** ponerse en bañador; **n'avoir rien à se mettre** no tener nada que ponerse; **se mettre à faire qch** ponerse a hacer algo; **se mettre au travail** ponerse a trabajar; **se mettre au régime** ponerse a régimen; **allons, il faut s'y mettre!** ¡venga, vamos a ponernos a trabajar!

meuble [mœbl] *nm* mueble *m*; (*ameublement, mobilier*) mobiliario;
meublé, e *adj*: **chambre meublée** habitación *f* amueblada; **meubler** *vt* amueblar

meugler [møgle] *vi* mugir

meule [møl] *nf* muela; (AGR) almiar *m*; (*de fromage*) rueda grande de queso

meunier, -ière [mønje, jɛʀ] *nm/f* molinero(-a)

meurs *etc* [mœʀ] *vb voir* **mourir**

meurtre [mœʀtʀ] *nm* asesinato;
meurtrier, -ière *nm/f* asesino(-a) ♦ *adj* mortal; (*arme, instinct*) asesino(-a)

meurtrir [mœʀtʀiʀ] *vt* magullar; (*fig*) herir

meus *etc* [mœ] *vb voir* **mouvoir**

meute [møt] *nf* jauría

mexicain, e [mɛksikɛ̃, ɛn] *adj* mexicano(-a), mejicano(-a) ♦ *nm/f*:
M~, e mexicano(-a), mejicano(-a)

Mexico [mɛksiko] *n* México, Méjico

Mexique [mɛksik] *nm* México, Méjico

Mgr *abr* (= *Monseigneur*) Mons. (= *Monseñor*)

mi [mi] *nm inv* (MUS) mi *m* ♦ *préf* medio; **à la ~-janvier** a mediados de enero; **à ~-jambes**

a media pierna; **à ~-hauteur/-pente** a media altura/pendiente

miauler [mjole] *vi* maullar

miche [miʃ] *nf* hogaza

mi-chemin [miʃmɛ̃]: **à ~~~** *adv* a medio camino

mi-clos, e [miklo, kloz] (*pl* **~~~, es**) *adj* entornado(-a)

micro [mikʀo] *nm* micrófono; (INFORM) micro

microbe [mikʀɔb] *nm* microbio

micro...: micro-onde (*pl* **micro-ondes**) *nf*: **four à micro-ondes** horno microondas; **micro-ordinateur** (*pl* **micro-ordinateurs**) *nm*: microordenador *m*; **microscope** *nm* microscopio;
microscopique *adj* microscópico(-a); (*opération*) con microscopio

midi [midi] *nm* mediodía *m*; **le M~** (*de la France*) el sur de Francia; **à ~** a mediodía

mie [mi] *nf* miga

miel [mjɛl] *nm* miel *f*; **mielleux, -euse** (*péj*) *adj* meloso(-a)

mien, ne [mjɛ̃, mjɛn] *adj* mío(-a) ♦ *pron*: **le ~, la ~ne, les ~s** el mío, la mía, los míos

miette [mjɛt] *nf* migaja; **en ~s** hecho añicos

MOT-CLÉ

mieux [mjø] *adv* **1** (*d'une meilleure façon*) mejor (que); **elle travaille/mange mieux** trabaja/come mejor; **elle va mieux** va mejor; **j'aime mieux le cinéma** me gusta más el cine; **j'attendais mieux de vous** esperaba algo más de usted; **de mieux en mieux** cada vez mejor

2 (*de la meilleure façon*) mejor; **ce**

que je sais le mieux lo que
mejor sé; **les livres les mieux
faits** los libros mejor hechos
♦ adj 1 (*plus à l'aise, en meilleure
forme*) mejor; **se sentir mieux**
encontrarse mejor

2 (*plus satisfaisant, plus joli*) mejor;
c'est mieux ainsi es mejor así;
c'est le mieux des deux es el
mejor de los dos; **le(la) mieux,
les mieux** el (la) mejor, los (las)
mejores; **demandez-lui, c'est
le mieux** pregúntele, es mejor;
il est mieux sans moustache
está mejor sin bigote; **il est
mieux que son frère** es mejor
que su hermano

3: au mieux en el mejor de los
casos; **être au mieux avec**
llevarse muy bien con; **tout est
pour le mieux** todo va de
maravilla
♦ nm **1** (*amélioration, progrès*)
mejoría; **faute de mieux** a falta
de algo mejor

2: faire de son mieux hacer
cuanto se pueda; **du mieux qu'il
peut** lo mejor que puede

mignon, ne [miɲɔ̃, ɔn] *adj*
mono(-a)

migraine [migʀɛn] *nf* jaqueca

mijoter [miʒɔte] *vt* (*plat*) cocer a
fuego lento; (*affaire*) tramar ♦ *vi*
cocer a fuego lento

milieu, x [miljø] *nm* medio;
(*social, familial*) medio, entorno;
au ~ de en medio de; **au beau
ou en plein ~ (de)** justo en
medio *ou* mitad (de); **le ~** (*pègre*)
el hampa

militaire [militɛʀ] *adj, nm* militar
m

militant, e [militã, ãt] *adj, nm/f*
militante *m/f*

militer [milite] *vi* militar; **~
pour/contre** militar a favor de/
en contra de

mille [mil] *adj inv, nm inv* mil ♦
nm: **~ marin** milla marina;
mettre dans le ~ dar en el
blanco; **millefeuille** *nm* milhojas
m inv; **millénaire** *nm* milenio ♦
adj milenario(-a); **mille-pattes**
nm inv ciempiés *m inv*

millet [mijɛ] *nm* mijo

milliard [miljaʀ] *nm* mil millones
mpl; **milliardaire** *adj, nm/f*
multimillonario(-a)

millier [milje] *nm* millar *m*; **un ~
(de)** un millar (de); **par ~s** por
miles, a millares

milligramme [miligʀam] *nm*
miligramo

millimètre [milimɛtʀ] *nm*
milímetro

million [miljɔ̃] *nm* millón *m*;
deux ~s de dos millones de;
millionnaire *adj, nm/f*
millonario(-a)

mime [mim] *nm/f* mimo; **mimer**
vt mimar; (*singer*) imitar

minable [minabl] *adj* penoso(-a)

mince [mɛ̃s] *adj* delgado(-a);
(*étoffe, filet d'eau*) fino(-a); (*fig*)
escaso(-a) ♦ *excl*: **~ alors!**
¡caramba!; **minceur** *nf* delgadez
f; **mincir** *vi* adelgazar

mine [min] *nf* mina; (*physionomie*)
cara, aspecto; **avoir bonne/
mauvaise ~** tener buena/mala
cara; **tu as bonne ~!** (*iron:
aspect*) ¡vaya pinta que tienes!;
faire grise ~ poner mala cara;
faire ~ de faire qch simular
hacer algo; **ne pas payer de ~**
tener mala pinta; **~ de rien** como
quien no quiere la cosa, como si
nada

miner [mine] *vt* minar

minerai [minʀɛ] nm mineral m

minéral, e, -aux [mineʀal, o] adj, nm mineral m

minéralogique [mineʀalɔʒik] adj **numéro ~** número de matrícula

minet, te [mine, ɛt] nm/f gatito(-a), minino(-a); (péj) chuleta m/f

mineur, e [minœʀ] adj (souci) secundario(-a) ♦ nm/f (JUR) menor m/f ♦ nm (travailleur) minero

miniature [minjatyʀ] adj, nf miniatura

minibus [minibys] nm microbús msg

minier, -ière [minje, jɛʀ] adj minero(-a)

mini-jupe [miniʒyp] (pl ~~s) nf minifalda

minime [minim] adj mínimo(-a)

minimiser [minimize] vt minimizar

minimum [minimɔm] adj mínimo(-a) ♦ nm mínimo; **au ~** como mínimo

ministère [ministɛʀ] nm ministerio; **~ public** (JUR) ministerio público

ministre [ministʀ] nm ministro

Minitel ® [minitɛl] nm Minitel m ®

utilización se factura a cada abonado.

minoritaire [minɔʀitɛʀ] adj minoritario(-a)

minorité [minɔʀite] nf minoría; **être en ~** estar en minoría

minuit [minɥi] nm medianoche f

minuscule [minyskyl] adj minúsculo(-a) ♦ nf: **(lettre) ~** (letra) minúscula

minute [minyt] nf minuto; **d'une ~ à l'autre** de un momento a otro; **minuter** vt cronometrar; **minuterie** nf interruptor m (de la luz)

minutieux, -ieuse [minysjø, jøz] adj minucioso(-a)

mirabelle [miʀabɛl] nf ciruela mirabel

miracle [miʀakl] nm milagro

mirage [miʀaʒ] nm espejismo

mire [miʀ] nf: **point/ligne de ~** punto/línea de mira

miroir [miʀwaʀ] nm espejo

miroiter [miʀwate] vi: **faire ~ qch à qn** seducir a algn con algo

mis, e [mi, miz] pp de **mettre** ♦ adj puesto(-a)

mise [miz] nf (argent) apuesta; (tenue) porte m; **~ à jour** puesta al día; **~ au point** (PHOTO) enfoque m; (fig) aclaración f; **~ en plis** marcado m; **~ en scène** (THÉÂTRE, CINÉ) dirección f

miser [mize] vt apostar; **~ sur** apostar a; (fig) contar con

misérable [mizeʀabl] adj miserable ♦ nm/f miserable m/f

misère [mizɛʀ] nf miseria; **~s** nfpl (malheurs, peines) desgracias fpl; **salaire de ~** salario de miseria

missile [misil] nm misil m

mission [misjɔ̃] nf misión f; (fonction, vocation) función f; **missionnaire** nm/f misionero(-a)

mité, e [mite] adj apollilado(-a)

mi-temps [mitɑ̃] nf inv (SPORT: période) tiempo; (: pause) descanso; **à ~~** adv media jornada

miteux, -euse [mitø, øz] adj mísero(-a)

mitigé, e [mitiʒe] adj moderado(-a)

mitoyen, ne [mitwajɛ̃, jɛn] adj medianero(-a)

mitrailler [mitraje] vt ametrallar; **mitraillette** nf metralleta; **mitrailleuse** nf ametralladora

mi-voix [mivwa]: **à ~~** adv a media voz

mixage [miksaʒ] nm (CINÉ) mezcla f de sonido

mixer, mixeur [miksœR] nm (CULIN) batidora

mixte [mikst] adj mixto(-a)

mixture [mikstyR] nf mixtura; (péj) mejunje m

Mlle (pl **~s**) abr (= Mademoiselle) Srta. (= Señorita)

MM abr (= Messieurs) ≃ Srs. (= Señores); voir aussi **Monsieur**

Mme (pl **~s**) abr (= Madame) ≃ Sra. (= Señora)

mobile [mɔbil] adj móvil, movible ♦ nm móvil m

mobilier, -ière [mɔbilje, jɛR] adj mobiliario(-a) ♦ nm mobiliario

mobiliser [mɔbilize] vt movilizar

mocassin [mɔkasɛ̃] nm mocasín m

moche [mɔʃ] (fam) adj feo(-a)

modalité [mɔdalite] nf modalidad f

mode [mɔd] nf moda; **à la ~** de moda ♦ nm modo; **~ d'emploi**

instrucciones fpl; **~ de paiement** forma de pago; **~ de vie** modo de vida

modèle [mɔdɛl] nm modelo; (qualités): **un ~ de fidélité/ générosité** un modelo de fidelidad/generosidad; **~ déposé** (COMM) modelo patentado ou registrado; **~ réduit** modelo reducido ♦ adj modelo; **modeler** vt modelar

modem [mɔdɛm] nm (INFORM) módem m, módem m

modéré, e [mɔdeRe] adj, nm/f moderado(-a)

modérer [mɔdeRe] vt moderar; **se ~** vpr moderarse

moderne [mɔdɛRn] adj moderno(-a) ♦ nm (ART) arte m moderno; **moderniser** vt modernizar

modeste [mɔdɛst] adj modesto(-a); **modestie** nf modestia

modique [mɔdik] adj módico(-a)

module [mɔdyl] nm módulo

moelle [mwal] nf médula

moelleux, -euse [mwalø, øz] adj esponjoso(-a)

mœurs [mœR(s)] nfpl costumbres fpl; **~ simples/bohèmes** costumbres sencillas/bohemias; **passer dans les ~** entrar en las costumbres; **contraire aux bonnes ~** contrario a las buenas costumbres

moi [mwa] pron (sujet) yo; (objet direct/indirect) me ♦ nm (PSYCH) yo m; **c'est ~** soy yo; **c'est ~ qui l'ai fait** lo hice yo; **c'est ~ que vous avez appelé?** ¿me ha llamado a mí?; **apporte-le-~** tráemelo; **donnez m'en un peu**

deme un poco; **à ~** (*possessif*) mío (mía), míos (mías); **le livre est à ~** ese libro es mío; **avec ~** conmigo; **sans ~** sin mí; **~, je ... (emphatique)** yo, ...; **plus grand que ~** más grande que yo; **moi-même** *pron* yo mismo

moindre [mwɛdʀ] *adj* menor; **le/la ~, les ~s** el/la menor, los/las menores; **c'est le ~ des choses** es lo mínimo

moine [mwan] *nm* monje *m*, fraile *m*

moineau, x [mwano] *nm* gorrión *m*

─────────
| MOT-CLÉ |
─────────

moins [mwɛ] *adv* **1** (*comparatif*): **moins (que)** menos (que); **il a 3 ans de moins que moi** tiene 3 años menos que yo; **moins intelligent que** menos inteligente que; **moins je travaille, mieux je me porte** cuanto menos trabajo, mejor me encuentro

2 (*superlatif*): **le moins** el (lo) menos; **c'est ce que j'aime le moins** es lo que menos me gusta; **le moins doué** el menos dotado; **pas le moins du monde** en lo más mínimo; **au moins, du moins** por lo menos, al menos

3: **moins de** (*quantité, nombre*) menos; **moins de sable/d'eau** menos arena/agua; **moins de livres/de gens** menos libros/ gente; **moins de 2 ans/100 F** menos de 2 años/100 francos

4: **de moins: 100 F/3 jours de moins** 100 francos/3 días menos; **3 livres en moins** 3 libros menos; **de l'argent en moins** menos dinero; **le soleil en moins** sin el sol; **de moins**

en moins cada vez menos; **en moins de deux** en un santiamén **5: à moins de/que** *conj* a menos que, a no ser que; **à moins de faire** a no ser que se haga *etc*; **à moins que tu ne fasses** a menos que hagas; **à moins d'un accident** a no ser por un accidente

♦ *prép*: **4 moins 2** 4 menos 2; **il est moins 5** son menos 5; **il fait moins 5** hay cinco grados bajo cero

mois [mwa] *nm* mes *msg*

moisi, e [mwazi] *nm* moho; **odeur/goût de ~** olor *m*/gusto a moho; **moisir** *vi* enmohecerse; **moisissure** *nf* moho

moisson [mwasɔ] *nf* siega, cosecha; **moissonner** *vt* segar, cosechar; **moissonneuse** *nf* segadora

moite [mwat] *adj* (*peau*) sudoroso(-a); (*atmosphère*) húmedo(-a)

moitié [mwatje] *nf* mitad *f*; **la ~** la mitad; **la ~ du temps/des gens** la mitad del tiempo/de la gente; **~ moins grand** la mitad de grande; **à ~** a medias; **de ~** a la mitad

molaire [mɔlɛʀ] *nf* molar *m*

molester [mɔleste] *vt* maltratar

molle [mɔl] *adj f voir* **mou**; **mollement** *adv* débilmente; (*péj*) desganadamente

mollet [mɔlɛ] *nm* pantorrilla

molletonné, e [mɔltɔne] *adj* forrado(-a) de muletón

mollir [mɔliʀ] *vi* flaquear

mollusque [mɔlysk] *nm* (*ZOOL*) molusco

môme [mom] (*fam*) *nm/f* chiquillo(-a); (*fille*) chavala

moment [mɔmɑ̃] *nm* momento;
ce n'est pas le ~ no es el
mejor momento; **à un certain ~**
en cierto momento; **à un ~
donné** en un momento dado; **au
même ~** en el mismo momento;
pour un bon ~ un buen rato; **en
avoir pour un bon ~** tener para
rato; **pour le ~** por el momento;
au ~ de en el momento de; **au ~
où** en el momento en que; **à
tout ~** a cada momento *ou* rato;
en ce ~ en este momento; **sur
le ~** al principio; **par ~s** por
momentos; **d'un ~ à l'autre** de
un momento a otro; **du ~ que**
siempre que; **momentané, e**
adj momentáneo(-a);
momentanément *adv*
momentáneamente
momie [mɔmi] *nf* momia
mon, ma [mɔ̃, ma] (*pl* **mes**) *dét*
mi; (*pl*) mis
Monaco [monako] *nm*: **(la
principauté de) ~** (el
principado de) Mónaco
monarchie [mɔnaʀʃi] *nf*
monarquía
monastère [mɔnastɛʀ] *nm*
monasterio
mondain, e [mɔ̃dɛ̃, ɛn] *adj*
mundano(-a)
monde [mɔ̃d] *nm* mundo;
beaucoup/peu de ~ mucha/
poca gente; **mettre au ~** dar a
luz; **tout le ~** todo el mundo;
pas le moins du ~ de ninguna
manera; **homme/femme du ~**
hombre *m*/mujer *f* de mundo
mondial, e, -aux [mɔ̃djal, jo]
adj mundial; **mondialement** *adv*
mundialmente
monégasque [mɔnegask] *adj*
monegasco(-a) ♦ *nm/f*: **M~**
monegasco(-a)

monétaire [mɔnetɛʀ] *adj*
monetario(-a)
moniteur, -trice [mɔnitœʀ,
tʀis] *nm/f* monitor(a)
monnaie [mɔnɛ] *nf* moneda;
avoir de la ~ (*petites pièces*)
tener cambio; **avoir/faire la ~
de 20 F** tener cambio de/
cambiar 20 francos; **rendre à qn
la ~ (sur 20 F)** darle la vuelta a
algn (de 20 francos)
monologue [mɔnɔlɔg] *nm*
monólogo; **monologuer** *vi*
monologar
monopole [mɔnɔpɔl] *nm*
monopolio
monospace [mɔnɔspas] *nm*
monovolumen *m*
monotone [mɔnɔtɔn] *adj*
monótono(-a)
Monsieur [məsjø] (*pl*
Messieurs) *nm* (*titre*) señor;
don; **un/le m~** un/el señor; *voir
aussi* **Madame**
monstre [mɔ̃stʀ] *nm* monstruo ♦
adj (*fam*) monstruo *inv*; **un
travail ~** un trabajo monstruo;
monstrueux, -euse *adj*
monstruoso(-a)
mont [mɔ̃] *nm*: **par ~s et par
vaux** por todas partes
montage [mɔ̃taʒ] *nm* montaje *m*
montagnard, e [mɔ̃taɲaʀ, aʀd]
adj, nm/f montañés(-esa)
montagne [mɔ̃taɲ] *nf* montaña;
~s russes montaña *fsg* rusa;
montagneux, -euse *adj*
montañoso(-a)
montant, e [mɔ̃tɑ̃, ɑ̃t] *adj*
ascendente ♦ *nm* importe *m*
monte-charge [mɔ̃tʃaʀʒ] *nm inv*
montacargas *m inv*
montée [mɔ̃te] *nf* subida; (*côte*)
cuesta; **au milieu de la ~** en
medio de la cuesta *ou* de la subida

monter [mɔ̃te] *vi* subir; (*à cheval*):
~ **bien/mal** montar bien/mal ♦
vt montar; (*escalier, valise etc*)
subir; (*tente, échafaudage,
machine*) armar; ~ **dans un
train/avion/taxi** subir en un
tren/avión/taxi; ~ **sur/à un
arbre/une échelle** subir a un
árbol/una escalera; ~ **à cheval/
bicyclette** montar a caballo/en
bicicleta; ~ **à pied/en voiture**
subir a pie/en coche; ~ **à bord**
subir a bordo; ~ **à la tête de qn**
subírsele a la cabeza de algn

montre [mɔ̃tʀ] *nf* reloj *m*; ~ **en
main** reloj en mano; **contre la** ~
contra reloj

montrer [mɔ̃tʀe] *vt* mostrar,
enseñar; ~ **qch à qn** mostrar algo
a algn; ~ **à qn qu'il a tort**
demostrar a algn que está
equivocado; ~ **à qn son
affection/amitié** demostrar su
afecto/amistad a algn

monture [mɔ̃tyʀ] *nf* (*bête*)
montura

monument [mɔnymɑ̃] *nm*
monumento; ~ **aux morts**
monumento a los caídos

moquer [mɔke]: **se** ~ **de** *vt*
burlarse de; (*mépriser*) importarle a
algn muy poco; **se** ~ **de qn**
burlarse de algn

moquette [mɔkɛt] *nf* moqueta

moqueur, -euse [mɔkœʀ, øz]
adj burlón(-ona)

moral, e, -aux [mɔʀal, o] *adj,
nm* moral *f*; **avoir le** ~ **à zéro**
tener la moral por los suelos;

morale *nf* moral *f*; (*d'une fable
etc*) moraleja; **faire la morale à
qn** echarle un sermón a algn;

moralité *nf* moralidad *f*;
(*conclusion*) moraleja

morceau, x [mɔʀso] *nm* trozo,

pedazo; (*MUS, œuvre littéraire*)
fragmento; (*CULIN: de viande*)
tajada; **couper en/déchirer en**
~**x** cortar en/rasgar en trozos;
mettre en ~**x** hacer pedazos

morceler [mɔʀsəle] *vt* parcelar

mordant, e [mɔʀdɑ̃, ɑ̃t] *adj*
(*ironie*) mordaz; (*froid*) cortante

mordiller [mɔʀdije] *vt*
mordisquear

mordre [mɔʀdʀ] *vt* morder ♦ *vi*
(*poisson*) picar; ~ **sur** (*fig*)
sobrepasar; ~ **à l'hameçon**
morder el anzuelo

mordu, e [mɔʀdy] *pp de* **mordre**
♦ *nm/f*: **un** ~ **de voile/de jazz**
un loco de la vela/del jazz

morfondre [mɔʀfɔ̃dʀ]: **se** ~ *vpr*
aburrirse esperando

morgue [mɔʀg] *nf* depósito de
cadáveres

morne [mɔʀn] *adj* (*personne,
regard*) apagado(-a); (*temps*)
desapacible

morose [mɔʀoz] *adj* taciturno(-a)

mors [mɔʀ] *nm* bocado

morse [mɔʀs] *nm* (*ZOOL*) morsa;
(*TÉL*) morse *m*

morsure [mɔʀsyʀ] *nf* picadura

mort, e [mɔʀ, mɔʀt] *pp de*
mourir ♦ *adj* muerto(-a) ♦
nf muerte *f*; (*fig*) fin *m* ♦ *nm*: **il y
a eu plusieurs** ~**s** hubo varios
muertos; ~ **ou vif** vivo o muerto;
~ **de peur/fatigue** muerto(-a)
de miedo/cansancio

mortalité [mɔʀtalite] *nf*
mortalidad *f*

mortel, le [mɔʀtɛl] *adj, nm/f*
mortal *m/f*

mort-né, e [mɔʀne] (*pl* ~~**s,
es**) *adj* nacido(-a) muerto(-a)

mortuaire [mɔʀtɥɛʀ] *adj*:
cérémonie ~ ceremonia
fúnebre; **couronne** ~ corona

mortuoria

morue [mɔʀy] nf bacalao

mosaïque [mɔzaik] nf mosaico

Moscou [mɔsku] n Moscú

mosquée [mɔske] nf mezquita

mot [mo] nm palabra; **mettre/ écrire/recevoir un ~** (*message*) poner/escribir/recibir unas líneas; **~ à ~** adj, adv palabra por palabra; **sur/à ces ~s** después de/con estas palabras; **en un ~** en una palabra; **~ pour ~** palabra por palabra; **~ de passe** contraseña, santo y seña; **~s croisés** crucigrama msg

motard [mɔtaʀ] nm motociclista m; (*de la police*) motorista m

motel [mɔtɛl] nm motel m

moteur, -trice [mɔtœʀ, tʀis] adj (ANAT) motor(a); (TECH) motor (motriz); (AUTO): **à 4 roues motrices** con 4 ruedas motrices ♦ nm motor m; **à ~** a motor

motif [mɔtif] nm motivo; **~s** nmpl (JUR) alegato; **sans ~** sin motivo

motivation [mɔtivasjɔ̃] nf motivación f

motiver [mɔtive] vt motivar

moto [mɔto] nf moto f; **motocycliste** nm/f motociclista m/f

motorisé, e [mɔtɔʀize] adj motorizado(-a)

motrice [mɔtʀis] adj f voir **moteur**

motte [mɔt] nf: **~ de terre** terrón m; **~ de beurre** pella de mantequilla

mou, molle [mu, mɔl] adj blando(-a); (*péj: visage*) insulso(-a); (: *résistance*) débil ♦ nm bofe m; **avoir du ~** estar flojo(-a)

mouche [muʃ] nf mosca

moucher [muʃe]: **se ~** vpr sonarse

moucheron [muʃʀɔ̃] nm mosca pequeña

mouchoir [muʃwaʀ] nm pañuelo; **~ en papier** pañuelo de papel

moudre [mudʀ] vt moler

moue [mu] nf mueca; **faire la ~** poner cara de asco

mouette [mwɛt] nf gaviota

moufle [mufl] nf manopla

mouillé, e [muje] adj mojado(-a)

mouiller [muje] vt mojar; (NAUT) fondear ♦ vi (NAUT) fondear; **se ~** vpr mojarse

moulant, e [mulɑ̃, ɑ̃t] adj ceñido(-a)

moule [mul] nf mejillón m ♦ nm molde m; (*modèle plein*) modelo; **~ à gâteaux** molde para pasteles

mouler [mule] vt moldear, vaciar; (*suj: vêtement, bas*) ceñir, ajustar

moulin [mulɛ̃] nm molino; **~ à café/à poivre** molinillo de café/ de pimienta; **~ à légumes** pasapurés m inv; **~ à paroles** cotorra

moulinet [mulinɛ] nm carrete m; **faire des ~s avec un bâton/ les bras** hacer molinetes con un palo/los brazos

moulinette ® [mulinɛt] nf pequeño pasapurés m

moulu, e [muly] pp de **moudre** ♦ adj molido(-a)

mourant, e [muʀɑ̃, ɑ̃t] vb voir **mourir** ♦ adj moribundo(-a)

mourir [muʀiʀ] vi morir(se); **~ de faim/de froid/d'ennui** morir(se) de hambre/de frío/de aburrimiento; **~ d'envie de faire** morirse de ganas de hacer; **à ~: s'ennuyer à ~** morirse de aburrimiento

mousse [mus] nf (BOT) musgo; (*écume*) espuma; (CULIN) mousse f; (*en caoutchouc etc*) gomaespuma;

~ à raser espuma de afeitar; **~ carbonique** espuma de gas carbónico ♦ *nm* grumete *m*

mousseline [muslin] *nf* (TEXTILE) muselina; **pommes ~** (CULIN) puré *m* de patatas

mousser [muse] *vi* espumar, hacer espuma; **mousseux, -euse** *adj* (*chocolat*) cremoso(-a) ♦ *nm*: **(vin) mousseux** (vino) espumoso

mousson [musɔ̃] *nf* monzón *m*

moustache [mustaʃ] *nf* bigote *m*; **~s** *nfpl* (*d'animal*) bigotes *mpl*; **moustachu, e** *adj* bigotudo(-a)

moustiquaire [mustikɛʀ] *nf* mosquitero

moustique [mustik] *nm* mosquito

moutarde [mutaʀd] *nf*, *adj inv* mostaza

mouton [mutɔ̃] *nm* (ZOOL) carnero; (*peau*) piel *f* de carnero; (CULIN) cordero

mouvement [muvmɑ̃] *nm* movimiento; (*geste*) gesto; **en ~** en movimiento; **~ révolutionnaire/syndical** movimiento revolucionario/ sindical; **mouvementé, e** *adj* accidentado(-a); (*agité*) agitado(-a)

mouvoir [muvwaʀ] *vt* mover; **se ~** *vpr* moverse

moyen, ne [mwajɛ̃, jɛn] *adj* medio(-a); (*élève, résultat*) regular ♦ *nm* medio; **~s** *nmpl* (*capacités*) medios *mpl*; **au ~ de** por medio de; **par tous les ~s** por todos los medios; **par ses propres ~s** por sus propios medios; **M~ Âge** Edad *f* Media; **~ d'expression** forma de expresión

moyennant [mwajɛnɑ̃] *prép* al precio de; **~ quoi** mediante lo cual

moyenne [mwajɛn] *nf* media, promedio; (MATH, STATISTIQUE) media; (SCOL) nota media; **en ~** por término medio; **~ d'âge** edad *f* media

Moyen-Orient [mwajɛnɔʀjɑ̃] *nm* Medio Oriente *m*

moyeu, x [mwajø] *nm* cubo

MST [ɛmɛste] *sigle f* (= *maladie sexuellement transmissible*)

mû, mue [my] *pp* de **mouvoir**

muer [mɥe] *vi* mudar; (*jeune garçon*): **il mue** está mudando la voz; **se ~** *vpr*: **se ~ en** convertirse en

muet, te [mɥɛ, mɥɛt] *adj*, *nm/f* mudo(-a); (*fig*): **~ d'admiration/d'étonnement** mudo(-a) de admiración/de extrañeza

mufle [myfl] *nm* hocico; (*goujat*) patán *m*

mugir [myʒiʀ] *vi* mugir; (*sirène*) sonar

muguet [mygɛ] *nm* muguete *m*, lirio del valle

mule [myl] *nf* mula; **~s** *nfpl* (*pantoufles*) chinelas *fpl*

mulet [mylɛ] *nm* mulo

multinationale [myltinasjɔnal] *nf* multinacional *f*

multiple [myltipl] *adj* múltiple ♦ *nm* múltiplo; **multiplication** *nf* multiplicación *f*; **multiplier** *vt* multiplicar; **se multiplier** *vpr* multiplicarse

municipal, e, -aux [mynisipal, o] *adj* municipal; **municipalité** *nf* municipalidad *f*, ayuntamiento

munir [myniʀ] *vt*: **~ qn de** proveer a algn de; **~ qch de** dotar algo de

munitions [mynisjɔ̃] *nfpl* municiones *fpl*

mur [myʀ] *nm* muro; (*cloison*)

pared f; ~ **d'incompréhension/de haine** (obstacle) muro de incomprensión de odio; ~ **du son** barrera del sonido

mûr, e [myʀ] adj maduro(-a)

muraille [myʀɑj] nf muralla

mural, e, -aux [myʀal, o] adj mural

mûre [myʀ] nf (de la ronce) zarzamora

muret [myʀɛ] nm muro bajo

mûrir [myʀiʀ] vt, vi madurar

murmure [myʀmyʀ] nm murmullo; ~ **d'approbation/d'admiration/de protestation** murmullo de aprobación de admiración de protesta; **murmurer** vi murmurar

muscade [myskad] nf: **noix de** ~ nuez f moscada

muscat [myska] nm uva moscatel

muscle [myskl] nm músculo; **musclé, e** adj musculoso(-a); (fig: politique, régime) duro(-a)

museau, x [myzo] nm hocico

musée [myze] nm museo

museler [myz(ə)le] vt poner un bozal a; **muselière** nf bozal m

musette [myzɛt] adj inv: **orchestre/valse** ~ orquesta/vals msg popular

musical, e, -aux [myzikal, o] adj musical

music-hall [myzikol] (pl ~~s) nm music-hall m

musicien, ne [myzisjɛ̃, jɛn] adj músico(-a)

musique [myzik] nf música; ~ **de chambre/de fond** música de cámara/de fondo

musulman, e [myzylmɑ̃, an] adj, nm/f musulmán(-ana)

mutation [mytasjɔ̃] nf (ADMIN) traslado; (BIOL) mutación f

muter [myte] vt (ADMIN) trasladar

mutilé, e [mytile] nm/f mutilado(-a)

mutiler [mytile] vt mutilar

mutin, e [mytɛ̃, in] adj (enfant) travieso(-a); (air, ton) pícaro(-a) ♦ nm/f (MIL) amotinado(-a);

mutinerie nf motín m

mutisme [mytism] nm mutismo

mutuel, le [mytɥɛl] adj mutuo(-a); **mutuelle** nf mutualidad f, mutua

myope [mjɔp] adj, nm/f miope m/f

myosotis [mjozotis] nm nomeolvides m inv

myrtille [miʀtij] nf arándano

mystère [mistɛʀ] nm misterio; **mystérieux, -euse** adj misterioso(-a)

mystifier [mistifje] vt mistificar

mythe [mit] nm mito

mythologie [mitɔlɔʒi] nf mitología

N, n

n' [n] adv voir **ne**

nacre [nakʀ] nf nácar m

nage [naʒ] nf natación f; **traverser/s'éloigner à la** ~ atravesar/alejarse a nado; **en** ~ bañado(-a) en sudor; **nageoire** nf aleta; **nager** vi nadar; **nageur, euse** nm/f nadador(-a)

naïf, -ïve [naif, naiv] adj ingenuo(-a)

nain, e [nɛ̃, nɛn] adj, nm/f enano(-a)

naissance [nesɑ̃s] nf nacimiento; **donner** ~ **à** (enfant) dar a luz a; (fig) originar; **lieu de** ~ lugar de nacimiento

naître [nɛtʀ] vi nacer; **il est né**

en 1960 ha nacido en 1960
naïve [naiv] *adj voir* **naïf**
naïveté [naivte] *nf* ingenuidad *f*
nana [nana] *(fam) nf* chica
nappe [nap] *nf* mantel *m*;
napperon *nm* tapete *m*
naquit *etc* [naki] *vb voir* **naître**
narguer [naʀge] *vt* provocar
narine [naʀin] *nf* ventana (de la nariz)
natal, e [natal] *adj* natal;
natalité *nf* natalidad *f*
natation [natasjɔ̃] *nf* natación *f*
natif, -ive [natif, iv] *adj* nativo(-a)
nation [nasjɔ̃] *nf* nación *f*
national, e, -aux [nasjɔnal, o] *adj* nacional; **nationaux** *nmpl* nacionales *mpl*; **nationale** *nf*: **(route) nationale** (carretera) nacional *f*; **nationaliser** *vt* nacionalizar; **nationalisme** *nm* nacionalismo; **nationalité** *nf* nacionalidad *f*
natte [nat] *nf (tapis)* estera; *(cheveux)* coleta
naturaliser [natyʀalize] *vt* naturalizar
nature [natyʀ] *nf* naturaleza; *(tempérament)* temperamento; **payer en ~** = pagar en especie; **~ morte** naturaleza muerta, bodegón *m*; **naturel, le** *adj* natural; **naturellement** *adv* naturalmente
naufrage [nofʀaʒ] *nm* naufragio; *(fig)* ruina
nausée [noze] *nf* náusea, asco
nautique [notik] *adj* náutico(-a)
naval, e [naval] *adj* naval
navet [nave] *nm* nabo; *(péj: film)* tostón *m*
navette [navet] *nf* lanzadera; *(en car etc)* recorrido; **faire la ~ (entre)** ir y venir (entre)

navigateur [navigatœʀ] *nm* navegante *m/f*
navigation [navigasjɔ̃] *nf* navegación *f*
naviguer [navige] *vi* navegar
navire [naviʀ] *nm* buque *m*
navrer [navʀe] *vt* afligir; **je suis navré** lo siento en el alma; **je suis navré que** siento muchísimo que
ne [n(ə)] *adv* no; **je ~ le veux pas** no lo quiero; **je crains qu'il ~ vienne** temo que venga; **je ~ veux que ton bonheur** sólo quiero tu felicidad; *voir* **jamais; pas; plus**
né, e [ne] *pp de* **naître**; **~ en 1960** nacido(-a) en 1960; **~e Dupont** de soltera Dupont
néanmoins [neɑ̃mwɛ̃] *adv* no obstante
néant [neɑ̃] *nm* nada; **réduire à ~** reducir a la nada
nécessaire [neseseʀ] *adj* necesario(-a) ♦ *nm*: **faire le ~** hacer lo necesario; **nécessité** *nf* necesidad *f*; **nécessiter** *vt* necesitar
nectar [nektaʀ] *nm* néctar *m*
néerlandais, e [neɛʀlɑ̃dɛ, ez] *adj* neerlandés(-esa) ♦ *nm (LING)* neerlandés *m* ♦ *nm/f*: **N~, e** neerlandés(-esa)
nef [nef] *nf* nave *f*
néfaste [nefast] *adj* nefasto(-a)
négatif, -ive [negatif, iv] *adj* negativo(-a) ♦ *nm (PHOTO)* negativo
négligé, e [negliʒe] *adj* descuidado(-a)
négligeable [negliʒabl] *adj* despreciable
négligent, e [negliʒɑ̃, ɑ̃t] *adj (personne)* descuidado(-a); *(geste, attitude)* negligente

négliger [neɡliʒe] *vt* descuidar;
(*avis, précautions*) ignorar, no
hacer caso; **~ de faire qch**
olvidarse de hacer algo

négociant, e [neɡɔsjɑ̃, jɑ̃t] *nm/f*
negociante *m/f*

négociation [neɡɔsjasjɔ̃] *nf*
negociación *f*

négocier [neɡɔsje] *vt* negociar

nègre [nɛɡʀ] (*péj*) *nm* (*aussi*
écrivain) negro

neige [nɛʒ] *nf* nieve *f*; **battre les
œufs en ~** (*CULIN*) batir los
huevos a punto de nieve; **neiger**
vi nevar

nénuphar [nenyfaʀ] *nm* nenúfar
m

néon [neɔ̃] *nm* neón *m*

néo-zélandais, e [neɔzelɑ̃dɛ,
ɛz] (*pl* **~~~, es**) *adj*
neocelandés(-esa) ♦ *nm/f*: **N~~~,
e** neocelandés(-esa)

nerf [nɛʀ] *nm* nervio; **~s** *nmpl*
nervios *mpl*; **être à bout de ~s**
estar al borde de un ataque de
nervios; **nerveux, -euse** *adj*
nervioso(-a) ♦ *nm*; **nervosité** *nf*
nerviosismo

n'est-ce pas [nɛspa] *adv*:
"c'est bon, ~~~ ?" "está
bueno, ¿verdad?"

Net [nɛt] *nm* (*fam*): **le ~** Internet
m o f, la Red; **surfer sur le ~**
navegar por Internet

net, nette [nɛt] *adj* (*évident, sans
équivoque*) evidente; (*distinct,
propre, sans tache*) limpio(-a);
(*photo, film*) nítido(-a); (*COMM*)
neto(-a) ♦ *adv*: **s'arrêter ~**
pararse en seco ♦ *nm*: **mettre au
~** poner en limpio; **nettement**
adv claramente; **nettement
mieux/meilleur** mucho mejor;
netteté (*v adj*) *nf* limpieza;
nitidez *f*

nettoyage [netwajaʒ] *nm*
limpieza; **~ à sec** limpieza en
seco

nettoyer [netwaje] *vt* limpiar

neuf¹ [nœf] *adj num* inv
nueve ♦ *nm inv*; *voir aussi* **cinq**

neuf², neuve [nœf, nœv] *adj*
nuevo(-a) ♦ **remettre à ~**
dejar como nuevo; **quoi de ~?**
¿qué hay de nuevo?

neutre [nøtʀ] *adj* neutro(-a); (*POL*)
neutral ♦ *nm* neutro

neuve [nœv] *adj voir* **neuf²**

neuvième [nœvjɛm] *adj, nm/f*
noveno(-a) ♦ *nm* (*partitif*) noveno;
voir aussi **cinquième**

neveu, x [n(ə)vø] *nm* sobrino

nez [ne] *nm* nariz *f*; **avoir du ~**
tener olfato; **~ à ~ avec** cara a
cara con; **à vue de ~** a ojo de
buen cubero

ni [ni] *conj*: **~ l'un ~ l'autre ne
sont ...** ni uno ni otro son ...; **il
n'a rien vu ~ entendu** no ha
visto ni oído nada

niche [niʃ] *nf* (*du chien*) perrera;
(*dans un mur*) hornacina, nicho;
nicher *vi* anidar

nid [ni] *nm* nido

nièce [njɛs] *nf* sobrina

nier [nje] *vt* negar

Nil [nil] *nm*: **le ~** el Nilo

n'importe [nɛ̃pɔʀt] *adv*: **~ qui**
cualquiera; **~ quoi** cualquier cosa;
~ où *a ou* en cualquier sitio; **~
lequel/laquelle d'entre nous**
cualquiera de nosotros(-as); **~
quel/quelle** cualquier/cualquiera;
~ quand en cualquier momento;
~ comment de cualquier manera

niveau, x [nivo] *nm* nivel *m*; **au
~ de** a nivel de; **le ~ de la mer**
el nivel del mar; **~ de vie** (*ÉCON*)
nivel de vida

niveler [niv(ə)le] *vt* nivelar

noble [nɔbl] *adj, nm/f* noble *m/f*;
noblesse *nf* nobleza

noce [nɔs] *nf* boda; **faire la ~**
(fam) ir de juerga

nocif, -ive [nɔsif, iv] *adj*
nocivo(-a)

nocturne [nɔktyRn] *adj*
nocturno(-a)

Noël [nɔel] *nm* Navidad *f*

nœud [nø] *nm* nudo; *(ruban)* lazo;
(fig: liens) vínculo; **~ papillon**
pajarita

noir, e [nwaR] *adj* negro(-a);
(obscur, sombre) oscuro(-a);
(roman) policíaco(-a) ♦ *nm/f*
(personne) negro(-a) ♦ *nm* negro;
(obscurité): **dans le ~** en la
oscuridad: **au ~** ilegalmente; **il
fait ~** está oscuro; **noircir** *vi*
ennegrecer ♦ *vt* ensombrecer ♦
noire *(MUS)* negra

noisette [nwazɛt] *nf* avellana

noix [nwa] *nf* nuez *f*; *(CULIN)*: **une
~ de beurre** una nuez de
mantequilla; **~ de coco** coco; **~
muscade** nuez moscada

nom [nɔ̃] *nm* nombre *m*; **~ de
famille** apellido; **~ de jeune
fille** apellido de soltera

nomade [nɔmad] *adj, nm/f*
nómada *m/f*

nombre [nɔ̃bR] *nm* número;
venir en ~ venir muchos; **ils
sont au ~ de 3** son tres;
nombreux, -euse *adj (avec
nom pl)* numerosos(-as); **un
public nombreux** mucho
público; **peu nombreux** poco
numeroso(-a)

nombril [nɔ̃bRi(l)] *nm* ombligo

nommer [nɔme] *vt* nombrar;
(baptiser) llamar; **se ~** *vpr*: **il se
nomme Jean** se llama Jean

non [nɔ̃] *adv* no; **~ (pas) que ...**
no porque ...; **~ plus: moi ~**

plus yo tampoco; **~ seulement**
no sólo

non alcoolisé, e [nɔnalkɔɔlize]
adj sin alcohol

nonante [nɔnɑ̃t] *adj, nm*
(Belgique, Suisse) noventa

nonchalant, e [nɔ̃ʃalɑ̃, ɑ̃t] *adj*
indolente

non-fumeur, -euse [nɔ̃fymœR,
øz] *(pl* **~~s, euses)** *nm/f* no
fumador(a)

non-sens [nɔ̃sɑ̃s] *nm* disparate *m*

nord [nɔR] *nm* norte *m*; *(région)*:
le N~ el Norte ♦ *adj inv* norte;
au ~ *(situation)* al norte;
(direction) hacia el norte; **au ~ de**
al norte de; **nord-est** *nm inv*
nordeste *m*; **nord-ouest** *nm inv*
noroeste *m*

normal, e, -aux [nɔRmal, o] *adj*
normal; **normale** *nf*: **la
normale** la normalidad;
normalement *adv* normalmente

normand, e [nɔRmɑ̃, ɑ̃d] *adj*
normando(-a) ♦ *nm/f*: **N~, e**
normando(-a)

Normandie [nɔRmɑ̃di] *nf*
Normandía

norme [nɔRm] *nf* norma

Norvège [nɔRvɛʒ] *nf* Noruega;
norvégien, ne *adj* noruego(-a)
♦ *nm (LING)* noruego ♦ *nm/f*:
Norvégien, ne noruego(-a)

nos [no] *dét voir* **notre**

nostalgie [nɔstalʒi] *nf* nostalgia;
nostalgique *adj* nostálgico(-a)

notable [nɔtabl] *adj, nm/f* notable
m/f

notaire [nɔtɛR] *nm* notario

notamment [nɔtamɑ̃] *adv*
particularmente, especialmente

note [nɔt] *nf* nota; *(facture)*
cuenta; **~ de service** nota de
servicio

noter [nɔte] *vt (écrire)* anotar,

apunter; (*remarquer*) señalar, notar
notice [nɔtis] *nf* nota; (*brochure*):
~ **explicative** folleto explicativo
notifier [nɔtifje] *vt*: ~ **qch à qn**
notificar algo a algn
notion [nɔsjɔ̃] *nf* noción *f*
notoire [nɔtwaʀ] *adj* notorio(-a)
notre [nɔtʀ] *dét* nuestro(-a)
nôtre, nos [notʀ, nos] *adj*
nuestro(-a) ♦ *pron*: **le** ~ el *ou* lo
nuestro; **la** ~ la nuestra; **les ~s**
los (las) nuestros(-as); **soyez des**
~**s** únase a nosotros
nouer [nwe] *vt* anudar, atar; (*fig:*
amitié) trabar; (: *alliance*) formar
noueux, -euse [nwø, øz] *adj*
nudoso(-a)
nourrice [nuʀis] *nf* nodriza
nourrir [nuʀiʀ] *vt* alimentar; (*fig:*
espoir) mantener; (: *haine*)
guardar; **logé, nourri**
alojamiento y comida;
nourrissant, e *adj*
alimenticio(-a); **nourriture** *nf*
alimento, comida
nous [nu] *pron* nosotros(-as);
(*objet direct, indirect*) nos; **c'est ~**
qui l'avons fait lo hicimos
nosotros; **les Marseillais**
nosotros los marselleses; **il ~ le**
dit nos lo dice; **il ~ en a parlé**
nos habló de eso; **à ~** (*possession*)
nuestro(-a), nuestros(-as); **ce**
livre est à ~ ese libro es nuestro;
avec/sans ~ con/sin nosotros;
plus riche que ~ más rico que
nosotros; **~ mêmes** nosotros(-as)
mismos(-as)
nouveau (nouvel), -elle,
-aux [nuvo, nuvɛl] *adj* nuevo(-a)
♦ *nm/f* nuevo(-a), novato(-a); **de**
~, **à** ~ de nuevo, otra vez;
Nouvel An año nuevo;
nouveau venu recién llegado;
nouvelle venue recién llegada;

nouveau-né, e (*pl* **nouveau-**
nés, es) *adj, nm/f* recién
nacido(-a); **nouveauté** *nf*
novedad *f*
nouvel [nuvɛl] *adj m voir*
nouveau
nouvelle [nuvɛl] *adj f voir* cito
nouveau ♦ *nf* noticia; (*LITT*)
cuento; **Nouvelle-Calédonie**
nf Nueva Caledonia;
nouvellement *adv* (*arrivé etc*)
recién; **Nouvelle-Zélande** *nf*
Nueva Zelanda, Nueva Zelandia
(*AM*)
novembre [nɔvɑ̃bʀ] *nm*
noviembre *m*; *voir aussi* **juillet**
noyade [nwajad] *nf* ahogamiento
noyau, x [nwajo] *nm* núcleo; (*de*
fruit) hueso
noyer [nwaje] *nm* nogal *m* ♦ *vt*
ahogar; (*fig: submerger*) sumergir;
se ~ *vpr* ahogarse
nu, e [ny] *adj* desnudo(-a) ♦ *nm*
(*ART*) desnudo; **mettre à** ~
desnudar
nuage [nɥaʒ] *nm* nube *f*;
nuageux, -euse *adj*
nuboso(-a), nublado(-a)
nuance [nɥɑ̃s] *nf* matiz *m*; **il y a**
une ~ (**entre ...**) hay una leve
diferencia (entre ...); **nuancer** *vt*
matizar
nucléaire [nykleɛʀ] *adj* nuclear
nudiste [nydist] *nm/f* nudista *m/f*
nuée [nɥe] *nf*: **une** ~ **de** una
nube de
nuire [nɥiʀ] *vi* perjudicar; ~ **à**
qn/qch ser perjudicial para algn/
algo; **nuisible** *adj* perjudicial;
animal nuisible animal dañino
nuit [nɥi] *nf* noche *f*; **il fait** ~ es
de noche; **cette** ~ esta noche; **de**
~ por la noche; **nuit blanche**
noche en blanco *ou* en vela
nul, nulle [nyl] *adj* (*aucun*)

ninguno(-a); (*minime, non valable, péj*) nulo(-a) ♦ *pron* nadie:
résultat ~, match ~ (*SPORT*) empate *m*; **~le part** en ningún sitio; (*aller etc*) a ningún sitio;
nullement *adv* de ningún modo
numéro [nymeʀo] *nm* número; **~ de téléphone** número de teléfono; **~ vert** número verde;
numéroter *vt* numerar
nuque [nyk] *nf* nuca
nu-tête [nytɛt] *adj inv* cabeza descubierta
nutritif, -ive [nytritif, iv] *adj* nutritivo(-a)
nylon [nilɔ̃] *nm* nylon *m*

O, o

oasis [ɔazis] *nf ou m* oasis *m inv*
obéir [ɔbeiʀ] *vi* obedecer; **~ à** obedecer a; (*loi*) acatar;
obéissance *nf* obediencia;
obéissant, e *adj* obediente
obèse [ɔbɛz] *adj* obeso(-a);
obésité *nf* obesidad *f*
objecter [ɔbʒɛkte] *vt* (*prétexter*) pretextar; **objecteur** *nm*:
objecteur de conscience objetor *m* de conciencia
objectif, -ive [ɔbʒɛktif, iv] *adj* objetivo(-a) ♦ *nm* objetivo
objection [ɔbʒɛksjɔ̃] *nf* objeción *f*;
objectivité *nf* objetividad *f*
objet [ɔbʒɛ] *nm* objeto; **être ou faire l'~ de** ser objeto de;
(bureau des) ~s trouvés (oficina de) objetos perdidos; **~ d'art** objeto de arte
obligation [ɔbligasjɔ̃] *nf* obligación *f*; (*gén pl: devoir*) compromisos *mpl*; **obligatoire** *adj* obligatorio(-a);
obligatoirement *adv*

(*nécessairement*) obligatoriamente; (*fatalement*) a la fuerza
obligé, e [ɔbliʒe] *adj* obligado(-a)
obliger [ɔbliʒe] *vt* obligar
oblique [ɔblik] *adj* oblicuo(-a)
oblitérer [ɔblitere] *vt* matar
obnubiler [ɔbnybile] *vt* obsesionar
obscène [ɔpsɛn] *adj* obsceno(-a)
obscur, e [ɔpskyʀ] *adj* oscuro(-a); **obscurcir** *vt* oscurecer; **obscurité** *nf* oscuridad *f*; **dans l'obscurité** en la oscuridad
obsédé, e [ɔpsede] *nm/f*: **un ~ de** un obseso de; **~ sexuel** obseso sexual
obséder [ɔpsede] *vt* obsesionar
obsèques [ɔpsɛk] *nfpl* exequias *fpl*
observateur, -trice [ɔpsɛʀvatœʀ, tʀis] *adj, nm/f* observador(a)
observation [ɔpsɛʀvasjɔ̃] *nf* observación *f*; (*d'un règlement etc*) cumplimiento; **faire une ~ à qn** (*reproche*) criticarle a algn; **en ~** (*MÉD*) en observación
observatoire [ɔpsɛʀvatwaʀ] *nm* observatorio
observer [ɔpsɛʀve] *vt* observar; (*remarquer*) notar; **faire ~ qch à qn** hacer ver algo a algn
obsession [ɔpsesjɔ̃] *nf* obsesión *f*
obstacle [ɔpstakl] *nm* obstáculo
obstiné, e [ɔpstine] *adj* (*caractère*) obstinado(-a); (*effort*) tenaz
obstiner [ɔpstine]: **s'~** *vpr* obstinarse; **s'~ à faire qch** empeñarse en hacer algo; **s'~ sur qch** obcecarse con algo
obstruer [ɔpstʀye] *vt* obstruir
obtenir [ɔptəniʀ] *vt* conseguir, obtener; **~ de pouvoir faire**

qch conseguir poder hacer algo;
~ **de qn qu'il fasse** conseguir
que algn haga

obturateur [ɔptyratœʀ] *nm*
(*PHOTO*) obturador *m*

obus [ɔby] *nm* obús *msg*

occasion [ɔkazjɔ̃] *nf* ocasión *f*,
oportunidad *f*, chance *m ou* *f*
(*AM*); (*acquisition avantageuse*)
ganga; (*circonstance*) ocasión; **à**
plusieurs ~s en varias
ocasiones; **être l'~ de** ser el
momento para; **à l'~ de** con
motivo de; **d'~** de segunda mano,
de ocasión; **occasionnel, le** *adj*
(*fortuit*) ocasional; (*non régulier*)
eventual

occasionner [ɔkazjɔne] *vt*
ocasionar, causar

occident [ɔksidɑ̃] *nm* (*POL*): **l'O-**
Occidente *m*

occidental, e, -aux [ɔksidɑ̃tal,
o] *adj* occidental

occupation [ɔkypasjɔ̃] *nf*
ocupación *f*

occupé, e [ɔkype] *adj*
ocupado(-a); (*ligne téléphonique*)
comunicando

occuper [ɔkype] *vt* ocupar; **s'~**
vpr ocuparse; **s'~ de** (*être*
responsable de) encargarse de;
(*clients etc*) ocuparse de

occurrence [ɔkyʀɑ̃s] *nf*: **en l'~**
en este caso

océan [ɔseɑ̃] *nm* océano

octet [ɔktɛ] *nm* (*INFORM*) byte *m*,
octeto

octobre [ɔktɔbʀ] *nm* octubre *m*;
voir aussi **juillet**

oculiste [ɔkylist] *nm/f* oculista
m/f

odeur [ɔdœʀ] *nf* olor *m*

odieux, -euse [ɔdjø, jøz] *adj*
abominable

odorant, e [ɔdɔʀɑ̃, ɑ̃t] *adj*

oloroso(-a)

odorat [ɔdɔʀa] *nm* olfato

œil [œj] (*pl* **yeux**) *nm* ojo; **à l'~**
(*fam*) por la cara; **à l'~ nu** a
simple vista; **avoir l'~** estar ojo
avizor; **avoir l'~ sur qn** no
quitar ojo a algn; **voir qch d'un**
bon/mauvais ~ ver algo con
buenos/malos ojos; **à mes/ses**
yeux para mí/él; **de ses**
propres yeux con sus propios
ojos; **fermer les yeux (sur)**
(*fig*) hacer la vista gorda (a); **ne**
pas pouvoir fermer l'~ no
pegar ojo; **les yeux fermés** a
ciegas

œillères [œjɛʀ] *nfpl* anteojeras
fpl; **avoir des ~** (*fig: péj*) ser de
miras muy estrechas

œillet [œjɛ] *nm* (*BOT*) clavel *m*;
(*trou, bordure rigide*) ojete *m*

œuf [œf] *nm* huevo, blanquillo
(*MEX*); **étouffer qch dans l'~**
cortar ojo de raíz; **~ à la**
coque/au plat/dur huevo
cocido/al plato/duro; **~ de**
Pâques huevo de Pascua; **~**
mollet huevo pasado por agua; **~**
poché huevo escalfado; **~s**
brouillés huevos *mpl* revueltos

œuvre [œvʀ] *nf* trabajo; (*art*)
obra; (*organisation charitable*) obra
benéfica ♦ *nm* (*d'un artiste*) obra;
(*CONSTR*): **le gros ~** el armazón;
être/se mettre à l'~ estar/
ponerse manos a la obra; **mettre**
en ~ poner en práctica

offense [ɔfɑ̃s] *nf* ofensa, agravio;
offenser *vt* ofender

offert, e [ɔfɛʀ, ɛʀt] *pp de* **offrir**

office [ɔfis] *nm* (*charge*) cargo;
(*bureau, agence*) oficina; (*messe*)
oficio; **d'~** automáticamente; **~**
du tourisme oficina de turismo

officiel, le [ɔfisjɛl] *adj* oficial

officier [ɔfisje] *nm* oficial *m/f* ♦ *vi* (REL) oficiar; ~ **de l'état-civil** teniente *m* (alcalde)

officieux, -euse [ɔfisjø, jøz] *adj* oficioso(-a)

offrande [ɔfrɑ̃d] *nf* regalo

offre [ɔfr] *vb voir* **offrir** ♦ *nf* oferta; (ADMIN: *soumission*) licitación *f*; "~s d'emploi" "ofertas *fpl* de empleo"; ~ **publique d'achat** oferta pública de compra

offrir [ɔfrir] *vt* regalar, ofrecer; **s'~** *vpr* (*vacances*) tomarse; (*voiture*) regalarse; ~ **(à qn) de faire qch** proponer (a algn) hacer algo; ~ **à boire à qn** ofrecer de beber a algn

OGM *sigle m* (= *organisme génétiquement modifié*) OMG *m* (= *organismo modificado genéticamente*)

oie [wa] *nf* ganso, oca

oignon [ɔɲɔ̃] *nm* cebolla; (*de tulipe etc*) bulbo

oiseau, x [wazo] *nm* ave *f*, pájaro; ~ **de proie** ave de rapiña

oisif, -ive [wazif, iv] *adj* ocioso(-a) ♦ *nm/f* (*péj*) holgazán(-ana)

oléoduc [ɔleɔdyk] *nm* oleoducto

olive [ɔliv] *nf* aceituna, oliva; **olivier** *nm* olivo

OLP [ɔelpe] *sigle f* (= *Organisation de libération de la Palestine*) OLP *f* (= *Organización para la Liberación de Palestina*)

olympique [ɔlɛ̃pik] *adj* olímpico(-a)

ombragé, e [ɔ̃braʒe] *adj* (*coin*) con sombra; (*colline*) umbrío(-a)

ombre [ɔ̃br] *nf* sombra; **il n'y a pas l'~ d'un doute** no hay la menor sombra de duda; **donner/faire de l'~** dar/hacer

sombra; **dans l'~** en la sombra; ~ **à paupières** sombra de ojos

omelette [ɔmlɛt] *nf* tortilla

omettre [ɔmɛtr] *vt* omitir

omoplate [ɔmɔplat] *nf* omóplato, omoplato

MOT-CLÉ

on [ɔ̃] *pron* **1** (*indéterminé*): **on peut le faire ainsi** se puede hacer así; **on frappe à la porte** llaman a la puerta

2 (*quelqu'un*): **on les a attaqués** les atacaron; **on vous demande au téléphone** le llaman por teléfono

3 (*nous*) nosotros(-as); **on va y aller demain** vamos a ir (allí) mañana

4 (*les gens*): **autrefois, on croyait ...** antes, se creía ...; **on dit que ...** dicen que ..., se dice que ...

5: **on ne peut plus** *adv*: **il est on ne peut plus stupide** no puede ser más estúpido

---

oncle [ɔ̃kl] *nm* tío

onctueux, -euse [ɔ̃ktɥø, øz] *adj* cremoso(-a)

onde [ɔ̃d] *nf* onda; **sur les ~s** en antena; ~**s courtes** onda *fsg* corta

ondée [ɔ̃de] *nf* chaparrón *m*

on-dit [ɔ̃di] *nm inv* rumor *m*

onduler [ɔ̃dyle] *vi* ondular; (*route*) serpentear

onéreux, -euse [ɔnerø, øz] *adj* oneroso(-a)

ongle [ɔ̃gl] *nm* uña

ont [ɔ̃] *vb voir* **avoir**

ONU [ɔny] *sigle f* (= *Organisation des Nations unies*) ONU *f* (= *Organización de las Naciones Unidas*)

onze ['ɔ̃z] *adj inv, nm inv* once *m inv; voir aussi* **cinq**; **onzième** *adj, nm/f* undécimo(-a) ♦ *nm (partitif)* onceavo; *voir aussi* **cinquième**

OPA [pea] *sigle f (= offre publique d'achat)* OPA *f (= Oferta Pública de Adquisición)*

opaque [ɔpak] *adj* opaco(-a)

opéra [ɔpeʀa] *nm* ópera

opérateur, -trice [ɔpeʀatœʀ, tʀis] *nm/f* operador(a)

opération [ɔpeʀasjɔ̃] *nf* operación *f*

opératoire [ɔpeʀatwaʀ] *adj* operatorio(-a)

opérer [ɔpeʀe] *vt* operar; *(faire, exécuter)* realizar ♦ *vi (agir)* hacer efecto; *(MÉD)* operar; **s'~** *vpr* realizarse; **se faire ~** operarse

opérette [ɔpeʀɛt] *nf* opereta

opiner [ɔpine] *vi*: **~ de la tête** asentir con la cabeza

opinion [ɔpinjɔ̃] *nf* opinión *f*; **~s** *nfpl* convicciones *fpl*, ideas *fpl*; **l'~(publique)** la opinión pública

opportun, e [ɔpɔʀtœ̃, yn] *adj* oportuno(-a); **opportuniste** *adj, nm/f* oportunista *m/f*

opposant, e [ɔpozɑ̃, ɑ̃t] *adj, nm/f* opositor(a)

opposé, e [ɔpoze] *adj* opuesto(-a) ♦ *nm*: **l'~** *(contraire)* lo opuesto; **être ~ à** ser opuesto a; **à l'~** *(direction)* en dirección contraria; **à l'~ de** al otro lado de; *(contrairement à)* al contrario de

opposer [ɔpoze] *vt (personnes etc)* enfrentar; *(suj: conflit)* dividir; **s'~** *vpr* oponerse; **s'~ à** oponerse a; *(tenir tête)* enfrentarse a

opposition [ɔpozisjɔ̃] *nf* oposición *f*; **par ~ à** a diferencia de; **être en ~ avec** estar en

contra de; **faire ~ à un chèque** bloquear un cheque

oppressant, e [ɔpʀesɑ̃, ɑ̃t] *adj* agobiante

oppresser, e [ɔpʀese] *vt (chaleur)* agobiar; **oppression** *nf* opresión *f*

opprimer [ɔpʀime] *vt* oprimir

opter [ɔpte] *vi*: **~ pour/entre** optar por/entre

opticien, ne [ɔptisjɛ̃, jɛn] *nm/f* óptico(-a)

optimisme [ɔptimism] *nm* optimismo; **optimiste** *adj, nm/f* optimista *m/f*

option [ɔpsjɔ̃] *nf* opción *f*

optique [ɔptik] *adj* óptico(-a) ♦ *nf* óptica; *(fig)* enfoque *m*

or [ɔʀ] *nm* oro ♦ *conj* ahora bien; **en ~** de oro

orage [ɔʀaʒ] *nm* tormenta; **orageux, -euse** *adj* tormentoso(-a)

oral, e, -aux [ɔʀal, o] *adj* oral; **par voie ~e** *(MÉD)* por vía oral

orange [ɔʀɑ̃ʒ] *nf* naranja ♦ *adj inv* ♦ *nm (couleur)* naranja *m*; **orangé, e** *adj* anaranjado(-a), naranja *inv*; **orangeade** *nf* naranjada; **oranger** *nm* naranjo

orateur [ɔʀatœʀ] *nm* orador(a)

orbite [ɔʀbit] *nf (ANAT, PHYS)* órbita

orchestre [ɔʀkɛstʀ] *nm* orquesta; *(de jazz, danse)* orquesta, grupo; *(THÉÂTRE, CINÉ: places)* patio de butacas

orchidée [ɔʀkide] *nf* orquídea

ordinaire [ɔʀdinɛʀ] *adj* ordinario(-a) ♦ *nm (menus)*: **l'~** lo corriente *f (essence)* normal *f*; **d'~** por lo general, corrientemente; **à l'~** de costumbre

ordinateur [ɔʀdinatœʀ] *nm* ordenador *m*

ordonnance [ɔrdɔnɑ̃s] nf (MÉD)
receta, prescripción f
ordonné, e [ɔrdɔne] adj
ordenado(-a)
ordonner [ɔrdɔne] vt ordenar;
(MÉD) recetar, prescribir; **~ à qn
de faire** ordenar ou mandar a
algn que haga
ordre [ɔrdr] nm orden m; **~s**
nmpl (REL): **être/entrer dans
les ~s** pertenecer/entrar en las
órdenes; **mettre en ~** poner en
orden; **avoir de l'~** tener orden,
ser ordenado(-a); **rentrer dans
l'~** volver a la normalidad; **être
aux ~s de qn/sous les ~s de
qn** estar a las órdenes de algn;
jusqu'à nouvel ~ hasta nuevo
aviso; **payer à l'~ de** (COMM)
pagar a la orden de; **dans le
même ~/un autre ~ d'idées**
en el mismo orden/en otro orden
de cosas; **~ du jour** orden del
día; **~ public** orden público
ordure [ɔrdyr] nf basura; **~s
ménagères** basura
oreille [ɔrɛj] nf oreja; **avoir de
l'~** tener oído
oreiller [ɔreje] nm almohada
oreillons [ɔrejɔ̃] nmpl paperas fpl
ores [ɔr]: **d'~ et déjà** adv desde
ahora, de aquí en adelante
orfèvrerie [ɔrfevrəri] nf
orfebrería
organe [ɔrgan] nm órgano
organigramme [ɔrganigram]
nm organigrama m
organique [ɔrganik] adj
orgánico(-a)
organisateur, -trice
[ɔrganizatœr, tris] nm/f
organizador(a)
organisation [ɔrganizasjɔ̃] nf
organización f; **O~ des Nations
unies** Organización de Naciones

Unidas
organiser [ɔrganize] vt
organizar; **s'~** vpr (personne)
organizarse
organisme [ɔrganism] nm
organismo
organiste [ɔrganist] nm/f
organista m/f
orgasme [ɔrgasm] nm orgasmo
orge [ɔrʒ] nf cebada
orgue [ɔrg] nm (MUS) órgano
orgueil [ɔrgœj] nm orgullo,
soberbia; **orgueilleux, -euse**
adj orgulloso(-a)
oriental, e, -aux [ɔrjɑ̃tal, o] adj
oriental
orientation [ɔrjɑ̃tasjɔ̃] nf
orientación f; **avoir le sens de
l'~** tener sentido de la
orientación; **~ professionnelle**
orientación profesional
orienté, e [ɔrjɑ̃te] adj: **bien/
mal ~** (appartement) bien/mal
orientado(-a); **~ au sud**
orientado(-a) al sur
orienter [ɔrjɑ̃te] vt orientar,
colocar; **s'~** vpr orientarse; **(s')~
vers** (recherches) orientar(se) ou
dirigir(se) hacia
origan [ɔrigɑ̃] nm orégano
originaire [ɔriʒinɛr] adj
originario(-a)
original, e, -aux [ɔriʒinal, o]
adj original ♦ nm/f (fam:
excentrique) excéntrico(-a),
extravagante m/f ♦ nm (document)
original m
origine [ɔriʒin] nf origen m;
originel, le adj original
orme [ɔrm] nm olmo
ornement [ɔrnəmɑ̃] nm adorno
orner [ɔrne] vt adornar
ornière [ɔrnjɛr] nf carril m
orphelin, e [ɔrfəlɛ̃, in] adj, nm/f
huérfano(-a); **orphelinat** nm

orfanato

orteil [ɔʀtɛj] nm dedo del pie

orthographe [ɔʀtɔgʀaf] nf
ortografía

ortie [ɔʀti] nf ortiga

os [ɔs] nm hueso

oscarise, e [ɔskaʀize] adj
galardonado(-a) con el Óscar

osciller [ɔsile] vi oscilar; **~ entre**
vacilar ou dudar entre

osé, e [oze] adj (tentative)
osado(-a); (plaisanterie)
atrevido(-a)

oseille [ozɛj] nf (BOT) acedera

oser [oze] vt, vi osar, atreverse; **~
faire qch** atreverse a hacer algo

osier [ozje] nm mimbre m; **d'~,
en ~** de mimbre

osseux, -euse [ɔsø, øz] adj
óseo(-a); (main, visage)
huesudo(-a)

otage [ɔtaʒ] nm rehén m; **prendre qn comme** ou **en ~** tomar
ou coger a algn de ou como rehén

OTAN [ɔtɑ̃] sigle f (= Organisation
du traité de l'Atlantique Nord)
OTAN f

otarie [ɔtaʀi] nf león m marino,
otaria

ôter [ote] vt quitar; (soustraire)
quitar, restar; **~ qch de** quitar
algo de; **~ qch à qn** quitar algo a
algn

otite [ɔtit] nf otitis f inv

ou [u] conj o, u; **l'un ~ l'autre**
una u otra

où [u] pron rel 1 (lieu) donde, en
que; **la chambre où il était** la
habitación en que ou donde
estaba; **le village d'où je viens**
el pueblo de donde vengo; **les
villes par où il est passé** las
ciudades por donde pasó

2 (direction) adonde; **la ville où
je me rends** la ciudad adonde
me dirijo

3 (temps, état) (en) que; **le jour
où il est parti** el día (en) que se
marchó; **au prix où c'est** al
precio que está

♦ adv **1** (interrogatif) ¿dónde?; **où
est-il?** ¿dónde está?; **par où?**
¿por dónde?

2 (direction) (a)dónde; **où va-t-
il?** ¿(a)dónde va?

3 (relatif) donde; **je sais où il
est** sé donde está; **où que l'on
aille** vayamos donde vayamos,
dondequiera que vayamos

ouate [wat] nf algodón m, guata

oubli [ubli] nm olvido; **l'~** el
olvido

oublier [ublije] vt olvidar

ouest [wɛst] nm oeste m ♦ adj inv
oeste; **à l'~ (de)** al oeste (de)

ouf ['uf] excl ¡uf!

oui ['wi] adv sí

ouï-dire ['widiʀ] nm inv: **par ~~**
de oídas

ouïe [wi] nf oído; **~s** nfpl (de
poisson) agallas fpl

ouragan [uʀagɑ̃] nm huracán
m

ourlet [uʀlɛ] nm (COUTURE)
dobladillo

ours [uʀs] nm inv oso; **~ blanc/
brun** oso blanco/pardo; **~ (en
peluche)** oso de peluche

oursin [uʀsɛ̃] nm erizo de
mar

ourson [uʀsɔ̃] nm osezno(-a)

ouste [ust] excl ¡fuera!, ¡largo de
aquí!

outil [uti] nm herramienta,
instrumento; **outiller** vt equipar
de herramienta ou de maquinaria

outrage [utʀaʒ] nm ultraje m,

~ à la pudeur (JUR) ultraje al
pudor
outrance [utʀɑ̃s] adv: **à ~** a
ultranza
outre [utʀ] nf odre m; **passer ~
à** hacer caso omiso a; **en ~**
además, por añadidura; **~
mesure** sin medida,
desmesuradamente; **outre-
Atlantique** adv al otro lado del
Atlántico; **outre-mer** adv
ultramar
ouvert, e [uveʀ, ɛʀt] pp de
ouvrir ♦ adj abierto(-a);
ouvertement adv (agir)
abiertamente; **ouverture** nf
apertura; (orifice, MUS) obertura;
ouverture d'esprit apertura de
ideas, amplitud f de ideas
ouvrable [uvʀabl] adj: **jour ~** día
m laborable
ouvrage [uvʀaʒ] nm obra
ouvre-boîte(s) [uvʀəbwat] nm
inv abrelatas m inv
ouvre-bouteille(s) [uvʀəbutɛj]
nm inv abrebotellas m inv
ouvreuse [uvʀøz] nf
acomodadora
ouvrier, -ière [uvʀije, ijɛʀ] nm/f
obrero(-a) **♦** adj obrero(-a);
classe ouvrière clase f
obrera
ouvrir [uvʀiʀ] vt abrir **♦** vi abrir;
s'~ vpr abrirse; **s'~ à qn**
confiarse a algn
ovaire [ɔvɛʀ] nm ovario
ovale [ɔval] adj oval, ovalado(-a)
OVNI [ɔvni] sigle m (= objet volant
non identifié) OVNI m (= objeto
volante no identificado)
oxyder [ɔkside]: **s'~** vpr oxidarse
oxygène [ɔksiʒɛn] nm oxígeno
oxygéné, e [ɔksiʒene] adj: **eau
~e** agua oxigenada
ozone [ozon] nm ozono

P, p

pacifique [pasifik] adj pacífico(-a)
♦ nm: **le P~, l'océan P~** el
(Océano) Pacífico
pack [pak] nm pack m
pacotille [pakɔtij] (péj) nf
pacotilla
pacte [pakt] nm pacto
pagaille [pagaj] nf (désordre)
follón m, desbarajuste m
page [paʒ] nf página **♦** nm paje m;
être à la ~ (fig) estar al día
paiement [pemɑ̃] nm pago
païen, ne [pajɛ̃, pajɛn] adj, nm/f
pagano(-a)
paillasson [pajasɔ̃] nm felpudo
paille [paj] nf paja; (défaut)
defecto
paillettes [pajɛt] nfpl lentejuelas
fpl
pain [pɛ̃] nm pan m; **petit ~**
panecillo; **~ complet** pan
integral; **~ d'épice(s)** alfajor m;
~ de mie pan de molde; **~ grillé**
pan tostado
pair, e [peʀ] adj par; **paire** nf par
m
paisible [pezibl] adj apacible;
(ville, lac) tranquilo(-a)
paix [pe] nf paz f; (fig: tranquillité)
paz, sosiego; **faire la ~ avec**
hacer las paces con; **avoir la ~**
tener paz
Pakistan [pakistɑ̃] nm Paquistán
m
palais [pale] nm palacio; (ANAT)
paladar m
pâle [pal] adj pálido(-a); **bleu/
vert ~** azul/verde pálido
Palestine [palɛstin] nf Palestina
palette [palet] nf paleta; (plateau
de chargement) plataforma

pâleur [pɑlœʀ] nf palidez f
palier [palje] nm (d'escalier) rellano; **par ~s** gradualmente
pâlir [pɑliʀ] vi palidecer
pallier [palje] vt paliar
palme [palm] nf palma; **palmé, e** adj palmeado(-a)
palmier [palmje] nm palmera
pâlot, e [pɑlo, ɔt] adj paliducho(-a)
palourde [paluʀd] nf almeja
palper [palpe] vt palpar
palpitant, e [palpitɑ̃, ɑ̃t] adj palpitante
palpiter [palpite] vi palpitar
paludisme [palydism] nm paludismo
pamphlet [pɑ̃flɛ] nm panfleto
pamplemousse [pɑ̃pləmus] nm pomelo
pan [pɑ̃] nm (d'un manteau, rideau) faldón m; (côté) cara ♦ excl ¡pum!
panache [panaʃ] nm penacho; **avoir du ~** (fig) tener caballerosidad
panaché, e [panaʃe] nm clara, cerveza con gaseosa
pancarte [pɑ̃kaʀt] nf cartel m, pancarta
pancréas [pɑ̃kʀeas] nm páncreas m inv
pané, e [pane] adj empanado(-a)
panier [panje] nm cesta; **~ à provisions** cesta de la compra; **panier-repas** (pl **paniers-repas**) nm almuerzo
panique [panik] nf pánico; **paniquer** vt aterrorizar ♦ vi aterrorizarse, espantarse
panne [pan] nf avería; **être/tomber en ~** tener una avería, descomponerse/estar descompuesto (esp MEX); **tomber en ~ d'essence** ou **sèche**

quedarse sin gasolina; **~ d'électricité** ou **de courant** corte m eléctrico
panneau, x [pano] nm panel m; **~ d'affichage** tablón m de anuncios; **~ de signalisation** señal f de tráfico; **~ indicateur** panel indicador
panoplie [panɔpli] nf panoplia
panorama [panɔʀama] nm panorama m
panse [pɑ̃s] nf panza
pansement [pɑ̃smɑ̃] nm venda; apósito; **~ adhésif** tirita, curita (AM)
pantalon [pɑ̃talɔ̃] nm pantalón m
panthère [pɑ̃tɛʀ] nf pantera
pantin [pɑ̃tɛ̃] nm pelele m
pantoufle [pɑ̃tufl] nf zapatilla
paon [pɑ̃] nm pavo real
papa [papa] nm papá m
pape [pap] nm papa m
paperasse [papʀas] (péj) nf: **des ~s** ou **de la ~** papelotes mpl; **paperasserie** (péj) nf papelorio
papeterie [papetʀi] nf papelería
papi [papi] (fam) nm abuelito
papier [papje] nm papel m; **~s** nmpl (aussi: **~s d'identité**) documentación f, papeles mpl; **~ à lettres** papel de cartas; **(d')aluminium** papel de aluminio; **~ d'emballage** papel de envolver; **~ de verre** papel de lija; **~ hygiénique** papel higiénico; **~ peint** papel pintado
papillon [papijɔ̃] nm mariposa
papillote [papijɔt] nf papillote
papoter [papɔte] vi parlotear
paquebot [pak(ə)bo] nm paquebote m
pâquerette [pɑkʀɛt] nf margarita
Pâques [pɑk] nfpl (fête) Pascua fsg ♦ nm (période) Semana Santa
paquet [pakɛ] nm paquete m;

paquet-cadeau (*pl* **paquets-cadeaux**) *nm* paquete *m* regalo *inv*

MOT-CLÉ
---

par [paʀ] *prép* **1** (*agent, cause*) por; **par amour** por amor; **peint par un grand artiste** pintado por un gran artista
2 (*lieu, direction*) por; **passer par Lyon/la côte** pasar por Lyon/la costa; **par la fenêtre** (*jeter, regarder*) por la ventana; **par le haut/bas** por arriba/abajo; **par ici** por aquí; **par où?** ¿por dónde?; **par là** por allí; **par-ci, par-là** aquí y allá; **être/jeter par terre** estar en el/tirar al suelo
3 (*fréquence, distribution*) por; **3 fois par semaine** 3 veces por *ou* a la semana; **3 par jour/par personne** 3 al día/por persona; **par centaines** a cientos, a centenares; **2 par 2** (*marcher, entrer, prendre etc*) de 2 en 2
4 (*moyen*) por; **par la poste** por correo
5 (*manière*): **prendre par la main** coger *ou* agarrar de la mano; **prendre par la poignée** coger *ou* agarrar del asa; **finir etc par** terminar *etc* por; **le film se termine par une scène d'amour** la película termina con una escena de amor; **Pau commence par la lettre 'p'** Pau empieza por 'p'

---

parabolique [paʀabɔlik] *adj* parabólico(-a)
parachute [paʀaʃyt] *nm* paracaídas *m inv*; **parachutiste** *nm/f* paracaidista *m/f*
parade [paʀad] *nf* (MIL) desfile *m*

paradis [paʀadi] *nm* paraíso
paradoxe [paʀadɔks] *nm* paradoja
paraffine [paʀafin] *nf* parafina
parages [paʀaʒ] *nmpl* (NAUT) aguas *fpl*; **dans les ~ (de)** en los alrededores de
paragraphe [paʀagʀaf] *nm* párrafo
paraître [paʀɛtʀ] *vb* + *attribut* parecer, verse (AM) ♦ *vi* (*apparaître*) aparecer; (PRESSE, ÉDITION) publicarse; (*sembler*) parecer; **il paraît que** parece que; **~ en justice** comparecer ante la justicia
parallèle [paʀalɛl] *adj* paralelo(-a) ♦ *nm* paralelo ♦ *nf* (*droite, ligne*) paralela
paralyser [paʀalize] *vt* paralizar
paramédical, e, -aux [paʀamedikal, o] *adj*: **personnel ~** personal *m* paramédico
paraphrase [paʀafʀaz] *nf* paráfrasis *f inv*
parapluie [paʀaplɥi] *nm* paraguas *m inv*
parasite [paʀazit] *nm* parásito ♦ *adj* parásito(-a); **~s** *nmpl* (TÉL) parásitos *mpl*
parasol [paʀasɔl] *nm* quitasol *m*
paratonnerre [paʀatɔnɛʀ] *nm* pararrayos *m inv*
parc [paʀk] *nm* parque *m*; **~ de stationnement** aparcamiento *m*
parcelle [paʀsɛl] *nf* (*d'or, de vérité*) partícula; (*de terrain*) parcela
parce que [paʀs(ə)kə] *conj* porque
parchemin [paʀʃəmɛ̃] *nm* pergamino
parcmètre [paʀkmɛtʀ] *nm* parquímetro
parcourir [paʀkuʀiʀ] *vt* recorrer

(*journal, article*) echar un vistazo a
parcours [paʀkuʀ] *vb voir*
parcourir ♦ *nm* (*trajet, itinéraire*)
trayecto; (*SPORT*) recorrido
par-dessous [paʀd(ə)su] *prép*
por debajo de ♦ *adv* por debajo
pardessus [paʀdəsy] *nm* abrigo
par-dessus [paʀd(ə)sy] *prép* por
encima de; **~~ le marché** para
colmo
par-devant [paʀd(ə)vɑ̃] *prép* ante
♦ *adv* por delante
pardon [paʀdɔ̃] *nm* perdón *m* ♦
excl ¡perdón!, ¡disculpe!;
demander ~ à qn (de ...)
pedir perdón a algn (por ...);
pardonner *vt* perdonar;
pardonner qch à qn perdonar
algo a algn
pare...: **pare-brise** *nm inv*
parabrisas *m inv*; **pare-chocs**
nm inv parachoques *m inv*
pareil, le [paʀɛj] *adj* igual;
(*similaire*) parecido(-a); **faire ~**
hacer lo mismo; **~ à** parecido(-a)
a; **sans ~** sin igual
parent, e [paʀɑ̃, ɑ̃t] *nm/f*
pariente(-a); **~s** *nmpl* (*père et
mère*) padres *mpl*; (*famille, proches*)
parientes *mpl*; **parenté** *nf*
(*rapport, lien*) parentesco
parenthèse [paʀɑ̃tɛz] *nf*
paréntesis *m*
paresse [paʀɛs] *nf* pereza,
holgazanería; **paresseux,
-euse** *adj* perezoso(-a), flojo(-a)
(*AM*)
parfait, e [paʀfɛ, ɛt] *pp de*
parfaire ♦ *adj* perfecto(-a);
parfaitement *adv*
perfectamente ♦ *excl* ¡seguro!,
¡desde luego!
parfois [paʀfwa] *adv* a veces
parfum [paʀfœ̃] *nm* perfume *m*;
(*de tabac, vin*) aroma *m*; (*de glace,

etc) sabor *m*; **parfumé, e** *adj*
perfumado(-a); **parfumé au
café** aromatizado(-a) con café,
con sabor a café; **parfumer** *vt*
perfumar; (*crème, gâteau*)
aromatizar; **parfumerie** *nf*
perfumería
pari [paʀi] *nm* apuesta; **parier** *vt*
apostar
Paris [paʀi] *n* París; **parisien,
ne** *adj* (*personne, vie*) parisino(-a);
(*GÉO, ADMIN*) parisiense ♦ *nm/f*:
Parisien, ne parisiense *nm/f*
parjure [paʀʒyʀ] *nm* perjurio
parking [paʀkiŋ] *nm*
aparcamiento
parlant, e [paʀlɑ̃, ɑ̃t] *adj* vivo(-a),
elocuente; (*CINÉ*) sonoro(-a)
parlement [paʀləmɑ̃] *nm*
parlamento; **parlementaire** *adj*
parlamentario(-a) ♦ *nm/f* (*député*)
parlamentario(-a)
parler [paʀle] *nm* habla ♦ *vi*
hablar; **~ de qch/qn** hablar de
algo/algn; **~ (à qn) de** hablar (a
algn) de; **~ affaires/politique**
hablar de negocios/de política; **~
en dormant** hablar en sueños; **tu
parles!** ¡ya ves!
parloir [paʀlwaʀ] *nm* locutorio;
(*d'un hôpital*) sala de visitas
parmi [paʀmi] *prép* entre, en
medio de
paroi [paʀwa] *nf* pared *f*
paroisse [paʀwas] *nf* parroquia
parole [paʀɔl] *nf* palabra; **~s** *nfpl*
(*d'une chanson*) letra *fsg*; **tenir ~**
cumplir con su palabra; **avoir/
prendre la ~** tener/tomar la
palabra; **sur ~**: **croire qn sur ~**
confiar en la palabra de algn;
prisonnier sur ~ preso bajo
palabra
parquet [paʀkɛ] *nm* (*plancher*)
parqué *m*; **le ~** (*JUR*) el tribunal de

justicia

parrain [paʀɛ̃] *nm* padrino;
parrainer *vt* apadrinar; (*suj:
entreprise*) patrocinar

pars [paʀ] *vb voir* **partir**

parsemer [paʀsəme] *vt* cubrir; ~
qch de sembrar algo de

part [paʀ] *vb voir* **partir** ♦ *nf* parte
f; (*de gâteau, fromage*), trozo,
pedazo; (*titre*) acción *f*; **prendre
~ à** (*débat etc*) tomar parte en;
pour ma ~ por mi parte; **à ~
entière** de pleno derecho; **de la
~ de** de parte de; **de ~ et
d'autre** a *ou* en ambos lados; **de
~ en ~** de parte a parte; **d'une
~ ... d'autre ~** por una parte ...
por otra; **nulle/autre/quelque
~** en ninguna/en otra/en alguna
parte; **à ~** *adv* aparte ♦ *prép*: **à ~
cela** aparte de eso, excepto eso

partage [paʀtaʒ] *nm* reparto

partager [paʀtaʒe] *vt* repartir; **se
~** *vpr* repartirse; ~ **un gâteau en
quatre/une ville en deux**
dividir un pastel en cuatro/una
ciudad en dos; ~ **la joie de qn/
la responsabilité d'un acte**
compartir la alegría de algn/la
responsabilidad de un acto

partenaire [paʀtənɛʀ] *nm/f*
compañero(-a)

parterre [paʀtɛʀ] *nm* (*de fleurs*)
parterre *m*, arriate *m*; (*THÉÂTRE*)
patio de butacas

parti [paʀti] *nm* partido; **un
beau/riche ~** un buen partido;
tirer ~ de sacar partido de;
prendre le ~ de faire qch
tomar la decisión de hacer algo;
prendre ~ (pour qn) tomar
partido (por algn); ~ **pris**
prejuicio

partial, e, -aux [paʀsjal, jo] *adj*
parcial

participant, e [paʀtisipɑ̃, ɑ̃t]
nm/f participante *m/f*; (*à un
concours*) concursante *m/f*

participation [paʀtisipasjɔ̃] *nf*
participación *f*; ~ **aux frais** la
contribución a los gastos

participer [paʀtisipe]: ~ **à** *vt ind*
participar en

particularité [paʀtikylaʀite] *nf*
particularidad *f*

particulier, -ière [paʀtikylje,
jɛʀ] *adj* particular; (*entretien,
conversation*) privado(-a); **avec
un soin ~** con un cuidado
especial; ~ **à** su propio(-a) de;
en ~ (*précisément*) en concreto; (*en
privé*) en privado; (*surtout*)
especialmente;

particulièrement *adv*
principalmente

partie [paʀti] *nf* parte *f*; (*de cartes,
tennis*) partida; **en ~** en parte;
faire ~ de qch formar parte de
algo; **en grande/majeure ~** en
gran/la mayor parte; ~ **civile**
(*JUR*) parte civil

partiel, le [paʀsjɛl] *adj*, *nm*
parcial *m*

partir [paʀtiʀ] *vi* (*gén*) partir;
(*train, bus etc*) salir; (*s'éloigner*)
marcharse; ~ **de** (*lieu*) salir de;
(*suj: personne, route*) partir de; ~
pour/à (*lieu, pays*) salir para/
hacia; **à ~ de** a partir de

partisan, e [paʀtizã, an] *nm/f*
seguidor(a), partidario(-a) ♦ *adj*
partidario(-a)

partition [paʀtisjɔ̃] *nf* (*MUS*)
partitura

partout [paʀtu] *adv* por todas
partes; ~ **où il allait** por
dondequiera que iba; **trente/
quarante ~** (*TENNIS*) iguales a
treinta/a cuarenta, empate *m* a
treinta/a cuarenta

paru, e [paʀy] pp de **paraître**

parution [paʀysjɔ̃] nf aparición f, publicación f

parvenir [paʀvəniʀ] : **~ à** vt indir llegar a, arribar a (AM); **~ à ses fins** alcanzar sus fines; **~ à faire qch** conseguir hacer algo; **faire ~ qch à qn** hacer llegar algo a algn

pas¹ [pa] nm paso; **~ à ~** a paso a paso; **marcher à grands ~** andar dando zancadas; **rouler au ~** (AUTO) ir a paso lento; **au ~ de gymnastique/de course** a paso ligero/a la carrera; **à ~ de loup** con paso sigiloso; **faire les cent ~** ir y venir, ir de un lado para otro; **faire les premiers ~** dar los primeros pasos; **retourner** ou **revenir sur ses ~** volver sobre sus pasos; **sur le ~ de la porte** en el umbral de la puerta); **le ~ de Calais** (détroit) el paso ou estrecho de Calais

─────────
MOT-CLÉ
─────────

pas² [pa] adv **1** (avec ne, non etc): **ne ... pas** no; **je ne vais pas à l'école** no voy a la escuela; **je ne mange pas de pain** no como pan; **il ne ment pas** no miente; **ils n'ont pas de voiture/d'enfants** no tienen coche/niños; **il m'a dit de ne pas le faire** me ha dicho que no lo haga; **non pas que ...** no es que ...; **je n'en sais pas plus** no sé más; **il n'y avait pas plus de 200 personnes** no había más de 200 personas; **je ne reviendrai pas de sitôt** tardaré en volver

2 (sans ne etc): **pas moi** yo no; (renforçant l'opposition): **elle**

travaille, (mais) lui pas ou **pas lui** ella trabaja, (pero) él no; (dans des réponses négatives): **pas de sucre, merci!** ¡sin azúcar, gracias!; **une pomme pas mûre** una manzana que no está madura; **je suis très content - moi pas** ou **pas moi** yo estoy muy contento - yo no; **pas du tout** (réponse) en absoluto; **ça ne me plaît pas du tout** no me gusta nada; **ils sont 4 et non (pas) 3** son 4 y no 3; **pas encore** todavía no

3: pas mal no está mal; **ça va? - pas mal** ¿qué tal? - bien; **pas mal de** (beaucoup de): **ils ont pas mal d'argent** no andan mal de dinero

─────────

passage [pasaʒ] nm paso; (extrait) pasaje m; **"laissez/ n'obstruez pas le ~"** "dejen/ no impidan el paso"; **de ~** (touristes) de paso; **au ~** (en passant) al paso, de paso; **~ à niveau** paso a nivel

passager, -ère [pasaʒe, ɛʀ] adj pasajero(-a) ♦ nm/f pasajero(-a); **~ clandestin** polizón m

passant, e [pasɑ̃, ɑ̃t] adj transitado(-a) ♦ nm/f transeúnte m/f

passe [pas] nf pase m

passé, e [pase] adj pasado(-a) ♦ prép: **~ 10 heures/7 ans/ce poids** después de las 10/de 7 años/a partir de ese peso ♦ nm pasado; **~ de mode** pasado(-a) de moda; **~ simple/composé** pretérito perfecto simple/pretérito perfecto

passe-partout [paspaʀtu] nm inv llave f maestra

passeport [paspɔʀ] nm pasaporte m

passer [pɑse] *vi* pasar; (*air*) correr; (*liquide, café*) filtrarse, colarse; (*couleur, papier*) decolorarse ♦ *vt* pasar; (*obstacle*) pasar, superar; (*frontière, rivière etc*) cruzar; (*examen*) hacer; (*film, émission, disque*) poner; (*vêtement*) ponerse; (*café*) filtrar; **se ~** *vpr* (*scène, action*) transcurrir; (*s'écouler*) pasar; (*arriver*): **que s'est-il passé?** ¿qué ha pasado?; **~ par** pasar por; **~ chez qn** pasar por la casa de algn; **~ qch à qn** pasar algo a algn; **~ devant/derrière qn/ qch** pasar delante/detrás de algn/algo; **~ avant qch/qn** estar antes de algo/de algn; **laisser ~** dejar pasar; **~ directeur/ président** ascender a director/a presidente; **en seconde/ troisième** (*AUTO*) meter segunda/tercera; **~ à l'action** pasar a la acción; **~ outre (à qch)** hacer caso omiso (de algo); **~ pour un imbécile** pasar por un imbécil; **~ à table** sentarse a la mesa; **je passe mon tour** paso; **~ l'aspirateur** pasar la aspiradora; **je vous passe M. X** le pongo *ou* comunico (*AM*) con el Sr. X; **~ commande** hacer un pedido; **~ un marché/accord** concertar un negocio/acuerdo; **se ~ de l'eau sur le visage** echarse agua en la cara; **se ~ de qch** (*s'en priver*) pasarse sin algo

passerelle [pɑsʁɛl] *nf* pasarela

passe-temps [pɑstɑ̃] *nm inv* pasatiempo

passif, -ive [pasif, iv] *adj* pasivo(-a)

passion [pɑsjɔ̃] *nf* pasión *f*; **passionnant, e** *adj* apasionante; **passionné, e** *adj* apasionado(-a); **passionner** *vt* apasionar; **se passionner pour qch** apasionarse por algo

passoire [pɑswaʁ] *nf* colador *m*

pastèque [pastɛk] *nf* sandía

pasteur [pastœʁ] *nm* pastor *m*

pasteuriser [pastœʁize] *vt* pasteurizar

pastille [pastij] *nf* pastilla

patate [patat] *nf* patata, papa (*AM*); **~ douce** batata, camote *m* (*AM*)

patauger [patoʒe] *vi* chapotear

pâte [pat] *nf* pasta; **~s** *nfpl* (*macaroni etc*) pastas *fpl*; **~ à modeler** plastilina; **~ brisée** pasta quebrada; **~ d'amandes** pasta de almendra; **~ de fruits** fruta escarchada; **~ feuilletée** masa de hojaldre

pâté [pate] *nm* (*CULIN*) paté *m*; **~ de maisons** manzana de casas; **~ en croûte** paté empanado

pâtée [pate] *nf* cebo

paternel, le [patɛʁnɛl] *adj* paterno(-a)

pâteux, -euse [patø, øz] *adj* pastoso(-a)

pathétique [patetik] *adj* patético(-a)

patience [pasjɑ̃s] *nf* paciencia; (*CARTES*) solitario

patient, e [pasjɑ̃, jɑ̃t] *adj, nm/f* paciente *m/f*; **patienter** *vi* esperar

patin [patɛ̃] *nm* patín *m*; **~s (à glace)** patines *mpl* (de cuchilla); **~s à roulettes** patines de ruedas

patinage [patinaʒ] *nm* patinaje *m*

patiner [patine] *vi* patinar; **patineur, -euse** *nm/f* patinador(a); **patinoire** *nf* pista de patinaje

pâtir [pɑtiʁ] *vi*: **~ de** padecer de

pâtisserie [pɑtisʀi] nf pastelería; *(à la maison)* repostería; **~s** nfpl *(gâteaux)* pasteles mpl;
pâtissier, -ière nm/f pastelero(-a)

patois [patwa] nm dialecto

patrie [patʀi] nf patria

patrimoine [patʀimwan] nm patrimonio

patriotique [patʀijɔtik] adj patriótico(-a)

patron, ne [patʀɔ̃, ɔn] nm/f *(chef)* jefe(-a), patrón(-ona); *(REL)* patrono(-a); ♦ *(COUTURE)* patrón m; **patronat** nm empresariado; **patronner** vt *(personne, entreprise)* patrocinar

patrouille [patʀuj] nf patrulla

patte [pat] nf pata

pâturage [pɑtyʀaʒ] nm pasto

paume [pom] nf palma (de la mano)

paumé, e [pome] *(fam)* adj marginado(-a)

paupière [popjɛʀ] nf párpado

pause [poz] nf *(arrêt, halte)* parada; *(en parlant)* pausa; *(MUS)* silencio

pauvre [povʀ] adj, nm/f pobre m/f; **pauvreté** nf pobreza

pavé, e [pave] adj pavimentado(-a) ♦ nm *(bloc de pierre)* adoquín m; *(pavage, pavement)* pavimento

pavillon [pavijɔ̃] nm pabellón m; *(maisonnette, villa)* chalet m

payant, e [pɛjɑ̃, ɑ̃t] adj *(hôte, spectateur)* que paga; **c'est ~** hay que pagar

paye [pɛj] nf paga

payement [pɛjmɑ̃] nm = **paiement**

payer [peje] vt pagar ♦ vi *(métier)* dar dinero; *(effort, tactique)* dar fruto; **il me l'a fait ~ 10 F** me

ha cobrado 10 francos; **~ qch à qn** pagar algo a algn; **se ~ la tête de qn** *(fam)* burlarse de algn, tomar el pelo a algn

pays [pei] nm país msg

paysage [peizaʒ] nm paisaje m

paysan, ne [peizɑ̃, an] nm/f campesino(-a)

Pays-Bas [peiba] nmpl: **les ~~~** los Países Bajos

PC [pese] sigle m (= Parti communiste) partido comunista; (= personal computer) OP (= ordenador personal)

PDG [pedeʒe] sigle m (= président directeur général) voir **président**

péage [peaʒ] nm peaje m

peau, x [po] nf piel f; **être bien/mal dans sa ~** encontrarse/no encontrarse bien consigo mismo; **~ de chamois** gamuza

péché [peʃe] nm pecado

pêche [pɛʃ] nf pesca; *(fruit)* melocotón m, durazno (AM); **~ à la ligne** pesca con caña

pécher [peʃe] vi pecar

pêcher [peʃe] nm melocotonero ♦ vi ir de pesca ♦ vt pescar

pécheur, -eresse [peʃœʀ, peʃʀɛs] nm/f pecador(a)

pêcheur [peʃœʀ] nm pescador m

pédagogie [pedagɔʒi] nf pedagogía; **pédagogique** adj pedagógico(-a)

pédale [pedal] nf pedal m

pédalo [pedalo] nm barca a pedal

pédant, e [pedɑ̃, ɑ̃t] *(péj)* adj, nm/f pedante m/f

pédestre [pedɛstʀ] adj: **randonnée ~** excursión f a pie

pédiatre [pedjatʀ] nm/f pediatra m/f

pédicure [pedikyʀ] nm/f pedicuro(-a)

pègre [pɛgʀ] *nf* hampa
peigne [pɛɲ] *nm* peine *m*;
  peigner *vt* peinar; **se peigner**
  vpr peinarse; **peignoir** *nm*:
  peignoir de bain ou de plage
  albornoz;
peindre [pɛ̃dʀ] *vt* pintar
peine [pɛn] *nf* pena; (*effort,
  difficulté*) trabajo; (*JUR*) condena;
  faire de la ~ à qn hacer sufrir a
  algn; **prendre la ~ de faire**
  tomarse la molestia de hacer; **ce
  n'est pas la ~ de faire/que
  vous fassiez** no vale la pena
  hacer/que haga; **à ~** apenas,
  recién (*AM*); **à ~ était-elle
  sortie qu'il se mit à pleuvoir**
  apenas salió se puso a llover;
  **défense d'afficher sous ~
  d'amende** prohibido fijar carteles
  bajo multa; **~ capitale ou de
  mort** pena capital ou de muerte;
peiner *vi* cansarse ♦ *vt* apenar
peintre [pɛ̃tʀ] *nm* pintor; **~ en
  bâtiment** pintor (de brocha
  gorda)
peinture [pɛ̃tyʀ] *nf* pintura; **"~
  fraîche"** "recién pintado"
péjoratif, -ive [peʒɔʀatif, iv] *adj*
  peyorativo(-a), despectivo(-a)
pêle-mêle [pɛlmɛl] *adv* en
  desorden
peler [pəle] *vt* pelar
pèlerin [pɛlʀɛ̃] *nm* peregrino
pèlerinage [pɛlʀinaʒ] *nm*
  peregrinación *f*; (*lieu*) centro de
  peregrinación
pelle [pɛl] *nf* pala
pellicule [pelikyl] *nf* (*couche fine*)
  película; (*PHOTO*) rollo, carrete *m*;
  (*CINÉ*) cinta; **~s** *nfpl* (*MÉD*) caspa
  fsg
pelote [p(ə)lɔt] *nf* (*de fil, laine*)
  ovillo; (*d'épingles, d'aiguilles*)
  acerico; (*balle, jeu*): **~ (basque)**

pelota (vasca)
peloton [p(ə)lɔtɔ̃] *nm* pelotón *m*;
  ~ d'exécution pelotón de
  ejecución
pelotonner [p(ə)lɔtɔne]: **se ~** *vpr*
  acurrucarse
pelouse [p(ə)luz] *nf* césped *m*
peluche [p(ə)lyʃ] *nf*: **animal en
  ~** muñeco de peluche
pelure [p(ə)lyʀ] *nf* piel *f*
pénal, e, -aux [penal, o] *adj*
  penal; **pénalité** *nf* penalidad *f*
penchant [pɑ̃ʃɑ̃] *nm* inclinación *f*
pencher [pɑ̃ʃe] *vi* inclinarse ♦ *vt*
  inclinar; **se ~** *vpr* inclinarse; (*se
  baisser*) agacharse; **se ~ sur**
  inclinarse sobre; (*fig*) examinar; **se
  ~ au dehors** asomarse; **~ pour**
  (*fig*) inclinarse por
pendant [pɑ̃dɑ̃] *prép* durante; **~
  que** mientras
pendentif [pɑ̃dɑ̃tif] *nm* colgante
  m
penderie [pɑ̃dʀi] *nf* ropero
pendre [pɑ̃dʀ] *vt* colgar;
  (*personne*) ahorcar ♦ *vi* colgar; **se
  ~ (à)** (*se suicider*) ahorcarse (de);
  ~ à colgar de; **~ qch à** colgar
  algo de
pendule [pɑ̃dyl] *nf* (*horloge*) reloj
  m péndola ♦ *nm* péndulo
pénétrer [penetʀe] *vi* penetrar ♦
  vt entrar; (*suj: projectile, mystère,
  secret*) penetrar; **~ dans/à
  l'intérieur de** penetrar en/en el
  interior de
pénible [penibl] *adj* penoso(-a);
  péniblement *adv* penosamente;
  (*tout juste*) a duras penas
péniche [peniʃ] *nf* chalana
pénicilline [penisilin] *nf*
  penicilina
péninsule [penɛ̃syl] *nf* península
pénis [penis] *nm* pene *m*
pénitence [penitɑ̃s] *nf*

penitencia; **pénitencier** nm
(prison) penitenciaría
pénombre [penɔbʀ] nf penumbra
pensée [pɑse] nf pensamiento
penser [pɑse] vi pensar ♦ vt
pensar; (concevoir: problème,
machine) pensar, idear; ~ **à** pensar
en; ~ **(à) faire qch** pensar (en)
hacer algo; **faire ~ à** hacer
pensar en, recordar; **pensif, -ive**
adj pensativo(-a)
pension [pɑsjɔ] nf pensión f de
jubilación; (prix du logement, hôtel)
pensión; (école) internado;
mettre en ~ (enfant) meter
interno; ~ **complète** pensión
completa; ~ **de famille** casa de
huéspedes; **pensionnaire** nm/f
(d'un hôtel) huésped m; (d'école)
interno(-a); **pensionnat** nm
pensionado
pente [pɑt] nf pendiente f
Pentecôte [pɑtkot] nf: **la ~**
Pentecostés msg
pénurie [penyʀi] nf penuria
pépé [pepe] (fam) nm abuelo
pépin [pepɛ] nm (BOT) pepita;
(fam: ennui) lío
pépinière [pepinjɛʀ] nf vivero
perçant, e [pɛʀsɑ, ɑt] adj (vue,
regard, yeux) perspicaz; (cri, voix)
agudo(-a)
percepteur [pɛʀsɛptœʀ] nm
(ADMIN) recaudador(a) de
impuestos
perception [pɛʀsɛpsjɔ] nf
percepción f; (d'impôts etc)
recaudación f; (bureau) oficina de
recaudación
percer [pɛʀse] vt (métal etc)
perforar; (coffre-fort) abrir; (pneu)
pinchar; (abcès) reventar; (trou etc)
abrir; (mystère, énigme) penetrar;
(suj: bruit: oreilles, tympan)
traspasar ♦ vi (artiste) abrirse

camino; **perceuse** nf
taladradora, perforadora
percevoir [pɛʀsəvwaʀ] vt percibir
perche [pɛʀʃ] nf (ZOOL) perca;
(pièce de bois, métal) vara; (SPORT)
pértiga
percher [pɛʀʃe]: **se ~** vpr (oiseau)
encaramarse; **perchoir** nm
percha
perçois etc [pɛʀswa] vb voir
percevoir
perçu, e [pɛʀsy] pp de
percevoir
percussion [pɛʀkysjɔ] nf
percusión f
percuter [pɛʀkyte] vt percutir;
(suj: véhicule) chocar
perdant, e [pɛʀdɑ, ɑt] nm/f
perdedor(a)
perdre [pɛʀdʀ] vt perder; (argent)
gastar ♦ vi perder; **se ~** vpr
perderse
perdrix [pɛʀdʀi] nf perdiz f
perdu, e [pɛʀdy] pp de **perdre** ♦
adj perdido(-a); **à vos moments
~s** en sus ratos libres
père [pɛʀ] nm padre m; ~ **de
famille** padre de familia; **le ~
Noël** el papa Noel
perfection [pɛʀfɛksjɔ] nf
perfección f; **à la ~** a la
perfección; **perfectionné, e** adj
perfeccionado(-a);
perfectionner vt perfeccionar
perforatrice [pɛʀfɔʀatʀis] nf
perforadora, taladradora
perforer [pɛʀfɔʀe] vt perforar
performant, e [pɛʀfɔʀmɑ, ɑt]
adj (ÉCON) competitivo(-a)
perfusion [pɛʀfyzjɔ] nf perfusión
f; **être sous ~** tener puesto el
gotero
péril [peʀil] nm peligro
périmé, e [peʀime] adj
(conception, idéologie) pasado(-a)

de moda; (*passeport, billet*)
caducado(-a)
périmètre [peʀimetʀ] *nm*
perímetro; (*zone*) superficie *f*
période [peʀjɔd] *nf* periodo;
périodique *adj* periódico(-a) ♦
nm periódico
périphérique [peʀifeʀik] *adj*
periférico(-a) ♦ *nm* (*INFORM*)
periférico(-a); (*AUTO*) ~
carretera de circunvalación
périr [peʀiʀ] *vi* perecer
périssable [peʀisabl] *adj*
perecedero(-a)
perle [peʀl] *nf* perla; (*de verre etc*)
cuenta; (*de rosée, sang, sueur*)
gota; (*erreur*) gazapo
permanence [peʀmanɑ̃s] *nf*
permanencia; (*local*) guardia;
assurer une ~ (*service public,*
bureaux) estar abierto(-a); **être de**
~ estar de guardia; **en** ~
permanentemente
permanent, e [peʀmanɑ̃, ɑ̃t] *adj*
permanente; (*spectacle*)
continuo(-a); **permanente** *nf*
permanente *f*
perméable [peʀmeabl] *adj*
permeable
permettre [peʀmetʀ] *vt* permitir;
~ **à qn de faire qch** permitir a
algn hacer algo; **se** ~ (**de faire**)
qch permitirse (hacer) algo;
permettez! ¡perdone!
permis, e [peʀmi, iz] *pp de*
permettre ♦ *nm* permiso; ~ **de**
chasse/pêche licencia de caza/
pesca; ~ **de conduire** carnet *m*
de conducir; ~ **de séjour/de**
travail permiso de residencia/de
trabajo
permission [peʀmisjɔ̃] *nf*
permiso; **en** ~ (*MIL*) de permiso;
avoir la ~ **de faire qch** tener
permiso para hacer algo

Pérou [peʀu] *nm* Perú *m*
perpétuel, le [peʀpetɥɛl] *adj*
perpetuo(-a); **perpétuité: à**
perpétuité *adj* a perpetuidad ♦
adv perpetuamente; **être**
condamné à perpétuité estar
condenado a cadena perpetua
perplexe [peʀpleks] *adj*
perplejo(-a)
perquisitionner [peʀkizisjɔne] *vi*
registrar
perron [peʀɔ̃] *nm* escalinata
perroquet [peʀɔkɛ] *nm* loro
perruche [peʀyʃ] *nf* cotorra
perruque [peʀyk] *nf* peluca
persécuter [peʀsekyte] *vt*
perseguir
persévérer [peʀsevere] *vi*
perseverar
persil [peʀsi] *nm* perejil *m*
Persique [peʀsik] *adj*: **le golfe**
~ el Golfo pérsico
persistant, e [peʀsistɑ̃, ɑ̃t] *adj*
persistente
persister [peʀsiste] *vi* persistir; ~
à faire qch empeñarse en hacer
algo
personnage [peʀsɔnaʒ] *nm*
personaje *m*
personnalité [peʀsɔnalite] *nf*
personalidad *f*
personne [peʀsɔn] *nf* persona ♦
pron nadie; ~**s** *nfpl* personas *fpl*;
il n'y a ~ no hay nadie; **10 F**
par ~ 10 francos por persona; **en**
~ en persona; ~ **âgée** persona
mayor; **personnel, le** *adj*
personal ♦ *nm* (*domestiques*)
servidumbre *f*; (*employés*) plantilla;
personnellement *adv*
personalmente
perspective [peʀspɛktiv] *nf*
perspectiva
perspicace [peʀspikas] *adj*
perspicaz; **perspicacité** *nf*

perspicacia

persuader [pɛʀsɥade] vt: ~ qn (de qch/de faire qch) persuadir a algn (de algo/de hacer algo)

persuasif, -ive [pɛʀsɥazif, iv] adj persuasivo(-a)

perte [pɛʀt] nf pérdida; (morale) perdición f; ~s nfpl (personnes tuées) bajas fpl; ~s blanches flujo msg

pertinent, e [pɛʀtinɑ̃, ɑ̃t] adj pertinente

perturbation [pɛʀtyʀbasjɔ̃] nf perturbación f

perturber [pɛʀtyʀbe] vt perturbar

pervers, e [pɛʀvɛʀ, ɛʀs] adj, nm/f perverso(-a)

pervertir [pɛʀvɛʀtiʀ] vt pervertir

pesant, e [pəzɑ̃, ɑ̃t] adj pesado(-a)

pèse-personne [pɛzpɛʀsɔn] (pl ~~(s)) nm báscula

peser [pəze] vt pesar ♦ vi pesar; (fig) tener peso; ~ sur (fig) abrumar

pessimiste [pesimist] adj, nm/f pesimista m/f

peste [pɛst] nf (MÉD) peste f

pétale [petal] nm pétalo

pétanque [petɑ̃k] nf petanca

---

pétanque

Pétanque, que tiene sus orígenes en el sur de Francia, es una versión del juego de **boules** practicada en diversos tipos de terreno. De pie y con los pies juntos, los jugadores lanzan bolas de acero hacia un boliche de madera.

---

pétard [petaʀ] nm petardo, cohete m

péter [pete] (fam) vi (sauter) estallar; (casser) romperse; (fam!) tirarse pedos

pétillant, e [petijɑ̃, ɑ̃t] adj (eau) con gas

pétiller [petije] vi (champagne) burbujear; (yeux) chispear

petit, e [p(ə)ti, it] adj pequeño(-a), chico(-a) (esp AM); (personne, cri) bajo(-a); ~s nmpl: **les tout-~s** los pequeñitos; ~ **à** ~ poco a poco; **~(e) ami(e)** novio(-a); ~ **déjeuner** desayuno; ~ **four** pastelillo; ~ **pain** panecillo; **~s pois** guisantes mpl, arvejas fpl (AM), chícharos mpl (MEX); **les ~s annonces** anuncios mpl por palabras;

petite-fille (pl **petites-filles**) nf nieta; **petit-fils** (pl **petits-fils**) nm nieto

pétition [petisjɔ̃] nf petición f

petits-enfants [pətizɑ̃fɑ̃] nmpl nietos mpl

pétrin [petʀɛ̃] nm artesa; (fig): **être dans le ~** estar en un apuro

pétrir [petʀiʀ] vt (argile, cire) moldear; (pâte) amasar

pétrole [petʀɔl] nm petróleo; **pétrolier, -ière** adj petrolero(-a) ♦ nm petrolero

---

MOT-CLÉ

---

peu [pø] adv **1** poco; **il boit peu** bebe poco; **il est peu bavard** es poco hablador; **peu avant/ après** poco antes/después; **depuis peu** desde hace poco **2** (modifiant nom): **peu de** poco(-a), pocos(-as); (quantité): **peu d'espoir** pocas esperanzas; **il y a peu d'arbres** hay pocos árboles; **pour peu de temps** por poco tiempo; **c'est (si) peu de chose** eso es (muy) poca cosa **3: peu à peu** poco a poco; **à peu près** cerca más o menos; **à peu près 10 kg/10 F** unos 10 kg/10 francos, como 10 kg/10 francos (AM)

♦ *nm* **1: le peu de gens qui** los pocos que; **le peu de courage qui nous restait** el poco valor que nos quedaba
2: un peu un poco; **un petit peu** un poquito; **un peu d'espoir** cierta esperanza; **essayez un peu !** ¡mire a ver!; **un peu plus/moins de** un poco más/menos de; **un peu plus et il ratait son train** un poco más y pierde el tren; **pour peu qu'il travaille, il réussira** a poco que trabaje, aprobará

♦ *pron*: **peu le savent** pocos lo saben; **avant** *ou* **sous peu** dentro de poco; **de peu: il a gagné de peu** ganó por poco; **il s'en est fallu de peu (qu'il ne le blesse)** faltó muy poco (para que lo hiriese); **éviter qch de peu** evitar algo por poco

peuple [pœpl] *nm* pueblo; **peupler** *vt* poblar
peuplier [pøplije] *nm* álamo
peur [pœʀ] *nf* miedo; **avoir ~ (de qn/qch/de faire qch)** tener miedo (de *ou* a algn/algo/de hacer algo); **avoir ~ que** temer que; **faire ~ à qn** asustar a algn; **de ~ de/que** por miedo a/a que; **peureux, -euse** *adj* (*personne*) miedoso(-a); (*regard*) atemorizado(-a)

peut [pø] *vb voir* **pouvoir**
peut-être [pøtɛtʀ] *adv* quizá(s), a

lo mejor; **~~~ bien (qu'il fera/est)** puede (que haga/sea); **~~~ que** quizá(s), a lo mejor
phare [faʀ] *nm* faro; **se mettre en ~s, mettre ses ~s** poner la luz larga
pharmacie [faʀmasi] *nf* farmacia; (*produits, armoire*) botiquín *m*; **pharmacien, ne** *nm/f* farmacéutico(-a)
phénomène [fenɔmɛn] *nm* fenómeno; (*personne*) bicho raro
philosophe [filɔzɔf] *adj, nm/f* filósofo(-a)
philosophie [filɔzɔfi] *nf* filosofía
phobie [fɔbi] *nf* fobia
phoque [fɔk] *nm* foca
phosphorescent, e [fɔsfɔʀesã, ãt] *adj* fosforescente
photo [fɔto] *nf* (*abr de photographie*) foto *f* ♦ *adj* (*abr de photographique*): **appareil/ pellicule ~** máquina/carrete *m* de fotos; **prendre (qn) en ~** hacer una foto (a algn); **faire de la ~** hacer fotografía; **~ d'identité** foto de carnet; **photocopie** *nf* fotocopia; **photocopier** *vt* fotocopiar; **photocopieuse** *nf* fotocopiadora; **photographe** *nm/f* fotógrafo(-a); **photographie** *nf* fotografía; **photographier** *vt* fotografiar
phrase [fʀɑz] *nf* frase *f*
physicien, ne [fizisjɛ̃, jɛn] *nm/f* físico(-a)
physique [fizik] *adj* físico(-a) ♦ *nm* físico *♦ nf* física; **physiquement** *adv* físicamente
pianiste [pjanist] *nm/f* pianista *m/f*
piano [pjano] *nm* piano; **pianoter** *vi* teclear; (*tapoter*) tamborilear

pic [pik] *nm* pico; (ZOOL) pájaro carpintero; **à ~** escarpado(-a); (fig): **arriver/tomber à ~** venir/caer de perilla

pichet [piʃɛ] *nm* jarro

picorer [pikɔʀe] *vt* picotear

pie [pi] *nf* (ZOOL) urraca

pièce [pjɛs] *nf* pieza; (d'un logement) habitación *f*; (THÉÂTRE) obra; (de monnaie) moneda; (COUTURE) parche *m*; **dix francs ~** diez francos la unidad; **vendre à la ~** vender por unidades; **travailler/payer à la ~** trabajar/cobrar a destajo; **maillot une ~** bañador *m*; **un deux-~s cuisine** apartamento con dos habitaciones y cocina; **~ à conviction** prueba de convicción; **~ d'identité: avez-vous une ~ d'identité?** ¿tiene usted algún documento de identidad?; **~ de rechange** pieza de recambio; **~s détachées** piezas *fpl* de repuesto; **~s justificatives** comprobante *msg*

pied [pje] *nm* pie *m*; (ZOOL, d'un meuble, d'une échelle) pata; **à ~** a pie; **à ~ sec** a pie enjuto; **au ~ de la lettre** al pie de la letra; **avoir ~** hacer pie; **perdre ~** (fig) perder pie; **être sur ~ dès cinq heures** estar en pie desde las cinco; **mettre sur ~** (entreprise) poner en pie; **~ de vigne** cepa; **pied-noir** (pl **pieds-noirs**) *nm/f* francés nacido en Argelia

piège [pjɛʒ] *nm* trampa; **prendre au ~** coger en la trampa; **piéger** *vt* coger en la trampa; **lettre/voiture piégée** carta/coche *m* bomba *m*

pierre [pjɛʀ] *nf* piedra; **~ tombale** lápida sepulcral; **pierreries** *nfpl* pedrería

piétiner [pjetine] *vi* patalear; (fig) estancarse, atascarse ♦ *vt* (aussi fig) pisotear

piéton, ne [pjetɔ̃, ɔn] *nm/f* peatón *m/f*; **piétonnier, -ière** *adj* peatonal

pieu, x [pjø] *nm* estaca

pieuvre [pjœvʀ] *nf* pulpo

pieux, -euse [pjø, pjøz] *adj* piadoso(-a)

pigeon [piʒɔ̃] *nm* palomo

piger [piʒe] (fam) *vt, vi* pillar

pigiste [piʒist] *nm/f* (journaliste) periodista *m/f* que trabaja por líneas

pignon [piɲɔ̃] *nm* piñón *m*; (d'un mur) aguilón *m*

pile [pil] *nf* pila ♦ *adv* (net, brusquement) en seco; **à deux heures ~** a las dos en punto; **jouer à ~ ou face** jugar a cara o cruz

piler [pile] *vt* machacar

pilier [pilje] *nm* (colonne, support, RUGBY) pilar *m*

piller [pije] *vt* saquear

pilote [pilɔt] *nm* piloto; **~ d'essai/de chasse/de course/de ligne** piloto de pruebas/de caza/de carreras/civil ♦ *adj*: **appartement-~** piso-piloto; **piloter** *vt* pilotar

pilule [pilyl] *nf* píldora; **prendre la ~** tomar la píldora

piment [pimɑ̃] *nm* pimiento, ají *m* (AM); (fig) sal y pimienta; **pimenté, e** *adj* salpimentado(-a)

pin [pɛ̃] *nm* pino

pinard [pinaʀ] (fam) *nm* vino

pince [pɛ̃s] *nf* pinza; (outil) pinzas *fpl*; **~ à épiler** pinza de depilar; **~ à linge** pinza de la ropa

pincé, e [pɛ̃se] *adj* (air) forzado(-a)

pinceau, x [pɛ̃so] *nm* pincel *m*

pincée [pɛ̃se] nf: **une ~ de sel/ poivre** una pizca de sal/pimienta

pincer [pɛ̃se] vt (personne) pellizcar; (MUS: cordes) puntear

pinède [pined] nf pinar m

pingouin [pɛ̃gwɛ̃] nm pingüino

ping-pong [piŋpɔ̃g] (pl ~-~s) nm ping-pong m

pinson [pɛ̃sɔ̃] nm pinzón m

pintade [pɛ̃tad] nf pintada

pion [pjɔ̃] nm (ÉCHECS) peón m; (DAMES) ficha

pionnier [pjɔnje] nm pionero(-a)

pipe [pip] nf pipa

piquant, e [pikɑ̃, ɑ̃t] adj punzante; (saveur) picante ♦ nm (épine) espina; (fig): **le ~** lo picante

pique [pik] nf pica; (parole blessante): **envoyer** ou **lancer des ~s à qn** tirar ou lanzar indirectas a algn ♦ nm (CARTES) picas fpl, ≈ espadas fpl

pique-nique [piknik] (pl ~-~s) nm picnic m; **pique-niquer** vi ir de picnic

piquer [pike] vt picar; (fam: voler) birlar ♦ vi (oiseau, avion) bajar en picado

piquet [pikɛ] nm estaca; **~ de grève** piquete m de huelga

piqûre [pikyʀ] nf (gén) picadura; (MÉD) inyección f; **faire une ~ à qn** poner una inyección a algn

pirate [piʀat] nm pirata m/f ♦ adj: **émetteur ~** emisora pirata

pire [piʀ] adj (comparatif) peor; (superlatif): **le (la) ~** el (la) peor ♦ nm: **le ~ (de)** lo peor (de)

pis [pi] nm (de vache) ubre f; (pire): **le ~** lo peor ♦ adj, adv peor

piscine [pisin] nf piscina; **~ couverte/en plein air/ olympique** piscina cubierta/al aire libre/olímpica

pissenlit [pisɑ̃li] nm cardillo

pistache [pistaʃ] nf pistacho

piste [pist] nf pista, rastro; (sentier) camino; (d'un magnétophone) banda; **~ cyclable** pista para ciclistas

pistolet [pistɔlɛ] nm pistola; **pistolet-mitrailleur** (pl **pistolets-mitrailleurs**) nm pistola ametralladora

piston [pistɔ̃] nm (TECH) pistón m; (fig) enchufe m; **pistonner** vt enchufar

piteux, -euse [pitø, øz] adj (résultat) deplorable; (air) lastimoso(-a)

pitié [pitje] nf piedad f; **faire ~** dar pena ou lástima; **il me fait ~** me da lástima; **avoir ~ de qn** compadecerse de algn

pitoyable [pitwajabl] adj lamentable

pittoresque [pitɔʀɛsk] adj pintoresco(-a)

PJ [peʒi] sigle f (= police judiciaire) voir **police**

placard [plakaʀ] nm (armoire) armario (empotrado)

place [plas] nf plaza; (espace libre) sitio; (siège) asiento; (prix: au cinéma etc) entrada; (UNIV, emploi) puesto; **en ~** en su sitio; **sur ~** en el sitio; **faire de la ~** hacer sitio; **faire ~ à qch** dar paso a algo; **ça prend de la ~** ocupa sitio; **à votre ~ ...** en su lugar ...; **à la ~ de** en lugar de; **il y a 20 ~s assises/debout** hay 20 plazas de asiento/de pie

placé, e [plase] adj (HIPPISME) clasificado(-a); **haut ~** (fig) bien situado(-a); **être bien/mal ~** (objet) estar bien/mal colocado(-a); (spectateur) estar bien/mal situado(-a); (concurrent)

tener buena/mala posición; **être
bien/mal ~ pour** estar en una
buena/mala posición para
placement [plasmɑ̃] *nm (emploi)*
colocación *f*; *(FIN)* inversión *f*
placer [plase] *vt (convive,
spectateur)* acomodar; *(chose)*
colocar; *(capital)* invertir
plafond [plafɔ̃] *nm* techo
plage [plaʒ] *nf* playa
plaider [plede] *vi (avocat)* pleitear;
(plaignant) litigar ♦ *vt (cause)*
defender; **~ coupable/non
coupable** declararse culpable/
inocente; **plaidoyer** *nm (JUR, fig)*
alegato
plaie [plɛ] *nf* herida
plaignant, e [plɛɲɑ̃, ɑ̃t] *vb voir*
plaindre ♦ *adj, nm/f* demandante
m/f
plaindre [plɛ̃dʀ] *vt* compadecer;
se ~ *vpr* quejarse
plaine [plɛn] *nf* llanura
plain-pied [plɛ̃pje]: **de ~~** *adv*
al mismo nivel
plainte [plɛ̃t] *nf* queja;
(gémissement) lamento; *(JUR)*:
porter ~ poner una denuncia
plaire [plɛʀ] *vi* gustar; **se ~** *vpr
(quelque part)* estar a gusto; **~ à**:
cela me plaît eso me gusta; **s'il
vous plaît** por favor
plaisance [plɛzɑ̃s] *nf (aussi:
navigation de ~)* navegación *f*
de recreo
plaisant, e [plɛzɑ̃, ɑ̃t] *adj*
agradable
plaisanter [plɛzɑ̃te] *vi* bromear;
plaisanterie *nf* broma
plaisir [plɛziʀ] *nm*: **le ~** el placer;
faire ~ à qn complacer a algn;
(suj: cadeau, nouvelle) agradar a
algn; **j'ai le ~ de ...** tengo el
gusto de ...; **pour le** *ou* **par** *ou*
pour son ~ por gusto

plaît [plɛ] *vb voir* **plaire**
plan, e [plɑ̃, an] *adj* plano(-a) ♦
nm plano; *(projet, ÉCON)* plan *m*;
au premier/second ~ en
primer/segundo plano; **sur tous
les ~s** *(aspect)* en todos los
aspectos; **à l'arrière ~** en
segundo plano; **laisser/rester
en ~** dejar/quedar en suspenso; **~
d'eau** estanque *m*
planche [plɑ̃ʃ] *nf* tabla; **~s** *nfpl*:
les ~s *(THÉÂTRE)* las tablas; **~ à
repasser** tabla de planchar; **~ (à
roulettes)** monopatín *m*; **~ à
voile** *(objet)* tabla de windsurfing;
(SPORT) windsurfing *m*
plancher [plɑ̃ʃe] *nm* suelo
planer [plane] *vi (oiseau)* cernerse;
(avion) planear; **~ sur** cernerse
sobre
planète [planɛt] *nf* planeta *m*
planeur [planœʀ] *nm* planeador
m
planifier [planifje] *vt* planificar
planning [planiŋ] *nm*
programación *f*; **~ familial**
planificación *f* familiar
plant [plɑ̃] *nm* planta joven
plante [plɑ̃t] *nf* planta; *(ANAT)*:
~ du pied planta del pie
planter [plɑ̃te] *vt* plantar; *(pieu)*
clavar; *(tente)* montar; *(:
abandonner)*: **~ là** dejar
plantado(-a)
plaque [plak] *nf* placa; *(d'ardoise,
de verre)* hoja; **~ chauffante**
placa calientaplatos; **~
minéralogique/
d'immatriculation** placa
mineralógica/de matrícula; **~ de
cuisson** quemador *m*
plaqué, e [plake] *nm (métal)*: **~
or/argent** chapado en oro/plata
plaquer [plake] *vt (bijou)* chapar;
(RUGBY) hacer un placaje a; *(fam:*

laisser tomber) dejar plantado(-a); *(aplatir):* ~ **qch sur/contre** aplastar algo sobre/contra
plaquette [plakɛt] *nf (de chocolat, pilules)* tableta
plastique [plastik] *adj* plástico(-a) ♦ *nm* plástico; **plastiquer** *vt* volar con goma dos
plat, e [pla, at] *adj* llano(-a); *(ventre, poitrine)* plano(-a); *(banal)* anodino(-a) ♦ *nm (CULIN: mets)* plato; *(: récipient)* fuente *f;* **à ~** *adv* a lo largo ♦ *adj (pneu)* desinflado(-a); **à ~ ventre** boca abajo; **batterie à ~** batería descargada; **talons ~s** zapatos *mpl* planos
platane [platan] *nm* plátano
plateau, x [plato] *nm* bandeja; *(GÉO)* meseta; *(CINÉ, TV)* plató; **~ à fromage** tabla de quesos
plate-bande [platbãd] *(pl ~s-~s)* *nf* arriate *m*
plate-forme [platfɔrm] *(pl ~s-~s)* *nf* plataforma
platine [platin] *nm* platino ♦ *nf* platina ♦ *adj inv:* **cheveux/blond** ~ cabello/rubio platino *inv*
plâtre [plɑtr] *nm* yeso; *(MÉD, statue)* escayola; **avoir un bras dans le** ~ tener un brazo escayolado
plein, e [plɛ̃, plɛn] *adj* lleno(-a); *(journée)* ocupado(-a); *(porte, roue)* macizo(-a); *(joues, formes)* relleno(-a); *(chienne, jument)* preñada ♦ *prép:* **avoir de l'argent ~ les poches** tener los bolsillos llenos de dinero ♦ *nm:* **faire le ~ (d'essence)** llenar el depósito (de gasolina); **à ~es mains** a manos llenas; **à ~ régime** al máximo; **à ~ temps, à temps ~** a tiempo completo; **en ~ air** al aire libre; **en ~ soleil**

a pleno sol; **en ~e mer** en altamar; **en ~e rue** en medio de la calle; **en ~ milieu** en medio; **en ~ jour/~e nuit** en pleno día/plena noche; **en ~ sur** de lleno sobre; **en avoir ~ le dos** *(fam)* estar hasta la coronilla; **~s pouvoirs** plenos poderes *mpl*
pleurer [plœre] *vt, vi* llorar; **~ sur** llorar por
pleurnicher [plœrniʃe] *vi* lloriquear
pleurs [plœr] *nmpl:* **en ~** deshecho(-a) en lágrimas
pleut [plø] *vb voir* **pleuvoir**
pleuvoir [pløvwar] *vb impers:* **il pleut** llueve y *vi (fig)* llover; **il pleut des cordes** *ou* **à verse/à torrents** llueve a cántaros / torrencialmente
pli [pli] *nm* pliegue *m; (d'une jupe)* tabla; *(d'un pantalon)* raya; *(aussi:* **faux ~)** arruga; *(ADMIN)* carta; *(CARTES)* baza
pliant, e [plijã, plijãt] *adj* plegable ♦ *nm* silla de tijera
plier [plije] *vt* doblar; *(pour ranger)* recoger; *(genou, bras)* flexionar ♦ *vi* curvarse; *(céder)* ceder; **se ~ à** *vpr* doblegarse a
plisser [plise] *vt* arrugar; *(jupe)* hacerle tablas, plisar
plomb [plɔ̃] *nm* plomo; *(d'une cartouche)* perdigón *m; (ÉLEC)* fusible *m*
plomberie [plɔ̃bri] *nf* fontanería, plomería *(AM); (installation)* cañería
plombier [plɔ̃bje] *nm* fontanero, plomero *(AM),* gasfiter *m (CHI)*
plonge [plɔ̃ʒ] *(fam) nf:* **faire la ~** fregar los platos
plongeant, e [plɔ̃ʒã, ãt] *adj (vue)* desde arriba; *(décolleté)* pronunciado(-a)
plongée [plɔ̃ʒe] *nf* inmersión *f;*

(SPORT: *sans bouteilles*) buceo; ~ **(sous-marine)** submarinismo
plongeoir [plɔ̃ʒwaʀ] nm trampolín m
plongeon [plɔ̃ʒɔ̃] nm zambullida
plonger [plɔ̃ʒe] vi (*personne*) zambullirse; (*sous-marin*) sumergirse; (*oiseau, avion*) lanzarse en picado; (FOOTBALL) hacer una estirada ♦ vt sumergir; **plongeur, -euse** nm/f buceador(a); (*avec bouteilles*) submarinista m/f; (*de restaurant*): **travailler comme plongeur** fregar los platos
plu [ply] pp de **plaire; pleuvoir**
pluie [plɥi] nf lluvia; **une ~ de** (*fig*) una lluvia de
plume [plym] nf pluma
plupart [plypaʀ]: **la ~** pron la mayor parte; **la ~ du temps** la mayoría de las veces; **dans la ~ des cas** en la mayoría de los casos; **pour la ~** en su mayoría
pluriel [plyʀjɛl] nm plural m

MOT-CLÉ

plus [ply] adv **1** (*forme négative*): **ne ... plus** ya no; **je n'ai plus d'argent** ya no tengo dinero; **il ne travaille plus** ya no trabaja
2 [plys] (*comparatif*) más; **plus intelligent (que)** más inteligente (que); **plus d'intelligence/de possibilités (que)** más inteligencia/posibilidades (que); (*superlatif*): **le plus intelligent** el más inteligente (que); **c'est lui qui travaille le plus** es él quien más trabaja; **le plus grand** el más grande; **(tout) au plus** a lo sumo, a lo más
3 (*davantage*) más; **il travaille plus (que)** trabaja más (que); **plus il travaille, plus il est heureux** cuanto más trabaja, más feliz es; **il était plus de minuit** era más de medianoche; **plus de 3 heures/4 kilos** más de 3 horas/4 kilos; **3 heures/kilos de plus que** 3 horas/kilos más que; **il a 3 ans de plus que moi** tiene 3 años más que yo; **de plus** (*en supplément*) de más; (*en outre*) además; **de plus en plus** cada vez más; **plus de pain** más pan; **sans plus** sin más; **3 kilos en plus** 3 kilos de más; **en plus de cela** ... además de eso ...; **d'autant plus que** tanto más cuando, más aún cuando; **qui plus est** y lo que es más; **plus ou moins** más o menos; **ni plus ni moins** ni más ni menos
♦ prép: **4 plus 2** 4 más 2

---

plusieurs [plyzjœʀ] dét, pron varios(-as); **ils sont ~** son varios
plus-value [plyvaly] (pl **~~s**) nf (ÉCON) plusvalía
plutôt [plyto] adv más bien; **je ferais ~ ceci** haría más bien esto; **fais ~ comme ça** haz mejor así; **~ que (de) faire qch** en lugar de hacer algo; **~ grand/rouge** más bien grande/rojo
pluvieux, -euse [plyvjø, jøz] adj lluvioso(-a)
PME [peɛma] sigle fpl (= petites et moyennes entreprises) = PYME fsg (= pequeña y mediana empresa)
PMU [peɛmy] sigle m (= pari mutuel urbain) voir **pari**
PNB [peɛnbe] sigle m (= produit national brut) PNB m (= producto nacional bruto)
pneu, x [pnø] nm neumático, llanta (AM)
pneumonie [pnømɔni] nf neumonía
poche [pɔʃ] nf bolsillo; **de ~** de

bolsillo

pochette [pɔʃɛt] *nf* (de timbres)
sobre *m*; (d'aiguilles etc) estuche
m; (sur veste) pañuelo; **~ de
disque** funda de discos

poêle [pwal] *nm* estufa ♦ *nf*: **~ (à
frire)** sartén *f* (*m* en AM)

poème [pɔɛm] *nm* poema *m*

poésie [pɔezi] *nf* poesía

poète [pɔɛt] *nm* poeta *m*

poids [pwa] *nm* peso; (pour peser)
pesa; (SPORT) pesas *fpl*; **vendre
qch au ~** vender algo al peso;
prendre/perdre du ~ coger/
perder peso; **~ lourd** peso
pesado; (camion: aussi: **PL**)
camión *m* de carga pesada

poignant, e [pwaɲɑ̃, ɑ̃t] *adj*
conmovedor(a)

poignard [pwaɲaʀ] *nm* puñal *m*;
poignarder *vt* apuñalar

poigne [pwaɲ] *nf* fuerza; (fig)
firmeza

poignée [pwaɲe] *nf* puñado; (de
couvercle, valise) asa; (tiroir) tirador
m; (porte) picaporte *m*; **~ de
main** apretón *m* de manos

poignet [pwaɲɛ] *nm* muñeca;
(d'une chemise) puño

poil [pwal] *nm* pelo; (de pinceau,
brosse) cerda; **à ~** (fam: tout nu)
en pelota; **au ~** (parfait)
estupendo; **être de bon/
mauvais ~** (fam) estar de
buenas/malas; **poilu, e** *adj*
peludo(-a)

poinçonner [pwɛ̃sɔne] *vt* (billet,
ticket) picar

poing [pwɛ̃] *nm* puño

point [pwɛ̃] *nm* punto; (COUTURE,
TAPISSERIE) puntada; **faire le ~**
(NAUT) determinar la posición; (fig)
recapitular; **en tout ~** de todo
punto; **sur le ~ de faire qch** a
punto de hacer algo; **au ~ que**

hasta el punto que; **mettre au ~**
poner a punto; (appareil de photo)
enfocar; (affaire) precisar; **à ~**
(CULIN) en su punto; **à ~ nommé**
en el momento oportuno; **~
d'eau** punto de agua; **~
d'exclamation/
d'interrogation** signo de
exclamación/de interrogación; **~
de repère** punto de referencia; **~
de vente** punto de venta; **~ de
vue** (fig) punto de vista; **~ faible**
punto débil; **~ mort** punto
muerto; **~s de suspension**
puntos suspensivos

pointe [pwɛ̃t] *nf* punta; (fig): **une
~ d'ail** una pizca de ajo; **être à
la ~ de qch** estar en la
vanguardia de algo; **sur la ~ des
pieds** de puntillas; **en ~** *adv, adj*
en punta; **de ~** (industries etc) de
vanguardia; (vitesse) tope;
heures/jours de ~ horas *fpl*/
días *mpl* punta

pointer [pwɛ̃te] *vt* puntear;
(employés, ouvriers) fichar; (canon,
doigt) apuntar ♦ *vi* (ouvrier,
employé) fichar

pointillé [pwɛ̃tije] *nm* línea de
puntos

pointilleux, -euse [pwɛ̃tijø, øz]
adj puntilloso(-a)

pointu, e [pwɛ̃ty] *adj*
puntiagudo(-a); (son, voix, fig)
agudo(-a)

pointure [pwɛ̃tyʀ] *nf* número

point-virgule [pwɛ̃viʀgyl] (*pl*
~s-~s) *nm* punto y coma *m*

poire [pwaʀ] *nf* pera

poireau, x [pwaʀo] *nm* puerro

poirier [pwaʀje] *nm* peral *m*

pois [pwa] *nm* guisante *m*; (sur
une étoffe) lunar *m*; **à ~** de lunares

poison [pwazɔ̃] *nm* veneno

poisseux, -euse [pwasø, øz] *adj*

pegajoso(-a)

poisson [pwasɔ̃] *nm* pez *m*; (CULIN) pescado; (ASTROL): **P~s** Piscis *msg*; **~ d'avril** inocentada; **~ rouge** pez de colores;

poissonnerie *nf* pescadería;

poissonnier, -ière *nm/f* pescadero(-a)

poitrine [pwatʁin] *nf* pecho

poivre [pwavʁ] *nm* pimienta

poivron [pwavʁɔ̃] *nm* pimiento morrón

polaire [pɔlɛʁ] *adj* polar

polar [pɔlaʁ] (fam) *nm* novela policial *ou* policíaca

pôle [pol] *nm* (GÉO, ÉLEC) polo

poli, e [pɔli] *adj* (personne) educado(-a), elegante

police [pɔlis] *nf*: **la ~** la policía; (ASSURANCE): **~ d'assurance** póliza de seguros; **~ judiciaire** policía judicial; **~ secours** servicio urgente de policía;

policier, -ière *adj* policial, policiaco(-a) ♦ *nm* policía *m/f*, agente *m* (AM); (aussi: **roman policier**) novela policiaca

polio(myélite) [pɔljo(mjelit)] *nf* poliomielitis *f inv*

polir [pɔliʁ] *vt* pulir

politesse [pɔlites] *nf* cortesía

politicien, ne [pɔlitisjɛ̃, jɛn] *nm/f* político(-a); (péj) politicastro(-a)

politique [pɔlitik] *adj, nm* político(-a) ♦ *nf* política

pollen [pɔlɛn] *nm* polen *m*

Pologne [pɔlɔɲ] *nf* Polonia;

polonais, e *adj* polaco(-a) ♦ *nm* (LING) polaco ♦ *nm/f*:

Polonais, e polaco(-a)

poltron, ne [pɔltʁɔ̃, ɔn] *adj* cobarde

polycopier [pɔlikɔpje] *vt* multicopiar

Polynésie [pɔlinezi] *nf* Polinesia; **la ~ française** la Polinesia francesa

polyvalent, e [pɔlivalɑ̃, ɑ̃t] *adj* polivalente

pommade [pɔmad] *nf* pomada

pomme [pɔm] *nf* manzana; (pomme de terre): **un steak (~s) frites** un filete con patatas (fritas); **tomber dans les ~s** (fam) darle a algn un patatús; **~ d'Adam** nuez *f* de Adán; **~ de pin** piña; **~ de terre** patata, papa (AM)

pommette [pɔmet] *nf* pómulo

pommier [pɔmje] *nm* manzano

pompe [pɔ̃p] *nf* (appareil) bomba; (faste) pompa; **~ (à essence)** surtidor *m* (de gasolina); **~s funèbres** pompas *fpl* fúnebres;

pomper *vt* bombear

pompeux, -euse [pɔ̃pø, øz] (péj) *adj* pomposo(-a)

pompier [pɔ̃pje] *nm* bombero

pompiste [pɔ̃pist] *nm/f* encargado(-a) de una gasolinera

poncer [pɔ̃se] *vt* alisar con un abrasivo

ponctuation [pɔ̃ktɥasjɔ̃] *nf* puntuación *f*

ponctuel, le [pɔ̃ktɥɛl] *adj* puntual

pondéré, e [pɔ̃deʁe] *adj* ponderado(-a)

pondre [pɔ̃dʁ] *vt* (œufs) poner; (fig: fam) parir

poney [pɔne] *nm* poney *m*, poni *m*

pont [pɔ̃] *nm* puente *m*; (NAUT) cubierta; **pont-levis** (pl **ponts-**

levis) *nm* puente *m* levadizo

pop [pɔp] *adj inv* pop *inv*

populaire [pɔpylɛʀ] *adj* popular

popularité [pɔpylaʀite] *nf* popularidad *f*

population [pɔpylasjɔ̃] *nf* población *f*

populeux, -euse [pɔpylø, øz] *adj* populoso(-a)

porc [pɔʀ] *nm* (ZOOL) cerdo, chancho (AM); (CULIN) carne *f* de cerdo

porcelaine [pɔʀsəlɛn] *nf* porcelana

porc-épic [pɔʀkepik] (*pl* ~s-~s) *nm* puerco espín

porche [pɔʀʃ] *nm* porche *m*

porcherie [pɔʀʃəʀi] *nf* porqueriza

pore [pɔʀ] *nm* poro

porno [pɔʀno] *adj* (*abr de pornographique*) porno *inv*

port [pɔʀ] *nm* porte *m*; (NAUT) puerto; ~ **d'arme** (JUR) tenencia de armas

portable [pɔʀtabl] *adj* (*vêtement*) ponedero(-a); (*ordinateur etc*) portátil

portail [pɔʀtaj] *nm* portal *m*

portant, e [pɔʀtɑ̃, ɑ̃t] *adj*: **être bien/mal ~** (*personne*) tener buena/mala salud

portatif, -ive [pɔʀtatif, iv] *adj* portátil

porte [pɔʀt] *nf* puerta; **mettre qn à la ~** poner a algn en la calle; **faire du ~ à ~** (COMM) vender de puerta en puerta, vender a domicilio; **porte-avions** *nm inv* portaaviones *m inv*; **porte-bagages** *nm inv* portaequipajes *m inv*; **porte-bonheur** *nm inv* amuleto; **porte-clefs** *nm inv* llavero; **porte-documents** *nm inv* cartera de mano, portafolio(s) *m*

(AM)

porté, e [pɔʀte] *adj*: **être ~ sur qch** darle a algo; **portée** *nf* alcance *m*; (*d'une chienne etc*) camada; (MUS) pentagrama *m*; **à (la) portée (de)** al alcance de (de); **hors de portée (de)** fuera del alcance (de); **à la portée de la main** al alcance de la mano; **à portée de voix** a poca distancia

porte...: **portefeuille** *nm* cartera; (POL) cartera (ministerial); **portemanteau, x** *nm* perchero; **porte-monnaie** *nm inv* monedero; **porte-parole** *nm inv* portavoz *m*, vocero(-a) (AM)

porter [pɔʀte] *vt* llevar; (*responsabilité*) cargar con; (*suj: jambes*) sostener ♦ *vi* (*fig*) surtir efecto; **se ~** *vpr*: **se ~ bien/mal** encontrarse bien/mal; **~ sur** tratar de; **~ secours/assistance à qn** prestar socorro/asistencia a algn; **~ bonheur à qn** traer buena suerte a algn; **~ une somme sur un registre** asentar una cantidad en un registro; **~ atteinte à (l'honneur/la réputation de qn)** atentar contra (el honor/la reputación de algn); **se faire ~ malade** declararse enfermo(-a); **~ son attention/regard/effort sur** fijar su atención/mirada/ esfuerzo sobre; **~ à croire** llevar a pensar

porteur, -euse [pɔʀtœʀ, øz] *nm* (*de bagages*) mozo de equipaje; (COMM: *d'un chèque*) portador *m*

porte-voix [pɔʀtəvwa] *nm inv* megáfono

portier [pɔʀtje] *nm* portero

portière [pɔʀtjɛʀ] *nf* puerta

portion [pɔʀsjɔ̃] *nf* (*part*) ración *f*; (*partie*) parte *f*

porto [pɔʀto] *nm* oporto
portrait [pɔʀtʀɛ] *nm* retrato;
portrait-robot (*pl* **portraits-robots**) *nm* retrato robot
portuaire [pɔʀtɥɛʀ] *adj* portuario(-a)
portugais, e [pɔʀtygɛ, ɛz] *adj* portugués(-esa) ♦ *nm* (LING) portugués *m* ♦ *nm/f*: **P~, e** portugués(-esa)
Portugal [pɔʀtygal] *nm* Portugal *m*
pose [poz] *nf* (*de moquette*) instalación *f*; (*de rideau, papier peint*) colocación *f*; (*position*) postura; **(temps de) ~** (PHOTO) (tiempo de) exposición *f*
posé, e [poze] *adj* comedido(-a)
poser [poze] *vt* poner; (*moquette, carrelage*) instalar; (*rideaux, papier peint*) colocar; (*question*) hacer; (*problème*) plantear; **se ~** *vpr* (*oiseau, avion*) posarse; (*question*) plantearse
positif, -ive [pozitif, iv] *adj* positivo(-a)
position [pozisjɔ̃] *nf* posición *f*; (*posture*) postura; (*métier*) cargo; **être dans une ~ difficile/ délicate** estar en una situación difícil/delicada; **prendre ~** tomar posiciones
posologie [pozɔlɔʒi] *nf* posología
posséder [posede] *vt* poseer; (*qualité*) estar dotado(-a) de; (*métier, langue*) dominar, conocer a fondo; **possession** *nf* posesión *f*
possibilité [posibilite] *nf* posibilidad *f*; **~s** *nfpl* (*moyens*) medios *mpl*; (*potentiel*) posibilidades *fpl*
possible [posibl] *adj* posible; (*projet*) realizable ♦ *nm*: **faire (tout) son ~** hacer (todo) lo (que

sea) posible; **il est ~ que** es posible que; **le plus/moins de livres ~** el mayor/menor número de libros posible; **le plus/moins d'eau ~** la mayor/menor cantidad de agua posible; **aussitôt** *ou* **dès que ~** en cuanto sea posible
postal, e, -aux [postal, o] *adj* postal
poste [post] *nf* (*service*) correo; (*administration*) correos *mpl*; (*bureau*) oficina de correos ♦ *nm* (MIL) puesto; (*charge*) cargo; (*de radio, télévision*) aparato; (TÉL) extensión *f*; **~s** *nfpl*: **agent/ employé des ~s** agente *m*/ empleado de correos; **mettre à la ~** echar al correo; **~ (de police)** *nm* puesto (de policía); **~ restante** *nf* lista de correos
poster¹ [poste] *vt* (*lettre*) echar al correo
poster² [postɛʀ] *nm* póster *m*
postérieur, e [postɛʀjœʀ] *adj* posterior ♦ *nm* (*fam*) trasero
postuler [postyle] *vt* solicitar
pot [po] *nm* (*récipient*) cacharro; (*en métal*) bote *m*; (*fam: chance*): **avoir du ~** tener potra; **boire** *ou* **prendre un ~** (*fam*) tomar una copa; **~ d'échappement** (AUTO) silenciador *m*
potable [pɔtabl] *adj* potable
potage [pɔtaʒ] *nm* sopa; **potager, -ère** *adj* hortícola; (*jardin*) potager huerto
pot-au-feu [pɔtofø] *nm inv* cocido
pot-de-vin [podvɛ̃] (*pl* **~s-~-~**) *nm* gratificación *f*
pote [pɔt] (*fam*) *nm* amigo, compadre *m* (AM), cuate *m* (MEX)
poteau, x [pɔto] *nm* poste *m*; **~ indicateur** poste indicador

potelé, e [pɔt(ə)le] *adj* rollizo(-a)

potentiel, le [pɔtɑ̃sjɛl] *adj, nm* potencial *m*

poterie [pɔtʀi] *nf (fabrication)* alfarería; *(objet)* objeto de barro, cerámica

potier [pɔtje] *nm* alfarero

potiron [pɔtiʀɔ̃] *nm* calabaza

pou, x [pu] *nm* piojo

poubelle [pubɛl] *nf* cubo *ou* bote *m (AM)* de la basura

pouce [pus] *nm* pulgar *m*

poudre [pudʀ] *nf* polvo; *(fard)* polvos *mpl; (explosif)* pólvora; **en ~: lait en ~** leche *f* en polvo; **poudreuse** *nf* nieve *f* en polvo; **poudrier** *nm* polvera

pouffer [pufe] *vi:* **~ (de rire)** partirse de risa

poulailler [pulaje] *nm (aussi THÉÂTRE)* gallinero

poulain [pulɛ̃] *nm* potro; *(fig)* pupilo

poule [pul] *nf* gallina

poulet [pulɛ] *nm* pollo; *(fam)* poli *m*

poulie [puli] *nf* polea

pouls [pu] *nm* pulso; **prendre le ~ de qn** tomar el pulso a algn

poumon [pumɔ̃] *nm* pulmón *m*

poupée [pupe] *nf* muñeca

MOT-CLÉ

pour [puʀ] *prép* **1** *(destination, temps):* **elle est partie pour Paris** se ha ido a París; **le train pour Séville** el tren para *ou* a Sevilla; **j'en ai pour une heure** tengo para una hora; **il faut le faire pour après les vacances** hay que hacerlo para después de vacaciones; **pour toujours** para siempre

2 *(au prix de, en échange de)* por; **il l'a acheté pour 5 F** lo compró por 5 francos; **donnez-moi pour 200 F d'essence** deme 200 francos de gasolina; **je te l'échange pour ta montre** te lo cambio por tu reloj

3 *(en vue de, intention, en faveur de):* **pour le plaisir** por gusto; **pour ton anniversaire** para tu cumpleaños; **je le fais pour toi** lo hago por ti; **pastilles pour la toux** pastillas *fpl* para la tos; **pour que** para que; **pour faire** para hacer; **pour quoi faire?** ¿para qué?; **je suis pour la démocratie** estoy por la democracia

4 *(à cause de):* **fermé pour (cause de) travaux** cerrado por obras; **c'est pour cela que je le fais** por eso lo hago; **être pour beaucoup dans qch** influir mucho en algo; **ce n'est pas pour dire, mais ...** *(fam)* no es por nada pero ...; **pour avoir fait** por haber hecho

5 *(à la place de):* **il a parlé pour moi** habló por mí

6 *(rapport, comparaison):* **mot pour mot** palabra por palabra; **ça fait un an jour pour jour** hoy hace justamente un año; **10 pour cent** diez por ciento; **pour un Français, il parle bien suédois** para ser francés, habla bien el sueco

7 *(comme):* **la femme qu'il a eue pour mère** la mujer que tuvo por madre

8 *(point de vue):* **pour moi, il a tort** para mí que se equivoca; **pour ce qui est de ...** por lo que se refiere a ...; **pour autant que je sache** que yo sepa

♦ nm: **le pour et le contre** los pros y los contras

pourboire [puʀbwaʀ] nm propina
pourcentage [puʀsɑ̃taʒ] nm porcentaje m
pourchasser [puʀʃase] vt perseguir
pourparlers [puʀpaʀle] nmpl negociaciones fpl
pourpre [puʀpʀ] adj púrpura
pourquoi [puʀkwa] adv, conj por qué **♦** nm: **le ~ (de)** el porqué (de)
pourri, e [puʀi] adj podrido(-a)
pourrir [puʀiʀ] vi podrirse **♦** vt pudrir; (fig: corrompre: personne) corromper; **pourriture** f podredumbre f
poursuite [puʀsɥit] nf persecución f
poursuivre [puʀsɥivʀ] vt perseguir; (mauvais payeur) acosar, perseguir; (obséder) obsesionar, perseguir; (continuer: voyage, études) proseguir **♦** vi proseguir; **se ~** vpr seguirse; **~ qn en justice** demandar a ou querellarse contra algn
pourtant [puʀtɑ̃] adv sin embargo; **c'est ~ facile** sin embargo es fácil
pourtour [puʀtuʀ] nm (d'un quadrilatère) perímetro
pourvoir [puʀvwaʀ] (COMM): **~ qn en** proveer a algn de, suministrar a algn **♦** vi: **~ à** ocuparse de; (emploi) atender a; **~ qn de qch** proporcionar algo a algn; **~ qch de** equipar algo con; **pourvu, e** pp de **pourvoir ♦** adj: **~ de** provisto(-a) de; **~ que** (à condition que) con tal que; **~ qu'il soit là!** (espérons que) ¡ojalá que esté!

pousse [pus] nf brote m; (bourgeon) botón m, yema
poussée [puse] nf (pression, attaque) empuje m; (coup) empujón m; (MÉD) acceso
pousser [puse] vt empujar; (acculer): **~ qn à qch/à faire qch** arrastrar ou empujar a algn a algo/a algn a hacer algo; (cri) lanzar, exhalar **♦** vi crecer; **se ~** vpr echarse a un lado; **faire ~** (plante) sembrar, plantar
poussette [puset] nf cochecito de niño
poussière [pusjɛʀ] nf (la poussière) polvo; (une poussière) mota; **poussiéreux, -euse** adj sucio(-a) ou polvo; (route) polvoriento(-a)
poussin [pusɛ̃] nm pollito
poutre [putʀ] nf viga
pouvoir [puvwaʀ] nm poder m; **le ~** el poder; **les ~s public** los poderes públicos; **~ calorifique** poder calorífico; **~ d'achat** poder adquisitivo **♦** vt, vb semi-aux, vb impers poder **♦** vi: **il se peut que** puede ser que; **je me porte on ne peut mieux** me encuentro perfectamente; **je ne peux pas la réparer** no puedo arreglarlo; **tu ne peux pas savoir!** ¡no puedes imaginarte!; **je n'en peux plus** no puedo más; **je ne peux pas dire le contraire** no puedo decir lo contrario; **j'ai fait tout ce que j'ai pu** hice todo lo que pude; **qu'est-ce que je pouvais bien faire?** ¿qué iba a ou podía hacer yo?; **il aurait pu le dire!** ¡podría haberlo dicho!; **vous pouvez aller au cinéma** podéis ir al cine; **il a pu avoir un accident** pudo haber un

accidente; **il peut arriver que**
puede suceder que; **il pourrait
pleuvoir** puede que llueva

prairie [pʀɛʀi] nf pradera

praline [pʀalin] nf (bonbon)
garapiñado

praticable [pʀatikabl] adj
(chemin) transitable

pratiquant, e [pʀatikɑ̃, ɑ̃t] adj
practicante

pratique [pʀatik] nf práctica ♦ adj
práctico(-a); **pratiquement** adv
(dans la pratique) de una manera
práctica; (à peu près)
prácticamente; **pratiquer** vt
practicar; (métier) ejercer;
(intervention) efectuar, realizar

pré [pʀe] nm prado

préados [pʀeado] nmpl
preadolescentes mpl

préalable [pʀealabl] adj
previo(-a) ♦ nm: **au ~ de**
antemano

préambule [pʀeɑ̃byl] nm
preámbulo; **sans ~** sin
preámbulos

préau, x [pʀeo] nm (d'une cour
d'école) cobertizo

préavis [pʀeavi] nm: **~ (de
licenciement)** notificación f (de
despido); **communication avec
~** (TÉL) llamada con aviso

précaution [pʀekosjɔ̃] nf
precaución f; (prudence) atención
f; **avec/sans ~** con/sin
precaución; **par ~** por precaución

précédemment [pʀesedamɑ̃]
adv anteriormente

précédent, e [pʀesedɑ̃, ɑ̃t] adj
precedente, anterior ♦ nm
precedente m; **sans ~** sin
precedentes; **le jour ~** el día
antes

précéder [pʀesede] vt preceder;
elle m'a précédé de

quelques minutes llegó unos
minutos antes que yo

prêcher [pʀeʃe] vt (REL): **~
l'Evangile** predicar el Evangelio

précieux, -euse [pʀesjø, jøz]
adj precioso(-a); (temps, qualités)
valioso(-a), importante; (littérature,
style) preciosista

précipice [pʀesipis] nm precipicio

précipitamment [pʀesipitamɑ̃]
adv precipitadamente

précipitation [pʀesipitasjɔ̃] nf
(hâte) precipitación f; **~s** nfpl
(MÉTÉO): **~s (atmosphériques)**
precipitaciones fpl

précipité, e [pʀesipite] adj
(respiration) jadeante; (démarche,
entreprise) precipitado(-a)

précipiter [pʀesipite] yt (faire
tomber) arrojar, tirar; (évènements)
precipitar; **se ~** vpr
precipitarse; **se ~ sur/vers**
lanzarse sobre/hacia

précis, e [pʀesi, iz] adj
conciso(-a); (vocabulaire)
conciso(-a), preciso(-a); (heure)
preciso(-a), exacto(-a); (tir,
mesures) exacto(-a) ♦ nm
compendio; **précisément** adv
(avec précision) de manera precisa;
(dans une réponse) exactamente;
préciser vt precisar; **se
préciser** vpr precisarse,
concretarse; **précision** nf
precisión f; (détail) exactitud f

précoce [pʀekɔs] adj precoz

préconçu, e [pʀekɔ̃sy] (péj) adj
preconcebido(-a)

préconiser [pʀekɔnize] vt
preconizar

prédécesseur [pʀedesesœʀ] nm
predecesor m

prédilection [pʀedilɛksjɔ̃] nf:
avoir une ~ pour qn/qch tener
predilección por algn/algo; **de ~**

favorito(-a), preferido(-a)

prédire [pʁediʁ] vt (événement improbable) predecir, vaticinar

prédominer [pʁedɔmine] vi predominar

préembauche [pʁeãboʃ] nf inv precontratación f

préface [pʁefas] nf prólogo

préfecture [pʁefɛktyʁ] nf prefectura, ≈ gobierno civil; (ville) capital f de departamento; **~ de police** dirección f general de policía de París

préférable [pʁefeʁabl] adj preferible

préféré, e [pʁefeʁe] adj preferido(-a) ♦ nm/f favorito(-a)

préférence [pʁefeʁãs] nf preferencia; **de ~** preferentemente

préférer [pʁefeʁe] vt: **~ qch/qn (à)** preferir algo/a algn (a); **~ faire qch** preferir hacer algo; **je préférerais du thé** preferiría té

préfet [pʁefɛ] nm prefecto, ≈ gobernador m civil

préhistorique [pʁeistɔʁik] adj prehistórico(-a)

préjudice [pʁeʒydis] nm perjuicio; **porter ~ à qch/à qn** perjudicar algo/a algn

préjugé [pʁeʒyʒe] nm prejuicio; **avoir un ~ contre qn/qch** tener prejuicios contra algn/algo

prélasser [pʁelase]: **se ~** vpr relajarse

prélèvement [pʁelɛvmã] nm extracción f, toma; **faire un ~ de sang** hacer una extracción de sangre

prélever [pʁel(ə)ve] vt (échantillon) tomar, sacar; **~ (sur)** (retirer) sacar (de); (déduire) descontar (de), deducir (de)

prématuré, e [pʁematyʁe] adj, nm/f prematuro(-a)

premier, -ière [pʁəmje, jɛʁ] adj primero(-a); (avant un nom masculin) primer ♦ nm (premier étage) primero ♦ nf (vitesse, classe) primera; (SCOL) sexto año de educación secundaria en el sistema francés; (THÉÂTRE, CINÉ) estreno; **le ~ venu** el primero que venga; **le ~ de l'an** el primero de año, el día de año nuevo; **P~ ministre** primer(-a) ministro(-a); **premièrement** adv primeramente

prémonition [pʁemɔnisjɔ̃] nf premonición f

prenant, e [pʁənã, ãt] vb voir **prendre**

prénatal, e [pʁenatal] adj prenatal

prendre [pʁãdʁ] vt coger, agarrar (AM); (aller chercher) recoger; (emporter avec soi) llevar; (poisson) pescar; (place) ocupar; (ÉCHECS, aliment) comer; (boisson) beber; (médicament, notes, mesures) tomar; (bain, douche) darse; (moyen de transport, route) tomar, coger; (essence) echar; (passager, personnel, élève) coger, tomar (AM); (photographie) sacar; (engagement) aceptar; (attitude) adoptar; (de la valeur) adquirir, ganar; (vacances, repos) tomar(se); (coûter: temps) requerir, llevar; (: efforts, argent) requerir ♦ vi (pâte, peinture) espesar; (ciment) fraguar; (semis, vaccin) agarrar; (feu, incendie) comenzar; (bois, allumette) prender; **~ la fuite** emprender la huida; **~ qn en sympathie/horreur** coger ou agarrar simpatía/odio a algn; **~ qn à témoin** poner a algn por testigo; **~ à gauche** coger ou tomar a la izquierda; **s'en ~ à** emprenderla con; **se ~ pour**

creerse; **se ~ d'affection pour
qn** cobrar afecto a algn; **s'y ~
bien/mal** hacerlo bien/mal
preneur [pʀənœʀ] *nm*: **je suis ~**
estoy dispuesto a comprar;
trouver ~ encontrar comprador
prénom [pʀenɔ̃] *nm* nombre *m*
(de pila)
préoccupation [pʀeɔkypasjɔ̃] *nf*
preocupación *f*
préoccuper [pʀeɔkype] *vt*
(*personne*) preocupar, inquietar
préparatifs [pʀepaʀatif] *nmpl*
preparativos *mpl*
préparation [pʀepaʀasjɔ̃] *nf*
preparación *f*
préparer [pʀepaʀe] *vt* preparar;
se ~ *vpr* prepararse; **se ~ (à
qch/à faire qch)** prepararse
(para algo/para hacer algo)
prépondérant, e [pʀepɔ̃deʀɑ̃,
ɑ̃t] *adj* preponderante
préposé, e [pʀepoze] *adj*: **~ (à
qch)** encargado(-a) (de algo) ♦
nm/f encargado(-a)
préposition [pʀepozisjɔ̃] *nf*
preposición *f*
près [pʀɛ] *adv* cerca; **~ de** (*lieu*)
cerca de; (*temps, quantité*)
alrededor de; **de ~** de cerca; **à 5
m/5 kg ~** 5 m/5 kg más o
menos; **à cela ~ que** salvo que,
excepto que
présage [pʀezaʒ] *nm* presagio
presbyte [pʀesbit] *adj* présbita,
hipermétrope
presbytère [pʀesbiteʀ] *nm* casa
parroquial
prescription [pʀeskʀipsjɔ̃] *nf*
(*MÉD*) prescripción *f* facultativa,
receta
prescrire [pʀeskʀiʀ] *vt* (*remède*)
recetar
présence [pʀezɑ̃s] *nf* presencia;
(*au bureau etc*) presencia,

asistencia
présent, e [pʀezɑ̃, ɑ̃t] *adj, nm*
presente *m*; **~s** *nmpl*: **les ~s**
(*personnes*) los presentes; **à ~ que**
ahora que
présentation [pʀezɑ̃tasjɔ̃] *nf*
presentación *f*
présenter [pʀezɑ̃te] *vt* presentar;
(*billet, pièce d'identité*) enseñar;
(*remettre: note*) entregar;
(*condoléances, félicitations,
remerciements*) dar ♦ *vi*: **~ mal/
bien** tener buena/mala presencia;
se ~ *vpr* presentarse; (*solution,
doute*) surgir; **se ~ bien/mal:**
(*affaire*) presentarse bien/mal; **se
~ à l'esprit** venir a la cabeza
préservatif [pʀezeʀvatif] *nm*
preservativo
préserver [pʀezeʀve] *vt*: **~
qch/qn de** (*protéger*) preservar
ou proteger algo/a algn de
président [pʀezidɑ̃] *nm*
presidente *m*; **~ directeur
général** director *m* gerente;
présidentielles *nfpl* (*élections*)
elecciones *fpl* presidenciales
présider [pʀezide] *vt* presidir; **~
à qch** presidir algo
presque [pʀesk] *adv* casi; **~
tous/rien** casi todos/nada; **il n'a
~ pas d'argent** casi no tiene
dinero, apenas tiene dinero
presqu'île [pʀeskil] *nf* península
pressant, e [pʀesɑ̃, ɑ̃t] *adj*
apremiante; (*besoin*) acuciante
presse [pʀes] *nf* prensa
pressé, e [pʀese] *adj* (*personne*)
apresurado(-a), apurado(-a) (*AM*);
(*lettre, besogne*) urgente; **orange
~e** zumo de naranja
pressentiment [pʀesɑ̃timɑ̃] *nm*
presentimiento
pressentir [pʀesɑ̃tiʀ] *vt* presentir
presse-papiers ♦ [pʀespapje] *nm*

inv pisapapeles *m inv*
presser [prese] *vt (fruit)* exprimir;
(éponge) escurrir; *(interrupteur,
bouton)* pulsar ♦ *vi (être urgent)*
urgir, correr prisa; **se ~** *vpr (se
hâter)* darse prisa, apurarse (AM);
le temps presse el tiempo
apremia; **rien ne presse** no hay
prisa; **~ le pas** *ou* **l'allure**
aligerar (el paso)
pressing [presiŋ] *nm (magasin)*
tintorería
pression [presjɔ̃] *nf* presión *f*;
(bouton) automático; **faire ~ sur
qn/qch** ejercer presión sobre
algn/algo; **sous ~** a presión; *(fig)*
presionado(-a); **~ artérielle**
tensión *f* arterial
prestataire [prestatɛr] *nm/f*
beneficiario(-a); **~ de services**
(COMM) prestador *m* de servicios
prestation [prestasjɔ̃] *nf*
(allocation) prestación *f*, ayuda;
(d'une entreprise) contribución *f*;
*(d'un joueur, artiste, homme
politique)* actuación *f*
prestidigitateur, -trice
[prestidiʒitatœr, tris] *nm/f*
prestidigitador(a)
prestige [prestiʒ] *nm* prestigio;
prestigieux, -euse *adj*
prestigioso(-a)
présumer [prezyme] *vt*: **~ que**
presumir que
prêt, e [prɛ, prɛt] *adj* listo(-a),
presto(-a) ♦ *nm* préstamo; **prêt-
à-porter** *(pl* **prêts-à-porter)**
nm prêt-à-porter *m*
prétendre [pretɑ̃dr] *vt (avoir la
ferme intention de)* pretender;
(affirmer): **~ que** mantener que; **~
à** aspirar a; **prétendu, e** *adj*
supuesto(-a)
prétentieux, -euse [pretɑ̃sjø,
jøz] *adj* presuntuoso(-a)

prétention [pretɑ̃sjɔ̃] *nf*
pretensión *f*
prêter [prete] *vt (livres, argent)*: **~
qch (à)** prestar algo (a) ♦ *vi*: **~ à**:
**~ aux commentaires/à
équivoque/à rire** prestarse a
comentarios/a equívoco/a risa; **se
~ à qch** prestarse a algo; **~
assistance à** prestar socorro a;
~ attention/serment prestar
atención/juramento; **~ l'oreille**
aguzar el oído
prétexte [pretɛkst] *nm* pretexto;
sous aucun ~ bajo ningún
pretexto; **prétexter** *vt* poner de
pretexto de
prêtre [prɛtr] *nm* sacerdote *m*
preuve [prœv] *nf* prueba; **faire
~ de** dar pruebas de; **faire ses
~s** dar prueba de sus aptitudes
prévaloir [prevalwar] *vi*
prevalecer
prévenant, e [prev(ə)nɑ̃, ɑ̃t] *adj*
atento(-a)
prévenir [prev(ə)nir] *vt* prevenir;
(besoins, etc) anticiparse a; **~ qn
(de qch)** *(avertir)* prevenir a algn
(de algo)
préventif, -ive [prevɑ̃tif, iv] *adj*
preventivo(-a)
prévention [prevɑ̃sjɔ̃] *nf*
prevención *f*; **~ routière**
seguridad *f* vial
prévenu, e [prev(ə)ny] *nm/f*
preso(-a) ♦ *adj*: **être ~ contre
qn** estar prevenido(-a) contra algn
prévision [previzjɔ̃] *nf*: **~s**
previsión *f*; **en ~ de l'orage** en
caso de que haya tormenta; **~s
météorologiques** previsión
meteorológica
prévoir [prevwar] *vt* prever;
prévu pour 4 personnes con
cabida para 4 personas; **prévu
pour 10 h** previsto para las 10;

prévoyant, e *vb voir* **prévoir** ♦
adj prevenido(-a), precavido(-a)
prévu [prevy] *pp de* **prévoir**
prier [prije] *vi* rezar ♦ *vt* rogar;
(*REL*) rezar; **se faire** ~ hacerse
rogar; **je vous en prie** (*allez-y*)
pase por favor; (*de rien*) de nada;
prière *nf* oración *f*; **"prière de
faire/ne pas faire ..."** "se
ruega hacer/no hacer ..."
primaire [primer] *adj*
primario(-a); (*péj*) primitivo(-a) ♦
nm (*SCOL*: *aussi*: **enseignement**
~): **le** ~ ≃ primera etapa de la
educación primaria
prime [prim] *nf* (*bonification,
ASSURANCE, BOURSE*) prima; (*subside*)
ayuda; (*COMM*: *cadeau*)
bonificación *f* ♦ *adj*: **de** ~ **abord**
de entrada; **primer** *vt*
(*récompenser*) premiar ♦ *vi* primar
primeurs [primœr] *nfpl* (*fruits,
légumes*) frutos *mpl* tempranos
primevère [primver] *nf*
primavera
primitif, -ive [primitif, iv] *adj*
primitivo(-a)
primordial, e, -aux
[primɔrdjal, o] *adj* primordial
prince [prɛ̃s] *nm* príncipe *m*;
princesse *nf* princesa
principal, e, -aux [prɛ̃sipal, o]
adj principal ♦ *nm* (*SCOL*) director
m
principe [prɛ̃sip] *nm* principio;
pour le ~ por principios; **de/
en/par** ~ de/en/por principio
printemps [prɛ̃tɑ̃] *nm* primavera
priorité [prijɔrite] *nf* prioridad *f*;
~ **à droite** prioridad a la derecha
pris, e [pri, priz] *pp de* **prendre**
♦ *adj* (*place, journée*) ocupado(-a);
(*billets*) sacado(-a); **avoir le nez
~/la gorge ~e** (*MÉD*) tener la
nariz/la garganta irritada

prise [priz] *nf* (*d'une ville*) toma;
(*PÊCHE, CHASSE*) presa; (*ÉLEC*)
conexión *f*; (*fiche*) enchufe *m*;
être aux ~s avec qn
enfrentarse con algn; ~ **de
courant** conexión; ~ **de sang**
toma de sangre; ~ **de terre** toma
de tierra; ~ **de vue** (*PHOTO*) toma
de vista; ~ **en charge** (*par un
taxi*) bajada de bandera; ~
multiple ladrón *m*
priser [prize] *vt* (*tabac*) inhalar;
(*estimer*) apreciar
prison [prizɔ̃] *nf* cárcel *f*, prisión
f; (*MIL*) prisión militar; **faire de/
risquer la** ~ estar en/correr el
riesgo de ir a la cárcel;
prisonnier, -ière *nm/f*
preso(-a); (*soldat, otage*)
prisionero(-a)
privé, e [prive] *adj* privado(-a); ~
de privado(-a) de; **en** ~ en
privado
priver [prive] *vt* privar; **se** ~ *vpr*:
(ne pas) se ~ **(de)** (no) privarse
(de)
privilège [privilɛʒ] *nm* privilegio
prix [pri] *nm* precio; (*récompense*)
premio; **au** ~ **fort** al precio más
alto; **acheter qch à** ~ **d'or**
comprar algo a precio de oro;
hors de ~ carísimo(-a); **à aucun**
~ por nada del mundo; **à tout** ~
cueste lo que cueste
probable [prɔbabl] *adj* probable;
probablement *adv*
probablemente
problème [prɔblɛm] *nm*
problema *m*
procédé [prɔsede] *nm* proceso;
(*comportement*) proceder *m*
procéder [prɔsede] *vi* proceder;
~ **à** (*JUR*) pasar a
procès [prɔsɛ] *nm* (*JUR*) juicio;
être en ~ **avec qn** estar en

pleito con algn

processus [prɔsesys] *nm*
proceso

procès-verbal [prɔsɛverbal] (*pl*
~-verbaux) *nm* (*constat*)
atestado; (*aussi*) **P.V.**) multa;
(*d'une réunion*) acta

prochain, e [prɔʃɛ̃, ɛn] *adj*
próximo(-a) ♦ *nm* prójimo; **la ~e**
fois la próxima vez; **la semaine**
~e la semana que viene;
prochainement *adv* pronto; (*au*
cinéma) próximamente

proche [prɔʃ] *adj* (*ami*)
cercano(-a), próximo(-a); **~s** *nmpl*
(*parents*) familiares *mpl*; **être ~**
(de) estar cerca de(; (*fig: parent*)
estar unido(-a) a

proclamer [prɔklame] *vt*
declarar; (*la république, son*
innocence) proclamar

procuration [prɔkyrasjɔ̃] *nf*
poder *m*

procurer [prɔkyre] *vt* (*fournir*)
proporcionar; (*causer*) dar; **se ~**
vpr conseguir; **procureur** *nm*:
procureur (de la République)
≃ fiscal *m*

prodige [prɔdiʒ] *nm* prodigio;
prodiguer *vt* prodigar

producteur, -trice [prɔdyktœr,
tris] *adj*, *nm/f* productor(a)

productif, -ive [prɔdyktif, iv]
adj productivo(-a)

production [prɔdyksjɔ̃] *nf*
producción *f*

productivité [prɔdyktivite] *nf*
productividad *f*

produire [prɔdɥir] *vt* producir;
(*ADMIN, JUR: documents, témoins*)
presentar

produit, e [prɔdɥi, it] *pp de*
produire ♦ *nm* (*objet*); (*profit*)
rendimiento; **~ d'entretien**
producto de limpieza

prof [prɔf] *abr* (= *professeur*) prof.
(= *profesor*)

proférer [prɔfere] *vt* proferir

professeur [prɔfesœr] *nm*
profesor(a); (*titulaire d'une chaire*)
catedrático(-a); **professeure** *nf*
(*esp CANADA*) = **professeur**

profession [prɔfesjɔ̃] *nf*
profesión *f*; **"sans ~"** "sin profesión"; **professionnel, le** *adj*
profesional ♦ *nm/f* profesional *m/f*

profil [prɔfil] *nm* perfil *m*; **de ~**
de perfil

profit [prɔfi] *nm* (*avantage*)
provecho(; (*COMM, FIN*) beneficio;
au ~ de qn/qch en beneficio de
algn/algo; **tirer** *ou* **retirer ~ de**
qch sacar provecho de algo;
profitable *adj* provechoso(-a);
profiter: profiter de *vt ind*
aprovecharse de; (*lecture*) sacar
provecho de; (*occasion*)
aprovechar

profond, e [prɔfɔ̃, ɔ̃d] *adj*
profundo(-a); (*trou, eaux*)
hondo(-a); **profondément** *adv*
profundamente; **profondeur** *nf*
profundidad *f*

programme [prɔgram] *nm*
programa *m*; **programmer** *vt*
programar; **programmeur,**
-euse *nm/f* (*INFORM*)
programador(a)

progrès [prɔgrɛ] *nm* progreso,
avance *m*; **faire des/être en ~**
hacer progresos; **progresser** *vi*
(*mal etc*) avanzar; (*élève, recherche*)
progresar; **progressif, -ive** *adj*
progresivo(-a)

proie [prwa] *nf* presa

projecteur [prɔʒɛktœr] *nm* (*de*
théâtre, cirque) foco; (*de films,*
photos) proyector *m*

projectile [prɔʒɛktil] *nm*
proyectil *m*

projection [prɔʒɛksjɔ̃] nf
proyección f

projet [prɔʒɛ] nm proyecto; **~ de
loi** proyecto de ley; **projeter** vt
proyectar; (jeter) lanzar; (envisager)
planear

prolétaire [prɔletɛr] nm
proletario(-a)

prolongement [prɔlɔ̃ʒmɑ̃] nm
prolongación f

prolonger [prɔlɔ̃ʒe] vt prolongar;
(délai) prorrogar; **se ~** vpr
prolongarse

promenade [prɔm(ə)nad] nf
paseo; **faire une ~** dar un paseo

promener [prɔm(ə)ne] vt dar un
paseo a; (doigts, main) recorrer;
se ~ vpr pasearse

promesse [prɔmɛs] nf promesa

promettre [prɔmɛtr] vt, vi
prometer; **~ à qn de faire qch**
prometer a algn hacer algo

promiscuité [prɔmiskɥite] nf
promiscuidad f

promontoire [prɔmɔ̃twar] nm
promontorio

promoteur, -trice [prɔmɔtœr,
tris] nm/f: **~ (immobilier)**
promotor (inmobiliario)

promotion [prɔmosjɔ̃] nf
promoción f; (avancement)
ascenso; **article en ~** artículo en
oferta

promouvoir [prɔmuvwar] vt (à
un grade, poste) ascender a;
(recherche etc) promover

prompt, e [prɔ̃(pt), prɔ̃(p)t] adj
rápido(-a)

prôner [prone] vt (préconiser)
preconizar

pronom [prɔnɔ̃] nm pronombre
m

prononcer [prɔnɔ̃se] vt
pronunciar; (souhait, vœu)
formular; **se ~** vpr pronunciarse;

se ~ **sur qch** pronunciarse sobre
algo; **prononciation** nf
pronunciación f

pronostic [prɔnɔstik] nm
pronóstico

propagande [prɔpagɑ̃d] nf
propaganda

propager [prɔpaʒe] vt propagar;
se ~ vpr propagarse

prophète, prophétesse
[prɔfɛt, prɔfɛtɛs] nm/f profeta
(profetisa)

prophétie [prɔfesi] nf (d'un
prophète) profecía; (d'une
cartomancienne) predicción f

propice [prɔpis] adj propicio(-a)

proportion [prɔpɔrsjɔ̃] nf
proporción f; (relation,
pourcentage) relación f; **toute(s)
~(s) gardée(s)** manteniendo las
proporciones

propos [prɔpo] nm (paroles)
palabras fpl; (intention) propósito;
à ~ de a propósito de; **à tout ~**
a cada momento; **à ce ~** a ese
respecto; **à ~** a propósito

proposer [prɔpoze] vt proponer;
se ~ (pour faire qch) ofrecerse
(para hacer algo); **se ~ de faire
qch** proponerse hacer algo;
proposition nf propuesta; (offre)
oferta; (LING) proposición f

propre [prɔpr] adj limpio(-a);
(net) pulcro(-a); (fig: honnête)
intachable; (intensif possessif, sens)
propio(-a) ♦ nm: **le ~ de** lo
propio de; **~ à** (particulier)
propio(-a) de; **mettre** ou
recopier au ~ pasar a limpio; **~
à rien** nm/f (péj) inútil m/f;
proprement adv (manger etc)
correctamente; **à proprement
parler** a decir verdad; **le village
proprement dit** el pueblo
propiamente dicho; **propreté** nf

limpieza
propriétaire [prɔprijetɛr] nm/f
propietario(-a); (pour le locataire)
casero(-a)
propriété [prɔprijete] nf
propiedad f; (villa, terres) casa de
campo
propulser [prɔpylse] vt (missile,
engin) propulsar; (projeter) lanzar
prose [proz] nf prosa
prospecter [prɔspɛkte] vt
prospectar; (COMM) estudiar el
mercado de
prospectus [prɔspɛktys] nm
prospecto
prospère [prɔspɛr] adj
próspero(-a); **prospérer** vi
prosperar
prosterner [prɔstɛrne]: **se ~** vpr
prosternarse
prostituée [prɔstitye] nf
prostituta
prostitution [prɔstitysjɔ̃] nf
prostitución f
protecteur, -trice [prɔtɛktœr,
tris] adj protector(a) ♦ nm/f
protector(a)
protection [prɔtɛksjɔ̃] nf
protección f
protéger [prɔteʒe] vt proteger;
se ~ de/contre qch protegerse
de/contra algo
protéine [prɔtein] nf proteína
protestant, e [prɔtɛstɑ̃, ɑ̃t] adj,
nm/f protestante m/f
protestation [prɔtɛstasjɔ̃] nf
protesta
protester [prɔtɛste] vi protestar
prothèse [prɔtɛz] nf prótesis f
inv; **~ dentaire** prótesis dental
protocole [prɔtɔkɔl] nm
protocolo
proue [pru] nf proa
prouesse [prues] nf proeza
prouver [pruve] vt probar

(montrer) demostrar
provenance [prɔv(ə)nɑ̃s] nf
procedencia; (d'un mot, d'une
coutume) origen m; **en ~ de**
procedente de
provenir [prɔv(ə)nir] vi: **~ de**
proceder de; (résulter de) derivarse
de
proverbe [prɔvɛrb] nm proverbio
province [prɔvɛ̃s] nf provincia
proviseur [prɔvizœr] nm
director(a) de instituto
provision [prɔvizjɔ̃] nf provisión
f; (acompte, avance) anticipo;
(COMM) provisión de fondos; **~s**
nfpl (vivres) provisiones fpl
provisoire [prɔvizwar] adj
provisional, provisorio(-a) (AM);
provisoirement adv
provisionalmente
provocant, e [prɔvɔkɑ̃, ɑ̃t] adj
(agressif) provocante; (excitant)
provocativo(-a)
provoquer [prɔvɔke] vt provocar;
(curiosité) despertar
proxénète [prɔksenɛt] nm
proxeneta m
proximité [prɔksimite] nf (dans
l'espace) cercanía; (dans le temps)
proximidad f; **à ~ (de)** cerca (de)
prudemment [prydamɑ̃] adv
con prudencia
prudence [prydɑ̃s] nf prudencia;
avec ~ con prudencia; **par
(mesure de) ~** como medida de
precaución
prudent, e [prydɑ̃, ɑ̃t] adj
prudente; (sage, conseillé)
sensato(-a); **soyez ~!** ¡tened
cuidado!
prune [pryn] nf ciruela
pruneau, x [pryno] nm ciruela
pasa
prunier [prynje] nm ciruelo
PS [pɛɛs] sigle m = Parti socialiste;

(= *post-scriptum*) PD

pseudonyme [psødɔnim] *nm* seudónimo; *(de comédien)* nombre *m* artístico

psychanalyse [psikanaliz] *nf* (p)sicoanálisis *m inv*

psychiatre [psikjatʀ] *nm/f* (p)siquiatra *m/f*; **psychiatrique** *adj* (p)siquiátrico(-a)

psychique [psiʃik] *adj* (p)síquico(-a)

psychologie [psikɔlɔʒi] *nf* (p)sicología; **psychologique** *adj* (p)sicológico(-a); **psychologue** *nm/f* (p)sicólogo-a

pu [py] *pp de* **pouvoir**

puanteur [pɥɑ̃tœʀ] *nf* pestilencia

pub [pyb] *nf (fam: publicité)* publicidad *f*

public, -ique [pyblik] *adj* público(-a) ♦ *nm* público; **en ~** en público

publicitaire [pyblisitɛʀ] *adj* publicitario(-a)

publicité [pyblisite] *nf* publicidad *f*; **une ~** un anuncio

publier [pyblije] *vt* publicar

publique [pyblik] *adj f voir* **public**

puce [pys] *nf* pulga; *(INFORM)* pulgada; **marché aux ~s** mercadillo

pudeur [pydœʀ] *nf* pudor *m*

pudique [pydik] *adj (chaste)* pudoroso(-a); *(discret)* recatado(-a)

puer [pɥe] *(péj) vi, vt* apestar (a)

puéricultrice [pɥeʀikyltʀis] *nf* puericultora

puéril, e [pɥeʀil, *adj* pueril

puis [pɥi] *vb voir* **pouvoir** ♦ *adv (ensuite)* después, luego; *(en outre)*: **et ~** y además, y encima

puiser [pɥize] *vt*: **~ (dans)** sacar (de)

puisque [pɥisk] *conj* ya que, como

puissance [pɥisɑ̃s] *nf* potencia; *(pouvoir)* poder *m*

puissant, e [pɥisɑ̃, ɑ̃t] *adj* poderoso(-a); *(moteur)* potente; *(éclairage, drogue, vent)* fuerte

puits [pɥi] *nm* pozo

pull [pyl], **pull-over** [pylɔvɛʀ] *(pl ~-overs) nm* jersey *m*

pulluler [pylyle] *vi* pulular

pulpe [pylp] *nf* pulpa

pulvériser [pylveʀize] *vt* pulverizar; *(fig: adversaire)* machacar

punaise [pynɛz] *nf (ZOOL)* chinche *f*; *(clou)* chincheta

punch [pœnʃ] *nm (boisson)* ponche *m*; *(fig)* vitalidad *f*

punir [pyniʀ] *vt* castigar; **punition** *nf* castigo

pupille [pypij] *nf (ANAT)* pupila

pupitre [pypitʀ] *nm (SCOL)* pupitre *m*; *(REL, MUS)* atril *m*

pur, e [pyʀ] *adj* puro(-a); *(intentions)* bueno(-a); **en ~e perte** en balde

purée [pyʀe] *nf* puré *m*

purement [pyʀmɑ̃] *adv* puramente

purgatoire [pyʀɡatwaʀ] *nm* purgatorio

purger [pyʀʒe] *vt* purgar; *(vidanger)* limpiar

pur-sang [pyʀsɑ̃] *nm inv* pura sangre *m*

pus [py] *vb voir* **pouvoir** ♦ *nm* pus *m*

putain [pytɛ̃] *(fam!) nf* puta; **~!** ¡joder!

puzzle [pœzl] *nm* rompecabezas *m inv*

PV [peve] *sigle m* (= *procès-verbal*) multa

pyjama [piʒama] *nm* pijama *m*, piyama *m ou f (AM)*

pyramide [piʀamid] *nf* pirámide *f*
Pyrénées [piʀene] *nfpl:* **les ~** los Pirineos

Q, q

QI [kyi] *sigle m* (= *quotient intellectuel*) C.I. *m* (= *coeficiente intelectual*)
quadragénaire [k(w)adʀaʒenɛʀ] *nm/f* (*de quarante à cinquante ans*) cuarentón(-ona); **les ~s** los mayores de cuarenta años
quadruple [k(w)adʀypl] *adj* cuádruple ♦ *nm:* **le ~ de** el cuádruplo de; **quadruplés, -ées** *nm/fpl* cuatrillizos(-as)
quai [ke] *nm* (*d'un port*) muelle *m*; (*d'une gare*) andén *m*; (*d'un cours d'eau, canal*) orilla; **être à ~** (*navire*) estar atracado; (*train*) estar en el andén
qualification [kalifikasjɔ̃] *nf* (*aptitude*) capacitación *f*
qualifier [kalifje] *vt* calificar; **se ~** *vpr* (*SPORT*) calificarse
qualité [kalite] *nf* calidad *f*; **rapport ~-prix** relación *f* calidad-precio
quand [kɑ̃] *conj* cuando; (*chaque fois que*) cada vez que; (*alors que*) cuando, mientras; **~ je serai riche, j'aurai une belle maison** cuando yo sea rico, tendré una casa bonita; (*tout de même*): **tu exagères ~ même** desde luego te pasa
quant [kɑ̃]: **~ à** *prép* en cuanto a; **~ à moi, ...** en cuanto a mí ..., por lo que se refiere a mí ...
quantité [kɑ̃tite] *nf* cantidad *f*; (*grand nombre*): **une ou des ~(s) de** una cantidad *ou* cantidades de
quarantaine [kaʀɑ̃ten] *nf*

(*isolement*) cuarentena; (*nombre*): **une ~ (de)** unos cuarenta; (*âge*): **avoir la ~** estar en la cuarentena; **mettre en ~** poner en cuarentena
quarante [kaʀɑ̃t] *adj inv, nm inv* cuarenta *m inv; voir aussi* **cinq**
quarantième [kaʀɑ̃tjɛm] *adj, nm/f* cuadragésimo(-a); *voir aussi* **cinquantième**
quart [kaʀ] *nm* cuarto ♦ *nm* (NAUT, *surveillance*) guardia; **le ~ de** la cuarta parte de; **un ~ de l'héritage** un cuarto de la herencia; **un ~ de fromage** un cuarto de (kilo) de queso; **un kilo un ou et ~** un kilo y cuarto; **~s de finale** (SPORT) cuartos *mpl* de final; **~ d'heure** cuarto de hora
quartier [kaʀtje] *nm* cuarto; (*d'une ville*) barrio; (*d'orange*) gajo; **cinéma de ~** cine *m* de barrio; **ne pas faire de ~** no dar cuartel; **~ général** cuartel general
quartz [kwaʀts] *nm* cuarzo
quasi [kazi] *adv* casi ♦ *préf:* **~-certitude/totalité** cuasicerteza/ cuasitotalidad *f*; **quasiment** *adv* casi
quatorze [katɔʀz] *adj inv, nm inv* catorce *m inv; voir aussi* **cinq**
quatorzième [katɔʀzjɛm] *adj, nm/f* decimocuarto(-a); *voir aussi* **cinquantième**
quatre [katʀ] *adj inv, nm inv* cuatro *m inv;* **à ~ pattes** a cuatro patas; **être tiré à ~ épingles** estar hecho un maniquí; **se mettre en ~ pour qn** desvivirse por algn; **monter/ descendre (l'escalier) ~ à ~** subir/ bajar (los escalones) de cuatro en cuatro; *voir aussi* **cinq**; **quatre-vingt-dix** *adj inv, nm inv* noventa *m inv; voir aussi* **cinq**;

quatre-vingt-dixième *adj,*
nm/f nonagésimo(-a); *voir aussi*
cinquantième; quatre-
vingtième *adj, nm/f*
octogésimo(-a); *voir aussi*
cinquantième; quatre-vingts
adj inv, nm inv ochenta *m inv;*
voir aussi **cinq; quatrième** *adj,*
nm/f cuarto(-a) ♦ *nf* (AUTO) cuarta;
(SCOL) tercer año de educación
secundaria en el sistema francés;
voir aussi **cinquième**

quatuor [kwatyɔʀ] *nm* cuarteto

MOT-CLÉ

que [kə] *conj* **1** *(introduisant*
complétive) que; **il sait que tu**
es là sabe que estás allí; **je veux**
que tu acceptes quiero que
aceptes; **il a dit que oui** dijo que
sí
2 *(reprise d'autres conjonctions)*:
quand il rentrera et qu'il
aura mangé cuando vuelva y
haya comido; **si vous y allez**
ou que vous lui téléphonez si
usted va (allí) o le llama por
teléfono
3 *(en tête de phrase: hypothèse,*
souhait etc): **qu'il le veuille ou**
non quiera o no quiera; **qu'il**
fasse ce qu'il voudra! ¡que
haga lo que quiera!
4 *(après comparatif)*: **aussi**
grand que tan grande como;
plus grand que más grande
que; *voir aussi* **plus**
5 *(temps)*: **elle venait à peine**
de sortir qu'il se mit à
pleuvoir acababa justo de salir
cuando se puso a llover; **il y a 4**
ans qu'il est parti hace 4 años
que se marchó
6 *(attribut)*: **c'est une erreur**
que de croire ... es un error

creer
7 *(but)*: **tenez-le qu'il ne**
tombe pas sujételo (para) que
no se caiga
8 *(seulement)*: **ne ... que** sólo,
no más que; **il ne boit que de**
l'eau sólo bebe agua, no bebe
más que agua
♦ *adv (exclamation)*: **qu'est-ce**
qu'il est bête! ¡qué tonto es!;
qu'est-ce qu'il court vite!
¡cómo corre!; **que de livres!**
¡cuántos libros!
♦ *pron* **1** *(relatif)*: **l'homme que**
je vois el hombre que veo;
(temps): **un jour que j'étais ...**
un día en que yo estaba ...; **le**
livre que tu lis el libro que lees
2 *(interrogatif)*: **que fais-tu?,**
qu'est-ce que tu fais? ¿qué
haces?; **que préfères-tu,**
celui-ci ou celui-là? ¿cuál
prefieres, éste o ése?; **que fait-il**
dans la vie? ¿a qué se dedica? ;
qu'est-ce que c'est? ¿qué es?;
que faire? ¿qué se puede
hacer?; *voir aussi* **aussi; autant**
etc

Québec [kebek] *nm* Quebec *m*

MOT-CLÉ

quel, quelle [kɛl] *adj* **1**
(interrogatif: avant un nom) qué;
(avant un verbe: personne) quién;
(: chose) cuál; **sur quel auteur**
va-t-il parler? ¿sobre qué autor
va a hablar?; **quels acteurs**
préférez-vous? ¿(a) qué actores
prefiere?; **quel est cet homme?**
¿quién es este hombre?; **quel**
livre veux-tu? ¿qué libro
quieres?; **quel est son nom?**
¿cuál es su nombre?
2 *(exclamatif)*: **quelle**

surprise/coïncidence! ¡qué sorpresa/coincidencia!; **quel dommage qu'il soit parti!** ¡qué pena que se haya marchado! **3: quel que soit** (*personne*) sea quien sea, quienquiera que sea; (*chose*) sea cual sea, cualquiera que sea; **quel que soit le coupable** sea quien sea el culpable; **quel que soit votre avis** sea cual sea su opinión ♦ *pron interrog:* **de tous ces enfants, quel est le plus intelligent?** de todos esos niños, ¿cuál es el más inteligente?

quelconque [kɛlkɔ̃k] *adj* cualquier(a); (*sans valeur*) mediocre; **pour une raison ~** por cualquier razón

MOT-CLÉ

quelque [kɛlk] *adj* **1** (*suivi du singulier*) algún(-una); (*suivi du pluriel*) algunos(-as); **cela fait quelque temps que je ne l'ai (pas) vu** hace algún tiempo que no lo he visto; **il a dit quelques mots de remerciement** dijo algunas palabras de agradecimiento; **les quelques enfants qui ...** los pocos niños que ...; **il habite à quelque distance d'ici** vive a cierta distancia de aquí; **20 kg et quelque(s)** 20 kg y pico **2: quelque ... que: quelque livre qu'il choisisse** cualquier libro que elija **3: quelque chose** *pron* algo; **quelque chose d'autre** otra cosa; **y être pour quelque chose** tener algo que ver; **ça m'a fait quelque chose!** (*fig*) ¡sentí una cosa!; **puis-je faire**

quelque chose pour vous? ¿puedo hacer algo por usted?; **c'est déjà quelque chose** algo es algo; **quelque part** (*position*) en alguna parte; (*direction*) a alguna parte; **en quelque sorte** (*pour ainsi dire*) en cierto modo ♦ *adv* **1** (*environ, à peu près*): **une route de quelque 100 km** una carretera de unos 100 km **2: quelque peu** algo

quelquefois [kɛlkəfwa] *adv* a veces

quelques-uns, −unes [kɛlkəzœ̃, yn] *pron* algunos(-as)

quelqu'un [kɛlkœ̃] *pron* alguien; (*entre plusieurs*) alguno(-a); **~ d'autre** otro(-a); **être ~** (*de valeur*) ser alguien

qu'en dira-t-on [kɑ̃diʀatɔ̃] *inv:* **le ~ ~~~~** el qué dirán

querelle [kəʀɛl] *nf* pelea;

quereller: se quereller *vpr* pelearse

qu'est-ce que [kɛskə] *voir* **que**

qu'est-ce qui [kɛski] *voir* **que**; **qui**

question [kɛstjɔ̃] *nf* (*gén*) pregunta; (*problème*) cuestión *f*, problema *m*; **il a été ~ de** se trató de; **de quoi est-il ~?** ¿de qué se trata?; **il n'en est pas ~** ni hablar, ni mucho menos; **en ~** en cuestión; **hors de ~** fuera de lugar; **(re)mettre en ~** poner en tela de juicio; **questionnaire** *nm* cuestionario; **questionner** *vt* preguntar

quête [kɛt] *nf* (*collecte*) colecta; (*recherche*) búsqueda; **faire la ~** (*à l'église*) pasar la bandeja; (*artiste*) pasar la gorra

quetsche [kwɛtʃ] *nf* ciruela

damascena

queue [kø] *nf* cola; (*d'un fruit,
d'une feuille*) rabillo; **faire la ~**
hacer cola; **~ de cheval** cola de
caballo

MOT-CLÉ

---

qui [ki] *pron* **1** (*interrogatif*) quién;
(: *pluriel*) quiénes; (: *objet*): **qui
(est-ce que) j'emmène?** ¿a
quién llevo?; **je ne sais pas qui
c'est** no sé quién es; **à qui est
ce sac?** ¿de quién es este
bolso?; **à qui parlais-tu?** ¿con
quién hablabas?
2 (*relatif*) que; (: *après prép*)
quien, el (la) que; (: *plural*)
quienes, los (las) que; **l'ami de
qui je vous ai parlé** el amigo
de quien *ou* del que le hablé; **la
personne avec qui je l'ai vu**
la persona con quien lo vi
3 (*sans antécédent*): **amenez qui
vous voulez** traiga a quien
quiera; **qui que ce soit**
quienquiera que sea

---

quiconque [kikɔ̃k] *pron*
quienquiera que; (*n'importe qui*)
cualquiera

quille [kij] *nf* bolo; (*d'un bateau*)
quilla

quincaillerie [kɛ̃kajʀi] *nf*
(*magasin*) ferretería

quinquagénaire [kɛ̃kaʒenɛʀ]
nm/f quincuagenario(-a)

quinte [kɛ̃t] *nf*: **~ (de toux)**
golpe *m* de tos

quintuple [kɛ̃typl] *nm*: **le ~ de**
el quíntuplo de; **quintuplés, -ées**
nm/fpl quintillizos(-as)

quinzaine [kɛ̃zɛn] *nf* quincena;
une ~ (de jours) una quincena
(de días)

quinze [kɛ̃z] *adj inv, nm inv*

quince *m inv*; **dans ~ jours**
dentro de quince días; *voir aussi*
cinq

quinzième [kɛ̃zjɛm] *adj, nm/f*
decimoquinto(-a); *voir aussi*
cinquantième

quiproquo [kipʀɔko] *nm*
malentendido

quittance [kitãs] *nf* (*reçu*) recibo

quitte [kit] *adj*: **être ~ envers
qn** estar en paz con algn; **je
resterai ~ à attendre
pendant 3 heures** me quedaré
aunque tenga que esperar 3 horas

quitter [kite] *vt* dejar; (*vêtement*)
quitarse; **se ~** *vpr* (*couples,
interlocuteurs*) separarse; **~ la
route** (*véhicule*) salir de la
carretera; **ne quittez pas** (*au
téléphone*) no se retire

qui-vive [kiviv] *nm inv*: **être sur
le ~~** estar alerta

MOT-CLÉ

---

quoi [kwa] *pron interrog* **1**
(*interrogation directe*) qué; **quoi
de plus beau que ...?** ¿hay
algo más hermoso que ...?; **quoi
de neuf?** ¿qué hay de nuevo?;
quoi encore? ¿y ahora, qué?; **et
puis quoi encore!** ¡y qué más!;
quoi? (*qu'est-ce que tu dis?*)
¿qué?
2 (*interrogation directe avec prép*)
qué; **à quoi penses-tu?** ¿en
qué piensas?; **de quoi parlez-
vous?** ¿de qué habláis?; **en quoi
puis-je vous aider?** ¿en qué
puedo ayudarle?; **à quoi bon?**
¿para qué?
3 (*interrogation indirecte*) qué;
dis-moi à quoi ça sert dime
para qué sirve; **je ne sais pas à
quoi il pense** no sé en qué
piensa

♦ *pron rel* **1** que; **ce à quoi tu
penses** lo que piensas; **de quoi
écrire** algo para escribir; **il n'a
pas de quoi se l'acheter** no
tiene con qué comprarlo; **il y a
de quoi être fier** es para estar
orgulloso; **merci - il n'y a pas
de quoi** gracias - no hay de qué
2 (*locutions*): **après quoi**
después de lo cual; **sans quoi,
faute de quoi** si no; **comme
quoi** (*déduction*) así que; **un
message comme quoi il est
arrivé** un mensaje en el que dice
que ha llegado
3: **quoi qu'il arrive** pase lo que
pase; **quoi qu'il en soit** sea lo
que sea; **quoi qu'elle fasse**
haga lo que haga; **si vous avez
besoin de quoi que ce soit** si
necesita cualquier cosa
♦ *excl* qué

quoique [kwak(ɑ)] *conj* aunque

quotidien, ne [kɔtidjɛ̃, jɛn] *adj*
cotidiano(-a) ♦ *nm* (*journal*) diario;
quotidiennement *adv*
diariamente

R, r

R [ɛʀ] *abr* (= *route*) ctra. (=
carretera); (= *rue*) C (= *calle*)

rabais [ʀabɛ] *nm* rebaja;

rabaisser [ʀabese] *vt* (*prétentions,
autorité*) bajar, reducir; (*personne,
mérites*) rebajar

rabattre [ʀabatʀ] *vt* (*couvercle,
siège*) bajar

rabbin [ʀabɛ̃] *nm* rabino

rabougri, e [ʀabugʀi] *adj*
mustio(-a)

raccommoder [ʀakɔmɔde] *vt*
(*vêtement, linge*) remendar; **se ~**

avec (*fam*) reconciliarse con

raccompagner [ʀakɔ̃paɲe] *vt*
acompañar

raccord [ʀakɔʀ] *nm* (*TECH*) racor
m, empalme *m*; **raccorder** *vt*
(*tuyaux, fils électriques*) empalmar

raccourci [ʀakuʀsi] *nm* atajo

raccourcir [ʀakuʀsiʀ] *vt* acortar

raccrocher [ʀakʀɔʃe] *vt* (*tableau,
vêtement*) volver a colgar;
(*récepteur*) colgar ♦ *vi* (*TÉL*) colgar;
se ~ à *vpr* (*branche*) agarrarse a;
(*fig*) aferrarse a

race [ʀas] *nf* raza

rachat [ʀaʃa] *nm* (*v vt*) compra;
redención *f*

racheter [ʀaʃ(ə)te] *vt* volver a
comprar; (*part, firme: aussi
d'occasion*) comprar; (*mauvaise
conduite, oubli, défaut*) compensar;
se ~ *vpr* (*REL*) redimirse

racial, e, -aux [ʀasjal, jo] *adj*
racial

racine [ʀasin] *nf* raíz *f*;
carrée/cubique raíz cuadrada/
cúbica

raciste [ʀasist] *adj, nm/f* racista
m/f

racket [ʀakɛt] *nm* chantaje *m*

raclée [ʀakle] (*fam*) *nf* paliza

racler [ʀakle] *vt* raspar

racontars [ʀakɔ̃taʀ] *nmpl*
habladurías *fpl*

raconter [ʀakɔ̃te] *vt*: **~ (à qn)**
contar (a algn)

radar [ʀadaʀ] *nm* radar *m*

rade [ʀad] *nf* rada

radeau, x [ʀado] *nm* balsa

radiateur [ʀadjatœʀ] *nm* radiador
m

radiation [ʀadjasjɔ̃] *nf* radiación *f*

radical, e, -aux [ʀadikal, o] *adj*
radical; (*moyen, remède*) infalible

radieux, -ieuse [ʀadjø, jøz] *adj*
radiante

radin, e [Radɛ̃, in] (fam) adj
tacaño(-a)

radio [Radjo] nf radio f (m en AM);
à la ~ en la radio; **radioactif,
-ive** adj radioactivo(-a);
radiocassette nf radiocasete
m; **radiographie** nf radiografía;
radiophonique adj;
**programme/jeu
radiophonique** programa m/
juego radiofónico; **radio-réveil**
(pl **radios-réveils**) nm radio-
despertador m

radis [Radi] nm rábano

radoter [Radɔte] vi chochear

radoucir [Radusir]: **se ~** vpr
suavizarse

rafale [Rafal] nf ráfaga

raffermir [Rafɛrmir] vt fortalecer;
(fig) afianzar

raffiner [Rafine] vt refinar;
raffinerie nf refinería

raffoler [Rafɔle]: **~ de** vt ind
volverse loco(-a) por

rafle [Rafl] nf redada,
allanamiento (esp AM); **rafler**
(fam) vt arrasar

rafraîchir [Rafreʃir] vt refrescar;
(atmosphère, température) enfriar;
(fig) renovar ♦ vi: **mettre une
boisson à ~** poner una bebida a
enfriar; **se ~** vpr refrescarse;
rafraîchissant, e adj
refrescante; **rafraîchissement**
nm (de la température)
enfriamiento;
rafraîchissements nmpl
refrescos mpl

rage [Raʒ] nf rabia; **faire ~**
(tempête) bramar; **~ de dents**
tremendo dolor m de muelas

ragot [Rago] (fam) nm chisme m

ragoût [Ragu] nm guiso

raide [Rɛd] adj (cheveux) liso(-a);
(ankylosé) entumecido(-a); (peu

souple: câble, personne) tenso(-a);
(escarpé) empinado(-a); (fam:
surprenant) inaudito(-a) ♦ adv:
tomber ~ mort quedarse en el
sitio; **raideur** nf rigidez f; **avec ~**
(marcher, danser) con
envaramiento; **raidir** vt contraer;
se raidir vpr (personne, muscles)
contraerse; (se crisper) ponerse
tieso(-a)

raie [Rɛ] nf raya

raifort [Rɛfɔr] nm rábano picante

rail [Raj] nm: **par ~** por ferrocarril

railler [Raje] vt burlarse de

rainure [Rɛnyr] nf ranura

raisin [Rɛzɛ̃] nm uva; **~s secs**
(uvas) pasas

raison [Rɛzɔ̃] nf razón f; **avoir ~**
tener razón; **donner ~ à qn** dar
la razón a algn; **se faire une ~**
conformarse; **perdre/recouvrer
la ~** perder/recobrar el juicio; **~
de plus** razón de más; **à plus
forte ~** con mayor motivo; **en ~
de** (à cause de) a causa de; **à ~
de** a razón de; **sans ~** sin razón;
~ sociale razón social;
raisonnable adj razonable;
raisonnement [Rɛzɔnmɑ̃] nm
raciocinio; (argumentation)
razonamiento

raisonner [Rɛzɔne] vi razonar ♦
vt (personne) hacer entrar en razón
a

rajeunir [Raʒœnir] vt rejuvenecer;
(fig) remozar ♦ vi rejuvenecer
rejuvenecer

rajouter [Raʒute] vt: **~ du sel/
un œuf** añadir sal/un huevo

rajuster [Raʒyste] vt (cravate,
coiffure) arreglar; (salaires, prix)
reajustar

ralenti [Ralɑ̃ti] nm: **au ~** a ralentí;
(CINÉ) a cámara lenta; **tourner au
~** (AUTO) rodar a ralentí

ralentir [Ralɑ̃tiʀ] vt (marche, allure) aminorar; (production, expansion) disminuir ♦ vi (véhicule, coureur) disminuir la velocidad

râler [Rɑle] vi (fam: protester) gruñir

rallier [Ralje] vt (rassembler) reunir; **se ~ à** vpr (avis, opinion) adherirse a

rallonge [Ralɔ̃ʒ] nf (de table) larguero; (ÉLEC) alargador m

rallonger [Ralɔ̃ʒe] vt alargar

rallye [Rali] nm rally m

ramassage [Ramasaʒ] nm: ~ **scolaire** transporte m escolar

ramasser [Ramase] vt recoger; **ramassis** (péj) nm revoltijo

rambarde [Rɑ̃baʀd] nf barandilla

rame [Ram] nf (aviron) remo; (de métro) tren m; (de papier) resma

rameau, x [Ramo] nm rama; **les R~x** Domingo de Ramos

ramener [Ram(ə)ne] vt volver a traer; (reconduire) devolver; ~ **qch sur** (couverture, visière) echar algo hacia; ~ **qch à** (MATH, réduire) reducir algo a

ramer [Rame] vi remar

ramollir [Ramɔliʀ] vt (amollir) ablandar; **se ~** vpr reblandecerse

rampe [Rɑ̃p] nf (d'escalier) barandilla; (dans un garage) rampa; (THÉÂTRE): **la ~** candilejas fpl

ramper [Rɑ̃pe] vi reptar

rancard [Rɑ̃kaʀ] (fam) nm (rendez-vous) cita

rancart [Rɑ̃kaʀ] (fam) nm: **mettre au ~** (objet, projet) arrinconar

rance [Rɑ̃s] adj rancio(-a)

rancœur [Rɑ̃kœʀ] nf rencor m

rançon [Rɑ̃sɔ̃] nf rescate m

rancune [Rɑ̃kyn] nf rencor m; **garder ~ à qn (de qch)**

guardar rencor a algn (por algo);
sans ~! ¡olvidémoslo!;

rancunier, -ière adj rencoroso(-a)

randonnée [Rɑ̃dɔne] nf excursión f

rang [Rɑ̃] nm (rangée) fila; (grade) grado; (position dans un classement) posición f; **~s** nmpl (MIL) filas fpl; **se mettre en ~s/ sur un ~** ponerse en filas/en una fila; **au premier/dernier ~** en el primer/último puesto

rangé, e [Rɑ̃ʒe] adj ordenado(-a)

rangée [Rɑ̃ʒe] nf fila

ranger [Rɑ̃ʒe] vt ordenar; **se ~** vpr (se placer/disposer) colocarse; (véhicule, conducteur) hacerse a un lado; (s'assagir) sosegarse; ~ **qch/qn parmi** (fig) situar algo/ algn entre

ranimer [Ranime] vt reanimar

rapace [Rapas] nm rapaz f

râpe [Rɑp] nf (CULIN) rallador m;

râper vt (CULIN) rallar

rapide [Rapid] adj rápido(-a);

rapidement adv rápidamente

rapiécer [Rapjese] vt remendar

rappel [Rapel] nm (MÉD) vacuna de refuerzo; (THÉÂTRE etc) llamada a escena; (de limitation de vitesse) señal recordatoria de limitación de velocidad; **rappeler** vt (retéléphoner à) volver a llamar; (ambassadeur) retirar; **rappeler qch à qn** recordar algo a algn; (évoquer, faire penser à) traer algo a la memoria de algn; **se rappeler** vpr acordarse de; **se rappeler que ...** acordarse de que ...

rapport [Rapɔʀ] nm (compte rendu) informe m; (lien, analogie) relación f; (proportion) razón f; **~s** nmpl (entre personnes, groupes, *pays*) relaciones *fpl*; **avoir ~ à** tener relación con; **être en ~ avec** estar relacionado(-a) con; **être/se mettre en ~ avec qn** estar/ponerse en contacto con algn; **par ~ à** en comparación con; **~ qualité-prix** relación calidad-precio; **~s (sexuels)** contactos *mpl* (sexuales)

rapporter [ʀapɔʀte] *vt* (*remettre à sa place, rendre*) devolver; (*apporter de nouveau*) volver a traer; (*revenir avec, ramener*) traer; (*relater*) referir ♦ *vi* (*investissement, propriété*) rentar; (*activité*) dar beneficio; (*péj: moucharder*) chivarse; **se ~** *vpr*: **se ~ à** relacionarse con

rapprochement [ʀapʀɔʃmɑ̃] *nm* (*réconciliation*) acercamiento; (*analogie, rapport*) cotejo

rapprocher [ʀapʀɔʃe] *vt* (*deux objets*) juntar, arrimar; (*associer, comparer*) cotejar; **se ~** *vpr* acercarse

raquette [ʀakɛt] *nf* raqueta; (*de ping-pong*) pala

rare [ʀɑʀ] *adj* raro(-a); (*main-d'œuvre, denrées*) escaso(-a); **se faire ~** escasear; **rarement** *adv* raramente

ras, e [ʀɑ, ʀɑz] *adj* (*tête, cheveux*) rapado(-a); (*poil*) corto(-a); (*herbe, mesure, cuillère*) raso(-a) ♦ *adv* (*couper*) al rape; **à ~ bords** colmado(-a); **au ~ de** a(l) ras de; **en avoir ~ le bol** (*fam*) estar hasta el moño

raser [ʀɑze] *vt* (*barbe, cheveux*) rasurar; (*menton, personne*) afeitar; (*fam: ennuyer*) dar la lata a; (*quartier*) derribar; (*frôler*) rozar; **se ~** *vpr* afeitarse; (*fam*) aburrirse; **rasoir** *nm* navaja de afeitar

rassasier [ʀasazje] *vt* saciar

rassemblement [ʀasɑ̃bləmɑ̃] *nm* reunión *f*; (*POL*) concentración *f*

rassembler [ʀasɑ̃ble] *vt* (*réunir*) reunir; (*regrouper*) agrupar; **se ~** *vpr* reunirse

rassurer [ʀasyʀe] *vt* tranquilizar; **se ~** *vpr* tranquilizarse; **rassure-toi** tranquilízate

rat [ʀa] *nm* rata

rate [ʀat] *nf* (ANAT) bazo

raté, e [ʀate] *adj* (*tentative, opération*) frustrado(-a); (*vacances, spectacle*) malogrado(-a)

râteau, x [ʀato] *nm* rastrillo

rater [ʀate] *vi* (*échouer*) fracasar ♦ *vt* (*cible, balle, train*) perder; (*démonstration, plat*) estropear; (*examen*) suspender

ration [ʀasjɔ̃] *nf* ración *f*

RATP [ɛʀatepe] *sigle f* (= *Régie autonome des transports parisiens*) administración de transportes parisinos

rattacher [ʀataʃe] *vt* atar de nuevo; **~ qch à** (*incorporer*) incorporar algo a; **~ qch à** (*relier*) relacionar algo con

rattraper [ʀatʀape] *vt* (*fugitif, animal échappé*) volver a coger; (*retenir, empêcher de tomber*) coger; (*atteindre, rejoindre*) alcanzar; (*imprudence, erreur*) reparar, subsanar; **se ~** *vpr* (*compenser une perte de temps*) ponerse al día; **se ~ (à)** (*se raccrocher*) agarrarse (a)

rature [ʀatyʀ] *nf* tachadura

rauque [ʀok] *adj* ronco(-a)

ravages [ʀavaʒ] *nmpl* estragos *mpl*

ravi, e [ʀavi] *adj* encantado(-a); **être ~ de/que ...** estar encantado(-a) de/de que ...

ravin [ʀavɛ̃] *nm* hondonada

ravir [ravir] vt (enchanter) encantar; **à ~ de** maravilla

raviser [ravize]: **se ~** vpr cambiar de opinión

ravissant, e [ravisã, ãt] adj encantador(a)

ravisseur, -euse [raviscœr, øz] nm/f secuestrador(a)

ravitailler [ravitaje] vt abastecer; **se ~** vpr abastecerse

raviver [ravive] vt avivar; (flamme, douleur) reavivar

rayé, e [reje] adj a ou de rayas

rayer [reje] vt rayar; (d'une liste) tachar

rayon [rejɔ̃] nm rayo; (GÉOM, d'une roue) radio; (de grand magasin) departamento, sección f; **~s** nmpl (radiothérapie) rayos mpl; **dans un ~ de ...** (périmètre) en un radio de ...; **~ de soleil** rayo de sol; **~s X** rayos X

rayonnement [rejɔnmã] nm (solaire) radiación f

rayonner [rejɔne] vi irradiar; (fig) ejercer su influencia

rayure [rejyr] nf (motif) raya; (éraflure) rayado

raz-de-marée [radmare] nm inv maremoto

ré [re] nm inv (MUS) re m

réaction [reaksjɔ̃] nf reacción f; **avion/moteur à ~** avión m/ motor m de reacción

réadapter [readapte] vt readaptar; **se ~ (à)** readaptarse (a)

réagir [reaʒir] vi reaccionar; **~ à** reaccionar ante

réalisateur, -trice [realizatœr, tris] nm/f realizador(a)

réalisation [realizasjɔ̃] nf realización f

réaliser [realize] vt realizar; (rêve, souhait) cumplir; (exploit) llevar a cabo; (comprendre, se rendre compte de) darse cuenta de; **se ~** vpr (projet, prévision) realizarse

réaliste [realist] adj, nm/f realista m/f

réalité [realite] nf realidad f; **en ~** en realidad

réanimation [reanimasjɔ̃] nf reanimación f

rébarbatif, -ive [rebarbatif, iv] adj (travail) fastidioso(-a)

rebattu, e [r(ə)baty] adj trillado(-a)

rebelle [rəbɛl] adj, nm/f rebelde m/f

rebeller [r(ə)bele]: **se ~** vpr rebelarse

rebondir [r(ə)bɔ̃dir] vi rebotar; (fig) reanudarse

rebord [r(ə)bɔr] nm (d'une table etc) reborde m

rebours [r(ə)bur]: **à ~** adv: **compte à ~** cuenta f atrás

rebrousser [r(ə)bruse] vt: **~ chemin** dar marcha atrás

rebuter [r(ə)byte] vt (suj: travail, matière) repeler

récalcitrant, e [rekalsitrã, ãt] adj indómito(-a)

récapituler [rekapityle] vt recapitular

receler [r(ə)sale] vt (produit d'un vol) ocultar; (fig) encerrar;

receleur, -euse [r(ə)salœr, øz] nm/f encubridor(a)

récemment [resamã] adv recientemente, recién (AM)

recensement [r(ə)sãsmã] nm censo

recenser [r(ə)sãse] vt (population) censar; (inventorier) hacer el recuento ou el inventario de

récent, e [resã, ãt] adj reciente

récépissé [resepise] nm recibo

récepteur, -trice [ʀesɛptœʀ, tʀis] adj receptor(a); ~ **(de radio)** receptor m

réception [ʀesɛpsjɔ̃] nf recepción f; **réceptionniste** nm/f recepcionista m/f

recette [ʀ(ə)sɛt] nf receta; (COMM) ingreso; ~**s** nfpl (COMM: rentrées d'argent) entradas fpl

recevoir [ʀ(ə)savwaʀ] vt recibir; (visiteurs, ambassadeur) acoger; (candidat, plainte) admitir; **être reçu** (à un examen) aprobar; **être bien/mal reçu** ser bien/mal recibido

rechange [ʀ(ə)ʃɑ̃ʒ]: **de** ~ adj (pièces, roue) de repuesto; **vêtements de** ~ vestidos mpl para cambiarse

recharge [ʀ(ə)ʃaʀʒ] nf recambio; **rechargeable** adj recargable; **recharger** vt (fusil, batterie) recargar; (appareil photo, briquet, stylo) cargar

réchaud [ʀeʃo] nm hornillo

réchauffement [ʀeʃofmɑ̃] nm: ~ **imatique** calentamiento global

réchauffer [ʀeʃofe] vt (plat) recalentar; (mains, doigts, personne) calentar; **se** ~ vpr calentarse

rêche [ʀɛʃ] adj áspero(-a)

recherche [ʀ(ə)ʃɛʀʃ] nf búsqueda; (raffinement) afectación f; (scientifique etc) investigación f; **être/se mettre à la** ~ **de** estar investigando/ponerse a la búsqueda de

recherché, e [ʀ(ə)ʃɛʀʃe] adj rebuscado(-a)

rechercher [ʀ(ə)ʃɛʀʃe] vt buscar; (objet égaré, lettre) rebuscar; (cause d'un phénomène, nouveau procédé) investigar; (la perfection, le bonheur etc) perseguir

rechute [ʀ(ə)ʃyt] nf recaída

récidiver [ʀesidive] vi reincidir

récif [ʀesif] nm arrecife m

récipient [ʀesipjɑ̃] nm recipiente m

réciproque [ʀesipʀɔk] adj (mutuel) recíproco(-a) ♦ nf: **la** ~ (l'inverse) la inversa

récit [ʀesi] nm relato m; **récital** nm recital m; **réciter** vt recitar

réclamation [ʀeklamasjɔ̃] nf reclamación f; **service des** ~**s** servicio de reclamaciones

réclame [ʀeklam] nf: **la** ~ la publicidad; **article en** ~ artículo de oferta; **réclamer** vt (aide, nourriture) pedir; (exiger) reclamar; (nécessiter) requerir

réclusion [ʀeklyzjɔ̃] nf reclusión f

recoin [ʀəkwɛ̃] nm rincón m

reçois etc [ʀəswa] vb voir **recevoir**

récolte [ʀekɔlt] nf cosecha; **récolter** vt cosechar; (fam: ennuis, coups) ganarse, cobrar

recommandé, e [ʀ(ə)kɔmɑ̃de] adj recomendado(-a) ♦ nf (POSTES): **en** ~ certificado(-a)

recommander [ʀ(ə)kɔmɑ̃de] vt recomendar

recommencer [ʀ(ə)kɔmɑ̃se] vt (reprendre) seguir con; (refaire) repetir; (erreur) reincidir ♦ vi volver a empezar

récompense [ʀekɔ̃pɑ̃s] nf recompensa; **récompenser** vt recompensar; **récompenser qn de** ou **pour qch** recompensar a algn por algo

réconcilier [ʀekɔ̃silje] vt reconciliar; **se** ~ vpr reconciliarse

reconduire [ʀ(ə)kɔ̃dɥiʀ] vt acompañar hasta la salida

réconfort [ʀekɔ̃fɔʀ] nm consuelo; **réconforter** vt reconfortar

reconnaissance [ʀ(ə)kɔnɛsɑ̃s] *nf* reconocimiento; *(gratitude)* agradecimiento;
reconnaissant, e *vb voir*
reconnaître ♦ *adj* agradecido(-a)

reconnaître [ʀ(ə)kɔnɛtʀ] *vt* reconocer; **~ que** reconocer que; **~ qch/qn à** reconocer algo/a algn por

reconstituer [ʀ(ə)kɔ̃stitɥe] *vt* reconstituir; *(fortune, patrimoine)* rehacer

reconstruire [ʀ(ə)kɔ̃stʀɥiʀ] *vt* reconstruir

reconvertir [ʀ(ə)kɔ̃vɛʀtiʀ] *vt* reconvertir; **se ~ dans** reconvertirse en

record [ʀ(ə)kɔʀ] *adj, nm* récord ♦

recoupement [ʀ(ə)kupmɑ̃] *nm*: **par ~** atando cabos

recouper [ʀ(ə)kupe]: **se ~** *vpr (témoignages)* coincidir

recourber [ʀ(ə)kuʀbe] *vt (branche, tige de métal)* doblar

recourir [ʀ(ə)kuʀiʀ]: **~ à** *vt ind* recurrir a

recours [ʀ(ə)kuʀ] *nm*: **le ~ à la ruse/violence** el recurso de la astucia/violencia; **avoir ~ à** recurrir a; **en dernier ~** como último recurso

recouvrer [ʀ(ə)kuvʀe] *vt (la vue, santé, raison)* recobrar

recouvrir [ʀ(ə)kuvʀiʀ] *vt* recubrir; *(embrasser)* abarcar; **se ~** *vpr (idées, concepts)* superponerse

récréation [ʀekʀeasjɔ̃] *nf* recreo

recroqueviller [ʀ(ə)kʀɔk(ə)vije]: **se ~** *vpr (plantes)* marchitarse; *(personne)* acurrucarse

recrudescence [ʀ(ə)kʀydesɑ̃s] *nf* recrudecimiento

recruter [ʀ(ə)kʀyte] *vt* contratar

rectangle [ʀɛktɑ̃gl] *nm* rectángulo; **rectangulaire** *adj*

rectangular

rectificatif, -ive [ʀɛktifikatif, iv] *adj* rectificativo(-a) ♦ *nm* rectificativo

rectifier [ʀɛktifje] *vt (tracé)* enderezar; *(calcul)* rectificar; *(erreur)* corregir

rectiligne [ʀɛktiliɲ] *adj* rectilíneo(-a)

recto [ʀɛkto] *nm* anverso

reçu, e [ʀ(ə)sy] *pp de* **recevoir** ♦ *nm (récépissé)* recibo

recueil [ʀəkœj] *nm* selección *f*;
recueillir *vt* recoger; *(renseignements, dépositions)* reunir; *(réfugiés)* acoger; **se recueillir** *vpr* recogerse

recul [ʀ(ə)kyl] *nm* retroceso;
avoir un mouvement de ~ hacer un movimiento de retroceso; **prendre du ~** retroceder; **reculé, e** *adj* apartado(-a); **reculer** *vi* retroceder; *(véhicule, conducteur)* dar marcha atrás; *(se dérober, hésiter)* echarse atrás ♦ *vt (meuble, véhicule)* retirar; *(fig: possibilités, limites)* ampliar; **reculer devant** *(danger, difficulté)* echarse atrás ante; **reculons: à reculons** *adv* hacia atrás

récupérer [ʀekypeʀe] *vt* recuperar

récurer [ʀekyʀe] *vt* fregar

reçut [ʀəsy] *vb voir* **recevoir**

recycler [ʀ(ə)sikle] *vt* reciclar; **se ~** *vpr* reciclarse

rédacteur, -trice [ʀedaktœʀ, tʀis] *nm/f* redactor(a); **~ en chef** redactor(a) jefe

rédaction [ʀedaksjɔ̃] *nf* redacción *f*

redescendre [ʀ(ə)desɑ̃dʀ] *vi* volver a bajar ♦ *vt* bajar

rédiger [ʀediʒe] *vt* redactar

redire [ʀ(ə)diʀ] vt repetir; **avoir/ trouver qch à ~** tener/encontrar algo que criticar

redoubler [ʀ(ə)duble] vi (tempête, violence) arreciar; (SCOL) repetir; **~ de** (amabilité, efforts) redoblar

redoutable [ʀ(ə)dutabl] adj temible

redouter [ʀ(ə)dute] vt temer

redressement [ʀ(ə)dʀɛsmɑ̃] nm (de l'économie etc) restablecimiento

redresser [ʀ(ə)dʀɛse] vt enderezar; (situation, économie) restablecer; **se ~** vpr (objet penché) enderezarse; (personne) erguirse

réduction [ʀedyksjɔ̃] nf reducción f; (rabais, remise) rebaja

réduire [ʀedɥiʀ] vt reducir; **se ~ à** vpr reducirse a; **réduit, e** pp de **réduire** ♦ adj reducido(-a) ♦ nm cuchitril m

rééducation [ʀeedykasjɔ̃] nf rehabilitación f

réel, le [ʀeɛl] adj real; (intensif: avant le nom) verdadero(-a); **réellement** adv realmente

réexpédier [ʀeɛkspedje] vt (à l'envoyeur) devolver; (au destinataire) remitir

refaire [ʀ(ə)fɛʀ] vt hacer de nuevo; (recommencer, faire tout autrement) rehacer

réfectoire [ʀefɛktwaʀ] nm refectorio, comedor m

référence [ʀefeʀɑ̃s] nf referencia

référer [ʀefeʀe] vb: **se ~ à** remitirse a; **en ~ à qn** remitir a algn

refermer [ʀ(ə)fɛʀme] vt volver a cerrar; **se ~** vpr cerrarse

refiler [ʀ(ə)file] (fam) vt: **~ qch à qn** encajar algo a algn

réfléchi, e [ʀefleʃi] adj reflexivo(-a); (action, décision) pensado(-a)

réfléchir [ʀefleʃiʀ] vt reflejar ♦ vi reflexionar; **~ à** ou **sur** reflexionar acerca de

reflet [ʀ(ə)flɛ] nm reflejo; **refléter** vt reflejar; **se refléter** vpr reflejarse

réflexe [ʀeflɛks] nm reflejo

réflexion [ʀeflɛksjɔ̃] nf reflexión f; (remarque désobligeante) reproche m; **après ~, ~ faite, à la ~** pensándolo bien

réforme [ʀefɔʀm] nf reforma; **réformer** vt reformar

refouler [ʀ(ə)fule] vt (envahisseurs) rechazar; (liquide) impeler; (fig: larmes) contener; (PSYCH, colère) reprimir

refrain [ʀ(ə)fʀɛ̃] nm estribillo; (air) canción f; (leitmotiv) cantinela

réfréner [ʀefʀene] vt refrenar

réfrigérateur [ʀefʀiʒeʀatœʀ] nm frigorífico, nevera, heladera (AM)

refroidir [ʀ(ə)fʀwadiʀ] vt enfriar ♦ vi (plat, moteur) enfriar; **se ~** vpr (personne) enfriarse, coger frío; (temps) refrescar; **refroidissement** nm enfriamiento

refuge [ʀ(ə)fyʒ] nm refugio; **réfugié, e** adj, nm/f refugiado(-a); **réfugier: se réfugier** vpr refugiarse

refus [ʀ(ə)fy] nm rechazo; **ce n'est pas de ~** (fam) se agradece; **refuser** vt (ne pas accorder) denegar; (ne pas accepter) rechazar; (candidat) suspender; **se refuser à qch/ faire qch** negarse a algo/hacer algo

regagner [ʀ(ə)gaɲe] vt regresar a

régal [ʀegal] nm (mets, fig) placer

m; **régaler**: **se régaler** vpr
(faire un bon repas) regalarse; (fig)
disfrutar

regard [R(ə)gaʀ] nm mirada; **au
~ de** (loi, morale) a la luz de

regardant, e [R(ə)gaʀdɑ̃, ɑ̃t] adj:
très/peu ~ sur (qualité,
propreté) muy/poco mirado(-a)
con

regarder [R(ə)gaʀde] vt mirar;
(concerner) concernir ♦ vi ver,
mirar; **~ (vers)** mirar (hacia)

régie [Reʒi] nf (COMM, INDUSTRIE)
corporación f pública; (CINÉ,
THÉÂTRE) departamento de
producción; (RADIO, TV) sala de
control

régime [Reʒim] nm régimen m;
(fig: allure) paso; (de bananes,
dattes) racimo; **se mettre au/
suivre un ~** ponerse a/estar a
régimen

régiment [Reʒimɑ̃] nm
regimiento

région [Reʒjɔ̃] nf región f

régional, e, -aux [Reʒjɔnal, o]
adj regional

régir [Reʒiʀ] vt regir

régisseur [Reʒisœʀ] nm
administrador(a); (THÉÂTRE, CINÉ)
regidor(a)

registre [Reʒistʀ] nm registro; **~
de l'état civil** registro civil

réglage [Reglaʒ] nm ajuste m,
regulación f

réglé, e [Regle] adj (affaire)
zanjado(-a); (vie, personne)
ordenado(-a)

règle [Regl] nf regla; **~s** nfpl
(PHYSIOL) reglas fpl; **en ~** (papiers
d'identité) en regla; **en ~
générale** por regla general

règlement [Reglamɑ̃] nm (règles)
reglamento; (paiement) pago;
(d'un conflit, d'une affaire) arreglo,

solución f; **réglementaire** adj
reglamentario(-a);

réglementation [Reglamɑ̃tasjɔ̃] nf
reglamentación f; **réglementer**
vt reglamentar

régler [Regle] vt (mécanisme,
machine) ajustar; (moteur,
thermostat) regular; (question,
problème) arreglar; (facture) pagar

réglisse [Reglis] nf ou m regaliz
m

règne [Rɛɲ] nm reinado; (fig)
reino; **régner** vi reinar

regorger [R(ə)gɔʀʒe] vi: **~ de**
rebosar de

regret [R(ə)gʀɛ] nm (nostalgie)
nostalgia; **à ~** ou **avec ~** con
pesar; **être au ~ de devoir/ne
pas pouvoir faire ...** lamentar
mucho tener que/no poder hacer
...; **regrettable** adj lamentable;
regretter vt lamentar; **je
regrette** lo siento

regrouper [R(ə)gʀupe] vt
reagrupar; **se ~** vpr reagruparse

régulier, -ière [Regylje, jɛʀ] adj
regular; **régulièrement** adv con
regularidad

rehausser [Rəose] vt (mur,
plafond) levantar; (fig) realzar

rein [Rɛ̃] nm riñón m; **~s** nmpl
(ANAT: dos, muscles du dos) riñones
mpl

reine [Rɛn] nf reina; **~ mère**
reina madre

reine-claude [Rɛnklod] (pl **~s-
~s**) nf ciruela claudia

réinsertion [Reɛ̃sɛʀsjɔ̃] nf
reinserción f

réintégrer [Reɛ̃tegʀe] vt
reintegrar

rejaillir [R(ə)ʒajiʀ] vi: **sur**
repercutir sobre

rejet [R(ə)ʒɛ] nm rechazo; **rejeter**
vt rechazar; **rejeter la**

responsabilité de qch sur qn
echar la responsabilidad de algo
sobre algn
rejoindre [R(ə)ʒwɛ̃dR] vt
(personnes) reunirse con; (lieu)
retornar a; (concurrent) alcanzar;
(suj: route etc) llegar a; **se ~** vpr:
je te rejoins au café te veo en
el café
réjouir [ReʒwiR] vt alegrar; **se ~**
vpr regocijarse, alegrarse;
réjouissances nfpl festejos mpl
relâche [Rəlɑʃ] nf: **faire ~** (CINÉ)
no haber función; **sans ~** sin
descanso; **relâché, e** adj
relajado(-a); **relâcher** vt (ressort,
étreinte, cordes) aflojar; (animal,
prisonnier) soltar; **se relâcher** vpr
(cordes) aflojarse; (discipline)
relajarse
relais [R(ə)lɛ] nm: **(course de)
~** (carrera de) relevos mpl; (RADIO,
TV) repetidor m; **prendre le ~
(de qn)** tomar el relevo (de algn);
~ routier restaurante m de
carretera
relancer [R(ə)lɑ̃se] vt (économie,
agriculture) reactivar
relatif, -ive [R(ə)latif, iv] adj
relativo(-a); **~ à** relativo(-a) a
relation [R(ə)lasjɔ̃] nf relación f;
être/entrer en ~(s) avec
estar/entrar en relación(relaciones)
con
relaxer [Rəlakse] vt (détendre)
relajar; (JUR) poner en libertad; **se
~** vpr relajarse
relayer [R(ə)leje] vt relevar; **se ~**
vpr relevarse
reléguer [R(ə)lege] vt relegar
relevé, e [R(ə)l(ə)ve] adj (manches)
arremangado(-a); (conversation,
style) elevado(-a); (sauce, plat)
sazonado(-a) ♦ nm (facture)
extracto; (d'un compteur) lectura;

~ de compte saldo
relève [Rəlɛv] nf relevo; **prendre
la ~** tomar el relevo
relever [Rəl(ə)ve] vt levantar;
(niveau de vie, salaire) aumentar;
(col) subir; (fautes, points) señalar;
(traces, anomalies) constatar; (défi)
hacer frente a; (compteur) leer;
(copies) recoger; **se ~** vpr
levantarse; **~ de** ser de la
competencia de; **~ la tête**
levantar la cabeza
relief [Rəljef] nm relieve m;
mettre en ~ poner de relieve
relier [Rəlje] vt (routes, bâtiments)
unir; (livre) encuadernar; **~ qch à**
unir algo con
religieux, -euse [R(ə)liʒjø, jøz]
adj religioso(-a) ♦ nm religioso ♦
nf religiosa
religion [R(ə)liʒjɔ̃] nf religión f
relire [R(ə)liR] vt releer
reluire [R(ə)lɥiR] vi relucir
remanier [R(ə)manje] vt (roman,
pièce) modificar; (ministère)
reorganizar
remarquable [R(ə)maRkabl] adj
notable
remarque [R(ə)maRk] nf
comentario
remarquer [R(ə)maRke] vt notar;
se ~ vpr notarse; **se faire ~** (péj)
hacerse notar; **faire ~ (à qn)
que** hacer notar (a algn) que;
faire ~ qch (à qn) hacer notar
algo (a algn); **remarquez que
...** observe que ...
rembourrer [Rɑ̃buRe] vt rellenar
remboursement [Rɑ̃buRsəmɑ̃]
nm reembolso; **rembourser** vt
reembolsar
remède [R(ə)mɛd] nm remedio
remémorer [R(ə)memɔRe]: **se ~**
vpr acordarse de
remerciements [R(ə)mɛRsimɑ̃]

nmpl gracias *fpl*; **(avec) tous mes ~** (con) todo mi agradecimiento

remercier [R(ə)mεRsje] *vt* (*congédier: employé*) despedir; **~ qn de qch** agradecerle algo a algn; **je vous remercie d'être venu** le agradezco que haya venido

remettre [R(ə)mεtR] *vt* (*vêtement*) volver a ponerse; **~ qch à qn** entregar algo a algn; (*ajourner, reporter*): **~ qch (à)** aplazar algo (hasta *ou* para); **se ~** *vpr* (*malade*) reponerse; **~ du sel/un sucre** añadir sal/un azucarillo; **se ~ de** (*maladie, chagrin*) recuperarse de

remise [R(ə)miz] *nf* entrega; (*rabais, réduction*) descuento; (*lieu, local*) trastero, galpón *m* (*CSUR*); **~ en cause** replanteamiento; **~ en jeu** (FOOTBALL) saque *m*

remontant [R(ə)mɔ̃tɑ̃] *nm* estimulante

remonte-pente [R(ə)mɔ̃tpɑ̃t] (*pl* ~~**s**) *nm* remonte *m*

remonter [R(ə)mɔ̃te] *vi* volver a subir; (*jupe*) subir ♦ *vt* volver a subir; (*fleuve*) remontar; (*hausser*) subir; (*montre*) dar cuerda; **~ à** (*dater de*) remontarse a; **~ le moral à qn** levantar la moral a algn

remontrer [R(ə)mɔ̃tRe] *vt*: **en ~ à qn** dar lecciones a algn

remords [R(ə)mɔR] *nm* remordimiento; **avoir des ~** tener remordimiento

remorque [R(ə)mɔRk] *nf* remolque *m*; **prendre en ~** llevar en remolque; **remorquer** *vt* remolcar; **remorqueur** *nm* remolcador *m*

remous [Rəmu] *nm* remolino ♦ *nmpl* (*fig*) alboroto *msg*

remparts [RɑpaR] *nmpl* murallas *fpl*

remplaçant, e [Rɑ̃plasɑ̃, ɑ̃t] *nm/f* sustituto(-a)

remplacement [Rɑ̃plasmɑ̃] *nm* sustitución *f*; **faire des ~s** hacer sustituciones

remplacer [Rɑ̃plase] *vt* (*pneu, ampoule*) cambiar; (*tenir lieu de*) sustituir (a); **~ qch par qch d'autre/qn par qn d'autre** cambiar una cosa por otra/a algn por otro(-a)

rempli, e [Rɑ̃pli] *adj* (*journée*) cargado(-a); **~ de** lleno(-a) de

remplir [Rɑ̃pliR] *vt* llenar; (*questionnaire*) rellenar; (*obligations, conditions, rôle*) cumplir (con); **se ~** *vpr* llenarse

remporter [Rɑ̃pɔRte] *vt* (*victoire, succès*) lograr

remuant, e [Rəmɥɑ̃, ɑ̃t] *adj* (*enfant etc*) revoltoso(-a)

remue-ménage [Rəmymenaʒ] *nm inv* zafarrancho

remuer [Rəmɥe] *vt* (*partie du corps*) mover; (*café, salade, sauce*) remover ♦ *vi* moverse; **se ~** *vpr* moverse

rémunérer [Remynere] *vt* remunerar

renard [R(ə)naR] *nm* zorro

renchérir [Rɑ̃feRiR] *vi* encarecerse; **~ (sur)** ir más allá (de)

rencontre [RɑkɔtR] *nf* encuentro; **aller à la ~ de qn** ir al encuentro de algn; (SPORT: *équipe*) enfrentarse con; **se rencontrer** *vpr* encontrarse

rendement [Rɑ̃dmɑ̃] *nm* rendimiento; **à plein ~** a pleno rendimiento

rendez-vous [Rɑ̃devu] *nm inv*

cita; **donner ~~~ à qn** dar una
cita a algn; **avoir ~~~ (avec qn)**
tener una cita (con algn);
prendre ~~~ (avec qn) pedir
cita (con algn)

rendre [ʀɑ̃dʀ] vt devolver; (sons)
producir; (pensée, tournure)
traducir, expresar; ~ **qn
célèbre/qch possible** hacer a
algn célebre/algo posible; **se ~
vpr** rendirse; **se ~ quelque part**
irse a algún sitio; **se ~ compte
de qch** darse cuenta de algo; ~
la monnaie dar las vueltas

rênes [ʀɛn] nfpl riendas

renfermé, e [ʀɑ̃fɛʀme] adj (fig)
reservado(-a) ♦ nm: **sentir le ~**
oler a cerrado

renfermer [ʀɑ̃fɛʀme] vt contener

renforcer [ʀɑ̃fɔʀse] vt reforzar;
renforts nmpl (MIL, gén) refuerzo
msg; **à grand renfort de** con
gran acompañamiento de

renfrogné, e [ʀɑ̃fʀɔɲe] adj
sombrío(-a)

renier [ʀənje] vt renegar de

renifler [ʀ(ə)nifle] vi resoplar ♦ vt
aspirar

renne [ʀɛn] nm reno

renom [ʀənɔ̃] nm renombre m;
renommé, e adj
renombrado(-a), famoso(-a);
renommée nf fama

renoncer [ʀ(ə)nɔ̃se]: ~ **à** vt ind
renunciar a

renouer [ʀənwe]: ~ **avec** vt ind
volver a; ~ **avec qn** reconciliarse
con algn

renouvelable [ʀ(ə)nuv(ə)labl]
adj (contrat, bail) renovable

renouveler [ʀ(ə)nuv(ə)le] vt
renovar; (eau d'une piscine,
pansement) cambiar; (demande)
reiterar; (exploit, méfait) repetir; **se
~ vpr** repetirse

renouvellement nm renovación
f; (pansement) cambio; (exploit,
incident) repetición f

rénover [ʀenɔve] vt renovar;
(quartier) remozar

renseignement [ʀɑ̃sɛɲmɑ̃] nm
información f; **(guichet des)**
(ventanilla f de) información; **les
~s généraux** dirección f general
de seguridad

renseigner [ʀɑ̃sɛɲe] vt: ~ **qn
(sur)** informar a algn (sobre); **se
~ vpr** informarse

rentabilité [ʀɑ̃tabilite] nf
rentabilidad f

rentable [ʀɑ̃tabl] adj rentable

rente [ʀɑ̃t] nf renta

rentrée [ʀɑ̃tʀe] nf: ~ **(d'argent)**
ingreso; **la ~ (des classes)** el
comienzo (del curso)

---

rentrée (des classes)

La **rentrée (des classes)** en
septiembre marca un hito
importante en el calendario anual
francés. Supone la vuelta al
colegio para profesores y alumnos
y se reanuda la vida política y
social tras el largo descanso
estival.

---

rentrer [ʀɑ̃tʀe] vi entrar; (entrer
de nouveau) volver a entrar;
(revenir chez soi) volver a casa;
(revenu, argent) ingresar ♦ vt
meter; (foins) recoger; (griffes)
guardar; (fig: larmes, colère etc)
tragarse; ~ **dans l'ordre** volver
al orden; ~ **dans ses frais**
cubrir sus gastos

renverse [ʀɑ̃vɛʀs]: **à la ~** adv
(tomber) de espaldas

renverser [ʀɑ̃vɛʀse] vt (liquide)
derramar; (chaise, verre) dejar caer;

(*piéton*) atropellar; (*gouvernement etc*) derrocar; **se ~** *vpr* (*pile d'objets, récipient*) caerse

renvoi [Rᾶvwa] *nm* reenvío, devolución *f*; (*d'un élève*) expulsión *f*; (*d'un employé*) despido; (*référence*) llamada, nota; (*éructation*) eructo; **renvoyer** *vt* devolver; (*élève*) expulsar; (*employé*) despedir

repaire [R(ə)pɛR] *nm* guarida
répandre [Repᾶdʀ] *vt* derramar; (*gravillons, sable etc*) echar; (*lumière, chaleur, odeur*) despedir; (*nouvelle, usage*) propagar; **se ~** *vpr* (*liquide*) derramarse; (*épidémie, mode*) difundirse; **répandu, e** *pp de* répandre ♦ *adj* (*courant*) extendido(-a)
réparation [Reparasjɔ̃] *nf* arreglo
réparer [Repare] *vt* arreglar
repartie [Reparti] *nf* réplica, **avoir de la ~** tener una respuesta fácil
repartir [Repartir] *vi* (*retourner*) regresar; **~ à zéro** recomenzar de cero
répartir [Repartir] *vt* repartir; **se ~** *vpr* (*travail, rôles*) repartirse; **répartition** *nf* reparto
repas [R(ə)pɑ] *nm* comida
repassage [R(ə)pasaʒ] *nm* planchado
repasser [R(ə)pase] *vi* (*passer de nouveau*) volver a pasar ♦ *vt* planchar
repentir [Rəpᾶtir] *nm* arrepentimiento; **se ~** *vpr* arrepentirse
répercussions [Reperkysjɔ̃] *nfpl* (*fig*) repercusiones *fpl*
répercuter [Reperkyte]: **se ~** *vpr* repercutir; **se ~ sur** (*fig*) repercutir en
repère [R(ə)pɛR] *nm* referencia;

(*monument etc*) lugar *m* de referencia
repérer [R(ə)pere] *vt* (*erreur, connaissance*) ver; (*abri, ennemi*) localizar; **se ~** *vpr* orientarse
répertoire [Repertwar] *nm* repertorio
répéter [Repete] *vt* repetir; (*THÉÂTRE*) ensayar ♦ *vi* (*THÉÂTRE etc*) ensayar; **se ~** *vpr* repetirse
répétition [Repetisjɔ̃] *nf* repetición *f*; (*THÉÂTRE*) ensayo; **~ générale** (*THÉÂTRE*) ensayo general
répit [Repi] *nm* descanso
replier [Rəplije] *vt* doblar; **se ~** *vpr* replegarse
réplique [Replik] *nf* réplica; **répliquer** *vi* contestar; (*avec impertinence*) replicar
répondeur [Repɔ̃dœr] *nm*: **~ automatique** (*TÉL*) contestador *m* automático
répondre [Repɔ̃dʀ] *vi* contestar, responder; (*freins, mécanisme*) responder; (*salut, provocation, description*) responder a
réponse [Repɔ̃s] *nf* respuesta; **en ~ à** en respuesta a
reportage [R(ə)pɔrtaʒ] *nm* reportaje *m*
reporter¹ [R(ə)pɔrter] *nm* reportero
reporter² [Rəpɔrte] *vt* (*total, notes*) remitir; **~ qch sur** pasar algo a; (*ajourner, renvoyer*): **~ qch (à)** aplazar algo (hasta); **se ~ à** remitirse a
repos [R(ə)po] *nm* descanso; (*après maladie*) reposo; (*MIL*): **~!** ¡descansen!; **au ~** en reposo; **de tout ~** seguro(-a)
reposant, e [R(ə)pozᾶ, ᾶt] *adj* descansado(-a)
reposer [R(ə)poze] *vt* (*verre, livre*)

volver a poner; (*question, problème*) replantear ♦ vi (*liquide, pâte*) reposar; **~ sur** (suj: *bâtiment*) descansar sobre; (*fig: affirmation*) basarse en; **se ~** vpr descansar; **se ~ sur qn** apoyarse en algn

repoussant, e [ʀ(ə)pusɑ̃, ɑ̃t] adj repulsivo(-a)

repousser [ʀ(ə)puse] vi volver a crecer ♦ vt rechazar; (*rendez-vous, entrevue*) aplazar

reprendre [ʀ(ə)pʀɑ̃dʀ] vt (*prisonnier*) volver a coger; (*MIL: ville*) volver a tomar; (*objet prêté, donné*) recuperar; (*se resservir de*) volver a tomar; (*travail, études*) reanudar; (*explication, histoire*) volver a; (*emprunter: argument, idée*) tomar; (*article etc*) rehacer; (*jupe, pantalon*) arreglar; (*personne*) corregir ♦ vi (*cours, classes*) reanudarse; (*affaires, industrie*) reactivarse; **~ courage/des forces** recobrar valor/fuerzas; **~ ses habitudes/sa liberté** recuperar sus costumbres/su libertad; **~ la route** volver a ponerse en marcha; **~ haleine** ou **son souffle** recobrar el aliento

représentant, e [ʀ(ə)pʀezɑ̃tɑ̃, ɑ̃t] nm/f representante m/f

représentation [ʀ(ə)pʀezɑ̃tasjɔ̃] nf representación f

représenter [ʀ(ə)pʀezɑ̃te] vt representar; **se ~** vpr figurarse

répression [ʀepʀesjɔ̃] nf represión f

réprimer [ʀepʀime] vt reprimir

repris, e [ʀ(ə)pʀi, iz] pp de **reprendre**

reprise [ʀ(ə)pʀiz] nf (*recommencement*) reanudación f; (*THÉÂTRE, TV, CINÉ*) reposición f;

(*AUTO*) reprise m; (*COMM*) compra; (*de location*) traspaso; **à plusieurs ~s** repetidas veces

repriser [ʀ(ə)pʀize] vt zurcir

reproche [ʀ(ə)pʀɔʃ] nm reproche m; **faire des ~s à qn** hacer reproches a algn; **sans ~(s)** sin reproche; **reprocher** vt: **reprocher qch à (qn)** reprochar algo a (algn)

reproduction [ʀ(ə)pʀɔdyksjɔ̃] nf (*aussi BIOL*) reproducción f; **"~ interdite"** "prohibida su reproducción"

reproduire [ʀ(ə)pʀɔdɥiʀ] vt reproducir; **se ~** vpr (BIOL, fig) reproducirse

reptile [ʀeptil] nm reptil m

république [ʀepyblik] nf república f

répugnant, e [ʀepyɲɑ̃, ɑ̃t] adj repugnante

répugner [ʀepyɲe] vt repugnar

réputation [ʀepytasjɔ̃] nf reputación f; **réputé, e** adj famoso(-a)

requérir [ʀəkeʀiʀ] vt requerir

requête [ʀəkɛt] nf (*prière*) petición f; (JUR) demanda, requerimiento

requin [ʀəkɛ̃] nm tiburón m

requis, e [ʀəki, iz] pp de **requérir**

RER [ɛʀøɛʀ] sigle m (= *Réseau express régional*) red de trenes rápidos de París y de la periferia; (*train*) uno de esos trenes

rescapé, e [ʀɛskape] nm/f superviviente m/f

rescousse [ʀɛskus] nf: **aller/ venir à la ~ de** ir/venir en socorro de

réseau, x [ʀezo] nm red f

réservation [ʀezɛʀvasjɔ̃] nf reserva

réserve [Rezerv] *nf* reserva; *(d'un magasin)* depósito; *(de pêche, chasse)* coto; **sous ~ de** a reserva de; **sans ~** sin reservas

réservé, e [Rezerve] *adj* reservado(-a); *(chasse, pêche)* vedado(-a)

réserver [Rezerve] *vt* reservar; *(réponse, assentiment etc)* reservarse; **~ qch pour/à** reservar algo para/a; **~ qch à qn** reservar algo a algn; **se ~ qch** reservarse algo; **se ~ le droit de faire qch** reservarse el derecho de hacer algo

réservoir [Rezervwar] *nm* depósito

résidence [Rezidɑ̃s] *nf* (ADMIN) sede *f*; *(groupe d'immeubles)* conjunto residencial; **(en) ~ surveillée** (JUR) (en) arresto domiciliario; **~ universitaire** residencia universitaria;

résidentiel, le *adj* residencial;

résider *vi*: **résider à/dans/en** residir en; **résider dans/en** (fig) radicar en

résidu [Rezidy] *nm* residuo

résigner [Rezɪɲe]: **se ~** *vpr* resignarse; **se ~ à qch/faire qch** resignarse a algo/hacer algo

résilier [Rezilje] *vt* rescindir

résistance [Rezistɑ̃s] *nf* resistencia; **la R~** (POL) la Resistencia

résistant, e [Rezistɑ̃, ɑ̃t] *adj* resistente

résister [Reziste] *vi* resistir; **~ à** resistir a

résolu, e [Rezɔly] *pp de* **résoudre**; **être ~ à qch/faire qch** estar decidido(-a) a algo/hacer algo

résolution [Rezɔlysjɔ̃] *nf* resolución *f*

résolve *etc* [Rezɔlv] *vb voir* **résoudre**

résonner [Rezɔne] *vi* resonar

résorber [Rezɔrbe]: **se ~** *vpr* (MÉD) reabsorberse; *(déficit, chômage)* reducirse

résoudre [Rezudr] *vt* resolver; **se ~ à qch/faire qch** decidirse por algo/a *ou* por hacer algo

respect [Respɛ] *nm* respeto; **respecter** *vt* respetar; **faire respecter** hacer respetar; **respectueux, -euse** *adj* respetuoso(-a)

respiration [Respirasjɔ̃] *nf* respiración *f*; **~ artificielle** respiración artificial

respirer [Respire] *vi, vt* respirar

resplendir [Resplɑ̃dir] *vi* resplandecer; **~ (de)** resplandecer (de)

responsabilité [Respɔ̃sabilite] *nf* responsabilidad *f*

responsable [Respɔ̃sabl] *adj, nm/f* responsable *m/f*

ressaisir [R(ə)sezir]: **se ~** *vpr* (se maîtriser) serenarse

ressasser [R(ə)sase] *vt* rumiar; *(histoires, critiques)* repetir

ressemblance [R(ə)sɑ̃blɑ̃s] *nf* semejanza

ressemblant, e [R(ə)sɑ̃blɑ̃, ɑ̃t] *adj* parecido(-a)

ressembler [R(ə)sɑ̃ble]: **~ à** *vt ind* parecerse a; **se ~** *vpr* parecerse

ressentiment [R(ə)sɑ̃timɑ̃] *nm* resentimiento

ressentir [R(ə)sɑ̃tir] *vt* sentir; **se ~ de** resentirse de

resserrer [R(ə)sere] *vt* apretar; *(liens d'amitié)* estrechar

resservir [R(ə)servir] *vt*: **~ qn (d'un plat)** volver a servir a algn (un plato) ♦ *vi* (être réutilisé) servir

de nuevo; **se ~ de** (plat) volver a
servirse

ressort [ʀəsɔʀ] vb voir **ressortir**
♦ nm muelle m; **en dernier ~** en
última instancia; **être du ~ de**
ser de la competencia de

ressortir [ʀəsɔʀtiʀ] vi (sortir à
nouveau) salir de nuevo; (couleur,
broderie, détail) resaltar; **faire ~
qch** hacer resaltar algo

ressortissant, e [ʀ(ə)sɔʀtisɑ̃,
ɑ̃t] nm/f súbdito(-a)

ressources [ʀ(ə)suʀs] nfpl
recursos mpl

ressusciter [ʀesysite] vi resucitar

restant, e [ʀɛstɑ̃, ɑ̃t] adj restante
♦ nm: **un ~ de** unas sobras de

restaurant [ʀɛstɔʀɑ̃] nm
restaurante m

restauration [ʀɛstɔʀasjɔ̃] nf
restauración f; **~ rapide** comida
rápida

restaurer [ʀɛstɔʀe] vt restaurar;
se ~ vpr comer

reste [ʀɛst] nm resto m, (MATH)
residuo m; (CULIN) sobras
fpl; **pour le ~** lo demás; **du
~** además

rester [ʀɛste] vi (dans un lieu)
quedarse ♦ vb impers: **il me
reste du pain** me queda pan; **il
(me) reste 2 œufs** (me)
quedan 2 huevos; **il (me) reste
10 minutes** (me) quedan 10
minutos; **ce qui (me) reste à
faire** lo que (me) falta por hacer;
(il) reste à savoir si ... queda
por saber si ...; **il reste que ...,
il n'en reste pas moins que
...** sin embargo ..., con todo y
con eso ...; **restons-en là**
dejémoslo aquí; **y ~** (fam): **il a
failli y ~** por poco estira la pata

restituer [ʀɛstitɥe] vt (TECH:
énergie; son) reproducir; **~ qch (à**

qn) (objet, somme) restituir algo (a
algn)

restreindre [ʀɛstʀɛ̃dʀ] vt
restringir

restriction [ʀɛstʀiksjɔ̃] nf
restricción f

résultat [ʀezylta] nm resultado m

résulter [ʀezylte] vi: **~ de**
resultar de

résumé [ʀezyme] nm resumen m;
en ~ en resumen

résumer [ʀezyme] vt resumir; **se
~ à** (se réduire à) resumirse a

résurrection [ʀezyʀɛksjɔ̃] nf
(REL) resurrección f; (fig)
reaparición f

rétablir [ʀetabliʀ] vt restablecer;
se ~ vpr restablecerse;
rétablissement nm
restablecimiento

retaper [ʀ(ə)tape] vt arreglar; (fig:
fam) restablecer

retard [ʀ(ə)taʀ] nm retraso; **être
en ~ (de 2 heures)** retrasarse
(2 horas); **avoir du ~** estar
retrasado(-a); **sans ~** sin retraso

retardataire [ʀ(ə)taʀdatɛʀ] adj
retrasado(-a) ♦ nm/f rezagado(-a)

retardement [ʀ(ə)taʀdəmɑ̃]: **à ~**
adj de efecto retardado; **bombe à
~** bomba de relojería

retarder [ʀ(ə)taʀde] vt (montre)
atrasar ♦ vi (horloge, montre)
atrasar; **~ qn (d'une heure)**
retrasar a algn (una hora)

retenir [ʀət(ə)niʀ] vt retener;
(objet qui glisse) agarrar; (colère,
larmes) contener; (chanson, date)
recordar; (suggestion, proposition)
aceptar; (place, chambre) reservar;
~ son souffle contener su
respiración; **se ~** vpr
(euphémisme) aguantarse; (se
raccrocher): **se ~ (à)** agarrarse (a);
se ~ (de faire qch) contenerse

(de hacer algo)

retentir [R(ə)tɑ̃tiR] vi resonar; **retentissant, e** adj (voix, choc) ruidoso(-a); (succès etc) clamoroso(-a)

retenue [Rət(ə)ny] nf (somme prélevée) deducción f; (modération) moderación f

réticence [Retisɑ̃s] nf reticencia; **réticent, e** adj reticente

rétine [Retin] nf retina

retiré, e [R(ə)tiRe] adj (personne, vie) solitario(-a)

retirer [R(ə)tiRe] vt retirar; (vêtement, lunettes) quitarse; ~ **qch/qn de** sacar algo/a algn de

retomber [R(ə)tɔ̃be] vi caer; (tomber de nouveau) caer de nuevo; ~ **sur qn** recaer sobre algn

rétorquer [RetɔRke] vt: ~ **(à qn) que** replicar a (algn) que

retouche [R(ə)tuʃ] nf retoque m; **faire une** ou **des ~(s) à** dar un ou unos retoque(s) a; **retoucher** vt retocar

retour [R(ə)tuR] nm vuelta; (d'un lieu, vers un lieu) regreso; **au ~** a la vuelta; **être de ~ (de)** estar de vuelta (de); **par ~ du courrier** a vuelta de correo; **match ~** partido de vuelta

retourner [R(ə)tuRne] vt (dans l'autre sens) dar la vuelta à, voltear (AM); (caisse) poner boca abajo; (renvoyer, restituer, argument) devolver; (sac, vêtement) volver del revés; (terre, sol, foin, émouvoir) revolver ♦ vi volver; (aller de nouveau): ~ **quelque part** volver de nuevo a algún sitio; **se ~** vpr volverse, voltearse (AM); ~ **à** volver a; **se ~ contre qn/qch** (fig) volverse contra algn/algo; **savoir de quoi il retourne** saber de

qué se trata

retrait [R(ə)tRɛ] nm retiro; **en ~** apartado(-a); ~ **du permis (de conduire)** retirada de carnet (de conducir)

retraite [R(ə)tRɛt] nf retiro; (d'une armée) retirada; **prendre sa ~** jubilarse; ~ **anticipée** jubilación anticipada; **retraité, e** adj retirado(-a), jubilado(-a) ♦ nm/f jubilado(-a)

retrancher [R(ə)tRɑ̃ʃe] vt suprimir; ~ **qch de** (nombre, somme) sustraer algo de; **se ~ derrière/dans** refugiarse en

rétrécir [RetResiR] vt, vi (vêtement) encoger; **se ~** vpr estrecharse

rétro [Retro] adj inv: **mode/ style ~** moda/estilo retro inv ♦ nm (fam) = **rétroviseur**

rétroprojecteur [RetroprɔʒɛktœR] nm retroproyector m

rétrospective [Retrɔspɛktiv] nf retrospectiva; **rétrospectivement** adv retrospectivamente

retrousser [R(ə)tRuse] vt (pantalon etc) arremangar

retrouvailles [R(ə)tRuvaj] nfpl reencuentro

retrouver [R(ə)tRuve] vt encontrar; (sommeil, calme, santé) recobrar; (rejoindre) encontrarse con; **se ~** vpr encontrarse; (s'orienter) orientarse; **se ~ dans** (calculs, dossiers, désordre) desenvolverse en; **s'y ~** (rentrer dans ses frais) salir ganando

rétroviseur [RetrɔvizœR] nm retrovisor m

réunion [Reynjɔ̃] nf reunión f; (séance, congrès) encuentro

réunir [ReyniR] vt reunir;

(rattacher) unir; **se ~** *vpr* reunirse

réussi, e [ʀeysi] *adj (robe, photographie)* logrado(-a); *(réception)* exitoso(-a)

réussir [ʀeysiʀ] *vi (tentative, projet)* ser un éxito; *(personne)* tener éxito; (: *à un examen)* salir bien de ♦ *vt (examen, plat)* salir bien; **~ à faire qch** lograr hacer algo; **~ à qn** *(aliment)* sentar bien a algn; **réussite** *nf* éxito; *(CARTES)* solitario

revaloir [ʀ(ə)valwaʀ] *vt:* **je vous revaudrai cela** se lo pagaré con la misma moneda

revanche [ʀ(ə)vɑ̃ʃ] *nf* revancha; **en ~** en cambio

rêve [ʀɛv] *nm* sueño; **la voiture/maison de ses ~s** el coche/la casa de sus sueños

réveil [ʀevɛj] *nm* despertar *m*; *(pendule)* despertador *m*; **au ~, je ... ~** al despertar, yo ...; **réveiller** *vt* despertar; **se réveiller** *vpr* despertarse; *(fig: se secouer)* espabilarse

réveillon [ʀevɛjɔ̃] *nm* cena de Nochebuena; *(de la Saint-Sylvestre)* cena de Nochevieja; **réveillonner** *vi* celebrar la cena de Nochebuena *ou* la cena de Nochevieja

révélateur, -trice [ʀevelatœʀ, tʀis] *adj* revelador(a)

révéler [ʀevele] *vt* revelar; **~ qn/qch** *(aliment)* dar algn/algo a conocer

revenant, e [ʀ(ə)vənɑ̃, ɑ̃t] *nm/f* fantasma *m*

revendeur, -euse [ʀ(ə)vɑ̃dœʀ, øz] *nm/f* revendedor(a)

revendication [ʀ(ə)vɑ̃dikasjɔ̃] *nf* reivindicación *f*

revendiquer [ʀ(ə)vɑ̃dike] *vt* reivindicar; *(responsabilité)* asumir

revendre [ʀ(ə)vɑ̃dʀ] *vt* revender;

à ~ de sobra

revenir [ʀəv(ə)niʀ] *vi (venir de nouveau)* venir de nuevo; *(rentrer)* regresar, volver; **faire ~ de la viande/des légumes** rehogar la carne/las verduras; **~ cher/à 100 F (à qn)** resultar caro/a 100 francos (a algn); **~ à** *(conversation)* volver a; *(équivaloir à)* venir a ser; *(part, honneur)* corresponder a algn; *(souvenir, nom)* venirle a algn *ou* a la mente; **~ de** *(fig)* salir de; **~ sur** *(question)* volver sobre; *(promesse)* retractarse de; **n'en pas ~: je n'en reviens pas** no vuelvo de mi asombro; **~ sur ses pas** dar marcha atrás; **cela revient au même/à dire que** eso equivale a lo mismo/a decir que

revenu, e [ʀəv(ə)ny] *pp de* **revenir** ♦ *nm* renta; **~s** *nmpl* ingresos *mpl*

rêver [ʀeve] *vi* soñar; **~ de** *ou* **à** soñar con

réverbère [ʀeveʀbɛʀ] *nm* farola; **réverbérer** *vt* reverberar

revers [ʀ(ə)vɛʀ] *nm* revés *msg*; *(de la main)* dorso; *(d'une pièce, médaille)* reverso

revêtement [ʀ(ə)vɛtmɑ̃] *nm* revestimiento; *(d'une chaussée)* firme *m*; *(d'un tuyau etc)* capa

revêtir [ʀ(ə)vetiʀ] *vt* revestir; *(vêtement)* ponerse

rêveur, -euse [ʀɛvœʀ, øz] *nm/f* soñador(a)

revient [ʀəvjɛ] *vb voir* **revenir** ♦ *nm:* **prix de ~** *(COMM)* precio de coste

revigorer [ʀ(ə)vigɔʀe] *vt* vigorizar

revirement [ʀ(ə)viʀmɑ̃] *nm* cambio brusco

réviser [ʀevize] *vt* revisar; *(SCOL, comptes)* repasar

révision [revizjɔ̃] *nf* revisión *f*

revivre [R(ə)vivʀ] *vi* recuperar fuerzas; (*traditions, coutumes*) recuperarse ♦ *vt* revivir

revoir [R(ə)vwaʀ] *vt* volver a ver; (*texte, édition*) revisar ♦ *nm*: **au ~** adiós *msg*

révoltant, e [Revɔltɑ̃, ɑ̃t] *adj* indignante

révolte [Revɔlt] *nf* rebelión *f*

révolter [Revɔlte] *vt* indignar; **se ~** *vpr*: **se ~ (contre)** rebelarse (contra)

révolu, e [Revɔly] *adj* (*de jadis*) pasado(-a); (*ADMIN: complété: année etc*): **âgé de 18 ans ~s** con 18 años cumplidos

révolution [Revɔlysjɔ̃] *nf* revolución *f*; **révolutionnaire** *adj, nm/f* revolucionario(-a)

revolver [Revɔlvɛʀ] *nm* pistola; (*à barillet*) revólver *m*

révoquer [Revɔke] *vt* revocar; (*fonctionnaire*) destituir

revue [R(ə)vy] *nf* revista; **passer en ~** estudiar

rez-de-chaussée [Red(ə)ʃose] *nm inv* planta baja

RF [ɛʀɛf] *sigle f* = République française

Rhin [Rɛ̃] *nm*: **le ~** el Rin

rhinocéros [Rinɔseʀɔs] *nm* (*ZOOL*) rinoceronte *m*

Rhône [Ron] *nm*: **le ~** el Ródano

rhubarbe [Rybaʀb] *nf* ruibarbo

rhum [Rɔm] *nm* ron *m*

rhumatisme [Rymatism] *nm* reumatismo, reúma

rhume [Rym] *nm* catarro; **~ de cerveau** catarro de nariz; **le ~ des foins** la fiebre del heno

rioaner [Rikane] *vi* reírse burlonamente

riche [Riʃ] *adj* rico(-a); **richesse** *nf* riqueza

ricochet [Rikɔʃɛ] *nm* rebote *m*; **faire ~** rebotar; **faire des ~s** hacer cabrillas

ride [Rid] *nf* arruga

rideau, x [Rido] *nm* (*de fenêtre*) visillo; (*THÉÂTRE*) telón *m*

rider [Ride] *vt* arrugar; **se ~** *vpr* arrugarse

ridicule [Ridikyl] *adj* ridículo(-a); **ridiculiser** *vt* ridiculizar; **se ridiculiser** *vpr* ridiculizarse

rien [Rjɛ̃] *pron*: **(ne) ... ~** (no) ... nada; **qu'est-ce que vous avez? - ~** ¿qué le pasa? - nada; **il n'a ~ dit/fait** no dijo/hizo nada; **il n'a ~** no tiene nada; **de ~!** ¡de nada!; **n'avoir peur de ~** no tener miedo de nada; **~ d'intéressant** nada interesante; **~ d'autre** nada más; **~ du tout** nada en absoluto; **~ que** nada más que; **~ que pour lui faire plaisir** nada más que por agradarle; **~ que la vérité** nada más que la verdad; **en un ~ de temps** en nada de tiempo

rieur, -euse [R(i)jœʀ, R(i)jøz] *adj* reidor(a)

rigide [Riʒid] *adj* rígido(-a)

rigoler [Rigɔle] *vi* (*fam*) reírse; (*s'amuser*) pasarlo bien; **rigolo, -ote** (*fam*) *adj* gracioso(-a) ♦ *nm/f* gracioso(-a); (*péj*: fumiste) cantamañanas *m inv*

rigoureusement [RiguRøzmɑ̃] *adv* rigurosamente; **~ interdit** totalmente prohibido

rigoureux, -euse [RiguRø, øz] *adj* riguroso(-a)

rigueur [RigœR] *nf* rigor *m*, rigurosidad *f*; **à la ~** en último extremo; **tenir ~ à qn de qch** guardar rencor a algn por algo

rillettes [Rijet] *nfpl* especie de paté de cerdo u oca

rime [Rim] *nf* rima

rinçage [ʀɛ̃saʒ] *nm* aclarado

rincer [ʀɛ̃se] *vt* enjuagar

ringard, e [ʀɛ̃gaʀ, aʀd] *(fam, péj) adj* anticuado(-a)

riposter [ʀiposte] *vi* replicar ♦ *vt:* ~ **que** responder que; ~ **à** responder a

rire [ʀiʀ] *vi* reír; *(se divertir)* reírse; **se ~ de** reírse de; **pour ~** en broma ♦ *nm* risa

risible [ʀizibl] *adj* risible

risque [ʀisk] *nm* riesgo; **à ses ~s et périls** por su cuenta y riesgo; **au ~ de** a riesgo de; **risqué, e** *adj* arriesgado(-a); **risquer** *vt* arriesgar; *(allusion, comparaison, question)* aventurar; *(MIL, gén)* arriesgarse al; **ça ne risque rien** no hay riesgo alguno; **il risque de se tuer** puede matarse; **ce qui risque de se produire** lo que puede producirse; **il ne risque pas de recommencer** no hay peligro de que vuelva a empezar

rissoler [ʀisɔle] *vi, vt:* **(faire) ~ de la viande/des légumes** dorar la carne/las verduras

ristourne [ʀistuʀn] *nf* rebaja, descuento

rite [ʀit] *nm* rito

rivage [ʀivaʒ] *nm* costa

rival, e, -aux [ʀival, o] *adj* rival ♦ *nm/f (adversaire)* rival *m/f;* **rivaliser** *vi:* **rivaliser avec** rivalizar con; **rivalité** *nf* rivalidad *f*

rive [ʀiv] *nf* orilla; **riverain, e** *adj, nm/f (d'une rivière)* ribereño(-a); *(d'une route)* vecino(-a)

rivière [ʀivjɛʀ] *nf* río

riz [ʀi] *nm* arroz *m;* **rizière** *nf* arrozal *m*

RMI [ɛʀɛmi] *sigle m (= revenu*

minimum d'insertion) ayuda compensatoria

RN [ɛʀɛn] *sigle f (= route nationale)* N. (= carretera nacional)

robe [ʀɔb] *nf* vestido; *(de juge, d'avocat)* toga; *(d'ecclésiastique)* hábito; *(d'un animal)* pelo; ~ **de chambre** bata; ~ **de mariée** vestido de novia; ~ **de soirée** traje de noche

robinet [ʀɔbinɛ] *nm* grifo, canilla (AM)

robot [ʀɔbo] *nm* robot *m*

robuste [ʀɔbyst] *adj* robusto(-a); **robustesse** *nf* robustez *f*

roc [ʀɔk] *nm* roca

rocade [ʀɔkad] *nf (AUTO)* circunvalación *f*

rocaille [ʀɔkaj] *nf* rocalla

roche [ʀɔʃ] *nf* roca

rocher [ʀɔʃe] *nm (un ~)* peñasco; *(matière)* roca

rocheux, -euse [ʀɔʃø, øz] *adj* rocoso(-a)

rodage [ʀɔdaʒ] *nm* rodaje *m;* **en ~** *(AUTO)* en rodaje

rôder [ʀode] *vi* rondar; *(péj)* vagabundear; **rôdeur, -euse** *nm/f* vagabundo(-a)

rogne [ʀɔɲ] *nf (fam):* **être en ~** estar rabiando; **mettre en ~** hacer rabiar

rogner [ʀɔɲe] *vt* recortar; ~ **sur** *(dépenses etc)* recortar

rognons [ʀɔɲɔ̃] *nmpl* riñones *mpl*

roi [ʀwa] *nm* rey *m;* **le jour** *ou* **la fête des R~s, les R~s** el día de Reyes, los Reyes

---

fête des Rois

La **fête des Rois** se celebra el 6 de enero. Es costumbre agregar las figurillas de los Reyes Magos al belén y comer la **galette des Rois**, un pastel de bizcocho aplanado en el que se esconde un amuleto (la **fève**). Quien encuentra el amuleto se convierte en rey o reina por un día y escoge a su pareja.

rôle [Rol] *nm* (CINÉ, THÉÂTRE) papel *m*; (fonction) función *f*

romain, e [Rɔmɛ̃, ɛn] *adj* romano(-a) ♦ *nm/f*: **R~, e** romano(-a)

roman, e [Rɔmɑ̃, an] *adj* románico(-a)

romancer [Rɔmɑ̃se] *vt* novelar; **romancier, -ière** *nm/f* novelista *m/f*; **romanesque** *adj* fabuloso(-a)

roman-feuilleton [Rɔmɑ̃fœjtɔ̃] (*pl* **~s-~s**) *nm* folletín *m*

romanichel, le [Rɔmaniʃɛl] *nm/f* gitano(-a)

romantique [Rɔmɑ̃tik] *adj* romántico(-a)

romarin [RɔmaRɛ̃] *nm* romero

rompre [Rɔ̃pR] *vt* romper ♦ *vi* (fiancés) romper; **se ~** *vpr* romperse; **rompu, e** *pp* de **rompre** ♦ *adj*: **rompu à** avezado(-a)

ronces [Rɔ̃s] *nfpl* zarzas *fpl*

ronchonner [Rɔ̃ʃɔne] (fam) *vi* refunfuñar

rond, e [Rɔ̃, Rɔ̃d] *adj* redondo(-a); (fam: ivre) alegre ♦ *nm* redondo; **je n'ai plus un ~** (fam: sou) no me queda ni una perra ♦ *adv*: **en ~** en corro; **ronde** *nf* ronda; (danse) corro; (MUS: note) redonda; **à 10 km à la ronde** a 10 km a la redonda; **rondelet, te** *adj* regordete(-a); (fig: somme) suculento(-a)

rondelle [Rɔ̃dɛl] *nf* (TECH) arandela; (tranche) loncha

rond-point [Rɔ̃pwɛ̃] (*pl* **~s-~s**) *nm* rotonda

ronflement [Rɔ̃fləmɑ̃] *nm* (d'une personne) ronquido; (d'un moteur) zumbido

ronfler [Rɔ̃fle] *vi* (personne) roncar; (: vers) zumbar; (moteur, poêle) zumbar

ronger [Rɔ̃ʒe] *vt* (suj: souris, chien etc) roer; (: vers) carcomer; (: insectes) picar; (: rouille) corroer; **se ~ les ongles** comerse las uñas; **rongeur** *nm* roedor *m*

ronronner [Rɔ̃Rɔne] *vi* ronronear

rosbif [Rɔsbif] *nm* rosbif *m*

rose [Roz] *nf* rosa ♦ *adj* rosa *inv*

rosé, e [Roze] *adj* rosa *inv* ♦ *nm*: **(vin) ~** (vino) rosado

roseau, x [Rozo] *nm* caña

rosée [Roze] *adj f voir* **rosé** ♦ *nf* rocío

rosier [Rozje] *nm* rosal *m*

rossignol [Rɔsiɲɔl] *nm* (ZOOL) ruiseñor *m*

rotation [Rɔtasjɔ̃] *nf* rotación *f*

roter [Rɔte] (fam) *vi* eructar

rôti [Roti] *nm* carne *f* de asar; (cuit) asado de carne

rotin [Rɔtɛ̃] *nm* mimbre *m* ou *f*; **fauteuil en ~** sillón *m* de mimbre

rôtir [Rotir] *vt* asar ♦ *vi* asarse; **rôtisserie** *nf* (restaurant) restaurante-parrilla *m*; (comptoir, magasin) establecimiento de precocinados; **rôtissoire** *nf* asador *m*

rotule [Rɔtyl] *nf* rótula

rouage [Rwaʒ] *nm* engranaje *m*; (de montre) maquinaria; **~s** *nmpl* (fig) máquina *fsg*

roue [Ru] *nf* rueda; **~ de secours** rueda de repuesto

rouer [Rwe] *vt*: **~ qn de coups** moler a algn a palos

rouge [Ruʒ] *adj* rojo(-a) ♦ *nm*

(couleur) rojo; (fard) carmín m;
(vin) ~ (vino) tinto; **passer au
~** (automobiliste) pasar en rojo;
être sur la liste ~ (TÉL) no
constar en la guía; ~ **(à lèvres)**
barra de labios; **rouge-gorge** (pl
rouges-gorges) nm petirrojo
rougeole [ʀuʒɔl] nf sarampión m
rougeoyer [ʀuʒwaje] vi ponerse
rojo
rouget [ʀuʒɛ] nm salmonete m
rougeur [ʀuʒœʀ] nf rojez f
rougir [ʀuʒiʀ] vi enrojecer; (fraise,
tomate) ponerse rojo
rouille [ʀuj] nf moho; **rouillé, e**
adj oxidado(-a); **rouiller** vt
oxidar ♦ vi oxidarse
roulant, e [ʀulɑ̃, ɑ̃t] adj rodante;
(surface, trottoir) transportador(a)
rouleau, x [ʀulo] nm rollo; (à
peinture) rodillo; (à mise en plis)
rulo; (vague) rompiente m; ~ **à
pâtisserie** ponerse rodillo
roulement [ʀulmɑ̃] nm
rodamiento; **par** ~ por turno
rouler [ʀule] vt (CULIN, tissu,
papier) enrollar ♦ vi rodar; (voiture,
train) circular, estar en marcha;
(automobiliste) circular; (bateau)
balancearse; **se** ~ **dans** (boue)
revolcarse en
roulette [ʀulɛt] nf rueda; **la** ~ **la**
ruleta
roulis [ʀuli] nm balanceo
roulotte [ʀulɔt] nf carro,
carromato
roumain, e [ʀumɛ̃, ɛn] adj
rumano(-a) ♦ nm (LING) rumano ♦
nm/f: **R~, e** rumano(-a)
Roumanie [ʀumani] nf Rumania
rouquin, e [ʀukɛ̃, in] (fam) nm/f
pelirrojo(-a)
rouspéter [ʀuspete] (fam) vi
refunfuñar
rousse [ʀus] adj voir **roux**

roussir [ʀusiʀ] vt (herbe, linge)
quemar ♦ vi (feuilles) amarillear
route [ʀut] nf carretera; (itinéraire,
parcours) ruta; (fig) camino; **par
(la)** ~ por (la) carretera; **il y a 3
heures de** ~ hay 3 horas de
camino; **en** ~ por el camino; **en
~!** ¡en marcha!; **mettre en** ~
poner en marcha; **se mettre en
~** ponerse en camino; ~
nationale = carretera nacional;
routier, -ière adj (réseau, carte)
de carreteras ♦ nm (camionneur)
camionero
routine [ʀutin] nf rutina;
routinier, -ière adj rutinario(-a)
rouvrir [ʀuvʀiʀ] vt (porte, valise)
volver a abrir ♦ vi (suj: école,
piscine) volver a abrirse; **se** ~ vpr
(porte, blessure) volver a abrirse
roux, rousse [ʀu, ʀus] adj, nm/f
pelirrojo(-a)
royal, e, -aux [ʀwajal, o] adj
real; (festin, cadeau) regio(-a)
royaume [ʀwajom] nm reino; (fig)
dominios mpl
royauté [ʀwajote] nf realeza
ruban [ʀybɑ̃] nm cinta; (de
velours, de soie) lazo; ~ **adhésif**
cinta adhesiva
rubéole [ʀybeɔl] nf rubeola
rubis [ʀybi] nm rubí m
rubrique [ʀybʀik] nf (titre,
catégorie) rúbrica; (PRESSE: article)
sección f
ruche [ʀyʃ] nf colmena
rude [ʀyd] adj (barbe, toile, voix)
áspero(-a); (métier, épreuve, climat)
duro(-a); (bourru) rudo(-a);
rudement adv: **elle est
rudement belle/riche** (fam:
très) es super bonita/rica; **j'ai
rudement faim** (fam) tengo un
montón de hambre
rudimentaire [ʀydimɑ̃tɛʀ] adj

rudimentario(-a)
rudiments [ʀydimɑ̃] *nmpl*
rudimentos *mpl*
rue [ʀy] *nf* calle *f*
ruée [ʀɥe] *nf* riada
ruelle [ʀɥɛl] *nf* callejuela
ruer [ʀɥe] *vi* cocear; **se ~** *vpr:* **se ~ sur** arrojarse sobre; **se ~ vers/dans/hors de** precipitarse hacia/en/fuera de
rugby [ʀygbi] *nm* rugby *m*
rugir [ʀyʒiʀ] *vi* rugir
rugueux, -euse [ʀygø, øz] *adj* rugoso(-a)
ruine [ʀɥin] *nf* ruina; **ruiner** *vt* arruinar; **ruineux, -euse** *adj* ruinoso(-a)
ruisseau, x [ʀɥiso] *nm* (*cours d'eau*) arroyo
ruisseler [ʀɥis(ə)le] *vi* (*eau, pluie, larmes*) correr
rumeur [ʀymœʀ] *nf* rumor *m*
ruminer [ʀymine] *vi, vt* rumiar
rupture [ʀyptyʀ] *nf* rotura; (*d'un contrat*) incumplimiento
rural, e, -aux [ʀyʀal, o] *adj* rural
ruse [ʀyz] *nf* astucia; **une ~** un ardid; **rusé, e** *adj* astuto(-a)
russe [ʀys] *adj* ruso(-a) ♦ *nm* (*LING*) ruso ♦ *nm/f:* **R~** ruso(-a)
Russie [ʀysi] *nf* Rusia
rustine [ʀystin] *nf* parche *m*
rustique [ʀystik] *adj* rústico(-a)
rythme [ʀitm] *nm* ritmo; **rythmé, e** *adj* rítmico(-a)

S, s

s' [s] *pron voir* **se**
sa [sa] *dét voir* **son**
sable [sabl] *nm* arena
sablé, o [sable] *adj* enarenado(-a) ♦ *nm* galleta; **pâte ~e** masa de galleta

sabler [sable] *vt* enarenar; **~ le champagne** (*fig*) celebrar algo con champán
sabot [sabo] *nm* (*chaussure*) zueco; (*de cheval, bœuf*) casco
saboter [sabote] *vt* sabotear
sac [sak] *nm* saco; **~ à dos** mochila; **~ à main** bolso de mano, cartera (*AM*); **~ à provisions** bolsa de la compra; **~ de couchage** saco de dormir; **~ de voyage** bolsa de viaje
saccadé, e [sakade] *adj* brusco(-a); (*voix*) entrecortado(-a)
saccager [sakaʒe] *vt* (*piller*) saquear; (*dévaster*) devastar
saccharine [sakaʀin] *nf* sacarina
sachet [saʃɛ] *nm* bolsita; (*de poudre, lavande*) saquito
sacoche [sakɔʃ] *nf* bolso, talego
sacré, e [sakʀe] *adj* sagrado(-a)
sacrement [sakʀəmɑ̃] *nm* sacramento
sacrifice [sakʀifis] *nm* sacrificio; **sacrifier** *vt* sacrificar
sacristie [sakʀisti] *nf* sacristía
sadique [sadik] *adj, nm/f* sádico(-a)
safran [safʀɑ̃] *nm* azafrán *m*
sage [saʒ] *adj* (*avisé, prudent*) sensato(-a); (*enfant*) bueno(-a)
sage-femme [saʒfam] (*pl* **~s-~s**) *nf* comadrona
sagesse [saʒes] *nf* sensatez *f*
Sagittaire [saʒiteʀ] *nm* (*ASTROL*) Sagitario
Sahara [saaʀa] *nm* Sáhara *m*
saignant, e [sɛɲɑ̃, ɑ̃t] *adj* (*viande*) poco hecho(-a)
saigner [seɲe] *vi* sangrar ♦ *vt* (*animal*) desangrar; **~ du nez** sangrar por la nariz
saillir [sajiʀ] *vi* sobresalir
sain, e [sɛ̃, sɛn] *adj* sano(-a); (*affaire, entreprise*) saneado(-a); **~**

et sauf sano y salvo; **~ d'esprit** sano(-a) de espíritu

saindoux [sɛ̃du] *nm* manteca de cerdo

saint, e [sɛ̃, sɛ̃t] *adj, nm/f* santo(-a); **la S~e Vierge** la Virgen Santísima; **sainteté** *nf* santidad *f*

sais *etc* [se] *vb voir* **savoir**

saisie [sezi] *nf* (JUR) embargo; **~ (de données)** (INFORM) recogida de datos

saisir [seziʀ] *vt* (personne, chose: prendre) agarrar; (fig: occasion, prétexte) aprovechar; (comprendre) comprender; (entendre) captar; (suj: sensations, émotions) sobrecoger; (INFORM) procesar; (CULIN) soasar; (JUR: biens, personne) embargar; **saisissant, e** *adj* (spectacle, contraste) sobrecogedor(a)

saison [sezɔ̃] *nf* temporada, época; **haute/basse/morte ~** temporada alta/media/baja; **saisonnier, -ière** *adj* (produits, culture) estacional

salade [salad] *nf* ensalada; **saladier** *nm* ensaladera

salaire [salɛʀ] *nm* salario; **~ de base** sueldo base

salarié, e [salaʀje] *adj, nm/f* asalariado(-a)

salaud [salo] (fam!) *nm* cabrón *m* (fam!), hijo de la chingada (MEX) (fam!)

sale [sal] *adj* sucio(-a); (avant le nom: fam) malo(-a)

salé, e [sale] *adj* salado(-a); (fig: histoire, plaisanterie) picante; (fam: note, facture) desorbitado(-a)

saler [sale] *vt* (plat) echar sal

saleté [salte] *nf* suciedad *f*; (chose sans valeur) porquería

salière [saljɛʀ] *nf* salero

salir [saliʀ] *vt* manchar; (fig) mancillar; **se ~** *vpr* ensuciarse; **salissant, e** *adj* sucio(-a)

salle [sal] *nf* sala; (de restaurant) salón *m*; **~ à manger** comedor *m*; **~ d'attente** sala de espera; **~ d'eau** aseo; **~ de bain(s)** cuarto de baño; **~ de classe** aula; **~ de concert** sala de conciertos; **~ de jeux** sala de juegos; **~ d'embarquement** sala de embarque; **~ de séjour** cuarto de estar; **~ de spectacle** sala de espectáculos; **~ des ventes** salón de ventas; **~ d'exposition** sala de exposiciones; **~ d'opération** sala de operaciones

salon [salɔ̃] *nm* salón *m*, living *m* (AM); **~ de thé** salón de té

salope [salɔp] (fam!) *nf* marrana; **saloperie** (fam!) *nf* (action vile) marranada; (chose sans valeur, de mauvaise qualité) porquería

salopette [salɔpɛt] *nf* pantalón de peto; (de travail) mono, overol *m* (AM)

salsifis [salsifi] *nm* salsifí *m*

salubre [salybʀ] *adj* salubre

saluer [salɥe] *vt* saludar

salut [saly] *nm* (REL, sauvegarde) salvación *f*; (MIL, parole d'accueil) saludo ♦ *excl* (fam: bonjour) ¡hola!; (: au revoir) ¡hasta luego!, ¡chao! *ou* ¡chau! (esp AM)

salutations [salytasjɔ̃] *nfpl* saludos *mpl*; **recevez mes ~ distinguées** *ou* **respectueuses** (dans une lettre) reciba mis cordiales *ou* respetuosos saludos

samedi [samdi] *nm* sábado; *voir aussi* **lundi**

SAMU [samy] *sigle m* (= service d'assistance médicale d'urgence) ≈ servicio médico de urgencia

sanction [sɑ̃ksjɔ̃] nf sanción f;
sanctionner vt sancionar
sandale [sɑ̃dal] nf sandalia
sandwich [sɑ̃dwi(t)ʃ] nm
sandwich m, bocadillo,
emparedado (esp AM)
sang [sɑ̃] nm sangre f; **être en** ~
estar cubierto de sangre; **se faire
du mauvais** ~ preocuparse;
sang-froid nm inv sangre f fría;
faire qch de sang-froid hacer
algo a sangre fría; **sanglant, e**
adj (visage, arme)
ensangrentado(-a); (combat, fig)
sangriento(-a)
sangle [sɑ̃gl] nf correa
sanglier [sɑ̃glije] nm jabalí m
sanglot [sɑ̃glo] nm sollozo;
sangloter vi sollozar
sangsue [sɑ̃sy] nf sanguijuela
sanguin, e [sɑ̃gɛ̃, in] adj
sanguíneo(-a)
sanitaire [saniter] adj
sanitario(-a); ~**s** nmpl sanitarios
mpl
sans [sɑ̃] prép sin; ~ **qu'il s'en
aperçoive** sin que se dé cuenta;
sans-abri nm/f inv persona sin
hogar; **sans-emploi** nm/f inv
desempleado(-a); **sans-gêne** adj
inv desenfadado(-a)
santé [sɑ̃te] nf salud f; **être en
bonne** ~ estar bien de salud;
boire à la ~ **de qn** beber a la
salud de algn
saoudien, ne [saudjɛ̃, jɛn] adj
saudí, saudita ♦ nm/f: **S**~, **ne**
saudí m/f, saudita m/f
saoul, e [su, sul] adj = **soûl**
saper [sape] vt socavar
sapeur-pompier [sapœrpɔ̃pje]
(pl ~**s**-~**s**) nm bombero
saphir [safir] nm zafiro
sapin [sapɛ̃] nm (BOT) abeto; (bois)
pino; ~ **de Noël** pino de Navidad

sarcastique [sarkastik] adj
sarcástico(-a)
Sardaigne [sardɛɲ] nf Cerdeña
sardine [sardin] nf sardina
SARL [esaɛrɛl] sigle f (= société à
responsabilité limitée) ≃ SL (=
sociedad limitada)
sarrasin [sarazɛ̃] nm (farine)
harina de alforfón, harina de trigo
sarraceno
satané, e [satane] adj maldito(-a)
satellite [satelit] nm satélite msg
satin [satɛ̃] nm satén m
satire [satir] nf sátira; **satirique**
adj satírico(-a)
satisfaction [satisfaksjɔ̃] nf
satisfacción f; **ils ont obtenu** ~
se ha accedido a sus demandas
satisfaire [satisfɛr] vt satisfacer;
se ~ **de** vpr contentarse con; ~ **à**
cumplir con; (conditions)
responder a; **satisfaisant, e** adj
satisfactorio(-a); **satisfait, e** adj
satisfecho(-a)
saturer [satyre] vt saturar
sauce [sos] nf salsa; ~ **blanche**
salsa blanca; **saucière** nf salsera
saucisse [sosis] nf salchicha
saucisson [sosisɔ̃] nm salchichón
m
sauf[1] [sof] prép salvo; ~ **avis
contraire** salvo aviso contrario; ~
erreur/imprévu salvo error/
imprevisto
sauf[2]**, sauve** [sof, sov] adj
(personne) ileso(-a); (fig: honneur)
a salvo; **laisser la vie sauve à
qn** perdonar la vida a algn
sauge [soʒ] nf salvia
saugrenu, e [sograny] adj
(accoutrement) estrafalario(-a);
(idée, question) ridículo(-a)
saule [sol] nm sauce m
saumon [somɔ̃] nm salmón m
saupoudrer [sopudre] vt: ~ **qch**

de (*de sel, sucre*) espolvorear algo de
saur [sɔʀ] *adj m*: **hareng ~** arenque *m* ahumado
saut [so] *nm* salto; **faire un ~ chez qn** dar un salto a casa de algn; **~ en hauteur/longueur/ à la perche** salto de altura/ longitud/con pértiga; **~ à la corde** salto a la comba; **~ périlleux** salto mortal
sauter [sote] *vi* saltar; (*exploser*) estallar; (*se détacher*) soltarse ♦ *vt* (*obstacle*) franquear; (*fig: omettre*) saltarse; **faire ~** (*avec explosifs*) volar; (*CULIN*) saltear; **~ au cou de qn** echarse al cuello de algn; **~ aux yeux** saltar a la vista; **~ au plafond** (*fig*) subirse por las paredes
sauterelle [sotʀɛl] *nf* (*ZOOL*) saltamontes *m inv*
sautiller [sotije] *vi* dar saltitos
sauvage [sovaʒ] *adj* salvaje; (*plante*) silvestre; (*lieu*) agreste; (*insociable*) huraño(-a); (*non officiel*) no autorizado(-a) ♦ *nm/f* salvaje *m/f*
sauve [sov] *adj f voir* **sauf²**
sauvegarde [sovɡaʀd] *nf* salvaguardia; **sauvegarder** *vt* salvaguardar; (*INFORM*) grabar; (: *copier*) hacer una copia de seguridad de
sauve-qui-peut [sovkipø] *nm inv* desbandada
sauver [sove] *vt* salvar; **se ~** *vpr* (*fam: partir*) irse; **sauvetage** *nm* salvamento; **sauveteur** *nm* salvador *m*; **sauvette: à la sauvette** *adv* precipitadamente; **sauveur** *nm* salvador *m*
savant, e [savɑ̃, ɑ̃t] *adj* sabio(-a); (*ironique: compétent, calé*) erudito(-a)

saveur [savœʀ] *nf* sabor *m*
savoir [savwaʀ] *vt* saber; (*connaître: date, fait etc*) conocer ♦ *nm* saber *m*; **se ~** *vpr* (*chose: être connu*) saberse; **je n'en sais rien** yo no sé nada de eso; **à ~** saber; **faire ~ qch à qn** hacer saber algo a algn; **pas que je sache** que yo sepa, no
savon [savɔ̃] *nm* jabón *m*; **un ~** una pastilla de jabón; **passer un ~ à qn** (*fam*) echarle un rapapolvo a algn; **savonner** *vt* enjabonar; **savonnette** *nf* jaboncillo
savourer [savuʀe] *vt* saborear; **savoureux, -euse** *adj* sabroso(-a)
saxo(phone) [saksɔ(fɔn)] *nm* saxo(fón) *m*
scabreux, -euse [skabʀø, øz] *adj* escabroso(-a)
scandale [skɑ̃dal] *nm* escándalo; **faire du ~** armar un escándalo; **faire ~** causar escándalo; **scandaleux, -euse** *adj* escandaloso(-a)
scandinave [skɑ̃dinav] *adj* escandinavo(-a) ♦ *nm/f*: **S~** escandinavo(-a)
Scandinavie [skɑ̃dinavi] *nf* Escandinavia
scarabée [skaʀabe] *nm* escarabajo
scarlatine [skaʀlatin] *nf* escarlatina
scarole [skaʀɔl] *nf* escarola
sceau, x [so] *nm* sello
sceller [sele] *vt* sellar
scénario [senaʀjo] *nm* guión *m*
scène [sɛn] *nf* escena; (*lieu, décors*) escena, escenario; **entrer en ~** entrar en escena; **mettre en ~** (*THÉÂTRE*) poner en escena; (*CINÉ*) dirigir; **~ de ménage** riña

conyugal

sceptique [sɛptik] *adj, nm/f* escéptico(-a)

schéma [ʃema] *nm* esquema *m*;
schématique *adj* esquemático(-a)

sciatique [sjatik] *adj*: **nerf ~** nervio ciático

scie [si] *nf* sierra

sciemment [sjamɑ̃] *adv* conscientemente

science [sjɑ̃s] *nf* ciencia; **~s humaines/naturelles** ciencias humanas/naturales; **science-fiction** *nf* ciencia ficción;
scientifique *adj, nm/f* científico(-a)

scier [sje] *vt* serrar; (*partie en trop*) aserrar; **scierie** *nf* aserradero

scintiller [sɛ̃tije] *vi* centellear

sciure [sjyr] *nf*: **~ (de bois)** serrín *m* (de madera)

sclérose [skleroz] *nf* esclerosis *f inv*; **~ en plaques** esclerosis en placas

scolaire [skɔlɛr] *adj* escolar;
scolariser *vt* escolarizar;
scolarité *nf* escolaridad *f*

scooter [skutœr] *nm* escúter *m*

score [skɔr] *nm* (*SPORT*) tanteo

scorpion [skɔrpjɔ̃] *nm* escorpión *m*

scotch [skɔtʃ] *nm* (*whisky*) whisky *m* escocés; (® *adhésif*) celo, cinta adhesiva

scout, e [skut] *adj* de scout ♦ *nm/f* scout *m/f*, explorador(a)

script [skript] *nm* (*écriture*) letra cursiva; (*CINÉ*) guión *m*

scrupule [skrypyl] *nm* escrúpulo

scruter [skryte] *vt* (*objet, visage*) escrutar; (*horizon, alentours*) otear

scrutin [skrytɛ̃] *nm* escrutinio

sculpter [skylte] *vt* esculpir;
sculpteur *nm* escultor *m*;

sculpture *nf* escultura;
sculpture sur bois escultura en madera

SDF *sigle m* (= *sans domicile fixe*) persona sin hogar; **les SDF** los sin techo

se (s') [sə] *pron* se; **se voir comme on est** verse como uno es; **ils s'aiment** se quieren; **cela se répare facilement** eso se arregla fácilmente; **se casser la jambe/laver les mains** romperse una pierna/lavarse las manos

séance [seɑ̃s] *nf* sesión *f*

seau, x [so] *nm* cubo, balde *m* (*esp AM*)

sec, sèche [sɛk, sɛʃ] *adj* seco(-a) ♦ *nm*: **tenir au ~** mantener en sitio seco ♦ *adv* (*démarrer*) bruscamente; **je le bois ~** lo bebo puro; **à ~** (*cours d'eau*) agotado(-a); (*à court d'argent*) pelado(-a)

sécateur [sekatœr] *nm* podadera

sèche [sɛʃ] *adj f voir* **sec**;
sèche-cheveux *nm inv* secador *m* de pelo; **sèche-linge** *nm inv* secadora; **sèchement** *adv* (*répliquer etc*) secamente

sécher [seʃe] *vt* secar; (*fam: SCOL: classe*) pirarse ♦ *vi* secarse; (*fam: candidat*) estar pez; **se ~** *vpr* secarse; **sécheresse** *nf* (*du climat, sol*) sequedad *f*; (*absence de pluie*) sequía; **séchoir** *nm* (*à linge*) tendedero

second, e [s(ə)gɔ̃, ɔ̃d] *adj* segundo(-a) ♦ *nm* ayudante *m*; (*étage*) segundo *m*; (*NAUT*) segundo de a bordo; **de ~e main** de segunda mano; **secondaire** *adj* secundario(-a); **seconde** *nf* segundo; **voyager en seconde** (*TRANSPORT*) viajar en segunda;

seconder vt (assister) ayudar

secouer [s(ə)kwe] vt sacudir; (fam: faire se démener) pinchar

secourir [s(ə)kuʀiʀ] vt socorrer; (prodiguer des soins à) auxiliar;

secourisme nm socorrismo;

secouriste nm/f socorrista m/f

secours [s(ə)kuʀ] nm socorro ♦ nmpl (aide financière, matérielle) ayuda fsg; **au ~!** ¡socorro!; **appeler au ~** pedir socorro; **les premiers ~** los primeros auxilios

secousse [s(ə)kus] nf sacudida; (électrique) descarga

secret, -ète [səkʀɛ, ɛt] adj secreto(-a) ♦ nm secreto; **en ~** en secreto; **~ professionnel** secreto profesional

secrétaire [s(ə)kʀeteʀ] nm/f secretario(-a) ♦ nm (meuble) secreter m; **~ d'État** secretario de Estado; **~ de rédaction** secretario de redacción;

secrétariat nm (profession) secretariado; (bureau, fonction) secretaría

secteur [sɛktœʀ] nm sector m; **branché sur le ~** conectado a la red; **le ~ privé/public** el sector privado/público

section [sɛksjɔ̃] nf sección f; (d'une route, d'un parcours) tramo;

sectionner vt seccionar

sécu [seky] (fam) nf (= Sécurité sociale) voir **sécurité**

sécurité [sekyʀite] nf seguridad f; **être en ~** estar seguro(-a); **mesures de ~** medidas fpl de seguridad; **la ~ routière** la seguridad vial; **la S~ sociale** la Seguridad Social

sédentaire [sedɑ̃teʀ] adj sedentario(-a)

séduction [sedyksjɔ̃] nf seducción f

séduire [seduiʀ] vt seducir;

séduisant, e adj seductor(a)

ségrégation [segʀegasjɔ̃] nf segregación f

seigle [sɛgl] nm (BOT) centeno

seigneur [sɛɲœʀ] nm señor m; **le S~** (REL) el Señor

sein [sɛ̃] nm (ANAT) seno; **au ~ de** en el seno de

séisme [seism] nm seísmo

seize [sɛz] adj inv, nm inv dieciséis m inv; voir aussi **cinq**

seizième adj, nm/f decimosexto(-a) ♦ nm (partitif) dieciseisavo; voir aussi **cinquième**

séjour [seʒuʀ] nm (villégiature) estancia; (pièce) cuarto de estar;

séjourner vi permanecer

sel [sɛl] nm sal f

sélection [selɛksjɔ̃] nf selección f;

sélectionner vt seleccionar

self-service [selfsɛʀvis] (pl ~-~s) adj autoservicio ♦ nm self-service m, restaurante m autoservicio

selle [sɛl] nf (de cheval) silla de montar; (de bicyclette) sillín m; **~s** nfpl (MÉD) deposiciones fpl;

seller vt ensillar

selon [s(ə)lɔ̃] prép según; **~ que** según que; **~ moi** a mi modo de ver

semaine [s(ə)mɛn] nf semana; **en ~** durante la semana; **la ~ de 35 heures** la semana de 35 horas

semblable [sɑ̃blabl] adj semejante; **~ à** parecido(-a) a ♦ nm (prochain) semejante m

semblant [sɑ̃blɑ̃] nm: **faire ~ (de faire qch)** fingir (hacer algo)

sembler [sɑ̃ble] vi parecer ♦ vb impers: **il semble que** parece que; **il me semble (bien) que** me parece (bien) que

semelle [s(ə)mɛl] nf suela;

(*intérieure*) plantilla

semer [s(ə)me] *vt* (*AGR*) sembrar; (*fig: éparpiller*) esparcir; **~ la confusion** sembrar la confusión

semestre [s(ə)mɛstʀ] *nm* semestre *m*

séminaire [seminɛʀ] *nm* seminario

semi-remorque [səmiʀəmɔʀk] (*pl* **~~s**) *nm* semirremolque *m*

semoule [s(ə)mul] *nf* sémola

sénat [sena] *nm*: **le S~** el Senado; **sénateur** *nm* senador(a)

sens¹ [sɑ̃] *vb voir* **sentir**

sens² [sɑ̃s] *nm* sentido; **avoir le ~ des affaires** tener el don de los negocios; **en dépit du bon ~** sin sentido común; **en un ~, dans un ~** en cierto sentido; **à mon ~** en mi opinión; **dans le ~ des aiguilles d'une montre** en el sentido de las agujas del reloj; **dans le mauvais ~** en mal sentido; **bon ~** sensatez *f*; **~ commun** sentido común; **~ dessus dessous** patas arriba; **~ figuré/propre** sentido figurado/propio; **~ interdit** dirección *f* prohibida; **~ unique** dirección *f* única

sensation [sɑ̃sɑsjɔ̃] *nf* sensación *f*; **faire ~** causar sensación; **à ~** (*péj*) sensacionalista;

sensationnel, le *adj* sensacional

sensé, e [sɑ̃se] *adj* sensato(-a)

sensibiliser [sɑ̃sibilize] *vt*: **~ qn (à)** sensibilizar a algn (para)

sensibilité [sɑ̃sibilite] *nf* sensibilidad *f*

sensible [sɑ̃sibl] *adj* sensible; (*différence, progrès*) apreciable; **sensiblement** *adv*: **ils ont sensiblement le même poids** tienen casi el mismo peso;

sensiblerie *nf* sensiblería

sensuel, le [sɑ̃sɥɛl] *adj* sensual

sentence [sɑ̃tɑ̃s] *nf* sentencia

sentier [sɑ̃tje] *nm* sendero

sentiment [sɑ̃timɑ̃] *nm* sentimiento; **avoir le ~ de/que** tener la impresión de/que; **recevez mes ~s respectueux/dévoués** (*dans une lettre*) reciba usted mis más sinceros respetos

sentimental, e, -aux [sɑ̃timɑ̃tal, o] *adj* sentimental

sentinelle [sɑ̃tinɛl] *nf* centinela

sentir [sɑ̃tiʀ] *vt* sentir; (*par l'odorat*) oler; (*avoir une odeur de, aussi fig*) oler a; **~ bon/mauvais** oler bien/mal; **se ~ à l'aise** sentirse a gusto *ou* cómodo; **se ~ mal** encontrarse mal

séparation [separasjɔ̃] *nf* separación *f*; (*mur, cloison*) división *f*

séparé, e [separe] *adj* separado(-a); **séparément** *adv* separadamente

séparer [separe] *vt* separar; **se ~** *vpr* separarse; (*amis etc*) despedirse; (*écorce*) desprenderse; **se ~ de** (*époux*) separarse de; (*employé, objet personnel*) deshacerse de

sept [sɛt] *adj inv, nm inv* siete *m inv*; *voir aussi* **cinq**; **septante** *adj inv, nm inv* (*Belgique, Suisse*) setenta *m inv*

septembre [sɛptɑ̃bʀ] *nm* se(p)tiembre *m*; *voir aussi* **juillet**

septicémie [sɛptisemi] *nf* septicemia

septième [sɛtjɛm] *adj, nm/f* sé(p)timo(-a); *nm* (*partitif*) sé(p)timo; *voir aussi* **cinquième**

septique [sɛptik] *adj*: **fosse ~** fosa séptica

séquelles   268   seul

séquelles [sekɛl] nfpl secuelas fpl

serein, e [səʀɛ̃, ɛn] adj sereno(-a)

sergent [sɛʀʒɑ̃] nm sargento

série [seʀi] nf serie f; **en/de/hors** ~ en/de/fuera de serie

sérieusement [seʀjøzmɑ̃] adv con seriedad

sérieux, -ieuse [seʀjø, jøz] adj serio(-a) ♦ nm seriedad f; **garder son** ~ mantener su seriedad; **prendre qch/qn au** ~ tomarse algo/a algn en serio

serin [s(ə)ʀɛ̃] nm canario

seringue [s(ə)ʀɛ̃g] nf jeringa

serment [sɛʀmɑ̃] nm juramento

sermon [sɛʀmɔ̃] nm sermón m

séropositif, -ive [seʀopozitif, iv] adj (MÉD) seropositivo(-a)

serpent [sɛʀpɑ̃] nm serpiente f; **serpenter** vi serpentear

serpillière [sɛʀpijɛʀ] nf bayeta

serre [sɛʀ] nf (construction) invernadero; ~**s** nfpl (d'un rapace) garras fpl

serré, e [seʀe] adj apretado(-a); (lutte, match) reñido(-a); (café) fuerte

serrer [seʀe] vt apretar; (tenir: chose) asir; (rapprocher) apretujar; (frein, robinet) apretar ♦ vi: **la main à qn** estrechar la mano a algn; ~ **qn dans ses bras/contre son cœur** estrechar a algn entre sus brazos/contra su pecho; **se** ~ apretarse; **se** ~ **contre qn** estrecharse contra algn; **se** ~ **les coudes** prestarse ayuda; ~ **les rangs** cerrar filas

serrure [seʀyʀ] nf cerradura, chapa (AM); **serrurier** nm cerrajero

sert etc [sɛʀ] vb voir **servir**

servante [sɛʀvɑ̃t] nf sirvienta, mucama (CSUR), recamarera (MEX)

serveur, -euse [sɛʀvœʀ, øz]

nm/f camarero(-a)

serviable [sɛʀvjabl] adj servicial

service [sɛʀvis] nm servicio; (aide, faveur) favor m; ~**s** nmpl (travail, prestations) servicios mpl; (ÉCON) sector m servicios; **porte de** ~ à qn hacer un favor a algn; **être/mettre en** ~ estar/poner en servicio; **hors** ~ fuera de servicio; ~ **après vente** pos(t)-venta; ~ **d'ordre** servicio de orden; ~ **militaire/public** servicio militar/público; ~**s secrets/sociaux** servicios secretos/sociales

serviette [sɛʀvjɛt] nf (de table) servilleta; (de toilette) toalla; (porte-documents) cartera, portafolio(s) m (AM); ~ **hygiénique** compresa

servir [sɛʀviʀ] vt servir; (client: au magasin) atender ♦ vi servir; **se** ~ vpr servirse; **se** ~ **de** (plat) servirse de; (voiture, outil) utilizar; (relations, amis) valerse de; ~ **à qn** servir a algn; ~ **à qch/faire qch** servir para algo/hacer algo; **cela ne sert à rien** eso no sirve para nada; ~ **(à qn) de** hacer (a algn) de

serviteur [sɛʀvitœʀ] nm servidor m

ses [se] dét voir **son**

seuil [sœj] nm umbral m

seul, e [sœl] adj solo(-a); (avec nuance affective: isolé) solitario(-a); **le** ~ **livre/homme** el único libro/hombre ♦ adv: **vivre** solo(-a); **à lui (tout)** ~ sólo a él; **d'un** ~ **coup** adv de pronto; **parler tout** ~ hablar solo; **il en reste un(e) ~(e)** queda sólo uno(-a); **seulement** adv: **seulement 5, 5 seulement**

solamente 5; **non seulement ...
mais aussi ou encore** no
solamente ... pero también ou
además

sève [sɛv] nf savia

sévère [sevɛʀ] adj severo(-a);
(style, tenue) austero(-a)

sexe [sɛks] nm sexo; **sexuel, le**
adj sexual

shampooing [ʃɑ̃pwɛ̃] nm (lavage)
lavado; (produit) champú m; **se
faire un ~** hacerse un lavado con
champú

short [ʃɔʀt] nm pantalón m corto,
short m

MOT-CLÉ

si [si] adv **1** (oui) sí; **Paul n'est
pas venu? - si!** ¿no ha venido
Pablo? - ¡sí!; **mais si!** ¡que sí!; **je
suis sûr que si** estoy seguro
(de) que sí; **je vous assure que
si** le aseguro que sí; **il m'a
répondu que si** me contestó
que sí
2 (tellement): **si gentil/
rapidement** tan amable/
rápidamente; **si rapide qu'il
soit** por muy rápido que sea
♦ conj si; **si tu veux** si quieres; **je
me demande si ...** me
pregunto si ...; **si seulement** si
sólo; (tant que) **si bien que** tanto
que; **s'il pouvait (seulement)
venir!** ¡si (al menos) pudiera
venir!; **s'il le fait, c'est que ...**
si lo hace, es que ...; **s'il est
aimable, eux par contre ...** él
es amable, pero en cambio ellos
...; **si j'étais toi ...** yo que tú ...
♦ nm inv (MUS) si m

Sicile [sisil] nf Sicilia

SIDA [sida] sigle m (= syndrome
immuno-déficitaire acquis) SIDA m

(= Síndrome de Inmunodeficiencia
Adquirida)

sidéré, e [sidere] adj atónito(-a)

sidérurgie [sideryʀʒi] nf
siderurgia

siècle [sjɛkl] nm siglo m

siège [sjɛʒ] nm asiento; (dans une
assemblée) puesto; (de député)
escaño; (d'une entreprise) oficina
central; (MIL) sitio; **~ social** sede
social; **siéger** si (député) ocupar
un escaño; (assemblée, tribunal)
celebrar sesión

sien, ne [sjɛ̃, sjɛn] pron: **le ~, la
~ne** el suyo, la suya; **les ~s, les
~nes** los suyos, las suyas; **faire
des ~nes** (fam) hacer de las
suyas; **les ~s** (sa famille) los suyos

sieste [sjɛst] nf siesta; **faire la ~**
dormir la siesta

sifflement [sifləmɑ̃] nm silbido

siffler [sifle] vi silbar; (train, avec
un sifflet) pitar ♦ vt silbar; (orateur,
faute, départ) pitar; (fam: verre,
bouteille) soplarse

sifflet [siflɛ] nm (instrument)
silbato; **coup de ~** pitido

siffloter [siflote] vi, vt silbar
ligeramente

sigle [sigl] nm sigla

signal, -aux [siɲal, o] nm señal f;
donner le ~ de dar la señal de;
~ d'alarme/d'alerte señal de
alarma/de alerta; **signalement**
nm descripción f

signaler [siɲale] vt señalar; **~
qch à qn/(à qn) que** señalar
algo a algn/(a algn) que

signature [siɲatyʀ] nf firma

signe [siɲ] nm (mouvement,
geste) seña; **c'est bon/mauvais
~** es buena/mala señal; **faire un
~ de la tête/main** hacer una
seña con la cabeza/la mano; **faire
~ à qn d'entrer** hacer señas a

algn para que entre; **en ~ de** en señal de; **~s particuliers** señas individuales; **signer** vt firmar; **se signer** vpr santiguarse

significatif, -ive [siɲifikatif, iv] adj significativo(-a)

signification [siɲifikasjɔ̃] nf significado

signifier [siɲifje] vt significar

silence [silɑ̃s] nm silencio; (MUS) pausa; **"~!"** ¡silencio!";

silencieux, -euse adj silencioso(-a) ♦ nm silenciador m

silhouette [silwɛt] nf silueta

sillage [sijaʒ] nm estela

sillon [sijɔ̃] nm surco; **sillonner** vt (suj: rides, crevasses) formar surcos en; (parcourir en tous sens) surcar

simagrées [simagʀe] nfpl melindres mpl

similaire [similɛʀ] adj similar; **similicuir** nm cuero artificial; **similitude** nf semejanza

simple [sɛ̃pl] adj simple; (peu complexe) sencillo(-a), simple; (repas, vie) sencillo(-a) ♦ nm (TENNIS): **~ messieurs/dames** individual m masculino/femenino; **~ d'esprit** nm/f simplón(-ona)

simplicité [sɛ̃plisite] nf sencillez f; **en toute ~** con toda sencillez

simplifier [sɛ̃plifje] vt simplificar

simuler [simyle] vt fingir; (suj: substance, revêtement) simular, imitar

simultané, e [simyltane] adj simultáneo(-a)

sincère [sɛ̃sɛʀ] adj sincero(-a); **sincèrement** adv sinceramente; **sincérité** nf sinceridad f

singe [sɛ̃ʒ] nm mono; **singer** vt imitar; **singeries** nfpl monerías fpl

singulariser [sɛ̃gylaʀize] vt

singularizar; **se ~** vpr caracterizarse

singularité [sɛ̃gylaʀite] nf singularidad f

singulier, -ière [sɛ̃gylje, jɛʀ] adj singular ♦ nm (LING) singular m

sinistre [sinistʀ] adj siniestro(-a) ♦ nm siniestro; **sinistré, e** adj siniestrado(-a)

sinon [sinɔ̃] conj (autrement, sans quoi) de lo contrario; (si ce n'est) si no

sinueux, -euse [sinɥø, øz] adj (ruelles) sinuoso(-a)

sinus [sinys] nm seno; **sinusite** nf sinusitis f inv

sirène [siʀɛn] nf sirena; **~ d'alarme** sirena de alarma

sirop [siʀo] nm (de fruit etc) concentrado; (boisson) sirope m, zumo; (pharmaceutique) jarabe m

siroter [siʀɔte] vt beber a sorbos

sismique [sismik] adj sísmico(-a)

site [sit] nm (paysage, environnement) paraje m; (d'une ville etc) emplazamiento; **~ (pittoresque)** paisaje m (pintoresco)

sitôt [sito] adv: **~ parti** nada más marcharse (etc); **~ après** inmediatamente después; **pas de ~** no tan pronto

situation [sitɥasjɔ̃] nf situación f; (emploi, place) puesto; **~ de famille** estado civil

situé, e [sitɥe] adj situado(-a)

situer [sitɥe] vt situar; (en pensée) localizar; **se ~** vpr: **se ~ à** ou **dans/près de** situarse en/cerca de

six [sis] adj inv, nm inv seis m inv; voir aussi **cinq**; **sixième** adj, nm/f sexto(-a) ♦ nm (partitif) sexto ♦ nf (SCOL) primer año de educación secundaria en el sistema *francés; voir aussi* **cinquième**

skaï [skaj] *nm* skay *m*

ski [ski] *nm* esquí *m*; ~ **de fond/
de piste/de randonnée** esquí
de fondo/de pista/de paseo; ~
nautique esquí náutico; **skier** *vi*
esquiar; **skieur, -euse** *nm/f*
esquiador(a)

slip [slip] *nm* (*d'homme*)
calzoncillo, slip *m*, calzones *mpl*
(AM); (*de femme*) braga, calzones
mpl (AM); (*de bain: d'homme*)
bañador *m*; (: *de femme*) braga
(del bikini)

slogan [slɔgã] *nm* eslogan *m*

SMIC [smik] *sigle m* (= *salaire
minimum interprofessionnel de
croissance*) salario mínimo
interprofesional

SMIC

*En Francia, se llama SMIC a la
tarifa salarial mínima establecida
por hora para trabajadores de
más de dieciocho años. Va ligado
al IPC y sube cada vez que el
coste de la vida aumenta en un
2%.*

---

smoking [smɔkiŋ] *nm* esmoquin
m

SNCF [esɛnseef] *sigle f* (= *Société
nationale des chemins de fer
français*) red nacional de
ferrocarriles franceses

snob [snɔb] *adj, nm/f* esnob *m/f*;
snobisme *nm* esnobismo

sobre [sɔbr] *adj* sobrio(-a)

sobriquet [sɔbrikɛ] *nm* mote *m*

social, e, -aux [sɔsjal, jo] *adj*
social

socialisme [sɔsjalism] *nm*
socialismo; **socialiste** *adj, nm/f*
socialista *m/f*

société [sɔsjete] *nf* sociedad *f*; ~
**anonyme/à responsabilité
limitée** sociedad anónima/de
responsabilidad limitada

sociologie [sɔsjɔlɔʒi] *nf*
sociología

socle [sɔkl] *nm* pedestal *m*

socquette [sɔkɛt] *nf* calcetín *m*
corto

sœur [sœr] *nf* hermana; ~
Elisabeth (REL) sor Elisabeth; ~
aînée/cadette hermana mayor/
menor

soi [swa] *pron* sí mismo(-a); **cela
va de ~** ni que decir tiene; **soi-
disant** *adj inv* supuesto(-a) ♦ *adv*
presuntamente

soie [swa] *nf* seda; (*de porc,
sanglier*) cerda; **soierie** *nf* sedería

soif [swaf] *nf* sed *f*; **avoir ~** tener
sed; **donner ~ (à qn)** dar sed (a
algn)

soigné, e [swaɲe] *adj* (*personne*)
cuidado(-a); (*travail*) esmerado(-a)

soigner [swaɲe] *vt* cuidar (a);
(*maladie*) curar; **soigneux,
-euse** *adj* cuidadoso(-a)

soi-même [swamɛm] *pron* sí-
mismo(-a)

soin [swɛ̃] *nm* cuidado *m*; ~**s** *nmpl*
(*à un malade, aussi hygiène*)
cuidados *mpl*; **avoir** *ou* **prendre
~ de qch/qn** ocuparse de algo/
algn; **laisser à qn le ~ de faire
qch** dejar a algn al cargo de hacer
algo; **les premiers ~s** primeros
auxilios *mpl*

soir [swar] *nm* tarde *f*, noche *f*;
ce ~ esta tarde; **"à ce ~!"**
"¡hasta luego!"; **sept heures
du ~** las siete de la tarde; **dix
heures du ~** las diez de la
noche; **demain ~** mañana por la
noche; **soirée** *nf* (*moment de la
journée*) tarde *f*; (: *tard*) noche *f*;

(réception) velada

soit [swa] vb voir **être** ♦ conj es decir ♦ adv (assentiment) sea, de acuerdo; **~ que ...**, **~ que ...** ya sea ... ya sea ...

soixantaine [swasɑ̃tɛn] nf (nombre): **la ~** los sesenta; **avoir la ~** rondar los sesenta

soixante [swasɑ̃t] adj inv, nm inv sesenta m inv; voir aussi **cinq**

soixante-dix [swasɑ̃tdis] adj inv, nm inv setenta m inv

soixante-dixième [swasɑ̃tdizjɛm] adj, nm/f septuagésimo(-a); voir aussi **cinquième**

soixantième [swasɑ̃tjɛm] adj, nm/f sexagésimo(-a); voir aussi **cinquième**

soja [sɔʒa] nm soja; **germes de ~** brotes mpl de soja

sol [sɔl] nm suelo ♦ nm inv (MUS) sol m

solaire [sɔlɛʀ] adj solar; (huile, filtre) bronceador(a); **cadran ~** reloj m de sol

soldat [sɔlda] nm soldado

solde [sɔld] nf (MIL) sueldo ♦ nm (COMM) saldo; **~s** bms ou fpl (COMM) saldos mpl; **en ~** rebajado; **solder** vt (compte: en acquittant le solde) saldar; (: en l'arrêtant) liquidar; (marchandise) rebajar; **article soldé 10 F** artículo rebajado a 10 francos

sole [sɔl] nf lenguado

soleil [sɔlɛj] nm sol m; **il y a ~** hace sol; **au ~** al sol; **en plein ~** a pleno sol

solennel, le [sɔlanɛl] adj solemne

solfège [sɔlfɛʒ] nm solfeo

solidaire [sɔlidɛʀ] adj solidario(-a); (choses) interdependiente; **solidarité** nf

solidaridad f; **par solidarité (avec)** por solidaridad (con)

solide [sɔlid] adj sólido(-a); (personne, estomac) fuerte ♦ nm (PHYS, GÉOM) sólido

soliste [sɔlist] nm/f solista m/f

solitaire [sɔlitɛʀ] adj solitario(-a) ♦ nm/f (diamant, jeu) solitario

solitude [sɔlityd] nf soledad f

solliciter [sɔlisite] vt solicitar; (suj: attractions etc) tentar; (: occupations) absorber; **~ qn** tentar a algn

sollicitude [sɔlisityd] nf solicitud f

soluble [sɔlybl] adj soluble

solution [sɔlysjɔ̃] nf solución f; **~ de facilité** solución fácil

solvable [sɔlvabl] adj solvente

sombre [sɔ̃bʀ] adj oscuro(-a); **sombrer** vi (bateau) zozobrar

sommaire [sɔmɛʀ] adj somero(-a) ♦ nm sumario

somme [sɔm] nf (MATH, d'argent) suma ♦ nm: **faire un ~** echar un sueño; **en ~** en resumidas cuentas

sommeil [sɔmɛj] nm sueño; **avoir ~** tener sueño; **sommeiller** vi dormitar; (fig) estar en suspenso

sommet [sɔmɛ] nm cima; (de la perfection, gloire) cumbre f

sommier [sɔmje] nm somier m

somnambule [sɔmnɑ̃byl] nm/f sonámbulo(-a)

somnifère [sɔmnifɛʀ] nm somnífero

somnoler [sɔmnɔle] vi dormitar

somptueux, -euse [sɔ̃ptɥø, øz] adj suntuoso(-a)

son¹, sa [sɔ̃, sa] (pl **ses**) dét su

son² [sɔ̃] nm sonido; (de blé) salvado

sondage [sɔ̃daʒ] nm sondeo

sonde [sɔ̃d] nf sonda; (TECH)

barrena

sonder [sɔ̃de] *vt* sondear; *(plaie, malade)* sondar; *(fig: conscience etc)* indagar (en); **~ le terrain** *(fig)* tantear el terreno

songe [sɔ̃ʒ] *nm* sueño; **songer: songer à** *vt ind* pensar en; **songeur, -euse** *adj* pensativo

sonnant, e [sɔnɑ̃, ɑ̃t] *adj:* **à huit heures ~es** a las ocho en punto

sonné, e [sɔne] *adj:* **il est midi ~** son las doce dadas; **il a quarante ans bien ~s** tiene cuarenta años bien cumplidos

sonner [sɔne] *vi (cloche)* tañer; *(réveil, téléphone)* sonar ♦ *vt (cloche)* tañer; *(domestique, portier, infirmière)* llamar a; *(messe, réveil, tocsin)* tocar a; *(fam: suj: choc, coup)* dejar sonado(-a); **~ faux** *(instrument)* desafinar; *(rire)* sonar a falso; **~ les heures** dar las horas

sonnerie [sɔnʀi] *nf* timbre *m*; **~ d'alarme** alarma

sonnette [sɔnɛt] *nf (de porte, électrique)* timbre *m*; **~ d'alarme** timbre de alarma

sonore [sɔnɔʀ] *adj* sonoro(-a); **sonorisation** *nf* sonorización *f*; **sonorité** *nf* sonoridad *f*

sophistiqué, e [sɔfistike] *adj* sofisticado(-a)

sorbet [sɔʀbɛ] *nm* sorbete *m*

sorcier, -ière [sɔʀsje, jɛʀ] *nm/f* brujo(-a)

sordide [sɔʀdid] *adj* sórdido(-a)

sort [sɔʀ] *vb voir* **sortir** ♦ *nm (fortune, destin)* suerte *f*; *(condition, situation)* fortuna *f*; **jeter un ~** hechizar; **tirer au ~** sortear

sorte [sɔʀt] *nf* clase *f*, especie *f*; **en quelque ~** en cierto modo; **de (telle) ~ que** de (tal) modo que; **faire en ~ que** procurar que

sortie [sɔʀti] *nf* salida; **~ de secours** salida de emergencia

sortilège [sɔʀtilɛʒ] *nm* sortilegio

sortir [sɔʀtiʀ] *vi salir* ♦ *vt llevar; (mener dehors, promener: personne, chien)* sacar; *(produit etc)* salir al mercado; *(fam: expulser: personne)* echar; **~ de** salir de; *(rails etc, aussi fig)* salirse de; **se ~ de** *(affaire, situation)* salir de; **~ de ses gonds** *(fig)* salirse de sus casillas; **s'en ~** *(malade)* reponerse

sosie [sɔzi] *nm* doble *m/f*

sot, sotte [so, sɔt] *adj, nm/f* necio(-a); **sottise** *nf:* **une sottise** una tontería

sou [su] *nm:* **être près de ses ~s** ser un(a) agarrado(-a); **être sans le ~** estar sin blanca

soubresaut [subʀəso] *nm* sobresalto

souche [suʃ] *nf (d'un arbre)* cepa; *(d'un registre, carnet)* matriz *f*

souci [susi] *nm* preocupación *f*, inquietud *f*; *(BOT)* caléndula; **se faire du ~** inquietarse; **soucier: se soucier de** *vpr* preocuparse por; **soucieux, -euse** *adj* preocupado(-a)

soucoupe [sukup] *nf* platillo; **~ volante** platillo volante

soudain, e [sudɛ̃, ɛn] *adj* repentino(-a) ♦ *adv* de repente

soude [sud] *nf* sosa

souder [sude] *vt* soldar

soudure [sudyʀ] *nf* soldadura

souffle [sufl] *nm* soplo; *(d'une explosion)* onda expansiva; **être à bout de ~** estar sin aliento; **second ~** *(fig)* fuerzas recobradas

soufflé [sufle] *nm (CULIN)* suflé *m*

souffler [sufle] *vi* soplar; *(haleter)* resoplar ♦ *vt* soplar; *(suj: explosion)* volar; **~ qch à qn** apuntar algo a algn

souffrance [sufʀɑ̃s] *nf* sufrimiento

souffrant, e [sufʀɑ̃, ɑ̃t] *adj* (*personne*) indispuesto(-a)

souffre-douleur [sufʀədulœʀ] *nm inv* chivo expiatorio

souffrir [sufʀiʀ] *vi* sufrir ♦ *vt* padecer; (*exception, retard*) admitir; **~ de** padecer de; (: *dents, blessure etc*) hacer padecer a algn

soufre [sufʀ] *nm* azufre *m*

souhait [swɛ] *nm* deseo; **"à vos ~s!"** "¡Jesús!"; **souhaitable** *adj* aconsejable

souhaiter [swete] *vt* desear; **~ le bonjour à qn** dar los buenos días a algn; **~ la bonne année à qn** desearle un feliz año nuevo a algn

soûl, e [su, sul] *adj* borracho(-a) ♦ *nm*: **boire/manger tout son ~** beber/comer hasta hartarse

soulagement [sulaʒmɑ̃] *nm* alivio

soulager [sulaʒe] *vt* aliviar

soûler [sule] *vt* emborrachar; (*boisson, fig*) embriagar; **se ~** *vpr* emborracharse

soulever [sul(ə)ve] *vt* levantar; (*difficultés*) provocar; (*question, problème, débat*) plantear; **se ~** *vpr* levantarse; (*peuple, province*) sublevarse; **cela (me) soulève le cœur** eso me revuelve el estómago

soulier [sulje] *nm* zapato

souligner [suliɲe] *vt* subrayar; (*détail, l'importance de qch*) remarcar

soumettre [sumɛtʀ] *vt* someter; **se ~** *vpr*: **se ~ (à)** someterse (a)

soumis, e [sumi, iz] *pp de* **soumettre** ♦ *adj* (*personne, air*) sumiso(-a); (*peuples*) sometido(-a)

soumission *nf* sumisión *f*

soupçon [supsɔ̃] *nm* sospecha; **un ~ de** una pizca de;

soupçonner *vt* sospechar;

soupçonneux, -euse *adj* desconfiado(-a)

soupe [sup] *nf* sopa

souper [supe] *vi* cenar ♦ *nm* cena

soupeser [supəze] *vt* sopesar

soupière [supjɛʀ] *nf* sopera

soupir [supiʀ] *nm* suspiro; (*MUS*) silencio de negra

soupirer [supiʀe] *vi* suspirar

souple [supl] *adj* flexible; (*démarche, taille*) desenvuelto(-a); **souplesse** *nf* flexibilidad *f*; (*de la démarche*) desenvoltura; **en souplesse, avec souplesse** con suavidad

source [suʀs] *nf* fuente *f*; (*point d'eau*) manantial *m*; (*fig: cause, point de départ*) origen *m*; **~s** *nfpl* (*fig*) fuentes *fpl*

sourcil [suʀsi] *nm* ceja;

sourciller *vi*: **sans sourciller** sin pestañear

sourd, e [suʀ, suʀd] *adj* sordo(-a) ♦ *nm/f* sordo(-a); **sourdine** *nf* (*MUS*) sordina; **en sourdine** por lo bajo

sourd-muet, sourde-muette [suʀmɥɛ, suʀdmɥɛt] (*pl* **~s-~s, sourdes-muettes**) *adj, nm/f* sordomudo(-a)

souriant, e [suʀjɑ̃, jɑ̃t] *vb voir* **sourire** ♦ *adj* sonriente

sourire [suʀiʀ] *nm* sonrisa ♦ *vi* sonreír; **garder le ~** mantener la sonrisa; **~ à qn** sonreír a algn

souris [suʀi] *nf* (*ZOOL, INFORM*) ratón *m*

sournois, e [suʀnwa, waz] *adj* disimulado(-a), solapado(-a)

sous [su] *prép* debajo de, bajo; **~ la pluie/le soleil** bajo la lluvia/el

sol; ~ **mes yeux** ante mis ojos; ~
terre adj bajo tierra ♦ adv debajo
de la tierra; ~ **vide** adj al vacío ♦
adv en vacío; ~ **Louis XIV** bajo
el reinado de Luis XIV; ~ **peu**
dentro de poco; **sous-bois** nm
inv maleza
souscrire [suskʀiʀ]: ~ **à** vt inv
suscribir a
sous...: sous-directeur,
-trice (pl **sous-directeurs,**
trices) nm/f subdirector(a);
sous-entendre vt
sobrentender; **sous-entendu, e**
(pl **sous-entendus, es**) adj
implícito(-a) ♦ nm insinuación f;
sous-estimer vt subestimar;
sous-jacent, e (pl **sous-**
jacents, es) adj subyacente; (fig:
idée) latente; **sous-louer** vt
subarrendar; **sous-marin, e** (pl
sous-marins, es) adj
submarino(-a) ♦ nm submarino;
soussigné, e adj: **je**
soussigné ... yo, el que
suscribe ...; **sous-sol** (pl **sous-**
sols) nm sótano; **sous-titre** (pl
sous-titres) nm subtítulo
soustraction [sustʀaksjɔ̃] nf
sustracción f
soustraire [sustʀɛʀ] vt sustraer;
~ **qn à** alejar a algn de
sous...: sous-traitant (pl
sous-traitants) nm
subcontratista m; **sous-traiter**
vt (COMM: affaire) ceder en
subcontrato ♦ vi subcontratar;
sous-vêtements nmpl ropa
interior
soutane [sutan] nf sotana
soute [sut] nf (aussi: ~ **à**
bagages) bodega
soutenir [sut(ə)niʀ] vt sostener;
(intérêt, effort) mantener; ~ **que**
mantener que; **soutenu, e** pp de

soutenir ♦ adj (attention, efforts)
constante; (style) elevado(-a);
(couleur) vivo(-a)
souterrain, e [suteʀɛ̃, ɛn] adj
subterráneo(-a) ♦ nm subterráneo
soutien [sutjɛ̃] nm apoyo;
soutien-gorge (pl **soutiens-**
gorge) nm sujetador m, corpiño
(AM)
soutirer [sutiʀe] vt: ~ **qch à qn**
sonsacar algo a algn
souvenir [suv(ə)niʀ] nm
recuerdo; (réminiscence) memoria
♦ vpr: **se ~ de** recordar,
acordarse de; **en ~ de** como
recuerdo de; **se ~ que** recordar
que, acordarse de que
souvent [suvã] adv a menudo,
con frecuencia, seguido de (AM); **peu**
~ pocas veces, con poca
frecuencia
souverain, e [suv(ə)ʀɛ̃, ɛn] adj
soberano(-a) ♦ nm/f soberano(-a)
soyeux, -euse [swajø, øz] adj
sedoso(-a)
spacieux, -ieuse [spasjø, jøz]
adj espacioso(-a)
spaghettis [spageti] nmpl
espaguetis mpl
sparadrap [spaʀadʀa] nm
esparadrapo, curita (AM)
spatial, e, -aux [spasjal, jo] adj
espacial
speaker, ine [spikœʀ, kʀin]
nm/f locutor(a)
spécial, e, -aux [spesjal, jo] adj
especial; **spécialement** adv
especialmente; **spécialiser: se**
~ vpr especializarse; **spécialiste**
nm/f especialista m/f; **spécialité**
nf especialidad f
spécifier [spesifje] vt especificar
spécimen [spesimɛn] nm
espécimen m; (revue etc) ejemplar
m gratuito

spectacle [spɛktakl] *nm* espectáculo; **spectaculaire** *adj* espectacular

spectateur, -trice [spɛktatœr, tris] *nm/f* espectador(a)

spéculer [spekyle] *vi* especular; ~ **sur** (FIN, COMM) especular con; (réfléchir) especular sobre

spéléologie [speleɔlɔʒi] *nf* espeleología

sperme [spɛrm] *nm* esperma *m*

sphère [sfɛr] *nf* esfera

spirale [spiral] *nf* espiral *f*

spirituel, le [spirituɛl] *adj* espiritual; (fin, amusant) ingenioso(-a)

splendide [splɑ̃did] *adj* espléndido(-a)

sponsoring [spɔ̃sɔriŋ] *nm* esponsorización *f*, patrocinio

spontané, e [spɔ̃tane] *adj* espontáneo(-a); **spontanéité** *nf* espontaneidad *f*

sport [spɔr] *nm* deporte *m* ♦ *adj inv* (vêtement, ensemble) de sport; **faire du** ~ hacer deporte; ~ **d'hiver** deporte de invierno; **sportif, -ive** *adj* deportivo(-a) ♦ *nm/f* deportista *mf*

spot [spɔt] *nm* (lampe) foco; ~ (**publicitaire**) anuncio *ou* spot *m* (publicitaire)

square [skwar] *nm* plazoleta

squelette [skəlɛt] *nm* esqueleto; **squelettique** *adj* esquelético(-a)

stabiliser [stabilize] *vt* estabilizar

stable [stabl] *adj* estable

stade [stad] *nm* estadio; **stadier** *nm* vigilante *m* de seguridad (en un estadio)

stage [staʒ] *nm* cursillo; **stagiaire** *nm/f* cursillista *m/f*

stagner [stagne] *vi* estancarse

stand [stɑ̃d] *nm* (d'exposition) stand *m*; (de foire) puesto; ~ **de**

tir (MIL, SPORT) galería de tiro; (à la foire) puesto de tiro al blanco

standard [stɑ̃dar] *adj inv* estándar ♦ *nm* estándar *m*; (téléphonique) central *f* telefónica, conmutador *m* (AM); **standardiste** *nm/f* telefonista *m/f*

standing [stɑ̃diŋ] *nm* nivel *m* de vida; **immeuble de grand ~** inmueble de lujo

starter [starter] *nm* (AUTO) estárter *m*

station [stasjɔ̃] *nf* estación *f*; (de bus, métro) parada; (RADIO, TV) emisora; ~ **de sports d'hiver** estación de esquí; ~ **de taxis** parada de taxis; ~ **thermale** balneario; **stationnement** *nm* (AUTO) aparcamiento; **stationner** *vi* aparcar; **station-service** (pl **stations-service**) *nf* gasolinera, estación *f* de servicio

statistique [statistik] *nf* estadística ♦ *adj* estadístico(-a)

statue [staty] *nf* estatua

statu quo [statykwo] *nm*: **maintenir le ~ ~** mantener el statu quo

statut [staty] *nm* estatuto; **statutaire** *adj* estatutario(-a)

Sté *abr* = **société**

steak [stɛk] *nm* bistec *m*, bife *m* (ARG)

sténo(graphie) [stenɔ(grafi)] *nf* taquigrafía *f*

stérile [steril] *adj* estéril

stérilet [sterilɛ] *nm* espiral *f*

stériliser [sterilize] *vt* esterilizar

stimulant, e [stimylɑ̃, ɑ̃t] *adj* estimulante ♦ *nm* (fig) aliciente *m*, incentivo

stimuler [stimyle] *vt* estimular

stipuler [stipyle] *vt* estipular

stock [stɔk] *nm* (COMM) existencias *fpl*, stock *m*; (d'or) reservas *fpl*; **stocker** *vt* almacenar

stop [stɔp] *nm* (AUTO: *panneau*) stop *m*; (*auto-stop*) auto-stop *m* ♦ *excl* ¡alto!; **stopper** *vt* (*navire, machine*) detener; (*mouvement, attaque*) parar; (COUTURE) zurcir

store [stɔʀ] *nm* (*en tissu*) cortinilla; (*en bois*) persiana; (*de magasin*) toldo

strapontin [stʀapɔ̃tɛ̃] *nm* asiento plegable

stratégie [stʀateʒi] *nf* estrategia; **stratégique** *adj* estratégico(-a)

stress [stʀɛs] *nm* estrés *msg*; **stressant, e** *adj* estresante; **stresser** *vt* estresar

strict, e [stʀikt] *adj* estricto(-a); (*parents*) severo(-a), (*tenue*) de etiqueta; **c'est son droit le plus ~** es su justo derecho; **le ~ nécessaire** *ou* **minimum** lo esencial

strident, e [stʀidɑ̃, ɑ̃t] *adj* estridente

strophe [stʀɔf] *nf* estrofa

structure [stʀyktyʀ] *nf* estructura; **~s d'accueil** medios *mpl* de acogida

studieux, -euse [stydjø, jøz] *adj* estudioso(-a)

studio [stydjo] *nm* estudio; (*logement*) apartamento-estudio

stupéfait, e [stypefɛ, ɛt] *adj* estupefacto(-a)

stupéfiant, e [stypefjɑ̃, jɑ̃t] *adj, nm* estupefaciente *m*

stupéfier [stypefje] *vt* dejar estupefacto(-a)

stupeur [stypœʀ] *nf* estupor *m*

stupide [stypid] *adj* estúpido(-a); **stupidité** *nf* estupidez *f*

style [stil] *nm* estilo

stylé, e [stile] *adj* con clase

styliste [stilist] *nm/f* diseñador(a)

stylo [stilo] *nm*: **~ (à) plume** estilográfica; **~ (à) bille** bolígrafo, birome *f* (CSUR)

su, e [sy] *pp de* **savoir**

suave [sɥav] *adj* suave

subalterne [sybaltɛʀn] *adj, nm/f* subalterno(-a)

subconscient [sypkɔ̃sjɑ̃] *nm* subconsciente *m*

subir [sybiʀ] *vt* padecer; (*mauvais traitements, revers, modification*) sufrir; (*influence, charme*) experimentar; (*traitement, opération, examen*) pasar

subit, e [sybi, it] *adj* repentino(-a); **subitement** *adv* repentinamente

subjectif, -ive [sybʒɛktif, iv] *adj* subjetivo(-a)

subjonctif [sybʒɔ̃ktif] *nm* subjuntivo

subjuguer [sybʒyge] *vt* encantar

submerger [sybmɛʀʒe] *vt* sumergir

subordonné, e [sybɔʀdɔne] *adj* (LING) subordinado(-a) ♦ *nm/f* (ADMIN, MIL) subordinado(-a)

subrepticement [sybʀɛptismɑ̃] *adv* con disimulo

subside [sybzid] *nm* subsidio

subsidiaire [sybzidjɛʀ] *adj*: **question ~** pregunta adicional

subsister [sybziste] *vi* (*monument, erreur*) perdurar; (*personne, famille*) subsistir

substance [sypstɑ̃s] *nf* su(b)stancia

substituer [sypstitɥe] *vt*: **~ qch/qn à** sustituir algo/a algn por

substitut [sypstity] *nm* (JUR) sustituto; (*succédané*) su(b)stitutivo

subterfuge [sybtɛʀfyʒ] *nm* subterfugio

subtil, e [syptil] *adj* sutil

subvenir [sybvəniʀ]: ~ **à** vt ind
atender a
subvention [sybvãsjɔ̃] nf
subvención f; **subventionner** vt
subvencionar
suc [syk] nm (BOT) jugo; (d'un
fruit) zumo
succéder [syksede]: ~ **à** vt ind
suceder a; **se** ~ vpr sucederse
succès [sykse] nm éxito; **sans** ~
sin éxito; **avoir du** ~ tener éxito;
à ~ de éxito
successeur [syksesœʀ] nm
sucesor m
successif, -ive [syksesif, iv] adj
sucesivo(-a)
succession [syksesjɔ̃] nf
sucesión f
succomber [sykɔ̃be] vi sucumbir;
~ **à** sucumbir a
succulent, e [sykylã, ãt] adj
suculento(-a)
succursale [sykyʀsal] nf sucursal
f
sucer [syse] vt chupar; **sucette**
nf (bonbon) piruleta
sucre [sykʀ] nm azúcar m ou f;
(morceau de sucre) terrón m de
azúcar; ~ **cristallisé** azúcar en
polvo; ~ **d'orge** pirulí m; ~ **en
morceaux/en poudre** azúcar
de cortadillo/en polvo; **sucré, e**
adj azucarado(-a); (péj: ton, voix)
meloso(-a); **sucrer** vt poner
azúcar en ou a; **sucreries** nfpl
(bonbons) golosinas fpl; **sucrier,
-ière** nm azucarero
sud [syd] nm sur m ♦ adj inv sur
inv; **au** ~ al sur; **au** ~ **de** al sur
de; **sud-africain, e** nm/f (pl **sud-
africains, es**) adj
sudafricano(-a); **Sud-
Africain, e** sudafricano(-a);
sud-américain, e nm/f (pl **sud-
américains, es**) adj

sudaméricano(-a) ♦ nm/f: **Sud-
Américain, e** sudamericano(-a);
sud-est nm inv sudeste m inv;
sud-ouest nm inv sudoeste m
inv
Suède [sɥɛd] nf Suecia;
suédois, e adj sueco(-a) ♦ nm
(LING) sueco ♦ nm/f: **Suédois, e**
sueco(-a)
suer [sɥe] vi sudar; **sueur** nf
sudor m
suffire [syfiʀ] vi bastar; (intensif):
**il suffit d'une négligence
pour que ...** un descuido basta
para que ...; **il suffit qu'on
oublie pour que ...** basta
olvidarse para que ...; **cela lui
suffit** eso le basta; **"ça suffit!"**
¡basta ya!
suffisamment [syfizamã] adv
suficientemente; ~ **de** suficiente
suffisant, e [syfizã, ãt] adj
suficiente; (air, ton) de suficiencia
suffixe [syfiks] nm sufijo
suffoquer [syfɔke] vt sofocar;
(nouvelle) dejar sin respiración
♦ vi sofocarse
suffrage [syfʀaʒ] nm voto; ~**s**
nmpl (du public etc) votos mpl; ~
universel/direct/indirect
sufragio universal/directo/indirecto
suggérer [sygʒeʀe] vt sugerir;
suggestion nf sugerencia
suicide [sɥisid] nm suicidio;
suicider: se suicider vpr
suicidarse
suie [sɥi] nf hollín m
suisse [sɥis] adj suizo(-a) ♦ nm/f:
S~ suizo(-a); **Suissesse** nf suiza
suite [sɥit] nf continuación f; (de
maisons, rues, succès) sucesión f;
(MATH, liaison logique) serie f; (MUS,
appartement) suite f; (escorte)
séquito; ~**s** nfpl (d'une maladie,
chute) secuelas fpl; **prendre la** ~

de (*directeur etc*) tomar el relevo de, **donner ~ à** dar curso a; **~ à votre lettre du ...** en respuesta a su carta del ...; **de ~** (*d'affilée*) seguido(-a); **par la ~** luego; **à la ~** adj seguido(-a) ♦ adv a continuación; **à la ~ de** (*derrière*) tras; (*en conséquence de*) como consecuencia de

suivant, e [sɥivɑ̃, ɑ̃t] *vb voir* **suivre** ♦ adj siguiente ♦ *prép* según; **~ que** según que; **"au ~!"** "¡el siguiente!"

suivi, e [sɥivi] *pp de* **suivre** ♦ adj seguido(-a) ♦ *nm* seguimiento

suivre [sɥivʁ] *vt* seguir; (*imagination, fantaisie, goût*) dejarse guiar por; (*cours*) asistir a; (*comprendre: programme, leçon*) comprender; (*malade, affaire*) llevar el seguimiento de; (*raisonnement*) seguir el hilo de ♦ *vi* (*écouter attentivement*) atender; (*assimiler le programme*) comprender; (*venir après*) seguirse; **se ~** *vpr* sucederse; **faire ~** (*lettre*) reexpedir

sujet, te [syʒɛ, ɛt] *adj*: **être ~ à** (*accidents, vertige etc*) ser propenso(-a) a ♦ *nm/f* (*d'un souverain etc*) súbdito(-a) ♦ *nm* tema *m*; **au ~ de** a propósito de; **~ de conversation** tema de conversación; **~ d'examen** tema de examen

super [sypɛʁ] *adj inv* (*fam*) súper *inv* ♦ *nm* súper *f*

superbe [sypɛʁb] *adj* espléndido(-a)

superficie [sypɛʁfisi] *nf* superficie *f*

superficiel, le [sypɛʁfisjɛl] *adj* superficial

superflu, e [sypɛʁfly] *adj* superfluo(-a)

supérieur, e [sypeʁjœʁ] *adj* superior; (*air, sourire*) de superioridad ♦ *nm* superior *m* ♦ *nm/f* Superior(a); **Mère ~e** madre *f* superiora; **à l'étage ~** en el piso de arriba; **supériorité** *nf* superioridad *f*

supermarché [sypɛʁmaʁʃe] *nm* supermercado

superposer [sypɛʁpoze] *vt* superponer; **lits superposés** literas *fpl*

superpuissance [sypɛʁpɥisɑ̃s] *nf* superpotencia

superstitieux, -euse [sypɛʁstisjø, jøz] *adj* supersticioso(-a)

superviser [sypɛʁvize] *vt* supervisar

supplanter [syplɑ̃te] *vt* (*personne*) suplantar

suppléant, e [sypleɑ̃, ɑ̃t] *adj* (*juge, fonctionnaire*) suplente; (*professeur*) sustituto(-a) ♦ *nm/f* sustituto(-a)

suppléer [syplee] *vt* suplir; **~ à** suplir

supplément [syplemɑ̃] *nm* suplemento; **un ~ de frites** una porción extra de patatas fritas; **en ~** (*au menu etc*) no incluido; **supplémentaire** *adj* suplementario(-a); (*train etc*) adicional

supplications [syplikasjɔ̃] *nfpl* súplicas *fpl*

supplice [syplis] *nm* suplicio *m*

supplier [syplije] *vt* suplicar

support [sypɔʁ] *nm* soporte *m*

supportable [sypɔʁtabl] *adj* soportable

supporter[1] [sypɔʁtœʁ] *nm* seguidor *m*

supporter[2] [sypɔʁte] *vt* soportar; (*choc*) resistir a

supposer [sypoze] *vt* suponer;
en supposant *ou* **à ~ que**
suponiendo que
suppositoire [sypozitwaʀ] *nm*
supositorio
suppression [sypʀesjɔ̃] *nf*
supresión *f*
supprimer [sypʀime] *vt* suprimir
suprême [sypʀɛm] *adj* (*pouvoir
etc*) supremo(-a)

--- MOT-CLÉ ---

sur¹ [syʀ] *prép* **1** en; (*par dessus,
au-dessus*) encima de, sobre;
pose-le sur la table ponlo en
la mesa; **je n'ai pas d'argent
sur moi** no llevo dinero encima;
**avoir de l'influence/un effet
sur ...** tener influencia/un efecto
sobre ...; **avoir accident sur
accident** tener accidente tras
accidente; **sur ce** tras esto
2 (*direction*) hacia; **en allant sur
Paris** yendo hacia París; **sur
votre droite** a su derecha
3 (*à propos de*) acerca de, sobre;
**un livre/une conférence sur
Balzac** un libro/una conferencia
sobre Balzac
4 (*proportion, mesures*) de entre,
de cada; **un sur 10** uno de cada
10; (*SCOL: note*) uno sobre 10; **sur
20, 2 sont venus de** 20, han
venido 2; **4m sur 2** 4m por 2

sur², **e** [syʀ] *adj* agrio(-a)
sûr, **e** [syʀ] *adj* seguro(-a);
(*renseignement, ami, voiture*) de
confianza; (*goût, réflexe etc*)
agudo(-a); **c'est ~ et certain**
sin lugar a dudas; **~ de soi**
seguro de sí mismo(-a)
surcharge [syʀʃaʀʒ] *nf*
sobrecarga; **~ de travail** exceso
de trabajo; **surcharger** *vt*

(*véhicule*) cargar en exceso
surcroît [syʀkʀwa] *nm*: **un ~ de**
un aumento de; **de ~** por
añadidura
surdité [syʀdite] *nf* sordera
sûrement [syʀmɑ̃] *adv* con
seguridad; (*certainement*)
seguramente
surenchère [syʀɑ̃ʃɛʀ] *nf* (*aux
enchères*) sobrepuja; (*sur prix fixe*)
encarecimiento; **surenchérir** *vi*
(*COMM*) sobrepujar; (*fig*):
surenchérir sur qn aventajar a
algn
surestimer [syʀɛstime] *vt*
sobreestimar
sûreté [syʀte] *nf* fiabilidad *f*; (*du
goût etc*) agudeza; **être/mettre
en ~** (*personne*) estar/poner a
salvo; (*objet*) estar/poner a lugar
seguro; **pour plus de ~** para
mayor seguridad
surf [sœʀf] *nm* surf *m*
surface [syʀfas] *nf* superficie *f*;
faire ~ salir a la superficie; **en ~**
(*nager, naviguer*) en la superficie;
(*fig*) aparentemente
surfait, **e** [syʀfɛ, ɛt] *adj*
sobreestimado(-a)
surgelé, **e** [syʀʒəle] *adj*
congelado(-a)
surgir [syʀʒiʀ] *vi* aparecer; (*de
terre*) salir; (*fig*) surgir
sur...: surhumain, **e** *adj*
sobrehumano(-a); **sur-le-champ**
adv en el acto; **surlendemain**
nm: **le surlendemain** a los dos
días; **le surlendemain de** dos
días después de; **surmenage** *nm*
(*MÉD*) agotamiento; **surmener** *vt*
agotar; **se surmener** *vpr*
agotarse
surmonter [syʀmɔ̃te] *vt* vencer;
(*suj: coupole etc*) coronar
surnaturel, **le** [syʀnatyʀɛl] *adj*

sobrenatural ♦ nm: **le ~ lo**
sobrenatural

surnom [syʀnɔ̃] nm (gén)
sobrenombre m

surnombre [syʀnɔ̃bʀ] nm: **être
en ~** estar de más

surpeuplé, e [syʀpœple] adj
superpoblado(-a)

surplace [syʀplas] nm: **faire du
~** (rester en équilibre) mantener el
equilibrio; (dans un embouteillage
etc) ir a paso de caracol

surplomber [syʀplɔ̃be] vi
sobresalir ♦ vt destacar sobre

surplus [syʀply] nm (COMM)
excedente m; **~ de bois/tissu**
sobrante m de leña/de tela

surprenant, e [syʀpʀənɑ̃, ɑ̃t] vb
voir **surprendre** ♦ adj
sorprendente

surprendre [syʀpʀɑ̃dʀ] vt
sorprender; (secret, conversation)
descubrir

surpris, e [syʀpʀi, iz] pp de
surprendre ♦ adj de sorpresa; **~
de/que** sorprendido(-a) por/de
que; **surprise** nf sorpresa; **faire
une surprise à qn** dar una
sorpresa a algn; **surprise-
partie** (pl **surprises-parties**)
nf guateque m

sursaut [syʀso] nm sobresalto;
en ~ de un sobresalto; **~
d'énergie** resuello de energía;
sursauter vi sobresaltarse

sursis [syʀsi] nm (JUR: d'une
peine) indulto; (: à la
condamnation à mort)
aplazamiento

surtout [syʀtu] adv sobre todo; **~
pas!** ¡de ninguna manera!; **~
que ...** sobre todo porque ...

surveillance [syʀvɛjɑ̃s] nf
vigilancia; **sous ~ médicale**
bajo control médico

surveillant, e [syʀvɛjɑ̃, ɑ̃t] nm/f
(SCOL, de prison) vigilante m/f

surveiller [syʀveje] vt (enfant etc)
cuidar de; (MIL, gén) vigilar;
(travaux, cuisson) atender; **se ~**
vpr controlarse; **~ son
langage/sa ligne** cuidar su
vocabulario/la línea

survenir [syʀvəniʀ] vi sobrevenir

survêtement [syʀvɛtmɑ̃] nm
chandal m ou chándal m

survie [syʀvi] nf supervivencia;
survivant, e nm/f superviviente
m/f; **survivre** vi sobrevivir;
survivre à sobrevivir a

survoler [syʀvɔle] vt (lieu)
sobrevolar

survolté, e [syʀvɔlte] adj
(personne) superexcitado(-a);
(ambiance) acalorado(-a)

sus [sy(s)] prép: **en ~ de** (JUR,
ADMIN) además de; **en ~** además

susceptible [syseptibl] adj
susceptible; **~ de** susceptible de

susciter [sysite] vt (admiration
etc) suscitar; **(à qn)** (ennuis etc)
originar (a algn)

suspect, e [syspɛ(kt), ɛkt] adj
sospechoso(-a) ♦ nm/f
sospechoso(-a); **suspecter** vt
sospechar

suspendre [syspɑ̃dʀ] vt
suspender; **se ~** vpr: **se ~ à**
aferrarse a, colgarse de; **~ qch
(à)** colgar algo (de)

suspendu, e [syspɑ̃dy] pp de
suspendre ♦ adj (accroché): **~ à**
colgado(-a) de; (perché): **~ au-
dessus de** suspendido(-a) sobre

suspens [syspɑ̃] nm: **tenir en ~**
mantener en suspense

suspense [syspɛns] nm suspense
m

suspension [syspɑ̃sjɔ̃] nf
suspensión f; (lustre) lámpara de

techo; **en ~** en suspensión
suture [sytyʀ] *nf*: **point de ~**
punto de sutura
svelte [svɛlt] *adj* esbelto(-a)
SVP [ɛsvepe] *abr* (= *s'il vous plaît*)
por favor
syllabe [si(l)lab] *nf* sílaba
symbole [sɛ̃bɔl] *nm* símbolo;
  symbolique *adj* simbólico(-a);
  symboliser *vt* simbolizar
symétrique [simetʀik] *adj*
simétrico(-a)
sympa [sɛ̃pa] (*fam*) *adj inv voir*
sympathique
sympathie [sɛ̃pati] *nf* simpatía f;
  (*condoléances*) pésame m;
  accueillir avec ~ acoger con
  gusto; **témoignages de ~**
  muestras *fpl* de condolencia;
  sympathique *adj* simpático(-a);
  (*déjeuner etc*) agradable
sympathisant, e [sɛ̃patizɑ̃, ɑ̃t]
nm/f simpatizante *m/f*
sympathiser [sɛ̃patize] *vi*
simpatizar
symphonie [sɛ̃fɔni] *nf* sinfonía f
symptôme [sɛ̃ptom] *nm* síntoma
m
synagogue [sinagɔg] *nf* sinagoga f
syncope [sɛ̃kɔp] *nf* (MÉD) síncope
m; **elle est tombée en ~** le dio
un síncope
syndic [sɛ̃dik] *nm* administrador
m
syndical, e, -aux [sɛ̃dikal, o]
adj sindical; **syndicaliste** *nm/f*
sindicalista *m/f*
syndicat [sɛ̃dika] *nm* sindicato; ~
  d'initiative oficina de turismo;
  syndiqué, e *adj* sindicado(-a);
  syndiquer: se syndiquer *vpr*
  sindicarse
synonyme [sinɔnim] *adj*
sinónimo(-a) ♦ *nm* sinónimo
syntaxe [sɛ̃taks] *nf* sintaxis *fsg*

synthèse [sɛ̃tɛz] *nf* síntesis *f inv*
synthétique [sɛ̃tetik] *adj*
sintético(-a)
Syrie [siʀi] *nf* Siria
systématique [sistematik] *adj*
sistemático(-a)
système [sistɛm] *nm* sistema m;
  utiliser le ~ D (*fam*) utilizar el
  ingenio; **~ nerveux/solaire**
  sistema nervioso/solar

T, t

t' [t] *pron voir* **te**
ta [ta] *dét voir* **ton**[1]
tabac [taba] *nm* tabaco; **passer**
  qn à ~ (*fam*: *battre*) dar una
  tunda a algn; **faire un ~** (*fam*)
  tener mucho éxito; (**débit** *ou*
  bureau de) **~** estanco
tabagisme [tabaʒism] *nm*
tabaquismo
table [tabl] *nf* mesa; (*invités*)
  comensales *mpl*; **à ~!** ¡a comer!;
  se mettre à ~ sentarse a la
  mesa; (*fam*) cantar de plano;
  mettre/desservir la ~ poner/
  quitar la mesa; **~ de**
  multiplication tabla de
  multiplicar; **~ de nuit** *ou* **de**
  chevet mesita de noche; **~ des**
  matières índice m; **~ ronde**
  (*débat*) mesa redonda
tableau, x [tablo] *nm* cuadro;
  (*panneau*) tablero; (*schéma*)
  cuadro, gráfico; **~ d'affichage**
  tablón m *ou* tablero de anuncios;
  ~ de bord (AUTO) cuadro de
  instrumentos; **~ noir** encerado
tablette [tablɛt] *nf* (*planche*)
  anaquel m, tabla; **~ de chocolat**
  tableta de chocolate
tablier [tablije] *nm* delantal m
tabou, e [tabu] *adj, nm* tabú *m*

tabouret [tabuʀɛ] *nm* taburete *m*

tac [tak] *nm*: **répondre qch du ~ au ~** saltar con algo

tache [taʃ] *nf* mancha; **~ de rousseur** peca

tâche [taʃ] *nf* tarea, labor *f*; **travailler à la ~** trabajar a destajo

tacher [taʃe] *vt* manchar

tâcher [taʃe] *vi*: **~ de faire** tratar de hacer, procurar hacer

tacheté, e [taʃte] *adj*: **~ (de)** salpicado(-a) *ou* moteado(-a) (de)

tact [takt] *nm* tacto; **avoir du ~** tener tacto

tactique [taktik] *adj* táctico(-a) ♦ *nf* táctica

taie [te] *nf*: **~ (d'oreiller)** funda (de la almohada)

taille [taj] *nf* tallado; poda; (*hauteur*) estatura; (*grandeur*) tamaño; **de ~** importante;

taille-crayon(s) [tajkʀejɔ̃] *nm inv* sacapuntas *m inv*

tailler [taje] *vt* (*pierre, diamant*) tallar; (*arbre, plante*) podar; (*vêtement*) cortar; (*crayon*) afilar

tailleur [tajœʀ] *nm* sastre *m*; (*vêtement pour femmes*) traje *m* de chaqueta; **en ~** a la turca

taillis [taji] *nm* bosque *m* bajo

taire [tɛʀ] *vt* ocultar ♦ *vi*: **faire ~ qn** hacer callar a algn; **se ~** *vpr* callarse

talc [talk] *nm* talco

talent [talɑ̃] *nm* talento; **avoir du ~** tener talento

talkie-walkie [tokiwoki] (*pl* **~s-~s**) *nm* walkie-talkie *m*

talon [talɔ̃] *nm* (ANAT, *de chaussette*) talón *m*; (*de chaussure*) tacón *m*; **~s plats/aiguilles** tacones bajos/muy finos

talus [taly] *nm* (GÉO) talud *m*

tambour [tɑ̃buʀ] *nm* tambor *m*;

tambourin [tɑ̃buʀɛ̃] *nm* tamboril *m*;

tambouriner [tɑ̃buʀine] *vi*: **tambouriner contre** repiquetear en *ou* contra

Tamise [tamiz] *nf*: **la ~** el Támesis

tamisé, e [tamize] *adj* tamizado(-a)

tampon [tɑ̃pɔ̃] *nm* (*de coton, d'ouate, bouchon*) tapón *m*; (*pour nettoyer, essuyer*) muñequilla, bayeta; (*amortisseur*: RAIL, *fig*) tope *m*; (*INFORM: aussi* **mémoire tampon**) tampón *m*; (*cachet, timbre*) matasellos *m inv*; **~ (hygiénique)** tampón (higiénico); **tamponner** *vt* (*essuyer*) taponar; (*heurter*) chocar; **tamponneuse** *adj f*: **autos tamponneuses** coches *mpl* de choque

tandem [tɑ̃dɛm] *nm* tándem *m*

tandis [tɑ̃di]: **~ que** *conj* mientras que

tanguer [tɑ̃ge] *vi* (NAUT) cabecear, arfar

tant [tɑ̃] *adv* tanto; **~ de** (*sg*) tanto(-a); (*pl*) tantos(-as); **~ mieux** mejor; **~ bien que mal** mal que bien

tante [tɑ̃t] *nf* tía

tantôt [tɑ̃to] *adv* (*cet après-midi*) esta tarde, por la tarde; **~ ... ~** unas veces ... otras veces

taon [tɑ̃] *nm* tábano

tapage [tapaʒ] *nm* alboroto

tapageur, -euse [tapaʒœʀ, øz] *adj* alborotador(a); (*publicité*) sensacionalista

tape [tap] *nf* cachete *m*; (*dans le dos*) palmada

tape-à-l'œil [tapalœj] *adj inv* vistoso(-a), llamativo(-a)

taper [tape] *vt* (*personne*) pegar; (*dactylographier*) escribir a máquina ♦ *vi* (*soleil*) apretar; **se ~**

vpr (*fam*: *travail*) chuparse,
cargarse; (: *boire*, *manger*)
soplarse, zamparse; ~ **qn de 10
francs** (*fam*) dar un sablazo de
10 francos a algn; ~ **sur qch**
golpear en algo; ~ **à** (*porte etc*)
llamar a; ~ **des mains/pieds**
palmear/patalear

tapi, e [tapi] *adj*: ~ **dans/
derrière** (*blotti*) acurrucado(-a)
en/detrás de

tapis [tapi] *nm* alfombra; ~
roulant cinta transportadora,
pasillo rodante

tapisser [tapise] *vt* (*avec du
papier peint*) empapelar; ~ **qch
(de)** (*recouvrir*) revestir algo (con);
tapisserie *nf* tapiz *m*; (*papier
peint*) empapelado; **tapissier
(-décorateur)** *nm* tapicero

tapoter [tapɔte] *vt* dar golpecitos
en, golpetear

taquiner [takine] *vt* pinchar

tard [tar] *adv* tarde

tarder [tarde] *vi* tardar; ~ **à faire**
tardar en hacer; **sans (plus) ~**
sin (más) demora, sin (más) tardar

tardif, -ive [tardif, iv] *adj*
tardío(-a)

tarif [tarif] *nm* tarifa

tarir [tarir] *vi, vt* secarse, agotarse

tarte [tart] *nf* tarta

tartine [tartin] *nf* rebanada;
tartiner *vt* untar; **fromage etc à
tartiner** queso etc para untar

tartre [tartr] *nm* sarro

tas [ta] *nm* montón *m*; **en ~**
amontonado(-a); **formé sur le ~**
formado en la práctica

tasse [tas] *nf* taza

tassé, e [tase] *adj*: **bien ~** (*café
etc*) bien cargado(-a)

tasser [tase] *vt* apisonar, pisar;
se ~ *vpr* (*sol, terrain*) hundirse;
(*problème*) arreglarse; ~ **qch**

dans amontonar algo en

tata [tata] *nf* tita

tâter [tate] *vt* tantear; **se ~** *vpr*
(*hésiter*) reflexionar; ~ **de** (*prison
etc*) probar; ~ **le terrain** tantear
el terreno

tatillon, ne [tatijɔ̃, ɔn] *adj*
puntilloso(-a)

tâtonnement [tatɔnmɑ̃] *nm*: **par
~s** a tientas

tâtonner [tatɔne] *vi* andar a
tientas

tâtons [tatɔ̃]: **à ~** *adv*:
chercher/avancer à ~
buscar/avanzar a tientas

tatouage [tatwaʒ] *nm* tatuaje *m*

tatouer [tatwe] *vt* tatuar

taudis [todi] *nm* cuchitril *m*

taule [tol] (*fam*) *nf* chirona

taupe [top] *nf* topo

taureau, x [tɔro] *nm* (*ZOOL*) toro;
le T~ (*ASTROL*) Tauro

tauromachie [tɔromaʃi] *nf*
tauromaquia

taux [to] *nm* tasa; (*proportion*:
d'alcool) porcentaje *m*; (: *de
participation*) índice *m*; ~
d'intérêt tipo de interés

taxe [taks] *nf* tasa, impuesto;
(*douanière*) arancel *m*; **toutes ~s
comprises** impuestos incluidos;
~ **à ou sur la valeur ajoutée**
impuesto sobre el valor añadido

taxer [takse] *vt* (*personne*) gravar
con impuestos; (*produit*) tasar

taxi [taksi] *nm* taxi *m*

Tchécoslovaquie [tʃekɔslɔvaki]
nf Checoslovaquia; **tchèque** *adj*
checo(-a) ♦ *nm* (*LING*) checo ♦
nm/f: **Tchèque** checo(-a);
Tchéquie *nf* Chequia, la
República Checa

te [tə] *pron* te

technicien, ne [tɛknisjɛ̃, jɛn]
nm/f técnico *m/f*

**technico-commercial, e,
-aux** [tɛknikokɔmɛʁsjal, jo] *adj*
técnico-comercial

technique [tɛknik] *adj* técnico(-a)
♦ *nf* técnica; **techniquement**
adv técnicamente

technologie [tɛknɔlɔʒi] *nf*
tecnología; **technologique** *adj*
tecnológico(-a)

teck [tɛk] *nm* teca

tee-shirt [tiʃœʁt] (*pl* ~~**s**) *nm*
camiseta

teindre [tɛdʁ] *vt* teñir; **teint, e**
pp de **teindre** ♦ *adj* teñido(-a) ♦
nm (*permanent*) tez f;
(*momentané*) color m; **grand
teint** *adj inv* (*tissu*) de color sólido

teinté, e [tɛte] *adj* (*verres,
lunettes*) ahumado(-a); (*bois*)
teñido(-a); ~ **de** teñido(-a) de

teinter [tɛte] *vt* teñir

teinture [tɛtyʁ] *nf* (*substance*)
tinte; ~ **d'iode** tintura de yodo;
teinturerie *nf* tintorería;
teinturier, -ière *nm/f*
tintorero(-a)

tel, telle [tɛl] *adj* (*pareil*) tal,
semejante; (*indéfini*) tal; ~ **un/
des ...** tal como.../como ...; ~ **que**
tal como; **rien de** ~ nada como; ~ **quel** tal cual;
~ **que** tal como

télé [tele] *nf* tele f; **à la** ~ en la
tele

télé...: télécabine *nf* teleférico
(monocable); **télécarte** *nf* tarjeta
de teléfono; **télécommande** *nf*
telemando; **télécopieur** *nm*
máquina de fax; **télédistri-
bution** *nf* teledistribución f;
télégramme *nm* telegrama m;
télégraphier *vt, vi* telegrafiar;
téléguider *vt* teledirigir;
télématique *nf* telemática;
téléobjectif *nm* teleobjetivo

télépathie *nf* telepatía;
téléphérique *nm* teleférico

téléphone [telefɔn] *nm* (*appareil*)
teléfono; **avoir le** ~ tener
teléfono; **au** ~ al teléfono;
téléphoner *vt, vi* llamar por
teléfono; **téléphoner à** llamar
por teléfono a; **téléphonique**
adj telefónico(-a)

télescope [teleskɔp] *nm*
telescopio

télescoper [teleskɔpe] *vt* chocar
de frente; **se** ~ *vpr* chocarse de
frente

télé...: téléscripteur *nm*
teleimpresor *m*; **télésiège** *nm*
telesilla; **téléski** *nm* telesquí *m*;
téléspectateur, -trice *nm/f*
telespectador(a); **téléviseur** *nm*
televisor *m*; **télévision** *nf*
televisión f; **à la télévision** en la
televisión

télex [telɛks] *nm* télex *m*

telle [tɛl] *adj voir* **tel; tellement**
adv tan; **tellement de** (*sg*)
tanto(-a); (*pl*) tantos(-as); **il était
tellement fatigué qu'il s'est
endormi** estaba tan cansado que
se durmió; **il s'est endormi
tellement il était fatigué** se
durmió de lo cansado que estaba;
**je n'ai pas tellement envie
d'y aller** no tengo muchas *ou*
tantas ganas de ir

téméraire [temeʁɛʁ] *adj*
temerario(-a)

témoignage [temwaɲaʒ] *nm*
testimonio; (*d'affection etc*)
muestra

témoigner [temwaɲe] *vt* (*intérêt,
gratitude*) manifestar ♦ *vi* (*JUR*)
testimoniar, atestiguar; ~ **de** dar
pruebas de

témoin [temwɛ̃] *nm* testigo;
(*preuve*) prueba ♦ *adj* testigo *inv*;

(*appartement*) piloto *inv*; **être ~
de** ser testigo de; **appartement
~** piso piloto; **~ oculaire** testigo
ocular

tempe [tɑ̃p] *nf* sien *f*

tempérament [tɑ̃peʀamɑ̃] *nm*
temperamento; **à ~** (*vente*) a
plazos

température [tɑ̃peʀatyʀ] *nf*
temperatura; **avoir** *ou* **faire de
la ~** tener fiebre

tempête [tɑ̃pɛt] *nf* (*en mer*)
temporal *m*; (*à terre*) tormenta; **~
de neige/de sable** tormenta de
nieve/de arena

temple [tɑ̃pl] *nm* templo

temporaire [tɑ̃pɔʀɛʀ] *adj*
temporal

temps [tɑ̃] *nm* tiempo; (*époque*)
tiempo, época; **il fait beau/
mauvais ~** hace buen/mal
tiempo; **avoir le ~/tout le ~/
juste le ~** tener tiempo/mucho
tiempo/el tiempo justo; **en ~ de
paix/de guerre** en tiempo de
paz/de guerra; **de ~ en ~, de ~
à autre** de vez en cuando; **à ~** a
tiempo; **à plein/mi-~** (*travailler*)
jornada completa/media jornada;
à ~ partiel *adv, adj* a tiempo
parcial; **dans le ~** hace tiempo,
antaño; **de tout ~** toda la vida

tenable [t(ə)nabl] *adj* soportable

tenace [tanas] *adj* tenaz

tenant, e [tanɑ̃, ɑ̃t] *nm/f* (*SPORT*):
~ du titre poseedor(a) del título

tendance [tɑ̃dɑ̃s] *nf* tendencia;
avoir ~ à tener tendencia a

tendeur [tɑ̃dœʀ] *nm* tensor *m*

tendre [tɑ̃dʀ] *adj* tierno(-a),
blando(-a); (*affectueux*)
cariñoso(-a) ♦ *vt* (*élastique, peau*)
extender, estirar; (*muscle, arc*)
tensar; (*piège*) tender; **se ~** *vpr*
tensarse; **~ à qch/à faire qch**

tender a algo/a hacer algo; **~ qch
à qn** alcanzar algo a algn; **~
l'oreille** aguzar el oído; **~ le
bras/la main** alargar el brazo/
extender la mano; **tendrement**
adv tiernamente; **tendresse** *nf*
ternura

tendu, e [tɑ̃dy] *pp* de **tendre** ♦
adj (*allongé*) estirado(-a); (*raidi*)
tensado(-a)

ténèbres [tenɛbʀ] *nfpl* tinieblas
fpl

teneur [tənœʀ] *nf* proporción *f*;
(*d'une lettre*) texto

tenir [t(ə)niʀ] *vt* (*avec la main, un
objet*) tener; (*qn: par la main, le
cou etc*) agarrar, coger; (*garder,
maintenir: position*) mantener;
(*propos, discours*) proferir;
(*magasin, hôtel*) regentar; (*un rôle*)
desempeñar; (*MIL: ville, région*)
ocupar; (*AUTO: la route*) agarrarse a
♦ *vi* (*être fixé*) aguantar; **se ~** *vpr*
agarrarse; **~ à** (*personne, chose*)
tener cariño a; (*avoir pour cause*)
deberse a; **~ à faire** tener interés
en hacer; **~ qch pour** considerar
algo como; **~ qn pour** tener a
algn por; **~ compte de** tener en
cuenta; **~ la solution/le
coupable** tener la solución/el
culpable; **~ la caisse/les
comptes** llevar la contabilidad/
las cuentas; **~ le coup, bon**
aguantar; **~ au chaud/à l'abri**
mantener caliente/protegido(-a); **~
chaud** (*suj: vêtement*) mantener
abrigado; **~ parole** mantener su
etc palabra; **~ sa langue**
mantener la boca cerrada; **se ~
debout/droit** tenerse en pie/
derecho; **bien/mal se ~**
comportarse bien/mal; **s'en ~ à
qch** atenerse a algo; **se ~ prêt/**

sur ses gardes estar listo/en guardia; **se ~ tranquille** estarse quieto; **ça ne tient qu'à lui** es cosa suya; **ça ne tient pas debout** no tiene ni pies ni cabeza; **qu'à cela ne tienne** por eso que no quede; **je n'y tiens pas** no me apetece; **tiens/tenez!** ¡toma/tome!

tennis [tenis] nm tenis msg; (aussi: **court de ~**) cancha (de tenis) ♦ nm ou fpl (aussi: **chaussures de ~**) playeras fpl; **tennisman** nm tenista m

tension [tɑ̃sjɔ̃] nf tensión f; **faire ou avoir de la ~** tener tensión

tentation [tɑ̃tasjɔ̃] nf tentación f

tentative [tɑ̃tativ] nf intento m

tente [tɑ̃t] nf tienda

tenter [tɑ̃te] vt tentar; **~ qch/de faire qch** intentar algo/hacer algo; **~ sa chance** tentar la suerte

tenture [tɑ̃tyʀ] nf colgadura

tenu, e [t(ə)ny] pp de **tenir** ♦ adj: **maison bien ~e** casa bien cuidada; **les comptes de cette entreprise sont mal ~s** llevan mal las cuentas de esta empresa; **être ~ de faire/de ne pas faire/à faire/à ne pas faire** estar obligado(-a) a hacer/a no hacer algo

ter [tɛʀ] adj: **16 ~** 16 C

terme [tɛʀm] nm término; (FIN) vencimiento; **être en bons/mauvais ~s avec qn** estar en buenos/malos términos con algn; **au ~ de** al término de; **à court/moyen/long ~** adj, adv a corto/medio/largo plazo; **avant ~** (MÉD) antes de tiempo; **mettre un ~ à** poner término a

terminaison [tɛʀminɛzɔ̃] nf (LING) terminación f

terminal, e, -aux [tɛʀminal, o]

adj terminal ♦ nm (INFORM) terminal m; (pétrolier, gare) terminal f; **terminale** nf (SCOL) séptimo año de educación secundaria en el sistema francés

terminer [tɛʀmine] vt terminar, acabar; **se ~** vpr terminar(se), acabar(se)

terne [tɛʀn] adj apagado(-a)

ternir [tɛʀniʀ] vt (couleur, peinture) desteñir; (fig: honneur, réputation) empañar; **se ~** vpr desteñirse

terrain [teʀɛ̃] nm terreno; (SPORT, fig: domaine) campo; **~ d'aviation** campo de aviación; **~ de camping** camping m; **~ de jeu** campo de juego; **~ vague** solar m

terrasse [teʀas] nf terraza; (sur le toit) azotea; **terrasser** vt (adversaire) derribar; (suj: maladie etc) fulminar

terre [tɛʀ] nf tierra; **à ~, par ~** en el suelo ou piso (AM); (jeter, tomber) al suelo; **~ à ~** adj inv prosaico(-a); **la T~** la Tierra; **~ cuite** terracota, arcilla cocida; **~ ferme** tierra firme

terreau [teʀo] nm mantillo

terre-plein [tɛʀplɛ̃] (-pl ~~s) nm (CONSTR) terraplén m

terrestre [teʀɛstʀ] adj terrestre; (REL) terrenal; (globe) terráqueo(-a)

terreur [teʀœʀ] nf terror m

terrible [teʀibl] adj terrible; (fam) estupendo(-a), regio(-a)

terrien, ne [teʀjɛ̃, jɛn] adj: **propriétaire ~** terrateniente m/f ♦ nm/f (non martien etc) terrícola m/f

terrier [teʀje] nm madriguera; (chien) perro m

terrifier [teʀifje] vt aterrorizar

terrine [teʀin] nf tarro m; (CULIN)

conserva de carnés en tarro

territoire [teritwar] *nm* territorio

terroriser [terorize] *vt* aterrorizar

terrorisme [terorism] *nm* terrorismo; **terroriste** *adj, nm/f* terrorista *m/f*

tertiaire [tersjer] *nm* (ÉCON) sector *m* servicios

tes [te] *dét voir* **ton¹**

test [test] *nm* prueba, examen *m*

testament [testamɑ̃] *nm* testamento

tester [teste] *vt* someter a prueba

testicule [testikyl] *nm* testículo

tétanos [tetanos] *nm* tétano, tétanos *msg*

têtard [tetar] *nm* renacuajo

tête [tɛt] *nf* cabeza; (*visage*) cara; (FOOTBALL) cabezazo; **de ~** *adv* (*calculer*) mentalmente; **être à ~ de qch** estar al frente de algo; **prendre la ~ de qch** tomar la dirección de algo; **perdre la ~** perder la cabeza; **tenir ~ à qn** hacer frente a algn; **la ~ la première** de cabeza; **la ~ en bas** cabeza abajo; **faire la ~** poner mala cara; **en ~** (SPORT) a la cabeza; **de la ~ aux pieds** de la cabeza a los pies; **~ d'affiche** (THÉÂTRE etc) cabecera del reparto; **~ de liste** (POL) cabeza de lista; **~ de série** (TENNIS) cabeza de serie; **tête-à-queue** *nm inv* **faire un tête-à-queue** derrapar y quedar en sentido contrario

téter [tete] *vt* mamar

tétine [tetin] *nf* (*de biberon*) tetina

têtu, e [tety] *adj* terco(-a), testarudo(-a)

texte [tɛkst] *nm* texto

textile [tɛkstil] *adj* textil ♦ *nm* tejido

texto [tɛksto] *adv* al pie de la letra ♦ *nm*: **Texto**® mensaje *m* de

texto

texture [tɛkstyr] *nf* textura

TGV [teʒeve] *sigle m* (= *train à grande vitesse*) ≃ AVE

thaïlandais, e [tajlɑ̃dɛ, ɛz] *adj* tailandés(-esa) ♦ *nm/f*: **T~, e** tailandés(-esa)

Thaïlande [tajlɑ̃d] *nf* Tailandia

thé [te] *nm* té *m*

théâtral, e, -aux [teatral, o] *adj* teatral

théâtre [teatr] *nm* teatro; (*fig*: *lieu*): **le ~ de** el escenario de

théière [tejɛr] *nf* tetera

thème [tɛm] *nm* tema; (*traduction*) traducción *f* inversa

théologie [teɔlɔʒi] *nf* teología

théorie [teɔri] *nf* teoría; **théorique** *adj* teórico(-a)

thérapie [terapi] *nf* terapia

thermal, e, -aux [tɛrmal, o] *adj* termal

thermomètre [tɛrmɔmɛtr] *nm* termómetro

thermos ® [tɛrmos] *nm ou f*: (**bouteille**) **~** termo

thermostat [tɛrmɔsta] *nm* termostato

thèse [tɛz] *nf* tesis *f inv*

thon [tɔ̃] *nm* atún *m*

thym [tɛ̃] *nm* tomillo

tic [tik] *nm* (*nerveux*) tic *m*

ticket [tikɛ] *nm* billete *m*, boleto (AM); (*de cinéma, théâtre*) entrada; **~ de caisse** ticket *m* ou tique(t) *m* de compra

tiède [tjɛd] *adj* tibio(-a), templado(-a); **tiédir** *vi* templarse

tien, ne [tjɛ̃, tjɛn] *adj* tuyo(-a) ♦ *pron*: **le(la) ~(ne)** el/la tuyo(-a); **les ~s/les tiennes** los tuyos(-as; **tuyas; les ~s** (*ta famille*) los tuyos

tiens [tjɛ̃] *vb, excl voir* **tenir**

tiercé [tjɛrse] *nm* apuesta triple

tiers, tierce [tjɛr, tjɛrs] *adj*

tercero(-a); **le ~ monde** el tercer mundo

tige [tiʒ] nf tallo

tignasse [tiɲas] (péj) nf greñas fpl

tigre [tigʀ] nm tigre m; **tigré, e** adj picado(-a); **tigresse** nf tigresa

tilleul [tijœl] nm (arbre) tilo; (boisson) tila

timbre [tɛ̃bʀ] nm timbre m; (aussi: **~-poste**) sello, estampilla (AM)

timbré, e [tɛ̃bʀe] adj (enveloppe) timbrado(-a), sellado(-a); (fam) tocado(-a) de la cabeza

timide [timid] adj tímido(-a); **timidement** adv tímidamente; **timidité** nf timidez f

tintamarre [tɛ̃tamaʀ] nm escandalera

tinter [tɛ̃te] vi tintinar

tique [tik] nf garrapata

tir [tiʀ] nm tiro; (stand) tiro al blanco; **~ à l'arc** tiro con arco; **au pigeon** tiro de pichón

tirage [tiʀaʒ] nm (PHOTO) revelado; (d'un journal, de livre) tirada; (d'un poêle etc) tiro; (de loterie) sorteo; **~ au sort** sorteo

tire [tiʀ] nf: **voleur à la ~** ratero; **vol à la ~** tirón m

tiré, e [tiʀe] adj (visage) cansado(-a); **~ par les cheveux** difícil de creer

tire-bouchon [tiʀbuʃɔ̃] (pl **~~s**) nm sacacorchos m inv

tirelire [tiʀliʀ] nf hucha

tirer [tiʀe] vt (sonnette etc) tirar de, jalar (AM); (remorque) arrastrar, jalar (AM); (trait) trazar; (rideau) correr; (carte, numéro, conclusion) sacar; (en faisant feu) tirar, disparar; (: animal) disparar (a); (journal, livre) imprimir; (PHOTO)

revelar; (FOOTBALL) sacar, tirar ♦ vi (faire feu) disparar; (cheminée, SPORT) tirar; **se ~** vpr (fam) largarse; **s'en ~** salir bien; **~ à l'arc** tirar con arco; **~ à sa fin** tocar a su fin; **~ les cartes** echar las cartas

tiret [tiʀe] nm guión m

tireur, -euse [tiʀœʀ, øz] nm/f (MIL) tirador(a)

tiroir [tiʀwaʀ] nm cajón m; **tiroir-caisse** (pl **tiroirs-caisses**) nm caja

tisane [tizan] nf tisana

tisser [tise] vt tejer

tissu [tisy] nm tejido; **tissu-éponge** (pl **tissus-éponges**) nm felpa

titre [titʀ] nm título; (de journal, aussi télévisé) titular m; **à juste ~** con toda razón; **à quel ~?** ¿a título de qué?; **à aucun ~** bajo ninguna razón; **au même ~ (que)** al igual (que); **à ~ d'exemple** como ejemplo; **à ~ d'information** a modo de información; **~ de transport** billete m

tituber [titybe] vi titubear

titulaire [titylɛʀ] adj titular ♦ nm titular m; **être ~ de** ser titular de

toast [tost] nm tostada; (de bienvenue) brindis m inv; **porter un ~ à qn** brindar por algn

toboggan [tɔbɔgɑ̃] nm tobogán m

toc [tɔk] nm: **en ~** de imitación

tocsin [tɔksɛ̃] nm rebato, toque m de alarma

tohu-bohu [tɔyboy] nm inv (tumulte) barullo

toi [twa] pron tú

toile [twal] nf tela; **~ cirée** hule m; **~ d'araignée** telaraña; **~ de fond** telón m de fondo; **~ émeri**

toilette [twalɛt] *nf* aseo;
(*habillement*) vestimenta; **~s** *nfpl*
servicios *mpl*; **faire sa ~** asearse;
articles de ~ artículos *mpl* de
aseo

toi-même [twamɛm] *pron* tú
mismo

toit [twa] *nm* techo; (*de bâtiment*)
tejado; **~ ouvrant** techo solar

toiture [twatyʀ] *nf* tejado,
techumbre *f*

tôle [tol] *nf* chapa; **~ ondulée**
chapa ondulada

tolérable [tɔleʀabl] *adj* tolerable

tolérant, e [tɔleʀɑ̃, ɑ̃t] *adj*
tolerante

tolérer [tɔleʀe] *vt* tolerar

tollé [tɔ(l)le] *nm*: **un ~
(d'injures/de protestations)**
una sarta (de insultos/de
protestas)

tomate [tɔmat] *nf* tomate *m*

tombe [tɔ̃b] *nf* tumba

tombeau, x [tɔ̃bo] *nm* tumba

tombée [tɔ̃be] *nf*: **à la ~ du jour**
ou **de la nuit** al atardecer, al
anochecer

tomber [tɔ̃be] *vi* caer;
(*accidentellement*) caerse; **laisser
~** abandonar; **~ sur** encontrarse
con; **~ de fatigue/de sommeil**
caerse de cansancio/de sueño; **à
l'eau** (*fig*) irse al garete; **ça
tombe bien/mal** viene bien/mal

tombola [tɔ̃bɔla] *nf* tómbola

tome [tɔm] *nm* tomo

ton¹, ta [tɔ̃, ta, te] (*pl* **tes**) *dét* tu

ton² [tɔ̃] *nm* tono; **donner le ~**
llevar la voz cantante; **de bon ~**
de buen tono

tonalité [tɔnalite] *nf* tonalidad *f*;
(*au téléphone*) señal *f*

tondeuse [tɔ̃døz] *nf* (*à gazon*)
cortadora de césped

tondre [tɔ̃dʀ] *vt* (*pelouse*) cortar;
(*mouton*) esquilar; (*cheveux*) rapar

tonifier [tɔnifje] *vt* (*organisme*)
entonar; (*peau*) tonificar

tonique [tɔnik] *adj* (*lotion*)
tónico(-a) ♦ *nm* (*médicament*)
estimulante *m*; (*lotion*) tónico

tonne [tɔn] *nf* tonelada

tonneau, x [tɔno] *nm* tonel *m*;
faire des ~x (*voiture*) dar vueltas
de campana

tonnelle [tɔnɛl] *nf* glorieta

tonner [tɔne] *vi* tronar

tonnerre [tɔnɛʀ] *nm* trueno

tonton [tɔ̃tɔ̃] *nm* tito

tonus [tɔnys] *nm*: **avoir du ~**
estar entonado(-a); **donner du ~**
entonar

top [tɔp] *nm*: **au 3ème ~** a la
tercera señal ♦ *adj*: **~ secret** top
secret

topinambour [tɔpinɑ̃buʀ] *nm*
aguaturma, pataca

torche [tɔʀʃ] *nf* antorcha

torchon [tɔʀʃɔ̃] *nm* paño de
cocina

tordre [tɔʀdʀ] *vt* torcer; **se ~**
vpr torcerse; **se ~ le pied/bras**
torcerse el pie/brazo; **se ~ de
douleur/de rire** retorcerse de
dolor/desternillarse de risa;

tordu, e *pp de* **tordre** ♦ *adj*
idiota

tornade [tɔʀnad] *nf* tornado

torrent [tɔʀɑ̃] *nm* torrente *m*

torsade [tɔʀsad] *nf* retorcido

torse [tɔʀs] *nm* torso

tort [tɔʀ] *nm* (*préjudice*) perjuicio;
~s *nmpl* (*JUR*) daños y perjuicios
mpl; **avoir ~** estar
equivocado(-a); **être dans son
~** tener la culpa; **causer du ~ a**
perjudicar a; **à ~** sin razón; **à ~ et
à travers** a tontas y a locas

torticolis [tɔʀtikɔli] *nm* tortícolis

tortiller [tɔʀtije] vt retorcer; **se ~** vpr retorcerse

f inv

tortionnaire [tɔʀsjɔnɛʀ] nm verdugo

tortue [tɔʀty] nf tortuga

tortueux, -euse [tɔʀtɥø, øz] adj tortuoso(-a)

torture [tɔʀtyʀ] nf tortura; **torturer** vt torturar

tôt [to] adv temprano; (au bout de peu de temps) pronto; **~ ou tard** tarde o temprano; **si ~** tan pronto; **au plus ~** cuanto antes

total, e, -aux [tɔtal, o] adj total ♦ nm total m; **au ~** en total; **totalement** adv totalmente; **totaliser** vt totalizar; **totalitaire** adj totalitario(-a); **totalité** nf totalidad f

toubib [tubib] (fam) nm médico

touchant, e [tuʃɑ̃, ɑ̃t] adj conmovedor(a)

touche [tuʃ] nf (de piano, de machine à écrire) tecla; (PEINTURE, fig) toque m; (FOOTBALL: aussi: **remise en ~**) saque m de banda; (: **ligne de touche**) línea de banda

toucher [tuʃe] nm tacto ♦ vt tocar; (mur, pays) lindar con; (atteindre) alcanzar; (émouvoir) conmover; (suj: catastrophe, malheur, crise) afectar; (prix, récompense) recibir; (salaire, chèque) cobrar; **se ~** vpr tocarse; **au ~** al tacto; **~ à qch** tocar algo; (concerner) atañer a algo; **~ au but** llegar a la meta; **je vais lui en ~ un mot** le diré dos palabras sobre ello; **~ à sa fin** tocar a su fin

touffe [tuf] nf (d'herbe) mata

touffu, e [tufy] adj (haie, forêt) frondoso(-a); (style, texte)

toujours [tuʒuʀ] adv siempre; (encore) todavía; **~ plus** cada vez más; **pour ~** para siempre; **il vit ~ ici** sigue viviendo aquí

toupie [tupi] nf peonza

tour [tuʀ] nf torre f; (appartements) bloque m (de pisos) ♦ nm (promenade) paseo, vuelta; (SPORT, POL, de vis, de roue) vuelta; (d'être servi ou de jouer etc) turno; (ruse) ardid m; (de prestidigitation etc) número; (de potier, à bois) torno; **faire le ~ de** dar la vuelta a; (questions, possibilités) dar vueltas a; **fermer à double ~** cerrar bajo siete llaves; **c'est au ~ de Philippe** le toca a Philippe; **à ~ de rôle, à ~** por turnos, en orden; **~ de chant** nm recital m de canto; **~ de contrôle** nf torre de control; **~ de force** nm hazaña; **~ de taille** nm contorno de cintura

tourbe [tuʀb] nf turba

tourbillon [tuʀbijɔ̃] nm (d'eau, de poussière) remolino; (de vent, fig) torbellino; **tourbillonner** vi arremolinarse

tourelle [tuʀɛl] nf torrecilla

tourisme [tuʀism] nm turismo; **office du ~** oficina de turismo; **faire du ~** hacer turismo; **touriste** nm/f turista m/f; **touristique** adj turístico(-a)

tourment [tuʀmɑ̃] nm tormento; **tourmenter: se tourmenter** vpr atormentarse

tournage [tuʀnaʒ] nm rodaje m

tournant, e [tuʀnɑ̃, ɑ̃t] adj giratorio(-a) ♦ nm (de route) curva; (fig) giro

tournée [tuʀne] nf (du facteur) ronda; (d'artiste, de politicien) gira; **payer une ~** pagar una ronda

tourner [tuʀne] *vt* girar, voltear
(AM); (difficulté etc) esquivar;
(scène, film) rodar ♦ *vi* girar,
voltear (AM); (vent) cambiar de
dirección; (moteur) estar en
marcha; (compteur) estar andando;
(lait etc) agriarse; (chance)
cambiar; **se ~** *vpr* volverse; **se ~
vers** volverse hacia; (personne:
pour demander: aide, conseil)
dirigirse a; **bien/mal ~** salir
bien/mal; **~ autour de** dar
vueltas alrededor de; **~ autour
du pot** andarse con rodeos; **~ le
dos à** dar la espalda a

tournesol [tuʀnəsɔl] *nm* girasol
m

tournevis [tuʀnəvis] *nm*
destornillador *m*

tournoi [tuʀnwa] *nm* (HIST) torneo

tournure [tuʀnyʀ] *nf* (LING) giro;
prendre ~ tomar forma; **~
d'esprit** manera de enfocar las
cosas

tourte [tuʀt] *nf* (CULIN): **~ à la
viande** pastel *m* de carne

tourterelle [tuʀtəʀɛl] *nf* tórtola

tous [tu] *dét, pron* voir **tout**

Toussaint [tusɛ̃] *nf*: **la ~** el día
de Todos los Santos

tousser [tuse] *vi* toser

MOT-CLÉ

tout, e [tu, tut] (*pl* **tous,** *f*
toutes) *adj* **1** (avec article)
todo(-a); **tout le lait/l'argent**
toda la leche/todo el dinero;
toute la nuit toda la noche;
tout le livre todo el libro;
**toutes les trois/deux
semaines** cada tres/dos
semanas; **tout le temps** *adv*
todo el tiempo; **tout le monde**
pron todo el mundo; **c'est tout
le contraire** es todo lo contrario;
toutes les nuits todas las
noches; **toutes les fois que ...**
todas las veces que ...; **tous les
deux** los dos, ambos

2 (sans article): **à tout âge/à
toute heure** a cualquier edad/a
cualquier hora; **pour toute
nourriture, il avait ...** por todo
alimento, tenía ...; **à toute vitesse**
a toda velocidad; **de tous côtés**
ou **de toutes parts** de todos (los)
lados ou de todas partes; **à tout
hasard** por si acaso

♦ *pron* todo(-a); **il a tout fait** lo
hizo todo; **je les vois toutes** las
veo a todas; **nous y sommes
tous allés** fuimos todos; **en
tout** en total; **tout ce qu'il sait**
todo lo que sabe; **tout ou rien**
todo o nada; **c'est tout** eso es
todo, nada más

♦ *nm* todo; **le tout est de ...** lo
importante es ...; **pas du tout** en
absoluto

♦ *adv* **1** (**toute** avant adj f
commençant par consonne ou h
aspiré) (très, complètement): **elle
était tout émue** estaba muy
emocionada; **elle était toute
petite** era muy pequeñita; **tout
près** muy cerca; **le tout
premier** el primero de todos;
tout seul solo; **le livre tout
entier** el libro entero; **tout en
haut/bas** arriba/abajo del todo;

tout droit todo recto; **tout rouge** todo rojo; **parler tout bas** hablar muy bajo; **tout simplement** sencillamente; **fais-le tout doucement** hazlo despacio
2: tout en mientras; **tout en travaillant il ...** mientras trabaja, ...
3: tout d'abord en primer lugar; **tout à coup** de repente; **"tout à fait!"** "¡desde luego!"; **tout à l'heure** *(passé)* hace un rato; *(futur)* luego; **à tout à l'heure!** ¡hasta luego!; **tout de même** sin embargo; **tout de suite** enseguida; **tout terrain** ou **tous terrains** adj inv todo terreno *inv*

toutefois [tutfwa] *adv* sin embargo, no obstante
toutes [tut] *dét, pron voir* **tout**
toux [tu] *nf* tos *f inv*
toxicomane [toksikoman] *adj* toxicómano(-a)
toxique [toksik] *adj* tóxico(-a)
trac [trak] *nm* nerviosismo
tracasser [trakase] *vt (suj: problème, idée)* preocupar; **se ~** *vpr* preocuparse
trace [tras] *nf* huella; *(de pneu, de brûlure etc)* marca; *(quantité minime)* rastro; **avoir une ~ d'accent étranger** tener un ligero acento extranjero; **suivre qn à la ~** seguir la pista ou el rastro de algn; **~s de pas** huellas *fpl* de pasos
tracer [trase] *vt* trazar
tract [trakt] *nm* panfleto
tracteur [traktœr] *nm* tractor *m*
traction [traksjɔ̃] *nf* tracción *f*
tradition [tradisjɔ̃] *nf* tradición *f*;
traditionnel, le *adj* tradicional

traducteur, -trice [tradyktœr, tris] *nm/f* traductor(a)
traduction [tradyksjɔ̃] *nf* traducción *f*
traduire [traduir] *vt* traducir; **~ qn en justice** hacer comparecer a algn ante la justicia
trafic [trafik] *nm* tráfico; **~ d'armes** tráfico de armas; **trafiquant, e** *nm/f* traficante *m/ f*; **trafiquer** *vt (péj)* amañar
tragédie [traʒedi] *nf* tragedia; **tragique** *adj* trágico(-a)
trahir [trair] *vt* traicionar; *(suj: objet)*: **~ qn** descubrir a algn; **se ~** vpr traicionarse; **trahison** *nf* traición *f*
train [trɛ̃] *nm* tren *m*; *(allure)* paso; *(ensemble)* serie *f*; **être en ~ de faire qch** estar haciendo algo; **mettre qch en ~** empezar a hacer algo; **~ autos-couchettes** tren coche-cama; **~ de pneus** juego de neumáticos; **~ de vie** tren de vida; **~ électrique** *(jouet)* tren eléctrico
traîne [trɛn] *nf* cola; **être à la ~** *(en arrière)* ir rezagado(-a)
traîneau, x [treno] *nm* trineo
traîner [trene] *vt* tirar de ♦ *vi* rezagarse; *(être en désordre)* estar tirado(-a); *(vagabonder)* callejear; *(durer)* alargarse; **se ~** *vpr* arrastrarse; **~ les pieds** arrastrar los pies; **~ par terre** arrastrar por el suelo
train-train [trɛ̃trɛ̃] *nm inv* rutina
traire [trɛr] *vt* ordeñar
trait [trɛ] *nm* trazo; *(caractéristique)* rasgo; **~s** *nmpl (du visage)* rasgos *mpl*; **d'un ~** de un tirón; **de ~** *(animal)* de tiro; **avoir ~ à** referirse a; **~ d'union** guión *m*; *(fig)* lazo
traitant [trɛtɑ̃] *adj m*: **votre**

médecin ~ su médico de cabecera
traite [tʁɛt] *nf* (AGR) ordeño;
d'une (seule) ~ de un (solo) tirón
traité [tʁete] *nm* tratado
traitement [tʁetmɑ̃] *nm* tratamiento; **mauvais ~s** malos tratos *mpl*; **~ de texte** (INFORM) procesamiento *ou* tratamiento de textos
traiter [tʁete] *vt, vi* tratar; **~ qn d'idiot** llamar idiota a algn; **~ de qch** tratar de algo
traiteur [tʁetœʁ] *nm* negocio de comidas por encargo *ou* de catering
traître, -esse [tʁɛtʁ, tʁɛtʁɛs] *adj* traicionero(-a) ♦ *nm/f* traidor(a)
trajectoire [tʁaʒɛktwaʁ] *nf* trayectoria
trajet [tʁaʒɛ] *nm* trayecto
trampoline [tʁɑ̃pɔlin] *nm* trampolín *m*
tramway [tʁamwɛ] *nm* tranvía *m*
tranchant, e [tʁɑ̃ʃɑ̃, ɑ̃t] *adj* (lame) afilado(-a); (personne) resuelto(-a) ♦ *nm* (d'un couteau) filo; **à double ~** de doble filo
tranche [tʁɑ̃ʃ] *nf* (de pain) rebanada; (de jambon, fromage) loncha; (de saucisson) rodaja; (de gâteau) porción *f*; (d'un couteau, livre etc) canto; **~ d'âge/de salaires** tramo de edad/de salarios; **~ de vie** periodo de la vida cotidiana
tranché, e [tʁɑ̃ʃe] *adj* (couleurs) contrastado(-a); (opinions) tajante
trancher [tʁɑ̃ʃe] *vt* cortar; (question) zanjar ♦ *vi*: **~ avec** *ou* **sur** contrastar con
tranquille [tʁɑ̃kil] *adj* tranquilo(-a); **se tenir ~** estarse quieto(-a); **laisse-moi/laisse-**

ça ~! ¡déjame/deja eso en paz!;
tranquillisant, e *nm* (MÉD) tranquilizante *m*; **tranquillité** *nf* tranquilidad *f*
transférer [tʁɑ̃sfeʁe] *vt* transferir; (prisonnier, bureaux) trasladar; (titre) transmitir; **transfert** *nm* (d'un prisonnier, de bureaux) traslado; (d'un titre) transmisión *f*
transformation [tʁɑ̃sfɔʁmasjɔ̃] *nf* transformación *f*; **~s** *nfpl* (travaux) reformas *fpl*
transformer [tʁɑ̃sfɔʁme] *vt* transformar; (maison, magasin, vêtement) reformar
transfusion [tʁɑ̃sfyzjɔ̃] *nf*: **~ sanguine** transfusión *f* sanguínea
transgresser [tʁɑ̃sɡʁese] *vt* transgredir
transi, e [tʁɑ̃zi] *adj* helado(-a)
transiger [tʁɑ̃ziʒe] *vi* transigir
transit [tʁɑ̃zit] *nm* tránsito; **transiter** *vt* hacer circular
transition [tʁɑ̃zisjɔ̃] *nf* transición *f*; **transitoire** *adj* transitorio(-a)
transmettre [tʁɑ̃smɛtʁ] *vt* transmitir; (secret) revelar; (recette) pasar, dar; **transmission** *nf* transmisión *f*
transparent, e [tʁɑ̃spaʁɑ̃, ɑ̃t] *adj* transparente
transpercer [tʁɑ̃spɛʁse] *vt* traspasar
transpiration [tʁɑ̃spiʁasjɔ̃] *nf* transpiración *f*
transpirer [tʁɑ̃spiʁe] *vi* transpirar; (information, nouvelle) trascender
transplanter [tʁɑ̃splɑ̃te] *vt* (BOT, MÉD) trasplantar
transport [tʁɑ̃spɔʁ] *nm* transporte *m*; **~s en commun** transportes públicos;
transporter *vt* llevar; (voyageurs,

marchandises) transporter; **transporteur** *nm* transportista *m*

transvaser [tʀɑ̃svaze] *vt* transvasar

transversal, e, -aux [tʀɑ̃svɛʀsal, o] *adj* transversal

trapèze [tʀapɛz] *nm* trapecio

trappe [tʀap] *nf* trampa, trampilla

trapu, e [tʀapy] *adj* bajo(-a) y fortachón(-ona)

traquenard [tʀaknaʀ] *nm* cepo

traquer [tʀake] *vt* acorralar; (*harceler*) acosar

traumatiser [tʀomatize] *vt* traumatizar

travail, -aux [tʀavaj, o] *nm* trabajo; (*MÉD*) parto; **être sans ~** estar sin trabajo; **~ (au) noir** trabajo clandestino; **travaux** *nmpl* (*de réparation*) trabajos *mpl*; (*de construction, sur route*) obras *fpl*; **travaux des champs** faenas *fpl* del campo; **travaux dirigés** (*SCOL*) ejercicios *mpl* dirigidos; **travaux manuels** (*SCOL*) trabajos manuales

travailler [tʀavaje] *vi* trabajar; (*bois*) alabearse; (*matière*) producir ♦ *vt* trabajar; **cela le travaille** eso le preocupa; **~ à** trabajar en; (*contribuer à*) contribuir a; **travailleur, -euse** *adj, nm/f* trabajador(a); **travailliste social** trabajador *m* social; **travailliste** *adj, nm/f* laborista

travers [tʀavɛʀ] *nm* (*défaut*) imperfección *f*; **en ~ (de)** atravesado(-a) (en); **au ~ (de)** a través (de); **à ~** adj de través ♦ *adv* oblicuamente; (*fig*) al revés; **à ~ ~** a través; **regarder de ~** (*fig*) mirar de reojo

traverse [tʀavɛʀs] *nf* **chemin de ~** atajo

traversée [tʀavɛʀse] *nf* travesía

traverser [tʀavɛʀse] *vt* atravesar; (*rue*) cruzar; (*percer: suj: pluie, froid*) traspasar

traversin [tʀavɛʀsɛ̃] *nm* cabezal *m*

travesti [tʀavɛsti] *nm* (*artiste de cabaret*) travestido; (*homosexuel*) travesti *m*

trébucher [tʀebyʃe] *vi*: **~ (sur)** tropezar (con)

trèfle [tʀɛfl] *nm* trébol *m*

treize [tʀɛz] *adj inv, nm inv* trece *m inv*; *voir aussi* **cinq**; **treizième** *adj, nm/f* decimotercero(-a) ♦ *nm* (*partitif*) treceavo; *voir aussi* **cinquantième**

treizième mois
Le **treizième mois** es una paga extraordinaria de final de año que equivale aproximadamente a un mes de sueldo. Para muchos empleados es una parte normal de su salario anual.

tréma [tʀema] *nm* diéresis *f inv*

tremblement [tʀɑ̃bləmɑ̃] *nm* temblor *m*; **~ de terre** terremoto

trembler [tʀɑ̃ble] *vi* temblar; **~ de** temblar de; **~ pour qn** temer por algn

trémousser [tʀemuse]: **se ~** *vpr* menearse

trempé, e [tʀɑ̃pe] *adj* empapado(-a)

tremper [tʀɑ̃pe] *vt* empapar; (*pain, chemise*) mojar ♦ *vi* estar en remojo; **~ dans** (*fig, péj*) estar metido(-a) *ou* implicado(-a) en; **faire ~, mettre à ~** poner en remojo; **~ qch dans** remojar algo en

tremplin [tʀɑ̃plɛ̃] *nm* trampolín *m*

trentaine [tʀɑ̃tɛn] nf treintena;
avoir la ~ tener unos treinta
años; **une ~ (de)** unos(-as)
treinta

trente [tʀɑ̃t] adj inv, nm inv
treinta m inv; voir aussi **cinq**

trentième adj, nm/f
trigésimo(-a) ♦ nm (partitif)
treintavo; voir aussi
cinquantième

trépidant, e [tʀepidɑ̃, ɑ̃t] adj
trepidante

trépigner [tʀepiɲe] vi: ~
(d'enthousiasme/
d'impatience) patalear (de
entusiasmo/de impaciencia)

très [tʀɛ] adv muy

trésor [tʀezɔʀ] nm tesoro; (vertu
précieuse) joya; **T~ (public)**
Tesoro (público); **trésorerie** nf
tesorería; **trésorier, -ière** nm/f
tesorero(-a)

tressaillir [tʀesajiʀ] vi (de peur)
estremecerse; (de joie, d'émotion)
vibrar

tressauter [tʀesote] vi
sobresaltar

tresse [tʀɛs] nf trenza; **tresser**
vt trenzar

tréteau, x [tʀeto] nm caballete m

treuil [tʀœj] nm torno

trêve [tʀɛv] nf tregua

tri [tʀi] nm selección m; **le ~**
(POSTES: action) la clasificación

triangle [tʀijɑ̃gl] nm triángulo;
triangulaire adj triangular

tribord [tʀibɔʀ] nm: **à ~** a
estribor

tribu [tʀiby] nf tribu f

tribunal, -aux [tʀibynal, o] nm
tribunal m; (bâtiment) juzgado m

tribune [tʀibyn] nf tribuna

tribut [tʀiby] nm tributo; **payer
un lourd ~ à** pagar un tributo
muy caro a

tributaire [tʀibytɛʀ] adj: **être ~
de** ser tributario(-a) de

tricher [tʀiʃe] vi (à un examen)
copiar; (aux cartes) hacer trampas;
tricheur, -euse nm/f
tramposo(-a)

tricolore [tʀikɔlɔʀ] adj tricolor;
(français: drapeau, équipe)
francés(-esa)

tricot [tʀiko] nm punto; (ouvrage)
prenda de punto; **tricoter** vt
tricotar

tricycle [tʀisikl] nm triciclo

trier [tʀije] vt (classer) clasificar;
(choisir) seleccionar; (fruits, grains)
seleccionar, escoger

trimestre [tʀimɛstʀ] nm trimestre
m; **trimestriel, le** adj trimestral

trinquer [tʀɛ̃ke] vi chocar los
vasos; (porter un toast) brindar

triomphe [tʀijɔ̃f] nm triunfo;
triompher vi triunfar;
triompher de qch/qn triunfar
sobre algo/algn

tripes [tʀip] nfpl (CULIN) callos mpl

triple [tʀipl] adj triple ♦ nm: **le ~
(de)** el triple (de); **en ~
exemplaire** por triplicado;
tripler vi, vt triplicar

triplés, -ées [tʀiple] nm/fpl
(bébés) trillizos mpl

tripoter [tʀipɔte] vt (objet)
manosear

triste [tʀist] adj triste; **un ~
personnage/une ~ affaire**
(péj) un personaje mediocre/un
asunto turbio; **tristesse** nf
tristeza

trivial, e, -aux [tʀivjal, jo] adj
trivial

troc [tʀɔk] nm trueque m

trognon [tʀɔɲɔ̃] nm (de fruit)
corazón m; (de légume) troncho m

trois [tʀwɑ] adj inv, nm inv tres m
inv; voir aussi **cinq**; **troisième**

adj, nm/f tercero(-a) ♦ *nf* (AUTO) tercera; *voir aussi* **cinquième**

trombe [trɔ̃b] *nf* tromba; **en ~** en tromba

trombone [trɔ̃bɔn] *nm* (MUS) trombón *m*; *(de bureau)* clip *m*

trompe [trɔ̃p] *nf* trompa

tromper [trɔ̃pe] *vt* engañar; *(espoir, attente)* frustrar; *(vigilance, poursuivants)* burlar; **se ~** equivocarse; **se ~ de voiture/ jour** equivocarse de coche/día; **se ~ de 3 cm/20 F** equivocarse en 3 cm/20 francos

trompette [trɔ̃pet] *nf* trompeta; **nez en ~** nariz *f* respingona

trompeur, -euse [trɔ̃pœʀ, øz] *adj* engañoso(-a)

tronc [trɔ̃] *nm* (BOT, ANAT) tronco

tronçon [trɔ̃sɔ̃] *nm* tramo;

tronçonner *vt (arbre)* cortar en trozos

trône [tron] *nm* trono

trop [tro] *adv* demasiado; *(devant adverbe)* muy, demasiado; **~ (souvent/longtemps)** demasiado (a menudo/tiempo); **~ de sucre/personnes** demasiado azúcar/demasiadas personas; **ils sont ~** son demasiados; **de ~, en ~: des livres en ~** libros *mpl* de sobra; **du lait en ~** leche *f* de sobra; **3 livres/5 F de ~** 3 libras/5 francos de más

tropical, e, -aux [trɔpikal, o] *adj* tropical

tropique [trɔpik] *nm* trópico

trop-plein [troplɛ̃] *(pl ~~s)* *nm* (lo) sobrante *m*, exceso

troquer [trɔke] *vt:* **~ qch contre qch** trocar algo por algo; *(fig)* cambiar algo por algo

trot [tro] *nm* trote *m*; **trotter** *vi* trotar

trottinette [trɔtinet] *nf* patinete *m*

trottoir [trɔtwaʀ] *nm* acera, vereda (AM), andén (AM); **faire le ~** *(péj)* hacer la calle; **~ roulant** cinta móvil

trou [tru] *nm* agujero; *(moment de libre)* hueco; **~ d'air** bache *m*; **~ de la serrure** ojo de la cerradura; **~ de mémoire** fallo de la memoria

troublant, e [trublɑ̃, ɑ̃t] *adj (ressemblance)* sorprendente

trouble [trubl] *adj* turbio(-a) ♦ *adv:* **voir ~** ver borroso ♦ *nm (désarroi)* desconcierto; *(émoi sensuel)* trastorno; *(embarras)* confusión *f*; **~s** *nmpl* (POL) disturbios *mpl*; *(MÉD)* trastornos *mpl*; **trouble-fête** *nm/f inv* aguafiestas *m/f inv*

troubler [truble] *vt* turbar; *(liquide)* enturbiar; *(ordre)* alterar; **se ~** *vpr* turbarse

trouer [true] *vt* agujerear

trouille [truj] *(fam) nf:* **avoir la ~** tener mieditis

troupe [trup] *nf* (MIL) tropa; **(de théâtre)** compañía (de teatro)

troupeau, x [trupo] *nm (de moutons)* rebaño; *(de vaches)* manada

trousse [trus] *nf (étui)* estuche *m*; *(d'écolier)* cartera; *(de docteur)* maletín *m*; **~ à outils** bolsa de herramientas; **~ de toilette** neceser *m*

trousseau, x [truso] *nm* ajuar *m*; **~ de clefs** manojo de llaves

trouvaille [truvaj] *nf* hallazgo

trouver [truve] *vt* encontrar, hallar; **se ~** *vpr* encontrarse, hallarse; **aller/venir ~ qn** ir/ venir a ver a algn; **~ le loyer**

cher/le prix excessif parecerle a algn el alquiler caro/el precio excesivo; **je trouve que** me parece que; **il se trouve que** resulta que; **se ~ bien/mal** sentirse ou encontrarse bien/mal

truand [tʀyã] nm truhán m, timador m; **truander** (fam) vt timar

truc [tʀyk] nm truco; (fam: machin, chose) cosa, chisme m

truffe [tʀyf] nf (BOT) trufa

truffer [tʀyfe] vt (CULIN) trufar; **truffé de** (fig: erreurs) repleto de

truie [tʀɥi] nf cerda, marrana

truite [tʀɥit] nf trucha

truquer [tʀyke] vt trucar; (élections) amañar

TSVP [teesvepe] abr (= tournez s'il vous plaît) sigue

TTC [tetese] abr (= toutes taxes comprises) todo incluido

tu¹ [ty] pron tú

tu², e [ty] pp de **taire**

tuba [tyba] nm tuba

tube [tyb] nm tubo; (chanson, disque) éxito

tuberculose [tybɛʀkyloz] nf tuberculosis f

tuer [tɥe] vt matar; **se ~** vpr matarse; **tuerie** nf matanza

tue-tête [tytɛt]: **à ~~** adv a voz en grito, a grito pelado

tueur [tɥœʀ] nm asesino; **~ à gages** asesino a sueldo

tuile [tɥil] nf teja; (fam) contratiempo, problema m

tulipe [tylip] nf tulipán m

tuméfié, e [tymefje] adj tumefacto(-a)

tumeur [tymœʀ] nf tumor m

tumulte [tymylt] nm tumulto; **tumultueux, -euse** adj tumultuoso(-a)

tunique [tynik] nf túnica

Tunisie [tynizi] nf Túnez m; **tunisien, ne** adj tunecino(-a) ♦ nm/f: **Tunisien, ne** tunecino(-a)

tunnel [tynɛl] nm túnel m

turbulent, e [tyʀbylã, ãt] adj revoltoso(-a)

turc, turque [tyʀk] adj turco(-a) ♦ nm (LING) turco ♦ nm/f: **T~, Turque** turco(-a); **à la turque** adj (w.c.) sin asiento

turf [tyʀf] nm deporte m hípico; **turfiste** nm/f aficionado(-a) a las carreras de caballos

Turquie [tyʀki] nf Turquía

turquoise [tyʀkwaz] adj inv turquesa inv ♦ nf turquesa

tutelle [tytɛl] nf tutela

tuteur, -trice [tytœʀ, tʀis] nm/f (JUR) tutor(a) ♦ nm (de plante) tutor m, rodrigón m

tutoyer [tytwaje] vt: **~ qn** tutear a algn

tuyau, x [tɥijo] nm tubo; (fam: conseil) consejo; **~ d'arrosage** manguera de riego; **~ d'échappement** tubo de escape; **tuyauterie** nf cañería, tubería

TVA [tevea] sigle f (= taxe à la valeur ajoutée) ≃ IVA

tympan [tɛ̃pã] nm tímpano

type [tip] nm tipo; (fam: homme) tío ♦ adj tipo

typé, e [tipe] adj típico(-a)

typique [tipik] adj típico(-a)

tyran [tiʀã] nm tirano; **tyrannique** adj tiránico(-a)

tzigane [dzigan] adj cíngaro(-a), zíngaro(-a)

U, u

UE sigle f (= Union européenne) UE f

ulcère [ylsɛr] *nm* úlcera

ultérieur, e [ylterjœr] *adj* ulterior, posterior; **reporté à une date ~e** aplazado hasta nuevo aviso; **ultérieurement** *adv* posteriormente

ultime [yltim] *adj* último(-a)

MOT-CLÉ

un, une [œ̃, yn] *art indéf* un(a); **un garçon/vieillard** un chico/ viejo; **une fille** una niña
♦ *pron* uno(-a); **l'un des meilleurs** uno de los mejores; **l'un ..., l'autre ...** uno ..., el otro ...; **les uns ..., les autres ...** (los) unos ..., (los) otros ...; **l'un et l'autre** uno y otro; **l'un ou l'autre** uno u otro; **pas un seul** ni uno; **un par un** uno a uno
♦ *num* uno(-a); **une pomme seulement** una manzana solamente
♦ *nf*: **la une** (PRESSE) la primera página; (*chaîne de télévision*) la primera (cadena)

unanime [ynanim] *adj* unánime; **unanimité** *nf* unanimidad *f*; **à l'unanimité** por unanimidad

uni, e [yni] *adj* (*tissu*) uniforme; (*surface, couleur*) liso(-a); (*groupe, pays*) unido(-a)

unifier [ynifje] *vt* unificar

uniforme [yniform] *adj* (*aussi fig*) uniforme ♦ *nm* uniforme *m*; **uniformiser** *vt* uniformizar, uniformar

union [ynjɔ̃] *nf* unión *f*

unique [ynik] *adj* único(-a); **fils/ fille ~** hijo único/hija única; **uniquement** *adv* únicamente

unir [ynir] *vt* unir; (*couleurs*) mezclar; **s'~** *vpr* unirse; **~ qch à**

unir algo a

unitaire [yniter] *adj* unitario(-a)

unité [ynite] *nf* unidad *f*

univers [yniver] *nm* universo; **universel, le** *adj* universal

universitaire [yniversiter] *adj, nm/f* universitario(-a)

université [yniversite] *nf* universidad *f*

urbain, e [yrbɛ̃, ɛn] *adj* urbano(-a); **urbanisme** *nm* urbanismo

urgence [yrʒɑ̃s] *nf* urgencia; **d'~** *adv* urgentemente

urgent, e [yrʒɑ̃, ɑ̃t] *adj* urgente

urine [yrin] *nf* orina *f*; **urinoir** *nm* urinario

urne [yrn] *nf* urna

urticaire [yrtiker] *nf* urticaria

us [ys] *nmpl*: **~ et coutumes** usos *mpl* y costumbres

usage [yzaʒ] *nm* (*aussi* LING) uso; **l'~** (*la coutume*) la costumbre; **à l'~** con el uso; **à l'~ de** para uso de; **en ~** en uso; **hors d'~** fuera de uso, en desuso; **à ~ interne/ externe** (MÉD) de uso interno/ externo; **usagé, e** *adj* usado(-a); **usager, -ère** *nm/f* usuario(-a)

usé, e [yze] *adj* usado(-a); (*banal, rebattu*) manido(-a)

user [yze] *vt* usar; (*consommer*) gastar; (*fig: santé, personne*) desgastar; **s'~** *vpr* (*outil, vêtement*) gastarse; **~ de** (*moyen, droit, procédé*) servirse de

usine [yzin] *nf* fábrica

usité, e [yzite] *adj* usual

ustensile [ystɑ̃sil] *nm* utensilio; **~ de cuisine** utensilio de cocina

usuel, le [yzɥɛl] *adj* usual

usure [yzyr] *nf* desgaste *m*; **avoir qn à l'~** acabar convenciendo a algn

utérus [yterys] *nm* útero

utile [ytil] *adj* útil

utilisation [ytilizasjɔ̃] *nf* utilización *f*

utiliser [ytilize] *vt* utilizar; (*CULIN: restes*) aprovechar

utilitaire [ytilitɛʀ] *adj* (*objet, véhicule*) utilitario(-a)

utilité [ytilite] *nf* utilidad *f*; **reconnu d'~ publique** (*ADMIN*) reconocido de utilidad pública

utopie [ytɔpi] *nf* utopía *f*

V, v

va [va] *vb voir* **aller**

vacance [vakɑ̃s] *nf* (*ADMIN*) vacante *f*; **~s** *nfpl* vacaciones *fpl*; **prendre des/ses ~s (en juin)** coger las vacaciones (en junio); **aller en ~s** ir de vacaciones; **vacancier, -ière** *nm/f* veraneante *m/f*

vacant, e [vakɑ̃, ɑ̃t] *adj* vacante

vacarme [vakaʀm] *nm* alboroto

vaccin [vaksɛ̃] *nm* vacuna; **vaccination** *nf* vacunación *f*; **vacciner** *vt* vacunar; **être vacciné** (*fig: fam*) estar vacunado(-a)

vache [vaʃ] *nf* vaca; (*cuir*) piel *f* ♦ *adj* (*fam*) duro(-a); **vachement** (*fam*) *adv* súper; **vacherie** (*fam*) *nf* faena

vaciller [vasije] *vi* vacilar

va-et-vient [vaevjɛ̃] *nm inv* vaivén *m*

vagabond, e [vagabɔ̃, ɔ̃d] *adj* vagabundo(-a); (*pensées*) errabundo(-a) ♦ *nm* vagabundo; **vagabonder** *vi* vagabundear

vagin [vaʒɛ̃] *nm* vagina

vague [vag] *nf* ola ♦ *adj* (*silhouette, souvenir*) vago(-a); (*angoisse*) indefinido(-a); **~ de**

fond *nf* mar de fondo; **~ de froid** *nf* ola de frío

vaillant, e [vajɑ̃, ɑ̃t] *adj* valiente; (*vigoureux*) saludable

vain, e [vɛ̃, vɛn] *adj* vano(-a); **en ~** en vano

vaincre [vɛ̃kʀ] *vt* vencer, derrotar; **vaincu, e** *pp de* **vaincre** ♦ *nm/f* vencido(-a), derrotado(-a); **vainqueur** *adj m, nm* ganador *m*

vaisseau, x [veso] *nm* (*ANAT*) vaso; (*NAUT*) navío; **~ spatial** nave *f* espacial

vaisselier [vesəlje] *nm* aparador *m*

vaisselle [vesɛl] *nf* vajilla; (*lavage*) fregado

valable [valabl] *adj* válido(-a); (*motif, solution*) admisible

valet [valɛ] *nm* criado; (*CARTES*) sota

valeur [valœʀ] *nf* valor *m*; **~s** *nfpl* (*morales*) valores *mpl* morales; **mettre en ~** (*fig*) destacar; **avoir/prendre de la ~** tener/adquirir valor; **sans ~** sin valor

valide [valid] *adj* (*personne*) sano(-a); (*passeport, billet*) válido(-a); **valider** *vt* validar

valise [valiz] *nf* maleta, valija (*AM*)

vallée [vale] *nf* valle *m*

vallon [valɔ̃] *nm* pequeño valle *m*

valoir [valwaʀ] *vi* valer ♦ *vt* valer; (*un effort, détour*) merecer; (*procurer, suj: chose*): **~ qch à qn** valer algo a algn; **se ~** *vpr* ser equivalente; **faire ~** (*ses droits*) hacer valer; **à ~ sur** a cuenta de; **cela ne me dit rien qui vaille** eso me da mala espina; **ce climat etc ne me vaut rien** este clima *etc* no me sienta nada bien; **~ la peine** merecer la pena; **~ mieux: il vaut mieux se**

taire/que je fasse comme ceci más vale callarse/que lo haga así; **ça ne vaut rien** eso no vale nada
valse [vals] nf vals m
vandalisme [vɑ̃dalism] nm vandalismo
vanille [vanij] nf vainilla
vanité [vanite] nf vanidad f;
vaniteux, -euse adj vanidoso(-a)
vanne [van] nf compuerta; (fam) pulla
vannerie [vanʀi] nf cestería
vantard, e [vɑ̃taʀ, aʀd] adj jactancioso(-a)
vanter [vɑ̃te] vt alabar; **se ~** vpr jactarse; **se ~ de qch** jactarse ou presumir de algo
vapeur [vapœʀ] nf vapor m; **cuit à la ~** (CULIN) cocinado al vapor;
vaporeux, -euse adj vaporoso(-a); **vaporisateur** nm vaporizador m; **vaporiser** vt vaporizar
varappe [vaʀap] nf escalada de rocas
vareuse [vaʀøz] nf (blouson) marinera
variable [vaʀjabl] adj variable; (résultats) diverso(-a)
varice [vaʀis] nf variz f
varicelle [vaʀisɛl] nf varicela
varié, e [vaʀje] adj variado(-a); (goûts, résultats) diverso(-a)
varier [vaʀje] vi variar, cambiar; (différer) variar ♦ vt cambiar;
variété nf variedad f; **variétés** nfpl: **spectacle/émission de variétés** espectáculo/programa de variedades
variole [vaʀjɔl] nf viruela
vas [va] vb voir **aller; ~-y!** ¡venga!
vase [vaz] nm vaso ♦ nf fango;

vaseux, -euse adj fangoso(-a); (fam: confus) confuso(-a); (: fatigue) hecho(-a) polvo
vasistas [vazistas] nm tragaluz m
vaste [vast] adj amplio(-a)
vautour [votuʀ] nm buitre m
vautrer [votʀe]: **se ~** vpr revolcarse; **se ~ dans/sur** revolcarse en
va-vite [vavit]: **à la ~~** adv de prisa y corriendo

VDQS

VDQS (vin délimité de qualité supérieure) es la segunda categoría más alta de los vinos franceses, tras AOC, e indica que se trata de un vino de gran calidad procedente de viñedos con denominación de origen. A ésta le sigue el vin de pays. Vin de table o vin ordinaire es vino de mesa de origen indeterminado y a menudo con mezcla.

---

veau, x [vo] nm ternero; (CULIN) ternera; (peau) becerro
vécu, e [veky] pp de **vivre** ♦ adj vivido(-a)
vedette [vədɛt] nf estrella; (canot) lancha motora
végétal, e, -aux [veʒetal, o] adj, nm vegetal m; **végétalien, ne** adj, nm/f vegetariano(-a) estricto(-a)
végétarien, ne [veʒetaʀjɛ̃, jɛn] adj, nm/f vegetariano(-a)
végétation [veʒetasjɔ̃] nf vegetación f
véhicule [veikyl] nm vehículo
veille [vɛj] nf vigilancia; (PSYCH) vigilia; (jour): **la ~ de** el día anterior a; **la ~ au soir** la noche anterior

veillée [veje] *nf* velada

veiller [veje] *vi* velar; (*être vigilant*) vigilar ♦ *vt* velar; ~ **à faire/à ce que** ocuparse de hacer/de que; ~ **sur** cuidar de; **veilleur** *nm*:

veilleur de nuit sereno;

veilleuse *nf* (*lampe*) lamparilla de noche; (*AUTO, flamme*) piloto; **en veilleuse** a media luz

veinard, e [venar, ard] (*fam*) *nm/f* suertudo(-a)

veine [vɛn] *nf* vena; (*du bois, marbre etc*) veta; **avoir de la ~** (*fam*) tener chiripa

véliplanchiste [veliplãʃist] *nm/f* windsurfista *m/f*

vélo [velo] *nm* bici *f*;

vélomoteur *nm* velomotor *m*

velours [v(ə)luʀ] *nm* terciopelo; ~ **côtelé** pana; **velouté, e** *adj* (*peau*) aterciopelado(-a); (*au goût*) cremoso(-a) ♦ *nm* (*CULIN*):

velouté d'asperges/de tomates crema de espárragos/ sopa de tomate

velu, e [v(ə)ly] *adj* velloso(-a)

vendange [vãdãʒ] *nf* vendimia; **vendanger** *vi, vt* vendimiar

vendeur, -euse [vãdœʀ, øz] *nm/f* vendedor(a) ♦ *nm* (*JUR*) vendedor *m*; ~ **de journaux** vendedor *ou* voceador *m* (*AM*) de periódicos, canillita *m* (*CSUR*)

vendre [vãdʀ] *vt* vender; ~ **qch à qn** vender algo a algn; **"à ~"** "en venta"

vendredi [vãdʀədi] *nm* viernes *m inv*; **V~ saint** Viernes Santo; *voir aussi* **lundi**

vénéneux, -euse [venenø, øz] *adj* venenoso(-a)

vénérien, ne [venerjɛ̃, jɛn] *adj* venéreo(-a)

vengeance [vãʒãs] *nf* venganza

venger [vãʒe] *vt* vengar; **se ~** *vpr*

vengarse; **se ~ de/sur qch/qn** vengarse de/en algo/algn

venimeux, -euse [vənimø, øz] *adj* venenoso(-a)

venin [vənɛ̃] *nm* veneno

venir [v(ə)niʀ] *vi* venir, llegar; ~ **de** (*lieu*) venir de; (*cause*) proceder de; ~ **de faire: je viens d'y aller/de le voir** acabo de ir/de verle; **où veux-tu en ~?** ¿hasta dónde quieres llegar?; **je te vois** te veo venir; **il me vient une idée** se me viene una idea; **faire ~** llamar

vent [vã] *nm* viento; **il y a du ~** hace viento; **c'est du ~** (*fig*) son palabras al aire; (**être**) **dans le ~** (*fam*) (estar) a la moda; **avoir ~ de** enterarse de; **contre ~s et marées** contra viento y marea

vente [vãt] *nf* venta; **mettre en ~** poner en venta; ~ **aux enchères** subasta

venteux, -euse [vãtø, øz] *adj* ventoso(-a)

ventilateur [vãtilatœʀ] *nm* ventilador *m*

ventiler [vãtile] *vt* ventilar; (*total, statistiques*) repartir

ventouse [vãtuz] *nf* ventosa

ventre [vãtʀ] *nm* vientre *m*; **j'ai mal au ~** me duele la barriga

venu, e [v(ə)ny] *pp de* **venir** ♦ *adj*: **être mal ~ de faire** ser poco oportuno hacer

ver [vɛʀ] *nm* gusano; (*intestinal*) lombriz *f*; (*du bois*) polilla; ~ **à soie** gusano de seda; ~ **de terre** lombriz *f*; ~ **luisant** luciérnaga; ~ **solitaire** tenia; *voir aussi* **vers**

verbe [vɛʀb] *nm* verbo

verdâtre [vɛʀdɑtʀ] *adj* verdusco(-a)

verdict [vɛʀdik(t)] *nm* veredicto

verdir [vɛʀdiʀ] *vi* verdear

verdecer; **verdure** nf verde m, verdor m

véreux, -euse [verø, øz] adj agusanado(-a); (malhonnête) corrompido(-a)

verge [verʒ] nf (ANAT) verga

verger [verʒe] nm huerto

verglacé, e [verglase] adj helado(-a)

verglas [vergla] nm hielo

véridique [veridik] adj verídico(-a)

vérification [verifikasjɔ̃] nf revisión f

vérifier [verifje] vt revisar; (hypothèse) comprobar; **se ~** vpr verificarse

véritable [veritabl] adj verdadero(-a); (ami, amour) auténtico(-a); **un ~ désastre/ miracle** un auténtico desastre/ milagro

vérité [verite] nf verdad f

vermeil, le [vermej] adj bermejo(-a)

vermine [vermin] nf parásitos mpl; (fig) chusma

vermoulu, e [vermuly] adj carcomido(-a)

verni, e [verni] adj barnizado(-a)

vernir [vernir] vt barnizar; (poteries, ongles) esmaltar; **vernis** nm barniz m; (fig) capa; **vernis à ongles** esmalte m de uñas; **vernissage** nm barnizado; (d'une exposition) inauguración f

vérole [verɔl] nf (aussi: petite ~) viruela

verre [ver] nm vidrio, cristal m; (récipient, contenu) vaso, copa; (de lunettes) cristal m; **boire** ou **prendre un ~** beber ou tomar una copa; **~s de contact** lentes mpl de contacto, lentillas fpl

verrière nf cristalera

verrou [veru] nm cerrojo; (GÉO, MIL) bloqueo; **mettre qn/être sous les ~s** meter a algn/estar en chirona; **verrouillage** nm cierre m; **verrouiller** vt (porte) cerrar con cerrojo

verrue [very] nf verruga

vers [ver] nm verso ♦ prép hacia; (dans les environs de) hacia, cerca de; (temporel) alrededor de, sobre

versant [versɑ̃] nm ladera

versatile [versatil] adj versátil

verse [vers]: **à ~** adv: **il pleut à ~** llueve a cántaros

Verseau [verso] nm (ASTROL) Acuario

versement [versəmɑ̃] nm pago; **en 3 ~s** en 3 plazos

verser [verse] vt verter, derramar; (dans une tasse etc) echar; (argent: à qn) pagar; (: sur un compte) ingresar

version [versjɔ̃] nf versión f

verso [verso] nm verso; **voir au ~** ver al dorso

vert, e [ver, vert] adj verde; (personne: vigoureux) lozano(-a); (langage, propos) fuerte ♦ nm verde m

vertèbre [vertebr] nf vértebra

vertement [vertəmɑ̃] adv severamente

vertical, e, -aux [vertikal, o] adj vertical; **verticale** nf vertical f; **à la verticale** en vertical; **verticalement** adv verticalmente

vertige [vertiʒ] nm vértigo; **vertigineux, -euse** adj vertiginoso(-a)

vertu [verty] nf virtud f; **en ~ de** en virtud de; **vertueux, -euse** adj virtuoso(-a)

verve [verv] nf inspiración f; **être en ~** estar en vena

verveine [vɛʀvɛn] nf verbena
vésicule [vezikyl] nf vesícula; ~
biliaire vesícula biliar
vessie [vesi] nf vejiga
veste [vɛst] nf chaqueta,
americana, saco (AM); ~
croisée/droite chaqueta
cruzada/recta ou sin cruzar
vestiaire [vɛstjɛʀ] nm (au théâtre
etc) guardarropa; (de stade etc)
vestuario
vestibule [vɛstibyl] nm vestíbulo
vestige [vɛstiʒ] nm vestigio
vestimentaire [vɛstimɑ̃tɛʀ] adj
(détail) de la vestimenta; (élégance)
en el vestir
veston [vɛstɔ̃] nm americana
vêtement [vɛtmɑ̃] nm vestido;
~**s** nmpl ropa
vétérinaire [veteʀinɛʀ] adj, nm/f
veterinario(-a)
vêtir [vetiʀ] vt vestir
vêtu, e [vety] pp de **vêtir** ♦ adj:
~ **de** vestido(-a) de
vétuste [vetyst] adj vetusto(-a)
veuf, veuve [vœf, vœv] adj,
nm/f viudo(-a)
veuve [vœv] adj f voir **veuf**
vexant, e [vɛksɑ̃, ɑ̃t] adj
molesto(-a)
vexations [vɛksasjɔ̃] nfpl
humillaciones fpl
vexer [vɛkse] vt ofender, humillar;
se ~ vpr ofenderse
viable [vjabl] adj viable
viande [vjɑ̃d] nf carne f
vibrer [vibʀe] vi vibrar
vice [vis] nm vicio; ~ **de
fabrication/construction**
defecto de fabricación/
construcción
vicié, e [visje] adj viciado(-a)
vicieux, -euse [visjø, jøz] adj
vicioso(-a)
vicinal, e, -aux [visinal, o] adj

vecinal; **chemin** ~ camino vecinal
victime [viktim] nf víctima
victoire [viktwaʀ] nf victoria,
triunfo
victuailles [viktɥaj] nfpl vitualla
vidange [vidɑ̃ʒ] nf (AUTO) cambio
de aceite; (de lavabo) desagüe m;
vidanger vt vaciar
vide [vid] adj vacío(-a) ♦ nm vacío;
emballé sous ~ envasado al
vacío; **avoir peur du** ~ tener
miedo del vacío; **parler dans le
le** ~ hablar en el aire; **faire le** ~
hacer el vacío
vidéo [video] nf vídeo
vide-ordures [vidɔʀdyʀ] nm inv
vertedero de basuras
vider [vide] vt (bouteille,
verre) beber; (volaille, poisson)
limpiar; (fam) echar; ~ **les lieux**
desalojar el local; **videur** nm
matón m
vie [vi] nf vida; (animation)
vitalidad f; **être en** ~ estar
vivo(-a); **sans** ~ sin vida; **à** ~
para toda la vida, vitalicio(-a);
mener la ~ **dure à qn** hacerle
la vida imposible a algn
vieil [vjɛj] adj m voir **vieux**;
vieillard nm anciano; **vieille** adj
f voir **vieux**; **vieille fille**
solterona; **vieilleries** nfpl
antigualla fpl; **vieillesse** nf
vejez f; **vieillir** vi envejecer; (vin)
hacerse añejo(-a) ♦ vt avejentar;
(attribuer un âge plus avancé)
envejecer
vierge [vjɛʀʒ] adj virgen; (page)
en blanco ♦ nf virgen f; (ASTROL):
la V~ Virgo; ~ **de** sin
vietnamien, ne [vjɛtnamjɛ̃, jɛn]
adj vietnamita ♦ nm (LING)
vietnamita ♦ nm/f:
Vietnamien, ne vietnamita m/f
vieux (vieil), vieille [vjø, vjɛj]

adj viejo(-a); (*ancien*) antiguo(-a) ♦
nmpl: **les ~** los viejos; **mon ~/
ma vieille** (*fam*) hombre/mujer;
prendre un coup de ~
envejecer de repente; **se faire ~**
hacerse viejo(-a); **~ garçon**
solterón; **~ jeu** *adj inv*
chapado(-a) a la antigua

vif, vive [vif, viv] *adj* vivo(-a);
(*alerte*) espabilado(-a); (*air*)
tonificante; (*vent, froid*) cortante;
(*émotion*) fuerte; (*déception,
intérêt*) profundo(-a); **de vive
voix** de viva voz; **avoir les
nerfs à ~** tener los nervios de
punta

vigne [viɲ] *nf* (*plante*) vid f;
(*plantation*) viña; **vigneron** *nm*
viñador *m*

vignette [viɲɛt] *nf* viñeta; (*AUTO*)
pegatina; (*sur médicament*)
resguardo de precio

vignoble [viɲɔbl] *nm* viñedo

vigoureux, -euse [viguʀø, øz]
adj vigoroso(-a)

vigueur [vigœʀ] *nf* vigor *m*; (*JUR*):
être/entrer en ~ estar/entrar en
vigor; **en ~** vigente

vilain, e [vilɛ̃, ɛn] *adj* (*laid*)
feo(-a); (*affaire, blessure*) malo(-a);
(*enfant*) malo(-a)

villa [villa] *nf* villa, chalet *m*

village [vilaʒ] *nm* pueblo; (*aussi*:
petit ~) aldea; **villageois, e**
adj, *nm/f* lugareño(-a); (*d'un petit
village*) aldeano(-a)

ville [vil] *nf* ciudad f, villa,
municipio

vin [vɛ̃] *nm* vino; **~ de pays/de
table** vino del país/de mesa

vinaigre [vinɛgʀ] *nm* vinagre *m*;
vinaigrette *nf* vinagreta

vindicatif, -ive [vɛ̃dikatif, iv] *adj*
vindicativo(-a)

vingt [vɛ̃] *adj inv, nm inv* veinte *m*

inv; *voir aussi* **cinq**; **vingtaine**
nf: **une vingtaine (de)** unos
veinte; **vingtième** *adj*, *nm/f*
vigésimo(-a) ♦ *nm* (*partitif*)
veinteavo; *voir aussi*
cinquantième

vinicole [vinikɔl] *adj* vinícola

vinyle [vinil] *nm* vinilo

viol [vjɔl] *nm* violación f

violacé, e [vjɔlase] *adj*
violáceo(-a)

violemment [vjɔlamɑ̃] *adv*
violentamente

violence [vjɔlɑ̃s] *nf* violencia

violent, e [vjɔlɑ̃, ɑ̃t] *adj*
violento(-a)

violer [vjɔle] *vt* violar

violet, te [vjɔlɛ, ɛt] *adj*, *nm*
violeta *m*; **violette** *nf* violeta

violon [vjɔlɔ̃] *nm* violín *m*;
violoncelle *nm* violoncelo,
violonchelo; **violoniste** *nm/f*
violinista *m/f*

vipère [vipɛʀ] *nf* víbora

virage [viʀaʒ] *nm* (*d'un véhicule*)
giro; (*d'une route, piste*) curva

virée [viʀe] *nf* vuelta

virement [viʀmɑ̃] *nm* (*COMM*)
transferencia

virer [viʀe] *vt*: **~ qch (sur)**
(*COMM: somme*) hacer una
transferencia (a); (*fam*) echar ♦ *vi*
virar; **~ de bord** (*NAUT*) virar de
bordo

virevolter [viʀvɔlte] *vi* dar
vueltas

virgule [viʀgyl] *nf* coma

viril, e [viʀil] *adj* viril, varonil

virtuel, le [viʀtɥɛl] *adj* virtual

virtuose [viʀtɥoz] *adj*, *nm/f*
virtuoso(-a)

virus [viʀys] *nm* virus *m inv*

vis [vis] *nf* tornillo

visa [viza] *nm* visa, visado

visage [vizaʒ] *nm* cara, rostro

vis-à-vis [vizavi] adv enfrente de, frente a ♦ nm inv (personne) persona de enfrente; **~~~ de** con respecto a

visée [vize] nf (avec une arme) puntería; **~s** nfpl (intentions) objetivos mpl

viser [vize] vi apuntar ♦ vt apuntar; (carrière etc) aspirar a; (concerner) atañer a; **~ à qch/ faire qch** pretender algo/hacer algo

visibilité [vizibilite] nf visibilidad f

visible [vizibl] adj visible

visière [vizjɛr] nf visera

vision [vizjɔ̃] nf visión f; **visionneuse** nf visionador m

visite [vizit] nf visita; **rendre ~ à qn** visitar a algn; **heures de ~** horas fpl de visita

visiter [vizite] vt visitar; **visiteur, -euse** nm/f visitante m/f

vison [vizɔ̃] nm visón m

visser [vise] vt atornillar; (serrer: couvercle) enroscar

visuel, le [vizɥɛl] adj visual

vital, e, -aux [vital, o] adj vital

vitamine [vitamin] nf vitamina

vite [vit] adv de prisa; (sans délai) pronto; **faire ~** darse prisa

vitesse [vites] nf rapidez f; (d'un véhicule, corps, fluide) velocidad f; (AUTO): **les ~s** las marchas; **prendre de la ~** coger velocidad; **à toute ~** a toda marcha

viticulteur [vitikyltœr] nm viticultor m

vitrail, -aux [vitraj, o] nm vidriera

vitre [vitr] nf vidrio, cristal m; (d'une portière, voiture) cristal; **vitré, e** adj con cristales

vitrine [vitrin] nf escaparate m, vidriera (AM); (petite armoire) vitrina

vivable [vivabl] adj soportable

vivace [vivas] adj (arbre, plante) resistente; (haine) tenaz

vivacité [vivasite] nf vivacidad f

vivant, e [vivã, ãt] vb voir **vivre** ♦ adj viviente; (animé) vivo(-a)

vive [viv] adj f voir **vif** ♦ excl: **~ le roi/la république!** ¡viva el rey/la república!; **vivement** adv vivamente ♦ excl: **vivement qu'il s'en aille!** ¡que se vaya pronto!; **vivement les vacances!** ¡que lleguen ya las vacaciones!

vivier [vivje] nm vivero

vivifiant, e [vivifjã, jãt] adj vivificante

vivoter [vivɔte] vi ir tirando

vivre [vivr] vi vivir ♦ vt vivir; **~s** nmpl (provisions) víveres mpl; **la victime vit encore** la víctima sigue viva; **se laisser ~** dejarse estar; **il est facile/difficile à ~** tiene buen/mal carácter; **faire ~ qn** mantener a algn; **~ bien/mal** vivir bien/mal

vlan [vlã] excl ¡pum!

VO [veo] sigle f (= version originale) V.O. (= versión original)

vocabulaire [vɔkabylɛr] nm vocabulario

vocation [vɔkasjɔ̃] nf vocación f

vœu, x [vø] nm deseo; (à Dieu) voto; **faire ~ de** hacer voto de; **avec tous nos ~x** muchas felicidades; **~x de bonheur** deseos mpl de felicidad

vogue [vɔg] nf moda; **en ~** en boga

voici [vwasi] prép aquí está; **et ~ que ...** y entonces ...

voie [vwa] nf vía; (AUTO) carril m; **par ~ orale/rectale** por vía

oral/rectal; **être en bonne ~**
estar en el buen camino; **mettre
qn sur la ~** encaminar a algn;
route 2/3 ~s carretera de
dos/tres carriles; ♦ **ferrée/
navigable** vía férrea/navegable;
~ publique vía pública

voilà [vwala] *prép* he ahí, ahí está;
les ~ *ou* **voici** ahí *ou* aquí están;
~ *ou* **voici deux ans que ...**
hace dos años que ...; **et ~!** ¡eso
es todo!, ¡ya está!; **~ tout** eso es
todo

voile [vwal] *nm* velo ♦ *nf* vela; **la
~** *-(SPORT)* la vela; **voiler** *vt* (*fig*)
velar, ocultar; (*fausser: roue*)
alabear; **se voiler** *vpr* (*lune*)
ocultarse; (*regard*) apagarse; (*TECH*)
combarse; **voilier** *nm* velero;
voilure *nf* velamen *m*

voir [vwar] *vi* ver ♦ *vt* ver;
(*constater*): **~ que/comme** ver
que/como; **se ~** *vpr*: **se ~
critiquer** verse criticado(-a);
cela se voit es evidente; **~
loin/venir** ver lejos/venir; **faire
~ qch à qn** enseñar algo a algn;
ne pas pouvoir ~ qn no poder
ver a algn; **voyons!** ¡vamos!;
c'est à ~! ¡habrá que verlo!;
c'est ce qu'on va ~ eso habrá
que verlo; **avoir quelque chose
à ~ avec** tener algo que ver con

voire [vwar] *adv* incluso

voisin, e [vwazɛ̃, in] *adj*
vecino(-a), próximo(-a);
(*ressemblant*) parecido(-a),
vecino(-a) ♦ *nm/f* vecino(-a);
voisinage *nm* vecindad *f*

voiture [vwatyr] *nf* coche *m*,
auto (*esp AM*), carro (*AM*); **~ de
sport** coche deportivo

voix [vwa] *nf inv* voz *f*; (*POL*) voto;
~ passive/active (*LING*) voz
pasiva/activa; **à haute ~** en voz

alta; **à ~ basse** en voz baja

vol [vɔl] *nm* vuelo; (*mode
d'appropriation*) robo; (*larcin*)
hurto; **à ~ d'oiseau** a vuelo de
pájaro; **au ~: attraper qch au
~** coger algo al vuelo; **à la tire**
tirón *m* (de bolsa); **~ à main
armée** robo *ou* atraco a mano
armada; **~ libre** (*SPORT*) vuelo
libre

volage [vɔlaʒ] *adj* voluble

volaille [vɔlaj] *nf* (*oiseaux*) aves
fpl de corral; (*viande, oiseau*) ave *f*

volant, e [vɔlɑ̃, ɑ̃t] *adj* volante,
volador(a) ♦ *nm* volante *m*

volcan [vɔlkɑ̃] *nm* volcán *m*

volée [vɔle] *nf* (*TENNIS*) voleo;
rattraper qch à la ~ coger algo
al vuelo; **à toute ~** (*sonner les
cloches*) al vuelo; (*lancer un
projectile*) al voleo; **~ (de coups)**
paliza; **~ de flèches** lluvia de
flechas

voler [vɔle] *vi* volar; (*voleur*) robar,
hurtar ♦ *vt* (*objet*) robar; **~ en
éclats** volar en mil pedazos; **~
qch à qn** robar algo a algn

volet [vɔlɛ] *nm* postigo

voleur, -euse [vɔlœr, øz] *adj*,
nm/f ladrón(-ona)

volontaire [vɔlɔ̃tɛr] *adj*
voluntario(-a) ♦ *nm/f* voluntario(-a)

volonté [vɔlɔ̃te] *nf* voluntad *f*; **à
~** a voluntad; **bonne/mauvaise
~** buena/mala voluntad

volontiers [vɔlɔ̃tje] *adv* con
gusto

volt [vɔlt] *nm* voltio

volte-face [vɔltəfas] *nf inv* media
vuelta

voltige [vɔltiʒ] *nf* (*au cirque*)
acrobacia (en el aire); (*ÉQUITATION*)
acrobacia ecuestre; **voltiger** *vi*
revolotear

volubile [vɔlybil] *adj* locuaz

volume [vɔlym] *nm* volumen *m*;
volumineux, -euse *adj*
voluminoso(-a)

volupté [vɔlypte] *nf*
voluptuosidad *f*

vomi [vɔmi] *nm* vómito; **vomir** *vi*
vomitar ♦ *vt* vomitar;
vomissements *nmpl*: **être
pris de vomissements**
comenzar a devolver *ou* vomitar
de pronto

vorace [vɔʀas] *adj* voraz

vos [vo] *dét voir* **votre**

vote [vɔt] *nm* voto; **~ par
correspondance/procuration**
voto por correspondencia/poder;
voter *vi, vt* votar

votre [vɔtʀ] (*pl* **vos**) *dét*
vuestro(-a), su

vôtre [votʀ] *dét*: **le/la ~** (el (la)
vuestro(-a)); **les ~s** los (las)
vuestros(-as); **à la ~!** ¡salud!

vouer [vwe] *vt*: **~ une haine/
amitié éternelle à qn** profesar
odio/amistad eterna a algn

MOT-CLÉ

vouloir [vulwaʀ] *vt* **1** querer;
voulez-vous du thé? ¿quiere
té?; **que me veut-il?** ¿qué
quiere de mí?; **sans le vouloir**
sin querer; **je voudrais qch/
faire** querría *ou* quisiera algo/
hacer; **le hasard a voulu que
...** el azar quiso que ...; **la
tradition veut que ...** la
tradición es que ...; **vouloir
faire/que qn fasse qch** querer
hacer/que algn haga algo; **que
veux-tu que je te dise?** ¿qué
quieres que te diga?
2 (*consentir*): **tu veux venir? -
oui, je veux bien** ¿quieres
venir? - sí, me parece bien; **oui,
si on veut** sí, en cierto modo; **si**

vous voulez si quiere; **veuillez
attendre** tenga la amabilidad de
esperar; **veuillez agréer ...** le
saluda atentamente ...; **comme
vous voudrez** como quiera
**3: en vouloir à: en vouloir à
qn** estar resentido con algn; **je lui
en veux d'avoir fait ça** me
sienta muy mal que haya hecho
eso; **s'en vouloir d'avoir fait
qch** estar arrepentido de haber
hecho algo; **je ne lui veux pas
de mal** no le deseo nada malo
**4: vouloir de qch/qn:
l'entreprise ne veut plus de
lui** la empresa ya no le quiere;
elle ne veut pas de son aide
ella no quiere su ayuda
5: vouloir dire (que) (*signifier*)
querer decir (que)
♦ *nm*: **le bon vouloir de qn** la
buena voluntad de algn

---

voulu, e [vuly] *pp de* **vouloir** ♦
adj (*requis*) requerido(-a); (*délibéré*)
deliberado(-a)

vous [vu] *pron* (*sujet: pl: familier*)
vosotros(-as), ustedes (*AM*); (:
forme de politesse) ustedes; (:
singulier) usted; (*objet direct: pl*) os,
les (*AM*); (: *forme de politesse*) les
(las) *ou* los; (: *singulier*) le (la) *ou*
lo; (*objet indirect: pl*) os, les (*AM*); (:
forme de politesse) les; (: *singulier*)
le; (*réfléchi, réciproque: direct,
indirect*) se; (: *forme de politesse*)
se; **je ~ le jure** os lo juro;
(*politesse*) se lo juro; **je ~ prie de
...** os pido que ...; (*politesse:
pluriel*) les pido que ...; (: *singulier*)
le pido que ...; **~ pouvez ~
asseoir** podéis sentaros;
(*politesse: pluriel*) pueden sentarse;
(: *singulier*) puede usted sentarse;
à ~ vuestro(-a), vuestros(-as);

(formule de politesse) suyo(-a), suyos(-as); **ce livre est à ~** ese libro es vuestro; *(politesse)* ese libro es suyo; **avec/sans ~** con/sin vosotros; *(politesse: pluriel)* con/sin ustedes; (: *singulier*) con/sin usted; **je vais chez ~** voy a vuestra casa; *(politesse)* voy a su casa; **~-même** *(sujet)* usted mismo(-a); *(après prép)* sí mismo(-a); *(emphatique)*: **~-même, ~ ...** usted, ...; **~-mêmes** *(sujet)* vosotros(-as) ou *(AM)* ustedes mismos(-as); *(forme de politesse)* ustedes mismos(-as); *(après prép)* sí mismos(-as); *(emphatique)*: **~-mêmes, ~ ...** vosotros, ..., ustedes, ... *(AM)*, ... *(forme de politesse)* ustedes, ...

vouvoyer [vuvwaje] *vt*: **~ qn** tratar de usted a algn

voyage [vwajaʒ] *nm* viaje *m*; **être/partir en ~** estar/ir ou salir de viaje; **faire bon ~** hacer un buen viaje; **~ d'affaires** viaje de negocios; **~ de noces** viaje de novios; **~ organisé** viaje organizado

voyager [vwajaʒe] *vi* viajar; **voyageur, -euse** *adj, nm/f* viajero(-a)

voyant, e [vwajɑ̃, ɑ̃t] *adj* llamativo(-a) ♦ *nm/f* vidente *m/f* ♦ *nm* indicador *m* luminoso

voyelle [vwajɛl] *nf* vocal *f*

voyou [vwaju] *adj, nm* granuja *m*

vrac [vʀak]: **en ~** *adj, adv* en desorden; *(COMM)* a granel

vrai, e [vʀɛ] *adj* verdadero(-a), cierto(-a); **son ~ nom** su auténtico nombre; **un ~ comédien/sportif** un auténtico comediante/deportista; **à dire ~, à ~ dire** a decir verdad; **vraiment** *adv* verdadera(-a); **"vraiment?"** "¿de verdad?", "¿es cierto?"; **vraisemblable** *adj (plausible)* verosímil; **vraisemblablement** *adv* probablemente; **vraisemblance** *nf* verosimilitud *f*

vrombir [vʀɔ̃biʀ] *vi* zumbar

VRP [veɛʀpe] *sigle m* (= *voyageur, représentant, placier*) representante

VTT [vetete] *sigle m* (= *vélo tout terrain*) bicicleta todo terreno

vu¹ [vy] *prép* visto; **~ que** visto que

vu², e [vy] *pp de* **voir** ♦ *adj*: **bien/mal ~** bien/mal visto(-a)

vue [vy] *nf* vista; **~s** *nfpl (idées)* opiniones *fpl; (dessein)* proyectos *mpl*; **perdre la ~** perder la vista; **perdre de ~** perder de vista; **hors de ~** fuera de la vista; **à première ~** a primera vista; **connaître qn de ~** conocer a algn de vista; **à ~ d'œil** a ojos vistas; **avoir ~ sur** tener vistas a; **en ~ de faire qch** con intención de hacer algo; **~ d'ensemble** vista de conjunto

vulgaire [vylgɛʀ] *adj* vulgar; **de ~s chaises de cuisine** simples sillas de cocina; **nom ~** *(BOT, ZOOL)* nombre *m* común; **vulgariser** *vt (connaissances)* divulgar

vulnérable [vylneʀabl] *adj* vulnerable

W, w

wagon [vagɔ̃] *nm* vagón *m*; **wagon-lit** (*pl* **wagons-lits**) *nm* coche-cama *m*; **wagon-restaurant** (*pl* **wagons-restaurants**) *nm* coche-restaurante *m*

wallon, ne [walɔ̃, ɔn] *adj*

valón(-ona) ♦ *nm* (LING) valón *m* ♦
nm/f: **W~, ne** valón(-ona)
watt [wat] *nm* vatio
w-c [vese] *nmpl* W-C *mpl*
webcam [wɛbkam] *nm* webcam *f*
webmaster [wɛbmastɛʀ],
webmestre [wɛbmɛstʀə] *nm*
webmaster *m/f*, administrador(a)
de web
week-end [wikɛnd] (*pl* **~~s**)
nm fin *m* de semana
western [wɛstɛʀn] *nm* película
del oeste, western *m*
whisky [wiski] (*pl* **whiskies**) *nm*
whisky *m*

X, x

xénophobe [gzenɔfɔb] *nm/f*
xenófobo(-a)
xérès [gzeʀɛs] *nm* jerez *m*
xylophone [gzilɔfɔn] *nm* xilófono *m*

Y, y

y [i] *adv* allí; (*plus près*) ahí; (*ici*)
aquí ♦ *pron* (*la préposition
espagnole dépend du verbe
employé*) a ou de ou en él, ella,
ello; **nous ~ sommes enfin** ya
estamos aquí; **à l'hôtel? j'~
reste 3 semaines** ¿en el hotel?
me voy a quedar 3 semanas; **j'~
pense** (*je n'ai pas oublié*) lo tengo
en mente; (*décision à prendre*) me
lo estoy pensando; **j'~ suis!** ¡ya
caigo!; **je n'~ suis pour rien**
no he tenido nada que ver (en
esto); **s'~ entendre (en qch)**
entender de (algo); *voir aussi*
aller; avoir

yacht [jɔt] *nm* yate *m*
yaourt [jauʀt] *nm* yogur *m*
yeux [jø] *nmpl de* **œil**
yoga [jɔga] *nm* yoga *m*
yoghourt [jɔguʀt] *nm* = **yaourt**
yougoslave [jugɔslav] *adj*
yugoslavo(-a) ♦ *nm/f:* **Y~**
yugoslavo(-a)
Yougoslavie [jugɔslavi] *nf*
Yugoslavia

Z, z

zapping [zapiŋ] *nm:* **faire du ~**
hacer zapping, zapear
zèbre [zɛbʀ(ə)] *nm* cebra; **zébré,
e** *adj* rayado(-a)
zèle [zɛl] *nm* celo; **faire du ~**
(*péj*) pasarse en el celo; **zélé, e**
adj (*fonctionnaire*) diligente;
(*défenseur*) celoso(-a)
zéro [zeʀo] *adj* cero ♦ *nm* (SCOL)
cero; **au-dessus/au-dessous
de ~** sobre/bajo cero; **réduire à
~** reducir a cero; **partir de ~**
partir de cero; **trois (buts) à ~**
tres (goles) a cero
zeste [zɛst] *nm* cáscara
zézayer [zezeje] *vi* cecear
zigzag [zigzag] *nm* zigzag *m*;
zigzaguer *vi* zigzaguear
zinc [zɛ̃g] *nm* (CHIM) cinc *m*
zizi [zizi] (*fam*) *nm* pito
zodiaque [zɔdjak] *nm* zodíaco
zona [zona] *nm* zona
zone [zon] *nf* zona; **~
industrielle** polígono
industrial
zoo [zo(o)] *nm* zoo
zoologie [zɔɔlɔʒi] *nf* zoología;
zoologique *adj* zoológico(-a)
zut [zyt] *excl* ¡mecachis!

engrais *msg*; (*suscripción*) abonnement *m*

abordar *vt* aborder

aborigen *nm/f* aborigène *m/f*

aborrecer *vt* abhorrer

abortar *vi* (*espontáneamente*) faire une fausse couche; (*de manera provocada*) avorter ♦ *vt* (*huelga, golpe de estado*) faire avorter;

aborto *nm* (*espontáneo*) fausse couche *f*; (*provocado*) avortement *m*

abotonar *vt* boutonner; **~se** *vpr* se boutonner

abrasar *vt* brûler ♦ *vi* être très chaud; **~se** *vpr*: **~se de calor** étouffer (de chaleur)

abrazar *vt* embrasser; **~se** *vpr* s'embrasser

abrazo *nm* accolade *f*; **dar un ~ a algn** serrer qn dans ses bras; **"un ~"** (*en carta*) "amitiés"

abrebotellas *nm inv* ouvre-bouteille *m*

abrecartas *nm inv* coupe-papier *m inv*

abrelatas *nm inv* ouvre-boîte *m*

abreviar *vt* abréger ♦ *vi* (*apresurarse*) s'empresser; **abreviatura** *nf* abréviation *f*

abridor *nm* (*de botellas*) ouvre-bouteille *m*; (*de latas*) ouvre-boîte *m*

abrigar *vt* abriter; (*suj: ropa*) couvrir; (*fig: sospechas, dudas*) nourrir ♦ *vi* (*ropa*) tenir chaud; **~se** *vpr* se couvrir

abrigo *nm* (*prenda*) manteau *m*; (*lugar*) abri *m*; **al ~ de** à l'abri de

abril *nm* avril *m*; *ver tb* **julio**

abrillantar *vt* faire reluire

abrir *vt, vi* ouvrir; **~se** *vpr* s'ouvrir; **~se paso** se frayer un chemin

abrochar *vt* (*con botones*)

boutonner; (*con hebilla*) boucler; **~se** *vpr* (*zapatos*) se lacer; (*abrigo*) se boutonner; **~se el cinturón** attacher sa ceinture

abrumar *vt* (*agobiar*) accabler, (*apabullar*) écraser

abrupto, -a *adj* abrupt(e)

absceso *nm* abcès *msg*

absolución *nf* (*REL*) absolution *f*; (*JUR*) non-lieu *m*

absoluto, -a *adj* absolu(e); **en ~** (*para nada*) en aucun cas; (*en respuesta*) pas du tout

absolver *vt* (*REL, JUR*) absoudre

absorbente *adj* absorbant(e)

absorber *vt* absorber; **~se** *vpr*: **~se en algo** s'absorber dans qch

absorto, -a *pp de* **absorber** ♦ *adj*: **~** en absorbé(e) par *o* dans

abstemio, -a *adj* abstinent(e)

abstención *nf* abstention *f*

abstenerse *vpr* s'abstenir; **~ de algo** se priver de qch; **~ de hacer** s'abstenir de faire

abstinencia *nf* abstinence *f*

abstracción *nf* abstraction *f*

abstracto, -a *adj* abstrait(e)

abstraer *vt* (*problemas, cuestión*) isoler; **~se** *vpr*: **~se (de)** s'abstraire (de)

abstraído, -a *adj* abstrait(e)

absuelto *pp de* **absolver**

absurdo, -a *adj* absurde

abuchear *vt* huer

abuela *nf* grand-mère *f*

abuelo *nm* grand-père *m*; **~s** *nmpl* grands-parents *mpl*

abultado, -a *adj* (*mejillas*) bouffi(e); (*facciones*) saillant(e); (*paquete*) volumineux(-euse)

abultar *vi* prendre de la place

abundancia *nf* abondance *f*; **abundante** *adj* abondant(e); **abundar** *vi* abonder

aburrido, -a *adj* (*hastiado*)

saturé(e); (que aburre)
ennuyeux(-euse); **aburrimiento**
nm ennui *m*

aburrir *vt* ennuyer; **~se** *vpr*
s'ennuyer

abusar *vi*: **~ de** abuser de

abusivo, -a *adj* abusif(-ive);
abuso *nm* abus *msg*

a/c *abr* (= *al cuidado de*) abs (=
aux bons soins de); (= *a cuenta*) a/
o (= *un acompte de*)

acá *adv* (*esp AM: lugar*) ici; **de
junio ~** depuis juin

acabado, -a *adj* (*mueble, obra*)
achevé(e), fini(e); (*persona*) usé(e)
♦ *nm* finition *f*

acabar *vt* achever, finir; (*comida,
bebida*) terminer, finir ♦ *vi* finir;
~se *vpr* finir, se terminer;
(*gasolina, pan, agua*) être
épuisé(e); **~ con** en finir avec;
(*destruir*) liquider; **~ en** se
terminer en; **~ de hacer** venir de
faire; **~ haciendo** *o* **por hacer**
finir par faire; **¡se acabó!**
terminé!; (*¡basta!*) ça suffit!

acabóse *nm*: **esto es el ~** c'est
le bouquet

academia *nf* académie *f*; (*de
enseñanza*) école *f* privée

académico, -a *adj* académique
♦ *nm/f* académicien(ne)

acallar *vt* faire taire

acalorado, -a *adj* échauffé(e)

acalorarse *vpr* (*fig*) s'échauffer

acampada *nf*: **ir de ~** partir
camper

acampar *vi* camper

acantilado *nm* falaise *f*

acaparar *vt* (*alimentos, gasolina*)
accumuler; (*atención*) accaparer

acariciar *vt* caresser

acarrear *vt* transporter; (*fig*)
entraîner

acaso *adv* peut-être; **por si ~** au

cas où; **si ~** à la rigueur; **¿~?**
(*AM: fam*) alors ...?; **¿~ es mi
culpa?** alors, c'est ma faute?

acatamiento *nm* respect *m*

acatar *vt* respecter

acatarrarse *vpr* s'enrhumer

acaudalado, -a *adj* nanti(e)

acaudillar *vt* (*motín, revolución*)
diriger; (*tropas*) commander

acceder *vi*: **~ a** accéder à;
(*INFORM*) avoir accès à

accesible *adj* accessible

acceso *nm* (*tb MED, INFORM*) accès
msg; **tener ~ a** avoir accès à

accesorio, -a *adj* accessoire; **~s**
nmpl (*prendas de vestir, AUTO*)
accessoires *mpl*; (*de cocina*)
ustensiles *mpl*

accidentado, -a *adj* (*terreno*)
accidenté(e); (*viaje, día*) agité(e) ♦
nm/f accidenté(e)

accidental *adj* accidentel(le)

accidentarse *vpr* avoir un
accident

accidente *nm* accident *m*; **tener
o sufrir un ~** avoir un accident;
~ laboral *o* **de trabajo/de
tráfico** accident du travail/de la
circulation

acción *nf* action *f*; **accionar** *vt*
actionner; (*INFORM*) commander

accionista *nm/f* actionnaire *m/f*

acebo *nm* houx *msg*

acechar *vt* guetter; **acecho** *nm*:
estar al acecho (de) être à
l'affût (de)

aceitar *vt* huiler

aceite *nm* huile *f*; **aceitera** *nf*
huilier *m*

aceitoso, -a *adj* (*comida*)
gras(se); (*consistencia, líquido*)
huileux(-euse)

aceituna *nf* olive *f*; **~ rellena**
olive fourrée

acelerador *nm* accélérateur *m*

acelerar vt, vi accélérer; **~ el paso/la marcha** presser le pas/l'allure

acelga nf blette f

acento nm accent m

acentuar vt accentuer; **~se** vpr s'accentuer

acepción nf acception f

aceptable adj acceptable

aceptación nf acceptation f; **tener gran ~** être très populaire

aceptar vt accepter; **~ hacer algo** accepter de faire qch

acequia nf canal m.d'irrigation

acera nf trottoir m

acerca: ~ de prep de, sur, à propos de

acercar vt approcher; **~se** vpr approcher; **~se a** s'approcher de

acerico nm pelote f à épingles

acero nm acier m; **~ inoxidable** acier inoxydable

acérrimo, -a adj acharné(e)

acertado, -a adj (respuesta, medida) pertinent(e); (color, decoración) heureux(-euse)

acertar vt (blanco) atteindre; (solución, adivinanza) trouver ♦ vi réussir; **~ a hacer algo** réussir à faire qch; **~ con** (camino, calle) trouver

acertijo nm devinette f

achacar vt: **~ algo a** imputer qch à

achacoso, -a adj souffreteux(-euse)

achantar (fam) vt (acobardar) démonter; **~se** (fam) vpr se dégonfler

achaque vb ver **achacar** ♦ nm ennui m de santé

achicar vt rétrécir; (NÁUT) écoper

achicharrar vt (comida) brûler; **~se** vpr (comida) attacher; (planta) griller; (persona) se

consumer

achicoria nf chicorée f

aciago, -a adj funeste

acicalarse vpr se faire beau (belle)

acicate nm stimulant m

acidez nf acidité f

ácido, -a adj acide ♦ nm (tb fam: droga) acide m

acierto vb ver **acertar** ♦ nm (al adivinar) découverte f; (éxito, logro) réussite f, idée f judicieuse; (habilidad) adresse f

aclamación nf acclamation f

aclamar vt (aplaudir) acclamer; (proclamar) proclamer

aclaración nf éclaircissement m

aclarar vt éclaircir; (ropa) rincer ♦ vi (tiempo) s'éclaircir; **~se** vpr (persona) s'expliquer; (asunto) s'éclaircir; **~se la garganta** s'éclaircir la gorge

aclaratorio, -a adj explicatif(-ive)

aclimatación nf acclimatation f; **aclimatar** vt (aplaudir) acclimater; **aclimatarse** vpr s'acclimater

acné nm o f acné f

acobardarse vpr se laisser intimider

acogedor, a adj accueillant(e)

acoger vt accueillir

acogida nf accueil m

acometer vt (empresa, tarea) entreprendre ♦ vi: **~ (contra)** s'attaquer (à); **acometida** nf attaque f; (de gas, agua) branchement m

acomodado, -a adj huppé(e)

acomodador, a nm/f placeur (ouvreuse)

acomodar vt (paquetes, maletas) disposer; (personas) placer; **~se** vpr s'installer

acompañar vt accompagner;

¿quieres que te acompañe?
veux-tu que je t'accompagne?; **~
a algn a la puerta**
raccompagner qn à la porte; **le
acompaño en el sentimiento**
veuillez accepter mes
condoléances

acondicionar vt: **~ (para)**
aménager (pour)

acongojar vt angoisser

aconsejar vt conseiller; **~ a algn
hacer** o **que haga/que no
haga algo** conseiller à qn de
faire/de ne pas faire qch

acontecer vi arriver;
acontecimiento nm événement
m

acopio nm: **hacer ~** faire
provision de

acoplar vt: **~ (a)** accoupler (à)

acordar vt décider; (precio,
condiciones) convenir de; **~se** vpr:
~se de (hacer) se souvenir de
(faire); **~ hacer algo** (resolver)
décider de faire qch; **acorde** adj
(MÚS) accordé(e) ♦ nm (MÚS)
accord m; **acorde (con)**
conforme (à)

acordeón nm accordéon m

acorralar vt acculer

acortar vt raccourcir; **~se** vpr
raccourcir

acosar vt traquer; (fig) harceler

acoso nm harcèlement m; **~
sexual** harcèlement m sexuel

acostar vt (en cama) coucher; (en
suelo) allonger; **~se** vpr (para
descansar) s'allonger; (para dormir)
se coucher

acostumbrar vt: **~ a algn a
hacer algo** habituer qn à faire
qch; **~se** vpr: **~se a** prendre
l'habitude de; (ciudad) se faire à; **~
(a) hacer algo** prendre
l'habitude de faire qch

ácrata adj, nm/f anarchiste m/f

acre adj âcre ♦ nm âcre m

acrecentar vt accroître

acreditar vt accréditer; **~se** vpr
(buen médico) se faire une
réputation de

acreedor, a adj: **~ a** (respeto)
digne de ♦ nm créancier(-ière)
de belles

acribillar vt: **~ a balazos** cribler
de balles

acróbata nm/f acrobate m/f

acta nf (de reunión) procès-verbal
m; **~ notarial** acte m notarié

actitud nf attitude f

activar vt (mecanismo) actionner;
(economía, comercio) relancer

actividad nf activité f

activo, -a adj actif(-ive) ♦ nm
(COM) actif m

acto nm acte m; (ceremonia)
cérémonie f; **en el ~** sur-le-
champ; **~ seguido**
immédiatement

actor nm acteur m

actriz nf actrice f

actuación nf (acción) action f;
(comportamiento) comportement
m; (TEATRO) jeu m

actual adj actuel(le); **actualidad**
nf actualité f; **en la actualidad**
actuellement

actualizar vt actualiser, mettre à
jour

actualmente adv à l' heure
actuelle, actuellement

actuar vi (comportarse) agir;
(actor) jouer; **~ de** tenir le rôle de

acuarela nf aquarelle f

acuario nm aquarium m; **A~**
(ASTROL) Verseau m; **ser A~** être
(du) Verseau

acuartelar vt (retener en cuartel)
consigner

acuático, -a adj aquatique m

acuchillar vt poignarder

acuciante *adj* pressant(e)
acuciar *vt* presser
acudir *vi* aller; **~ a** (*amistades etc*) avoir recours à; **~ a una cita** aller à un rendez-vous
acuerdo *vb ver* **acordar ♦** *nm* accord *m*; (*decisión*) décision *f*; **¡de ~!** d'accord!; **de ~ con** en accord avec; **de común ~** d'un commun accord; **estar de ~** être d'accord; **llegar a un ~** parvenir à un accord
acumular *vt* accumuler
acuñar *vt* (*moneda*) frapper; (*palabra, frase*) consacrer
acupuntura *nf* acupuncture *f*
acurrucarse *vpr* se blottir
acusación *nf* accusation *f*
acusado, -a *nm/f* (*JUR*) accusé(e); **acusar** *vt* accuser; (*revelar*) manifester; (*suj: aparato*) indiquer;
acusarse *vpr:* **acusarse de algo** s'accuser de qch; (*REL*) confesser qch; **acusar recibo de** accuser réception de
acuse *nm:* **~ de recibo** accusé *m* de réception
acústico, -a *adj* acoustique **♦** *nf* acoustique *f*
adaptación *nf* adaptation *f*
adaptador *nm* adaptateur *m*; **~ universal** adaptateur universel
adaptar *vt:* **~ (a)** adapter (à)
adecuado, -a *adj* adéquat(e)
adecuar *vt:* **~ a** adapter à
a. de J.C. *abr* (= *antes de Jesucristo*) av. J.-C.
adelantado, -a *adj* avancé(e); (*reloj*) en avance; **pagar por ~** payer d'avance
adelantamiento *nm* (*AUTO*) dépassement *m*
adelantar *vt, vi* avancer; (*AUTO*) doubler, dépasser; **~se** *vpr* (*tomar la delantera*) prendre les devants;

(*anticiparse*) être en avance
adelante *adv* devant **♦** *excl* (*incitando a seguir*) en avant!; (*autorizando a entrar*) entrez!; **en ~** désormais; **de hoy en ~** à l'avenir; **más ~** (*después*) plus tard; (*más allá*) plus loin
adelanto *nm* progrès *m*; (*de dinero, hora*) avance *f*
adelgazar *vt* (*persona*) faire maigrir **♦** *vi* maigrir
ademán *nm* geste *m*; **ademanes** *nmpl* gestes *mpl*
además *adv* de plus; **~ de** en plus de
adentrarse *vpr:* **~ en** pénétrer dans
adentro *adv* dedans; **mar ~** au large; **tierra ~** à l'intérieur des terres; **para sus ~s** dans son for intérieur; **~ de** (*AM: dentro de*) dans
adepto, -a *nm/f* adepte *m/f*
aderezar *vt* assaisonner
adeudar *vt* (*dinero*) devoir; **~se** *vpr* (*persona*) s'endetter
adherir *vt:* **~ algo a algo** faire adhérer une chose à une autre; **~se** *vpr* (*a propuesta*) adhérer
adhesión *nf* adhésion *f*
adhesivo, -a *adj* adhésif(-ive)
adicción *nf* (*a drogas etc*) dépendance *f*
adición *nf* addition *f*; (*cosa añadida*) ajout *m*
adicto, -a *adj* (*a ideología*) acquis(e); (*persona*) dépendant(e) **♦** *nf* (*MED*) drogué(e); (*partidario*) fanatique *m/f*
adiestrar *vt* entraîner
adinerado, -a *adj* fortuné(e)
adiós *excl* (*despedida*) au revoir!; (*al pasar*) salut!
aditivo *nm* additif *m*
adivinanza *nf* devinette *f*;

adivinar vt (pensamientos)
deviner; (el futuro) lire
adivino, -a nm/f devin(eresse)
adj abr = **adjunto**
adjetivo nm adjectif m
adjudicar vt adjuger; **~se** vpr:
~se algo s'adjuger qch
adjuntar vt joindre
adjunto, -a adj (documento)
joint(e); (médico, director etc)
adjoint(e) ♦ nm/f (profesor)
assistant(e) ♦ adv ci-joint
administración nf
administration f; **A~ pública**
fonction f publique
administrador, a nm/f
administrateur(-trice), gérant(e)
administrar vt administrer, gérer;
(medicamento, sacramento)
administrer
administrativo, -a adj
administratif(-ive) ♦ nm/f (de
oficina) préposé(e)
admirable adj admirable
admiración nf (estimación)
admiration f; (asombro)
étonnement m; (LING) exclamation
f
admirar vt (estimar) admirer;
(asombrar) étonner; **~se** vpr: **~se**
de s'étonner de
admisible adj acceptable
admisión nf admission f; (de
razones etc) acceptation f
admitir vt (razonamiento etc)
admettre; (regalos) accepter
adobar vt (CULIN) préparer
adobe nm torchis m
adoctrinar vt endoctriner
adolecer vi: **~ de** souffrir de
adolescente adj, nm/f
adolescent(e)
adonde (esp AM) conj où
adónde adv où
adopción nf adoption f

adoptar vt adopter
adoptivo, -a adj adoptif(-ive);
(lengua, país) d'adoption
adoquín nm pavé m
adorar vt adorer
adormecer vt endormir; **~se** vpr
somnoler; (miembro) s'endormir
adornar vt orner; (habitación,
mesa) décorer
adorno nm ornement m
adosado, -a adj: **chalet ~**
maison f jumelle
adquiera etc vb ver **adquirir**
adquirir vt acquérir
adquisición nf acquisition f
adrede adv exprès, à dessein
adscribir vt: **~ a** assigner à
adscrito pp de **adscribir**
aduana nf douane f
aduanero, -a adj, nm/f
douanier(-ière)
aducir vt alléguer
adueñarse vpr: **~ de**
s'approprier
adular vt aduler
adulterar vt (alimentos, vino)
frelater
adulterio nm adultère m
adúltero, -a adj, nm/f adultère
m/f
adulto, -a adj, nm/f adulte m/f
adusto, -a adj (expresión,
carácter) sévère; (paisaje, región)
austère
advenedizo, -a nm/f intrus(e)
advenimiento nm avènement m
adverbio nm adverbe m
adversario, -a nm/f adversaire
m/f
adversidad nf adversité f
adverso, -a adj adverse
advertencia nf avertissement m
advertir vt (observar) remarquer;
~ a algn de algo avertir qn de
qch; **~ a algn que ...** avertir qn

que ...
advierta etc vb ver **advertir**
adyacente adj adjacent(e)
aéreo, -a adj aérien(ne); **por vía**
aérea par avion
aerobic nm inv aérobic m
aerodeslizador,
aerodeslizante nm
aéroglisseur m
aerodinámico, -a adj
aérodynamique
aeromozo, -a (AM) nm/f (AVIAT)
steward (hôtesse de l'air)
aeronave nf aéronef m
aeroplano nm aéroplane m
aeropuerto nm aéroport m
aerosol nm aérosol m
afabilidad nf affabilité f; **afable**
adj affable
afán nm (ahínco) ardeur f; (deseo)
soif f; **con ~** avec ardeur
afanar (fam) vt (robar) rafler; **~se**
vpr (atarearse) s'affairer; **~se por**
hacer s'évertuer à faire
afear vt enlaidir
afección nf infection f
afectación nf affectation f
afectado, -a adj affecté(e);
afectar vt affecter
afectísimo, -a adj: **suyo ~**
respectueusement vôtre
afectivo, -a adj (problema)
affectif(-ive); (persona)
affectueux(-euse)
afecto nm (cariño) affection f;
tenerle ~ a algn avoir de
l'affection pour qn
afectuoso, -a adj
affectueux(-euse); **"un saludo ~"**
(en carta) "affectueusement"
afeitar vt raser; **~se** vpr se raser;
~se la barba/el bigote se raser
la barbe/la moustache
afeminado, -a adj efféminé(e)
Afganistán nm Afghanistan m

afianzamiento nm consolidation
f; (salud) amélioration f; **afianzar**
vt (objeto, conocimientos)
consolider; (salud) assurer;
afianzarse vpr se cramponner
afiche (AM) nm (cartel) affiche f
afición nf goût m, penchant m;
la ~ les supporters mpl
aficionado, -a adj, nm/f amateur
m; **ser ~ a algo** être amateur de
qch
aficionar vt: **~ a algn a algo**
donner à qn le goût de qch; **~se**
vpr: **~se a algo** prendre goût à
qch
afilado, -a adj (cuchillo)
aiguisé(e); (lápiz) bien taillé(e)
afilar vt (cuchillo) aiguiser; (lápiz)
tailler
afiliarse vpr: **~ (a)** s'affilier (à)
afín adj (carácter) semblable;
(ideas, opiniones) voisin(e)
afinar vt (MÚS) accorder; (puntería,
TEC) ajuster ♦ vi (MÚS) être
accordé(e)
afincarse vpr: **~ en** s'établir à
afinidad nf affinité f
afirmación nf affirmation f;
afirmar vt affirmer; (objeto)
consolider ♦ vi acquiescer
afirmativo, -a adj affirmatif(-ive)
aflicción nf affliction f
afligir vt affliger; **~se** vpr s'affliger
aflojar vt desserrer; (cuerda)
détendre ♦ vi (tormenta, viento) se
calmer; **~se** vpr (pieza) prendre
du jeu
aflorar vi affleurer
afluente nm affluent m
afluir vi: **~ (a gente, sangre)**
affluer à
afmo., -a. abr = **afectísimo**
afónico, -a adj: **estar ~** être
aphone
aforo nm (de teatro) capacité f

afortunado, -a *adj* (*persona*) chanceux(-euse)

afrancesado, -a (*pey*) *adj* partisan des Français (lors de la guerre d'Indépendance, et aux XVIII et XIX siècles)

afrenta *nf* affront *m*

África *nf* Afrique *f*; **~ del Sur** Afrique du Sud

africano, -a *adj* africain(e) ♦ *nm/f* Africain(e)

afrontar *vt* affronter

afuera *adv* (*esp AM*) dehors; **~s** *nfpl* banlieue *fsg*

agachar *vt* incliner; **~se** *vpr* s'incliner

agalla *nf* (*ZOOL*) ouïe *f*; **tener ~s** (*fam*) ne pas avoir froid aux yeux

agarradera (*AM*) *nf* (*asa*) anse *f*

agarrado, -a *adj* radin(e)

agarrar *vt* saisir; (*esp AM: recoger*) prendre; (*fam: enfermedad*) attraper ♦ *vi* (*planta*) prendre; **~se** *vpr* (*comida*) coller; **~se (a)** s'accrocher (à)

agarrotar *vt* (*reo*) faire subir le supplice du garrot; **~se** *vpr* (*MED*) avoir des crampes

agasajar *vt* accueillir chaleureusement

agazapar *vt* saisir; **~se** *vpr* (*persona, animal*) se tapir

agencia *nf* agence *f*

agenciarse *vpr* se procurer; **agenciárselas para hacer algo** se débrouiller pour faire qch

agenda *nf* agenda *m*

agente *nm/f* agent(e); **~ (de policía)** agent(e) (de police)

ágil *adj* agile; **agilidad** *nf* agilité *f*

agilizar *vt* activer

agitación *nf* agitation *f*

agitado, -a *adj* (*día, viaje, vida*) agité(e)

agitar *vt* agiter; (*fig*) troubler;

inquiéter; **~se** *vpr* s'agiter; (*inquietarse*) se troubler, s'inquiéter

aglomeración *nf*: **~ de gente** rassemblement *m*; **~ de tráfico** embouteillage *m*

agnóstico, -a *adj, nm/f* agnostique *m/f*

agobiar *vt* (*suj: trabajo*) accabler; (: *calor*) accabler, étouffer

agolparse *vpr* (*personas*) se presser, se bousculer

agonía *nf* agonie *f*

agonizante *adj* agonisant(e)

agonizar *vi* agoniser, être à l'agonie

agosto *nm* août *m*; *ver tb* **julio**

agotado, -a *adj* épuisé(e)

agotador, a *adj* épuisant(e)

agotamiento *nm* épuisement *m*

agotar *vt* épuiser; **~se** *vpr* s'épuiser; (*libro*) être épuisé(e)

agraciado, -a *adj* qui a du charme ♦ *nm/f* (*en sorteo, lotería*) gagnant(e)

agradable *adj* agréable

agradar *vi* plaire; **esto no me agrada** cela ne me plaît pas; **le agrada estar en su compañía** votre compagnie lui est agréable

agradecer *vt* remercier; **te agradezco que hayas venido** je te remercie d'être venu

agradecido, -a! **¡muy ~!** merci beaucoup!, merci bien!; **agradecimiento** *nm* remerciement *m*

agradezca *etc vb ver* **agradecer**

agrado *nm* agrément *m*, plaisir *m*; (*amabilidad*) amabilité *f*; **ser de tu ~** être à ton *etc* goût

agrandar *vt* agrandir

agrario, -a *adj* agraire

agravante *nm o f*: **con el o la ~ de que ...** le problème étant que ...

agravar vt aggraver; **~se** vpr
s'aggraver

agraviar vt offenser; **agravio**
nm offense f

agredir vt agresser

agregado nm agrégat m;
(profesor) maître m de conférences
(à l'université), professeur
certifié(e) (dans l'enseignement
secondaire)

agregar vt: **~ (a)** ajouter (à);
(unir) associer (à)

agresión nf agression f

agresivo, -a adj agressif(-ive)

agriar vt aigrir; (leche) faire
tourner; **~se** vpr s'aigrir; (leche)
tourner

agrícola adj agricole

agricultor, a nm/f
agriculteur(-trice)

agricultura nf agriculture f

agridulce adj aigre-doux(-douce)

agrietarse vpr se crevasser; (piel)
se gercer

agrimensor, a nm/f arpenteur m

agrio, -a adj aigre; (carácter)
aigri(e), revêche; **~s** nmpl
agrumes mpl

agrupación nf groupement m,
regroupement m

agrupar vt (personas) grouper;
(libros, datos) regrouper; **~se** vpr
se regrouper

agua nf eau f; (lluvia) pluie f, eau
de pluie; **hacer ~** (embarcación)
faire eau; **se me hace la boca
agua** ça me met l'eau à la
bouche; **~s abajo** en aval; **~s
arriba** en amont; **~ caliente/
corriente** eau chaude/courante;
~ de colonia eau de Cologne; **~
mineral (con/sin gas)** eau
minérale (gazeuse/non gazeuse)

aguacate nm avocat m; (árbol)
avocatier m

aguacero nm averse f

aguado, -a adj (leche, vino)
baptisé(e)

aguafiestas nm/f inv trouble-
fête m/f inv, rabat-joie m/f inv

aguanieve nf neige f fondue

aguantar vt supporter, endurer ♦
vi (ropa) résister; **~se** vpr
(persona) se dominer; **aguante**
nm (paciencia) patience f;
(resistencia) résistance f

aguar vt (leche, vino) baptiser,
couper

aguardar vt attendre ♦ vi: **~ (a
que)** attendre (que)

aguardiente nm eau-de-vie f

aguarrás nm essence f de
térébenthine

agudeza nf (oído, olfato) finesse f;
(vista) acuité f; (de sonido) aigu m;
(fig: ingenio) vivacité f, finesse

agudizar vt aiguiser; (crisis)
intensifier; **~se** vpr s'aiguiser;
(crisis) s'intensifier

agudo, -a adj (afilado)
tranchant(e), coupant(e); (vista)
perçant(e); (oído, olfato) fin(e);
(sonido, dolor) aigu(ë)

agüero nm: **ser de buen/mal ~**
être de bon/mauvais augure

aguijón nm (de insecto) dard m;
(fig: estímulo) aiguillon m

águila nf aigle m; **ser un ~** (fig)
être un as

aguileño, -a adj (nariz) aquilin(e)

aguinaldo nm étrennes fpl

aguja nf aiguille f; (para hacer
punto) aiguille à tricoter; (para
hacer ganchillo) crochet m

agujerear vt (perforar: ropa,
cristal, madera) trouer

agujero nm trou m

agujetas nfpl courbatures fpl

aguzar vt (herramientas) aiguiser,
affiler; (ingenio, entendimiento)

aiguillonner, stimuler; **~ el oído/ la vista** aiguiser l'ouïe/la vue

ahí *adv* (*lugar*) là; **de ~ que** donc, d'où il s'ensuit que; **~ está el problema** tout le problème est là; **~ llega** le voilà; **por ~** par là; (*lugar indeterminado*) là-bas; **200 o por ~** environ 200

ahijado, -a *nm/f* filleul(e)

ahogar *vt* étouffer; (*en el agua*) noyer; **~se** *vpr* (*en el agua*) se noyer; (*por asfixia*) s'asphyxier

ahondar *vt* creuser ♦ *vi*: **~ en** (*problema*) approfondir, creuser

ahora *adv* maintenant; (*hace poco*) tout à l'heure; **~ bien** *o* **que** cependant, remarquez (que); **~ mismo** à l'instant (même); **~ voy** j'arrive; **¡hasta ~!** à tout de suite!, à bientôt!; **por ~** pour le moment

ahorcar *vt* pendre; **~se** *vpr* se pendre

ahorita (*esp* AM: *fam*) *adv* tout de suite

ahorrar *vt* économiser, épargner; **~ a algn algo** épargner qch à qn; **ahorro** *nm* économie *f*, épargne *f*; **ahorros** *nmpl* économies *fpl*

ahuecar *vt* (*madera, tronco*) évider; (*voz*) enfler

ahumar *vt* fumer

ahuyentar *vt* (*ladrón, fiera*) mettre en fuite; (*fig*) chasser

airado, -a *adj* furieux(-euse)

airar *vt* (*persona*) irriter, fâcher; **airarse** *vpr* (*irritarse*) s'irriter, se fâcher

aire *nm* air *m*; **~s** *nmpl*: **darse ~s** se donner des airs; **al ~ libre** en plein air; **cambiar de ~s** changer d'air; **estar en el ~** (RADIO) être sur les ondes; (*fig*) être en suspens; **tener un ~ con** *o*

darse un ~ a ressembler à; **tomar el ~** prendre l'air; **~ acondicionado** air conditionné

airearse *vpr* prendre l'air

airoso, -a *adj*: **salir ~ de algo** bien s'en tirer

aislado, -a *adj* isolé(e)

aislar *vt* isoler

ajardinado, -a *adj* aménagé(e)

ajedrez *nm* échecs *mpl*

ajeno, -a *adj* d'autrui; **estar ~ a algo** être étranger à qch

ajetreado, -a *adj* (*día*) mouvementé(e)

ajetreo *nm* agitation *f*

ají (AM) *nm* piment *m* rouge; (*salsa*) sauce *f* au piment

ajo *nm* ail *m*

ajuar *nm* (*de casa*) mobilier *m*; (*de novia*) trousseau *m*

ajustado, -a *adj* (*ropa*) ajusté(e); (*resultado*) serré(e)

ajustar *vt* ajuster; (*reloj, cuenta*) régler ♦ *vi* (*ventana, puerta*) cadrer; **~se** *vpr*: **~se a** se conformer à; **~ algo a algo** ajuster qch à qch; (*fig*) adapter qch à qch; **~ cuentas con algn** régler ses comptes avec qn

ajuste *nm* (FIN) fixation *f* (des prix); (*acuerdo*) accord *m*

al (= *a + el*) *ver* **a**

ala *nf* aile *f*; (*de sombrero*) bord *m*

alabanza *nf* éloge *m*, louange *f*

alabar *vt* (*persona*) louer, faire l'éloge de; (*obra*) louer, vanter

alacena *nf* garde-manger *m inv*

alacrán *nm* scorpion *m*

alambrada *nf*, **alambrado** *nm* grillage *m*

alambre *nm* fil *m* de fer; **~ de púas** fil de fer barbelé

alameda *nf* peupleraie *f*; (*lugar de paseo*) promenade *f* (*bordée d'arbres*)

álamo *nm* peuplier *m*

alarde *nm*: hacer ~ de se vanter de, faire étalage de

alargador *nm* (ELEC) rallonge *f*

alargar *vt* rallonger; (*estancia, vacaciones*) prolonger; (*brazo*) allonger, tendre; ~**se** *vpr* (*días*) rallonger

alarido *nm* hurlement *m*

alarma *nf* (*señal de peligro*) alarme *f*, alerte *f*; ~ **de incendios** avertisseur *m* d'incendie

alarmante *adj* alarmant(e)

alarmar *vt* alarmer; ~**se** *vpr* s'alarmer

alba *nf* aube *f*

albacea *nm/f* exécuteur *m* testamentaire

albahaca *nf* basilic *m*

Albania *nf* Albanie *f*

albañil *nm* maçon *m*

albarán *nm* bordereau *m*

albaricoque *nm* abricot *m*

albedrío *nm*: **libre** ~ libre arbitre *m*

alberca *nf* réservoir *m* d'eau; (AM) piscine *f*

albergar *vt* héberger; (*esperanza*) nourrir

albergue *vb ver* **albergar** ♦ *nm* abri *m*; ~ **juvenil** *o* **de juventud** auberge *f* de jeunesse

albóndigas *nfpl* boulettes *fpl* de viande

albornoz *nm* (*para el baño*) sortie *f* de bain

alborotar *vt* agiter; (*amotinar*) ameuter ♦ *vi* faire du tapage; ~**se** *vpr* s'agiter; **alboroto** *nm* tapage *m*

alborozar *vt* réjouir; ~**se** *vpr* se réjouir

alborozo *nm* réjouissance *f*

álbum (*pl* ~**s** *o* ~**es**) *nm* album *m*

alcachofa *nf* artichaut *m*; ~ **de ducha/de regadera** pomme *f* de douche/d'arrosoir

alcalde, -esa *nm/f* maire *m*

alcaldía *nf* mairie *f*

alcance *vb ver* **alcanzar** ♦ *nm* portée *f*; **al** ~ **de la mano** à portée de main; **estar a mi** *etc/* **fuera de mi** *etc* ~ être/ne pas être à ma *etc* portée

alcantarilla *nf* (*subterránea*) égout *m*; (*en la calle*) caniveau *m*

alcanzar *vt* atteindre; (*persona*) rattraper; (*autobús*) attraper; (AM: *entregar*) passer ♦ *vi* être suffisant(e); (*para todos*) suffire

alcaparra *nf* câpre *f*

alcayata *nf* (*clavo*) piton *m*

alcázar *nm* citadelle *f*; (NÁUT) dunette *f*

alcoba *nf* alcôve *f*

alcohol *nm* alcool *m*; (*tb*: ~ **metílico**) alcool à brûler

alcohólico, -a *adj, nm/f* alcoolique *m/f*

alcoholímetro *nm* alcoomètre *m*

alcoholismo *nm* alcoolisme *m*

alcornoque *nm* chêne-liège *m*; (*fam*) andouille *f*

alcurnia *nf* noble lignée *f*

aldaba *nf* heurtoir *m*

aldea *nf* hameau *m*

aldeano, -a *adj, nm/f* villageois(e)

aleación *nf* alliage *m*

aleatorio, -a *adj* aléatoire

aleccionar *vt* instruire

alegación *nf* allégation *f*; **alegar** *vt* alléguer ♦ *vi* (AM) discuter

alegato *nm* plaidoyer *m*; (AM) discussion *f*

alegoría *nf* allégorie *f*

alegrar *vt* réjouir; (*casa*) égayer; (*fiesta*) animer; ~**se** *vpr* (*fam*) se griser; ~**se de** être

heureux(-euse) de
alegre *adj* gai(e), joyeux(-euse);
   (fam: con vino) éméché(e).
   alegría *nf* joie *f*, gaîté *f*
alejamiento *nm* éloignement *m*
alejar *vt* éloigner; **~se** *vpr*
   s'éloigner
alemán, -ana *adj* allemand(e) ♦
   nm/f Allemand(e) ♦ *nm (LING)*
   allemand *m*
Alemania *nf* Allemagne *f*; **~**
   Occidental/Oriental *(HIST)*
   Allemagne de l'Ouest/de l'Est
alentador, a *adj* encourageant(e)
alentar *vt* encourager
alergia *nf* allergie *f*
alero *nm* auvent *m*
alerta *adj inv* vigilant(e) ♦ *nf*
   alerte *f* ♦ *adv*: **estar** *o*
   mantenerse ~ être sur
   ses gardes
aleta *nf (pez)* nageoire *f*, *(foca)*
   aileron *m*; *(nariz)* aile *f*; *(DEPORTE)*
   palme *f*; *(AUTO)* garde-boue *m*
aletargar *vt* endormir; **~se** *vpr*
   s'assoupir
aletear *vi (ave)* battre des ailes;
   (pez) battre des nageoires
alevín *nm* alevin *m*
alfabeto *nm* alphabet *m*
alfalfa *nf* luzerne *f*
alfarería *nf* poterie *f*; *(tienda)*
   magasin *m* de poterie
alfarero, -a *nm/f* potier *m*
alféizar *nm* embrasure *f*
alférez *nm (MIL)* sergent *m*
alfil *nm (AJEDREZ)* fou *m*
alfiler *nm* épingle *f*; *(broche)*
   broche *f*; **~ de gancho** *(AM:*
   imperdible grande) (grande)
   épingle de nourrice
alfiletero *nm* porte-aiguilles *m*
   inv
alfombra *nf* tapis *msg*;
alfombrar *vt* recouvrir d'un

tapis; **alfombrilla** *nf* carpette *f*
alforja *nf* sacoche *f*
algarabía *(fam) nf* brouhaha *m*
algas *nfpl* algues *fpl*
álgebra *nf* algèbre *f*
álgido, -a *adj* crucial(e)
algo *pron* quelque chose; *(una*
   cantidad pequeña) un peu ♦ *adv*
   un peu, assez; **~ así (como)**
   quelque chose comme; **~ es**
   c'est toujours quelque chose; **¿~**
   más? c'est tout?; *(en tienda)* et
   avec ceci?; **por ~ será** il y a bien
   une raison
algodón *nm* coton *m*; **~ de**
   azúcar barbe *f* à papa; **~**
   hidrófilo coton hydrophile
algodonero, -a *adj*
   cotonnier(-ière)
alguacil *nm (de juzgado)* huissier
   m; *(de ayuntamiento)* employé *m*
   municipal; *(TAUR)* officiel *m* à
   cheval
alguien *pron* quelqu'un
alguno, -a *adj (delante de nm:*
   algún) quelque, un (une); *(después*
   de n): **no tiene talento ~** il n'a
   aucun talent ♦ *pron* quelqu'un; **~**
   de ellos l'un d'eux; **algún que**
   otro libro quelques livres; **algún**
   día iré j'irai un jour; **~s piensan**
   certains pensent
alhaja *nf* joyau *m*
alhelí *nm* giroflée *f*
aliado, -a *adj*, *nm/f* allié(e)
alianza *nf* alliance *f*
aliarse *vpr*: **~ (con/a)** s'allier (à)
alias *adv* alias
alicates *nmpl* pince *fsg*; **~ de**
   uñas coupe-ongles *m inv*
aliciente *nm* stimulant *m*;
   (atractivo) attrait *m*, charme *m*
alienación *nf* aliénation *f*
aliento *vb ver* **alentar** ♦ *nm*
   haleine *f*; **sin ~** hors d'haleine

aligerar *vt* alléger; **~ el paso**
presser le pas
alijo *nm* saisie *f*
alimaña *nf* animal *m* nuisible
alimentación *nf* alimentation *f*;
tienda de ~ magasin *m*
d'alimentation; **alimentar** *vt*
nourrir, alimenter; (*suj: alimento*)
nourrir
alimenticio, -a *adj* (*sustancia*)
alimentaire; (*nutritivo*)
nourrissant(e)
alimento *nm* aliment *m*; **~s** *nmpl*
(*JUR*) aliments *mpl*
alineación *nf* alignement *m*;
(*DEPORTE*) formation *f*
alinear *vt* aligner; (*DEPORTE*) faire
jouer; **~se** *vpr* s'aligner; (*DEPORTE*)
rentrer
aliñar *vt* assaisonner; **aliño** *nm*
assaisonnement *m*
alisar *vt* lisser; (*madera*) polir
alistarse *vpr* s'inscrire; (*MIL*)
s'enrôler; (*AM: prepararse*) se
préparer
aliviar *vt* (*carga*) alléger; (*persona*)
soulager
alivio *nm* soulagement *m*
aljibe *nm* citerne *f*
allá *adv* là-bas; (*por ahí*) par là; **~
abajo/arriba** tout en bas/en
haut; **hacia ~** par là-bas; **más ~**
plus loin; **más ~ de** au-delà de;
~ por vers; **¡~ tú!** tant pis pour
toi!
allanamiento *nm*: **~ de
morada** violation *f* de domicile
allanar *vt* aplanir; (*muro*) raser
allegado, -a *adj* partisan(e) ♦
nm/f proche parent(e)
allí *adv* (*lugar*) là; **~ mismo** là
précisément; **por ~** par là
alma *nf* (*tb* TEC) âme *f*; (*de
negocio*) nœud *m*; (*de fiesta*) clou
m; (*de reunión*) objet *m* principal;

con toda el ~ du fond du cœur
almacén *nm* magasin *m*; (*al por
mayor*) magasin de gros; (*AM*)
épicerie *f*; **(grandes)
almacenes** grands magasins *mpl*
almacenaje *nm* emmagasinage
m, stockage *m*; **almacenaje
secundario** (*INFORM*) mémoire *f*
auxiliaire
almacenar *vt* emmagasiner,
stocker; **almacenero, -a** (*AM*)
nm/f épicier(-ière)
almanaque *nm* almanach *m*
almeja *nf* (*ZOOL*) clovisse *f*; (*CULIN*)
palourde *f*
almendra *nf* amande *f*;
almendro *nm* amandier *m*
almíbar *nm* sirop *m*; **en ~** au
sirop
almidón *nm* amidon *m*
almirante *nm* amiral *m*
almirez *nm* mortier *m*
almizcle *nm* musc *m*
almohada *nf* oreiller *m*; (*funda*)
taie *f* d'oreiller; **almohadilla** *nf*
(*para sentarse*) coussinet *m*; (*para
planchar*) pattemouille *f*; (*para
sellar*) tampon *m* encreur; (*en los
arreos*) tapis *msg* de selle; (*AM*)
pelote *f* à épingles
almohadón *nm* coussin *m*; (*funda
de almohada*) taie *f* d'oreiller
almorranas *nfpl* hémorroïdes *fpl*
almorzar *vt*: **~ una tortilla**
déjeuner d'une omelette ♦ *vi*
déjeuner
almuerzo *vb ver* **almorzar** ♦ *nm*
déjeuner *m*
alocado, -a *adj* écervelé(e);
(*acción*) irréfléchi(e)
alojamiento *nm* logement *m*
alojar *vt* loger; **~se** *vpr*: **~se en**
(*persona*) loger à; (*bala, proyectil*)
se loger dans
alondra *nf* alouette *f*

alpargata *nf* espadrille *f*
Alpes *nmpl:* **los ~** les Alpes *fpl*
alpinismo *nm* alpinisme *m;*
alpinista *nm/f* alpiniste *m/f*
alpiste *nm* alpiste *m*
alquilar *vt* louer; **"se alquila casa"** "maison à louer"
alquiler *nm* location *f;* *(precio)* loyer *m;* **de ~** à louer; **~ de coches/automóviles** location de voitures
alquimia *nf* alchimie *f*
alquitrán *nm* goudron *m*
alrededor *adv* autour; **~es** *nmpl* environs *mpl;* **~ de** autour de; *(aproximadamente)* environ; **a su ~** autour de lui; **mirar a su ~** regarder autour de soi
alta *nf:* **dar a algn de ~** *(en empleo)* autoriser qn à reprendre son travail *(après un congé de maladie);* **darse de ~** *(MED)* se déclarer guéri(e); *(en club, asociación)* devenir membre
altanería *nf* arrogance *f;* *(de aves)* haut vol *m*
altanero, -a *adj* hautain(e)
altar *nm* autel *m*
altavoz *nm* haut-parleur *m*
alteración *nf* altération *f;* *(alboroto)* altercation *f;* *(agitación)* agitation *f;* **~ del orden público** trouble *m* de l'ordre public
alterar *vt* modifier; *(persona)* perturber; *(alimentos, medicinas)* altérer; **~se** *vpr (persona)* se troubler
altercado *nm* altercation *f*
alternar *vi* fréquenter des gens; **~se** *vpr* se relayer
alternativa *nf* **no tener otra ~** ne pas avoir le choix
alternativo, -a *adj* alternatif(-ive); *(hojas, ángulo)* alterne

alterno, -a *adj (días)* tous les deux; *(ELEC)* alternatif(-ive)
alteza *nf* altesse *f*
altibajos *nmpl (del terreno)* inégalités *fpl;* *(fig)* des hauts et des bas *mpl*
altiplanicie *nf* haut plateau *m*
altiplano *nm* = **altiplanicie**
altisonante *adj* ronflant(e)
altitud *nf* altitude *f*
altivez *nf* hauteur *f,* morgue *f*
altivo, -a *adj* hautain(e), altier(-ière)
alto, -a *adj* haut(e); *(persona)* grand(e); *(sonido)* aigu(ë); *(precio, ideal, clase)* élevé(e) ♦ *nm* haut *m;* *(AM)* tas *msg* ♦ *adv* haut; *(río)* en crue ♦ *excl* halte!; **la pared tiene 2 metros de ~** le mur fait 2 mètres de haut; **alta fidelidad/frecuencia** haute fidélité/fréquence; **en alta mar** en haute mer; **alta tensión** haute tension; **a altas horas de la noche** à une heure avancée de la nuit; **en lo ~ de** en haut de, tout en haut de; **hacer un ~** faire une halte; **por todo lo ~** sur un grand pied; **declarar/respetar el ~ el fuego** déclarer/observer le cessez-le-feu
altoparlante *(AM) nm* haut-parleur *m*
altruismo *nm* altruisme *m*
altura *nf* hauteur *f;* *(de persona)* taille *f;* *(altitud)* altitude *f;* **~s** *nfpl* hauteurs *fpl;* **la pared tiene 1.80 de ~** le mur fait 1 mètre 80 de hauteur *o* de haut; **a estas ~s** à l'heure qu'il est
alubias *nfpl* haricots *mpl*
alucinación *nf* hallucination *f;*
alucinar *vt* halluciner
alud *nm* avalanche *f*
aludir *vi:* **~ a** faire allusion à;

darse por aludido se sentir visé

alumbrado *nm* éclairage *m*;
alumbramiento *nm*
accouchement *m*

alumbrar *vt* éclairer; (MED)
accoucher de

aluminio *nm* aluminium *m*

alumno, -a *nm/f* élève *m/f*

alunizar *vi* alunir

alusión *nf* allusion *f*; **hacer ~ a**
faire allusion à

aluvión *nm* (de agua) inondation
f; (de gente, noticias) déluge *m*

alverja (AM) *nf* pois *msg* de
senteur

alza *nf* hausse *f*; **estar en ~**
(precio) être en hausse;
(estimación) être bien coté(e)

alzada *nf* (de caballos) hauteur *f*
au garrot

alzamiento *nm* (rebelión)
soulèvement *m*; (de muro)
élévation *f*

alzar *vt* (tb castigo) lever; (precio,
muro, monumento) élever; (cuello
de abrigo) relever; (poner derecho)
redresser; **~se** *vpr* s'élever;
(rebelarse) se soulever; **~ la voz**
élever la voix

ama *nf* maîtresse *f* (de maison),
propriétaire *f*; **~ de casa**
ménagère *f*; **~ de llaves**
gouvernante

amabilidad *nf* amabilité *f*

amable *adj* aimable; **es Vd
muy amable** c'est très aimable à
vous

amaestrado, -a *adj* dressé(e)

amaestrar *vt* dresser

amago *nm* menace *f*; (MED)
symptôme *m*

amainar *vi* tomber

amalgama *nf* amalgame *m*;
amalgamar *vt* amalgamer

amamantar *vt* allaiter, donner le

sein à

amanecer *vi*: **amanece** le jour
se lève ♦ *nm* lever *m* du jour; **el
niño amaneció con fiebre**
l'enfant s'est réveillé avec de la
fièvre

amanerado, -a *adj* maniéré(e);
(lenguaje) affecté(e)

amansar *vt* apprivoiser; **~se** *vpr*
(persona) s'amadouer

amante *adj*: **~ de**
amoureux(-euse) de ♦ *nm/f* amant
(maîtresse)

amapola *nf* coquelicot *m*

amar *vt* aimer

amargado, -a *adj* amer(-ère),
aigri(e)

amargar *vt* (comida) rendre
amer(-ère); (fig: estropear) gâcher
♦ *vi* (naranja) se gâter; **~se** *vpr*
s'aigrir

amargo, -a *adj* amer(-ère);
amargura *nf* (tristeza) chagrin *m*

amarillento, -a *adj* jaunâtre;
(tez) jaune

amarillo, -a *adj* (color) jaune ♦
nm jaune *m*

amarra *nf* amarre *f*; **~s** *nfpl*
piston *msg*; **soltar ~s** larguer les
amarres

amarrar *vt* (NÁUT) amarrer; (atar)
ficeler, ligoter

amasar *vt* (masa) pétrir; (yeso,
mortero) gâcher; **amasijo** *nm*
(fig) ramassis *msg*

amateur *nm/f* amateur *m*

amazona *nf* amazone *f*, cavalière
f

Amazonas *nm*: **el (Río) ~**
l'Amazone *f*

ambages *nmpl*: **sin ~** sans
ambages

ámbar *nm* ambre *m* (jaune)

ambición *nf* ambition *f*;
ambicionar *vt* ambitionner;

ambicionar hacer ambitionner
de faire

ambicioso, -a adj
ambitieux(-ieuse)

ambidextro, -a adj ambidextre

ambientación nf (CINE, TEATRO,
TV) cadre m

ambiente nm (atmósfera, tb fig)
atmosphère f; (entorno) air m
ambiant, milieu m

ambigüedad nf ambiguïté f

ambiguo, -a adj ambigu(ë)

ámbito nm domaine m; (fig)
cercle m

ambos, -as adj pl les deux ♦
pron pl tous (toutes) les deux

ambulancia nf ambulance f

ambulante adj ambulant(e)

ambulatorio nm dispensaire m

amedrentar vt effrayer; ~se vpr
s'effrayer

amén excl amen!; ~ **de** outre

amenaza nf menace f

amenazar vt menacer; ~ **con**
(hacer) menacer de (faire); ~ **de**
muerte menacer de mort

amenidad nf aménité f

ameno, -a adj amène

América nf Amérique f; ~
Central/Latina Amérique
centrale/latine; ~ **del Norte/del**
Sur Amérique du Nord/du Sud

americana nf veste f

americano, -a adj américain(e)
♦ nm/f Américain(e)

ametralladora nf mitrailleuse f

amianto nm amiante m

amigable adj amical(e)

amígdala nf amygdale f;
amigdalitis nf amygdalite f

amigo, -a adj ami(e) ♦ nm/f (gen)
ami(e); (amante) petit(e) ami(e);
ser ~ de algo être un ami de
qch; **ser muy ~s** être très amis

amilanar vt effrayer; ~se vpr

s'effrayer

aminorar vt (velocidad etc)
ralentir

amistad nf amitié f; ~**es** nfpl
(amigos) amis mpl

amistoso, -a adj amical(e)

amnesia nf amnésie f

amnistía nf amnistie f

amo nm (dueño) maître m (de
maison), propriétaire m; (jefe)
patron m; **hacerse el ~ (de**
algo) prendre la direction (de
qch)

amodorrarse vpr s'assoupir

amoldar ~**se** vpr: ~**se (a)**
(prenda, zapatos) prendre la forme
(de); ~**se a** s'adapter à

amonestación nf admonestation
f; **amonestaciones** nfpl (REL)
bans mpl

amonestar vt admonester; (REL)
publier les bans de

amontonar vt entasser,
amonceler; (riquezas etc)
accumuler, amasser; ~**se** vpr
(gente) se masser; (hojas, nieve etc)
s'entasser; (trabajo) s'accumuler

amor nm amour m; **de mil ~es**
très volontiers; **hacer el ~** faire
l'amour; (cortejar) faire la cour;
tener ~es con algn avoir une
liaison avec qn; **¡por (el) ~ de**
Dios! pour l'amour de Dieu!; ~
propio amour-propre m

amoratado, -a adj (por frío)
violacé(e); (por golpes) couvert(e)
de bleus; **ojo** ~ œil m au beurre
noir

amordazar vt bâillonner

amorfo, -a adj amorphe

amoroso, -a adj
amoureux(-euse); (carta) d'amour

amortiguador nm (dispositivo)
amortisseur m; (parachoques)
pare-chocs m inv; ~**es** nmpl

(*AUTO*) suspension *fsg*
amortiguar *vt* amortir; (*dolor*) atténuer; (*color*) neutraliser; (*luz*) baisser
amortización *nf* amortissement *m*
amotinar *vt* ameuter; **~se** *vpr* se mutiner
amparar *vt* secourir; protéger; **~se** *vpr* se mettre à l'abri; **~se en** (*ley, costumbre*) se prévaloir de; **amparo** *nm* protection *f*; **al amparo de** grâce à
amperio *nm* ampère *m*
ampliación *nf* agrandissement *m*; (*de capital*) augmentation *f*; (*de estudios*) approfondissement *m*; (*cosa añadida*) extension *f*
ampliar *vt* agrandir; (*estudios*) approfondir
amplificación *nf* amplification *f*; **amplificador** *nm* amplificateur *m*
amplificar *vt* amplifier
amplio, -a *adj* (*habitación*) vaste; (*ropa, consecuencias*) ample; (*calle*) large
amplitud *nf* étendue *f*; **de gran amplitud** de grande envergure; **amplitud de miras** largeur *f* d'esprit
ampolla *nf* ampoule *f*
ampuloso, -a *adj* ampoulé(e)
amputar *vt* amputer
amueblar *vt* meubler
amuleto *nm* amulette *f*
anacronismo *nm* anachronisme *m*
anales *nmpl* annales *fpl*
analfabetismo *nm* analphabétisme *m*
analfabeto, -a *adj, nm/f* analphabète *m/f*
analgésico *nm* analgésique *m*

análisis *nm inv* analyse *f*
analista *nm/f* analyste *m/f*
analizar *vt* analyser
analogía *nf* analogie *f*
analógico, -a *adj* analogique
análogo, -a *adj* analogue
anaquel *nm* rayon *m*
anaranjado, -a *adj* orangé(e)
anarquía *nf* anarchie *f*; **anarquismo** *nm* anarchisme *m*; **anarquista** *nm/f* anarchiste *m/f*
anatomía *nf* anatomie *f*
anca *nf* (*de animal*) croupe *f*
ancho, -a *adj* large ♦ *nm* largeur *f*; **a lo ~** sur toute la largeur; **me está** *o* **queda ~ el vestido** je nage dans cette robe; **estar a sus anchas** être à l'aise; **ir muy ~s** prendre de grands airs
anchoa *nf* anchois *msg*
anchura *nf* largeur *f*
anciano, -a *adj* vieux (vieille) ♦ *nm/f* personne *f* âgée
ancla *nf* ancre *f*; **anclar** *vi* mouiller l'ancre
Andalucía *nf* Andalousie *f*
andaluz, -a *adj* andalou(se) ♦ *nm/f* Andalou(se)
andamiaje *nm* échafaudage *m*
andamio *nm* échafaudage *m*

PALABRA CLAVE

andar *vt* parcourir
♦ *vi* **1** (*persona, animal*) marcher; (*coche*) rouler
2 (*funcionar: máquina, reloj*) marcher
3 (*estar*) être; **¿qué tal andas?** comment vas-tu?; **andar mal de dinero/de tiempo** être à court d'argent/de temps; **andar haciendo algo** être en train de faire qch; **anda (metido) en asuntos sucios** il est impliqué dans des affaires louches; **anda**

por los cuarenta il a environ quarante ans; **no sé por dónde anda** je ne sais pas où il est
4 (*revolver*): **no andes ahí/en mi cajón** ne touche pas à ça/à mon tiroir
5 (*obrar*): **andar con cuidado** *o* **con pies de plomo** faire bien attention, regarder où l'on met les pieds; **andarse con rodeos** *o* **por las ramas** tourner autour du pot; **andarse con historias** raconter des histoires
♦ *nm*: **andares** *nmpl* démarche *f*

andén *nm* quai *m*; (*AM*) trottoir *m*
Andes *nmpl*: **los ~** les Andes *fpl*
Andorra *nf* Andorre *f*
andrajo *nm* loque *f*, haillon *m*
andrajoso, -a *adj* déguenillé(e), loqueteux(-euse)
anduve *etc vb ver* **andar**
anduviera *etc vb ver* **andar**
anécdota *nf* anecdote *f*
anegar *vt* (*lugar*) inonder; **~se** *vpr* être inondé(e)
anejo, -a *adj* annexe ♦ *nm* annexe *f*
anemia *nf* anémie *f*
anestesia *nf* anesthésie *f*; **~ general/local** anesthésie générale/locale
anexar *vt* annexer; **~ algo a algo** (*POL*) annexer qch à qch
anexión *nf* annexion *f*;
anexionamiento *nm* = **anexión**
anexo, -a *adj* annexe ♦ *nm* annexe *f*
anfibio, -a *adj* amphibie ♦ *nm* amphibien *m*
anfiteatro *nm* amphithéâtre *m*
anfitrión, -ona *nm/f* amphitryon

m, hôte(sse); **el equipo ~** (*DEPORTE*) l'équipe qui reçoit
ángel *nm* ange *m*; **~ de la guarda** ange gardien; **angelical** *adj* angélique
angélico, -a *adj* = **angelical**
angina *nf*: **tener ~s** avoir une angine; **~ de pecho** angine *f* de poitrine
anglicano, -a *adj, nm/f* anglican(e)
anglosajón, -ona *adj* anglo-saxon(ne) ♦ *nm/f* Anglo-Saxon(ne)
angosto, -a *adj* étroit(e), resserré(e)
anguila *nf* anguille *f*
angulas *nfpl* civelles *fpl*
ángulo *nm* angle *m*; (*rincón*) coin *m*
angustia *nf* angoisse *f*; (*agobio*) anxiété *f*; **angustiar** *vt* angoisser; **angustiarse** *vpr* s'angoisser
anhelar *vt* être avide de; **~ hacer** mourir d'envie de faire; **anhelo** *nm* désir *m* ardent
anhídrido *nm*: **~ carbónico** dioxyde *m* de carbone
anidar *vi* nicher
anillo *nm* bague *f*; **~ de boda** alliance *f*; **~ de compromiso** bague de fiançailles
animación *nf* animation *f*
animado, -a *adj* (*vivaz*) plein(e) de vie *o* d'entrain; (*fiesta, conversación*) animé(e); (*alegre*) joyeux(-euse)
animador, a *nm/f* (*TV, DEPORTE*) animateur(-trice); (*persona alegre*) boute-en-train *m inv*
animadversión *nf* animadversion *f*
animal *adj* animal(e) ♦ *nm* animal *m*; **ser un ~** (*fig*) être un animal
animar *vt* animer; (*dar ánimo a*) encourager; (*habitación, vestido*)

égayer; (*fuego*) ranimer; **~se** *vpr*
s'égayer; **~ a algn a hacer/**
para que haga encourager qn à
faire; **~se a hacer** se décider à
faire

ánimo *nm* courage m ♦ *excl*
courage!; **tener ~(s) (para)** être
d'humeur (à); **con/sin ~ de**
hacer avec l'intention/sans
intention de faire

animoso, -a *adj*
courageux(-euse)

aniquilar *vt* anéantir; (*salud*)
ruiner

anís *nm* anis *msg*

aniversario *nm* anniversaire m

anoche *adv* hier soir, la nuit
dernière; **antes de ~** avant-hier
soir

anochecer *vi* commencer à faire
nuit ♦ *nm* crépuscule m; **al ~** à la
tombée de la nuit

anodino, -a *adj* (*película, novela*)
insipide; (*persona*) insignifiant(e)

anomalía *nf* anomalie f

anonadado, -a *adj* abattu(e)

anonimato *nm* anonymat m

anónimo, -a *adj* anonyme ♦ *nm*
lettre f anonyme

anorexia *nf* anorexie f

anormal *adj* anormal(e) ♦ *nm/f*
débile m/f mental(e)

anotar *vt* annoter

anquilosarse *vpr* s'ankyloser;
(*fig*) vieillir

ansia *nf* (*deseo*) avidité f;
(*ansiedad*) angoisse f; **ansiar** *vt*
être avide de faire; **ansiar hacer**
brûler de faire

ansiedad *nf* angoisse f

ansioso, -a *adj* (*codicioso*) avide;
(*preocupado*) anxieux(-euse); **~ de**
o **por (hacer)** avide de (faire)

antagónico, -a *adj* antagonique;
antagonista *nm/f* adversaire m/f

antaño *adv* jadis, autrefois

Antártico *nm*: **el ~** l'Antarctique
m

ante *prep* devant; (*enemigo,*
peligro, en comparación con) face
à; (*datos, cifras*) en présence de ♦
nm daim m; **~ todo** avant tout

anteanoche *adv* avant-hier soir

anteayer *adv* avant-hier

antebrazo *nm* avant-bras m *inv*

antecedente *adj* antérieur(e) ♦
nm antécédent m; **~s** *nmpl*
antécédents mpl; **estar en ~s**
être au courant; **poner a algn**
en ~s mettre o tenir qn au
courant; **~s penales** casier *msg*
judiciaire

anteceder *vt*: **~ a** précéder

antecesor, a *nm/f* prédécesseur
m

antedicho, -a *adj* susdit(e)

antelación *nf*: **con ~** à l'avance

antemano: de ~ *adv* d'avance

antena *nf* antenne f; **~**
parabólica antenne parabolique

anteojo *nm* lunette f; **~s** *nmpl*
(*esp AM*) lunettes fpl

antepasados *nmpl* ancêtres mpl

anteponer *vt*: **~ algo a algo**
faire passer une chose avant une
autre

anteproyecto *nm* avant-projet m

anterior *adj*: **~ (a)** (*en orden*) qui
précède; (*en el tiempo*) antérieur(e)
(à); **anterioridad** *nf*: **con**
anterioridad a préalablement à,
avant

antes *adv* (*primero*)
d'abord; (*hace tiempo*) autrefois ♦
prep: **~ de** (*antiguamente*) avant ♦
conj: **~ de ir/de que te vayas**
avant d'aller/que tu ne partes; **~**
bien plutôt; **~ de nada** avant
tout; **dos días ~** deux jours plus
tôt; **la tarde de ~** la veille au

soir; **no quiso venir ~** il n'a pas
voulu venir plus tôt; **tomo el
avión ~ que el barco** je préfère
l'avion au bateau; **~ que yo**
avant moi

antiaéreo, -a *adj* antiaérien(ne)
antibalas *adj inv*: **chaleco ~**
gilet *m* pare-balles
antibiótico *nm* antibiotique *m*
anticiclón *nm* anticyclone *m*
anticipación *nf*: **con 10
minutos de ~** avec 10 minutes
d'avance; **hacer algo con ~**
faire qch à l'avance
anticipado, -a *adj* anticipé(e);
por ~ d'avance, par anticipation
anticipar *vt* anticiper; **~se** *vpr*
(*estación*) être en avance; **~se (a)**
(*adelantarse*) devancer; (*prever*)
prévenir
anticipo *nm* avance *f*
anticonceptivo, -a *adj*
contraceptif(-ive) ♦ *nm*
contraceptif *m*
anticongelante *nm* (AUTO)
antigel *m*
anticuado, -a *adj* (*ropa, estilo*)
démodé(e); (*máquina, término*)
vieillot(te), vieux (vieille)
anticuario *nm* antiquaire *m/f*
anticuerpo *nm* anticorps *msg*
antídoto *nm* antidote *m*
antiestético, -a *adj* inesthétique
antifaz *nm* masque *m*
antiglobalización *nf*
antimondialisation *f*
antigualla *nf* (*pey: objeto*)
antiquité *f*
antiguamente *adv* autrefois,
jadis
antigüedad *nf* antiquité *f*; (*en
empleo*) ancienneté *f*; **~es** *nfpl*
antiquités *fpl*
antiguo, -a *adj* ancien(ne), vieux
(vieille) ♦ *nm*: **los ~s** les Anciens

mpl; **a la antigua** à l'ancienne
Antillas *nfpl*: **las ~** les Antilles *fpl*
antílope *nm* antilope *f*
antinatural *adj* anormal(e);
(*perverso*) contre nature; (*afectado*)
forcé(e)
antipatía *nf* antipathie *f*; (*a cosa*)
répugnance *f*
antipático, -a *adj* antipathique;
(*gesto etc*) déplaisant(e)
antirrobo *adj inv* antivol
antisemita *adj, nm/f* antisémite
m/f
antiséptico, -a *adj* antiseptique
♦ *nm* antiseptique *m*
antítesis *nf inv*
antojadizo, -a *adj*
capricieux(-ieuse)
antojarse *vpr*: **se me antoja
comprarlo** j'ai envie de me
l'acheter; **se me antoja que**
j'imagine que
antojo *nm* caprice *m*, lubie *f*;
(ANAT, *de embarazada, lunar*) envie
f; **hacer algo a su ~** faire qch à
sa guise
antología *nf* anthologie *f*
antorcha *nf* torche *f*
antro *nm* (*fig*) antre *m*
antropófago, -a *adj, nm/f*
anthropophage *m/f*
antropología *nf* anthropologie *f*
anual *adj* annuel(le)
anuario *nm* annuaire *m*
anudar *vt* nouer; **~se** *vpr*
s'emmêler
anulación *nf* annulation *f*; (*ley*)
abrogation *f*; (*persona*)
annihilation *f*
anular *vt* annuler; (*ley*) abroger ♦
nm (*tb*: **dedo ~**) annulaire *m*
anunciación *nf* (REL): **la A~**
l'Annonciation *f*
anunciante *nm/f* (COM)
annonceur *m* (publicitaire)

anunciar vt annoncer; (COM) faire de la publicité pour

anuncio nm annonce f; (COM) publicité f; (cartel) panneau m publicitaire; (señal) pancarte f; **~s por palabras** petites annonces fpl

anzuelo nm hameçon m; (fig) appât m

añadidura nf ajout m; (vestido) rallonge f; **por ~** par surcroît

añadir vt ajouter; (prenda) rallonger

añejo, -a adj (vino) vieux (vieille); (pey: tocino, jamón) rance

añicos nmpl morceaux mpl; **hacer ~** (cosa) mettre en morceaux; **hacerse ~** briser en mille morceaux; (cristal) voler en éclats

añil nm indigo m

año nm an m; (duración) année f; **los ~s 80** les années 80; **¡Feliz A~ Nuevo!** Bonne et heureuse année!; **tener 15 ~s** avoir 15 ans; **~ académico** o **escolar/ bisiesto/sabático** année scolaire o universitaire/bissextile/ sabbatique; **~ económico** o **fiscal** exercice m financier; **~-luz** année-lumière f

añoranza nf nostalgie f

apabullar vt sidérer

apacentar vt faire paître

apacible adj paisible; (clima) doux (douce); (lluvia) fin(e)

apaciguar vt apaiser, calmer; **~se** vpr s'apaiser, se calmer

apadrinar vt (REL) être le parrain de

apagado, -a adj éteint(e); (color) terne; (sonido) étouffé(e); **estar ~** être éteint

apagar vt éteindre; (sed) étancher; **~se** vpr s'éteindre

apagón nm panne f

apalabrar vt (persona) engager; (piso) convenir (verbalement) de

apalear vt rosser

apañar (fam) vt (arreglar) rafistoler; (persona) raccommoder; **~se** vpr **~se** o **apañárselas (para hacer)** se débrouiller (pour faire)

aparador nm buffet m

aparato nm appareil m; (RADIO, TV) poste m; **~s** nmpl (gimnasia) agrès mpl; **~ de facsímil** télécopieur m; **~s de mando** (AVIAT etc) commandes fpl

aparatoso, -a adj spectaculaire

aparcamiento nm (lugar) parking m; (maniobra) stationnement m

aparcar vt garer ♦ vi se garer

aparearse vpr s'apparier

aparecer vi apparaître; (publicarse) paraître; (ser encontrado) être trouvé(e); **~se** vpr apparaître

aparejado, -a adj: **llevar** o **traer ~** entraîner

aparejador, a nm/f (ARQ) aide-architecte

aparejo nm (de pesca) matériel m (de pêche); (NÁUT) gréement m

aparentar vt (edad) paraître ♦ vi faire remarquer; **~ hacer** faire semblant de faire

aparente adj apparent(e)

aparezca etc vb ver **aparecer**

aparición nf apparition f; (de libro) parution f

apariencia nf apparence f; **~s** nfpl (aspecto) apparences fpl; **en ~** en apparence; **tener (la) ~ de** avoir l'apparence de; **guardar las ~s** sauver les apparences

apartado, -a adj éloigné(e) ♦ nm paragraphe m, alinéa m; **~ (de correos)** boîte f postale

apartamento nm studio m
apartar vt écarter; (quitar) retirer; (comida, dinero) mettre de côté; **~se** vpr s'écarter
aparte adv (en otro sitio) de côté; (en sitio retirado) à l'écart; (además) en outre ♦ prep: **~ de** à part ♦ nm aparté m ♦ adj à part; **~ de que** sans compter que, en plus du fait que
aparthotel nm apparthôtel m
apasionado, -a adj passionné(e); **~ de/por** passionné(e) de/par
apasionar vt: **le apasiona el fútbol** c'est un passionné de football; **~se** vpr se passionner; **~se por** se passionner pour; (persona) être passionnément amoureux(-euse) de; (deporte, política) être mordu(e) de
apatía nf indolence f
apático, -a adj apathique
Apdo. abr (= Apartado (de Correos)) B.P. (= boîte postale)
apeadero nm (FERRO) halte f
apearse vpr: **~se (de)** descendre (de)
apechugar vi: **~ con algo** se coltiner qch
apedrear vt lapider
apegarse vpr: **~ a** (a persona) s'attacher à; (a cargo) prendre à cœur; **apego** nm: apego a/por (objeto) attachement à
apelación nf appel m
apelar vi **~ a** faire appel à; (justicia) avoir recours à
apellidarse vpr: **se apellida Pérez** il s'appelle Pérez
apellido nm nom m de famille
apelmazarse vpr (masa) se tasser; (arroz) se coller; (prenda) rétrécir
apenar vt peiner, faire de la peine

à; (AM: avergonzar) faire honte à; **~se** vpr avoir de la peine; (AM) avoir honte
apenas adv à peine, presque pas ♦ conj sitôt que; **~ si podía levantarse** c'est à peine s'il pouvait se lever
apéndice nm appendice m; **apendicitis** nf appendicite f
aperitivo nm apéritif m
aperos nmpl (utensilios) matériel msg; (AGR) matériel agricole
apertura nf ouverture f; (de curso) rentrée f (des classes); (de parlamento) rentrée parlementaire
apesadumbrar vt attrister
apestar vt empester ♦ vi: **~ (a)** empester; **estar apestado de** être infesté de
apetecer vt: **¿te apetece una tortilla?** as-tu envie d'une omelette?; **apetecible** adj appétissant(e); (olor) agréable; (objeto) séduisant(e)
apetito nm appétit m
apetitoso, -a adj alléchant(e)
apiadarse vpr: **~ de** s'apitoyer sur
ápice nm (fig) summum m
apilar vt empiler
apiñarse vpr se presser
apio nm céleri m
apisonadora nf rouleau m compresseur
aplacar vt apaiser; (sed) étancher; (entusiasmo) refroidir; **~se** vpr s'apaiser; (entusiasmo) se refroidir
aplanar vt aplanir
aplanstante adj écrasant(e)
aplastar vt écraser
aplatanarse (fam) vpr se ramollir
aplaudir vt, vi applaudir
aplauso nm applaudissement m
aplazamiento nm ajournement m

aplazar vt (reunión) ajourner

aplicación nf application f;
aplicaciones nfpl applications
fpl

aplicado, -a adj appliqué(e),
studieux(-euse)

aplicar vt mettre en pratique; (ley,
norma) appliquer; **~se** vpr
s'appliquer; **~ (a)** appliquer (à)

aplique vb ver **aplicar** ♦ nm
applique f

aplomo nm aplomb m

apocado, -a adj timoré(e)

apoderado nm (JUR, COM)
mandataire m, fondé m de
pouvoir

apoderarse vpr: **~ de** s'emparer
de, s'approprier

apodo nm surnom m

apogeo nm apogée m

apolillarse vpr (ropa) être
mangé(e) par les mites; (madera)
être vermoulu(e)

apoltronarse vpr se prélasser

apoplejía nf apoplexie f

aporrear vt cogner sur

aportar vt (datos) fournir; (dinero)
apporter; **~se** vpr (AM) arriver

aposento nm appartement m

aposta adv à dessein, exprès

apostar vt (dinero) parier; (tropas)
poster ♦ vi parier; **~se** vpr se
poster; **¿qué te apuestas a
que ...?** on parie combien que
...?

apóstol nm apôtre m

apóstrofo nm apostrophe f

apoyar vt appuyer; **~se** vpr: **~se
en** s'appuyer o reposer sur;
apoyo nm appui m; (fundamento)
fondement m

apreciable adj appréciable

apreciar vt apprécier

aprecio nm estime f; **tener ~
a/sentir ~ por** avoir/ressentir de

l'estime pour

aprehender vt (armas, drogas)
saisir; (persona) appréhender

apremiante adj pressant(e)

apremiar vt, vi presser; **~ a algn
a hacer/para que haga** presser
qn de faire

aprender vt, vi apprendre; **~ de
memoria/de carretilla**
apprendre par cœur

aprendiz, a nm/f apprenti(e);
(recadero) galopin m;
aprendizaje nm apprentissage
m

aprensión nm appréhension f

aprensivo, -a adj
appréhensif(-ive), méfiant(e)

apresar vt (delincuente)
incarcérer; (contrabando) saisir;
(soldado) mettre aux arrêts

apresurado, -a adj (decisión)
hâtif(-ive); (persona) pressé(e)

apresurarse vpr se presser; **~ (a
hacer)** se hâter (de faire)

apretado, -a adj serré(e);
(estrecho de espacio) à l'étroit;
(programa) chargé(e); **íbamos
muy ~s en el autobús** nous
étions à l'étroit dans l'autobus;
vivir ~ vivre à l'étroit

apretar vt serrer; (labios) pincer;
(gatillo, botón) appuyer sur ♦ vi
(calor etc) redoubler; (zapatos,
ropa) serrer, être trop juste; **~ el
paso** presser le pas

apretón nm: **~ de
manos** poignée f de main;
apretones nmpl cohue fsg

aprieto vb ver **apretar** ♦ nm
gêne f, embarras msg; **estar en
un ~** être dans l'embarras; **estar
en ~s** traverser des moments
difficiles

aprisa adv vite

aprisionar vt (poner en prisión)

emprisonner; (*sujetar*) serrer

aprobación *nf* approbation *f*

aprobar *vt* (*decisión*) approuver; (*examen, materia*) être reçu(e) à ♦ *vi* (*en examen*) réussir; **~ por mayoría/por unanimidad** approuver à la majorité/à l'unanimité

apropiación *nf* appropriation *f*

apropiado, -a *adj* approprié(e)

apropiarse *vpr*: **~ de** s'approprier, s'emparer de

aprovechado, -a *adj* (*estudiante*) appliqué(e); (*día, viaje*) bien employé(e) ♦ *nm/f* (*pey: persona*) profiteur(-euse);

aprovechamiento *nm* exploitation *f*, utilisation *f*

aprovechar *vt* profiter de; (*tela, comida, ventaja*) tirer profit de ♦ *vi* progresser; **~se** *vpr*: **~se de** (*pey*) profiter de; **¡que aproveche!** bon appétit!; **~ la ocasión para hacer** profiter de l'occasion pour faire

aproximación *nf* rapprochement *m*; **con ~** par approximation

aproximado, -a *adj* approximatif(-ive)

aproximarse *vpr* (s')approcher

apruebe *etc vb ver* **aprobar**

aptitud *nf*: **~ (para)** aptitude *f* (pour)

apto, -a *adj*: **~ (para)** apte (à), capable (de); (*apropiado*) qui convient (à)

apuesta *nf* pari *m*

apuntador *nm* (*TEATRO*) souffleur *m*

apuntalar *vt* étayer

apuntar *vt* (*con arma*) viser; (*con dedo*) montrer o désigner du doigt; (*datos*) noter; (*TEATRO*) souffler; **~se** *vpr* (*tanto, victoria*) remporter; (*en lista, registro*)

s'inscrire

apunte *nm* croquis *msg*; **~s** *nmpl* (*ESCOL*) notes *fpl*

apuñalar *vt* poignarder

apurado, -a *adj* (*necesitado*) dans la gêne; (*situación*) difficile, délicat(e); (*AM: con prisa*) pressé(e); **estar ~** (*avergonzado*) être embarrassé(e)

apurar *vt* (*bebida, cigarrillo*) finir; (*recursos*) épuiser; (*persona: agobiar*) mettre à bout; (: *causar vergüenza a*) mettre dans l'embarras; **~se** *vpr* s'inquiéter; (*esp AM: darse prisa*) se dépêcher

apuro *nm* (*aprieto, vergüenza*) gêne *f*, embarras *msg*; (*AM: prisa*) hâte *f*; **estar en ~s** (*dificultades*) avoir des ennuis; (*falta de dinero*) être dans la gêne

aquejado, -a *adj*: **~ de** (*MED*) atteint(e) de

aquel, aquella (*mpl* **aquellos**, *fpl* **aquellas**) *adj* ce (cette); (*pl*) ces

aquél, aquélla (*mpl* **aquéllos**, *fpl* **aquéllas**) *pron* celui-là (celle-là); (*pl*) ceux-là (celles-là)

aquello *pron* cela; **~ que hay allí** ce qu'il y a là-bas

aquí *adv* ici; **~ abajo/arriba** en bas/là-haut; **~ mismo** ici même; **de ~ en adelante** désormais; **de ~ a siete días** d'ici sept jours; **hasta ~** jusqu'ici; **por ~** par ici

aquietar *vt* apaiser

árabe *adj* arabe ♦ *nm/f* Arabe *m/f* ♦ *nm* (*LING*) arabe *m*

Arabia *nf* Arabie *f*; **~ Saudí** o **Saudita** Arabie saoudite

arado *nm* charrue *f*

Aragón *nm* Aragon *m*

aragonés, -esa *adj* aragonais(e) ♦ *nm/f* Aragonais(e) ♦ *nm* (*LING*) aragonais *msg*

arancel *nm* (*tb:* **~ de aduanas**) tarif *m* douanier

arandela *nf* rondelle *f*; (*de vela*) bobèche *f*

araña *nf* araignée *f*; (*lámpara*) lustre *m*

arañar *vt* (*herir*) griffer; (*raspar*) érafler; **~se** *vpr* s'égratigner

arañazo *nm* égratignure *f*

arar *vt* labourer

aras *nfpl* (*beneficio*): **en ~s de** au nom de

arbitraje *nm* arbitrage *m*

arbitrar *vt* arbitrer ♦ *vi* arbitrer

arbitrariedad *nf* arbitraire *m*

arbitrario, -a *adj* arbitraire

arbitrio *nm*: **quedar al ~ de algn** dépendre de la volonté de qn

árbitro, -a *nm/f* arbitre *m*

árbol *nm* arbre *m*; (*NÁUT*) mât *m*; **~ de Navidad** arbre de Noël

arbolado, -a *adj* boisé(e) ♦ *nm* bois *msg*

arboleda *nf* bois *msg*, bosquet *m*

arbusto *nm* arbuste *m*

arca *nf* coffre *m*

arcada *nf* arcade *f*; **~s** *nfpl* (*MED*) nausées *fpl*

arcaico, -a *adj* archaïque

arce *nm* érable *m*

arcén *nm* (*de autopista*) accotement *m*; (*de carretera*) bas-côté *m*

archipiélago *nm* archipel *m*

archivador *nm* classeur *m*

archivar *vt* archiver; **archivo** *nm* archives *fpl*; **archivo adjunto** fichier *m* joint; **archivo de seguridad** sauvegarde *f*

arcilla *nf* argile *f*

arco *nm* arc *m*; (*MÚS*) archet *m*; (*AM: DEPORTE*) but *m*; **~ iris** arc-en-ciel *m*

arder *vi* brûler; **estar que arde** (*fam*) bouillir de rage

ardid *nm* ruse *f*

ardiente *adj* ardent(e)

ardilla *nf* écureuil *m*

ardor *nm* ardeur *f*; **con ~** (*fig*) avec ardeur; **~ de estómago** brûlures *fpl* d'estomac

arduo, -a *adj* ardu(e)

área *nf* (*zona*) surface *f*; (*medida*) are *m*; (*DEPORTE*) zone *f*

arena *nf* sable *m*; **~s movedizas** sables mouvants

arenal *nm* étendue *f* de sable

arengar *vt* haranguer

arenisca *nf* grès *msg*

arenoso, -a *adj* sablonneux(-euse)

arenque *nm* hareng *m*

argamasa *nf* mortier *m*

Argel *n* Alger *m*; **Argelia** *nf* Algérie *f*

argelino, -a *adj* algérien(ne) ♦ *nm/f* Algérien(ne)

Argentina *nf* Argentine *f*

argentino, -a *adj* argentin(e) ♦ *nm/f* Argentin(e)

argolla *nf* anneau *m*; (*AM: anillo de matrimonio*) alliance *f*

argot (*pl* **~s**) *nm* argot *m*

argucia *nf* argutie *f*

argüir *vt* arguer ♦ *vi* argumenter; **~ que** (*alegar*) arguer que; (*deducir*) déduire que

argumentación *nf* argumentation *f*

argumentar *vt* argumenter; (*deducir*) déduire; **~ que** (*alegar*) avancer que

argumento *nm* argument *m*; (*CINE, TV*) scénario *m*

aria *nf* aria *f*

aridez *nf* aridité *f*

árido, -a *adj* aride; **áridos** *nmpl* (*AGR*) grains *mpl*

Aries *nm* (*ASTROL*) Bélier *m*; **ser ~**

être (du) Bélier

arisco, -a adj (persona) bourru(e)

aristocracia nf aristocratie f

aristócrata nm/f aristocrate m/f

aritmética nf arithmétique f

arma nf arme f; **~s** nfpl (MIL) armes fpl; **~ blanca** (cuchillo) arme blanche; (espada) épée f; **~ de doble filo** (fig) arme à double tranchant; **~ de fuego** arme à feu

armada nf marine f de guerre; (flota) flotte f

armadillo nm tatou m

armado, -a adj armé(e)

armador nm (NÁUT: dueño) armateur m

armadura nf (MIL) armure f; (TEC, FÍS) armature f; (tejado) charpente f; (de gafas) monture f

armamento nm armement m

armar vt armer; (MEC, TEC) monter; (ruido, escándalo) faire, provoquer; **~se** vpr: **~se (con/de)** s'armer (de); **~la** faire une esclandre; **~se un lío** s'arracher les cheveux

armario nm armoire f; **~ de cocina** garde-manger m inv; **~ empotrado** placard m

armatoste nm (fam) monument m

armazón nf, nm armature f; (ARQ) échafaudage m; (AUTO) châssis msg

armería nf (tienda) armurerie f

armiño nm hermine f; **de ~** d'hermine

armisticio nm armistice m

armonía nf harmonie f

armónica nf harmonica m

armonioso, -a adj harmonieux(-euse)

armonizar vt harmoniser ♦ vi: **~ con** (fig) être en harmonie avec

arneses nmpl (para caballerías) harnais mpl

aro nm cercle m, anneau m; (juguete) cerceau m; (AM: pendiente) anneau m

aroma nm arôme m, parfum m

aromático, -a adj aromatique

arpa nf harpe f

arpía nf (fig) harpie f, mégère f

arpillera nf serpillière f

arpón nm harpon m

arquear vt fléchir; **~se** vpr fléchir

arqueología nf archéologie f

arqueólogo, -a nm/f archéologue m/f

arquetipo nm archétype m

arquitecto, -a nm/f architecte m/f; **arquitectura** nf architecture f

arrabal nm faubourg m; (barrio bajo) bas quartiers mpl; **~es** nmpl (afueras) faubourgs mpl

arraigado, -a adj enraciné(e)

arraigar vi prendre racine; (ideas, costumbres) s'enraciner, prendre racine; (persona) s'installer, s'établir f; **~se** vpr (costumbre) s'enraciner, prendre racine; (persona) s'installer, s'établir

arrancar vt arracher; (árbol) déraciner; (carteles, colgaduras) retirer; (esparadrapo) enlever; (AUTO) mettre en marche; (INFORM) démarrer ♦ vi (AUTO, máquina) démarrer; **~ de raíz** déraciner

arranque vb ver **arrancar** ♦ nm (AUTO) démarrage m; (fig: arrebato) élan m

arrasar vi (fig) faire un triomphe o tabac (fam)

arrastrado, -a adj misérable; (AM: servil) servile

arrastrar vt traîner (suj: agua, viento, tb fig) entraîner ♦ vi traîner; **~se** vpr se traîner; **llevar algo arrastrando** traîner qch depuis longtemps

arrastre nm remorquage m
arre excl hue!
arrear vt exciter; (fam) flanquer
arrebatado, -a adj emporté(e),
impétueux(-euse); (cara)
congestionné(e); (color) vif (vive)
arrebatar vt arracher; **~se** vpr
s'emporter
arrebato nm emportement m; **~
de cólera/entusiasmo** élan m
o mouvement m de colère/
d'enthousiasme
arrecife nm récif m; (tb: **~ de
coral**) récif de corail
arredrarse vpr: **~ (por** o **ante
algo)** s'effrayer (de qch)
arreglado, -a adj (persona)
soigné(e); (vestido) impeccable;
(habitación) ordonné(e), en ordre
arreglar vt ranger, mettre en
ordre; (persona) préparer; (algo
roto) réparer, arranger; (problema)
régler; (entrevista) fixer; **~se** vpr
s'arranger, se régler; (acicalarse) se
pomponner; **arreglárselas**
(fam) se débrouiller, s'en sortir;
~se el pelo/las uñas
s'arranger les cheveux/se faire les
ongles
arreglo nm rangement m, ordre
m; (acuerdo) arrangement m,
accord m; (MÚS) arrangement m; (de
algo roto) réparation f; (de
persona) toilette f, soin m; **con ~
a** conformément à
arrellanarse vpr: **~ en** (sillón) se
carrer o se prélasser dans
arremangar vt relever,
retrousser; **~se** vpr retrousser ses
manches
arremeter vi: **~ contra** se jeter
à l'assaut de, fondre sur
arrendamiento nm location f;
(contrato) bail m; (precio) loyer m;
arrendar vt louer

arrendatario, -a nm/f locataire
m/f
arreos nmpl harnais msg
arrepentimiento nm repentir m
arrepentirse vpr: **~ (de)** se
repentir (de); **~ de haber hecho
algo** se repentir d'avoir fait qch
arrestar vt arrêter; (MIL) mettre
aux arrêts
arresto nm arrestation f; (MIL)
arrêts mpl; **arrestos** nmpl
(audacia) audace fsg; **arresto
domiciliario** assignation f à
domicile
arriar vt amener

PALABRA CLAVE

arriba adv **1** (posición) en haut;
allí arriba là-haut; **el piso de
arriba** l'appartement du dessus;
la parte de arriba le haut;
desde arriba d'en haut; **arriba
del todo** tout en haut; **Juan
está arriba** Juan est en haut; **lo
arriba mencionado** ce qui est
mentionné ci-dessus
2 (dirección): **ir calle arriba**
remonter la rue; **río arriba** en
amont
3: **mirar a algn de arriba
abajo** regarder qn de haut en bas
♦ prep: **arriba de** (AM) sur, au-
dessus de; **arriba de 200
pesetas** plus de 200 pesetas
♦ excl: **¡arriba!** (¡levanta!)
debout!; (¡ánimo!) courage!;
¡manos arriba! haut les mains!;
¡arriba España! vive l'Espagne!

arribar vi arriver
arribista nm/f arriviste m/f
arriendo vb ver **arrendar** ♦ nm
= **arrendamiento**
arriero nm muletier m
arriesgado, -a adj (peligroso)

risqué(e), hasardeux(-euse); (*audaz: persona*) audacieux(-euse)

arriesgar vt, **arriesgarse** vpr risquer; **~se a hacer algo** se risquer à faire qch

arrimar vt (*acercar*): **~ a** approcher de; (*dejar de lado*) abandonner, laisser tomber; **~se** vpr: **~se a** (*acercarse*) s'approcher de; (*apoyarse*) s'appuyer sur

arrinconar vt (*algo viejo*) mettre dans un coin, mettre au rebut; (*enemigo*) acculer

arrodillarse vpr s'agenouiller

arrogancia nf arrogance f; **arrogante** adj arrogant(e)

arrojar vt (*piedras*) jeter; (*pelota*) lancer; (*basura*) jeter, déverser; (*humo*) cracher; (*persona*) chasser, mettre dehors; (*COM*) totaliser; **~se** vpr se jeter

arrojo nm hardiesse f

arrollador, a adj (*éxito*) retentissant(e); (*fuerza*) irrésistible; (*mayoría*) écrasant(e)

arrollar vt (*suj: vehículo*) renverser; (*DEPORTE*) écraser

arropar vt couvrir

arroyo nm ruisseau m; (*de la calle*) caniveau m

arroz nm riz m; **~ blanco** (*CULIN*) riz blanc; **~ con leche** riz au lait

arruga nf ride f; (*en ropa*) pli m

arrugar vt (*piel*) rider; (*ropa, papel*) froisser; (*ceño, frente*) froncer; **~se** vpr se rider; (*ropa*) se froisser

arruinar vt ruiner; **~se** vpr se ruiner

arrullar vt bercer

arsenal nm (*MIL*) arsenal m; (*NÁUT*) chantier m naval

arsénico nm arsenic m

arte nm (*gen m en sg y siempre f en pl*) art m; (*maña*) don m; **por**

amor al ~ pour l'amour de l'art; **por ~ de magia** comme par enchantement; **Bellas A~s** Beaux-Arts mpl

artefacto nm engin m, machine f

arteria nf artère f

artesanía nf artisanat m; **de ~** artisanal(e)

artesano, -a nm/f artisan(e)

ártico, -a adj arctique ♦ nm: **el Á~** l'Arctique m

articulación nf articulation f

articulado, -a adj articulé(e)

articular vt articuler

artículo nm article m; **~s** nmpl (*COM*) articles mpl; **~s de escritorio/tocador** articles de bureau/toilette

artífice nm/f (*fig*) auteur m

artificial adj artificiel(le); (*fig*) artificiel(le), forcé(e)

artificio nm appareil m, engin m; (*truco*) artifice m

artillería nf artillerie f

artilugio nm engin m

artimaña nf (*ardid*) stratagème m

artista nm/f artiste m/f; **~ de cine** artiste de cinéma; **~ de teatro** comédien(ne)

artístico, -a adj artistique

artritis nf arthrite f

artrosis nf arthrose f

arveja nf (*AM: guisante*) nf pois msg

arzobispo nm archevêque m

as nm as m; **ser un ~ (de)** (*fig*) être un as (de)

asa nf anse f

asado nm (*carne*) rôti m; (*CSUR: barbacoa*) barbecue m

asaduras nfpl (*CULIN*) abats mpl

asalariado, -a adj, nm/f salarié(e)

asaltador, a, asaltante nm/f assaillant(e)

asaltar vt (*banco etc*) attaquer;

(persona, fig) assaillir; (MIL) prendre d'assaut; **asalto** nm (a banco) hold-up m inv; (a persona) agression f; (MIL) assaut m; (BOXEO) round m

asamblea nf (corporación) assemblée f, rassemblement m; (reunión) assemblée

asar vt rôtir (au four), griller (au feu de bois, au grill); **~se** vpr (fig) cuire

asbesto nm asbeste m

ascendencia nf ascendance f; **de ~ francesa** d'origine française; **tener ~ sobre algn** avoir de l'ascendant sur qn

ascender vi monter; (en puesto de trabajo) monter en grade ♦ vt faire monter; **~ a** s'élever à; **ascendiente** nm ascendant m; **ascendientes** nmpl ascendants mpl

ascensión nf ascension f; **la A~** (REL) l'Ascension

ascenso nm promotion f

ascensor nm ascenseur m

ascético, -a adj ascétique

asco nm: **¡qué ~!** (que) c'est dégoûtant!; **el ajo me da ~** j'ai horreur de l'ail; **estar hecho un ~** être dégoûtant(e); **ser un ~** (clase, libro) être nul(le); (película) être un navet

ascua nf braise f; **estar en o sobre ~s** être sur des charbons ardents

aseado, -a adj (persona) impeccable, bien mis(e); (casa) impeccable

asear vt (casa) arranger; **~se** vpr (persona) s'arranger, faire sa toilette

asediar vt assiéger; (fig) assaillir; **asedio** nm siège m

asegurado, -a adj, nm/f

assuré(e)

asegurar vt assurer; (cuerda, clavo) fixer; (maleta) bien fermer; (afirmar) assurer, certifier; (garantizar) garantir; **~se** vpr: **~se (contra)** (COM) s'assurer (contre), prendre une assurance (contre)

asemejarse vpr: **~ a** ressembler à

asentado, -a adj sensé(e); **estar ~ en** être situé(e) dans o sur; (persona) être établi(e) à

asentar vt (instalar) installer; (asegurar) assurer; **~se** vpr (persona) s'établir; (líquido, polvo) se déposer

asentir vi acquiescer; **~ con la cabeza** acquiescer d'un signe de tête

aseo nm hygiène f, toilette f; **~s** nmpl (servicios) toilettes fpl

aséptico, -a adj aseptique

asequible adj (precio) abordable; (persona) accessible, abordable; **~ a** (comprensible) accessible à, à la portée de

aserrar vt scier

asesinar vt assassiner; **asesinato** nm assassinat m

asesino nm assassin m

asesor, a nm/f conseiller(-ère), consultant(e)

asesorar vt (JUR, COM) conseiller; **~se** vpr: **~se con o de** prendre conseil de; **asesoría** nf (cargo) conseil m; (oficina) cabinet m d'expert-conseil

asestar vt (golpe) assener; (tiro) envoyer

asfalto nm bitume m

asfixia nf asphyxie f

asfixiar vt (suj: persona) asphyxier; (: calor) étouffer; **~se** vpr être asphyxié(e), être

étouffé(e); **~se de calor** étouffer
de chaleur

asgo etc vb ver **asir**

así adv (de esta manera) ainsi;
(aunque) même si; **~ de grande**
grand(e) comme ça; **~ llamado**
soi-disant, prétendu; **y ~
sucesivamente** et ainsi de
suite; **~ y todo** malgré tout; **¿no
es ~?** n'est-ce pas (vrai)?; **mil
pesetas o ~** à peu près mille
pesetas; **~ como** (también) ainsi
que, de même que; **~ pues** ainsi
donc; **~ que** (en cuanto) dès que;
(por consiguiente) donc

Asia nf Asie f

asiático, -a adj asiatique ♦ nm/f
Asiatique m/f

asidero nm anse f

asiduidad nf assiduité f

asiduo, -a adj assidu(e) ♦ nm/f
habitué(e)

asiento vb ver **asentar; asentir**
♦ nm siège m; (de silla etc) assise f;
(de cine, tren) place f; (COM)
inscription f; **~ delantero/
trasero** siège avant/arrière

asignación nf attribution f;
(paga) traitement m

asignar vt assigner; (cantidad)
allouer, attribuer

asignatura nf matière f,
discipline f

asilado, -a nm/f (POL) réfugié(e)
politique; (en asilo de ancianos)
pensionnaire m/f

asilo nm asile m; **pedir/dar ~ a
algn** demander/donner asile à qn;
~ político asile politique

asimilación nf assimilation f

asimilar vt assimiler; **~se** vpr:
~se a s'assimiler à

asimismo adv tout autant,
pareillement

asir vt saisir; **~se** vpr: **~se a** o **de**

se saisir de, s'accrocher à

asistencia nf assistance f; (tb: **~
médica**) soins mpl médicaux; **~
social/técnica** assistance
sociale/technique

asistenta nf femme f de ménage

asistente nm/f assistant(e); **los
asistentes** les assistants

asistente social employé(e)
des services sociaux; (mujer)
assistante sociale

asistido, -a adj (AUTO: dirección)
assisté(e); **~ por ordenador**
assisté par ordinateur

asistir vt (MED) assister, soigner;
(ayudar) assister, secourir ♦ vi: **~
(a)** assister (à)

asma nf asthme m

asno nm âne m

asociación nf association f; **~ de
ideas** association d'idées

asociado, -a adj, nm/f associé(e)

asociar vt associer; **~se** vpr: **~se
(a)** s'associer (à)

asolar vt dévaster, ravager

asomar vt sortir, mettre dehors ♦
vi (sol) poindre, se montrer;
(barco) apparaître; **~se** vpr: **~se
a** o **por** se montrer à, se mettre à

asombrar vt (causar asombro)
étonner; (causar admiración)
stupéfier; **~se** vpr: **~se (de)**
(sorprenderse) s'étonner (de);
(causar admiración)

asombro nm (sorpresa)
étonnement m, stupéfaction f

asombroso, -a adj étonnant(e),
stupéfiant(e)

asomo nm signe m, ombre f; **ni
por ~** pas le moins du monde, en
aucune manière

aspa nf croix fsg de Saint André;
(de molino) aile f

aspaviento nm gestes mpl
outranciers; **hacer ~s** faire des
simagrées

aspecto *nm* aspect *m*, air *m*; (*de salud*) mine *f*; (*fig*) aspect; **tener buen/mal ~** (*persona*) avoir bonne/mauvaise mine

aspereza *nf* rugosité *f*; (*de terreno, carácter*) aspérité *f*

áspero, -a *adj* rugueux(-euse); (*sabor*) âpre

aspersión *nf* aspersion *f*; **riego por ~** arrosage par aspersion

aspiración *nf* aspiration *f*

aspirador *nm* = **aspiradora**

aspiradora *nf* aspirateur *m*

aspirante *nm/f* candidat(e)

aspirar *vt* aspirer ♦ *vi*: **~ a (hacer)** aspirer à (faire)

aspirina *nf* aspirine *f*

asquear *vt* écœurer; **~se** *vpr*: **~se (de)** être dégoûté(e) (de)

asqueroso, -a *adj*, *nm/f* dégoûtant(e)

asta *nf* hampe *f*; **~s** *nfpl* (*ZOOL*) bois *mpl*; **a media ~** en berne

asterisco *nm* astérisque *m*

astigmatismo *nm* astigmatisme *m*

astilla *nf* éclat *m*; (*de leña*) écharde *f*; (*de hueso*) esquille *f*; **~s** *nfpl* (*para fuego*) petit bois *m*

astilleros *nmpl* chantier *m* naval; (*de la Armada*) arsenal *m*

astringente *adj* astringent(e) ♦ *nm* astringent *m*

astro *nm* astre *m*

astrología *nf* astrologie *f*

astronauta *nm/f* astronaute *m/f*

astronave *nf* astronef *m*

astronomía *nf* astronomie *f*

astrónomo, -a *nm/f* astronome *m/f*

astucia *nf* astuce *f*

astuto, -a *adj* astucieux(-euse); (*taimado*) rusé(e)

asumir *vt* assumer

asunción *nf* prise *f* de possession;

la **A~** l'Assomption *f*

asunto *nm* (*tema*) sujet *m*; (*negocio*) affaire *f*

asustar *vt* faire peur à; (*ahuyentar*) mettre en fuite; **~se** *vpr*: **~se (de o por)** avoir peur (de)

atacar *vt* attaquer; (*teoría*) s'attaquer à

atadura *nf* attache *f*, lien *m*; (*impedimento*) entrave *f*, lien

atajar *vt* (*interrumpir*) couper court à, interrompre; (*cortar el paso a*) barrer la route à; (*enfermedad*) enrayer; (*riada, sublevación*) endiguer; (*incendio*) maîtriser ♦ *vi* prendre un raccourci

atajo *nm* raccourci *m*; (*DEPORTE*) plaquage *m*

atañer *vi*: **~ a** (*persona*) concerner; (*gobierno*) incomber à

ataque *vb ver* **atacar** ♦ *nm* (*MIL*) attaque *f*, raid *m*; (*MED*) attaque; (*de ira, nervios, risa*) crise *f*; **~ cardíaco** crise cardiaque

atar *vt* attacher, ligoter; **~se** *vpr* (*zapatos*) attacher; (*corbata*) nouer; **~ cabos** déduire par recoupements

atardecer *vi*: **atardece a las 8** la nuit tombe à 8 h ♦ *nm* tombée *f* du jour; **al ~** à la tombée du jour

atareado, -a *adj* affairé(e)

atascar *vt* boucher; **~se** *vpr* se boucher; (*coche*) s'embourber; (*motor*) se gripper; (*fig: al hablar*) bafouiller; **atasco** *nm* obstruction *f*; (*AUTO*) bouchon *m*

ataúd *nm* cercueil *m*, bière *f*

ataviar *vt*; **~se** *vpr* se parer

atavío *nm* toilette *f*

atemorizar *vt* faire peur à; **~se** *vpr*: **~se (de o por)** s'effrayer (de)

Atenas n Athènes

atención nf attention f ♦ excl attention!; **atenciones** nfpl (amabilidad) attentions fpl, égards mpl; **llamar la ~ a algn** (despertar curiosidad) attirer l'attention de qn; (reprender) rappeler qn à l'ordre; **prestar ~** prêter attention

atender vt (consejos) tenir compte de; (enfermo, niño) s'occuper de, soigner; (petición) accéder à ♦ vi: **~ a** se soucier de; **~ al teléfono** répondre au téléphone; **~ a la puerta** aller ouvrir la porte

atenerse vpr: **~ a** s'en tenir à; **~ a las consecuencias** penser aux conséquences

atentado nm attentat m; (delito) atteinte f, attentat; **~ contra la vida de algn** attentat à la vie de qn; **~ contra el pudor** attentat à la pudeur

atentamente adv attentivement; **le saluda ~** (en carta) recevez mes salutations distinguées

atentar vi: **~ a** o **contra** (seguridad) attenter à; (moral, derechos) porter atteinte à; **~ contra** (POL) attenter à la vie de, commettre un attentat contre

atento, -a adj attentif(-ive); (cortés) attentionné(e); **~ a** attentif(-ive) à

atenuar vt atténuer; **~se** vpr s'atténuer

ateo, -a adj, nm/f athée m/f

aterido, -a adj: **~ de frío** transi(e)

aterrador, a adj épouvantable, effroyable

aterrar vt effrayer; **~se** vpr: **~se de** o por être terrifié(e)

aterrizaje nm (AVIAT) atterrissage m; **~ forzoso** atterrissage forcé

aterrizar vi atterrir

aterrorizar vt terroriser; **~se** vpr: **~se (de** o **por)** être terrorisé(e) (par)

atesorar vt amasser; (fig) accumuler

atestado, -a adj entêté(e) ♦ nm (JUR) procès-verbal m

atestar vt envahir; (JUR) attester

atestiguar vt (JUR) témoigner; (fig: dar prueba de) témoigner de

atiborrar vt envahir; **~se** vpr: **~se (de)** se gaver de

ático nm attique m

atinado, -a adj approprié(e); (sensato) sensé(e)

atinar vi viser juste; (fig) deviner juste; **~ con** o **en** (solución) trouver

atisbar vt épier; (vislumbrar) percevoir

atizar vt (fuego, fig) attiser; (fam: golpe) flanquer

atlántico, -a adj atlantique ♦ nm: **el (Océano) A~** l'(océan m) Atlantique m

atlas nm atlas m

atleta nm/f athlète m/f

atlético, -a adj (competición) d'athlétisme; (persona) athlétique; **atletismo** nm athlétisme m

atmósfera nf atmosphère f

atolladero nm (fig) impasse f

atómico, -a adj atomique

atomizador nm atomiseur m

átomo nm atome m

atónito, -a adj pantois(e)

atontado, -a adj étourdi(e) ♦ nm/f abruti(e)

atontar vt abrutir; **~se** vpr s'abêtir

atormentar vt tourmenter, torturer; **~se** vpr se tourmenter

atornillar vt visser

atosigar vt empoisonner; **~se**

vpr être obsédé(e)
atracador, a *nm/f* malfaiteur *m*
atracar *vt* (NÁUT) amarrer; (*atacar*) attaquer à main armée ♦ *vi* amarrer; **~se** *vpr:* **~se (de)** se bourrer (de)
atracción *nf* attirance *f*; **atracciones** *nfpl* (*diversiones*) attractions *fpl*; **sentir ~ por** éprouver de l'attirance pour; **centro/punto de ~** centre *m*/point *m* d'attraction
atraco *nm* agression *f*; (*en banco*) hold-up *m inv*
atracón *nm*: **darse o pegarse un ~ (de)** (*fam*) s'empiffrer (de), se bourrer (de)
atractivo, -a *adj* attirant(e) ♦ *nm* attrait *m*
atraer *vt* attirer; **~se** *vpr* s'attirer
atragantarse *vpr:* **~ (con)** s'étrangler (avec); **se me ha atragantado el chico ése** je ne peux pas le voir, celui-là; **se me ha atragantado el inglés** l'anglais et moi, ça fait deux
atrancar *vt* (*puerta*) barricader; (*desagüe*) boucher; **~se** *vpr* (*desagüe*) se boucher; (*mecanismo*) se gripper
atrapar *vt* attraper
atrás *adv* (*posición*) derrière, en arrière; (*dirección*) derrière; **~ de** *prep* (AM: *detrás de*) derrière; **años/meses ~** des années/mois auparavant; **días ~** cela fait des jours et des jours; **asiento/parte de ~** siège *m*/partie *f* arrière; **marcha ~** marche *f* arrière; **ir hacia ~** (*movimiento*) aller en arrière; (*dirección*) aller derrière; **estar ~** être *o* se trouver derrière *o* en arrière; **está más ~** c'est plus loin derrière (*desdecirse*) se dédire

atrasado, -a *adj* (*pago*) arriéré(e); (*país*) sous-développé(e); (*trabajo*) en retard; **el reloj está *o* va ~** la pendule retarde; **poner fecha atrasada a** antidater
atrasar *vi* ♦ *vt* retarder; **~se** *vpr* (*persona*) s'attarder; (*tren*) avoir du retard; (*reloj*) retarder; **atraso** *nm* retard *m*; **atrasos** *nmpl* (COM) arriérés *mpl*
atravesar *vt* traverser; (*poner al través*) barrer; **~se** *vpr* se mettre en travers de
atraviese *etc vb ver* **atravesar**
atrayente *adj* alléchant(e)
atreverse *vpr:* **~ a (hacer)** oser (faire)
atrevido, -a *adj* (*audaz*) audacieux(-euse); (*descarado*) insolent(e); (*moda, escote*) osé(e); **atrevimiento** *nm* (*audacia*) audace *f*; (*descaro*) insolence *f*
atribuciones *nfpl* (POL, ADMIN) attributions *fpl*
atribuirse *vpr* s'attribuer
atribular *vt* affliger; **~se** *vpr* être affligé(e)
atributo *nm* attribut *m*, apanage *m*
atril *nm* pupitre *m*; (MÚS) lutrin *m*
atrocidad *nf* atrocité *f*; **~es** *nfpl* (*disparates*) énormités *fpl*
atropellar *vt* écraser; **~se** *vpr* s'embrouiller; **atropello** *nm* (AUTO) collision *f*; (*contra propiedad, derechos*) violation *f*
atroz *adj* atroce; (*frío*) terrible; (*hambre*) de loup; (*sueño*) irrésistible; (*película, comida*) épouvantable
A.T.S. *sigla m/f* (= *Ayudante Técnico Sanitario*) infirmier(-ère)
atto., -a. *abr* (= *atènto, a*) dévoué(e)

atuendo nm tenue f

atún nm thon m

aturdir vt assommer; (suj: ruido) assourdir; (: vino) étourdir; (: droga) abrutir; (: noticia) laisser sans voix; **~se** vpr être assourdi(e); (por órdenes contradictorias) être décontenancé(e)

atusarse vpr se pomponner

audacia nf audace f; **audaz** adj audacieux(-euse)

audible adj audible

audición nf audition f

audiencia nf audience f

audífono nm audiophone m

audiovisual adj audio-visuel(le)

auditor nm (JUR) assesseur m; (COM) commissaire m aux comptes

auditorio nm auditoire m; (sala) auditorium m

auge nm apogée m, (COM, ECON) essor m

augurar vt (suj: hecho) laisser présager; (: persona) prédire

augurio nm présage m

aula nf (en colegio) salle f de classe, classe f; (en universidad) salle de cours

aullar vi grogner; (fig: viento) hurler

aullido nm hurlement m

aumentar vt augmenter; (vigilancia) redoubler de; (FOTO) agrandir ♦ vi augmenter; (vigilancia) redoubler de; **aumento** nm augmentation f; (vigilancia) redoublement m; **en aumento** (precios) en hausse

aun adv même; **~ así** même ainsi; **~ cuando** même si

aún adv (todavía) encore, toujours; **~ no** pas encore, toujours pas; **~ más** encore plus; **¿no ha venido ~?** il n'est pas encore

arrivé?, il n'est toujours pas arrivé?

aunque conj bien que, même si

aúpa adj: **de ~** (fam: catarro) carabiné(e); (: chica) bien roulé(e); (: espectáculo) sensass

auricular nm (TELEC) écouteur m; **~es** nmpl écouteurs mpl

aurora nf aurore f

auscultar vt ausculter

ausencia nf absence f

ausentarse vpr: **~ (de)** s'absenter (de)

ausente adj absent(e)

auspicio nm: **buen/mal ~** bons/mauvais auspices mpl; **~s** nmpl: **bajo los ~s de** sous les auspices de

austeridad nf (de vida) austérité f; (de mirada) sévérité f

austero, -a adj austère; (lenguaje) dépouillé(e)

austral adj austral(e) ♦ nm (AM: 1985-1991) austral m

Australia nf Australie f

australiano, -a adj australien(ne) ♦ nm/f Australien(ne)

Austria nf Autriche f

austriaco, -a, austríaco, -a adj autrichien(ne) ♦ nm/f Autrichien(ne)

auténtico, -a adj authentique; (cuero) véritable; **es un ~ campeón** c'est un vrai champion

auto nm (coche) auto f; (JUR) arrêté m; **~s** nmpl (JUR) pièces fpl d'un dossier

autoadhesivo, -a adj autocollant(e)

autobiografía nf autobiographie f

autobús nm autobus m; **~ de línea** car m

autocar nm autocar m

autóctono, -a adj autochtone

autodefensa nf autodéfense f
autodeterminación nf
autodétermination f
autodidacta adj, nm/f
autodidacte m/f
autoescuela nf auto-école f
autógrafo nm autographe m
autómata nm (persona) automate m
automático, -a adj automatique
♦ nm bouton-pression f
automotor, -triz adj
automoteur(-trice) ♦ nm
automotrice f
automóvil nm automobile f;
automovilismo nm
automobilisme m;
automovilista nm/f (conductor)
automobiliste m/f
automovilístico, -a adj
(industria) automobile
autonomía nf autonomie f;
(territorio) région f autonome
autonómico, -a adj (ESP)
(elecciones) des communautés
autonomes; (política) d'autonomie
des régions
autónomo, -a adj (POL, INFORM)
autonome
autopista nf autoroute f; **~ de
peaje** autoroute à péage
autopsia nf autopsie f
autor, a nm/f auteur m
autoridad nf autorité f; **~es** nfpl
(POL) autorités fpl; **la ~ política/
judicial** les autorités politiques/
judiciaires; **tener ~ sobre algn**
avoir autorité sur qn
autoritario, -a adj autoritaire
autorización nf autorisation f
autorizado, -a adj autorisé(e)
autorizar vt autoriser; **~ a hacer**
autoriser à faire
autoservicio nm (tienda) libre-
service m; (restaurante) self-service

m
autostop nm auto-stop m; **hacer
~** faire de l'auto-stop;
autostopista nm/f auto-
stoppeur(-euse)
autovía nf route f à quatre voies
auxiliar vt secourir, venir en aide
à ♦ adj auxiliaire; (profesor)
suppléant(e) ♦ nm/f auxiliaire m/f;
auxilio nm aide f, secours msg;
primeros auxilios premiers
secours mpl
Av. abr (= Avenida) av. (= avenue)
aval nm aval m
avalancha nf avalanche f
avance vb ver **avanzar** ♦ nm (de
tropas) avance f, progression f; (de
la ciencia) progrès msg; (pago)
avance; (TV: de noticias) flash m
(d'information); (del tiempo)
prévisions fpl météorologiques
avanzar vt avancer ♦ vi avancer;
progresser; (proyecto) avancer;
(alumno) avancer, faire des
progrès
avaricia nf avarice f
avaricioso, -a adj
avaricieux(-euse)
avaro, -a adj, nm/f avare m/f
Avda. abr (= Avenida) av. (=
avenue)
AVE sigla m (= Alta Velocidad
Española) ≈ TGV m (= train à
grande vitesse)
ave nf oiseau m; **~ de rapiña**
oiseau de proie
avecinarse vpr approcher
avellana nf noisette f; **avellano**
nm noisetier m, coudrier m
avemaría nm Ave (Maria) m
avena nf avoine f
avenida nf avenue f; (de río) crue
f
avenirse vpr (personas)
s'entendre; **~se a hacer**

consentir à faire
aventajado, -a adj remarquable
aventajar vt: **~ a algn (en algo)** surpasser qn (en qch)
aventura nf aventure f
aventurado, -a adj aventureux(-euse)
aventurero, -a adj, nm/f aventurier(-ère)
avergonzar vt faire honte à; **~se** vpr: **~se de (hacer)** avoir honte de (faire)
avería nf (TEC) panne f, avarie f; (AUTO) panne
averiguación nf enquête f; (descubrimiento) découverte f
averiguar vt enquêter sur; (descubrir) découvrir
aversión nf aversion f
avestruz nm autruche f
aviación nf aviation f
aviador, a nm/f aviateur(-trice)
avidez nf: **~ de o por** empressement m à; (pey) avidité f de
ávido, -a adj: **~ de o por** avide de
avinagrado, -a adj aigri(e), revêche; (voz) aigre
avión nm avion m
avioneta nf avion m léger
avisar vt (ambulancia, fontanero) appeler; (médico) prévenir; **~ (de)** (advertir) avertir (de); (informar) avertir (de), faire part (de); **aviso** nm avis msg; **hasta nuevo aviso** jusqu'à nouvel ordre; **sin previo aviso** sans préavis
avispa nf guêpe f
avispado, -a adj éveillé(e)
avispero nm guêpier m
avituallar vt ravitailler
avivar vt aviver; (paso) presser; **~se** vpr se raviver; (discusión) s'animer
axila nf aisselle f
axioma nm axiome m

ay excl aïe!; (aflicción) hélas!; **¡~ de mí!** pauvre de moi!
aya nf (institutriz) gouvernante f; (niñera) nurse f
ayer adv hier; **antes de ~** avant-hier
ayote (MÉX: calabaza) nm courge f
ayuda nf aide f
ayudante, -a nm/f adjoint(e); (ESCOL) assistant(e); (MIL) adjudant m; **~ de clase** aide-éducateur(-trice)
ayudar vt aider; **~ a algn a hacer algo** aider qn à faire qch
ayunar vi jeûner; **ayunas** nfpl: **estar en ayunas** être à jeun; **ayuno** nm jeûne m
ayuntamiento nm municipalité f, mairie f; (edificio) mairie, hôtel m de ville
azabache nm jais msg
azada nf houe f
azafata nf hôtesse f de l'air; (de congreso) hôtesse d'accueil
azafrán nm safran m
azahar nm fleur f d'oranger
azar nm (casualidad) hasard m; **al/por ~** au/par hasard
azoramiento nm trouble m
azorar vt faire honte; **~se** vpr se troubler
Azores nfpl: **las (Islas) ~** les Açores fpl
azotar vt fouetter; **azote** nm coup m de fouet; (a niño) fessée f; (fig) fléau m
azotea nf terrasse f; **andar o estar mal de la ~** travailler du chapeau
azteca adj aztèque ♦ nm/f Aztèque m/f
azúcar nm o f sucre m; **~ glaseado** sucre glace
azucarado, -a adj sucré(e)
azucarero, -a adj (industria)

sucrier(-ère); (comercio) du sucre ♦
nm sucrier m
azucena nf lys m
azufre nm soufre m
azul adj bleu(e) ♦ nm bleu m; ~
celeste/marino bleu ciel/
marine
azulejo nm carreau m (au mur)
azuzar vt exciter

B, b

B.A. abr = **Buenos Aires**
baba nf bave f; **caérsele la ~ a**
algn (fig) baver d'admiration
babero nm bavoir m
babor nm: **a o por ~** à bâbord
baboso, -a (AM: fam) adj, nm/f
idiot(e), imbécile m/f
baca nf (AUTO) galerie f
bacalao nm morue f
bache nm nid m de poule; (fig)
crise f passagère
bachillerato nm baccalauréat m
bacteria nf bactérie f
báculo nm (bastón) canne f
bádminton nm badminton m
bagaje nm (de ejército) barda m
Bahama nfpl: **las (Islas) ~s** les
(îles) Bahamas fpl
bahía nf baie f
bailar vt danser; (peonza, trompo)
faire tourner ♦ vi danser; (peonza,
trompo) tourner
bailarín, -ina nm/f
danseur(-euse)
baile nm danse f; (fiesta) bal m;
baile de disfraces bal masqué;
baile flamenco flamenco m
baja nf baisse f; (MIL) perte f;
(empleado) congédier qn; **darse**
de ~ (de trabajo) démissionner;
(por enfermedad) se faire porter
malade; (de club) se retirer

bajada nf baisse f; (declive,
camino) pente f
bajar vi descendre; (temperatura,
precios, calidad) baisser ♦ vt
baisser; (escalera, maletas)
descendre; **~se** vpr: **~se de**
descendre de; **los coches han**
bajado de precio le prix des
voitures a baissé
bajeza nf bassesse f
bajío (AM) nm banc m de sable
bajo, -a adj (persona, animal)
petit(e); (ojos) baissé(e); (sonido)
faible ♦ adv bas ♦ prep sous; (en
edificio) rez-de-chaussée m inv;
hablar en voz baja parler à voix
basse; **~ la lluvia** sous la pluie
bajón nm chute f; (de salud)
aggravation f; **dar o pegar un ~**
(fam) chuter
bakalao nm (fam) techno f
bala nf (proyectil) balle f; **como**
una ~ comme l'éclair
balance nm (COM) bilan m;
hacer ~ de faire le point de
balancear vt (suj: viento, olas)
balancer; **~se** vpr se balancer
balanceo nm balancement m
balanza nf balance f; ~
comercial balance commerciale;
~ de pagos balance des
paiements
balar vi bêler
balaustrada nf balustrade f; (en
escalera) rampe f
balazo nm (disparo) coup m de
feu; (herida) blessure f par balle
balbucear vi, vt balbutier;
balbuceo nm balbutiement m
balbucir = balbucear
balcón nm balcon m
balde nm (esp AM) seau m; **de ~**
gratis; **en ~** en vain
baldío, -a adj en friche; (esfuerzo,
ruego) vain(e)

baldosa *nf* (*para suelos*) carreau *m*; (*azulejo*) petit carreau en faïence

baldosín *nm* (*de pared*) petit carreau en faïence

Baleares *nfpl*: **las (Islas) ~** (les (îles) Baléares *fpl*

balido *nm* bêlement *m*

baliza *nf* (*AVIAT, NÁUT*) balise *f*

ballena *nf* baleine *f*

ballet (*pl* **~s**) *nm* ballet *m*

balneario, -a *adj*: **estación balnearia** station *f* balnéaire ♦ *nm* station *f* balnéaire

balón *nm* ballon *m*

baloncesto *nm* basket-ball *m*

balonmano *nm* hand-ball *m*

balonvolea *nm* volley-ball *m*

balsa *nf* (*NÁUT*) radeau *m*; (*charca*) mare *f*

bálsamo *nm* baume *m*

baluarte *nm* (*de muralla*) rempart *m*

bambolearse *vpr* osciller; (*persona*) tituber

bambú *nm* bambou *m*

banana (*AM*) *nf* banane *f*;

banano (*AM*) *nm* bananier *m*

banca (*AM*: *asiento*) banc *m*; (*COM*) banque *f*

bancario, -a *adj* bancaire

bancarrota *nf* faillite *f*; (*fraudulenta*) banqueroute *f*; **hacer** *o* **declararse en ~** faire faillite

banco *nm* banc *m*; (*de carpintero*) établi *m*; (*COM*) banque *f*; **~ de arena** banc de sable; **~ de crédito** établissement *m* de crédit; **~ de datos** (*INFORM*) banque de données

banda *nf* bande *f*; (*MÚS*) fanfare *f*; (*para el pelo*) ruban *m*; **fuera de ~** (*DEPORTE*) en touche; **~ de sonido** bande sonore; **~ sonora**

(*CINE*) bande son

bandada *nf* (*de pájaros*) volée *f*; (*de peces*) banc *m*

bandazo *nm*: **dar ~s** (*coche*) faire des embardées

bandeja *nf* plateau *m*

bandera *nf* drapeau *m*; **izar (la) ~** hisser les couleurs; **arriar la ~** amener les couleurs; **jurar ~** prêter serment au drapeau

banderilla *nf* (*TAUR*) banderille *f*

banderín *nm* (*para la pared*) fanion *m*

bandido *nm* bandit *m*

bando *nm* arrêt *m*; (*facción*) faction *f*

bandolera *nf* (*bolso*) cartouchière *f*; **llevar en ~** porter en bandoulière

bandolero *nm* brigand *m*

banquero *nm* banquier *m*

banqueta *nf* banquette *f*; (*AM*) trottoir *m*

banquete *nm* banquet *m*; **~ de bodas** repas *msg* de noces

banquillo *nm* (*JUR*) banc *m* des accusés

bañador *nm* maillot *m* de bain

bañar *vt* baigner; **~se** *vpr* se baigner; (*en la bañera*) prendre un bain; **bañado en baigné(e) de; ~ en** *o* **de** (*de pintura*) enduire de; (*chocolate*) enrober de

bañera *nf* baignoire *f*

bañero *nm* maître-nageur *m*

bañista *nmf* baigneur(-euse)

baño *nm* bain *m*; (*en río, mar, piscina*) baignade *f*; (*cuarto*) salle *f* de bains; (*bañera*) baignoire *f*; (*capa*) couche *f*; **~ (de) María** bain-marie *m*

bar *nm* bar *m*; **ir de ~es** faire la tournée des bars

barahúnda *nf* tapage *m*

baraja *nf* jeu *m* de cartes;

barajar *vt* battre; (*fig*) envisager; (*datos*) brasser

baranda, barandilla *nf* (*en escalera*) rampe *f*; (*en balcón*) balustrade *f*

baratija *nf* babiole *f*

baratillo *nm* friperie *f*

barato, -a *adj* bon marché *inv* ♦ *adv* bon marché

baraúnda *nf* = **barahúnda**

barba *nf* barbe *f*; (*mentón*) menton *m*; **salir algo a 500 ptas por ~** (*fam*) revenir à 500 pesetas par tête de pipe; **con ~ de tres días** avec une barbe de trois jours

barbacoa *nf* barbecue *m*

barbaridad *nf* atrocité *f*; (*imprudencia, temeridad*) témérité *f*; **come una ~** (*fam*) il mange énormément; **¡qué ~!** (*fam*) quelle horreur!

barbarie *nf* barbarie *f*

bárbaro, -a *adj* barbare; (*fam: estupendo*) sensass; (*éxito*) monstre ♦ *nm/f* (*pey: salvaje*) barbare *m/f* ♦ *adv*: **lo pasamos ~** (*fam*) ça a été génial; **¡qué ~!** c'est formidable!

barbero *nm* barbier *m*, coiffeur *m*

barbilla *nf* collier *m* (*de barbe*)

barbo *nm* barbeau *m*

barbotar, barbotear *vt, vi* bredouiller

barbudo, -a *adj* barbu(e)

barca *nf* barque *f*; **~ pesquera** barque de pêche; **barcaza** *nf* péniche *f*

Barcelona *n* Barcelone

barcelonés, -esa *adj* barcelonais(e)

barco *nm* bateau *m*; (*buque*) bâtiment *m*; **~ de carga** cargo *m*; **~ de guerra** bateau de guerre; **~ de vela** bateau à voiles

baremo *nm* barème *m*

barítono *nm* baryton *m*

barman *nm* barman *m*

barniz *nm* vernis *msg*; **~ de uñas** vernis à ongles; **barnizar** *vt* vernir

barómetro *nm* baromètre *m*

barquero *nm* barreur *m*

barquillo *nm* (*dulce*) cornet *m*

barra *nf* barre *f*; (*de un bar, café*) comptoir *m*; (*de pan*) pain *m* long; **~ de labios** bâton *m* de rouge à lèvres; **~ libre** (*en bar*) boissons *fpl* à volonté

barraca *nf* baraque *f*; (*en feria*) stand *m*

barranco *nm* précipice *m*; (*rambla*) fossé *m*

barrenar *vt* forer

barreno *nm* mine *f*

barrer *vt* balayer; (*niebla, nubes*) dissiper

barrera *nf* barrière *f*; (*obstáculo*) obstacle *m*; **~ del sonido** mur *m* du son

barriada *nf* quartier *m*

barricada *nf* barricade *f*

barrida *nf*, **barrido** *nm* balayage *m*

barriga *nf* panse *f*, ventre *m*; **rascarse o tocarse la ~** (*fam*) se tourner les pouces; **echar ~** prendre du ventre

barrigón, -ona, barrigudo, -a *adj* bedonnant(e)

barril *nm* baril *m*; **cerveza de ~** bière *f* pression

barrio *nm* quartier *m*; (*en las afueras*) faubourg *m*; **~ chino** quartier des prostituées

barro *nm* boue *f*; (*arcilla*) terre *f* (glaise)

barroco, -a *adj* baroque ♦ *nm* baroque *m*

barrote *nm* (*de ventana etc*)

barrèau m

barruntar vt (conjeturar) deviner; (presentir) pressentir

bartola: a la ~ adv: **tirarse** o **tumbarse a la ~** prendre ses aises

bártulos nmpl attirail m

barullo nm tohu-bohu m inv; (desorden) pagaille f

basar vt: **~ algo en** (fig) fonder qch sur; **~se** vpr: **~se en** se fonder sur

báscula nf bascule f

base nf base f ♦ adj (color, salario) de base; **a ~ de** (mediante) grâce à; **~ de datos** (INFORM) base de données; **~ de operaciones** base d'opérations; **~ imponible** (FIN) assiette f de l'impôt

básico, -a adj (elemento, norma, condición) de base

basílica nf basilique f

PALABRA CLAVE

---

bastante adj 1 (suficiente) assez de; **bastante dinero** assez d'argent; **bastantes libros** assez de livres

2 (valor intensivo): **bastante gente** pas mal de gens ♦ adv 1 (suficiente) assez; **¿hay bastante?** il y en a assez?; **(lo) bastante inteligente (como) para hacer qch** assez intelligent pour faire qch

2 (valor intensivo) assez; **bastante rico** assez riche; **voy a tardar bastante** je serai assez long

bastar vi suffire; **¡basta!** ça suffit!; **me basta con 5** 5 me suffisent; **me basta con ir** il me suffit d'aller; **basta (ya) de ...** arrêtez de ...

bastardilla nf (TIP) italique m

bastardo, -a adj, nm/f bâtard(e)

bastidor nm (de costura) métier m à broder; **entre ~es** en coulisse

basto, -a adj rustre; (tela) grossier(-ière); **~s** nmpl (NAIPES) l'une des quatre couleurs du jeu de cartes espagnol

bastón nm (cayado) canne f; (tb: **~ de esquí**) bâton de ski

bastoncillo nm (de algodón) bâtonnet m

basura nf ordures fpl; (tb: **cubo de la ~**) boîte f à ordures

basurero nm (persona) éboueur m; (lugar) décharge f

bata nf robe f de chambre; (MED, TEC, ESCOL) blouse f

batalla nf bataille f; **de ~** de tous les jours; **~ campal** bataille rangée

batallar vi batailler

batallón nm bataillon m

batata nf (AM: BOT, CULIN) patate f douce

batería nf batterie f ♦ nm/f (persona) batteur m; **aparcar o estacionar en ~** se garer/ stationner en épi; **~ de cocina** batterie de cuisine

batido, -a adj (camino) battu(e); (mar) agité(e) ♦ nm (de chocolate, frutas) milk-shake m

batidora nf mixeur m

batir vt battre ♦ vi: **~ (contra)** battre (contre); **~ palmas** battre des mains

batuta nf (MÚS) baguette f; **llevar la ~** mener la danse

baúl nm malle f

bautismo nm (REL) baptême m

bautizar vt baptiser; **bautizo** nm baptême m

bayeta nf (para limpiar) chiffon m

à poussière
bayoneta nf baïonnette f
baza nf (NAIPES) pli m; (fig) atout m; **meter ~** mettre son grain de sel
bazar nm (comercio) bazar m
bazofia nf: **es una ~** c'est infect
beato, -a adj, nm/f (pey) bigot(e)
bebé (pl **~s**) nm bébé m
bebedor, a adj, nm/f buveur(-euse)
beber vt, vi boire
bebida nf boisson f
bebido, -a adj ivre
beca nf bourse f
becario, -a nm/f boursier(-ière)
bedel nm (ESCOL, UNIV) appariteur m
béisbol nm base-ball m
Belén n Bethléem; **belén** nm crèche f
belga adj belge ♦ nm/f Belge m/f
Bélgica nf Belgique f
bélico, -a adj (armamento, preparativos) de guerre; (conflicto) armé(e); (actitud) belliqueux(-euse)
beligerante adj belligérant(e)
belleza nf beauté f
bello, -a adj beau (belle); **Bellas Artes** beaux-arts mpl
bellota nf gland m
bemol nm bémol m
bencina (CHI) nf (gasolina) essence f
bendecir vt: **~ la mesa** bénir la table
bendición nf bénédiction f; **ser una ~** être une bénédiction
bendito, -a pp de **bendecir** ♦ adj bénit(e) ♦ nm/f brave homme/femme; (ingenuo) benêt m; **¡~ sea Dios!** Dieu soit loué!
beneficencia nf (th: **~ pública**) assistance f publique
beneficiar vt profiter à

beneficiario, -a nm/f bénéficiaire m/f
beneficio nm (bien) bienfait m; (ganancia) bénéfice m; **a/en ~ de** au profit de; **sacar ~ de** tirer profit de
beneficioso, -a adj salutaire; (ECON) rentable
benéfico, -a adj (organización, festival) de bienfaisance
benevolencia nf bienveillance f
benévolo, -a adj bienveillant(e)
benigno, -a adj bienveillant(e); (clima) clément(e); (resfriado, MED) bénin (bénigne)
berberecho nm coque f
berenjena nf aubergine f
Berlín n Berlin
Bermudas nfpl: **las (Islas) ~** les (îles) Bermudes fpl
bermudas nfpl o nmpl bermuda msg
berrear vi mugir; (niño) brailler
berrido nm mugissement m; (niño) braillement m
berrinche (fam) nm petite colère f; (disgusto) rogne f
berro nm cresson m
berza nf chou m
besamel nf béchamel f
besar vt embrasser; **~se** vpr s'embrasser; **beso** nm baiser m
bestia nf bête f; (fig) brute f; **mala ~** peau de vache; **~ de carga** bête de somme
bestial adj (inhumano) bestial(e); (fam: calor) accablant(e); (error) aberrant(e); **bestialidad** nf bestialité f; (fam) énormité f
besugo nm daurade f; (fam) bourrique f
betún nm cirage m
biberón nm biberon m
Biblia nf Bible f
bibliografía nf bibliographie f

biblioteca nf bibliothèque f; ~
de consulta bibliothèque de
consultation
bibliotecario, -a nm/f
bibliothécaire m/f
bicarbonato nm bicarbonate m
bicho nm bestiole f; (fam) bête f
bici (fam) nf vélo m
bicicleta nf bicyclette f
bidé nm bidet m
bidón nm bidon m

PALABRA CLAVE
---

bien nm **1** bien m; **te lo digo
por tu bien** je te le dis pour ton
bien; **el bien y el mal** (moral) le
bien et le mal
2 bienes nmpl (posesiones) biens
mpl; **bienes de consumo** biens
de consommation; **bienes
inmuebles/muebles** biens
immeubles/meubles; **bienes
raíces** biens-fonds mpl
♦ adv **1** (de manera satisfactoria,
correcta) bien; **trabaja/come
bien** il travaille/mange bien;
huele bien cela sent bon; **sabe
bien** cela a bon goût; **contestó
bien** il a bien répondu; **lo
pasamos muy bien** nous nous
sommes bien amusés; **hiciste
bien en llamarme** tu as bien
fait de m'appeler; **no me siento
bien** je ne me sens pas bien
2: **estar bien**: **estoy muy
bien aquí** je suis très bien ici;
¿estás bien? ça va (bien)?; **ese
libro está muy bien** ce livre est
très bien, c'est un très bon livre;
está bien que vengan c'est
bien qu'ils viennent; **¡está bien!**
lo haré c'est bon! je le ferai
3 (de buena gana): **yo bien que
iría pero ...** moi, j'irais bien,
mais ...

4 (ya): **bien se ve que ...** on
voit bien que ...
5: **no quiso o bien no pudo
venir** il n'a pas voulu venir, ou
plutôt il n'a pas pu
♦ excl (aprobación) bien!; **¡muy
bien!** très bien!
♦ adj inv (matiz despectivo): **niño
bien** fils msg de bonne famille;
gente bien gens mpl bien
♦ conj **1**: **bien ... bien**: **bien en
coche bien en tren** soit en
voiture soit en train
2: **no bien** (esp AM): **no bien
llegue te llamaré** dès que
j'arrive, je t'appelle
3: **si bien** si; ver tb **más**

bienal adj biennal(e)
bienestar nm bien-être m
bienhechor, a adj, nm/f
bienfaiteur(-trice)
bienvenida nf bienvenue f; **dar
la ~ a algn** souhaiter la
bienvenue à qn
bienvenido, -a adj: ~ **(a)**
bienvenu(e) (à) ♦ excl bienvenue!
bife (AM) nm bifteck m
bifurcación nf bifurcation f
bifurcarse vpr bifurquer
bigamia nf bigamie f
bigote nm (tb: ~**s**) moustache f
bigotudo, -a adj moustachu(e)
bikini nm bikini m
bilateral adj bilatéral(e)
bilbaíno, -a adj de Bilbao ♦ nm/f
natif(-ive) o habitant(e) de Bilbao
bilingüe adj bilingue
billar nm billard m; ~
americano billard américain
billete nm billet m; (en autobús,
metro) ticket m; **medio** ~ billet
demi-tarif; ~ **de ida** aller m
simple; ~ **de ida y vuelta** aller-
retour m

billetera nf, **billetero** nm portefeuille m

billón nm billion m

bimensual adj bimensuel(le)

bimotor adj, nm bimoteur m

biodegradable adj biodégradable

biodiversidad nf biodiversité f

biografía nf biographie f

biología nf biologie f

biológico, -a adj biologique; (cultivo, producto) bio(logique)

biólogo, -a nm/f biologiste m/f

biombo nm paravent m

biopsia nf biopsie f

bioterrorista nm/f bioterroriste m/f

biquini nm = **bikini**

Birmania nf Birmanie f

birria nf: **ser una ~** être un(e) rien du tout; (película) être un navet; (libro) être un torchon

bis adv bis; **viven en el 27 ~** ils habitent au 27 bis; **artículo 47 ~** article 47 bis

bisabuelo, -a nm/f arrière-grand-père (arrière-grand-mère)

bisagra nf charnière f

bisiesto, -a adj ver **año**

bisnieto, -a nm/f arrière-petit-fils (arrière-petite-fille)

bisonte nm (ZOOL) bison m

bisté, bistec (pl **bistés**) nm bifteck m

bisturí (pl **~es**) nm bistouri m

bisutería nf bijoux mpl en toc

bit nm (INFORM) bit m

bizco, -a adj qui louche ♦ nm/f personne f qui louche

bizcocho nm biscuit m

bizquear vi loucher

blanca nf: **estar sin ~** être fauché(e)

blanco, -a adj blanc (blanche) ♦ nm/f (individuo) Blanc (Blanche) ♦

nm blanc m; (MIL) cible f; **cheque en ~** chèque m en blanc; **noche en ~** nuit f blanche; **dar en ~** faire mouche; **quedarse en ~** (mentalmente) avoir un trou; **ser el ~ de las burlas** être l'objet des railleries; **~ del ojo** blanc m de l'œil

blancura nf blancheur f

blandir vt brandir

blando, -a adj mou (molle); (padre, profesor) indulgent(e); (carne, fruta) tendre; **blandura** nf mollesse f; (de padre, profesor) indulgence f

blanquear vt blanchir

blanquecino, -a adj blanchâtre; (luz) blafard(e)

blasfemar vi: **~ (contra)** blasphémer (contre); **blasfemia** nf blasphème m

blasón nm blason m

bledo nm: **(no) me importa un ~** ça ne me fait ni chaud ni froid

blindado, -a adj blindé(e); **coche** (ESP) o **carro** (AM) **~** véhicule m blindé

blindaje nm blindage m

bloc (pl **~s**) nm bloc-notes msg; (cuaderno) bloc m

bloque nm bloc m; (de noticias) rubrique f; **en ~** en bloc

bloquear vt bloquer; (MIL) faire le blocus de

bloqueo nm blocage m; (MIL) blocus msg; **bloqueo mental** blocage m

blusa nf blouse f; (de mujer) chemisier m

boa nf boa m

boato nm faste m

bobada nf sottise f; **decir ~s** dire des bêtises

bobina nf bobine f

bobo, -a adj (tonto) sot (sotte) ♦ nm/f sot (sotte); **hacer el ~** faire le pitre

boca nf bouche f; (de animal carnívoro, horno) gueule f; (de vasija) bec m; ~ **abajo** sur le ventre; ~ **arriba** sur le dos; **hacerle a algn el ~ a ~** faire du bouche à bouche à qn; **se me hace la ~ agua** j'en ai l'eau à la bouche; **quedarse con la ~ abierta** en rester bouche bée; ~ **de dragón** (BOT) gueule-de-loup f; ~ **de incendios** bouche d'incendie; ~ **de metro** bouche de métro

bocacalle nf: **una ~ de la avenida** une rue qui donne dans l'avenue

bocadillo nm sandwich m

bocado nm bouchée f; (mordisco) coup m de dent

bocajarro: a ~ adv à brûle-pourpoint

bocanada nf bouffée f; (de líquido) gorgée f

bocata (fam) nm casse-croûte m inv

bocatería nf sandwicherie f

boceto nm esquisse f; (plano) ébauche f

bochorno nm (vergüenza) honte f; (calor): **hace ~** il fait lourd

bochornoso, -a adj (día) lourd(e); (situación) orageux(-euse)

bocina nf (AUTO) klaxon m; **tocar la ~** klaxonner

boda nf (tb: ~s) noce f, mariage m; (fiesta) noce; ~s **de oro** noces fpl d'or; ~s **de plata** noces d'argent

bodega nf (de vino) cave f; (establecimiento) marchand m de vin; (de barco) cale f

bodegón nm taverne f; (ARTE) nature morte f

bofe nm (tb: ~s: de res) mou m

bofetada nf gifle f; **bofetón** nm

= **bofetada**

boga nf: **en ~** en vogue

bogar vi ramer

Bogotá n Bogota

bohemio, -a adj, nm/f bohémien(ne)

boicot (pl ~s) nm boycott m; **hacer el ~ a** boycotter; **boicotear** vt boycotter; **boicoteo** nm boycottage m

boina nf béret m

bola nf boule f; (canica) bille f; (pelota) balle f, ballon m; (fam) bobard m; (AM: rumor) rumeur f; ~s nfpl (AM: CAZA) bolas fpl; ~ **de billar** boule de billard; ~ **de nieve** boule de neige; ~ **del mundo** globe m terrestre

bolchevique adj bolchevique ♦ nm/f bolchevik m/f

boleadoras (AM) nfpl bolas fpl

bolera nf bowling m

boleta (AM) nf (billete) laissez-passer m inv; (permiso) bon m; (cédula para votar) bulletin m de vote

boletería (AM) nf (taquilla) guichet m

boletín nm bulletin m; ~ **informativo** o **de noticias** informations fpl

boleto nm billet m

boli (fam) nm stylo m

bolígrafo nm stylo bille m, stylo m à bille

bolívar nm bolivar m

Bolivia nf Bolivie f

boliviano, -a adj bolivien(ne) ♦ nm/f Bolivien(ne)

bollería nf viennoiserie f

bollo nm petit pain m; (de bizcocho) brioche f; (abolladura) bosse f

bolo nm quille f ♦ adj (CAM, CU, MÉX) ivre, soûl(e); (**juego de**) ~s (jeu *m* de) quilles *fpl*

bolsa *nf* sac *m*, poche *f*; (tela)
sacoche *f*; (AM: bolsillo) poche~;
~ **de agua caliente** bouillotte *f*; ~
de la compra panier *m* de la
ménagère

bolsillo *nm* poche *f*; **de** ~ de
poche

bolsista *nm/f* (FIN) agent *m* de
change

bolso *nm* sac *m*; (de mujer) sac à
main

bomba *nf* (MIL) bombe *f*; (TEC)
pompe *f* ♦ *adj* (fam): **noticia** ~
nouvelle *f* sensationnelle ♦ *adv*
(fam): **pasarlo** ~ s'amuser
comme un fou o des petits fous;
~ **atómica** bombe atomique; ~ **de
agua/de gasolina/de
incendios** pompe à eau/à
essence/à incendie; ~ **de efecto
retardado/de neutrones**
bombe à retardement/à neutrons

bombardear *vt* bombarder; ~ **a
preguntas** bombarder de
questions; **bombardeo** *nm*
bombardement *m*

bombardero *nm* bombardier *m*

bombear *vt* (agua) pomper;
(DEPORTE) lober

bombero *nm* pompier *m*

bombilla *nf* ampoule *f*

bombín *nm* pompe *f* à vélo

bombo *nm* (MÚS) grosse caisse *f*;
dar ~ **a** (a persona) ne pas tarir
d'éloges sur; (asunto) faire du
tam-tam autour de

bombón *nm* (CULIN) crotte *f* de
chocolat, chocolat *m*

bombona *nf* bouteille *f*

bonachón, -ona *adj* bon enfant
inv ♦ *nm/f* bonne pâte *f*

bonanza *nf* (NÁUT) bonace *f*

bondad *nf* bonté *f*; **tenga la** ~
de veuillez avoir l'amabilité de

bondadoso, -a *adj* bon (bonne)

bonificación *nf* bonification *f*

bonito, -a *adj* joli(e) ♦ *nm* (atún)
thon *m*

bono *nm* bon *m*

bonobús *nm* (ESP) carte de
transport (en autobus urbain)

boquerón *nm* anchois *msg*

boquete *nm* brèche *f*

boquiabierto, -a *adj*:
quedarse ~ en rester bouche
bée; **nos dejó ~s** nous sommes
restés bouche bée

boquilla *nf* (para cigarro) fume-
cigarette *m*; (MÚS) bec *m*

borbotón *nm*: **salir a
borbotones** jaillir à gros
bouillons

borda *nf* (NÁUT) bord *m*

bordado *nm* broderie *f*

bordar *vt* broder

borde *nm* bord *m*; **al** ~ **de** (fig)
au bord de; **ser** ~ (ESP: fam) ne
pas se prendre pour n'importe
qui; **bordear** *vt* longer

bordillo *nm* (en acera) bord *m*;
(en carretera) accotement *m*

borla *nf* gland *m*; (para polvos)
houppette *f*

borracho, -a *adj* (persona)
soûl(e), saoul(e); (: por costumbre)
ivrogne ♦ *nm/f* (habitualmente)
ivrogne *m/f*; **bizcocho** ~ baba *m*
au rhum

borrador *nm* (de escrito, carta)
brouillon *m*; (goma) gomme *f*

borrar *vt* gommer; (de lista)
barrer; ~**se** *vpr* (de club,
asociación) quitter

borrasca *nf* tempête *f*

borrico, -a *nm/f* âne (ânesse) *f*;
(fig) bourrique *f*

borrón *nm* tache *f* d'encre

borroso, -a *adj* flou(e); (escritura)
indécis(e)

bosque *nm* bois *msg*, forêt *f*
bosquejo *nm* ébauche *f*, esquisse *f*
bostezar *vi* bâiller; **bostezo** *nm* bâillement *m*
bota *nf* botte *f*; (*de vino*) gourde *f*; **~s de agua o goma** bottes *fpl* en caoutchouc
botánica *nf* botanique *f*
botánico, -a *adj* botanique ♦ *nm/f* botaniste *m/f*
botar *vt* (*balón*) faire rebondir; (*NÁUT*) lancer, mettre à la mer; (*fam*) mettre à la porte; (*esp AM: fam*) jeter, balancer ♦ *vi* (*persona*) bondir; (*balón*) rebondir
bote *nm* bond *m*; (*tarro*) pot *m*; (*lata*) boîte *f* de conserve; (*embarcación*) canot *m*; **de ~ en ~** plein à craquer; **dar un ~** laisser un pourboire; **~ de la basura** (*AM*) poubelle *f*; **~ salvavidas** canot de sauvetage
botella *nf* bouteille *f*; **~ de oxígeno** bouteille d'oxygène
botellín *nm* petite bouteille *f*
botica *nf* pharmacie *f*
boticario, -a *nm/f* pharmacien(ne)
botijo *nm* cruche *f*
botín *nm* (*calzado*) bottine *f*; (*MIL, de atraco, robo*) butin *m*
botiquín *nm* armoire *f* à pharmacie; (*portátil*) trousse *f* à pharmacie; (*enfermería*) infirmerie *f*
botón *nm* bouton *m*; **~ de arranque** (*AUTO*) démarreur *m*; **~ de oro** bouton *m* d'or
botones *nm inv* groom *m*
bóveda *nf* (*ARQ*) voûte *f*; **~ celeste** voûte céleste
boxeador, -a *nm/f* boxeur *m*
boxear *vi* boxer
boxeo *nm* boxe *f*
boya *nf* (*NÁUT*) bouée *f*; (*en red*) flotteur *m*

boyante *adj* (*negocio*) prospère
bozal *nm* (*de perro*) muselière *f*
bracear *vi* agiter les bras; (*nadar*) nager la brasse
bracero, -a *nm/f* journalier(-ière)
bragas *nfpl* culotte *f*
braguета *nf* braguette *f*
braille *nm* braille *m*
bramar *vi* (*toro, viento, mar*) mugir; (*venado*) bramer; (*elefante*) barrir; **bramido** *nm* (*de toro, viento, lluvia*) mugissement *m*; (*del venado*) bramement *m*; (*del elefante*) barrissement *m*; (*de persona*) hurlement *m*
brasa *nf* braise *f*; **a la ~** (*carne, pescado*) braisé(e)
brasero *nm* (*para los pies*) brasero *m*
Brasil *nm* Brésil *m*
brasileño, -a *adj* brésilien(ne) ♦ *nm/f* Brésilien(ne)
braveza *nf* férocité *f*; (*valor*) bravoure *f*
bravío, -a *adj* féroce
bravo, -a *adj* (*soldado*) vaillant(e); (*animal: feroz*) féroce; (: *salvaje*) sauvage; (*toro*) de combat; (*mar*) déchaîné(e); (*terreno*) accidenté(e); (*AM: fam*) en colère ♦ *excl* bravo!;
bravura *nf* (*de persona*) bravoure *f*; (*de animal*) férocité *f*
braza *nf*: **nadar a (la) ~** nager la brasse
brazada *nf* brasse *f*; (*de hierba, leña*) brassée *f*
brazalete *nm* bracelet *m*; (*banda*) brassard *m*
brazo *nm* bras *msg*; **ir del ~** se donner le bras; **tener/llevar en ~s a algn** tenir/prendre qn dans ses bras
brea *nf* brai *m*
brebaje *nm* breuvage *m*

brecha nf brèche f; (en la cabeza) blessure f; **hacer** o **abrir** ~ **en** faire impression sur

breva nf figue f fraîche

breve adj (pausa, encuentro, discurso) bref (brève); **en** ~ d'ici peu; (en pocas palabras) en bref;

brevedad nf brièveté f

brezal, brezo nm bruyère f

bribón, -ona nm/f fripouille f; (pillo) coquin(e)

bricolaje nm bricolage m

brida nf bride f; **a toda** ~ à bride abattue

bridge nm (NAIPES) bridge m

brigada nf brigade f ♦ nm (MIL) brigadier m

brillante adj brillant(e) ♦ (joya) brillant m

brillar vi briller

brillo nm éclat m; **dar** o **sacar** ~ **a** faire reluire

brincar vi (persona, animal) bondir

brinco nm (salto) bond m; **dar** o **pegar un** ~ faire un bond

brindar vi: ~ **a** o **por** porter un toast à ♦ vt (oportunidad, amistad) offrir; ~**se** vpr: ~**se a hacer algo** s'offrir pour faire qch

brindis nm (al beber, frase) toast m; (TAUR) hommage m

brío nm (tb: ~**s**) énergie f, brio m; **con** ~ avec brio

brisa nf brise f

británico, -a adj britannique ♦ nm/f Britannique m/f

brizna nf brin m; (paja) fétu m

broca nf (TEC) foret m

brocal nm margelle f

brocha nf (de pintar) brosse f; (de afeitar) blaireau m

broche nm (en vestido) agrafe f; (joya) broche f

broma nf plaisanterie f; **de** o **en** ~ pour rire; **gastar una** ~ a **algn** faire une blague à qn; ~ **pesada** plaisanterie f de mauvais goût; **bromear** vi plaisanter

bromista adj, nm/f farceur(-euse)

bronca nf dispute f; **buscar** ~ chercher querelle

bronce nm bronze m

bronceado, -a adj bronzé(e) ♦ nm bronzage m

bronceador, a adj solaire ♦ nm produit m solaire

broncearse vpr se faire bronzer

bronco, -a adj (modales) bourru(e); (voz) rauque

bronquio nm bronche f

bronquitis nf inv bronchite f

brotar vi (BOT) pousser; (aguas, lágrimas) jaillir

brote nm (BOT) pousse f; (MED) accès m; (de insurrección, huelga) vague f

bruces: de ~ adv sur le ventre, à plat ventre; **darse de** ~ **con algn** tomber nez à nez avec qn

brujería nf sorcellerie f

brujo, -a nm/f sorcier(ière) ♦ nf (pey) sorcière f

brújula nf boussole f

bruma nf brume f

brumoso, -a adj brumeux(-euse)

bruñir vt polir

brusco, -a adj brusque

Bruselas n Bruxelles

brutal adj brutal(e); (fam: tremendo) énorme

brutalidad nf brutalité f

bruto, -a adj (persona) brutal(e); (estúpido) imbécile; (metal, piedra, peso) brut(e) ♦ nm brute f; **en** ~ brut(e)

Bs.As. abr = Buenos Aires

bucal adj buccal(e); **por vía** ~ par voie orale

bucear vi plonger; ~ **en**

(*documentos, pasado*) fouiller dans;
buceo *nm* plongée *f*, plongeon *m*

bucle *nm* boucle *f*

buen *adj ver* **bueno**

buenamente *adv* tout bonnement; (*de buena gana*) volontiers

buenaventura *nf* chance *f*; (*adivinación*) bonne aventure *f*

PALABRA CLAVE

---

bueno, -a *adj* (*antes de nmsg*: **buen**) **1** (*excelente etc*) bon(ne); **es un libro bueno** *o* **es un buen libro** c'est un bon livre; **tiene buena voz** il a une belle voix; **hace bueno/buen tiempo** il fait beau/beau temps; **ya está bueno** (*de salud*) il va bien maintenant

2 (*bondadoso*): **es buena persona** c'est quelqu'un de bien; **el bueno de Paco** ce bon Paco; **fue muy bueno conmigo** il a été très gentil avec moi

3 (*apropiado*): **ser bueno para** être bien pour; **creo que vamos por buen camino** je crois que nous sommes sur la bonne voie

4 (*grande*): **un buen trozo** un bon bout; **le di un buen rapapolvo** je lui ai passé un savon

5 (*irónico*): **¡buen conductor estás hecho!** comme tu conduis bien!; **¡estaría bueno que ...!** il ne manquerait plus que ...!

6 (*sabroso*): **está bueno este bizcocho** ce gâteau est très bon

7 (*atractivo; fam*): **Carmen está muy buena** Carmen est vachement mignonne

8 (*saludos*): **¡buenos días!**
bonjour!; **¡buenas tardes!** bonjour!; (*más tarde*) bonsoir!; **¡buenas noches!** bonne nuit!; **¡buenas!** salut!

9 (*otras locuciones*): **un buen día** un beau jour; **estar de buenas** être de bonne humeur; **por las buenas** *o* **por las malas** de gré ou de force; **de buenas a primeras** tout d'un coup

♦ *excl* bon!; **bueno, ¿y qué?** bon, et alors?

Buenos Aires *n* Buenos Aires

buey *nm* bœuf *m*

búfalo *nm* buffle *m*

bufanda *nf* cache-nez *m inv*

bufar *vi* (*caballo*) souffler; (*gato*) cracher

bufete *nm* étude *f*, cabinet *m*

buffer *nm* (INFORM) mémoire *f*, tampon *m*

buhardilla *nf* mansarde *f*

búho *nm* hibou *m inv*

buhonero *nm* colporteur *m*

buitre *nm* vautour *m*

bujía *nf* (*vela*, ELEC, AUTO) bougie *f*

bula *nf* bulle *f*

bulbo *nm* (BOT) bulbe *m*

bulevar *nm* boulevard *m*

Bulgaria *nf* Bulgarie *f*

búlgaro, -a *adj* bulgare ♦ *nm/f* Bulgare *m/f*

bulla *nf* raffut *m*; (*follón*) pagaille *f*

bullicio *nm* brouhaha *m*; (*movimiento*) bousculade *f*

bullir *vi* (*líquido*) bouillonner; ~ **(de)** (*muchedumbre*, *público*) bouillir (de)

bulto *nm* paquet *m*; (*en superficie*, MED) grosseur *f*; (*silueta*) masse *f*; **hacer ~** prendre de la place

buñuelo *nm* beignet *m*

BUP (ESP) *sigla m* (ESCOL) (= Bachillerato Unificado y Polivalente) troisième, seconde, première

buque nm navire m; **~ de guerra** navire de guerre

burbuja nf bulle f; **burbujear** vi pétiller

burdel nm bordel m

burdo, -a adj grossier(-ière)

burgués, -esa adj bourgeois(e) ♦ nm/f bourgeois(e); **burguesía** nf bourgeoisie f

burla nf moquerie f; (broma) blague f; **hacer ~ a algn/de algo** se moquer de qn/de qch; **hacer ~ a algn** faire la nique à qn

burladero nm (TAUR) palissade f

burlar vt (persona) tromper; (vigilancia) déjouer; **~se** vpr: **~se (de)** se moquer (de)

burlón, -ona adj moqueur(-euse)

burocracia nf bureaucratie f

burócrata nm/f bureaucrate m

burrada (fam) nf: **decir/hacer/ soltar ~s** dire/faire/lâcher des âneries; **una ~** (mucho) une flopée

burro, -a nm/f âne (ânesse) m; (fig: ignorante) âne m; (: bruto) abruti m ♦ adj crétin(e); **~ de carga** (fig) bourreau m de travail

bursátil adj boursier(-ière)

bus nm bus msg

busca nf: **en ~ de** à la recherche de ♦ nm (TELEC) bip(-bip) m

buscar vt chercher ♦ vi chercher; **se busca secretaria** on demande une secrétaire

busque etc vb ver **buscar**

búsqueda nf recherche f

busto nm (ANAT, ARTE) buste m

butaca nf fauteuil m; **~ de patio** fauteuil d'orchestre

butano nm butane m; **bombona de ~** bouteille f de butane

buzo nm/f (persona)

plongeur(-euse), homme m grenouille

buzón nm boîte f aux lettres

C, c

C. abr (= centígrado) C (= Celsius)

C/ abr = **calle**

c. abr (= capítulo) chap. (= chapitre)

c.a. abr = corriente alterna

cabal adj (honrado) bien

cábala nf cabale f; **~s** nfpl (suposiciones): **hacer ~s** faire des suppositions

cabalgar vt monter ♦ vi chevaucher

cabalgata nf défilé m; **la ~ de los Reyes Magos** le défilé des Rois mages

caballa nf maquereau m

caballeresco, -a adj chevaleresque

caballería nf monture f; (MIL) cavalerie f

caballeriza nf écurie f

caballero nm gentleman m; (de la orden de caballería) chevalier m; (en trato directo) monsieur m; **de ~** d'homme, pour homme

caballerosidad nf courtoisie f

caballete nm (de pintor) chevalet m; (de pizarra) support m; (de mesa) tréteau m

caballitos nmpl chevaux mpl de bois

caballo nm cheval m; (AJEDREZ, NAIPES) cavalier m; **a ~** à cheval; **~ de carreras** cheval de course; **~ de vapor** cheval-vapeur m

cabaña nf cabane f

cabaré, cabaret (pl **~s**) nm cabaret m

cabecear vi (caballo) encenser;

(*dormitar*) piquer du nez
cabecera nf (*de mesa, tribunal*)
bout m; (*de cama*) tête f; (*en libro*)
frontispice m; (*periódico*)
manchette f, gros titre m;
médico de ~ médecin m traitant
cabecilla nm chef m de file,
meneur(-euse)
cabellera nf chevelure f
cabello nm cheveu m; **~ de
ángel** cheveux mpl d'ange
caber vi tenir, rentrer; **caben 3
más** on peut encore en mettre 3;
no cabe duda cela ne fait pas de
doute
cabestrillo nm: **en ~** en écharpe
cabeza nf tête f; **~ abajo/
arriba** tête en bas/en haut; **a la
~ de** (*de pelotón*) en tête de; (*de
empresa*) à la tête de; **tirarse de
~** plonger; **tocamos a 3 por ~**
ça fait 3 par tête; **se me va la ~**
je perds la tête; **~ atómica/
nuclear** tête atomique/ogive f
nucléaire; **~ de ajo** tête d'ail; **~
de familia** chef de famille; **~ de
ganado** tête de bétail; **~ de
partido** chef-lieu m
d'arrondissement; **cabezada** nf
coup m de tête; **dar cabezadas**
piquer du nez; **echar una
cabezada** faire un somme
cabezón, -ona adj qui a une
grosse tête; (*vino*) capiteux(-euse);
(*terco*) entêté(e)
cabida nf capacité f; (*depósito*)
contenance f
cabildo nm (POL) conseil m
municipal
cabina nf cabine f; **~ de
mandos** cabine de pilotage; **~
telefónica** cabine téléphonique
cabizbajo, -a adj tête basse inv
cable nm câble m; (*de
electrodoméstico*) fil m

cabo nm bout m; (MIL) caporal m;
(*de policía*) brigadier m; (GEO) cap
m; **al ~ de 3 días** au bout de 3
jours; **al fin y al ~** en fin de
compte; **llevar a ~** mener à bien
cabra nf chèvre f; **~ montés**
chèvre sauvage
cabré etc vb ver **caber**
cabrear (fam) vt énerver; **~se**
(fam) vpr s'emporter
cabrío, -a adj: **macho ~** bouc
m; ver **ganado**
cabriola nf cabriole f
cabritilla nf: **de ~** en chevreau
cabrito nm chevreau m
cabrón (fam!) nm salaud m (fam!)
caca (fam) nf caca m
cacahuete (ESP) nm cacahuète f
cacao nm cacao m, chocolat m;
(BOT) cacayer m; (th: **crema de
~**) beurre m de cacao
cacarear vt s'enorgueillir de ♦ vi
caqueter
cacería nf partie f de chasse
cacerola nf casserole f, marmite f
cachalote nm cachalot m
cacharro nm ustensile m; (*trasto*)
machin m, truc m
cachear vt fouiller
cachemir nm, **cachemira** nf
cachemire m; **de ~** en cachemire
cachete nm claque f
cachiporra nf massue f
cachivache nm truc m, machin
m
cacho nm morceau m; (AM) corne
f
cachondeo (fam) nm rigolade f
cachondo, -a (fam) adj
marrant(e), rigolo(te)
cachorro, -a nm/f chiot m; (*de
león*) lionceau m; (*de lobo*)
louveteau m
cacique nm (POL) personnage m
influent; **caciquismo** nm

caciquismo *m*
caco *nm* filou *m*
cacto *nm*, **cactus** *nm inv* cactus *m inv*
cada *adj inv* chaque; (*antes de número*) tous les; ~ **día** tous les jours; ~ **dos días** tous les deux jours; ~ **cual/uno** chacun; ~ **vez más/menos** de plus en plus/de moins en moins; ~ **vez que** chaque fois que
cadalso *nm* échafaud *m*
cadáver *nm* cadavre *m*
cadena *nf* chaîne *f*; ~**s** *nfpl* (AUTO) chaînes *fpl*; ~ **de montaje** chaîne de montage; ~ **montañosa** chaîne de montagnes; ~ **perpetua** (JUR) emprisonnement *m* à perpétuité
cadera *nf* hanche *f*
cadete *nm* cadet *m*
caducar *vi* expirer
caduco, -a *adj* dépassé(e); **de hoja caduca** à feuilles caduques
caer *vi* tomber; ~**se** *vpr* tomber; **dejar** ~ laisser tomber; **¡no caigo!** je ne vois pas; **¡ya caigo!** j'y suis!; **me cae bien/mal** (*persona*) je le trouve sympathique/antipathique; **su cumpleaños cae en viernes** son anniversaire tombe un vendredi; **se me cayó el libro** j'ai fait tomber le livre
café (*pl* ~**s**) *nm* café *m*; ~ **con leche** café crème, café au lait; ~ **solo** *o* **negro** café (noir)
cafetera *nf* cafetière *f*
cafetería *nf* cafétéria *f*
cagar (*fam!*) *vi* chier (*fam!*); ~**se** *vpr* se dégonfler
caída *nf* chute *f*; (*declive*) pente *f*; (*de tela*) tombée *f*; (*de precios, moneda*) baisse *f*
caído, -a *adj* tombant(e)

caiga *etc vb ver* caer
caimán *nm* caïman *m*
caja *nf* boîte *f*, caisse *f*; ~ **de ahorros** caisse d'épargne; ~ **de cambios** boîte de vitesses; ~ **de caudales** coffre *m* fort; ~ **de fusibles** boîte à fusibles; ~ **fuerte** coffre fort
cajero, -a *nm/f* caissier(-ière) ♦ *nm* ~ **automático** distributeur *m* automatique
cajetilla *nf* paquet *m*
cajón *nm* caisse *f*; (*de mueble*) tiroir *m*
cal *nf* chaux *f sg*; ~ **viva** chaux vive
cala *nf* crique *f*
calabacín *nm*, **calabacita** *nf* (AM) courgette *f*
calabaza *nf* courge *f*, citrouille *f*
calabozo *nm* taule *f*; (*celda*) cachot *m*
calada *nf* bouffée *f*
calado, -a *adj* ajouré(e); (*de barco*) tirant *m* d'eau; (*de las aguas*) profondeur *f*; **estoy ~ (hasta los huesos)** je suis trempé(e) (jusqu'aux os)
calamar *nm* calmar *m*
calambre *nm* crampe *f*; **dar** ~ envoyer une décharge
calamidad *nf* calamité *f*
calar *vt* transpercer; (AUTO) caler; ~**se** *vpr* (*motor*) caler; (*mojarse*) se tremper; (*gafas*) chausser; (*sombrero*) enfoncer
calavera *nf* tête *f* de mort
calcar *vt* décalquer
calcetín *nm* chaussette *f*
calcinar *vt* calciner
calcio *nm* calcium *m*
calcomanía *nf* décalcomanie *f*
calculador, a *adj* calculateur(-trice)
calculadora *nf* calculatrice *f*

calcular vt calculer; **calculo que ...** je pense que ...; **cálculo** nm calcul m; **según mis cálculos** d'après mes calculs

caldear vt chauffer; (ánimos) réchauffer

caldera nf chaudière f

calderilla nf ferraille f

caldero nm chaudron m

caldo nm bouillon m; (vino) cru m

calefacción nf chauffage m; **~ central** chauffage central

calendario nm calendrier m

calentador nm calorifère m

calentamiento nm échauffement m; **~ global** réchauffement m imatique

calentar vt faire chauffer; (habitación) réchauffer; (motor) faire tourner; (pegar) flanquer une calotte à ♦ vi chauffer; **~se** vpr se chauffer, se réchauffer; (motor) chauffer; (discusión, ánimos) s'échauffer

calentura nf fièvre f; (de boca) bouton m de fièvre

calibrar vt (consecuencias) évaluer; (importancia) jauger; **calibre** nm calibre m; (fig) calibre, envergure f

calidad nf qualité f; **de ~ de** qualité; **en ~ de** en qualité de

cálido, -a adj chaleureux(-euse); (palabras, aplausos) chaleureux(-euse)

caliente vb ver **calentar** ♦ adj chaud(e); **estar/ponerse ~** (fam) être excité(e)/s'exciter

calificación nf qualification f; (en examen) note f

calificar vt noter; **~ como/de** traiter de

calima, calina nf (neblina) brume f de chaleur; (calor) chaleur f caniculaire

cáliz nm calice m

caliza nf pierre f à chaux

callado, -a adj: **estar ~** être silencieux(-euse); **ser ~** être peu bavard(e)

callar vt (persona, oposición) faire taire ♦ vi se taire; **~se** vpr se taire; **¡cállate!** tais-toi!

calle nf rue f; (DEPORTE) couloir m; **la ~** (en conjunto) la rue; **~ peatonal** rue piétonne

calleja nf = **callejuela**; **callejear** vi flâner

callejero, -a adj ambulant(e); (verbena) en plein air; (riña) de rue ♦ nm plan m; **callejón** nm passage m, couloir m; **callejón sin salida** impasse f, voie f sans issue; (fig) impasse f; **callejuela** nf ruelle f, venelle f

callista nm/f pédicure m/f

callo nm (en pies) cor m; (en manos) durillon m; **~s** nmpl (CULIN) tripes fpl

calma nf calme m; **hacer algo con ~** faire qch calmement

calmante nm calmant m, tranquillisant m

calmar vt calmer ♦ vi (tempestad, viento) se calmer

calor nm chaleur f; **entrar en ~** se réchauffer; **tener ~** avoir chaud

caloría nf calorie f

calumnia nf calomnie f

caluroso, -a adj chaud(e)

calvario nm calvaire m

calvicie nf calvitie f

calvo, -a adj, nm/f chauve m/f

calzada nf chaussée f

calzado, -a adj chaussé(e) ♦ nm chaussure f

calzador nm chausse-pied m

calzar vt chausser; (TEC) caler; **~se** vpr: **~se los zapatos** se chausser; **¿qué (número) calza?** quelle est votre pointure?

calzón nm (AM: de hombre) slip m; (: de mujer) culotte f

calzoncillos nmpl slip msg

cama nf lit; **~ individual/de matrimonio** lit simple/double

camafeo nm camée f

camaleón nm caméléon m

cámara nf chambre f; (CINE, TV) caméra f; (fotográfica) appareil-photo m; (de vídeo) caméscope m ♦ nm/f (CINE, TV) caméraman m; **música de ~** musique f de chambre; **~ de aire** chambre à air; **~ de comercio** chambre de commerce; **~ de gas** chambre à gaz; **~ digital** appareil-photo numérique; **~ frigorífica** chambre froide

camarada nm/f camarade m/f; (de trabajo) collègue m/f

camarera nf (en hotel) femme f de chambre; (AM) hôtesse f de l'air; ver tb **camarero**

camarero, -a nm/f (en restaurante) serveur(-euse); (en bar) garçon m de café (serveuse); **¡camarera, por favor!** mademoiselle, s'il vous plaît!

camarilla nf clique f; (POL) groupe m de pression, lobby m

camarón nm crevette f grise

camarote nm cabine f

cambiante adj variable; (humor) changeant(e)

cambiar vt, vi changer; (fig) échanger; **~se** vpr (de casa) changer; (de ropa) se changer; **~ algo por algo** changer qch pour o contre qch; **~ de coche/de idea/de trabajo** changer de voiture/d'idée/de travail; **~(se) de sitio** changer de place

cambio nm changement m; (de dinero, impresiones) échange m; (COM: tipo de cambio) change m;

(dinero menudo) monnaie f; **a ~ de** en échange de; **en ~** (por otro lado) en revanche, par contre; (en lugar de eso) à la place; **~ de divisas** change de devises; **~ de marchas** o **de velocidades** changement de vitesses

camelar (fam) vt baratiner

camello nm chameau m; (fam) dealer m

camerino nm loge f

camilla nf civière f, brancard m; (mesa) guéridon m

caminante nm/f marcheur(-euse)

caminar vi marcher, cheminer ♦ vt faire à pied

caminata nf trotte f (fam)

camino nm chemin m; **a medio ~** à mi-chemin; **en el ~** en chemin, chemin faisant; **~ de** vers; **ir por buen/mal ~** (fig) être sur la bonne/mauvaise voie; **~ particular** voie f privée

---

Camino de Santiago

Le chemin de saint Jacques est un pèlerinage célèbre depuis le Moyen-Âge. Il a pour point de départ les Pyrénées et se termine à Saint-Jacques-de-Compostelle, au nord-ouest de l'Espagne, où serait enterré l'apôtre saint Jacques. De nos jours, ce pèlerinage attire toujours un grand nombre de croyants et de touristes.

---

camión nm camion m, poids msg lourd; **estar como un ~** (fam: mujer) être bien roulée; **~ cisterna** camion citerne; **~ de la basura** camion des éboueurs; **~ de mudanzas** camion de déménagement

camionero nm camionneur m,

routier m
camioneta nf camionnette f
camisa nf chemise f; **~ de
fuerza** camisole f de force
camiseta nf tee-shirt m; (ropa
interior) maillot m de corps; (de
deportista) maillot
camisón nm chemise f de nuit
camorra nf: **armar ~** faire un
scandale; **buscar ~** chercher
querelle
campamento nm colonie f de
vacances; (MIL) camp m
campana nf cloche f; (CSUR)
campagne f; **~ de cristal** cloche
de verre; **campanario** nm
clocher m
campanilla nf clochette f; (BOT)
campanule f
campaña nf campagne f; **~
electoral/publicitaria**
campagne électorale/publicitaire
campechano, -a adj sans façon;
es muy ~ il est très nature
campeón, -ona nm/f
champion(ne); **campeonato** nm
championnat m
campesino, -a adj champêtre;
(gente) de la campagne ♦ nm/f
paysan(ne)
campestre adj champêtre
camping (pl **~s**) nm camping m;
ir de o **hacer ~** aller en
camping, faire du camping
campo nm campagne f; (AGR, ELEC,
FÍS) champ m; (INFORM) champ,
zone f; (MIL, de fútbol, rugby)
terrain m; **a ~ traviesa** o **través** à travers champs; **~ de
batalla** champ de bataille; **~ de
concentración** camp m de
concentration; **~ de deportes/
de golf** terrain de sports/de golf;
~ visual champ visuel
camposanto nm cimetière m

camuflaje nm camouflage m
cana nf cheveu m blanc; ver tb
cano
Canadá nm Canada m;
canadiense adj canadien(ne) ♦
nm/f Canadien(ne)
canal nm canal m; (de televisión)
chaîne f; (de tejado) chéneau m,
gouttière f; **C~ de Panamá**
canal de Panama; **canalizar** vt
canaliser
canalla nf canaille f
canalón nm tuyau m de
descente; (del tejado) chéneau m;
canalones nmpl (CULIN)
cannelloni mpl
canapé (pl **~s**) nm canapé m
Canarias nfpl: **las (Islas) ~** les
(îles) Canaries fpl
canario, -a adj des (îles) Canaries
♦ nm/f natif(-ive) o habitant(e) des
(îles) Canaries ♦ nm (ZOOL) canari
m, serin m; **amarillo ~** jaune
canari inv, jaune serin inv
canasta nf corbeille f; (en
baloncesto) panier m; (NAIPES)
canasta f; **canastilla** nf trousse f
à couture; (de niño) layette f
canasto nm corbeille f
cancela nf portillon m
cancelación nf (ver vt)
annulation f; résiliation f;
suppression f; acquittement m
cancelar vt (visita, vuelo) annuler;
(contrato) résilier; (permiso)
supprimer; (deuda) s'acquitter de
cáncer nm cancer m; **C~** (ASTROL)
Cancer; **ser C~** être (du) Cancer
cancha nf terrain m; (de tenis)
court m; **¡~!** excl (CSUR) dégagez!,
faites place!
canciller nm chancelier m; (AM)
ministre m des Affaires étrangères
canción nf chanson f; **~ de
cuna** berceuse f

candado nm cadenas msg

candente adj chauffé(e) au rouge; (tema, problema) brûlant(e)

candidato, -a nm/f candidat(e); (para puesto) candidat(e), postulant(e)

candidez nf candeur f; (falta de malicia) innocence f

cándido, -a adj candide, innocent(e)

candil nm lampe f à huile

candor nm candeur f

canela nf cannelle f

cangrejo nm crabe m; (de río) écrevisse f

canguro nm kangourou m; **hacer de ~** garder des enfants

caníbal adj, nm/f cannibale m/f

canica nf bille f

canijo, -a adj chétif(-ive)

canino, -a adj canin(e) ♦ nm canine f

canjear vt: **~ (por)** échanger (pour)

cano, -a adj (pelo, cabeza) blanc (blanche)

canoa nf canoë m

canon nm canon m; (COM) taxe f, impôt m

canónigo nm chanoine m

canonizar vt canoniser

canoso, -a adj grisonnant(e), aux cheveux blancs; (pelo) grisonnant(e)

cansado, -a adj fatigué(e); (viaje, trabajo) fatigant(e)

cansancio nm fatigue f

cansar vt fatiguer; (aburrir) ennuyer; (hartar) lasser; **~se** vpr: **~se (de hacer)** se lasser (de faire)

cantábrico, -a adj cantabrique; **Mar C~** golfe m de Gascogne

cántabro, -a adj de la province de Santander ♦ nm/f natif(-ive) o

habitant(e) de la province de Santander

cantante nm/f chanteur(-euse)

cantar vt chanter ♦ vi chanter ♦ nm chanson f; **estaba cantado** c'était à prévoir

cántara nf bidon m

cántaro nm cruche f

cante nm: **~ jondo** chant m flamenco

cantera nf (lugar) carrière f

cantidad nf quantité f; **gran ~ de** une grande quantité de, bon nombre de

cantimplora nf gourde f

cantina nf cantine f; (de estación) buffet m; (esp AM: taberna) café m

canto nm chant m; (de mesa, moneda) bord m; (de libro) tranche f; (de cuchillo) dos msg; **faltó el ~ de un duro** il s'en est fallu d'un cheveu; **de ~** de côté, sur le côté; **~ rodado** galet m

canturrear vi chantonner

canuto nm petit tube m; (fam: droga) joint m

caña nf (BOT) tige f; (: especie) roseau m; (de cerveza) demi m; (AM) alcool m de canne à sucre; **dar o meter ~** (fam: a un coche) appuyer sur le champignon; (: a algn) secouer; **~ de azúcar/de pescar** canne f à sucre/à pêche

cañada nf vallon m

cáñamo nm chanvre m

cañería nf tuyauterie f

caño nm (de fuente) jet m

cañón nm canon m; (GEO) canyon m

caoba nf acajou m

caos nm chaos msg

C.A.P. sigla m (= Certificado de Aptitud Pedagógica) certificat d'aptitude à l'enseignement

cap. abr (= capítulo) chap. (=

chapitre)

capa nf (prenda) cape f; (CULIN, GEO) couche f; (de polvo) pellicule f; **~ de ozono** couche d'ozono

capacidad nf contenance f, capacité f; **este teatro tiene una ~ de mil espectadores** ce théâtre peut contenir mille spectateurs; **tener ~ para los idiomas/las matemáticas** être doué(e) pour les langues/les mathématiques; **tener ~ de adaptación/de trabajo** avoir une capacité d'adaptation/de travail

capacitar vt: **~ a algn para** préparer qn à

capar vt castrer

caparazón nm (de ave) carcasse f; (de tortuga) carapace f

capataz nm contremaître m

capaz adj capable; **ser ~ de (hacer)** être capable de (faire); **es ~ que venga mañana** (AM) il viendra probablement demain

capcioso, -a adj: **pregunta capciosa** question f captieuse

capellán nm aumônier m; (sacerdote) chapelain m

caperuza nf capuche f; (de bolígrafo) capuchon m

capicúa adj inv palindrome

capilla nf chapelle f

capital adj capital(e) ♦ nm capital m ♦ nf capitale f; **~ autorizado** o **social** capital social

capitalismo nm capitalisme m; **capitalista** adj, nm/f capitaliste m/f

capitán nm capitaine m

capitanear vt commander; (equipo) être le capitaine de; (pandilla, expedición) être à la tête de

capitulación nf capitulation f

capitular vi capituler

capítulo nm chapitre m

capó nm capot m

capón nm (golpe) tape f sur la tête

capota nf (de coche) capote f

capote nm (de militar) capote f; (de torero) cape f

capricho nm caprice m

caprichoso, -a adj capricieux(-euse)

Capricornio nm (ASTROL) Capricorne m; **ser ~** être (du) Capricorne

cápsula nf capsule f; **~ espacial** capsule spatiale

captar vt (indirecta, sentido) saisir; (RADIO) capter; (atención, apoyo) attirer

captura nf capture f; **capturar** vt capturer

capucha nf, **capuchón** nm capuche f

capullo nm (ZOOL) cocon m; (BOT) bouton m; **~ de rosa** bouton de rose

caqui adj inv kaki inv ♦ nm (fruta) kaki m

cara nf visage m, face f; (expresión) mine f; (de disco, papel) face; (fam: descaro) culot m, toupet m ♦ adv: **(de) ~ a** vis à vis de, face à; **de ~ a** de face; **decir algo a ~** ~ dire qch en face; **mirar a ~ ~** regarder bien en face; **dar la ~** ne pas se dérober; **echar algo en ~ a algn** reprocher qch à qn; **¿~ o cruz?** pile ou face?; **poner/tener ~ de** prendre/avoir un air de; **¡qué ~ más dura!** quel culot!, en voilà du toupet!; **tener buena/mala ~** avoir bonne/mauvaise mine; (herida, asunto, guiso) avoir bon/mauvais aspect; **tener mucha ~**

avoir un culot monstre; **de una ~** (*disquete*) d'une seule face

carabina *nf* carabine *f*; (*persona*) chaperon *m*

Caracas *n* Caracas

caracol *nm* escargot *m*; (*concha*) coquille *f* d'escargot; (*esp AM*) coquillage *m*

carácter (*pl* **caracteres**) *nm* caractère *m*; **tener buen/mal ~** avoir bon/mauvais caractère

característica *nf* caractéristique *f*

característico, -a *adj* caractéristique

caracterizar *vt* caractériser; (*TEATRO*) bien interpréter; **~se** *vpr* (*TEATRO*) se mettre en costume; **~se por** se caractériser par

caradura *nm/f*: **es un ~** c'est un malotru

carajillo *nm* café *m* mêlé de cognac

carajo (*fam!*) *nm*: **¡~!** merde! (*fam!*)

caramba *excl* dis donc!, mince alors!

carámbano *nm* glaçon *m*

caramelo *nm* bonbon *m*; (*azúcar fundido*) caramel *m*

caravana *nf* caravane *f*; (*de vehículos, gente*) file *f*; (*AUTO*) bouchon *m*

carbón *nm* charbon *m*; **papel ~** carbone *m*; **carboncillo** *nm* fusain *m*; **carbonilla** *nf* poussière *f* de charbon

carbonizar *vt* carboniser; **quedar carbonizado** être réduit en cendres

carbono *nm* carbone *m*

carburador *nm* carburateur *m*

carburante *nm* carburant *m*

carcajada *nf* éclat *m* de rire; **reír(se) a ~s** éclater de rire

cárcel *nf* prison *f*, maison *f* d'arrêt

carcelero, -a *nm/f* gardien(ne) de prison

carcoma *nf* termite *m*

carcomer *vt* manger, ronger; (*salud, confianza*) miner; **~se** *vpr*: **~se de** être rongé(e) par

cardar *vt* carder

cardenal *nm* cardinal *m*; (*MED*) bleu *m*

cardiaco, -a, cardíaco, -a *adj* cardiaque

cardinal *adj* (*GRAMÁTICA*) cardinal(e); **puntos ~es** points *mpl* cardinaux

cardo *nm* (*comestible*) cardon *m*; (*espinoso*) chardon *m*

carecer *vi*: **~ de** manquer de

carencia *nf* manque *m*; (*escasez*) carence *f*

carente *adj*: **~ de** dépourvu(e) de

carestía *nf* (*COM*) cherté *f*; (*escasez*) pénurie *f*; **época de ~** période *f* de pénurie

careta *nf* masque *m*; **~ antigás** masque à gaz

carga *nf* charge *f*; (*de barco, camión*) chargement *m*, cargaison *f*; (*de bolígrafo, pluma*) cartouche *f*, recharge *f*; **de ~** (*animal*) de charge; **buque de ~** cargo *m*; **~ explosiva** charge explosive

cargado, -a *adj* chargé(e); (*café, té*) serré(e), fort(e); (*ambiente*) raréfié(e), vicié(e)

cargamento *nm* chargement *m*, cargaison *f*

cargar *vt* charger; (*COM*) débiter ♦ *vi* charger; **~se** *vpr* (*fam: estropear*) bousiller; (*: matar*) liquider; (*: ley, proyecto*) supprimer; (*: suspender*) recaler, coller; (*ELEC*) se charger; **~**

(contra) charger (contre); **~ con** porter; *(responsabilidad)* assumer; **los indecisos me cargan** les gens indécis me portent sur les nerfs; **~ a** o **en la espalda** prendre sur son dos; **~se de** *(de dinero)* se munir de; *(de paquetes)* se charger de; *(de obligaciones)* assumer

cargo nm (COM etc) débit m; *(puesto)* charge f; **~s** nmpl (JUR) accusations fpl; **estar a(l) ~ de** être à (la) charge de; **hacerse ~ de** *(de deudas, poder)* assumer; *(darse cuenta de)* se rendre compte de

carguero nm cargo m; *(avión)* avion-cargo m

Caribe nm: **el ~** les Caraïbes fpl

caribeño, -a adj des Caraïbes

caricatura nf caricature f

caricia nf caresse f

caridad nf charité f; **obras de ~** œuvres fpl de charité; **vivir de la ~** vivre de la charité

caries nf inv carie f

cariño nm affection f; **sí, ~** oui, chéri; **sentir ~ por/tener ~ a** ressentir/avoir de l'affection pour

cariñoso, -a adj affectueux(-euse); **"saludos ~s"** "affectueusement"

carisma nm charisme m

caritativo, -a adj charitable

cariz nm *(de los acontecimientos)* tournure f

carmesí adj cramoisi(e) ♦ nm cramoisi m

carmín nm carmin m; **~ (de labios)** rouge m (à lèvres)

carnal adj charnel(le); **primo ~** cousin m germain

carnaval nm carnaval m

carne nf chair f; (CULIN) viande f; **~s** nfpl *(fam)* graisse fsg; **en ~ viva** à vif; **~ de cerdo/de cordero** viande de porc/ d'agneau; **~ de gallina** chair de poule; **~ de membrillo** gelée f de coing; **~ de ternera/de vaca** viande de veau/de bœuf; **~ picada** viande hachée

carné nm = **carnet**

carnero nm veau m

carnet *(pl ~s)* nm: **~ de conducir** permis msg de conduire; **~ de identidad** carte f d'identité; **~ de socio** carte de membre

carnicería nf boucherie f

carnicero, -a adj carnassier(-ière); *(pájaro, ave)* de proie ♦ nm/f boucher(-ère)

carnívoro, -a adj carnivore

carnoso, -a adj charnu(e)

caro, -a adj cher (chère) ♦ adv cher

carpa nf carpe f; *(de circo)* chapiteau m; (AM) tente f

carpeta nf dossier m, chemise f; **~ (de anillas)** classeur m

carpintería nf menuiserie f; **carpintero** nm menuisier m

carraspear vi (toser) se racler la gorge, s'éclaircir la gorge

carrera nf course f; (UNIV) études fpl; (profesión) carrière f; **tienes una ~ en las medias** tes bas sont filés; **aquí se recogen las ~ a las medias** ici on reprise les bas; **darse** o **echar** o **pegar una ~** filer à toute allure o à toutes jambes; **de ~s** de course; **en una ~** d'une traite; **~ de armamentos/de obstáculos** course aux armements/d'obstacles

carreta nf charrette f

carrete nm pellicule f; (TEC) bobine f

carretera nf route f; **~ de circunvalación** boulevard m périphérique; **~ nacional/ secundaria** route nationale/ secondaire

carretilla nf brouette f

carril nm chemin m; (de autopista) file f, voie f; (FERRO) voie f; **~-bici** piste f cyclable

carrillo nm joue f

carrito nm chariot m, caddie m

carro nm chariot m; (con dos ruedas) charrette f; (AM) voiture f; **¡para el ~!** arrête là!, c'est bon, ça suffit!; **~ blindado/de combate** char m d'assaut/de combat

carrocería nf carrosserie f

carroña nf charogne f

carroza nf carrosse m; (en desfile) char m

carta nf lettre f; (NAIPES) carte f; (JUR) charte f; **a la ~** à la carte; **dar ~ blanca a algn** donner carte blanche à qn; **echar una ~ (al correo)** mettre une lettre (à la poste); **~ certificada** lettre

recommandée; **~ de ajuste** (TV) mire f; **~ marítima** carte marine

cartabón nm équerre f

cartel nm affiche f; (COM) cartel m, trust m; **en ~** à l'affiche; **cartelera** nf rubrique f, **lleva mucho/poco tiempo en cartelera** il est à l'affiche depuis longtemps/peu

cartera nf (tb: **~ de bolsillo**) portefeuille m; (de cobrador) serviette f; (de colegial) cartable m; (AM) sac à main m; **ocupa la ~ de Agricultura** il occupe le portefeuille de l'Agriculture; ver tb **cartero**

carterista nm/f pickpocket m, voleur(-euse) à la tire

cartero, -a nm/f facteur(-trice) m/f

cartilla nf livret m scolaire; **~ de ahorros** livret de caisse d'épargne

cartón nm carton m; (de tabaco) cartouche f; **~ piedra** papier m mâché

cartucho nm cartouche f; (cucurucho) cornet m

cartulina nf bristol m

casa nf maison f; **sentirse como en su ~** se sentir comme chez soi; **~ de campo** maison de campagne; **~ de fieras** ménagerie f; **~ de huéspedes** pension f de famille; **~ de socorro** dispensaire f

casado, -a adj, nm/f marié(e)

casamiento nm mariage m

casar vt marier ♦ vi: **~ (con)** aller bien (avec); **~se** vpr: **~se (con)** se marier (avec); **~se por lo civil/por la Iglesia** se marier civilement/religieusement

cascabel nm grelot m

cascada nf cascade f

cascanueces nm inv casse-noisettes *msg*

cascar *vt* casser; (*fam: golpear*)
tabasser ♦ *vi* (*fam*) papoter; **~se**
vpr se casser; (*voz*) s'érailler

cáscara *nf* coquille *f*; (*de fruta*)
pelure *f*; (*de patata*) épluchure *f*;
(*de limón, naranja*) écorce *f*

casco *nm* casque *m*; (NÁUT) coque
f; (ZOOL) sabot *m*; (*pedazo roto*)
tesson *m*; **~s** *nmpl* (*auriculares*)
écouteurs *mpl*; **el ~ antiguo** la
vieille ville; **el ~ urbano** le centre
ville

caserío *nm* hameau *m*; (*casa*)
manoir *m*

casero, -a *adj* (*cocina*) maison;
(*remedio*) de bonne femme;
(*trabajos*) domestique ♦ *nm/f*
propriétaire *m/f*; **"comida
casera"** "cuisine maison"; **pan
~** pain *o* de ménage; **ser muy ~**
être très casanier(-ière)

caseta *nf* baraque *f*; (*de perro*)
niche *f*; (*de bañista*) cabine *f*;
(*de feria*) stand *m*

casete *nm* magnétophone *m* ♦ *nf*
cassette *f*

casi *adv* presque; **~ nunca/nada**
presque jamais/rien; **~ te caes** tu
as manqué (*o*) failli tomber

casilla *nf* casier *m*; (AJEDREZ, *en
crucigrama*) case *f*

casillero *nm* casier *m*

casino *nm* casino *m*

caso *nm* cas *msg*; **en ~ de ...** en
cas de ...; **en ~ de que venga**
au cas où il viendrait; **el ~ es
que** le fait est que; **en ese ~**
dans ce cas; **en todo ~** en tout
cas; **¡eres un ~!** tu es un cas!;
(no) hacer ~ a *o* de algo/algn
(ne pas) faire cas de qch/qn;
hacer *o* venir al ~ venir à
propos

caspa *nf* (*en pelo*) pellicule *f*

cassette = **casete**

casta *nf* race *f*; (*clase social*) caste *f*

castaña *nf* châtaigne *f*, marron
m; (*fam: tb*: **castañazo**) gnon *m*,
marron; (: AUT) gnon

castañetear *vi*: **le
castañetean los dientes** il
claque des dents

castaño, -a *adj* marron *m*; (*pelo*)
brun(e) ♦ *nm* châtaignier *m*,
marronnier *m*; **~ de Indias**
marronnier des Indes

castañuelas *nfpl* castagnettes
fpl

castellano, -a *adj* castillan(e) ♦
nm/f (*persona*) Castillan(e) ♦ *nm*
(LING) castillan *m*

castidad *nf* chasteté *f*

castigar *vt* punir, châtier;
(DEPORTE) pénaliser; **castigo** *nm*
punition *f*; (DEPORTE) pénalisation *f*

Castilla *nf* Castille *f*

castillo *nm* château *m*

castizo, -a *adj* (LING) pur(e);
(*auténtico*) de pure souche

casto, -a *adj* chaste

castor *nm* castor *m*

castrar *vt* châtrer

castrense *adj* militaire

casual *adj* fortuit(e);
casualidad *nf* hasard *m*; **dar la
casualidad (de) que** se trouver
que; **se da la casualidad que
...** il se trouve que ...; **por
casualidad** par hasard; **¡qué
casualidad!** quel hasard!

cataclismo *nm* cataclysme *m*

catalán, -ana *adj* catalan(e) ♦
nm/f Catalan(e) ♦ *nm* (LING)
catalan *m*

catalizador *nm* catalyseur *m*

catalogar *vt* cataloguer; **~ a
algn de** cataloguer qn comme

catálogo *nm* catalogue *m*

Cataluña *nf* Catalogne *f*

catar vt goûter

catarata nf cataracte f

catarro nm rhume m

catástrofe nf catastrophe f

catastrófico, -a adj catastrophique

catear (fam) vt recaler, coller

cátedra nf chaire f

catedral nf cathédrale f

catedrático, -a nm/f professeur m

categoría nf catégorie f; **de ~** de classe; **de segunda ~** de seconde catégorie

categórico, -a adj catégorique

cateto, -a nm/f (pey) rustre m, péquenaud(e) (fam) ♦ nm (GEOM) côté m

catolicismo nm catholicisme m

católico, -a adj, nm/f catholique m/f

catorce adj inv, nm inv quatorze m inv; ver tb **seis**

cauce nm (de río) lit m

caucho nm caoutchouc m; (AM) pneu m; **de ~** en caoutchouc

caución nf caution f

caudal nm débit m; (fortuna) fortune f, capital m

caudaloso, -a adj à fort débit

caudillo nm chef m

causa nf cause f; **a/por ~ de** à/ pour cause de

causar vt causer

cautela nf précaution f, prudence f

cauteloso, -a adj prudent(e)

cautivar vt captiver

cautiverio nm, **cautividad** nf captivité f

cautivo, -a adj, nm/f captif(-ive)

cauto, -a adj prudent(e), avisé(e)

cava nm cava m; équivalent du "champagne" français ♦ nf cave f

cavar vt, vi creuser

caverna nf caverne f

cavidad nf cavité f

cavilar vi: **~ (sobre)** méditer (sur)

cayado nm (de pastor) houlette f; (de obispo) houlette, crosse f

cayendo etc vb ver **caer**

caza nf chasse f ♦ nm (AVIAT) chasseur m; **dar ~ a** faire la chasse à; **ir de ~** aller à la chasse; **~ mayor/menor** gros/menu gibier m

cazador, a adj, nm/f chasseur(-euse)

cazadora nf blouson m

cazar vt (buscar) chasser; (perseguir) pourchasser; (coger) attraper

cazo nm (cacerola) poêlon m; (cucharón) louche f

cazuela nf (vasija) marmite f; (guisado) ragoût m

c/c. abr (COM) (= cuenta corriente) CC (= compte courant)

CE sigla f (= Comunidad Europea) CE f (= Communaüté européenne)

cebada nf orge f

cebar vt (animal) gaver, engraisser; (persona) gaver; (anzuelo) amorcer; **~se** vpr se gaver; **~se en/con** s'acharner sur/à

cebo nm appât m, amorce f; (fig) appât, leurre m

cebolla nf oignon m

cebolleta nf oignon m nouveau; (en vinagre) petit oignon blanc

cebra nf zèbre m; **paso de ~** passage m pour piétons

cecear vi zézayer; **ceceo** nm zézaiement m

ceder vt céder ♦ vi céder; (disminuir) diminuer; **"ceda el paso"** "cédez le passage"

cedro nm cèdre m

cédula *nf* cédule *f*; **~ de identidad** (*AM*) carte *f* d'identité

cegar *vt* aveugler; (*tubería, ventana*) boucher; **~se** *vpr* (fig) s'aveugler

ceguera *nf* cécité *f*

ceja *nf* sourcil *m*

cejar *vi*: **(no) ~ en su empeño/propósito** (ne pas) renoncer à son engagement/ dessein

celador, a *nm/f* (*de hospital*) gardien(ne); (*de cárcel*) gardien(ne) de prison

celda *nf* cellule *f*

celebración *nf* célébration *f*

celebrar *vt* célébrer ♦ *vi* (*REL*) officier; **~se** *vpr* se célébrer; **celebro que sigas bien** je suis ravi(e) que tu ailles bien

célebre *adj* célèbre

celebridad *nf* célébrité *f*

celeste *adj* (*tb*: **azul ~**) bleu ciel *inv*; (*cuerpo, bóveda*) céleste

celestial *adj* céleste

celibato *nm* célibat *m*

célibe *adj, nm/f* célibataire *m/f*

celo *nm* zèle *m*; (® *tb*: **papel ~**) papier *m* collant, scotch *m*; **~s** *nmpl* (*de niño, amante*) jalousie *fsg*; **tener ~s de algn** être jaloux(-ouse) de qn; **estar en ~** être en chaleur

celofán *nm* cellophane *f*

celoso, -a *adj* jaloux(-ouse)

célula *nf* cellule *f*

celulitis *nf* cellulite *f*

celulosa *nf* cellulose *f*

cementerio *nm* cimetière *m*

cemento *nm* (*argamasa*) mortier *m*; (*para construcción*) ciment *m*; (*AM*: *cola*) colle *f*

cena *nf* dîner *m*, souper *m*

cenagal *nm* bourbier *m*

cenar *vt*: **~ algo** manger qch pour le dîner ♦ *vi* souper, dîner

cenicero *nm* cendrier *m*

cenit *nm* zénith *m*; (*de carrera*) sommet *m*, faîte *m*

ceniza *nf* cendre *f*; **~s** *nfpl* (*de persona*) cendres *fpl*

censo *nm* recensement *m*; **~ electoral** recensement électoral

censura *nf* censure *f*

censurar *vt* censurer

centella *nf* étincelle *f*; (*rayo*) foudre *f*; **como una ~** comme la foudre

centellear *vi* étinceler; (*estrella*) scintiller

centenar *nm* centaine *f*

centenario, -a *adj, nm* centenaire *m*

centeno *nm* seigle *m*

centésimo, -a *adj, nm/f* centième *m*

centigrado *adj* centigrade

centímetro *nm* centimètre *m*; **~ cuadrado/cúbico** centimètre carré/cube

céntimo *nm* centime *m*

centinela *nm* sentinelle *f*

centollo *nm* araignée *f* de mer

central *adj* central(e) ♦ *nf* centrale *f*; **~ eléctrica/nuclear** centrale électrique/nucléaire

centralita *nf* standard *m*

centralizar *vt* centraliser

centrar *vt* centrer; (*interés, atención*) attirer; **~se** *vpr* s'adapter

céntrico, -a *adj* central(e)

centrifugar *vt* essorer

centrista *adj* centriste

centro *nm* centre *m*; **~ comercial** centre commercial; **~ de gravedad** centre de gravité; **~ de salud** centre de santé; **~ docente** centre d'enseignement; **~ social** foyer *m* socio-éducatif; **~ turístico** centre touristique

centroamericano, -a adj d'Amérique centrale ♦ nm/f natif(-ive) o habitant(e) d'Amérique centrale

ceñido, -a adj cintré(e)

ceñir vt serrer; **~se** vpr (vestido) coller; **~se a algo/a hacer algo** s'en tenir à qch/à faire qch

ceño nm froncement m; **fruncir el ~** froncer les sourcils

CEOE sigla f (= Confederación Española de Organizaciones Empresariales) ≃ CNPF m (= Conseil national du patronat français)

cepillar vt brosser; (madera) raboter

cepillo nm brosse f; (para madera) rabot m; **~ de dientes** brosse à dents

cera nf cire f; (del oído) cérumen m

cerámica nf céramique f; **de ~** en céramique

cerca nf haie f ♦ adv (en el espacio) près; (en el tiempo) bientôt ♦ prep: **~ de** (cantidad) près de, environ; (distancia) près de; **de ~** o près

cercanía nf proximité f; **~s** nfpl (de ciudad) alentours mpl; **tren de ~s** train m de banlieue

cercano, -a adj proche; (pueblo etc) voisin(e); **~ a** proche de

cercar vt clôturer; (manifestantes) encercler; (MIL) assiéger

cerciorarse vpr: **~ (de)** s'assurer (de)

cerco nm cercle m; (AM) clôture f; (MIL) siège m

Cerdeña nf Sardaigne f

cerdo, -a nm/f cochon (truie); (fam: persona sucia) cochon(ne)

cereal nm céréale f; **~es** nmpl (CULIN) céréales fpl

cerebral adj cérébral(e)

cerebro nm cerveau m

ceremonia nf cérémonie f; **ceremonial** adj (traje) de cérémonie; (danza) cérémoniel(le) ♦ nm cérémonial m

ceremonioso, -a adj cérémonieux(-euse)

cereza nf cerise f

cerilla nf, **cerillo** (AM) nm allumette f

cernerse vpr: **~ sobre** (tempestad) menacer; (desgracia) planer sur

cero nm zéro m; **8 grados bajo ~** 8 degrés au dessous de zéro; **15 a ~** 15 à zéro

cerrado, -a adj fermé(e); (curva) en épingle à cheveux; (poco sociable) renfermé(e); (bruto) borné(e); (acento) marqué(e), prononcé(e)

cerradura nf serrure f

cerrajero, -a nm/f serrurier m

cerrar vt fermer; (paso, entrada) barrer; (debate, plazo) clore, clôturer; (cuenta) clore, fermer ♦ vi fermer; **~se** vpr se fermer; **~ con llave** fermer à clef; **~ un trato** conclure un marché

cerro nm tertre m

cerrojo nm verrou m

certamen nm concours msg

certero, -a adj adroit(e)

certeza, **certidumbre** nf certitude f; **tener la ~ de que** avoir la certitude que

certificado, -a adj recommandé(e) ♦ nm certificat m; **~ médico** certificat médical

certificar vt certifier; (CORREOS) envoyer en recommandé

cervatillo nm faon m

cervecería nf brasserie f

cerveza nf bière f

cesante adj en disponibilité; (AM) au chômage

cesar vi cesser; (empleado) se démettre de ses fonctions ♦ vt (funcionario, ministro) démettre de ses fonctions; **sin ~** sans cesse

cesárea nf césarienne f

cese nm fin f; (despido) révocation f

césped nm gazon m, pelouse f

cesta nf panier m

cesto nm panier m, corbeille f

cetro nm sceptre m

chabacano, -a adj vulgaire

chabola nf cabane f; **~s** nfpl (zona) bidonville m

chacal nm chacal m

chacha (fam) nf bonne f

cháchara nf: **estar de ~** parler à bâtons rompus

chacra (AND, CSUR) nf ferme f

chafar vt (pelo) aplatir; (hierba) coucher; (ropa) chiffonner; (fig: planes) bouleverser

chal nm châle m

chalado, -a (fam) adj taré(e); **estar ~ por algn** en pincer pour qn

chalé (pl **~s**) nm villa f; (en la montaña) chalet m

chaleco nm gilet m; **~ salvavidas** gilet de sauvetage

chalet (pl **~s**) nm = **chalé**

champán, champaña nm champagne m

champú (pl **~es, ~s**) nm shampooing m

chamuscar vt roussir

chance (AM) nm o f occasion f

chancho, -a (AM) nm/f porc.m

chanchullo (fam) nm magouille f

chándal nm survêtement m

chantaje nm chantage m

chapa nf (de metal, insignia) plaque f; (de madera) planche f;

(de botella) capsule f; (AM) serrure f; **de 3 ~s** (madera) en 3 épaisseurs; **~** (CSUR) plaque d'immatriculation (CSUR) plaque d'immatriculation

chaparrón nm averse f

chapotear vi patauger

chapucero, -a nm/f (pey): **ser (un) ~** bâcler son travail

chapurr(e)ar vt baragouiner

chapuza nf bricole f; (pey) travail m bâclé

chapuzón nm: **darse un ~** faire trempette

chaqueta nf (de lana) gilet m; (de traje) veste f

chaquetón nm veste f

charca nf mare f

charco nm flaque f

charcutería nf charcuterie f

charla nf bavardage m; (conferencia) petit discours msg

charlar vi bavarder

charlatán, -ana adj bavard(e) ♦ nm/f bavard(e); (estafador) charlatan f

charol nm cuir m verni; (AM) plateau m; **de ~** verni(e)

chárter adj inv: **vuelo ~** vol m charter

chascarrillo nm histoire f drôle

chasco nm (desengaño) déception f; **me llevé un ~** ça m'a fait l'effet d'une douche froide

chasis nm inv châssis m sg

chasquear vt faire claquer; **chasquido** nm claquement m; (de madera) craquement m

chatarra nf ferraille f

chato, -a adj (persona) au nez épaté; (nariz) épaté(e)n

chaval, a nm/f gars msg, fille f

Chequia nf Tchéquie f

checo(e)slovaco, -a adj tchécoslovaque ♦ nm/f Tchécoslovaque m/f

Checo(e)slovaquia nf
Tchécoslovaquie f
chepa nf bosse f
cheque nm chèque m; **~ de viaje** chèque de voyage
chequeo nm (MED) bilan m de santé; (AUTO) vérification f
chequera (AM) nf chéquier m
chica ver **chico**
chicano, -a adj chicano ♦ nm/f Chicano m/f
chícharo (MÉX) nm (guisante) petit pois msg
chichón nm bosse f (à la tête)
chicle nm chewing-gum m
chico, -a adj (esp AM) petit(e) ♦ nm/f garçon/fille
chiflado, -a (fam) adj givré(e)
chiflar vi siffler; **le chiflan los helados** il raffole des glaces; **nos chifla montar en moto** on adore faire de la moto
Chile nm Chili m
chile nm piment m fort
chileno, -a adj chilien(ne) ♦ nm/f Chilien(ne)
chillar vi (persona) pousser des cris aigus; (animal) glapir
chillido nm (de persona) cri m aigu; (de animal) glapissement m
chillón, -ona adj (niño) brailleur(-euse); (voz, color) criard(e)
chimenea nf cheminée f
chimpancé (pl **~s**) nm chimpanzé m
China nf: **la ~** la Chine
china nf (CSUR: india) indienne f; (: criada) domestique f
chinche nf/m piment m; **morirse como ~s** tomber comme des mouches
chincheta nf punaise f
chino, -a adj chinois(e) ♦ nm/f Chinois(e) ♦ nm (LING) chinois

msg; (AND, CSUR: indio) indien m; (: criado) domestique m; (MÉX) boucle f
chipirón nm petit calmar m
Chipre nf Chypre f; **chipriota** adj chypriote ♦ nm/f Chypriote m/f
chiquillo, -a (fam) nm/f môme m/f
chirimoya nf (BOT) anone f
chiringuito nm kiosque m
chiripa nf: **por** o **de ~** sur un coup de pot
chirriar vi (goznes) grincer
chirrido nm grincement m
chis excl chut
chisme nm ragot m; (fam) truc m
chismoso, -a adj cancanier(-ère) ♦ nm/f commère f
chispa nf étincelle f; **una ~** (fam) un tout petit peu
chispear vi étinceler; (lloviznar) pleuvoter
chisporrotear vi crépiter
chiste nm histoire f drôle
chistoso, -a adj (situación) comique; (persona) spirituel(le)
chivo, -a nm/f chevreau(-vrette); **~ expiatorio** tête f de turc
chocante adj (sorprendente) choquant(e); (gracioso) drôle
chocar (coches etc) cogner; (MIL, fig) s'affronter; (sorprender) choquer; **~ con** rentrer dans; (fig) s'accrocher avec; **¡chócala!** (fam) tope là!
chochear vi devenir gâteux(-euse)
chocho, -a adj gâteux(-euse); **estar ~ por algn/algo** raffoler de qn/qch
chocolate adj (AM) chocolat inv ♦ nm chocolat m
chocolatina nf chocolat m
chofer, chófer nm chauffeur m

chollo (fam) nm bon plan m

choque vb ver **chocar** ♦ nm choc m; (impacto) impact m; (fig: disputa) heurt m

chorizo nm chorizo m; (fam) voyou m

chorrear vt dégouliner ♦ vi dégouliner; (gotear) goutter; **estar chorreando** être trempé(e)

chorro nm (de líquido) jet m; (fig) flot m; **salir a ~s** couler à flots

choza nf hutte f

chubasco nm bourrasque f

chubasquero nm ciré m

chuchería nf babiole f; (para comer) amuse-gueule m inv

chuleta nf côte f; (ESCOL etc: fam) pompe f

chulo, -a adj (fam: bonito) classe; (MÉX) beau (belle); (pey) effronté(e) ♦ nm effronté m; (matón) frimeur m; (tb: ~ de putas) maquereau m; (AND) vautour m

chupar vt (líquido) aspirer; (caramelo) sucer; (absorber) absorber; **~se** vpr (dedo) sucer; (mano) se lécher

chupete nm sucette f

chupito nm (fam) petit verre m; **un ~ de whisky por favor** un baby s'il vous plaît

churro nm ≈ beignet m

Churros

Les **churros**, ces longs beignets à base de farine et d'eau, sont très appréciés dans toute l'Espagne. On les déguste généralement au petit-déjeuner ou au goûter, en buvant du chocolat chaud épais. À Madrid, il en

---

existe une variété plus grosse appelée "porra".

---

chusma (pey) nf foule f

chutar vi (DEPORTE) shooter

Cía abr (= compañía) Cie

cianuro nm (QUÍM) cyanure m

cibernauta nmf cybernaute mf

cicatriz nf cicatrice f; **cicatrizar** vt, vi cicatriser; **cicatrizarse** vpr se cicatriser

ciclismo nm cyclisme m

ciclista adj, nm/f cycliste m/f

ciclo nm cycle m

ciclomotor nm cyclomoteur m

ciclón nm cyclone m

cicloturismo nm cyclotourisme m

ciego, -a vb ver **cegar** ♦ adj aveugle ♦ nm/f aveugle m/f; **a ciegas** à l'aveuglette

cielo nm ciel m; (ARQ: tb: ~ raso) faux-plafond m; **¡~s!** Mon Dieu!, juste ciel!

ciempiés nm inv mille-pattes m inv

cien adj inv, nm inv cent m

ciénaga nf marécage m

ciencia nf science f; **ciencia-ficción** nf science-fiction f

cieno nm vase f

científico, -a adj, nm/f scientifique m/f

ciento adj, nm cent m; **el diez por ~** dix pour cent

cierre vb ver **cerrar** ♦ nm fermeture f; (pulsera) fermoir m; **~ de cremallera** fermeture éclair ®; **~ relámpago** (AND, CSUR) fermeture éclair ®

cierto, -a adj certain(e); **~ hombre/día** un certain homme/jour; **ciertas personas** certaines personnes; **sí, es ~** oui,

c'est certain; **por ~** à propos
ciervo *nm* cerf *m*
cifra *nf* chiffre *m*; **~ global** chiffre
global
cifrar *vt* coder; *(esperanzas,
felicidad)* placer; **~se** *vpr*: **~se en**
s'élever à
cigala *nf* langoustine *f*
cigarra *nf* cigale *f*
cigarrillo *nm* cigarette *f*
cigarro *nm* cigarette *f*; *(puro)*
cigare *m*
cigüeña *nf* cigogne *f*
cilíndrico, -a *adj* cylindrique
cilindro *nm* cylindre *m*
cima *nf* sommet *m*, cime *f*; *(de
árbol)* cime; *(apogeo)* sommet
cimbrearse *vpr* se déhancher;
(ramas, tallos) ployer
cimentar *vt (edificio)* jeter les
fondations de; *(consolidar)*
cimenter; **~se** *vpr*: **~se en** se
fonder sur
cimientos *nmpl* fondations *fpl*
cinc *nm* zinc *m*
cincel *nm* ciseau *m*; **cincelar** *vt*
ciseler
cinco *adj inv, nm inv* cinq *m inv*;
ver tb **seis**
cincuenta *adj inv, nm inv*
cinquante *m inv*; *ver tb* **sesenta**
cine *nm* cinéma *m*
cineasta *nm/f* cinéaste *m/f*
cinematográfico, -a *adj*
cinématographique
cínico, -a *adj, nm/f* cynique *m/f*;
(desvergonzado) effronté(e)
cinismo *nm (ver adj)* cynisme *m*;
effronterie *f*
cinta *nf* ruban *m*, bande *f*; **~
adhesiva/aislante** ruban
adhésif/isolant; **~ de vídeo**
cassette *f* vidéo; **~ métrica** mètre
m à ruban
cintura *nf* taille *f*

cinturón *nm* ceinture *f*; **~ de
seguridad** ceinture de sécurité;
~ industrial zone *f* industrielle
ciprés *nm* cyprès *m*
circo *nm* cirque *m*
circuito *nm* circuit *m*; **TV por ~
cerrado** télévision *f* en circuit
fermé
circulación *nf* circulation *f*
circular *adj, nf* circulaire *f* ♦ *vi*
circuler
círculo *nm* cercle *m*; **~ vicioso**
cercle vicieux
circundar *vt* entourer
circunferencia *nf* circonférence
f
circunscribirse *vpr* se
circonscrire; **~ a (hacer)** se
limiter *o* s'en tenir à (faire)
circunscripción *nf*
circonscription *f*
circunspecto, -a *adj*
circonspect(e)
circunstancia *nf* circonstance *f*
circunvalación *nf ver*
carretera
cirio *nm* cierge *m*
ciruela *nf* prune *f*; **~ claudia**
reine *f* claude; **~ pasa** pruneau *m*
cirugía *nf* chirurgie *f*; **~
estética/plástica** chirurgie
esthétique/plastique
cirujano, -a *nm/f* chirurgien(ne)
cisne *nm* cygne *m*
cisterna *nf* chasse *f* d'eau;
(depósito) citerne *f*
cita *nf* rendez-vous *m inv*;
(referencia) citation *f*
citación *nf* citation *f*
citar *vt* donner rendez-vous à;
(JUR) citer; **~se** *vpr*: **~se (con)**
prendre rendez-vous (avec)
cítrico, -a *adj* citrique ♦ *nm*: **~s**
agrumes *mpl*
ciudad *nf* ville *f*; **~**

universitaria cité f universitaire;
la **C~ Condal** Barcelone; **C~ del
Cabo** le Cap; **~ perdida** (MÉX)
bidonville m; **ciudadanía** nf
citoyenneté f
ciudadano, -a adj, nm/f
citadin(e)
cívico, -a adj civique; (persona)
civil(e)
civil adj civil(e) ♦ nm civil m
civilización nf civilisation f
civilizar vt civiliser
civismo nm civisme m
cizaña nf: **meter/sembrar ~**
mettre/semer la zizanie
cl. abr (= centilitro(s)) cl (=
centilitre(s))
clamar vt clamer ♦ vi crier
clamor nm clameur f
clandestino, -a adj clandestin(e)
clara nf (de huevo) blanc m
claraboya nf lucarne f
clarear vi (el día) se lever; (el
cielo) s'éclaircir
clarete nm rosé m
claridad nf clarté f
clarificar vt éclaircir
clarinete nm clarinette f
clarividencia nf clairvoyance f
claro, -a adj clair(e) ♦ nm
éclaircie f ♦ adv clairement ♦ excl
bien sûr!; **estar ~** être clair(e); **~
que sí/no** bien sûr que oui/non
clase nf genre m, classe f;
(lección) cours msg; **dar ~(s)**
(profesor) faire cours, donner des
cours; **tener ~** avoir la classe;
~ alta/media/obrera/social
classe dominante/moyenne/
ouvrière/sociale; **~s
particulares** cours particuliers
clásico, -a adj classique
clasificación nf classement m;
(de cartas, líneas) tri m
clasificar vt classer; (cartas) trier

~se vpr se qualifier
claudicar vi céder
claustro nm cloître m; (UNIV,
ESCOL) conseil m; (: junta)
assemblée f, réunion f
cláusula nf clause f; **~ de
exclusión** clause d'exclusion
clausura nf clôture f; **de ~** (REL)
claustral; (: monja) cloîtré(e);
clausurar vt clore; (local) fermer
clavar vt enfoncer; (clavo) clouer;
(alfiler) épingler; (mirada) fixer;
(fam: cobrar caro) arnaquer; **~se**
vpr s'enfoncer
clave nf clef f ♦ adj inv clé; **en ~**
(mensaje) codé(e)
clavel nm œillet m
clavícula nf clavicule f
clavija nf cheville f; (ELEC) fiche f
clavo nm clou m; (BOT, CULIN) clou
de girofle; **dar en el ~** mettre
dans le mille, faire mouche
claxon (pl **~s**) nm klaxon m
clemencia nf clémence f
cleptómano, -a nm/f
cleptomane m/f
clérigo nm ecclésiastique m
clero nm clergé m
cliché nm cliché m
cliente, -a nm/f client(e)
clientela nf clientèle f
clima nm climat m
climatizado, -a adj climatisé(e)
clímax nm inv apogée m, point m
culminant; (sexual) orgasme m
clínica nf clinique f
clínico, -a adj clinique
clip (pl **~s**) nm trombone m
clítoris nm inv clitoris m
cloaca nf égout m
cloro nm chlore m
club (pl **~s** o **~es**) nm club m
cm. abr (= centímetro(s)) cm m (=
centimètre(s))
C.N.T. sigla f (ESP: Confederación

Nacional de Trabajo) syndicat; (AM: Confederación Nacional de Trabajadores) syndicat

coacción nf contrainte f

coaccionar vt contraindre

coagular vt coaguler; **~se** vpr se coaguler; **coágulo** nm caillot m

coalición nf coalition f

coartada nf alibi m

coba nf: **dar ~ a algn** passer de la pommade à qn

cobarde adj lâche ♦ nm/f lâche m/f, peureux(-euse); **cobardía** nf lâcheté f

cobaya nm o f cobaye m

cobertizo nm hangar m, remise f; (de animal) abri m

cobertura nf couverture f; **~ de dividendo** rapport m dividendes-résultat

cobija (AM) nf couverture f

cobijar vt héberger, loger; **~se (de)** se protéger (de); **~ (de)** protéger (de); **cobijo** nm abri m

cobra nf cobra m

cobrador, a nm/f receveur(-euse)

cobrar vt (cheque) toucher, encaisser; (sueldo) toucher; (precio) faire payer; (deuda, alquiler, gas) encaisser ♦ vi toucher son salaire; **cóbrese** payez-vous; **a** ~ à encaisser; **cantidades por ~** sommes fpl dues

cobre nm cuivre m; **~s** nmpl (MÚS) cuivres mpl; **sin un ~** (AM: fam) sans un sou

cobro nm (de cheque) encaissement m; (pago) paiement m; **presentar al ~** encaisser

cocaína nf cocaïne f

cocción nf cuisson f

cocear vi ruer

cocer vt (faire) cuire ♦ vi cuire; (agua) bouillir; **~se** vpr cuire

coche nm voiture f; (para niños) poussette f; **~ de bomberos** voiture des pompiers; **~ de carreras** voiture de course

coche-cama (pl **~s-~**) nm wagon m lit

cochera nf garage m; (de autobuses) dépôt m

cochino, -a adj dégoûtant(e) ♦ nm/f cochon (truie); (persona) cochon(ne)

cocido, -a adj (patatas) bouilli(e); (huevos) dur(e) ♦ nm pot-au-feu m inv

cocina nf cuisine f; (aparato) cuisinière f; **~ eléctrica/de gas** cuisinière électrique/à gaz; **~ francesa** cuisine française; **cocinar** vt, vi cuisiner

cocinero, -a nm/f cuisinier(-ière)

coco nm noix fsg de coco

cocodrilo nm crocodile m

cocotero nm cocotier m

cóctel nm cocktail m; **~ molotov** cocktail Molotov

codazo nm: **dar un ~ a algn** donner un coup de coude à qn

codicia nf convoitise f; **codiciar** vt convoiter

codicioso, -a adj avide; (expresión) de convoitise

código nm code m; **~ civil/postal** code civil/postal; **~ de (la) circulación** code de la route

codillo nm (TEC) coude m

codo nm coude m

codorniz nf caille f

coerción nf coercition f.

coetáneo, -a nm/f contemporain(e)

coexistir vi: **~ (con)** coexister (avec)

cofradía nf confrérie f

cofre nm coffre m; (de joyas)

coffret m

coger vt prendre; (objeto caído)
ramasser; (pelota) attraper; (frutas)
cueillir; (sentido, indirecta)
comprendre, saisir; (tomar
prestado) emprunter; (AM: fam!)
baiser (fam!); **~se** vpr se prendre;
~ cariño a algn prendre qn en
affection; **~ celos de algn** être
jaloux(-ouse) de qn; **~ manía a
algn** prendre qn en grippe; **~se
a** s'accrocher à, s'agripper à; **iban
cogidos de la mano** ils se
tenaient par la main

cogollo nm cœur m

cogote nm nuque f

cohecho nm subornation f

coherente adj cohérent(e)

cohesión nf cohésion f

cohete nm fusée f, pétard m; (tb:
~ espacial) fusée

cohibido, -a adj: **estar/
sentirse ~** être/se sentir gêné(e);
(tímido) être/se sentir intimidé(e)

cohibir vt intimider; (reprimir)
réprimer; **~se** vpr se retenir

coincidencia nf coïncidence f

coincidir vi (en lugar) se
rencontrer; **coincidimos en
ideas** nous partageons les mêmes
idées; **~ con** coïncider avec

coito nm coït m

cojear vi boiter; (mueble) être
bancal(e)

cojera nf claudication f

cojín nm coussin m; (cojinete)
palier m

cojo, -a vb ver **coger** ♦ adj
boiteux(-euse); (mueble) bancal(e)
♦ nm/f (persona) boiteux(-euse)

cojón (fam!) nm couille f (fam!);
¡cojones! putain! (fam!)

cojonudo, -a (ESP: fam!) adj
super

col nf chou m; **~es de Bruselas**

choux mpl de Bruxelles

cola nf queue f; (para pegar) colle
f; **hacer ~** faire la queue

colaborador, a nm/f
collaborateur(-trice)

colaborar vi: **~ con** collaborer
avec

colada nf: **hacer la ~** faire la
lessive

colador nm (de té) passoire f;
(para verduras) écumoire f

colapso nm collapsus msg; (de
circulación) embouteillage m; (en
producción) effondrement m

colar vt filtrer ♦ vi (mentira)
prendre, passer; **~se** vpr (en cola)
se glisser, se faufiler; (viento, lluvia)
s'engouffrer; **~se en** (concierto,
cine) se faufiler dans

colcha nf couvre-lit m

colchón nm matelas m; **~
inflable/neumático** matelas
gonflable/pneumatique

colchoneta nf tapis msg

colección nf collection f;

coleccionar vt collectionner;

coleccionista nm/f
collectionneur(-euse)

colecta nf collecte f

colectivo, -a adj collectif(-ive) ♦
nm collectif m; (AM) autobus msg;
(: taxi) taxi m

colega nm/f collègue m/f; (POL)
homologue m; (amigo) copain
(copine)

colegial, a adj, nm/f
collégien(ne)

colegio nm collège m; (de
abogados, médicos) ordre m; **ir al
~** aller à l'école o au collège; **~
electoral** collège électoral; **~
mayor** résidence f universitaire

colegir vt déduire

cólera nf colère f ♦ nm choléra m

colérico, -a adj colérique;

(*persona*) coléreux(-euse)
colesterol *nm* cholestérol *m*
coleta *nf* queue *f*, couette *f*
colgante *adj* pendant(e),
suspendu(e) ♦ *nm* pendentif *m*
colgar *vt* accrocher; (*teléfono*)
raccrocher; (*ropa*) étendre;
(*ahorcar*) pendre ♦ *vi* raccrocher;
~ **de** pendre à, être suspendu(e) à
cólico *nm* colique *f*
coliflor *nf* chou-fleur *m*
colilla *nf* mégot *m*
colina *nf* colline *f*
colirio *nm* collyre *m*
colisión *nf* collision *f*
collar *nm* collier *m*
colmar *vt* remplir à ras bord
colmena *nf* ruche *f*
colmillo *nm* canine *f*; (*de elefante*)
défense *f*; (*de perro*) croc *m*
colmo *nm*: **ser el ~ de la
locura/frescura/insolencia**
être le comble de la folie/du
toupet/de l'insolence; **para ~ (de
desgracias)** pour comble (de
malheurs)
colocación *nf* (*de piedra*) pose *f*;
(*de persona*) placement *m*;
(*empleo*) emploi *m*, travail *m*;
(*disposición*) emplacement *m*
colocar *vt* (*piedra*) poser; (*cuadro*)
accrocher; (*poner en empleo*)
placer; ~**se** *vpr* se placer;
(*conseguir trabajo*): ~ **se (de)**
trouver du travail (comme)
Colombia *nf* Colombie *f*
colombiano, -a *adj*
colombien(ne) ♦ *nm/f*
Colombien(ne)
colonia *nf* colonie *f*; (*tb*: **agua
de ~**) eau *f* de cologne; (*MÉX*)
quartier *m*; ~ **proletaria** (*MÉX*)
bidonville *m*
colonización *nf* colonisation *f*
colonizador, a *adj, nm/f*

colonisateur(-trice)
colonizar *vt* coloniser
coloquial *adj* familier(-ière),
parlé(e)
coloquio *nm* colloque *m*
color *nm* couleur *f*; **de ~** de
couleur; **de ~ amarillo/azul/
naranja** de couleur jaune/bleue/
orange
colorado, -a *adj* rouge; (*AM*:
chiste) grivois(e)
colorante *nm* colorant *m*
colorar, colorear *vt* colorer
colorete *nm* fard *m*
columna *nf* colonne *f*; ~
vertebral colonne vertébrale
columpiar *vt* balancer; ~**se** *vpr*
se balancer; **columpio** *nm*
balançoire *f*
coma *nf* virgule *f* ♦ *nm* (*MED*)
coma *m*
comadrona *nf* sage-femme *f*
comandancia *nf* (*mando*)
commandement *m*; (*edificio*)
commandement, commanderie *f*
comandante *nm* commandant *m*
comarca *nf* contrée *f*
comba *nf* corde *f*; **saltar a la ~**
sauter à la corde; **no pierde ~** il
n'en perd pas une
combar *vt* courber; ~**se** *vpr* se
courber
combate *nm* combat *m*;
combatiente *nm* combattant *m*
combatir *vt, vi* combattre
combinación *nf* combinaison *f*
combinar *vt* combiner; (*esfuerzos*)
unir
combustible *adj, nm*
combustible *m*
combustión *nf* combustion *f*
comedia *nf* comédie *f*
comediante *nmf* comédien(ne)
comedido, -a *adj* modéré(e)
comedor *nm* salle *f* à manger; (*de*

colegio, hotel) réfectoire *m*

comensal *nm/f* invité(e), convive *m/f*

comentar *vt* commenter

comentario *nm* commentaire *m*; **~s** *nmpl (chismes)* commentaires *mpl*; **dar lugar a ~s** donner lieu à des commentaires, prêter à commentaires

comentarista *nm/f* commentateur(-trice)

comenzar *vt*, *vi* commencer; **~ a/por hacer** commencer à/par faire

comer *vt* manger; *(DAMAS, AJEDREZ)* souffler ♦ *vi* manger; *(almorzar)* manger, déjeuner; **~se** *vr* manger; **está para comérsela** elle est belle à croquer; **~ el coco a algn** *(fam)* bourrer le crâne à qn

comercial *adj* commercial(e)

comercializar *vt* commercialiser

comerciar *vi*: **~ en** faire le commerce de

comercio *nm* commerce *m*; **~ autorizado** commerce autorisé; **~ exterior/interior** commerce extérieur/intérieur

comestible *adj* comestible ♦ *nm*: **~s** aliments *mpl*

cometa *nm* comète *f* ♦ *nf* cerf-volant *m*

cometer *vt* commettre

cometido *nm* rôle *m*; *(deber)* devoir *m*

comezón *nf* démangeaison *f*

cómic *nm* bande *f* dessinée

comicios *nmpl* comices *mpl*

cómico, -a *adj* comique ♦ *nm/f (de TV, cabaret)* comique *m/f*; *(de teatro)* comédien(ne)

comida *nf* nourriture *f*; *(almuerzo)* repas *msg*; *(esp AM)* dîner *m*; **~ basura** malbouffe *f*

comidilla *nf*: **ser la ~ del barrio** être sur toutes les lèvres

comienzo *vb ver* **comenzar** ♦ *nm* commencement *m*

comillas *nfpl* guillemets *mpl*

comilona *(fam)* *nf* gueuleton *m*

comino *nm* cumin *m*; **(no) me importa un ~** je m'en balance

comisaría *nf (tb:* **~ de Policía)** commissariat *m*

comisario *nm* commissaire *m*

comisión *nf* commission *f*; **~ mixta/permanente** commission paritaire/permanente

comisiones bancarias commissions bancaires

Comisiones Obreras *(ESP)* syndicat ouvrier

comité *(pl* **~s)** *nm* comité *m*

comitiva *nf* suite *f*, cortège *m*

como *adv* comme; *(en calidad de)* en ♦ *conj (condición)* si; *(causa)* comme; **lo hace ~ yo** il le fait comme moi; **tan grande ~** aussi grand que; **~ si estuviese ciego** comme s'il était aveugle

cómo *adv* comment ♦ *excl* comment!; **¿~ (ha dicho)?** comment?, vous avez dit?; **¡~ no!** bien sûr!; *(esp AM: ¡claro!)* pardil; **¡~ corre!** comme il cavale!

cómoda *nf* commode *f*

comodidad *nf* confort *m*; *(conveniencia)* avantage *m*; **~es** *nfpl* aises *fpl*

comodín *nm (NAIPES)* joker *m*; *(INFORM)* caractère *m* de remplacement

cómodo, -a *adj* confortable; *(máquina, herramienta)* pratique; **estar/ponerse/sentirse ~** être/se mettre/se sentir à l'aise

compact disc *nm* C.D. *m*

compacto, -a *adj* compact(e)

compadecer *vt* plaindre; **~se**

vpr: **~se de** se plaindre de
compadre *nm* parrain *m;* (*en oración directa*) (mon) vieux
compañero, -a *nm/f* collègue *m/f;* (*en juego*) partenaire *m/f;* (*en estudios*) camarade *m/f*
compañía *nf* compagnie *f;* **en ~ de** en compagnie de; **hacer ~ a algn** tenir compagnie à qn; **~ afiliada** filiale *f;* **~ concesionaria/inversionista** compagnie concessionaire/ actionnaire; **~ (no) cotizable** compagnie (non) cotée en Bourse
comparación *nf* comparaison *f;* **en ~ con** par comparaison à
comparar *vt:* **~ a/con** comparer à/avec
comparecer *vi* comparaître
comparsa *nm/f* (TEATRO, CINE) figurant(e) ♦ *nf* (*de carnaval etc*) mascarade *f*
compartimento, compartimiento *nm* compartiment *m*
compartir *vt* partager
compás *nm* (MÚS) rythme *m;* (*para dibujo*) compas *msg;* **al ~** au même rythme
compasión *nf* compassion *f;* **sin ~** sans pitié
compasivo, -a *adj* compatissant(e)
compatibilidad *nf* compatibilité *f*
compatible *adj:* **~ (con)** compatible (avec)
compatriota *nm/f* compatriote *m/f*
compendiar *vt* résumer; **compendio** *nm* abrégé *m*
compenetrarse *vpr* (*personas*) s'entendre sur tout
compensación *nf* compensation *f,* dédommagement *m*

compensar *vt* (*persona*) compenser; (*contrarrestar: pérdidas*) compenser, contrebalancer ♦ *vi* (*esfuerzos, trabajo*) récompenser
competencia *nf* compétition *f,* concurrence *f;* (JUR, *habilidad*) compétence *f;* **~s** *nfpl* (POL) compétences *fpl;* **la ~** (COM) la compétition o concurrence; **hacer la ~ a** faire concurrence à; **ser de la ~ de algn** être de la compétence de qn
competente *adj* compétent(e)
competición *nf* compétition *f*
competir *vi* concourir; **~ en** (*fig*) rivaliser en; **~ por** rivaliser pour; (DEPORTE) être en compétition pour, concourir pour
compilar *vt* compiler
complacencia *nf* complaisance *f*
complacer *vt* faire plaisir à; **~se** *vpr:* **~se en (hacer)** se complaire à (faire)
complaciente *adj* complaisant(e); **ser ~ con** *o* **para con** montrer de la complaisance envers
complejo, -a *adj* complexe ♦ *nm* (PSICO) complexe *m;* **~ deportivo** cité *f* des sports; **~ industrial** complexe industriel
complemento *nm* complément *m*
completar *vt* compléter
completo, -a *adj* complet(-ète); (*éxito, fracaso*) total(e); **al ~** au complet; **por ~** complètement
complicado, -a *adj* compliqué(e); **estar ~ en** être impliqué(e) dans
complicar *vt* compliquer; **~se** *vpr* se compliquer; **~ a algn en** impliquer qn dans
cómplice *nm/f* complice *m/f*

complot (*pl* ~s) *nm* complot *m*

componer *vt* composer; (*algo roto*) réparer; **~se de** se composer de; **componérselas para hacer algo** s'arranger pour faire qch

comportamiento *nm* comportement *m*

comportar *vt* comporter; **~se** *vpr* se comporter

composición *nf* composition *f*

compositor, a *nm/f* (MÚS) compositeur(-trice)

compostura *nf* tenue *f*, maintien *m*

compra *nf* achat *m*; **hacer/ir a la ~** faire/aller faire les courses; **ir de ~s** faire les magasins; **~ a plazos** achat à crédit

comprador, a *nm/f* acheteur(-euse)

comprar *vt* acheter; **~se** *vpr* s'acheter

comprender *vt* comprendre

comprensión *nf* compréhension *f*

comprensivo, -a *adj* compréhensif(-ive)

compresa *nf* (tb: **~ higiénica**) serviette *f* hygiénique

comprimido, -a *adj* comprimé(e) ♦ *nm* (MED) comprimé *m*, cachet *m*

comprimir *vt* comprimer

comprobante *nm* (COM) reçu *m*, récépissé *m*

comprobar *vt* vérifier

comprometer *vt* compromettre; **~se** *vpr* se compromettre; **~ a algn a hacer** mettre qn dans l'obligation de faire; **~se a hacer** s'engager à faire

compromiso *nm* (*acuerdo*) compromis *msg*; (*situación difícil*) embarras *msg*

compuesto, -a *pp de* **componer** ♦ *adj* composé(e) ♦ *nm* composé *m*; **~ de** composé(e) de

computador *nm*, **computadora** *nf* ordinateur *m*; **~ central** ordinateur central

cómputo *nm* calcul *m*

comulgar *vi* (REL) communier; **~ con** (*con ideas, valores*) partager

común *adj* commun(e); **en ~** en commun

comunicación *nf* communication *f*; **comunicaciones** *nfpl* (*transportes, TELEC*) communications *fpl*

comunicado *nm* communiqué *m*; **~ de prensa** communiqué de presse

comunicar *vt* communiquer ♦ *vi* (*teléfono*) être occupé; **~se** *vpr* communiquer; **~ con** communiquer avec; **está comunicando** (TELEC) c'est occupé

comunidad *nf* communauté *f*; **~ autónoma** (POL) communauté autonome; **~ de vecinos** copropriétaires *mpl*, association *f* de copropriétaires; **C~ (Económica) Europea** Communauté (économique) européenne

comunión *nf* communion *f*

comunismo *nm* communisme *m*; **comunista** *adj*, *nm/f* communiste *m/f*

PALABRA CLAVE

con *prep* **1** (*medio, compañía, modo*) avec; **comer con cuchara** manger avec une cuillère; **café con leche** café au lait; **con habilidad** avec habileté

2 (*actitud, situación*): **piensa con los ojos cerrados** il pense les yeux fermés; **estoy con un catarro** j'ai un rhume

3 (*a pesar de*): **con todo, merece nuestros respetos** malgré tout, il mérite notre respect

4 (*relación, trato*): **es muy bueno (para) con los niños** il sait s'y prendre avec les enfants

5 (+ *infin*): **con llegar tan tarde se quedó sin comer** comme il est arrivé très tard, il n'a pas pu manger; **con estudiar un poco apruebas** en étudiant un peu tu y arriveras

6 (*queja*): **¡con las ganas que tenía de hacerlo!** moi qui avais tellement envie de le faire!

♦ *conj* **1**: **con que**: **será suficiente con que le escribas** il suffit que tu lui écrives

2: **con tal (de) que** du moment que

conato *nm* tentative *f*; (*de incendio*) début *m*

concebir *vt, vi* concevoir

conceder *vt* accorder; (*premio*) décerner

concejal, -a *nm/f* conseiller *m* municipal

concentración *nf* concentration *f*

concentrar *vt* concentrer; (*personas*) rassembler; **~se** *vpr* se concentrer; **~se (en)** se concentrer (sur)

concepción *nf* conception *f*

concepto *nm* (*idea*) concept *m*; **tener buen/mal ~ de algn** avoir bonne/mauvaise opinion de qn

concernir *vi* concerner; **en lo que concierne a** en ce qui concerne

concertar *vt* (*precio*) se mettre d'accord sur; (*entrevista*) fixer; (*tratado, paz*) conclure; (*esfuerzos*) associer; (*MÚS*) accorder ♦ *vi* (*MÚS*) être en harmonie

concesión *nf* (*COM: adjudicación*) concession *f*; **hacer concesiones** faire des concessions; **sin concesiones** sans concessions

concesionario, -a *nm/f* (*COM*) concessionnaire *m/f*

concha *nf* (*de molusco*) coquille *f*; (*de tortuga*) carapace *f*

conciencia *nf* conscience *f*; **hacer algo a ~** faire qch consciencieusement; **tener/tomar ~ de** avoir/prendre conscience de

concienciar *vt* faire prendre conscience à; **~se** *vpr* prendre conscience

concienzudo, -a *adj* consciencieux(-euse)

concierto *nm* (*MÚS: acto*) concert *m*; (*: obra*) concerto *m*; (*convenio*) accord *m*

conciliar *vt* concilier; **~ el sueño** trouver le sommeil

concilio *nm* concile *m*

conciso, -a *adj* concis(e)

concluir *vt* conclure ♦ *vi* (*se*) terminer

conclusión *nf* conclusion *f*

concluyente *adj* concluant(e)

concordia *nf* concorde *f*

concretar *vt* concrétiser; **~se** *vpr*: **~se a (hacer)** s'en tenir à (faire)

concreto, -a *adj* concret(-ète); (*determinado*) précis(e) ♦ *nm* (*AM: hormigón*) béton *m*; **en ~** en somme; *(específicamente)* en particulier; **un día** ~ un jour précis

concurrencia *nf* assistance *f*

concurrente, -a *adj* fréquenté(e)

concurrir *vi (sucesos)* coïncider; *(factores)* concourir; *(ríos)* confluer; *(avenidas)* converger

concursante *nm/f* concurrent(e)

concurso *nm* concours *m*

conde *nm* comte *m*

condecoración *nf* décoration *f*

condecorar *vt* décorer

condena *nf* condamnation *f*

condenar *vt* condamner; **~se** *vpr (JUR)* se reconnaître coupable; *(REL)* se damner; **~ (a)** condamner (à)

condensar *vt* condenser; **~se** *vpr* se condenser

condesa *nf* comtesse *f*

condición *nf* condition *f*; *(modo de ser)* caractère *m*; *(estado)* état *m*; **condiciones** *nfpl* capacités *fpl*, aptitudes *fpl*; **a ~ de que ...** à condition que ...; **condicional** *adj* conditionnel(le); *ver* **libertad**

condicionar *vt* conditionner; **estar condicionado a** dépendre de

condimento *nm* condiment *m*

condolerse *vpr* compatir

condón *nm* préservatif *m*

conducir *vt* conduire; *(suj: camino, escalera, negocio)* conduire, mener ♦ *vi* conduire; **~se** *vpr* se conduire; **esto no conduce a nada/ninguna parte** cela ne mène à rien/nulle part

conducta *nf* conduite *f*

conducto *nm* conduit *m*; **por ~ oficial** par voie officielle

conductor, a *adj (FÍS, ELEC)* conducteur(-trice) ♦ *nm* conducteur *m* ♦ *nm/f*

conducteur(-trice)

conduje *etc vb ver* **conducir**

conduzca *etc vb ver* **conducir**

conectar *vt* relier; *(tubos)* raccorder; *(enchufar)* connecter, brancher ♦ *vi:* **~ (con)** *(TV, RADIO)* donner l'antenne (à)

conejillo *nm:* **~ de Indias** cochon *m* d'Inde; *(fig)* cobaye *m*

conejo *nm* lapin *m*

conexión *nf* connexion *f*

confección *nf* confection *f*

confeccionar *vt* confectionner

confederación *nf* confédération *f*

conferencia *nf* conférence *f*; *(TELEC)* communication *f* interurbaine; **~ a cobro revertido** *(TELEC)* appel *m* en PCV; **~ de prensa** conférence de presse

conferir *vt* conférer

confesar *vt* confesser, avouer ♦ *vi (REL)* confesser; *(JUR)* avouer; **~se** *vpr* se confesser

confesión *nf* confession *f*, aveu *m*; *(REL)* confession

confesionario *nm (REL)* confessionnal *m*

confeti *nm* confetti *m*

confiado, -a *adj* confiant(e)

confianza *nf* confiance *f*; *(familiaridad)* familiarité *f*; **de ~** *(persona)* de confiance; *(alimento)* de qualité; **tener ~ con algn** être intime avec qn; **tomarse ~ con algn** *(pey)* se permettre des familiarités avec qn

confiar *vt* confier; **~se** *vpr* être confiant(e); **~ en** avoir confiance en; **~ en hacer/que** compter faire/que

confidencia *nf* confidence *f*

confidencial *adj* confidentiel(le); **"~"** *(en sobre)* "confidentiel"

confidente *nm/f* (*amigo*)
confident(e); (*policial*)
informateur(-trice),
indicateur(-trice).

configurar *vt* façonner

confín *nm*: **el ~ del mundo** le
bout du monde

confinar *vt* (*desterrar*) confiner

confirmar *vt* confirmer; **~se** *vpr*
se confirmer; (*REL*) faire sa
confirmation; **la excepción
confirma la regla** l'exception
confirme la règle

confiscar *vt* confisquer

confitería (*tienda*) confiserie *f*;
(*CSUR: café*) café *m*

confitura *nf* confiture *f*

conflictivo, -a *adj* conflictuel(le);
(*época*) de conflit

conflicto *nm* conflit *m*; (*fig:
problema*) problème *m*

confluir *vi* (*ríos, personas*)
confluer; (*carreteras*) se rejoindre

conformar *vt* (*carácter, paisaje*)
façonner; **~se** *vpr*: **~se con** se
contenter de; (*resignarse*) se
résigner à; **~se con hacer** se
contenter de faire

conforme *adj* conforme; (*de
acuerdo*) d'accord; (*satisfecho*)
content(e), satisfait(e) ♦ *conj* (*tal
como*) tel que, comme; (*a medida
que*) à mesure que ♦ *excl* d'accord
♦ *prep*: **~a** conformément à; **~
con** content(e) *o* satisfait(e) de

conformidad *nf* conformité *f*;
(*aprobación*) accord *m*,
approbation *f*; **conformista** *adj,
nm/f* conformiste *m/f*

confortable *adj* confortable

confortar *vt* réconforter

confrontar *vt* confronter; **~se**
vpr s'affronter; **~se con** affronter

confundir *vt* confondre; (*persona:
embrollar*) embrouiller; (: *descon-*

certar) confondre; **~se** *vpr*
(*equivocarse*) se tromper; (*hacerse
borroso*) se confondre; (*mezclarse*)
se confondre; **~ algo/algn con**
confondre qch/qn avec

confusión *nf* confusion *f*

confuso, -a *adj* confus(e)

congelado, -a *adj* (*carne,
pescado*) congelé(e); **~s** *nmpl*
(*CULIN*) surgelés *mpl*;
congelador *nm* congélateur *m*

congelar *vt* congeler; (*COM, FIN*)
geler; **~se** *vpr* se congeler;
(*sangre, grasa*) se figer

congeniar *vi*: **~ (con)**
s'entendre (avec)

congestión *nf* (*de tráfico*)
encombrement *m*; (*MED*)
congestion *f*

congestionar *vt* congestionner;
~se *vpr* se congestionner

congoja *nf* chagrin *m*

congraciarse *vpr*: **~ con**
s'attirer les bonnes grâces de

congratular *vt* féliciter; **~se** *vpr*:
~se de *o* **por** se féliciter de

congregación *nf* congrégation *f*

congregar *vt* réunir, rassembler;
~se *vpr* se réunir, se rassembler

congreso *nm* congrès *m*

conjetura *nf* conjecture *f*; **sólo
podemos hacer ~s** nous
sommes réduits aux conjectures

conjugar *vt* conjuguer

conjunción *nf* (*LING*) conjonction
f

conjunto, -a *adj* commun(e) ♦
nm ensemble *m*; (*de
circunstancias*) concours *msg*; (*de
música pop*) groupe *m*; **de ~**
(*visión, actuación*) d'ensemble; **en ~**
dans l'ensemble

conjurar *vt, vi* conjurer; **~se** *vpr*
se conjurer

conmemoración *nf*

commémoration f

conmemorar vt commémorer

conmigo pron avec moi

conmoción nf commotion f; (en sociedad, costumbres) bouleversement m; ~ **cerebral** (MED) commotion cérébrale

conmovedor, a adj émouvant(e)

conmover vt émouvoir; (suj: terremoto, estrépito) ébranler; ~**se** vpr s'émouvoir

conmutador nm (AM: TELEC) central m téléphonique

cono nm (GEOM) cône m; **C~ Sur** (GEO) Chili, Argentine, Uruguay

conocedor, a adj, nm/f connaisseur(-euse)

conocer vt connaître; (reconocer) reconnaître; ~**se** vpr se connaître; **se conoce que ...** il semble o paraît que ...

conocido, -a adj connu(e) ♦ nm/f (persona) connaissance f

conocimiento nm connaissance f; ~**s** nmpl (saber) connaissances fpl; **poner en ~ de algn** faire savoir à qn; **tener ~ de** avoir connaissance de

conozca etc vb ver **conocer**

conque conj ainsi donc, alors

conquista nf conquête f

conquistador, a adj, nm/f conquérant(e) ♦ nm (de América) conquistador m; (seductor) séducteur m

conquistar vt conquérir; (puesto) obtenir; (simpatía, fama) conquérir; (enamorar) conquérir, faire la conquête de

consagrar vt consacrer

consciente adj conscient(e); **estar** ~ être conscient(e); **ser** ~ **de** être conscient(e) de

consecuencia nf conséquence f; **a** ~ **de** par suite de; **en** ~ en

conséquence

consecuente adj: ~ (**con**) conséquent(e) (avec)

consecutivo, -a adj consécutif(-ive)

conseguir vt obtenir; (sus fines) parvenir à; ~ **hacer** arriver à faire

consejero, -a nm (persona) conseiller(-ère); (POL) ministre dans une communauté autonome

consejo nm conseil m; ~ **de administración** (COM) conseil d'administration; ~ **de guerra/ de ministros** conseil de guerre/ des ministres

consenso nm consensus m

consentimiento nm consentement m

consentir vt consentir; (mimar) gâter ♦ vi: ~ **en hacer** consentir à faire; ~ **a algn hacer algo/ que algn haga algo** permettre à qn de faire qch/que qn fasse qch

conserje nm concierge m

conserva nf conserve f; ~**s** nfpl conserves fpl; **en** ~ en conserve

conservación nf (de paisaje, naturaleza) conservation f; (de especie) protection f

conservador, a adj, nm/f conservateur(-trice)

conservante nm conservateur m

conservar vt (gen) conserver; (costumbre, figura) garder; ~**se** vpr: ~**se bien** (comida etc) bien se conserver; ~**se joven** être bien conservé

conservatorio nm (MÚS) conservatoire m

considerable adj (importante) important(e); (grande) considérable

consideración nf considération f

considerado, -a adj (atento)

attentionné(e); *(respetado)*
respecté(e)
considerar *vt* considérer
consigna *nf* consigne *f*
consigo *vb ver* **conseguir** ♦
pron (m) avec lui; *(f)* avec elle;
(usted(es)) avec vous; **~ mismo**
avec soi-même
consiguiendo *etc vb ver*
conseguir
consiguiente *adj*: **el ~ susto/**
nerviosismo la peur/nervosité
qui en résulte; **por ~** par
conséquent
consistente *adj* consistant(e);
(material, pared, teoría) solide; **~**
en qui consiste en
consistir *vi*: **~ en** consister en
consolación *nf ver* **premio**
consolar *vt* consoler; **~se** *vpr*:
~se (con) se consoler (avec)
consolidar *vt* consolider
consomé *(pl ~s) nm* (CULIN)
consommé *m*
consonante *nf* consonne *f*
consorcio *nm* (COM) consortium
m
conspiración *nf* conspiration *f*
conspirador, a *nm/f*
conspirateur(-trice)
conspirar *vi* conspirer
constancia *nf* constance *f*;
dejar ~ de algo faire état de
qch
constante *adj* constant(e) ♦ *nf*
(MAT, *fig*) constante *f*
constar *vi*: **~ (en)** figurer (dans);
~ de se composer de; **me**
consta que ... je suis conscient
que ...; **(que) conste que lo**
hice por ti n'oublie pas que c'est
pour toi que je l'ai fait
constatar *vt* constater
consternación *nf* consternation
f

constipado, -a *adj*: **estar ~**
être enrhumé(e) ♦ *nm* rhume *m*
constitución *nf* constitution *f*;
(de tribunal, equipo etc)
composition *f*; **constitucional**
adj constitutionnel(le)
constituir *vt* constituer
constituyente *adj* constituant(e)
constreñir *vt (limitar)* restreindre
construcción *nf* construction *f*
constructor, a *nm/f*
constructeur(-trice) ♦ *nf*
entrepreneur *m*
construir *vt* construire
construyendo *etc vb ver*
construir
consuelo *vb ver* **consolar** ♦ *nm*
consolation *f*
cónsul *nm* consul *m*;
consulado *nm* consulat *m*
consulta *nf* consultation *f*; (MED:
consultorio) cabinet *m*; **horas de**
~ heures *fpl* de consultation
consultar *vt* consulter; **~ algo**
con algn consulter qn au sujet
de qch
consultorio *nm* (MED) cabinet *m*
consumar *vt* consommer
consumición *nf* consommation
f; **~ mínima** prix *m* minimum de
la consommation
consumidor, a *nm/f*
consommateur(-trice)
consumir *vt* consommer; **~se**
vpr se consumer; *(caldo)* réduire;
~se (de celos/de envidia/de
rabia) se consumer de jalousie/
d'envie/de rage
consumismo *nm* (COM)
surconsommation *f*
consumo *nm* consommation *f*;
bienes/sociedad de ~ biens
mpl/société *f* de consommation
contabilidad *nf* comptabilité *f*;
contable *nm/f* comptable *m/f*

contacto nm contact m; **estar/ponerse en ~ con algn** être/se mettre en contact avec qn

contado, -a adj: **en casos ~s** dans de rares cas ♦ nm: **al ~** au comptant; **pagar al ~** payer comptant

contador, a nm/f (AM: contable) comptable m/f ♦ nm (aparato) compteur m

contagiar vt (enfermedad) passer; (persona) contaminer

contagio nm contagion f

contagioso, -a adj contagieux(-euse)

contaminación nf (de alimentos) contamination f; (del agua, ambiente) pollution f

contaminante adj polluant(e) ♦ nm polluant m

contaminar vt polluer

contante adj: **dinero ~** argent m comptant; **dinero ~ y sonante** espèces fpl sonnantes et trébuchantes

contar vt (dinero etc) compter; (historia etc) conter ♦ vi compter; **~ con** (persona) compter avec; (disponer de: plazo etc) disposer de; (: habitantes) compter

contemplación nf contemplation f; **contemplaciones** nfpl (miramientos) égards mpl

contemplar vt contempler

contemporáneo, -a adj, nm/f contemporain(e)

contendiente adj, nm/f (persona, país) rival(e); (DEPORTE) adversaire m/f

contenedor nm conteneur m

contener vt contenir; (risa, caballo etc) retenir; **~se** vpr se retenir

contenido, -a adj contenu(e) ♦ nm contenu m

contentar vt faire plaisir à; **~se** vpr: **~se (con)** se contenter (de); **~se con hacer** se contenter de faire

contento, -a adj: **~ (con/de)** content(e) (de)

contestación nf réponse f

contestador nm: **~ automático** répondeur m

contestar vt répondre; (JUR) plaider ♦ vi répondre; **~ a una pregunta/a un saludo** répondre à une question/à un salut

contexto nm contexte m

contienda nf dispute f

contigo pron avec toi

contiguo, -a adj: **~ (a)** contigu(ë) (à)

continente nm continent m

contingencia nf (posibilidad) éventualité f; **contingente** adj contingent(e) ♦ nm (MIL, COM) contingent m

continuación nf (de trabajo, estancia, obras) poursuite f; (de novela, película, calle) suite f; **a ~** juste après

continuar vt continuer, poursuivre ♦ vi (permanecer) rester; (mantenerse, prolongarse) continuer; (telenovela etc) reprendre; **~ haciendo** continuer de o à faire; **~ siendo** être toujours

continuo, -a adj continu(e); (llamadas, quejas) continuel(le)

contorno nm (silueta) contours mpl; (en dibujo) contour m; **~s** nmpl (alrededores) environs mpl

contorsión nf contorsion f

contra prep contre ♦ adj (NIC) contra o adv: **en ~ (de)** contre ♦ nm/f contra m/f ♦ nf: **la C~ (nicaragüense)** les Contras mpl

♦ nm ver **pro**

contraataque nm contre-attaque f

contrabajo nm contrebasse f

contrabandista nm/f contrebandier(-ière)

contrabando nm contrebande f; **llevar/pasar algo de ~** passer qch en contrebande

contracción nf contraction f

contracorriente: a ~ adv à contre-courant

contradecir vt contredire; **~se** vpr se contredire; **esto se contradice con ...** ceci est en contradiction avec ...

contradicción nf contradiction f; **en ~ con** en contradiction avec

contradictorio, -a adj contradictoire

contraer vt contracter; **~se** vpr se contracter; **~ matrimonio con** épouser

contraluz nm (FOTO) contre-jour m; **a ~** à contrejour

contrapelo: a ~ adv à rebrousse-poil

contrapesar vt contrebalancer; **contrapeso** nm contrepoids msg

contraportada nf page f de garde

contraproducente adj qui n'a pas l'effet escompté

contrariar vt contrarier

contrariedad nf contretemps msg; (disgusto) contrariété f

contrario, -a adj: **~ (a)** opposé(e) (à); (equipo etc) adverse ♦ nm/f adversaire m/f; **al ~** au contraire; **por el ~** tout au contraire; **ser ~ a** être opposé(e) à; (a intereses, opinión) être contraire à; **llevar la contraria** contredire; **de lo ~** sinon

contrarrestar vt compenser

contraseña nf mot m de passe

contrastar vi: **~ (con)** trancher (avec) ♦ vt (comprobar) vérifier

contraste nm contraste m

contratar vt engager, recruter; (servicios) faire appel à

contratiempo nm contretemps msg

contratista nm/f entrepreneur(-euse)

contrato nm contrat m

contravenir vt contrevenir

contraventana nf volet m

contribución nf contribution f

contribuir vi: **~ (a)** contribuer (à); **~ con** participer à raison de

contribuyente nm/f contribuable m/f

contrincante nm concurrent(e)

control nm contrôle m; (dominio: de nervios, impulsos) maîtrise f; (tb: **~ de policía**) contrôle; **llevar el ~** (de situación) maîtriser; (en asunto) diriger; **perder el ~** perdre le contrôle; **~ de (la) natalidad** contrôle des naissances; **~ de pasaportes** contrôle des passeports

controlador, a nm/f: **~ aéreo** contrôleur m aérien

controlar vt contrôler; (nervios, impulsos) maîtriser; **~se** vpr se maîtriser

controversia nf controverse f

contundente adj (prueba) indiscutable; (fig: argumento etc) radical(e)

contusión nf contusion f

convalecencia nf convalescence f

convaleciente adj, nm/f convalescent(e)

convalidar vt valider

convencer vt convaincre; **~se**

vpr: **~se (de)** se persuader (de);
~ a algn de (que haga) algo
convaincre qn de (faire) qch; **~ a
algn para que haga** convaincre
qn de faire; **esto no me
convence (nada)** cela ne me
convainc pas (du tout)
convencimiento *nm* certitude *f*
convención *nf* convention *f*
conveniencia *nf* (*oportunidad*)
opportunité *f*; (*provecho*) intérêt
m; (*utilidad*) avantage *m*; **~s** *nfpl*
(*tb*: **~s sociales**) convenances
fpl
conveniente *adj* opportun(e);
(*útil*) pratique
convenio *nm* accord *m*
convenir *vt* convenir de ♦ *vi*
convenir; **no te conviene salir**
tu ne devrais pas sortir
convento *nm* couvent *m*
convenza *etc vb ver* **convencer**
converger, convergir *vi*
converger
conversación *nf* conversation *f*
conversar *vi* discuter
conversión *nf* transformation *f*
convertir *vt* transformer; (*REL*): **~
a** convertir à
convicción *nf* conviction *f*;
convicciones *nfpl* (*ideas*)
convictions *fpl*
convicto, -a *adj* condamné(e)
convidado, -a *nm/f* convive *m/f*
convidar *vt*: **~ (a)** convier (à); **~
a algn a hacer** inviter qn à faire
convincente *adj* convaincant(e)
convite *nm* (*banquete*) banquet
m; (*invitación*) invitation *f*
convivencia *nf* cohabitation *f*
convivir *vi* cohabiter
convocar *vt* convoquer; **~ (a)**
(*personas*) convoquer (à); (*huelga*)
appeler à
convocatoria *nf* convocation *f*;

(*huelga*) appel *m*
convulsión *nf* (*MED*) convulsion *f*
conyugal *adj* conjugal(e); **vida ~**
vie *f* conjugale; **cónyuge** *nm/f*
conjoint(e)
coñac (*pl* **~s**) *nm* cognac *m*
coño (*fam!*) *nm* con *m* (*fam!*) ♦
excl merde! (*fam!*)
cooperación *nf* coopération *f*
cooperar *vi* coopérer
cooperativa *nf* coopérative *f*
coordinador, a *nm/f*
coordinateur(-trice) ♦ *nf* bureau *m*
de coordination
coordinar *vt* coordonner
copa *nf* (*recipiente*) verre *m* à pied;
(*de champán*, *DEPORTE*) coupe *f*; (*de
árbol*) cime *f*; **~s** *nfpl* (*NAIPES*)
*l'une des quatre couleurs du jeu de
cartes espagnol*; **tomar una ~**
prendre un verre *o* un pot
copia *nf* copie *f*; (*llave*) double *m*;
~ de respaldo *o* **de seguridad**
(*INFORM*) sauvegarde *f*; **copiar** *vt*
copier; (*INFORM*) faire une copie de
copioso, -a *adj* abondant(e);
(*comida*) copieux(-euse)
copla *nf* (*canción*) couplet *m*
copo *nm*: **~ de nieve** flocon *m*
de neige; **~s de avena** flocons
mpl d'avoine
coqueta *nf* (*mujer*) coquette *f*;
(*mueble*) coiffeuse *f*; **coquetear**
vi flirter
coraje *nm* courage *m*; (*esp AM*)
colère *f*
coral *adj* (*MÚS*) de chœur ♦ *nf*
(*MÚS*) chorale *f* ♦ *nm* (*ZOOL*) corail
m; **de ~** en corail
coraza *nf* cuirasse *f*; (*ZOOL*)
carapace *f*
corazón *nm* cœur *m*; (*BOT*) noyau
m
corazonada *nf* pressentiment *m*
corbata *nf* cravate *f*

Córcega nf Corse f
corchete nm agrafe f
corcho nm liège m; (PESCA, tapón) bouchon m; **de ~** en liège
cordel nm corde f
cordero nm agneau m.
cordial adj cordial(e);
 cordialidad nf cordialité f
cordillera nf cordillère f
Córdoba n Cordoue
córdoba nm (NIC) monnaie du Nicaragua
cordón nm (cuerda) ficelle f; (de zapatos) lacet m; (ELEC, policial) cordon m; (CSUR) bord m du trottoir; **~ umbilical** cordon ombilical
cordura nf sagesse f; (MED) santé f mentale
córner (pl **córners**) nm (DEPORTE) corner m
corneta nf (MÚS) cornet m; (MIL) clairon m
cornisa nf corniche f
coro nm chœur m
corona nf couronne f;
 coronación nf couronnement m; **coronar** vt couronner
coronel nm colonel m
coronilla nf sommet m du crâne; **estar hasta la ~ (de)** en avoir jusque-là (de)
corporación nf corporation f
corporal adj (ejercicio) physique; (castigo, higiene) corporel(le)
corpulento, -a adj corpulent(e); (árbol, tronco) énorme
corral nm (de animales) basse-cour f
correa nf courroie f; (cinturón) ceinture f; (de perro) laisse f; **~ del ventilador** (AUTO) courroie du ventilateur
corrección nf correction f;
 correccional nm pénitencier m
correcto, -a adj correct(e)

corredor, a nm/f coureur(-euse)
♦ nm (pasillo) corridor m; (balcón corrido) galerie f; (COM) courtier m
corregir vt corriger; **~se** vpr se corriger; **se le ha corregido la miopía** on lui a corrigé sa myopie
correo nm courrier m; (servicio) poste f; **C~s** nmpl (servicio) la Poste, les PTT fpl; (edificio) la Poste; **a vuelta de ~** par retour de courrier; **echar al ~** mettre à la poste; **~ aéreo** courrier par avion; **~ basura** (por carta) prospectus mpl; (por Internet) spam m; **~ electrónico** courrier électronique
correr vt (mueble etc) déplacer; (riesgo) courir; (cortinas: cerrar) fermer; (: abrir) ouvrir; (cerrojo) tourner ♦ vi (persona, rumor) courir; (coche, agua, viento) aller vite; **~se** vpr (persona, terreno) se déplacer; (colores) couler; **echar a ~** se mettre à courir
correspondencia nf correspondance f
corresponder vi (dinero, tarea) revenir; (en amor) aimer en retour; **~se** vpr (amarse) bien s'entendre; **~ a** (invitación) répondre à; (convenir, ajustarse, pertenecer) correspondre à; **al gobierno le corresponde ...** le gouvernement a pour tâche de ...; **~se con** correspondre à
correspondiente adj (respectivo) correspondant(e); **~ (a)** (adecuado) qui correspond (à)
corresponsal nm/f correspondant(e)
corrida nf corrida f; (CHI) file f
corrido nm (MÉX) ballade f; **de ~** couramment
corriente adj courant(e); (suceso, costumbre) habituel(le); (común)

commun(e) ♦ *nf* courant *m*; (*tb:* ~ **de aire**) courant d'air ♦ *nm*: **el 16 del** ~ le 16 courant; **estar al** ~ **de** être au courant de; **seguir la** ~ **a algn** ne pas contrarier qn; **poner/tener al** ~ mettre/tenir au courant

corrija *etc vb ver* **corregir**

corrillo *nm* petit groupe *m*

corro *nm* cercle *m*; **jugar al** ~ faire la ronde

corroborar *vt* corroborer

corroer *vt* corroder; (*suj: envidia*) ronger; ~**se** *vpr* se désagréger

corromper *vt* pourrir; (*fig: costumbres, moral*) corrompre; (: *juez etc*) corrompre, soudoyer; ~**se** *vpr* pourrir; (*costumbres*) se corrompre; (*persona, justicia*) se laisser soudoyer

corrosivo, -a *adj* corrosif(-ive)

corrupción *nf* putréfaction *f*; (*fig*) corruption *f*

corsé *nm* corset *m*

cortacésped *nm* tondeuse *f* (à gazon)

cortado, -a *adj* (*leche*) tourné(e); (*piel, labios*) craquelé(e) ♦ *nm* café *m* avec un nuage de lait; **estar** ~ être coincé(e); **quedarse** ~ rester sans voix

cortar *vt* couper ♦ *vi* couper; (*viento*) être glacial(e); (*AM: TELEC*) raccrocher; ~**se** *vpr* se couper; (*turbarse*) se troubler; (*TELEC*) s'interrompre; (*leche*) tourner; ~**se el pelo** se (faire) couper les cheveux; **se le cortan los labios** ses lèvres se gercent

cortaúñas *nm inv* coupe-ongles *m inv*

corte *nm* coupure *f*; (*de pelo, vestido*) coupe *f*; ♦ *nf* (*real*) cour *f*; **las C~s** le parlement espagnol

cortejar *vt* courtiser

cortejo *nm* cortège *m*; ~ **fúnebre** cortège funèbre

cortés *adj* courtois(e), poli(e)

cortesía *nf* courtoisie *f*, politesse *f*

corteza *nf* (*de árbol*) écorce *f*; (*de pan, queso*) croûte *f*; (*de fruta*) peau *f*; ~ **terrestre** écorce *o* croûte terrestre

cortina *nf* rideau *m*

corto, -a *adj* court(e); (*tímido*) timide, timoré(e); (*tonto*) bouché(e) ♦ *nm* (*CINE*) court-métrage *m*; ~ **de vista** myope; **quedarse** ~ ne pas être à la hauteur; **cortocircuito** *nm* court-circuit *m*

cortometraje *nm* court-métrage *m*

cosa *nf* chose *f*; (*asunto*) affaire *f*; **es** ~ **de una hora** c'est l'affaire d'une heure; **eso es** ~ **mía** c'est mon affaire; **lo que son las ~s** c'est drôle, la vie; **las ~s como son** les choses étant ce qu'elles sont

coscorrón *nm* coup *m* sur la tête; **darse un** ~ se cogner la tête

cosecha *nf* récolte *f*; (*de vino*) cru *m*

cosechar *vt* récolter ♦ *vi* faire la récolte

coser *vt* coudre; ~ **algo a algo** coudre qch à qch

cosmético, -a *adj, nm* cosmétique *m* ♦ *nf* cosmétique *m*

cosquillas *nfpl*: **hacer** ~ chatouiller; **tener** ~ être chatouilleux(-euse)

costa *nf* (*GEO*) côte *f*; **a** ~ **de** aux dépens de; (*trabajo*) à force de; (*grandes esfuerzos*) au prix de; (*su vida*) au péril de; **a toda** ~ coûte que coûte, à tout prix; **C~**

Brava/del Sol Costa Brava/del Sol; **C~ Azul/Cantábrica/de Marfil** Côte d'Azur/cantabrique/d'Ivoire

costado *nm* côté *m*; **de ~** *(dormir etc)* sur le côté

costar *vt, vi* coûter; **me cuesta hablarle** j'ai du mal à lui parler

costarricense, costarriqueño, -a *adj* costaricien(ne), de Costa Rica ♦ *nm/f* Costaricien(ne)

costear *vt* payer

costero, -a *adj* côtier(-ière)

costilla *nf (ANAT)* côte *f*; *(CULIN)* côtelette *f*

costo *nm* coût *m*, prix *msg*

costoso, -a *adj* coûteux(-euse); *(difícil)* difficile

costra *nf (de suciedad)* couche *f*; *(MED, de cal etc)* croûte *f*

costumbre *nf* coutume *f*, habitude *f*; *(tradición)* coutume *f*

costura *nf* couture *f*

costurera *nf* couturière *f*

costurero *nm* boîte *f* à couture

cotejar *vt*: **~ (con)** comparer (à *o* avec)

cotidiano, -a *adj* quotidien(ne)

cotilla *nm/f* commère *f*

cotillear *vi* faire des commérages

cotización *nf (COM)* cours *m*; *(de club, del trabajador)* cotisation *f*

cotizar *vt (COM)* coter; *(pagar)* cotiser; **~se** *vpr (fig)* être bien coté; **~se a** *(COM)* être a

coto *nm (tb: ~ de caza)* réserve *f*; **poner ~ a** mettre fin à

cotorra *nf (loro)* perruche *f*; *(fam: persona)* pie *f*

COU *(ESP) sigla m (= Curso de Orientación Universitaria)* Terminale

coyote *nm* coyote *m*

coyuntura *nf* articulation *f*, jointure *f*; *(fig)* conjoncture *f*,

occasion *f*

coz *nf* ruade *f*

cráneo *nm* crâne *m*

cráter *nm* cratère *m*

creación *nf* création *f*

creador, a *adj, nm/f* créateur(-trice)

crear *vt* créer

creativo, -a *adj* créatif(-ive)

crecer *vi* grandir; *(pelo)* pousser; *(ciudad)* s'agrandir; *(río)* grossir

creces *nf*: **con ~** *adv (pagar)* au centuple

crecido, -a *adj*: **estar ~** avoir grandi; *(planta)* avoir poussé

creciente *adj* croissant(e); **cuarto ~** premier quartier *m*

crecimiento *nm* croissance *f*; *(de planta)* pousse *f*; *(de ciudad)* agrandissement *m*

credenciales *nfpl* lettres *fpl* de créance

crédito *nm* crédit *m*; **a ~** à crédit; **dar ~ a** accorder crédit à, croire

credo *nm* credo *m*

crédulo, -a *adj* crédule

creencia *nf* croyance *f*

creer *vt, vi* croire; **~se** *vpr (considerarse)* se croire; *(aceptar)* croire; **~ en** croire en; **¡ya lo creo!** je crois *o* pense bien; **creo que no/sí** je crois que non/oui; **no se lo cree** il n'y croit pas

creíble *adj* croyable

creído, -a *adj* présomptueux(-euse)

crema *nf* crème *f*; *(para zapatos)* cirage *m*; **~ de afeitar** crème à raser; **~ de cacao** beurre *m* de cacao; **~ pastelera** crème pâtissière

cremallera *nf* fermeture *f* éclair ®

crematorio *nm (tb: **horno ~**)* four *m* crématoire

crepitar vi crépiter
crepúsculo nm crépuscule m
cresta nf crête f
creyendo etc vb ver **creer**
creyente nm/f croyant(e)
creyó etc vb ver **creer**
crezca etc vb ver **crecer**
cría vb ver **criar** ♦ nf (de animales) élevage m; (cachorro) petit m; ver tb **crío**
criada nf bonne f; ver tb **criado**
criadero nm élevage m
criado, -a nm/f domestique m/f
crianza nf allaitement m; (formación) éducation f
criar vt allaiter, nourrir; (educar) éduquer, élever; (animales) élever ♦ vi avoir des petits
criatura nf créature f; (niño) gosse m
criba nf crible m; **cribar** vt cribler, tamiser
crimen nm crime m
criminal adj criminel(le) ♦ nm/f criminel(le)
crin nf (tb: ~es) crinière f
crío, -a (fam) nm/f bébé m; (más mayor) marmot m
crisis nf inv crise f; ~ **nerviosa** dépression f nerveuse
crispar vt crisper; ~**se** vpr se crisper; **ese ruido me crispa los nervios** ce bruit me porte sur les nerfs
cristal nm verre m; (de ventana) vitre f; ~**es** nmpl (trozos rotos) bouts mpl de verre; **de** ~ en verre
cristalino, -a adj cristallin(e); **cristalizar** vi cristalliser, (fig) se cristalliser; **cristalizarse** vpr se cristalliser
cristiandad nf chrétienté f
cristianismo nm christianisme m
cristiano, -a adj, nm/f chrétien(ne)

Cristo nm le Christ; (crucifijo) crucifix m
criterio nm critère m; (opinión) avis m; (discernimiento) discernement m, jugement m
crítica nf critique f
criticar vt (censurar) critiquer; (novela, película) faire la critique de ♦ vi critiquer
crítico, -a adj, nm/f critique m/f
Croacia n Croatie f
croar vi coasser
cromo nm chrome m; (para niños) vignette f
crónica nf chronique f
crónico, -a adj chronique
cronómetro nm chronomètre m
croqueta nf croquette f
cruce vb ver **cruzar** ♦ nm croisement m; (miradas) rencontre f; (de carreteras) carrefour m; ~ **de peatones** passage m clouté
crucificar vt crucifier
crucifijo nm crucifix msg
crucigrama nm mots mpl croisés
crudo, -a adj cru(e); (invierno etc) rigoureux(-euse) ♦ nm pétrole m brut
cruel adj cruel(le); **crueldad** nf cruauté f
crujido nm craquement m
crujiente adj (galleta) croquant(e); (pan) croustillant(e)
crujir vi craquer; (dientes) grincer; (nieve, arena) crisser
cruz nf croix fsg; (de moneda) pile f; ~ **gamada** croix gammée; **C~ Roja** Croix-Rouge f
cruzado, -a adj croisé(e); (en calle, carretera) de travers ♦ nm croisé m
cruzar vt croiser; (calle, desierto) traverser; ~**se** vpr se croiser; ~ **con algn** croiser qn; ~**se de brazos** se croiser les bras

cuaderno *nm* bloc *m* notes; (*de escuela*) cahier *m*

cuadra *nf* écurie *f*; (AM: ARQ) pâté *m* de maisons

cuadrado, -a *adj* carré(e) ♦ *nm* (MAT) carré *m*; **metro/kilómetro ~** mètre *m*/kilomètre *m* carré

cuadrar *vt* (PE) garer; **~se** *vpr* (*soldado*) se mettre au garde-à-vous; **~ (con)** (*informaciones*) correspondre (à); (*cuentas*) s'accorder (avec)

cuadrilátero *nm* (DEPORTE) ring *m*; (GEOM) quadrilatère *m*

cuadrilla *nf* (*de obreros etc*) équipe *f*; (*de ladrones, amigos*) bande *f*

cuadro *nm* tableau *m*; (*cuadrado*) carré *m*; (DEPORTE, MED) équipe *f*; **a/de ~s** à carreaux

cuádruple *adj* quadruple

cuajar *vt* (*leche*) cailler; (*sangre*) coaguler; (*huevo*) faire durcir ♦ *vi* (CULIN, *nieve*) prendre; (*fig: planes*) aboutir; (: *acuerdo*) marcher; (: *idea*) se réaliser; **~se** *vpr* (*leche*) se cailler; **~ algo de** remplir qch de

cuajo *nm*: **de ~** (*arrancar etc*) à la racine

cual *adv* comme, tel que, tel un ♦ *pron*: **el/la ~** lequel (laquelle), qui; **los/las ~es** lesquels (lesquelles), qui; **lo ~** ce qui, ce que; **cada ~** chacun; **con** o **por lo ~** c'est pourquoi; **del ~** duquel, dont; **tal ~** tel quel

cuál *pron* (*interrogativo*) lequel, laquelle, lesquels, lesquelles

cualesquier(a) *pl de* **cualquier(a)**

cualidad *nf* qualité *f*

cualquier(a) (*pl* **cualesquiera**) *adj* (*indefinido*) n'importe quel(le); (*tras sustantivo*) quelconque ♦ *pron*: **~a** quiconque, n'importe

qui; (*a la hora de escoger*) n'importe lequel (laquelle); **~ día de estos** un de ces jours; **no es un hombre ~a** ce n'est pas n'importe qui; **eso ~a lo sabe hacer** ça, n'importe qui peut le faire; **es un ~a** c'est un pas-grand-chose

cuando *adv* quand ♦ *conj* quand, lorsque; (*puesto que*) puisque, du moment que; (*si*) si ♦ *prep*: **yo, ~ niño ...** moi, quand j'étais petit ...; **aun ~** même si, même quand; **~ más/menos** tout au plus/au moins; **de ~ en ~** de temps en temps, de temps à autre

cuándo *adv* quand, lorsque; **¿desde ~?, ¿de ~ acá?** depuis quand?

cuantioso, -a *adj* considérable

PALABRA CLAVE

---

cuanto, -a *adj* **1** (*todo*): **tiene todo cuanto desea** il a tout ce qu'il veut; **le daremos cuantos ejemplares necesite** nous vous donnerons autant d'exemplaires qu'il vous en faudra

2: **unos cuantos: había unos cuantos periodistas** il y avait quelques journalistes

3 (+ *más*): **cuanto más vino bebas peor te sentirás** plus tu boiras de vin plus tu te sentiras mal

♦ *pron* **1**: **tome cuanto/ cuantos quiera** prends-en autant que tu voudras

2: **unos cuantos** quelques-uns ♦ *adv*: **en cuanto: en cuanto profesor es excelente** comme professeur, il est excellent; **en cuanto a mí** quant à moi; *ver tb* **antes**

♦ *conj* **1**: **cuanto más lo**

pienso menos me gusta plus
j'y pense moins ça ne me plaît
2: en cuanto: en cuanto
llegue/llegué dès qu'il arrive/
arriva

cuánto, -a adj (exclamativo) que
de, quel(le); (interrogativo)
combien de ♦ pron, adv combien;
¿~ cuesta? combien ça coûte?;
¿a ~s estamos? le combien
sommes-nous?; **Señor no sé ~s**
Monsieur Untel
cuarenta adj inv, nm inv
quarante m inv; ver tb **sesenta**
cuarentena nf quarantaine f
cuaresma nf carême m
cuarta nf empan m; (MÚS) quarte
f; ver tb **cuarto**
cuartel nm caserne f; **~ general**
quartier m général
cuarteto nm quatuor m
cuarto, -a adj quatrième ♦ nm
(MAT) quart m; (habitación)
chambre f, pièce f; (ZOOL) quartier
m; **~ de baño/de estar** salle f
de bains/de séjour; **~s de final**
(DEPORTE) quarts mpl de finale; **~**
de hora quart d'heure; **~ de**
kilo demi-livre f; ver tb **sexto**
cuarzo nm quartz m
cuatro adj inv, nm inv quatre m
inv; ver tb **seis**
cuatrocientos, -as adj quatre
cents; ver tb **seiscientos**
Cuba nf Cuba m
cuba nf cuve f, tonneau m; (tina)
cuve
cubano, -a adj cubain(e) ♦ nm/f
Cubain(e)
cúbico, -a adj cubique
cubierta nf couverture f;
(neumático) pneu m; (NÁUT) pont
m
cubierto, -a pp de **cubrir** ♦ adj

couvert(e) ♦ nm couvert m; **~ de**
couvert(e) de, recouvert(e) de; **a** o
bajo ~ à l'abri
cubilete nm gobelet m, cornet m
cubito nm: **~ de hielo** glaçon m
cubo nm (MAT, GEOM) cube m;
(recipiente) seau m; (TEC) tambour
m; **~ de la basura** poubelle f
cubrecama nm couvre-lit m,
dessus msg de lit
cubrir vt couvrir; (esconder)
cacher; (polvo, nieve) recouvrir,
couvrir; **~se** vpr se couvrir; **el**
agua casi me cubría je n'avais
presque pas pied; **~ de** couvrir
de; **~se de** se couvrir de, se
recouvrir de
cucaracha nf cafard m
cuchara nf cuiller f o cuillère f;
cucharada nf cuillerée f
cucharilla nf petite cuiller f o
cuillère f
cucharón nm louche f
cuchichear vi chuchoter
cuchilla nf lame f
cuchillo nm couteau m
cuchitril (pey) nm taudis msg,
bouge m
cuclillas nfpl: **en ~** accroupi(e)
cuco, -a adj (astuto) malin(-igne)
♦ nm coucou m
cucurucho nm cornet m
cuello nm cou m; (de ropa) col m;
(de botella) goulot m
cuenca nf (tb: **~ del ojo**) orbite
f; (GEO: valle) vallée f
cuenco nm bol m
cuenta vb ver **contar** ♦ nf
compte m; (en restaurante)
addition f; (de collar) grain m; **a**
fin de ~s au bout du compte;
caer en la ~ y être; **darse ~ de**
algo se rendre compte de qch;
echar ~s faire le point; **perder**
la ~ de ne pas se rappeler; **tener**

en ~ tenir compte de; **trabajar por su ~** travailler à son compte; **~ atrás** compte à rebours; **~ corriente** compte courant; **~ de ahorros** compte d'épargne; **cuentakilómetros** *nm inv* compteur *m* kilométrique; *(velocímetro)* compteur de vitesse

cuento *vb ver* **contar** ♦ *nm* conte *m*; *(patraña)* histoire *f*; **eso no viene a ~** ceci n'a rien à voir; **~ chino** histoire à dormir debout; *(fam)* bobard *m*; **~ de hadas** conte de fées

cuerda *nf* corde *f*; *(de reloj)* ressort *m*; **dar ~ a un reloj** remonter une montre; **~s vocales** cordes vocales; *ver tb* **cuerdo**

cuerdo, -a *adj* sensé(e); *(prudente)* sage, prudent(e)

cuerno *nm* corne *f*

cuero *nm* cuir *m*; **en ~s** tout(e) nu(e); **~ cabelludo** cuir chevelu

cuerpo *nm* corps *msg*; **a ~** sans manteau

cuervo *nm* corbeau *m*

cuesta *vb ver* **costar** ♦ *nf* pente *f*; *(en camino etc)* côte *f*; **~ arriba/abajo** monter/descendre; **a ~** sur le dos

cuestión *nf* question *f*; **en ~ de** en matière de; **es ~ de** c'est une question de

cueva *nf* grotte *f*, caverne *f*

cuidado, -a *adj* soigné(e) ♦ *nm* précaution *f*; *(de los niños etc)* soin *m* ♦ *excl* attention!; **estar al ~ de** s'occuper de; **tener ~** faire attention

cuidadoso, -a *adj* soigneux(-euse); *(prudente)* prudent(e)

cuidar *vt* soigner; *(niños, casa)* s'occuper de ♦ *vi*: **~ de** prendre

soin de; **~se** *vpr* prendre soin de soi; **~se de hacer** prendre soin de faire

culata *nf* crosse *f*

culebra *nf* couleuvre *f*

culebrón *nm (fam)* série *f* télévisée

culinario, -a *adj* culinaire

culminación *nf* point *m* culminant

culo *nm (fam!)* cul *m (fam!)*

culpa *nf* faute *f*; *(JUR)* culpabilité *f*; **echar la ~ a algn** accuser qn; **por ~ de** à cause de; **tengo la ~** c'est de ma faute; **culpabilidad** *nf* culpabilité *f*; **culpable** *adj*, *nm/f* coupable *m/f*

culpar *vt* accuser

cultivar *vt* cultiver

cultivo *nm* culture *f*; *(cosecha)* récolte *f*

culto, -a *adj* cultivé(e); *(lenguaje)* choisi(e); *(palabra)* savant(e) ♦ *nm* culte *m*; **rendir ~ a** *(REL, fig)* rendre un culte à

cultura *nf* culture *f*; **la ~** la culture

culturismo *nm* culturisme *m*

cumbre *nf* sommet *m*

cumpleaños *nm inv* anniversaire *m*; **¡feliz ~!** joyeux anniversaire!

cumplido, -a *adj (cortés)* poli(e); *(plazo)* échu(e) ♦ *nm* compliment *m*; **visita de ~** visite *f* de politesse

cumplimentar *vt* complimenter, adresser ses compliments à

cumplimiento *nm* accomplissement *m*; *(de norma)* respect *m*

cumplir *vt* accomplir; *(ley)* respecter; *(promesa)* tenir; *(años)* avoir; **~se** *vpr (plazo)* expirer; *(plan, pronósticos)* se réaliser, s'accomplir; **~ con** *(deber)* faire, remplir; (*persona*) ne pas manquer à; **hoy cumple dieciocho años** aujourd'hui il a dix-huit ans

cúmulo *nm* tas *msg*

cuna *nf* berceau *m*

cundir *vi* (*rumor, pánico*) se répandre, se propager; (*trabajo*) avancer, progresser

cuneta *nf* fossé *m*

cuña *nf* (*TEC*) coin *m*

cuñado, -a *nm/f* beau-frère (belle-sœur)

cuota *nf* quota *m*; (*parte proporcional*) quote-part *f*; (*de club etc*) cotisation *f*

cupo *vb ver* **caber** ♦ *nm* quote-part *f*

cupón *nm* billet *m*; (*de resguardo*) bon *m*

cúpula *nf* coupole *f*

cura *nf* guérison *f*; (*tratamiento*) soin *m* ♦ *nm* curé *m*

curación *nf* guérison *f*; (*tratamiento*) traitement *m*

curandero, -a *nm/f* guérisseur(-euse)

curar *vt* (*enfermo, enfermedad: herida*) guérir; (: *con apósitos*) panser; (*CULIN*) faire sécher; (*cuero*) tanner; **~se** *vpr* (*persona*) se rétablir; (*herida*) se guérir

curiosear *vt* fouiner dans ♦ *vi* fouiner

curiosidad *nf* curiosité *f*; **sentir** *o* **tener ~ por** *o* **de (hacer)** être curieux(-euse) de (faire)

curioso, -a *adj* curieux(-euse) ♦ *nm/f* (*pey*) curieux(-euse)

currante *nm/f* (*fam*) bosseur(-euse)

currar, currelar *vi* (*fam*) bosser, trimer

currículo, currículum *nm* (*tb: ~ vitae*) curriculum *m* (vitae); **curro** *nm* (*fam*) job *m*

cursi *adj* de mauvais goût; (*afectado*) maniéré(e)

cursillo *nm* cours *msg*; (*de reciclaje etc*) stage *m*

cursiva *nf* italiques *mpl*

curso *nm* cours *msg*; (*ESCOL, UNIV*) année *f*; **en ~** (*año, proceso*) en cours; **en el ~ de** au cours de

cursor *nm* (*INFORM*) curseur *m*

curtido, -a *adj* (*cara, cuero*) tanné(e)

curtir *vt* (*pieles*) tanner, corroyer; (*suj: sol, viento*) tanner

curva *nf* virage *m*, tournant *m*; (*MAT*) courbe *f*

cúspide *nf* sommet *m*; (*fig*) faîte *m*, comble *m*

custodia *nf* surveillance *f*; (*de hijos*) garde *f*; **custodiar** *vt* surveiller

cutis *nm inv* peau *f*

cutre (*fam*) *adj* minable

cuyo, -a *pron* (*complemento de sujeto*) dont le, dont la; (: *plural*) dont les; (*complemento de objeto*) dont; (*tras preposición*) de qui, duquel, de laquelle; (: *plural*) desquels, desquelles

C.V. *abr* (= *caballos de vapor*) CV (= *cheval vapeur*)

D, d

D. *abr* (= *Don*) (*con apellido*) Monsieur *m*; (*sólo con nombre*) Don *m*

Da. *abr* (= *Doña*) (*con apellido*) Madame *f*; (*sólo con nombre*) Doña *f*, ≃ Madame

dádiva *nf* (*regalo*) présent *m*

dado, -a *pp de* **dar** ♦ *adj*: **en un momento ~** à un moment donné ♦ *nm* (*para juego*) dé *m*; **~s** *nmpl* (*juego*) dés *mpl*; **~ que**

étant donné que

daltónico, -a *adj, nm/f* daltonien(ne)

dama *nf* dame *f*; **~s** *nfpl* (*juego*) dames *fpl*; **~ de honor** (*de novia*) demoiselle *f* d'honneur

danés, -esa *adj* danois(e) ♦ *nm/f* Danois(e)

danza *nf* danse *f*

danzar *vt* danser ♦ *vi* danser

dañar *vt* (*mueble, cuadro, motor*) abîmer; (*cosecha*) endommager; (*salud, reputación*) nuire à; **~se** *vpr* (*cosecha*) se gâter

dañino, -a *adj* (*sustancia*) nocif(-ive); (*animal*) nuisible

daño *nm* (*a mueble, máquina*) dommage *m*; (*a persona, animal*) mal *m*; **~s y perjuicios** (*JUR*) dommages *mpl* et intérêts *mpl*; **hacer ~** (*alimento*) ne pas réussir; **hacer ~ a algn** (*producir dolor*) faire mal à qn; (*fig: ofender*) blesser qn; **eso me hace ~** ça ne me réussit pas; **hacerse ~** se faire mal

---

PALABRA CLAVE

---

dar *vt* **1** donner; **dar algo a algn** donner qch à qn; **dar de beber a algn** donner à boire à qn

2 (*causar: alegría*) donner; (: *problemas*) causer; (: *susto*) donner

3 (+ *n* = *perífrasis de verbo*): **me da pena/asco** cela me désole/ dégoûte; **da gusto escuchar** c'est bien agréable de l'écouter; *ver tb* **más**

4 (*dar a + infin*): **dar a conocer** faire connaître

♦ *vi* **1**: **dar a** (*ventana, habitación*) donner sur; (*botón etc*) appuyer sur

2: **dar con**: **dimos con él dos horas más tarde** nous l'avons rencontré deux heures plus tard; **al final dí con la solución** finalement j'ai trouvé la solution

3: **dar en** (*blanco*) atteindre; **dar en el suelo** tomber par terre; **el sol me da en la cara** j'ai le soleil dans la figure

4: **dar de sí** (*zapatos, ropa*) s'élargir; **darse** *vpr* **1** se donner; **darse un baño** prendre un bain

2 (*ocurrir*): **se han dado muchos casos** il y a eu de nombreux cas

3: **darse a**: **darse a la bebida** s'adonner à la boisson

4: **darse por vencido** se déclarer vaincu; **darse por satisfecho** s'estimer satisfait

5: **se me dan bien/mal las ciencias** je suis bon/mauvais en sciences

6: **dárselas de**: **se las da de experto** il joue les experts

---

dardo *nm* dard *m*

datar *vi*: **~ de** dater de

dátil *nm* datte *f*

dato *nm* (*detalle*) fait *m*; **~s** *nmpl* (*información, INFORM*) données *fpl*; **~s personales** identité *fsg*

dcha. *abr* (= **derecha**) dr. (= droite)

PALABRA CLAVE

---

de (*de + el = del*) *prep* **1** (*gen: complemento de n*) de, d'; **la casa de Isabel/de mis padres/de los Alvarez** la maison d'Isabelle/de mes parents/ des Alvarez; **una copa de vino** un verre de vin; **clases de inglés** cours *mpl* d'anglais

2 (*posesión: con ser*) **es de ellos** c'est à eux

3 (*origen, distancia*) de; **soy de
Gijón** je suis de Gijón; **salir del
cine/de la casa** sortir du
cinéma/de la maison; **de lado** de
côté; **de atrás/delante** de
derrière/devant

4 (*materia*) en; **un abrigo de
lana** un manteau en laine;
temblar de miedo/de frío
trembler de peur/de froid; **de un
trago** d'un coup

5 (*condicional + infin*): **de no ser
así** si ce n'était pas comme ça;
de ser posible si c'est possible;
de no terminarlo hoy si ce
n'est pas fini aujourd'hui

6: de no (*AM: si no*) sinon;
¡hazlo, de no …! fais-le sinon
…!

dé *vb ver* **dar**

deambular *vi* (*persona*)
déambuler; (*animal*) vagabonder
debajo *adv* dessous; **~ de** sous;
por ~ de en dessous de
debate *nm* débat *m*; **debatir** *vt*
débattre (de) ♦ *vi* débattre;
debatirse *vpr* (*forcejear*) se
débattre
deber *nm* (*obligación*) devoir *m* ♦
vt devoir; **~es** *nmpl* (ESCOL)
devoirs *mpl*; **~se** *vpr*: **~se a** être
dû (due) à; **debo hacerlo** je dois
le faire; **debe (de) ser
canadiense** il doit être canadien
debido, -a *adj* (*cuidado, respeto*)
dû (due); **~ a** en raison de; **a su
~ tiempo** en temps voulu; **como
es ~** comme il convient
débil *adj* faible; **debilidad** *nf*
faiblesse f; **tener debilidad por
algn/algo** avoir un faible pour
qn/qch
debilitar *vt* (*persona, resistencia*)
affaiblir; (*cimientos*) ébranler; **~se**

vpr s'affaiblir
debutar *vi* (*en actuación*) débuter
década *nf* décennie f
decadencia *nf* (*de edificio*)
délabrement *m*; (*de persona*)
déchéance f; (*de sociedad*)
décadence f
decaer *vi* (*espectáculo*) perdre de
son attrait; (*negocio*) dépérir;
(*éxito, afición, interés*) retomber;
(*salud*) décliner
decaído, -a *adj*: **estar ~**
(*desanimado*) être abattu(e)
decano, -a *nm/f* doyen(ne)
decapitar *vt* décapiter
decena *nf*: **una ~** une dizaine
decencia *nf* décence f
decente *adj* décent(e); (*honesto*)
convenable
decepción *nf* déception f
decepcionar *vt* décevoir
decidir *vt* décider (de) ♦ *vi*
décider; **~se** *vpr*: **~se (a hacer
algo)** se décider (à faire qch)
décima *nf* (MAT) dixième *m*; **~s**
nfpl (MED) dixièmes *mpl* (de
degré)
decimal *adj* décimal(e)
decímetro *nm* décimètre *m*
décimo, -a *adj, nm* dixième *m*;
ver tb **sexto**
decir *vt* dire; **~se** *vpr*: **se dice
que …** on dit que …; **~ para sí**
se dire; **querer ~** vouloir dire; **es
~** c'est-à-dire; **¡diga!, ¡dígame!**
(TELEC) allô!; **por no ~** pour ne
pas dire; **¿cómo se dice
"cursi" en francés?** comment
dit-on "cursi" en français?
decisión *nf* décision f; **tomar
una ~** prendre une décision
decisivo, -a *adj* décisif(-ive)
declaración *nf* déclaration f;
(JUR) déposition f; **prestar ~** (JUR)
faire une déposition; **~ de la**

renta déclaration de revenus; ~
fiscal déclaration d'impôts
declarar vt déclarer ♦ vi (para la
prensa, en público) faire une
déclaration; (JUR) faire une
déposition; ~**se** vpr (a una chica)
déclarer son amour; (guerra,
incendio) se déclarer
declinar vt décliner ♦ vi (poder)
décliner; (fiebre) baisser
declive nm pente f; (fig) déclin m
decoración nf décoration f
decorado nm décor m
decorar vt décorer
decorativo, -a adj décoratif(-ive)
decoro nm (en comportamiento
etc) correction f
decoroso, -a adj correct(e);
(digno) respectable
decrecer vi diminuer; (nivel de
agua) baisser
decrépito, -a adj décrépit(e);
(sociedad) en décrépitude
decretar vt décréter; **decreto**
nm décret m
dedal nm (para costura) dé m
dedicación nf (a trabajo etc)
engagement m; (de persona)
dévouement m; **dedicar** vt
dédicacer; (tiempo, dinero,
esfuerzo) consacrer; **dedicarse**
vpr: **dedicarse a** se consacrer à;
dedicatoria nf dédicace f
dedo nm doigt m; ~ **(del pie)**
orteil; m; **a** ~ (entrar, nombrar)
avec du piston; **hacer** ~ (fam)
faire du stop; ~ **anular** annulaire
m; ~ **corazón** majeur m; ~
gordo pouce m; (en pie) gros
orteil; ~ **índice** index msg; ~
meñique auriculaire m
deducción nf déduction f
deducir vt déduire
defecto nm défaut m
defectuoso, -a adj

défectueux(-euse)
defender vt défendre; ~**se** vpr:
~**se de algo** se défendre de qch;
~**se contra algo/algn** se
défendre contre qch/qn
defensa nf défense f; (de tesis,
ideas) soutien m ♦ nm (DEPORTE)
défense f
defensivo, -a adj (movimiento,
actitud) de défense
defensor, a adj (persona) qui
défend ♦ nm/f (tb: **abogado** ~)
avocat(e) de la défense; (protector)
défenseur m
deficiente adj (trabajo)
insuffisant(e); (salud) déficient(e) ♦
nm/f: **ser un** ~ **mental/físico**
être handicapé mental/physique
déficit (pl ~**s**) nm déficit m
definición nf définition f
definir vt définir
definitivo, -a adj définitif(-ive);
en definitiva définitivement; (en
conclusión, resumen) en définitive
deformación nf déformation f
deformar vt déformer; ~**se** vpr
se déformer; **deforme** adj
difforme
defraudar vt (a personas)
tromper; (a Hacienda) frauder
defunción nf décès m
degeneración nf dégradation f
degenerar vi dégénérer
degollar vt égorger
degradar vt dégrader; ~**se** vpr se
dégrader
degustación nf dégustation f
dejadez nf laisser-aller m
dejar vt laisser; (persona, empleo,
pueblo) quitter ♦ vi: ~ **de** arrêter
de; ~ **a algn** (hacer algo)
laisser qn (faire qch); **no dejes
de visitarles** continue à leur
rendre visite; **¡déjame en paz!**
laisse-moi tranquille!; ~ **atrás** a

408

algn dépasser qn; **~ entrar/
salir** laisser entrer/sortir; **~ pasar**
laisser passer
deje, dejo *nm* accent *m*
del = **de** + **el**
delantal *nm* tablier *m*
delante *adv* devant ♦ *prep*: **~ de**
devant; **por ~ (de)** par devant
delantera *nf* (*de vestido*) devant
m; (*de coche*) avance *f*; **llevar la ~ (a algn)**
mener (devant qn)
delantero, -a *adj* (*asiento,
balcón*) avant; (*vagón*) de tête ♦
nm (DEPORTE) avant *m*
delatar *vt* dénoncer
delator, a *nm/f*
dénonciateur(-trice)
delegación *nf* délégation *f*; (MÉX:
comisaría) commissariat *m*; (:
ayuntamiento) mairie *f*
delegado, -a *nm/f* délégué(e)
delegar *vt*: **~ algo en algn**
déléguer qch à qn
deletrear *vt* épeler
delfín *nm* dauphin *m*
delgadez *nf* maigreur *f*; (*fineza*)
minceur *f*
delgado, -a *adj* maigre; (*fino*)
mince
deliberación *nf* délibération *f*
deliberar *vi*: **~ (sobre)** délibérer
(sur)
delicadeza *nf* délicatesse *f*
delicado, -a *adj* délicat(e)
delicia *nf* délice *f*
delicioso, -a *adj* délicieux(-euse)
delimitar *vt* délimiter
delincuencia *nf* délinquance *f*; **~
juvenil** délinquance juvénile;
delincuente *nm/f* délinquant(e)
delineante *nm/f*
dessinateur(-trice)
delirar *vi* délirer
delirio *nm* délire *m*; **~s de**

grandeza folie *f* des grandeurs
delito *nm* délit *m*
delta *nm* delta *m*
demacrado, -a *adj* émacié(e)
demanda *nf* demande *f*; **en ~
de** pour demander
demandante *nm/f* (JUR)
demandeur(-deresse)
demandar *vt* demander; (JUR)
poursuivre
demarcación *nf* démarcation *f*;
(*zona*) zone *f*; (*jurisdicción*)
circonscription *f*
demás *adj*: **los ~ niños** les
autres enfants *mpl* ♦ *pron*: **los/
las ~** les autres; **lo ~** le reste;
por lo ~ à part cela
demasiado, -a *adj*: **~ vino** trop
de vin ♦ *adv* trop; **~s libros** trop
de livres; **¡es ~!** c'est trop!
demencia *nf* démence *f*;
demente *adj*, *nm/f* dément(e)
democracia *nf* démocratie *f*
demócrata *adj*, *nm/f* démocrate
m/f
democrático, -a *adj*
démocratique
demolición *nf* démolition *f*
demonio *nm* démon *m*; **¡~s!**
mince!
demora *nf* retard *m*; **demorar** *vt*
retarder ♦ *vi*: **demorar en** (AM)
mettre du temps à; **demorarse**
vpr s'attarder
demos *vb ver* **dar**
demostración *nf* démonstration
f; (*de sinceridad*) preuve *f*
demostrar *vt* (*sinceridad*)
prouver; (*afecto, fuerza*) montrer;
(*funcionamiento, aplicación*)
démontrer
demudado, -a *adj*: **tener el
rostro ~** avoir le visage pâle
den *vb ver* **dar**
denegar *vt* refuser

denigrar vt dénigrer

Denominación de Origen

La "Denominación de Origen" ou "D.O." est l'équivalent espagnol de l'appellation d'origine contrôlée. Ce label est attribué à des produits agricoles (vins, fromages, charcuterie) dont il garantit la qualité et la conformité aux caractéristiques d'une région donnée.

denotar vt dénoter
densidad nf densité f
denso, -a adj dense; (humo, niebla) épais(se)
dentadura nf denture f; ~ **postiza** dentier m
dentera nf frisson m
dentífrico, -a adj: **crema** o **pasta dentífrica** pâte f dentifrice ♦ nm dentifrice m
dentista nm/f dentiste m/f
dentro adv dedans ♦ prep: ~ **de** dans; **mirar por** ~ regarder à l'intérieur; ~ **de tres meses** dans trois mois
denuncia nf plainte f;
denunciar vt (en comisaría) déposer une plainte contre; (en prensa etc) dénoncer
departamento nm département m; (AM) appartement m
dependencia nf dépendance f
depender vi: ~ **de** dépendre de; **todo depende** tout dépend; **no depende de mí** cela ne dépend pas de moi; **depende de lo que haga él** cela dépend de ce qu'il fait
dependienta nf vendeuse f
dependiente nm vendeur m
depilar vt épiler; ~**se** vpr s'épiler;

depilatorio, -a adj, nm dépilatoire m
deplorable adj déplorable
deplorar vt déplorer
deponer vt (rey, gobernante) déposer; (actitud) laisser libre cours à; ~ **las armas** déposer les armes
deportar vt déporter
deporte nm sport m;
deportista adj, nm/f sportif(-ive)
deportivo, -a adj sportif(-ive) ♦ nm voiture f de sport
depositar vt déposer; ~**se** vpr se déposer
depositario, -a nm/f: ~ **de** dépositaire m/f de
depósito nm dépôt m; (de agua, gasolina etc) réserve f; ~ **de cadáveres** morgue f
depreciar vt déprécier; ~**se** vpr se déprécier
depredador, a adj prédateur(-trice) ♦ nm prédateur m
depresión nf dépression f; ~ **nerviosa** dépression nerveuse
deprimido, -a adj déprimé(e)
deprimir vt, **deprimirse** vpr déprimer
deprisa adv vite
depuración nf épuration f;
depurar vt épurer
derecha nf main f droite; (POL) droite f; **a la** ~ à droite
derecho, -a adj droit(e) ♦ nm droit m; (lado) côté m droit ♦ adv droit; ~**s** nmpl droits mpl; **a mano derecha** à droite;
Facultad de D~ Faculté f de Droit; **estudiante de D~** étudiant(e) en Droit; **¡no hay ~!** il n'y a pas de justice!; **tener ~ a algo** avoir droit à qch; **tener ~ a hacer algo** avoir le droit de faire

qch; **~ a voto** droit de vote; **~s civiles** droits civiques; **~s humanos/de autor** droits de l'homme/d'auteur

deriva *nf*: **ir/estar a la ~** aller/être à la dérive

derivado *nm* dérivé *m*

derivar *vt* (*conclusión*) arriver à; (*conversación*) dévier ♦ *vi* dévier; **~se** *vpr*: **~se de** dériver de

derramamiento *nm*: **~ de sangre** épanchement *m* de sang

derramar *vt* (*verter*) verser; (*esparcir*) renverser; **~se** *vpr* se répandre; **~ lágrimas** verser *o* répandre des larmes

derrame *nm* écoulement *m*; (MED) épanchement *m*; **~ cerebral** hémorragie *f* cérébrale

derretido, -a *adj* fondu(e)

derretir *vt* fondre; **~se** *vpr* fondre; **~se de calor** être en nage

derribar *vt* faire tomber; (*construcción*) abattre; (*gobierno, político*) renverser

derrocar *vt* (*gobierno*) renverser

derrochar *vt* dilapider; (*energía, salud*) déborder de; **derroche** *nm* gaspillage *m*; (*de salud, alegría*) débordement *m*

derrota *nf* déroute *f*; (DEPORTE, POL) défaite *f*; **derrotar** *vt* vaincre; (*enemigo*) mettre en déroute; (DEPORTE, POL) battre; **derrotero** *nm* cap *m*; **tomar otros derroteros** prendre une autre voie

derruir *vt* démolir

derrumbar *vt* démolir; **~se** *vpr* s'écrouler; (*esperanzas*) s'effondrer

derruyendo *etc vb ver* **derruir**

des *vb ver* **dar**

desabotonar *vt* déboutonner; **~se** *vpr* se déboutonner

desabrido, -a *adj* (*persona*) désagréable

desabrochar *vt* défaire; **~se** *vpr* (*cinturón*) défaire

desacato *nm* (JUR) outrage *m*

desacertado, -a *adj* erroné(e); (*inoportuno*) mal à propos

desacierto *nm* erreur *f*

desaconsejado, -a *adj*: **estar ~** être déconseillé(e)

desaconsejar *vt*: **~ algo a algn** déconseiller qch à qn

desacreditar *vt* discréditer

desacuerdo *nm* désaccord *m*; (*disconformidad*) contradiction *f*

desafiar *vt* affronter; **~ a algn a hacer** mettre qn au défi de faire

desafilado, -a *adj* émoussé(e)

desafinado, -a *adj*: **estar ~** être désaccordé(e)

desafinar *vi* détonner; **~se** *vpr* se désaccorder

desafío *nm* défi *m*

desaforado, -a *adj* (*grito*) terrible; (*ambición*) démesuré(e)

desafortunadamente *adv* malheureusement

desafortunado, -a *adj* malheureux(-euse); (*inoportuno*) inopportun(e)

desagradable *adj* désagréable; **es ~ tener que hacerlo** il est désagréable d'avoir à le faire

desagradecido, -a *adj* ingrat(e)

desagrado *nm* mécontentement *m*; **con ~** de mauvaise grâce

desagraviar *vt* se racheter

desagüe *nm* écoulement *m*; (*de lavadora*) vidange *f*; **tubo de ~** tuyau *m* d'écoulement

desaguisado, -a *nm* dommage *m*

desahogado, -a *adj* aisé(e); (*espacioso*) spacieux(-euse)

desahogar *vt* laisser libre cours à; **~se** *vpr* se soulager

desahogo nm soulagement m; (comodidad) commodité f; **vivir con ~** vivre dans l'aisance

desahuciar vt (enfermo) condamner; (inquilino) expulser; **desahucio** nm expulsion f

desaire nm mépris m; **hacer un ~ a algn** faire un affront à qn

desajustar vt desserrer; **~se** vpr se desserrer

desajuste nm (de situación) dérèglement m; (desacuerdo) désaccord m; **~ económico/de horarios** décalage m économique/horaire

desalentador, a adj décourageant(e)

desalentar vt décourager

desaliento vb ver **desalentar** ♦ nm découragement m

desaliño nm négligence f

desalmado, -a adj méchant(e), cruel(le)

desalojar vt (salir de) quitter; (expulsar) déloger

desamparado, -a adj (persona) désemparé(e); (lugar: expuesto) exposé(e); (: desierto) déserté(e)

desamparar vt abandonner

desandar vt: **~ lo andado** o **el camino** revenir sur ses pas

desangrar vt saigner; **~se** vpr se vider de son sang; (morir) rendre l'âme

desanimado, -a adj déprimé(e)

desanimar vt décourager; (deprimir) déprimer; **~se** vpr se décourager

desapacible adj orageux(-euse)

desaparecer vi disparaître ♦ vt (AM: POL) faire disparaître

desaparecido, -a adj disparu(e) ♦ nm/f (AM, POL) disparu(e); **~s** nmpl disparus mpl;

desaparición nf disparition f

desapasionado, -a adj impartial(e)

desapego nm indifférence f; (a dinero) désintéressement m

desapercibido, -a adj: **pasar ~** passer inaperçu(e)

desaprensivo, -a adj sans scrupules

desaprobar vt désapprouver

desaprovechar vt (oportunidad, tiempo) perdre; (comida, tela) ne pas apprécier

desarmar vt désarmer; (mueble, máquina) démonter; **desarme** nm désarmement m

desarraigo nm déracinement m

desarreglo nm désordre m; **~s** nmpl (MED) troubles mpl

desarrollar vt développer; (planta, semilla) faire pousser; (plan etc) mettre au point; **~se** vpr se développer; (hechos, reunión) se dérouler; **desarrollo** nm développement m; (de acontecimientos) déroulement m; **país en vías de desarrollo** pays msg en voie de développement

desarticular vt (mecanismo, bomba) désamorcer; (grupo terrorista) démanteler

desasir vt (soltar) lâcher; **~se** vpr: **~se (de)** se défaire (de)

desasosegar vt inquiéter; **~se** vpr s'inquiéter

desasosiego vb ver **desasosegar** ♦ nm inquiétude f; (POL) agitation f

desastrado, -a adj (desaliñado) négligé(e); (descuidado) négligent(e)

desastre nm désastre m; (fam: persona) catastrophe f

desastroso, -a adj désastreux(-euse)

desatado, -a adj furieux(-euse)
desatar vt (nudo) défaire;
(cordones, cuerda) dénouer; (perro,
prisionero) détacher; **~se** vpr se
défaire; (perro, prisionero) se
détacher; (tormenta) se déchaîner
desatascar vt (cañería)
déboucher
desatender vt (consejos, súplicas)
ignorer; (trabajo, hijo) négliger
desatento, -a adj impoli(e)
desatinado, -a adj
immodéré(e); **desatino** nm folie
f; **decir desatinos** raconter des
bêtises
desatornillar vt (tornillo)
dévisser; (estructura) démonter;
~se vpr (ver vt) se dévisser; se
démonter
desatrancar vt (puerta) débarrer;
(cañería) déboucher
desautorizar vt (oficial)
désavouer; (informe, declaraciones)
désapprouver; (huelga,
manifestación) interdire
desavenencia nf désaccord m;
(discordia) conflit m
desayunar vt: **~ algo** prendre
qch au petit déjeuner ♦ vi prendre
le petit déjeuner; **desayuno** nm
petit déjeuner
desazón nf malaise m
desazonarse vpr se faire du
souci
desbandarse vpr se débander
desbarajuste nm pagaille f
desbaratar vt (deranger; (plan)
bouleverser
desbloquear vt (COM,
negociaciones) débloquer; (tráfico)
rétablir
desbocado, -a adj (caballo)
emballé(e); (cuello) détendu(e)
desbordar vt (déborder; (fig:
paciencia, tolerancia) pousser à

bout; **~se** vpr: **~se (de)**
déborder (de)
descabalgar vi: **~ (de)**
descendre (de)
descabellado, -a adj fantaisiste
descafeinado, -a adj
décaféiné(e) ♦ nm décaféiné m
descalabro nm revers msg;
(daño) coup m
descalificar vt (DEPORTE)
disqualifier; (desacreditar)
discréditer
descalzar vt déchausser; **~se** vpr
se déchausser
descalzo, -a adj (persona) pieds
nus; **estar/ir (con los pies)
~(s)** être/aller pieds nus
descambiar vt (COM) échanger
descaminado, -a adj: **estar** o
ir ~ se leurrer
descampado nm terrain m
vague
descansado, -a adj reposant(e);
(oficio, actividad) facile; **estar/
sentirse ~** être/se sentir
reposé(e)
descansar vt reposer ♦ vi
(reposar) se reposer; (no trabajar)
faire une pause; (dormir) se
coucher
descansillo nm palier m
descanso nm repos msg; (en el
trabajo) pause f; (alivio)
soulagement m; (TEATRO, CINE)
entracte m; (DEPORTE) mi-temps fsg
descapotable nm (tb: **coche
~**) décapotable f
descarado, -a adj éhonté(e);
(insolente) effronté(e)
descarga nf déchargement m;
(MIL) décharge f
descargar vt décharger; (golpe)
envoyer ♦ vi décharger; (tormenta)
éclater; (nube) crever; **~ en** (río)
se jeter dans; **~se** vpr se

décharger; **descargo** nm (de obligación) libération f; (COM) crédit m; (de conciencia) soulagement m; (JUR) décharge f

descaro nm (fig) effronterie m; (insolencia) impudence f

descarriar vt (fig) dévergonder; **~se** vpr se dévergonder

descarrilamiento nm déraillement m

descarrilar vi dérailler

descartar vt rejeter

descascarillado, -a adj écaillé(e)

descendencia nf (hijos) descendance f

descender vt descendre ♦ vi descendre; (temperatura, nivel) baisser; **~ de** descendre de; **~ de categoría** se déclasser

descendiente nm/f descendant(e)

descenso nm descente f; (de temperatura, fiebre) baisse f

descifrar vt déchiffrer

descolgar vt décrocher; **~se** vpr se laisser glisser; (lámpara, cortina) se décrocher

descolorido, -a adj (tela, cuadro) passé(e); (persona) pâlot(te)

descomponer vt décomposer; (desordenar) déranger; (estropear) casser; (facciones) altérer; **~se** vpr se décomposer; (encolerizarse) se mettre en colère; (MÉX) se casser

descomposición nf décomposition f; **~ de vientre** diarrhée f

descompuesto, -a pp de **descomponer** ♦ adj (alimento) pourri(e); (vino) frelaté(e); (persona, rostro) décomposé(e); (con diarrea) dérangé(e)

descomunal adj énorme

desconcertado, -a adj déconcerté(e)

desconcertar vt déconcerter; **~se** vpr se déconcerter

desconcierto vb ver **desconcertar** ♦ nm désorientation f; (confusión) discorde f

desconectar vt déconnecter; (desenchufar) débrancher

desconfianza nf méfiance f

desconfiar vi: **~ de algn/algo** se méfier de qn/qch; **~ de que algn/algo haga algo** (dudar) craindre que qn/qch (ne) fasse qch

descongelar vt (POL, COM) dégeler; **~se** vpr se décongeler; se dégeler

descongestionar vt décongestionner

desconocer vt (dato) ignorer; (persona) ne pas connaître

desconocido, -a adj, nm/f inconnu(e); **está ~** (persona) il est transformé; (lugar) c'est transformé

desconsiderado, -a adj irrespectueux(-euse)

desconsolar vt affliger; **~se** vpr s'affliger

desconsuelo vb ver **desconsolar** ♦ nm affliction f, chagrin m

descontado, -a adj: **por ~** c'est certain; **dar por ~ (que)** escompter (que)

descontar vt (deducir) déduire; (rebajar) faire une remise de

descontento, -a adj mécontent(e) ♦ nm mécontentement m

descorazonar vt décourager; **~se** vpr perdre courage

descorchar vt déboucher

descorrer vt (cortina, cerrojo)
tirer

descortés adj discourtois(e);
(grosero) grossier(-ière)

descoser vt découdre; **~se** vpr
se découdre

descosido, -a adj décousu(e) ♦
nm (en prenda) trou m

descrédito nm discrédit m

descremado, -a adj écrémé(e)

describir vt décrire;
  descripción nf description f

descuartizar vt (CULIN: cerdo)
équarrir; (: pollo) dépecer

descubierto, -a pp de
  descubrir ♦ adj découvert(e);
  (coche) décapoté(e) ♦ nm (COM: en
  el presupuesto) déficit m; (:
  bancario) découvert m; **al ~** en
  plein air; **poner al ~** révéler

descubrimiento nm découverte
f

descubrir vt découvrir; **~se** vpr
se découvrir; (fig) éclater

descuento vb ver **descontar** ♦
nm remise f

descuidado, -a adj négligé(e);
  (desordenado) négligent(e); **estar
  ~** être pris(e) au dépourvu; **coger
  o pillar a algn** prendre qn au
  dépourvu

descuidar vt négliger ♦ vi ne
  plus y penser; **~se** vpr
  (despistarse) ne pas faire attention;
  ¡descuida! n'y pense plus!;
  descuido nm négligence f; **al
  menor descuido** à la moindre
  négligence; **con descuido** sans
  faire attention; **en un descuido**
  dans un moment d'inattention;
  por descuido par inadvertance

PALABRA CLAVE
---

desde prep **1** (lugar, posición)
depuis; **desde Burgos hasta**

mi casa hay 30 km de Burgos
à chez moi il y a 30 km; **hablaba
desde el balcón** il parlait du
balcon
2 (tiempo) depuis; **desde ahora**
à partir de maintenant; **desde
niño** depuis qu'il est tout petit;
**nos conocemos desde
1987/desde hace 20 años**
nous nous connaissons depuis
1987/depuis 20 ans; **no le veo
desde 1992/desde hace 5
años** je ne le vois plus depuis
1992/depuis 5 ans
3 (gama): **desde los más
lujosos hasta los más
económicos** des plus luxueux
aux plus avantageux
4: desde luego (que no/sí)
bien sûr (que non/si)
♦ conj: **desde que**: **desde que
recuerdo** aussi loin que je m'en
souvienne; **desde que llegó no
ha salido** depuis qu'il est rentré
il n'est pas sorti

desdecirse vpr: **~ de** se dédire
de

desdén nm dédain m

desdeñar vt dédaigner

desdicha nf malheur m

desdichado, -a adj (sin suerte)
infortuné(e); (infeliz)
malheureux(-euse) ♦ nm/f
miséreux(-euse)

desdoblar vt (extender) déplier

desear vt désirer

desecar vt assécher; **~se** vpr se
dessécher

desechar vt jeter; (oferta) rejeter

desecho nm déchet m; **~s** nmpl
ordures fpl; **de ~** (materiales) de
rebut; (ropa) à jeter

desembalar vt déballer

desembarazar vt débarrasser;

~se *vpr*: ~se de se débarrasser
de
desembarcar *vt* débarquer
desembocadura *nf* (de río)
embouchure *f*
desembocar *vi*: ~ en (río) se
jeter dans; (fig) déboucher sur
desembragar *vt*, *vi* débrayer
desembrollar *vt* débrouiller
desemejanza *nf* dissemblance *f*
desempaquetar *vt* déballer
desempatar *vi*: **volvieron a
jugar para ~** ils ont joué à
nouveau pour se départager;
desempate *nm* (FÚTBOL) belle *f*;
(TENIS) tie-break *m*
desempeñar *vt* (cargo, función)
occuper; (papel) jouer; (deber)
accomplir; (lo empeñado) dégager;
~ **un papel** (fig) jouer un rôle
desempeño *nm* (de cargo)
accomplissement *m*
desempleado, -a *adj* au
chômage; **desempleo** *nm*
chômage *m*
desempolvar *vt* dépoussiérer;
(recuerdos) rassembler
desencadenar *vt* (ira, conflicto)
déchaîner; (guerra) déclencher;
~se *vpr* (conflicto, tormenta) se
déchaîner; (guerra) se déclencher
desencajar *vt* (mandíbula)
décrocher; (hueso, pieza) déboîter;
~se *vpr* se déboîter
desencanto *nm*
désenchantement *m*
desenchufar *vt* débrancher
desenfadado, -a *adj*
décontracté(e); **desenfado** *nm*
décontraction *f*
desenfocado, -a *adj* (FOTO)
flou(e)
desenfrenado, -a *adj* (pasión)
sans bornes; (lenguaje, conducta)
débridé(e); **desenfreno** *nm*

(libertinaje) libertinage *m*; (falta de
control) déchaînement *m*
desenganchar *vt* décrocher;
~se *vpr* (fam: de drogas)
décrocher
desengañar *vt* désillusionner;
~se *vpr*: ~se (de) perdre ses
illusions (sur); **¡desengáñate!**
détrompe-toi!; **desengaño** *nm*
désillusion *f*; **llevarse un
desengaño (con algn)** être
déçu(e) (par qn)
desenlace *nm* dénouement *m*
desenmarañar *vt* (fig)
débrouiller
desenmascarar *vt* (fig)
démasquer
desenredar *vt* débrouiller
desenroscar *vt* dévisser
desenterrar *vt* déterrer
desentonar *vt* détonner
desentrañar *vt* (misterio) percer;
(sentido) éclaircir
desentumecer *vt* (pierna)
dégourdir; (DEPORTE) échauffer;
~se *vpr* se dégourdir
desenvoltura *nf* désinvolture *f*
desenvolver *vt* défaire; ~se *vpr*
se dérouler; **~se bien/mal** bien/
mal se débrouiller; **~se en la
vida** se débrouiller dans la vie
deseo *nm* désir *m*; **~ de (hacer)**
désir de (faire)
deseoso, -a *adj*: **estar ~ de
(hacer)** être désireux(-euse) de
(faire)
desequilibrado, -a *adj, nm/f*
déséquilibré(e)
desertar *vi* (soldado) déserter
desértico, -a *adj* désertique
desesperación *nf* désespoir *m*;
(irritación) exaspération *f*
desesperar *vt* désespérer;
(exasperar) exaspérer ♦ *vi*: ~ (de)
désespérer (de); ~se *vpr* perdre

espoir

desestabilizar vt déstabiliser

desestimar vt (menospreciar) mésestimer; (rechazar) rejeter

desfachatez nf aplomb m; **tener la ~ de hacer** avoir l'aplomb de faire

desfalco nm détournement m de fonds

desfallecer vi défaillir

desfasado, -a adj déphasé(e); (costumbres) vieux jeu inv; **desfase** nm (en mecanismo) déphasage m; (entre ideas, circunstancias) décalage m

desfavorable adj défavorable

desfigurar vt défigurer

desfiladero nm défilé m

desfilar vi défiler; **desfile** nm défilé m; **desfile de modelos** défilé de mode

desfogarse vpr (fig) se défouler

desgajar vt arracher; **~se** vpr (rama) s'arracher

desgana nf (falta de apetito) manque m d'appétit; (falta de entusiasmo) manque d'entrain

desganado, -a adj: **estar ~** (sin apetito) ne pas avoir d'appétit; (sin entusiasmo) manquer d'entrain

desgarrador, a adj déchirant(e)

desgarrar vt déchirer; (carne) déchiqueter; **~se** vpr (prenda) se déchirer; (carne) partir en lambeaux

desgastar vt user; **~se** vpr s'user; **desgaste** nm usure f; **desgaste físico** déchéance f physique

desglosar vt disjoindre

desgracia nf malheur m; **por ~** malheureusement

desgraciado, -a adj malheureux(-euse); (miserable) infortuné(e); (AM: fam) infâme ♦

nm/f (miserable) infortuné(e); (infeliz) malheureux(-euse)

desgravación nf (COM): **~ fiscal** dégrèvement m fiscal

desgravar vt dégrever ♦ vi (FIN) détaxer

deshabitado, -a adj (edificio) inhabité(e); (zona) déserté(e)

deshacer vt défaire; (TEC) démonter; (contrato) annuler; (disolverse) se dissoudre; (derretirse) fondre; **~se de** se défaire de; **~se en cumplidos/ atenciones/lágrimas** se répandre en compliments/être plein d'attentions/fondre en larmes

desharrapado, -a adj en haillons

deshecho, -a pp de **deshacer** ♦ adj défait(e); (roto) cassé(e); **estoy ~** (cansado) je suis mort(e) de fatigue; (deprimido) je suis abattu(e)

desheredar vt déshériter

deshidratar vt déshydrater; **~se** vpr se déshydrater

deshielo nm dégel m

deshonesto, -a adj malhonnête

deshonor nm, **deshonra** nf déshonneur m

deshora: a ~(s) adv (llegar) au mauvais moment; (hablar) quand il ne faut pas; (acostarse, comer) à des heures impossibles

deshuesar vt (carne) désosser; (fruta) dénoyauter

desierto, -a adj déserté(e) ♦ nm désert m; **declarar ~ un premio** ne pas décerner un prix (à cause du niveau insuffisant des candidats)

designar vt désigner; **~ (para)** (nombrar) désigner (pour)

designio nm dessein m

desigual *adj* inégal(e); (*tamaño, escritura*) irrégulier(-ière)

desilusión *nf* désillusion *f*; **desilusionar** *vt* désillusionner; (*decepcionar*) décevoir; **desilusionarse** *vpr* perdre ses illusions

desinfectar *vt* désinfecter

desinflar *vt* dégonfler; **~se** *vpr* se dégonfler

desintegración *nf* désintégration *f*

desinterés *nm* (*altruismo*) désintéressement *m*; **~ por** (*familia, actividad*) désintérêt *m* pour

desintoxicarse *vpr* se désintoxiquer

desistir *vi* renoncer; **~ de (hacer)** renoncer à (faire)

desleal *adj* déloyal(e); **deslealtad** *nf* déloyauté *f*

desleír *vt* diluer

deslenguado, -a *adj* (*grosero*) fort(e) en gueule

desligar *vt* (*separar*) séparer

desliz *nm* (*fig*) impair *m*; **deslizar** *vt* glisser; **deslizarse** *vpr* glisser; (*aguas mansas, lágrimas*) couler

deslucido, -a *adj* terne

deslumbrar *vt* éblouir

desmadrarse (*fam*) *vpr* se défouler

desmán *nm* abus *msg*

desmandarse *vpr* (*descontrolarse*) se rebeller

desmantelar *vt* démanteler; (*casa, fábrica*) vider

desmayarse *vpr* perdre connaissance; **desmayo** *nm* (*MED*) évanouissement *m*; (*desaliento*) découragement *m*

desmedido, -a *adj* démesuré(e)

desmejorar *vi* (*MED*) s'affaiblir

desmembrar *vt* démembrer; **~se** *vpr* (*imperio*) se morceler

desmemoriado, -a *adj* distrait(e)

desmentir *vt* démentir

desmenuzar *vt* (*pan*) émietter; (*roca*) effriter; (*carne*) couper en morceaux; (*asunto, teoría*) examiner en détail

desmerecer *vi* (*marca*) baisser; (*belleza*) se flétrir; **~ de** (*cosa*) ne pas être à la hauteur de; (*persona*) ne pas être digne de

desmesurado, -a *adj* (*ambición, egoísmo*) démesuré(e); (*habitación, gafas*) énorme

desmontable *adj* (*que se quita*) démontable; (*que se puede plegar*) pliable

desmontar *vt* démonter ♦ *vi* (*de caballería*) mettre pied à terre

desmoralizar *vt* démoraliser; **~se** *vpr* se démoraliser

desmoronar *vt* saper; **~se** *vpr* s'écrouler; (*convicción, ilusión*) s'ébranler

desnatado, -a *adj* écrémé(e)

desnivel *nm* (*de terreno*) dénivellation *f*

desnudar *vt* dénuder; **~se** *vpr* se dénuder

desnudo, -a *adj* nu(e); (*árbol*) dépouillé(e) ♦ *nm* (*ARTE*) nu *m*

desnutrición *nf* malnutrition *f*

desnutrido, -a *adj* mal nourri(e)

desobedecer *vt, vi* désobéir

desobediente *adj* désobéissant(e)

desocupado, -a *adj* (*persona: ocioso*) désœuvré(e); (*asiento, servicios*) libre

desocupar *vt* (*vivienda*) libérer; (*local*) vider

desodorante *nm* déodorant *m*

desolación *nf* désolation *f*

desorbitado, -a adj (deseos)
démesuré(e); (precio) exorbitant(e)

desorden nm désordre m;
desórdenes nmpl (POL) troubles
mpl

desordenado, -a adj
(habitación, objetos) en désordre;
(persona) désordonné(e)

desorganización nf
désorganisation f

desorganizar vt bouleverser

desorientado, -a adj
(extraviado) égaré(e); (confundido)
confus(e)

desorientar vt (extraviar) égarer;
(desconcertar) désorienter; **~se** vpr
s'égarer

despabilado, -a adj (despierto)
réveillé(e); (fig) éveillé(e)

despabilar vt réveiller ♦ vi se
réveiller; (fig) s'éveiller; **~se** vpr se
réveiller; **¡despabílate!** (date
prisa) réveille-toi!

despachar vt (negocio) expédier;
(correspondencia) s'occuper de; (en
tienda: cliente) servir; (entradas)
distribuer; (empleado) se
débarrasser de; (visitas) décliner;
(ARG: maletas) enregistrer ♦ vi (en
tienda) servir

despacho nm bureau m; (envío)
dépêche f; (COM: venta) envoi m;
(comunicación oficial) dépêche f; **~**
de billetes o **boletos** (AM)
bureau de tabac

despacio adv lentement;
(cuidadosamente, AM: en voz baja)
doucement

desparpajo nm (desenvoltura)
aisance f; (pey) insolence f

desparramar vt répandre

despavorido, -a adj terrosié(e)

despecho nm dépit m; **a ~ de**
en dépit de

despectivo, -a adj (tono, modo)

condescendant(e)

despedazar vt réduire en miettes

despedida nf (adiós) congé m;
regalo/cena de ~ cadeau m/
dîner m d'adieu; **hacer su ~ de**
soltero/soltera enterrer sa vie
de garçon/jeune fille

despedir vt (decir adiós a) dire au
revoir à; (empleado) renvoyer;
(olor, calor) dégager; **~se** vpr
quitter son emploi; **~se de algn**
dire au revoir à qn; **ir a ~ a algn**
aller prendre congé de qn

despegar vt, vi décoller;
despego nm = **desapego**

despegue vb ver **despegar** ♦
nm décollage m

despejado, -a adj dégagé(e);
(persona) réveillé(e)

despejar vt dégager; (desalojar)
vider; (misterio) éclaircir; (mente)
rafraîchir ♦ vi s'éclaircir; **~se** vpr
s'éclaircir; (persona) émerger

despellejar vt (animal) écorcher

despenalizar vt décriminaliser

despensa nf armoire f à
provisions

despeñadero nm précipice m

despeñarse vpr basculer

desperdiciar vt gaspiller;
(oportunidad) manquer

desperdicio nm gaspillage m;
~s nmpl (basura) ordures fpl;
(residuos) déchets mpl; **el libro**
no tiene ~ le livre est excellent
du début à la fin

desperdigarse vpr se disperser;
(semillas etc) s'éparpiller

desperezarse vpr s'étirer

desperfecto nm (deterioro)
dommage m; (defecto)
imperfection f

despertador nm réveil m

despertar vt réveiller; (sospechas,
admiración) éveiller; (apetito)

aiguiser ♦ vi se réveiller ♦ nm (de persona) réveil m; (día, era) aube f; **~se** vpr se réveiller

despiadado, -a adj impitoyable

despido vb ver **despedir** ♦ nm (de trabajador) licenciement m

despierto, -a vb ver **despertar** ♦ adj réveillé(e); (fig) éveillé(e)

despilfarro nm gaspillage m

despistado, -a adj (distraído) distrait(e)

despistar vt (perseguidor) semer; (desorientar) dérouter; **~se** vpr (distraerse) être distrait(e)

despiste nm distraction f

desplazamiento nm déplacement m; (INFORM) défilement m; **~ hacia arriba/abajo** (INFORM) déplacement vers le haut/bas; **gastos de ~** frais mpl de déplacement

desplazar vt (déplacer; (fig) supplanter; (INFORM) faire défiler; **~se** vpr se déplacer

desplegar vt déployer; (tela, papel) déplier; **~se** vpr (MIL) se déployer; **despliegue** vb ver **desplegar** ♦ nm déploiement m

desplomarse vpr s'écrouler

desplumar vt (ave) déplumer; (fam) plumer

despoblado, -a adj (sin habitantes) vide; (con pocos habitantes) dépeuplé(e) ♦ nm terrain m vague

despojar vt (casa) dépouiller; **~ de** (persona: de sus bienes) dépouiller de; (: de título, derechos) retirer; **~se** vpr: **~se de** (ropa) enlever

despojo nm (de banquete) reliefs mpl

desposado, -a adj tout juste marié(e)

desposar vt (suj: sacerdote)

marier; **~se** vpr se marier

desposeer vt: **~ (de)** déposséder (de)

déspota nm/f despote m

despreciar vt mépriser; (oferta, regalo) dédaigner; **desprecio** nm dédain m; **un desprecio** un affront

desprender vt ôter; (olor, calor) dégager; **~se** vpr se détacher; (olor, perfume) se dégager; **~ (de)** (separar) ôter (de); **~se de algo** se défaire de qch; **de ahí se desprende que** il en découle que

desprendimiento nm générosité f; **~ de retina** décollement m de la rétine; **~ de tierras** éboulement m de terrain

despreocupado, -a adj: **estar ~** (sin preocupación) ne pas s'inquiéter; **ser ~** être insouciant(e)

despreocuparse vpr: **~ (de)** (dejar de inquietarse) ne plus s'occuper (de); (desentenderse) se désintéresser (de)

desprestigiar vt discréditer; **~se** vpr se discréditer

desprevenido, -a adj dépourvu(e); **coger** (ESP) o **agarrar** (AM) **a algn ~** prendre qn au dépourvu

desproporcionado, -a adj disproportionné(e)

desprovisto, -a adj: **~ de** dépourvu(e) de

después adv après; (entonces) alors ♦ prep: **~ de** après ♦ conj: **~ (de) que** après que; **un año ~** un an après; **~ de comer** après manger; **~ de todo** après tout

desquiciar vt (puerta) sortir de ses gonds; (persona) rendre fou (folle)

desquite nm: **tomarse el ~ (de)** prendre sa revanche (sur)

destacar vt (ARTE) mettre en relief; (fig) souligner; (MIL) détacher ♦ vi (sobresalir: montaña, figura) ressortir; (: obra, persona) se démarquer; **~se** vpr se démarquer

destajo nm: **trabajar a ~** (por pieza) travailler à la pièce; (mucho) travailler d'arrache-pied

destapar vt (botella) déboucher; (cacerola) ôter le couvercle de; **~se** vpr (botella) se déboucher; (en la cama) se découvrir

destartalado, -a adj (casa) délabré(e); (coche) démantibulé(e)

destello nm (de diamante, metal) scintillement m; (de estrella) scintillation f; (de faro) lueur f

destemplado, -a adj (MÚS) désaccordé(e); (voz) discordant(e); (METEOROLOGÍA) mauvais(e); **estar/sentirse ~** (MED) être/se sentir indisposé(e)

desteñir vt (sol, lejía) passer ♦ vi (tejido) déteindre; **~se** vpr déteindre; **esta tela no destiñe** cette toile ne déteint pas

desternillarse vpr: **~ de risa** se tordre de rire

desterrar vt exiler

destiempo: **a ~** adv mal à propos

destierro vb ver **desterrar** ♦ nm (expulsión) interdiction f de séjour; (exilio) exil m

destilar vt, vi distiller; **destilería** nf distillerie f

destinar vt (funcionario, militar) affecter; (habitación, tarea) assigner; **~ a o para** (fondos) destiner à

destinatario, -a nm/f

destinatario m/f

destino nm (suerte) destin m; (de viajero) destination f; (de funcionario, militar) poste m; **con ~ a** à destination de

destituir vt: **~ (de)** destituer (de)

destornillador nm tournevis msg

destornillar vt = **desatornillar**

destreza nf dextérité f; (maña) adresse f

destrozar vt (romper) casser; (planes, campaña, persona) anéantir; (nervios) mettre à vif

destrozo nm destruction f; **~s** nmpl (daños) dégâts mpl

destrucción nf destruction f

destructivo, -a adj destructeur(-trice)

destruir vt détruire; (persona: moralmente) briser; (negocio, comarca) ruiner; (político, competidor, ilusiones) anéantir

desuso nm non utilisation f; **caer en ~** tomber en désuétude; **estar en ~** être inusité(e)

desvalido, -a adj déshérité(e)

desvalijar vt dévaliser; (coche) cambrioler

desván nm grenier m

desvanecerse vpr (MED) s'évanouir; (fig) se dissiper; (borrarse) s'effacer

desvanecimiento nm (de contornos, colores) effacement m; (MED) évanouissement m

desvariar vi délirer; **desvarío** nm délire m

desvelar vt (suj: café, preocupación) tenir éveillé(e); **~se** vpr rester éveillé(e)

desvelos nmpl (preocupación) soucis mpl

desvencijado, -a adj (silla) branlant(e); (máquina) détraqué(e)

desventaja nf inconvénient m;

estar en o **llevar ~** être désavantagé(e)

desventura nf malheur m

desvergonzado, -a adj, nm/f dévergondé(e); (descarado) effronté(e)

desvergüenza nf dévergondage m; (descaro) toupet m

desvestir vt déshabiller; **~se** vpr se déshabiller

desviación nf (de río, mirada) détournement m; (AUTO) déviation f; (de la conducta) écart m; **~ de la columna** (MED) scoliose f

desviar vt dévier; **~se** vpr (apartarse del camino) s'égarer; (rumbo) faire un détour

desvío vb ver **desviar** ♦ nm (AUTO) détour m

desvirtuar vt (actuación, labor) nuire à; **~se** vpr perdre sa signification première

desvivirse vpr: **~ por algo/ algn** se mettre en quatre pour qch/qn; **~ por hacer** se tuer à faire

detalle nm détail m; (delicadeza) attention f; **¡qué ~!** comme c'est gentil!; **al ~** (COM) au détail

detallista adj méticuleux(-euse) ♦ nm/f (COM) détaillant(e)

detective nm/f détective m; **~ privado** détective privé

detener vt arrêter; **~se** vpr s'arrêter; (demorarse) s'attarder

detenido, -a adj arrêté(e); (minucioso) minutieux(-euse); (preso) détenu(e) ♦ nm/f détenu(e)

detenimiento nm: **con ~** avec soin

detergente nm détergent m

deteriorar vt détériorer; **~se** vpr se détériorer

determinación nf détermination

f; (decisión) décision f

determinado, -a adj déterminé(e)

determinar vt déterminer; **~se** vpr: **~se a hacer** se déterminer à faire

detestar vt détester

detrás adv derrière; (en sucesión) après ♦ prep: **~ de** derrière; **~ mío/nuestro** (esp CSUR) derrière moi/nous

detrimento nm: **en ~ de** au détriment de

deuda nf dette f; **estar en ~ con algn** (fig) avoir une dette envers qn; **~ exterior/pública** dette extérieure/publique

devaluación nf dévaluation f

devaluar vt dévaluer

devastar vt dévaster

devoción nf dévotion f; **sentir ~ por algn/algo** (fig) avoir de la dévotion pour qn/qch

devolución nf restitution f; (de carta) retour m; (de dinero) remboursement m

devolver vt rendre; (a su sitio) remettre; (fam: vomitar) rendre ♦ vi (fam) rendre; **~se** vpr (AM) revenir

devorar vt dévorer

devoto, -a adj (REL) dévot(e) ♦ nm/f dévot(e); (adepto) adepte m/f

devuelto pp de **devolver**

devuelva etc vb ver **devolver**

di vb ver **dar; decir**

día nm (24 horas) journée f; (lo que no es noche) jour m; **¿qué ~ es?** quel jour est-on?; **estar/ poner al ~** (cuentas) être/mettre à jour; (persona) être/mettre au courant; **el ~ de mañana** demain; **al ~ siguiente** le jour suivant; **vivir al ~** vivre au jour le jour; **es de ~** il fait jour; **en**

pleno ~ en plein jour; **¡buenos ~s!** bonjour!; **~ domingo/lunes** etc (AM) dimanche/lundi etc; **D~ de Reyes** Epiphanie f; **~ festivo** o **feriado** (AM) o **de fiesta** (AM) jour férié; **~ laborable** jour de travail; **~ lectivo/libre** jour de classe/de congé

diabetes nf diabète m

diabético, -a nm/f diabétique m/f

diablo nm diable m; **¿cómo/qué ~s ...?** comment/que diable ...?;
diablura nf diablerie f

diadema nf diadème m

diafragma nm diaphragme m

diagnosis nf inv diagnostic m

diagnóstico nm diagnostic m

diagonal adj oblique ♦ nf diagonale f

diagrama nm diagramme m; **~ de flujo** (INFORM) organigramme m

dial nm (de radio) bande f de fréquence

dialecto nm dialecte m

dialogar vi dialoguer; **~ con** (POL) s'entretenir avec

diálogo nm dialogue m

diamante nm diamant m; **~s** nmpl (NAIPES) carreau msg

diámetro nm diamètre m

diana nf (MIL) réveil m; (de blanco) mouche f

diapositiva nf (FOTO) diapositive f

diario, -a adj quotidien(ne) ♦ nm quotidien m; (para memorias) journal m; (COM) livre m journal; **a ~** tous les jours; **de o para ~** de tous les jours

diarrea nf diarrhée f

dibujar vt, vi dessiner

dibujo nm dessin m; **dibujos animados** dessins mpl animés; **dibujo lineal/técnico** dessin

industriel

diccionario nm dictionnaire m

dicho, -a pp de **decir** ♦ adj: **en ~s países** dans ces pays ♦ nm proverbe m

dichoso, -a adj heureux(-euse)

diciembre nm décembre m; ver tb **julio**

dictado nm dictée f

dictador nm dictateur m;
dictadura nf dictature f

dictamen nm expertise f

dictar vt dicter; (decreto) prendre; (ley) édicter; (AM: clase) faire

didáctico, -a adj didactique; (educativo) éducatif(-ive)

diecinueve adj inv, nm inv dix-neuf m inv; ver tb **seis**

dieciocho adj inv, nm inv dix-huit m inv; ver tb **seis**

dieciséis adj inv, nm inv seize m inv; ver tb **seis**

diecisiete adj inv, nm inv dix-sept m inv; ver tb **seis**

diente nm dent f; **hablar entre ~s** parler entre ses dents; **~ de ajo** gousse f d'ail; **~ de león** pissenlit m

diera etc vb ver **dar**

diesel adj: **motor ~** (moteur m) diesel m

diestro, -a adj droit(e); (hábil) adroit(e) ♦ nm (TAUR) matador m

dieta nf régime m; **~s** nfpl (de viaje, hotel) frais mpl; **estar a ~** être au régime

dietética nf diététique f

dietético, -a adj diététique

diez adj inv, nm inv dix m inv; ver tb **seis**

diezmar vt décimer

difamar vt diffamer

diferencia nf différence f; **~s** nfpl (desacuerdos) différend msg; **a ~ de** à la différence de;

diferenciar vt: **diferenciar
(de)** distinguer (de) ♦ vi:
diferenciar entre A y B
distinguer A de B; **diferenciarse**
vpr: **diferenciarse (de)** se
distinguer (de)
diferente adj différent(e) ♦ adv
différemment
diferido nm: **en ~** (TV) en différé
difícil adj difficile; **ser ~ de
hacer/entender/explicar** être
difficile à faire/comprendre/
expliquer
dificultad nf difficulté f; **~es** nfpl
(problemas) difficultés fpl; **poner
~es (a algn)** faire des difficultés
(à qn)
dificultar vt (explicación, labor)
rendre difficile; (visibilidad)
brouiller
difteria nf diphtérie f
difundir vt (calor, noticia) diffuser;
(doctrina, rumores) répandre; **~se**
vpr se diffuser; (doctrina) se
répandre
difunto, -a adj ♦ nm/f défunt(e)
difusión nf diffusion f
diga etc vb ver **decir**
digerir vt digérer
digestión nf digestion f
digestivo, -a adj digestif(-ive)
digital adj digital(e)
dignarse vpr: **~ (a) hacer**
daigner faire
dignatario, -a nm/f dignitaire
m/f
dignidad nf dignité f
digno, -a adj (sueldo, nivel de
vida) décent(e); (comportamiento,
actitud) digne; **~ de** digne de
dije vb ver **decir**
dilapidar vt dilapider
dilatar vt dilater; (prolongar,
aplazar) prolonger; **~se** vpr se
dilater

dilema nm dilemme m
diligencia nf diligence f; (trámite)
acte m de procédure; **~s** nfpl (JUR)
formalités fpl; **diligente** adj
diligent(e)
diluir vt diluer
diluvio nm déluge m
dimensión nf dimension f; (de
catástrofe) proportions fpl;
dimensiones nfpl (tamaño)
dimensions fpl
diminuto, -a adj tout(e) petit(e)
dimitir vi: **~ (de)** démissionner
(de)
dimos vb ver **dar**
Dinamarca nf Danemark m
dinámico, -a adj dynamique
dinamita nf dynamite f
dinamo, dínamo nm (nm en AM)
dynamo f
dineral nm fortune f
dinero nm argent m; **~ contante
(y sonante)** espèces fpl; **~
efectivo** o **en metálico** liquide
m; **~ suelto** menue monnaie f
dinosaurio nm dinosaure m
dio vb ver **dar**
diócesis nf inv diocèse m
Dios nm Dieu m; **¡~ mío!** mon
Dieu!; **¡por ~!** grand Dieu!; **si ~
quiere** si Dieu le veut
dios nm dieu m
diosa nf déesse f
diploma nm diplôme m
diplomacia nf diplomatie f
diplomado, -a adj, nm/f
diplômé(e)
diplomático, -a adj
diplomatique ♦ nm/f diplomate
m/f
diptongo nm diphtongue f
diputación nf ≃ conseil m
général
diputado, -a nm/f député m
dique nm digue f

diré etc vb ver **decir**

dirección nf direction f; (señas) adresse f; (CINE, TEATRO) mise f en scène; **~ prohibida/única** sens m interdit/unique

directa nf (AUTO) quatrième f, cinquième f

directiva nf comité m directeur

directo, -a adj direct(e); **transmitir en ~** (TV) diffuser en direct

director, -a adj directeur(-trice); nm/f directeur(-trice); (CINE, TV) metteur m en scène; **~ general** o **gerente** directeur général

dirigente adj, nm/f dirigeant(e)

dirigir vt diriger; (carta, pregunta) adresser; (obra de teatro, film) mettre en scène; (esfuerzos) concentrer; **~se** vpr: **~se a** s'adresser à; **a** o **hacia** diriger vers; **no ~ la palabra a algn** ne pas adresser la parole à qn

dirija etc vb ver **dirigir**

discernir vt discerner

disciplina nf discipline f

discípulo, -a nm/f disciple m

disco nm disque m; (AUTO) feu m; **~ compacto** disque compact; **~ de densidad doble/sencilla** disquette double densité/densité simple; **~ duro** o **rígido/flexible** o **floppy** disque dur/disquette

disconforme adj non conforme; **estar ~ (con)** ne pas être conforme (à)

discordia nf désaccord m

discoteca nf discothèque f

discreción nf discrétion f; (prudencia) prudence f; **comer/ beber a ~** manger/boire à volonté; **discrecional** adj (uso, poder) discrétionnaire; (servicio) optionnel(le)

discrepancia nf différence f;

(desacuerdo) différend m

discreto, -a adj discret(-ète); (sensato) judicieux(-euse)

discriminación nf discrimination f

disculpa nf excuse f; **pedir ~s a/por** demander pardon à/pour; **disculpar** vt pardonner; **disculparse** vpr: **disculparse (de/por)** s'excuser (de/pour)

discurrir vt échafauder ♦ vi réfléchir; (el tiempo) s'écouler; **~ (por)** (gente, río) passer (par)

discurso nm discours msg

discusión nf discussion f

discutir vt discuter ♦ vi discuter; (disputar): **~ (con)** se disputer (avec)

disecar vt (animal) empailler; (planta) sécher

diseminar vt éparpiller; (fig) répandre

diseñar vt créer

diseño nm (TEC) conception f; (boceto) ébauche f

disfraz nm déguisement m; **disfrazar** vt déguiser; **disfrazarse** vpr se déguiser; **disfrazarse de** se déguiser en

disfrutar vt jouir de ♦ vi prendre beaucoup de plaisir

disgregar vt (manifestantes) disperser; (familia, imperio) diviser; **~se** vpr (muchedumbre) se disperser

disgustar vt déplaire à; **~se** vpr être contrarié(e); (dos personas) s'accrocher

disgusto nm désagrément m; (pesadumbre) contrariété f; (desgracia) malheur m; (riña) accrochage m

disidente adj, nm/f dissident(e)

disimular vt dissimuler ♦ vi faire comme si de rien n'était

disipar vt dissiper; **~se** vpr se dissiper

dislocar vt (articulación) déboîter; **~se** vpr se déboîter

disminución nf diminution f

disminuido, -a nm/f: **~ mental/físico** handicapé(e) mental/physique

disminuir vt (gastos, cantidad, dolor) diminuer; (temperatura, velocidad, población) réduire ♦ vi (días, población, número) diminuer; (precios, temperatura, memoria) baisser; (velocidad) décroître

disociarse vpr: **~ (de)** se dissocier (de)

disolver vt dissoudre; (manifestación) disperser; (contrato) dénoncer; **~se** vpr se dissoudre; (manifestantes) se disperser

dispar adj (distinto) distinct(e)

disparar vt, vi tirer; **~se** vpr (precios) monter en flèche

disparate nm bêtise f; (error) absurdité f; **decir ~s** dire des bêtises

disparo nm tir m

dispensar vt dispenser; (bienvenida) souhaiter

dispersar vt éparpiller; (manifestación, fig) disperser; **~se** vpr se disperser; (luz) se répandre

disponer vt disposer; (mandar) ordonner ♦ vi: **~ de** disposer de; **~se** vpr: **~se a** o **para hacer** se disposer à faire; **la ley dispone que ...** la loi stipule que ...; **no puede ~ de esos bienes** il ne peut disposer librement de ces biens

disponible adj disponible; **no estar ~** ne pas être disponible

disposición nf disposition f; **~ para** (aptitud) dispositions fpl

pour; **a (la) ~ de** à (la) disposition de; **a su ~** à votre disposition

dispositivo nm dispositif m

dispuesto, -a pp de **disponer** ♦ adj (preparado) préparé(e); **estar ~/poco ~ a hacer** être disposé(e)/peu disposé(e) à faire

disputar vt (DEPORTE, premio, derecho) disputer ♦ vi discuter; **~se** vpr se disputer; **~ por** disputer

disquetera nf (INFORM) lecteur m de disquette

distancia nf distance f; (en el tiempo) écart m; **a ~** à distance

distanciar vt distancer; **~se** vpr (enemistarse) se distancier; **~se (de)** (alejarse) s'éloigner (de)

distante adj distant(e)

distar vi: **dista 5 kms de aquí** c'est à 5 km d'ici

diste, disteis vb ver **dar**

distensión nf détente f

distinción nf distinction f; **sin ~ de** sans distinction de

distinguido, -a adj distingué(e)

distinguir vt distinguer; **~se** vpr se distinguer; **~ X de Y** distinguer X de Y

distintivo, -a adj distinctif(-ive) ♦ nm (insignia) insigne m

distinto, -a adj: **~ (a** o **de)** distinct(e) (de); **~s** (varios) plusieurs mpl

distracción nf distraction f

distraer vt distraire; **~se** vpr (entretenerse) se distraire; (perder la concentración) être distrait(e)

distraído, -a adj distrait(e); (entretenido) amusé(e)

distribuidor, a nm/f (persona) distributeur(-trice) ♦ nf (COM) concessionnaire m; (CINE) distributeur m

distribuir vt (riqueza, beneficio) repartir; (cartas, trabajo) distribuer

distrito nm district m; ~ **electoral** circonscription f électorale; ~ **postal** secteur m postal

disturbio nm troubles mpl; ~ **de orden público** trouble m de l'ordre public

disuadir vt: ~ **(de)** dissuader (de)

disuelto pp de **disolver**

disyuntiva nf alternative f

DIU sigla m (= dispositivo intrauterino) stérilet m

diurno, -a adj de jour

divagar vi divaguer

diván nm divan m

divergencia nf divergence f

diversidad nf diversité f

diversificar vt diversifier; ~**se** vpr se diversifier

diversión nf distraction f

diverso, -a adj (variado) varié(e)
♦ nm: ~**s** (COM) articles mpl divers; ~**s libros** plusieurs livres; ~**s colores** couleurs fpl variées

divertido, -a adj amusant(e); (fiesta) réussi(e); (película, libro) divertissant(e)

divertir vt amuser; ~**se** vpr s'amuser

dividendo nm (COM): ~**s** dividendes mpl

dividir vt partager; (separar) séparer; (partido, opinión pública) diviser; (MAT): ~ **(por o entre)** diviser (par)

divierta etc vb ver **divertir**

divino, -a adj (REL, fam) divin(e)

divirtiendo etc vb ver **divertir**

divisa nf devise f; ~**s** nfpl (COM) devises fpl

divisar vt deviner

división nf division f; (de herencia) partage m

divorciar vt prononcer le divorce de; ~**se** vpr: ~**se (de)** divorcer (de); (separarse) divorce m

divorcio nm divorce m

divulgar vt divulguer; (popularizar) vulgariser

DNI (ESP) sigla m (= Documento Nacional de Identidad) ver **documento**

DNI

Le Documento Nacional de Identidad, appelé également DNI ou "carnet de identidad" est la carte d'identité nationale espagnole, comportant la photographie, l'état civil et les empreintes digitales du titulaire. Comme en France, il faut toujours en être muni et le présenter à la police en cas de contrôle.

Dña. abr (= Doña) Mme (= Madame)

do nm (MÚS) do m

dobladillo nm ourlet m

doblar vt plier; (cantidad, CINE) doubler; ~**se** vpr se plier; ~ **la esquina** tourner au coin de la rue; ~ **a la derecha/izquierda** tourner à droite/gauche

doble adj double ♦ nm: **el ~** le double ♦ nm/f (TEATRO, CINE): ~ doublure m; ~**s** nmpl (DEPORTE): **partido de ~s** double msg; **con ~ sentido** à double sens

doblegar vt obliger; ~**se** vpr (ceder) se plier

doblez nm (pliegue) pli m

doce adj inv, nm inv douze m inv; ver tb **seis**; **docena** nf douzaine f

docente adj: **centro/personal ~** centre m/personnel m

d'enseignement; cuerpo ~ corps *msg* enseignant

dócil *adj* docile

doctor, a *nm/f (médico)* médecin *m; (UNIV)* docteur *m*

doctorado *nm* doctorat *m*

doctrina *nf* doctrine *f*

documentación *nf* documentation *f;* **documental** *adj, nm* documentaire *m*

documento *nm (certificado)* justificatif *m; (histórico)* document *m; (fig: testimonio)* témoignage *m;* **~ adjunto** fichier *m* adjoint; **~ nacional de identidad** carte *f* d'identité

dólar *nm* dollar *m*

doler *vi* faire mal; *(fig)* peiner; **~se** *vpr* se plaindre; **me duele el brazo** mon bras me fait mal

dolor *nm* douleur *f;* **~ de cabeza** mal *m* de tête; **~ de estómago** maux *mpl* d'estomac; **~ de muelas** mal de dents

domar *vt* dompter; **domesticar** *vt* domestiquer

doméstico, -a *adj, nm/f* domestique *m/f;* **economía doméstica** économie *f* domestique

domiciliación *nf:* **~ de pagos** virement *m* automatique

domicilio *nm* domicile *m;* **servicio a ~** service *m* à domicile; **sin ~ fijo** sans domicile fixe; **~ particular** domicile particulier; **~ social** *(COM)* siège *m* social

dominante *adj* dominant(e); *(persona)* dominateur(-trice)

dominar *vt* dominer; *(epidemia)* enrayer ♦ *vi* dominer; **~se** *vpr* se dominer

domingo *nm* dimanche *m;* **D~ de Ramos/de Resurrección** dimanche des Rameaux/de

Pâques; *ver tb* **sábado**

dominicano, -a *adj* dominicain(e) ♦ *nm/f* Dominicain(e)

dominio *nm* domination *f; (de las pasiones, de idioma)* maîtrise *f;* **~s** *nmpl (tierras)* domaine *msg*

dominó *nm* domino *m; (juego)* dominos *mpl*

don *nm* don *m; (tratamiento: con apellido)* Monsieur *m; (: sólo con nombre)* Don *m,* ≃ Monsieur; **D~ Juan Gómez** Monsieur Juan Gómez; **tener ~ de gentes** savoir s'y prendre avec les gens; **un ~ de la naturaleza** un don de la nature; **tener un ~ para el dibujo/la música** être doué(e) pour le dessin/la musique

---

Don/Doña

Le titre **don/doña**, *souvent abrégé en D./Dña s'utilise en marque de respect lorsque l'on s'adresse à une personne plus âgée que soi ou à un supérieur hiérarchique. Il se place devant le prénom, par exemple Don Diego, Doña Inés. Cet usage, de plus en plus rare en Espagne, est maintenant surtout réservé à la correspondance et aux documents officiels. Dans ce cas, le titre précède les prénoms et noms de famille Sr. D. Pedro, Rodríguez Hernández, Sra. Dña. Inés Rodríguez Hernández.*

---

donar *vt* faire un don de; *(sangre)* donner

donativo *nm* don *m*

doncella *nf (criada)* bonne *f*

donde *adv* où; *(fam):* **se fue a sus tíos** il est allé chez ses vieux;

por ~ par où

dónde *adv* où; **¿a ~ vas?** où vas-tu?; **¿de ~ vienes?** d'où viens-tu?; **¿por ~?** par où?

dondequiera *adv* n'importe où ♦ *conj*: **~ que** où que

doña *nf* (*tratamiento: con apellido*) Madame *f*; (: *sólo con nombre*) Doña *f*, ≈ Madame

dorado, -a *adj* doré(e) ♦ *nm* dorure *f*

dormir *vt* endormir ♦ *vi* dormir; **~se** *vpr* s'endormir; **~ la siesta** faire la sieste; **se me ha dormido el brazo/la pierna** j'ai eu des fourmis dans le bras/la jambe

dormitar *vi* somnoler

dormitorio *nm* chambre *f*; (*en una residencia*) dortoir *m*

dorsal *adj* dorsal(e) ♦ *nm* (*DEPORTE*) dossard *m*

dorso *nm* dos *m*

DOS *sigla m* (= *sistema operativo de disco*) DOS *msg*

dos *adj inv, nm inv* deux *inv*; **los ~ les deux**; **de ~ en ~** deux par deux; *ver tb* **seis**

doscientos, -as *adj* deux cents; *ver tb* **seiscientos**

dosis *nf inv* dose *f*

dotado, -a *adj* doué(e); **~ de** doté(e) de

dotar *vt* équiper; **~ de** *o* **con** (*proveer: de inteligencia, simpatía*) douer de; (: *de dinero*) allouer; (: *de personal, maquinaria*) doter de

dote *nf* dot *f*; **dotes** *nfpl* (*aptitudes*) dons *mpl*

doy *vb ver* **dar**

dragar *vt* draguer

drama *nm* drame *m*

dramático, -a *adj* dramatique

dramaturgo, -a *nm/f* dramaturge *m/f*

drástico, -a *adj* drastique

drenaje *nm* drainage *m*

droga *nf* drogue *f*

drogadicto, -a *nm/f* drogué(e)

droguería *nf* droguerie *f*

ducha *nf* douche *f*

ducharse *vpr* se doucher

duda *nf* doute *m*; **sin ~** sans aucun doute; **no cabe ~** il n'y a pas de doute; **para salir de ~s** pour en avoir le cœur net; **dudar** *vt, vi* douter; **dudar (de)** douter (de); **dudó si comprarlo o no** il a hésité à l'acheter

dudoso, -a *adj* douteux(-euse)

duelo *vb ver* **doler** ♦ *nm* duel *m*

duende *nm* lutin *m*

dueño, -a *nm/f* (*propietario*) propriétaire *m/f*; (*empresario*) patron(ne)

duerma *etc vb ver* **dormir**

dulce *adj* doux (douce) ♦ *nm* gourmandise *f*; (*pastel*) douceur *f*

dulzura *nf* douceur *f*

duna *nf* dune *f*

duplicar *vt* (*llave, documento*) faire un double de; (*cantidad*) doubler; **~se** *vpr* se multiplier par deux

duque *nm* duc *m*; **duquesa** *nf* duchesse *f*

duración *nf* durée *f*; (*de máquina*) durée de vie

duradero, -a *adj* (*material*) résistant(e); (*fe, paz*) durable

durante *adv* pendant; **habló ~ una hora** il a parlé pendant une heure

durar *vi* durer; (*persona: en cargo*) rester

durazno (*AM*) *nm* pêche *f*; (*árbol*) pêcher *m*

durex ® (*AM*) *nm* scotch ® *m*

dureza *nf* dureté *f*; (*de clima*) rigueur *f*

duro, -a adj dur(e) ♦ adv dur ♦
nm pièce de cinq pesetas; **a duras**
penas à grand-peine; **es ~ de**
pelar il faut se le farcir

E, e

E abr (= este) E (= est)
e conj (delante de i- e hi-, pero no
hie-) et; ver tb **y**
ebanista nf ébéniste m/f
ébano nm ébène m
ebrio, -a adj ivre
ebullición nf ébullition f
eccema nm eczéma m
echar vt (lanzar) jeter; (verter)
verser; (gasolina, carta, freno)
mettre; (expulsar) mettre dehors;
(empleado) renvoyer; (hojas)
pousser; (despedir: humo) rejeter; (:
agua) cracher; (película) passer ♦
vi: **~ a andar/volar/correr** se
mettre à marcher/voler/courir;
~se vpr s'allonger; **~ a cara o**
cruz algo jouer qch à pile ou
face; **~se atrás** se pencher
en arrière; (fig) se dédire; **~se a**
llorar/reír/temblar se mettre à
pleurer/rire/trembler
eclesiástico, -a adj
ecclésiastique
eclipse nm éclipse f
eco nm écho m
ecología nf écologie f
ecológico, -a adj écologique
ecologista adj, nm/f écologiste
m/f
economato nm économat m
economía nf économie f; (de

empresa) situation f économique
económico, -a adj économique
economista nm/f économiste
m/f
ecu nm écu m
ecuación nf équation f
ecuador nm équateur m; **(el) E~**
(l')Équateur
ecuánime adj (carácter) juste;
(juicio) impartial(e)
ecuatoriano, -a adj
équatorien(ne) ♦ nm/f
Équatorien(ne)
ecuestre adj équestre
eczema nm = **eccema**
edad nf âge m; **¿qué ~ tienes?**
quel âge as-tu?; **tiene ocho**
años de ~ il a huit ans; **ser de**
mediana ~ être d'âge mûr; **ser**
de ~ avanzada être âgé(e); **ser**
mayor/menor de ~ être
majeur/mineur; **la E~ Media** le
Moyen Âge; **tercera ~** troisième
âge; **la ~ del pavo** l'âge ingrat
edición nf édition f
edificar vt édifier
edificio nm édifice m, bâtiment m
editar vt éditer; (preparar textos)
mettre en page
editor, a nm éditeur(-trice);
(redactor) rédacteur(-trice) ♦ adj:
casa ~ a maison d'édition;
editorial adj éditorial(e) ♦ nm
éditorial m ♦ nf (tb: **casa**
editorial) maison f d'édition
edredón nm couette f
educación nf éducation f; **ser**
de buena/mala ~ être bien/mal
élevé(e)
educar vt éduquer
EE.UU. sigla mpl (= Estados
Unidos) EU mpl (= États-Unis)
efectista adj spectaculaire
efectivamente adv
effectivement

efectivo, -a *adj* effectif(-ive) ♦
nm: **en ~** (COM) en espèces;
hacer ~ un cheque encaisser
un chèque

efecto *nm* effet *m*; **~s** *nmpl* (tb:
~s personales) effets *mpl*;
(COM) actif *m*; **hacer** o **surtir ~**
(*medida*) avoir de l'effet;
(*medicamento*) faire de l'effet; **al** o
a tal ~ à cet effet; **en ~** en effet;
~s especiales effets spéciaux;
~s secundarios (MED) effets
secondaires; (COM) retombées *fpl*;
~s sonoros effets de son

efectuar *vt* effectuer
eficacia *nf* efficacité *f*
eficaz *adj* efficace
eficiente *adj* efficace
efusivo, -a *adj* expansif(-ive)
EGB *sigla f* (ESP: *Educación General
Básica*) *enseignement primaire et
premier cycle de l'enseignement
secondaire*
egipcio, -a *adj* égyptien(ne) ♦
nm/f Égyptien(ne)
Egipto *nm* Égypte *f*
egoísmo *nm* égoïsme *m*
egoísta *adj, nm/f* égoïste *m/f*
Eire *nm* Eire *f*
ej. *abr* (= *ejemplo*) ex. (= *exemple*)
eje *nm* axe *m*
ejecución *nf* exécution *f*
ejecutar *vt* exécuter
ejecutivo, -a *adj* exécutif(-ive) ♦
nm/f exécutif *m* ♦ *nf* comité *m*
exécutif
ejemplar *adj* exemplaire ♦ *nm*
(ZOOL etc) spécimen *m*; (*de libro,
periódico*) exemplaire *m*
ejemplo *nm* exemple *m*; **por ~**
par exemple; **dar ~** donner
l'exemple
ejercer *vt* exercer ♦ *vi*: **~ de**
exercer le métier de
ejercicio *nm* exercice *m*; **hacer**

**~ prendre de l'exercice; ~
comercial** exercice
ejército *nm* armée *f*; **E~ de
Tierra/del Aire** armée de terre/
de l'air
ejote (AM) *nm* haricot *m* vert

┌─────────────────────┐
│ **PALABRA CLAVE** │
└─────────────────────┘

el (*f* **la**, *pl* **los** o **las**) *art def* **1** le,
la, les; **el libro/la mesa/los
estudiantes/las flores** le
livre/la table/les étudiants/les
fleurs; **el amor/la juventud**
l'amour/la jeunesse; **me gusta el
fútbol** j'aime le football
2: romperse el brazo se casser
le bras; **levantó la mano** il leva
la main; **se puso el sombrero**
il mit son chapeau
3 (*en descripción*): **tener la boca
grande/los ojos azules** avoir
une grande bouche/les yeux bleus
4 (*con días*): **me iré el viernes**
je m'en irai vendredi; **los
domingos suelo ir a nadar** le
dimanche je vais nager
5 (*en exclamación*): **¡el susto
que me diste!** tu m'as fait une
de ces peurs!
♦ *pron demos*: **mi libro y el de
usted** mon livre et le vôtre; **las
de Pepe son mejores** celles de
Pepe sont mieux; **no la(s)
blanca(s) sino la(s) gris(es)**
pas la(les) blanche(s), la(les)
grise(s)
♦ *pron rel* **1**: **el/la/los/las +
que** (*sujeto*) celui/celle/ceux/
celles qui; (: *objeto*) celui/celle/ceux/
celles que; **la que quiera
que se vaya** que celui/celle qui
le veut s'en aille; **el que sea**
n'importe qui; **llévese el que
más le guste** emportez celui
que vous préférez; **el que**

compré ayer celui que j'ai acheté hier; **la que está debajo** celle qui est dessous

2: el/la/los/las + que (con preposición) lequel/laquelle/ lesquels/lesquelles; **la persona con la que hablé** la personne avec laquelle j'ai parlé

♦ conj: **el que sea tan vago me molesta** ça m'ennuie qu'il soit si paresseux

él pron pers (sujeto) il; (con preposición) lui; **para ~** pour lui; **es ~** c'est lui
elaborar vt élaborer
elasticidad nf élasticité f
elástico, -a adj, nm élastique m
elección nf élection f; (selección) choix m; (alternativa) alternative f
elecciones nfpl élections fpl;
elecciones generales élections
electorado nm électorat m
electricidad nf électricité f
electricista nm/f électricien(ne)
eléctrico, -a adj électrique
electro... pref électro...;
electrocardiograma nm électrocardiogramme m;
electrocutar vt électrocuter;
electrocutarse vpr
s'électrocuter; **electrodo** nm électrode f
electrodoméstico nm électroménager m
electromagnético, -a adj électromagnétique
electrónica nf électronique f
electrónico, -a adj électronique
elefante nm éléphant m
elegancia nf élégance f
elegante adj (de buen gusto) élégant(e); (fino) raffiné(e); **estar** o **ir ~** être élégant(e)

elegir vt choisir; (por votación) élire
elemental adj élémentaire
elemento nm élément m; **~s** nmpl (de una ciencia) rudiments mpl; **estar en su ~** être dans son élément
elepé (pl **~s**) nm 33 tours m inv
elevación nf élévation f
elevar vt élever; **~se** vpr s'élever; **~se a** s'élever à
eligiendo etc vb ver **elegir**
elija etc vb ver **elegir**
eliminar vt éliminer
eliminatoria nf épreuve f éliminatoire; (DEPORTE) éliminatoires mpl
élite nf élite f
ella pron elle
ellas pron ver **ellos**
ello pron cela
ellos, -as pron ils (elles); (después de prep) eux (elles)
elocuencia nf éloquence f
elogiar vt louer; **elogio** nm éloge m; **hacer elogios** o **de** faire l'éloge de
elote (AM) nm épi m de maïs
eludir vt (deber) faillir à; (responsabilidad) rejeter; (justicia) se soustraire à; (respuesta) éluder
emanar vi: **~ de** émaner de; (situación) découler de
emancipar vt affranchir; **~se** vpr s'émanciper; (siervo) s'affranchir
embadurnar vt: **~ (de)** badigeonner (de); **~se** vpr: **~se (de)** se badigeonner (de)
embajada nf ambassade f
embajador, a nm/f ambassadeur(-drice)
embaladura (AM) nf, **embalaje** nm emballage m
embalar vt emballer; **~se** vpr s'emballer

embalsamar vt embaumer
embalse nm réservoir m
embarazada adj f enceinte ♦ nf
femme f enceinte
embarazo nm (de mujer)
grossesse f
embarazoso, -a adj
embarrassant(e)
embarcación nf embarcation f
embarcadero nm embarcadère m
embarcar vt embarquer; **~se** vpr
s'embarquer; **~(se) en** (AM: tren,
avión) monter dans
embargar vt (JUR) saisir
embargo nm (JUR) saisie f; (COM,
POL) embargo m
embargue etc vb ver **embargar**
embarque vb ver **embarcar** ♦
nm embarquement m; **tarjeta/
sala de ~** carte f/salle f
d'embarquement
embaucar vt enjôler
embeber vt boire; **~se** vpr: **~se
en** (en libro, etc) se plonger dans
embellecer vt embellir; **~se** vpr
embellir
embestida nf charge f;
embestir vt charger ♦ vi
charger; (olas) rugir
emblema nm emblème m
embobado, -a adj bouche bée
embolia nf embolie f.
émbolo nm piston m
embolsarse vpr empocher
emborrachar vt soûler; **~se** vpr
se soûler
emboscada nf embuscade f
embotar vt (sentidos) émousser;
(facultades) diminuer
embotellamiento nm
embouteillage m
embotellar vt mettre en
bouteille; **~se** vpr être
embouteillé(e)
embrague nm embrayage m

embriagar vt soûler; (fig) griser;
~se vpr se soûler
embrión nm embryon m
embrollar vt embrouiller; **~se**
vpr s'embrouiller
embrollo nm enchevêtrement m;
(fig: lío) beaux draps mpl
embrujado, -a adj ensorcelé(e)
embrutecer vt abrutir
embudo nm entonnoir m
embuste nm mensonge m
embustero, -a adj, nm/f
menteur(-euse)
embutido nm (CULIN) charcuterie f
emergencia nf urgence f;
(surgimiento) émergence f
emerger vi émerger
emigración nf (de personas)
émigration f; (de pájaros)
migration f
emigrante adj qui émigre ♦ nm/f
émigrant(e)
emigrar vi (personas) émigrer;
(pájaros) migrer
eminencia nf: **ser una ~ (en
algo)** être un génie (en qch);
eminente adj éminent(e)
emisario nm émissaire m
emisión nf émission f
emisor, a nm émetteur m ♦ nf
station f d'émission
emitir vt émettre
emoción nf (excitación) excitation
f; (sentimiento) émotion f
emocionante adj excitant(e);
(conmovedor) émouvant(e)
emocionar vt exciter; (conmover,
impresionar) émouvoir; **~se** vpr
s'émouvoir
emoticón nm emoticon m, smiley
m
emotivo, -a adj (escena)
émouvant(e); (persona)
émotif(-ive)
empadronarse vpr se faire

recenser

empalagoso, -a adj (alimento) écœurant(e); (fig: persona) mielleux(-euse); (: estilo) à l'eau de rose

empalmar vt (cable) rallonger; (carretera) rejoindre ♦ vi (dos caminos) se rejoindre; ~ **con** (tren) assurer la correspondance avec; **empalme** nm (TEC) jointure f; (de carreteras) croisement m; (de trenes) correspondance f

empanada nf sorte de chausson salé fourré de tomates, viande etc

empantanarse vpr être inondé(e); (fig) être dans une impasse

empañar vt embuer; ~**se** vpr s'embuer

empapar vt mouiller; (suj: toalla, esponja etc) absorber; ~**se** vpr: ~**se (de)** (persona) être trempé(e) (par); (esponja, comida) absorber

empapelar vt tapisser

empaquetar vt empaqueter

empastar vt plomber

empaste nm plombage m

empatar vi faire match nul; **empataron a 1** il y a eu 1 partout; **empate** nm match m nul

empecé etc, **empecemos** etc vb ver **empezar**

empedernido, -a adj invétéré(e)

empedrado, -a adj pavé(e) ♦ nm (pavimento) pavement m

empeine nm (de pie) cou-de-pied m; (de zapato) empeigne m

empellón nm coup m; **dar empellones a algn** rouer qn de coups

empeñado, -a adj (persona) endetté(e); (objeto) mis(e) en gage; ~ **en** (obstinado) déterminé(e) à

empeñar vt mettre en gage; ~**se** vpr s'endetter; ~**se en hacer** s'acharner à faire

empeño nm acharnement m; (cosa prendida) gage m; **casa de** ~**s** établissement de « prêts sur gages, mont-de-piété m; **poner** ~ **en hacer algo** mettre de l'acharnement à faire qch; **tener** ~ **en hacer algo** être déterminé(e) à faire qch

empeorar vt, vi empirer

empequeñecer vt rapetisser; (fig) banaliser

emperador nm empereur m

emperatriz nf impératrice f

empezar vt commencer ♦ vi commencer; ~ **a hacer** commencer à faire; ~ **por (hacer)** commencer par (faire)

empiece etc vb ver **empezar**

empiezo etc vb ver **empezar**

empinar vt redresser; ~**se** vpr (persona) se mettre sur la pointe des pieds; (animal) se mettre sur ses pattes de derrière

empírico, -a adj empirique

emplazamiento nm emplacement m; (JUR) citation f

emplazar vt construire; (JUR) citer à comparaître; (citar) citer

empleado, -a adj, nm/f employé(e); **le está bien** ~ c'est bien fait pour lui

emplear vt employer; ~**se** vpr: ~**se de** o **como** trouver un emploi de, se faire embaucher comme

empleo nm emploi m

empobrecer vt appauvrir; ~**se** vpr s'appauvrir

empollar vt, vi (ZOOL) couver; (ESCOL: fam) bûcher

empollón, -ona (fam) nm/f (ESCOL) bûcheur(-euse)

emporio *nm* centre *m* commercial; (*AM*) grand magasin *m*

empotrado, -a *adj ver* **armario**

emprender *vt* entreprendre

empresa *nf* entreprise *f*

empresario, -a *nm/f* (*COM*) chef *m* d'entreprise

empréstito *nm* emprunt *m*

empujar *vt* pousser; **~ a algn a hacer** pousser qn à faire; **empuje** *nm* poussée *f*; (*fig*) brio *m*

empujón *nm* coup *m*; **abrirse paso a empujones** se frayer un chemin à coups de coude

empuñar *vt* empoigner

emular *vt* imiter

PALABRA CLAVE
---

en *prep* **1** (*posición*) dans; (*: sobre*): **en la mesa** sur la table; (*: dentro*): **está en el cajón** c'est dans le tiroir; **en el periódico** dans le journal; **en el suelo** par terre; **en Argentina/Francia/España** en Argentine/France/Espagne; **en La Paz/París/Londres** à La Paz/Paris/Londres; **en la oficina/el colegio** au bureau/à l'école; **en el quinto piso** au cinquième étage
2 (*dirección*) dans; **entró en el aula** il est entré dans la salle de classe
3 (*tiempo*) dans; **en 1605/invierno** en 1605/hiver; **en el mes de enero** au mois de janvier; **en aquella ocasión/época** à cette occasion/époque; **en tres semanas** dans trois semaines; **en la mañana** (*AM*) le matin
4 (*manera*): **en avión/autobús** en avion/autobus; **viajar en tren**

voyager en train; **escrito en inglés** écrit en anglais
5 (*forma*): **en espiral** en spirale; **en punta** pointu
6 (*tema, ocupación*): **experto en la materia** expert en la matière; **trabaja en la construcción** il travaille dans la construction
7 (*precio*) pour; **lo vendió en 20 dólares** il l'a vendu pour 20 dollars
8 (*diferencia*) de; **reducir/aumentar en una tercera parte/en un 20 por ciento** diminuer/augmenter d'un tiers/de 20 pour cent
9 (*después de vb que indica gastar etc*) en; **se le va la mitad del sueldo en comida** il dépense la moitié de son salaire en nourriture
10 (*adj + en + infin*): **lento en reaccionar** lent à réagir; **¡en marcha!** en route!

enaguas (*AM*) *nfpl* combinaison *f*

enajenación *nf* aliénation *f*; (*tb:* **~ mental**) aliénation mentale

enajenar *vt* aliéner; (*fig*) déranger

enamorado, -a *adj, nm/f* amoureux(-euse); **estar ~ (de)** être amoureux(-euse) (de)

enamorar *vt* rendre amoureux(-euse); **~se** *vpr:* **~se (de)** tomber amoureux(-euse) (de)

enano, -a *adj* nain(e) ♦ *nm/f* nain(e)

enardecer *vt* (*incitar*) inciter; (*entusiasmar*) enflammer; **~se** *vpr* (*excitarse*) s'enhardir; (*exaltarse*) s'enflammer

encabezamiento *nm* en-tête *m*; (*de periódico*) titre *m*

encabezar *vt* (*movimiento*) prendre la tête de; (*lista*) être en tête de; (carta, libro) commencer

encadenar vt enchaîner; (bicicleta) attacher

encajar vt encastrer, emboîter; (fam: golpe) envoyer; (: broma, mala noticia) assener ♦ vi s'encastrer, s'emboîter; **~se** vpr (mecanismo) se coincer; (un sombrero) mettre; **~ con** (fig) cadrer avec

encaje nm encastrement m

encalar vt blanchir à la chaux

encallar vi (NÁUT) échouer

encaminar vt: **~ (a)** diriger (vers); **~se** vpr: **~se a** o **hacia** se diriger vers

encantado, -a adj enchanté(e); **¡~!** enchanté(e)!; **estar ~ con algn/algo** être charmé(e) par qn/qch

encantador, a adj, nm/f charmeur(-euse)

encantar vt enchanter; **me encantan los animales** j'adore les animaux; **le encanta esquiar** il adore skier; **encanto** nm (atractivo) charme m; **como por encanto** comme par enchantement

encarcelar vt emprisonner

encarecer vt augmenter le prix de ♦ vi augmenter; **~se** vpr augmenter

encarecimiento nm renchérissement m

encargado, -a adj chargé(e) ♦ nm/f (gerente) gérant(e); (responsable) responsable m/f

encargar vt charger; **~se** vpr: **~se de** se charger de; **~ a algn que haga algo** charger qn de faire qch

encargo nm requête f; (COM) commande f

encariñarse vpr: **~ con** se

prendre d'affection pour

encarnizado, -a adj (lucha) sanglant(e)

encasillar vt (TEATRO) attribuer une place à; (pey) caser

encauzar vt diriger; (fig) orienter

encendedor (esp AM) nm briquet m

encender vt allumer; **~se** vpr s'allumer

encendido, -a adj allumé(e) ♦ nm allumage m

encerado nm (ESCOL) tableau m

encerar vt (suelo) cirer

encerrar vt (persona, animal) enfermer; (libros, documentos) serrer; (fig) renfermer; **~se** vpr s'enfermer

encharcar vt détremper; **~se** vpr être inondé(e)

enchufado, -a (fam) nm/f pistonné(e)

enchufar vt (ELEC) brancher; (TEC) assembler; (fam: persona) pistonner; **enchufe** nm (ELEC: clavija) prise f mâle; (: toma) prise femelle; (TEC) jointure f; (fam: recomendación) piston m; (: puesto) poste obtenu par piston

encía nf gencive f

enciclopedia nf encyclopédie f

encienda etc vb ver **encender**

encierro etc vb ver **encerrar** ♦ nm retraite f; (TAUR) lâchage des taureaux dans les rues avant la corrida

encima adv (en la parte de arriba) en haut; (además) en plus; **~ de** (sobre) sur; (además de) en plus de; **por ~ de** plus haut que; **leer/mirar algo por ~** lire/regarder algo distraitement; **¿llevas dinero ~?** as-tu de l'argent sur toi?; **se me vino ~** il est venu me voir à l'improviste; **~ mío/nuestro** etc (esp CSUR: fam) au-dessus de moi/nous etc

encina nf chêne m vert

encinta adj f enceinte

enclenque adj malingre

encoger vt (ropa) rétrécir; (piernas) étendre; (músculos) bander ♦ vi rétrécir; **~se** vpr rétrécir; (fig) être intimidé(e); **~se de hombros** hausser les épaules

encolar vt recoller

encolerizar vt mettre en colère; **~se** vpr se mettre en colère

encomendar vt remettre; **~se a** s'en remettre à

encomiar vt faire l'éloge de

encomienda vb ver **encomendar** ♦ nf (AM) colis m; **~ postal** colis postal

encontrado, -a adj opposé(e)

encontrar vt trouver; **~se** vpr (reunirse) se retrouver; (estar) se trouver; (sentirse) se sentir; **~ con algn/algo** tomber sur qn/qch; **~se bien (de salud)** aller bien

encrespar vt faire moutonner; **~se** vpr moutonner

encrucijada nf croisement m

encuadernación nf reliure f

encuadrar vt encadrer; (FOTO) cadrer

encubrir vt cacher; (JUR) couvrir

encuentro vb ver **encontrar** ♦ nm rencontre f; **ir/salir al ~ de algn** aller/sortir à la rencontre de qn

encuesta nf sondage m; (investigación) enquête f; **~ de opinión** sondage d'opinion; **~ judicial** enquête judiciaire

endeble adj (argumento) mauvais(e); (persona) faible

endémico, -a adj endémique

endemoniado, -a adj démoniaque; (fig: travieso) vicieux(-euse)

enderezar vt redresser; **~se** vpr se redresser

endeudarse vpr s'endetter

endiablado, -a adj (hum: genio, carácter) espiègle; (: problema) diabolique; (: tiempo) de chien

endiñar (fam) vt refiler

endosar vt endosser; **~ algo a algn** (fam) refiler qch à qn

endulzar vt (café) sucrer; (salsa, fig) adoucir; **~se** vpr (ver vt) sucrer; adoucir, s'adoucir

endurecer vt durcir; (fig: persona) endurcir; **~se** vpr (ver vt) se durcir; s'endurcir

enema nm lavement m

enemigo, -a adj, nm/f ennemi(e)

enemistad nf aversion f

enemistar vt séparer; **~se** vpr: **~se (con)** se fâcher (avec)

energía nf énergie f; **~ atómica/nuclear/solar** énergie atomique/nucléaire/solaire

enérgico, -a adj énergique

energúmeno, -a nm/f énergumène m/f

enero nm janvier m; ver tb **julio**

enfadado, -a adj en colère

enfadar vt fâcher; **~se** vpr se fâcher

enfado nm colère f

énfasis nm emphase f; **con ~** avec emphase; **poner ~ en** mettre l'accent sur

enfático, -a adj emphatique

enfermar vi tomber malade; **~se** vpr (esp AM) tomber malade

enfermedad nf maladie f

enfermería nf infirmerie f

enfermero, -a nm/f infirmier(-ère); **enfermera jefa** infirmière en chef

enfermizo, -a adj maladif(-ive)

enfermo, -a adj malade ♦ nm/f malade m/f; (en hospital) patient(e); **caer** o **ponerse ~** tomber malade

enflaquecer vt faire maigrir ♦ vi maigrir

enfocar vt (luz, foco) diriger; (persona, objeto) diriger le projecteur sur; (FOTO) faire la mise au point sur; (fig: problema) envisager

enfoque vb ver **enfocar** ♦ nm (FOTO) objectif m; (fig) point m de vue

enfrentar vt (peligro) affronter; (contendientes) confronter; **~se** vpr s'affronter; (dos equipos) se rencontrer; **~se a** o **con** (problema) se trouver face à; (enemigo) faire face à

enfrente adv en face; **~ de** devant; **la casa de ~** la maison d'en face; **~ mío/nuestro** etc (esp CSUR: fam) devant moi/nous etc

enfriamiento nm rafraîchissement m; (MED) refroidissement m

enfriar vt (algo caliente, amistad) refroidir; (habitación) rafraîchir; **~se** vpr se refroidir; (habitación) se rafraîchir; (MED) prendre froid

enfurecer vt rendre furieux(-euse); **~se** vpr devenir furieux(-euse); (mar) se déchaîner

engalanar vt (persona) habiller; (ciudad, calle) décorer; **~se** vpr bien s'habiller

enganchar vt (persona, dos vagones) accrocher; (teléfono, electricidad) mettre; (fam: persona) mettre le grappin sur; (pez) ferrer; **~se** vpr (MIL) s'engager; **~se (en)** (ropa) s'accrocher (à); **se le**

enganchó la falda en el clavo elle a accroché sa jupe au clou

enganche nm (TEC) crochet m; (FERRO) accrochage m; (MÉX: COM) dépôt m

engañar vt tromper; (estafar) escroquer; **~se** vpr se tromper

engaño nm (mentira) mensonge m; (trampa) piège m; (estafa) escroquerie f; **estar en** o **padecer un ~** être trompé(e)

engañoso, -a adj trompeur(-euse)

engarzar vt (joya) sertir; (cuentas) enfiler

engatusar (fam) vt enjôler

engendrar vt procréer; (fig) engendrer; **engendro** (pey) nm monstre m; (novela, cuadro etc) monstruosité f

englobar vt englober

engordar vt faire grossir ♦ vi grossir

engorroso, -a adj empoisonnant(e)

engranaje nm engrenage m

engrandecer vt (ennoblecer) ennoblir

engrasar vt graisser

engreído, -a adj suffisant(e)

engrosar vt (manuscrito) grossir; (muro) épaissir; (capital, filas) augmenter ♦ vi grossir

enhebrar vt enfiler

enhorabuena nf: **dar la ~ a algn** féliciter qn; **¡~!** félicitations!

enigma nm énigme f

enjabonar vt savonner; **~se** vpr se savonner; **~se la barba/las manos** se savonner la barbe/les mains

enjambre nm essaim m; (fig) meute f

enjaular vt mettre en taule; (fam:

enjuagar vt rincer; **~se** vpr se
rincer

enjuague vb ver **enjuagar**

enjugar vt éponger; (*lágrimas*)
essuyer; **~se** vpr: **~se el sudor**
s'éponger; **~se las lágrimas**
essuyer ses larmes

enjuiciar vt (JUR) instruire; (*opinar
sobre*) juger

enjuto, -a adj décharné(e)

enlace vb ver **enlazar** ♦ nm
(*relación*) lien m; (*tb:* **~
matrimonial**) union f; (*de trenes*)
liaison f; (*tb:* **~
sindical**) délégué(e) syndical(e)

enlatado, -a adj (*comida*) en
conserve

enlazar vt attacher; (*conceptos,
organizaciones*) faire le lien entre;
(AM) prendre au lasso ♦ vi: **~ con**
faire le lien avec

enlodar vt tacher de boue

enloquecer vt rendre fou (folle)
♦ vi devenir fou (folle); **me
enloquece el chocolate** (fig) je
raffole du chocolat

enlutado, -a adj en deuil

enmarañar vt emmêler; (fig)
embrouiller; **~se** vpr s'embrouiller

enmarcar vt encadrer

enmascarar vt masquer; **~se**
vpr se mettre un masque

enmendar vt (*escrito*) modifier;
(*constitución, ley*) amender;
(*comportamiento*) améliorer; **~se**
vpr (*persona*) s'améliorer;
enmienda vb ver **enmendar** ♦
nf amendement m

enmohecerse vpr (*metal*)
s'oxyder; (*muro, plantas, alimentos*)
moisir

enmudecer vi rester muet(te)

ennegrecer vt noircir; **~se** vpr
(se) noircir

ennoblecer vt faire honneur à

enojar vt mettre en colère;
(*disgustar*) contrarier; **~se** vpr (*ver
vt*) se mettre en colère; être
contrarié(e)

enojoso, -a adj ennuyeux(-euse)

enorgullecer vt enorgueillir;
~se vpr s'enorgueillir

enorme adj énorme;

enormidad nf énormité f

enrarecido, -a adj raréfié(e)

enredadera nf plante f
grimpante

enredar vt emmêler; (fig: *asunto*)
embrouiller ♦ vi (*molestar*) faire
des bêtises; (*trastear*) tripoter; **~se**
vpr s'emmêler; (fig) s'embrouiller;
~ a algn en (fig: *implicar*) mêler
qn à; **~se en** se prendre dans;
(fig) se mêler à

enredo nm nœud m; (fig: *lío*)
pétrin m

enrejado nm grille f

enrevesado, -a adj
épineux(-euse)

enriquecer vt enrichir ♦ vi
s'enrichir; **~se** vpr s'enrichir

enrojecer vt, vi rougir; **~se** vpr
rougir

enrolar vt enrôler; **~se** vpr
s'enrôler

enrollar vt enrouler; **~se** vpr
(fam: *al hablar*) s'éterniser

enroscar vt (*tornillo, tuerca*)
visser; **~se** vpr (*serpiente*) se lover;
(*planta*) se vriller

ensalada nf salade f;
ensaladilla nf (*tb:* **ensaladilla
rusa**) salade f russe

ensalzar vt encenser

ensamblaje nm assemblage m;
(TEC) joint m

ensanchar vt élargir; **~se** vpr
s'élargir; (fig: *persona*) se
rengorger; **ensanche** nm

élargissement m; (zona) terrain m
à lotir

ensangrentar vt ensanglanter

ensañarse vpr: ~ **con**
tourmenter

ensartar vt enfiler

ensayar vt essayer; (TEATRO)
répéter ♦ vi répéter

ensayo nm essai m; (TEATRO, MÚS)
répétition f; (ESCOL) dissertation f;
~ **general** répétition générale

enseguida adv = **en seguida**

ensenada nf crique f

enseñanza nf enseignement m;
~ **primaria/media/superior**
enseignement primaire/
secondaire/supérieur

enseñar vt enseigner; (mostrar)
montrer; (señalar) signaler; ~ **a**
algn a hacer montrer à qn
comment faire

enseres nmpl effets mpl; (útiles)
matériel msg

ensillar vt seller

ensimismarse vpr s'absorber;
~ **en** s'absorber dans

ensombrecer vt assombrir; ~**se**
vpr (fig: rostro) s'assombrir

ensortijado, -a adj (pelo) frisé(e)

ensuciar vt salir; ~**se** vpr se salir

ensueño nm rêve m; (fantasía)
illusion f; **de** ~ de rêve

entablar vt (AJEDREZ, DAMAS)
disposer; (conversación, lucha)
engager; (pleito, negociaciones)
entamer

entablillar vt mettre une attelle à

entallar vt (traje) ajuster

ente nm entité f; (ser) être m

entender vt, vi comprendre; ~**se**
vpr (a sí mismo) se comprendre; (2
personas) s'entendre; ~ **de** s'y
entendre en; ~ **algo de** avoir
quelques notions de; ~ **por**
entendre par; **dar a** ~ **que ...**

donner à entendre que ...; ~**se**
bien/mal (con algn) s'entendre
bien/mal avec qn

entendido, -a adj (experto)
compétent(e); (informado)
informé(e) ♦ nm/f
connaisseur(-euse) ♦ excl entendu!;

entendimiento nm entente f;
(inteligencia) entendement m

enterado, -a adj informé(e);
estar ~ **de** être au courant de

enteramente adv entièrement

enterarse vpr: ~ **(de)** apprendre

entereza nf droiture f; (fortaleza)
courage m; (integridad) intégrité f;
(firmeza) fermeté f

enternecer vt attendrir; ~**se**
s'attendrir

entero, -a adj (íntegro) au
complet; (no roto, fig) entier(-ère);
(COM) point m; (AM) versement m;
(ARG) bleu m de travail; **por** ~
entièrement

enterrador nm fossoyeur m

enterrar vt enterrer

entibiar vt tiédir; ~**se** vpr tiédir

entidad nf (empresa) entreprise f;
(organismo, FILOS) entité f;
(sociedad) société f

entienda etc vb ver **entender**

entierro vb ver **enterrar** ♦ nm
enterrement m

entonación nf intonation f

entonar vt entonner; (colores)
harmoniser; (MED) fortifier ♦ vi (al
cantar) donner le ton; ~ **con** (colores)
se marier bien avec

entonces adv alors; **desde** ~
depuis; **en aquel** ~ en ce temps-
là; **(pues)** ~ (et) alors

entornar vt (puerta, ventana)
entrebâiller; (los ojos) garder mi-
clos

entorno nm environnement m

entorpecer vt gêner; *(mente, persona)* abrutir

entrada nf entrée f; *(ingreso, COM)* recette f; **~s** nfpl *(COM)* recettes fpl; **~s y salidas** *(COM)* recettes et dépenses; **~ de aire** *(TEC)* entrée d'air; **de ~** d'entrée

entrado, -a adj: **~ en años** d'un âge avancé; **(una vez) ~ el verano** l'été venu

entramparse vpr s'endetter

entrante adj prochain(e) ♦ nm encaissement m; *(CULIN)* entrée f

entrañable adj *(amigo)* cher(-ère); *(trato)* cordial(e)

entrañas nfpl entrailles fpl; **sin ~** *(fig)* sans merci

entrar vt mettre; *(INFORM)* entrer ♦ vi entrer; *(caber: anillo, zapato)* aller; *(: tornillo, personas)* rentrer; *(en profesión etc)* entrer; **me entró sueño/frío** j'ai eu sommeil/froid; **~ en acción** entrer en action; *(entrar en funcionamiento)* commencer à fonctionner; **no me entra** je ne saisis pas; **~ a** *(AM)* entrer dans

entre prep *(dos cosas)* entre; *(más de dos cosas)* parmi; **lo haremos ~ todos** nous le ferons tous ensemble; **~ más estudia, más aprende** *(esp AM: fam)* plus il étudie, plus il apprend

entreabrir vt entrouvrir

entrecejo nm: **fruncir el ~** froncer les sourcils

entrecortado, -a adj entrecoupé(e)

entrega nf *(de mercancías)* livraison f; *(de premios)* remise f; *(de novela, serial)* épisode m

entregar vt livrer; *(dar)* remettre; **~se** vpr se livrer; **~se a** *(al trabajo)* se consacrer à; *(al vicio)* se livrer à

entrelazar vt entrelacer

entremeses nmpl entrées fpl

entremeterse vpr = **entrometerse**

entremetido, -a adj = **entrometido**

entremezclar vt mélanger; **~se** vpr se mélanger

entrenador, a nm/f entraîneur(-euse)

entrenar vt entraîner ♦ vi *(DEPORTE)* s'entraîner; **~se** vpr s'entraîner

entrepierna nf entrejambes msg

entresacar vt *(árboles)* déboiser; *(pelo)* désépaissir

entresuelo nm entresol m

entretanto adv entre-temps

entretener vt amuser; *(retrasar)* retenir; *(distraer)* distraire; *(fig)* entretenir; **~se** vpr s'amuser; *(retrasarse)* s'attarder; *(distraerse)* se distraire

entretenido, -a adj amusant(e); **entretenimiento** nm distraction f

entrever vt entrevoir

entrevista nf entrevue f; *(para periódico, TV)* interview f; **entrevistar** vt interviewer; **entrevistarse** vpr: **entrevistarse (con)** avoir une entrevue (avec)

entristecer vt attrister; **~se** vpr s'attrister

entrometerse vpr: **~ (en)** se mêler de

entrometido, -a adj, nm/f indiscret(-ète)

entumecer vt engourdir; **~se** vpr s'engourdir

entumecido, -a adj engourdi(e)

enturbiar vt *(agua)* troubler; *(alegría)* gâter; **~se** vpr *(ver fig)* se troubler; retomber

entusiasmar vt enthousiasmer;
~se vpr: **~se (con** o **por)**
s'enthousiasmer (pour)
entusiasmo nm: **~ (por)**
enthousiasme m (pour); **con ~**
avec enthousiasme
entusiasta adj, nm/f
enthousiaste m/f; **~ de**
enthousiaste de
enumerar vt énumérer
enunciación nf énonciation f
enunciado nm énoncé m
envainar vt rengainer
envalentonar (pey) vt stimuler;
~se vpr se vanter
envanecer vt monter à la tête;
~se vpr: **~se de hacer/de
haber hecho** se vanter de faire/
d'avoir fait
envasar vt conditionner
envase nm (recipiente) récipient
m; (botella) bouteille f; (lata) boîte
f de conserve; (bolsa) poche f;
(acción) conditionnement m
envejecer vt, vi vieillir
envenenar vt empoisonner
envergadura nf envergure f
envés nm envers m
enviar vt envoyer; **~ a algn a
hacer** envoyer qn faire
enviciarse vpr: **~ (con)**
s'intoxiquer (avec)
envidia nf envie f; (celos) jalousie
f; **envidiar** vt envier; (tener celos
de) jalouser
envío nm envoi m
enviudar vi devenir veuf (veuve)
envoltorio nm paquet m
envolver vt envelopper;
(enemigo) encercler; **~se** vpr: **~se
en** s'envelopper dans; **~ a algn
en** (implicar) impliquer qn dans
envuelto etc, **envuelva** etc vb
ver **envolver**
enyesar vt plâtrer

enzarzarse vpr: **~ en** se mêler à
épica nf poésie f épique
épico, -a adj épique
epidemia nf épidémie f
epilepsia nf épilepsie f
epílogo nm épilogue m
episodio nm épisode m
epístola nf lettre f
época nf époque f; **hacer ~** faire
époque
equilibrar vt équilibrer;
equilibrio nm équilibre m;
**mantener/perder el
equilibrio** garder/perdre
l'équilibre; **equilibrista** nm/f
équilibriste f
equipaje nm bagages mpl;
hacer el ~ faire ses bagages; **~
de mano** bagages à main
equipar vt: **~ (con** o **de)** équiper
(de)
equiparar vt: **~ algo/a algn a** o
con (igualar) mettre qch/qn sur
un pied d'égalité avec; (comparar)
comparer qch/qn à; **~se** vpr: **~se
con** se comparer à
equipo nm (grupo, DEPORTE) équipe
f; (instrumentos) matériel m,
équipement m; **trabajo ~** en
travail m d'équipe
equis nf (letra) X, x m inv
equitación nf équitation f
equitativo, -a adj équitable
equivalente adj équivalent(e) ♦
nm équivalent m
equivaler vi: **~ a (hacer)**
équivaloir à (faire)
equivocación nf erreur f
equivocado, -a adj (decisión,
camino) mauvais(e)
equivocarse vpr se tromper; **~
de camino/número** se tromper
de chemin/numéro
equívoco, -a adj équivoque ♦
nm (ambigüedad) ambiguïté f;

(malentendido) quiproquo *m*

era *vb ver* **ser** ♦ *nf* ère *f*

erais *vb ver* **ser**

éramos *vb ver* **ser**

eran *vb ver* **ser**

erario *nm* biens *mpl*

eras *vb ver* **ser**

erección *nf* érection *f*

eres *vb ver* **ser**

erguir *vt (alzar)* lever; *(poner derecho)* redresser; **~se** *vpr* se redresser

erigir *vt* ériger; **~se** *vpr:* **~se en** s'ériger en

erizarse *vpr* se hérisser

erizo *nm* hérisson *m; (tb:* **~ de mar)** oursin *m*

ermita *nf* ermitage *m*

ermitaño, -a *nm/f* ermite *m/f*

erosión *nf* érosion *f*

erosionar *vt* éroder

erótico, -a *adj* érotique;
erotismo *nm* érotisme *m*

erradicar *vt* éradiquer

errar *vi* errer; *(equivocarse)* se tromper ♦ *vt:* **~ el camino** s'égarer; **~ el tiro** manquer son coup

errata *nf* errata *m inv*

erróneo, -a *adj* erroné(e)

error *nm* erreur *f;* **estar en un ~** être dans l'erreur; **~ de imprenta** erreur d'impression; **~ judicial** erreur judiciaire

eructar *vi* roter

erudito, -a *adj, nm/f* érudit(e);
los ~s en esta materia les experts en la matière

erupción *nf* éruption *f*

es *vb ver* **ser**

esa *adj demos ver* **ese**

ésa *pron ver* **ése**

esbelto, -a *adj* svelte

esbozo *nm* ébauche *f*

escabeche *nm* escabèche *f;* **en**

~ à l'escabèche

escabroso, -a *adj (accidentado)* accidenté(e); *(fig: complicado)* épineux(-euse); *(: atrevido)* scabreux(-euse)

escabullirse *vpr* s'esquiver; *(de entre los dedos)* filer

escafandra *nf (tb:* **~ autónoma)** scaphandre *m* (autonome); **~ espacial** scaphandre spatial

escala *nf* échelle *f; (tb:* **~ de cuerda)** échelle de corde; *(AVIAT, NÁUT)* escale *f;* **en gran/pequeña ~** à grande/petite échelle; **hacer ~ en** faire escale à; **~ móvil** échelle mobile

escalafón *nm (en empresa)* échelle *f* des salaires; *(en organismo público)* échelons *mpl* de solde

escalar *vt* escalader; *(fig)* monter ♦ *vi* faire de l'escalade; *(fig)* monter en grade

escalera *nf* escalier *m; (tb:* **~ de mano)** marchepied *m; (NAIPES)* suite *f;* **~ de caracol/de incendios** escalier en colimaçon/de secours; **~ de tijera** escabeau *m;* **~ mecánica** escalier roulant

escalfar *vt* pocher

escalinata *nf* perron *m*

escalofriante *adj* d'horreur

escalofrío *nm* frisson *m;* **~s** *nmpl (fig):* **dar** *o* **producir ~s a algn** donner des frissons à qn

escalón *nm* marche *f (de escalera de mano, fig)* échelon *m*

escalope *nm* escalope *f*

escama *nf* écaille *f; (de jabón)* paillette *f*

escamar *vt (producir recelo)* rendre soupçonneux(-euse)

escamotear *vt (sueldo)* subtiliser

escampar *vi* se dégager

escandalizar *vt* scandaliser

escándalo *nm* scandale *m*

escandaloso, -a *adj*
scandaleux(-euse); (*niño*)
turbulent(e)

escandinavo, -a *adj* scandinave
♦ *nm/f* Scandinave *m/f*

escaneo *nm* scannage *m*

escaño *nm* siège *m*

escapar *vi*: ~ **(de)** (*de encierro*)
s'échapper (de); (*de peligro*)
échapper à; (*DEPORTE*) faire une
échappée; **~se** *vpr*: **~se (de)**
s'échapper (de); (*agua, gas*) fuir;
se le escapó el secreto il a
vendu la mèche; **se le escapó
la risa** un rire lui a échappé

escaparate *nm* vitrine *f*

escape *nm* (*de agua, gas*) fuite *f*;
(*tb*: **tubo de ~**) pot *m*
d'échappement

escarabajo *nm* scarabée *m*

escaramuza *nf* escarmouche *f*

escarbar *vt* ratisser ♦ *vi* fouiller;
~ en (*en asunto*) démêler

escarceos *nmpl* (*fig*) écarts *mpl*;
~ amorosos ébats *mpl*
amoureux

escarcha *nf* rosée *f*

escarchado, -a *adj* glacé(e)

escarlata *adj* écarlate;

escarlatina *nf* scarlatine *f*

escarmentar *vt* punir ♦ *vi*
comprendre la leçon

escarmiento *vb ver*
escarmentar ♦ *nm* punition *f*;
(*aviso*) leçon *f*

escarnio *nm* raillerie *f*; (*insulto*)
quolibet *m*

escarola *nf* scarole *f*

escarpado, -a *adj* escarpé(e)

escasear *vi* être rare

escasez *nf* (*falta*) manque *m*;
(*pobreza*) misère *f*

escaso, -a *adj* faible;
(*posibilidades*) compté(e);
(*recursos*) insuffisant(e); **estar ~
de algo** être à cours de qch

escatimar *vt* (*sueldo, tela*) lésiner
sur; (*elogios, esfuerzos*) ménager

escayola *nf* plâtre *m*

escena *nf* scène *f*; **poner en ~**
mettre en scène

escenario *nm* scène *f*;

escenografía *nf* scénographie *f*

escepticismo *nm* scepticisme *m*

escéptico, -a *adj, nm/f*
sceptique *m/f*

escisión *nf* (*de partido*) scission *f*

esclarecer *vt* éclaircir

esclavitud *nf* esclavage *m*

esclavizar *vt* asservir

esclavo, -a *adj, nm/f* esclave *m/f*

esclusa *nf* écluse *f*

escoba *nf* balai *m*

escobilla *nf* (*esp AM*) brosse *f*

escocer *vi* brûler; **~se** *vpr*
s'irriter; **me escuece mucho la
herida** ma blessure me brûle

escocés, -esa *adj* écossais(e) ♦
nm/f Écossais(e)

Escocia *nf* Écosse *f*

escoger *vt* choisir

escogido, -a *adj* choisi(e)

escolar *adj, nm/f* scolaire *m/f*

escollo *nm* écueil *m*

escolta *nf* escorte *f*; **escoltar** *vt*
escorter

escombros *nmpl* décombres *mpl*

esconder *vt* cacher; **~se** *vpr*
cacher

escondidas *nfpl* (*AM*) cache-
cache *m inv*; **a escondidas** en
cachette; **escondite** *nm*
cachette *f*; (*juego*) cache-cache *m
inv*; **escondrijo** *nm* cachette *f*

escopeta *nf* fusil *m*; **~ de aire
comprimido** fusil à air comprimé

escoria *nf* (*fig*) lie *f*

Escorpio nm (ASTROL) Scorpion m; **ser ~** être (du) Scorpion

escorpión nm scorpion m

escotado, -a adj décolleté(e)

escote nm décolleté m; **pagar a ~** payer son écot

escotilla nf (NÁUT) écoutille f

escozor nm cuisson f

escribir vt, vi écrire; **~se** vpr s'écrire; **~ a máquina** taper à la machine; **¿cómo se escribe?** comment ça s'écrit?

escrito, -a pp de **escribir** ♦ adj écrit(e) ♦ nm (documento) écrit m; (manifiesto) manifeste m; **por ~** par écrit

escritor, a nm/f écrivain m/f

escritorio nm (mueble) secrétaire m; (oficina) bureau m

escritura nf écriture f; (JUR) acte m

escrúpulo nm: **me da ~ (hacer)** j'ai des scrupules (à faire); **~s** nmpl (dudas) scrupules mpl

escrupuloso, -a adj scrupuleux(-euse); (aprensivo) maniaque

escrutar vt scruter; (votos) dépouiller le scrutin

escrutinio nm examen m attentif; (de votos) scrutin m

escuadra nf équerre f; (MIL) escouade f; (NÁUT) escadre f;

escuadrilla nf escadrille f

escuadrón nm escadron m

escuálido, -a adj efflanqué(e)

escuchar vt écouter ♦ vi écouter

escudo nm bouclier m; (insignia) écusson m

escudriñar vt scruter

escuela nf école f; **~ de arquitectura/Bellas Artes/idiomas** école d'architecture/des Beaux Arts/de langues; **~ normal** école normale

escueto, -a adj (estilo) dépouillé(e); (explicación) concis(e)

escuincle (MÉX: fam) nm gosse m

esculpir vt sculpter

escultor, a nm/f sculpteur m;

escultura nf sculpture f

escupidera nf crachoir m; (orinal) pot m de chambre

escupir vt, vi cracher

escurreplatos nm inv égouttoir m

escurridizo, -a adj glissant(e)

escurridor nm essoreuse f

escurrir vt (ropa) essorer; (verduras) égoutter; (platos) laisser s'égoutter; (líquidos) verser la dernière goutte de ♦ vi (ropa, botella) goutter; (líquidos) couler; **~se** vpr (líquido) s'écouler; (ropa, platos) s'égoutter; (resbalarse) glisser; (escaparse) s'esquiver

ese, esa, esos, esas adj (demostrativo: sg) ce (cette); (: pl) ces

ése, ésa, ésos, ésas pron (sg) celui-là (celle-là); (pl) ceux-là (celles-là); **~ ... éste ...** celui-ci ... celui-là ...

esencia nf essence f; (de doctrina) essentiel m; **esencial** adj essentiel(le)

esfera nf sphère f; (de reloj) cadran m

esférico, -a adj sphérique

esforzarse vpr s'efforcer; **~ por hacer** s'efforcer de faire

esfuerzo vb ver **esforzarse** ♦ nm effort m; **hacer un ~ (para hacer)** faire un effort (pour faire); **con/sin ~** avec/sans effort

esfumarse vpr (persona) s'évanouir dans la nature; (esperanzas) partir en fumée

esgrima nf escrime f

esgrimir vt (arma) manier; (argumento) déployer

esguince nm entorse f

eslabón nm maillon m

eslavo, -a adj slave ♦ nm/f Slave m/f ♦ nm (LING) langue f slave

eslip nm slip m

eslovaco, -a adj slovaque ♦ nm/f Slovaque m/f ♦ nm (LING) slovaque m

Eslovaquia nf Slovaquie f

esmaltar vt émailler

esmalte nm émail m; **esmalte de uñas** vernis m à ongles

esmerado, -a adj soigné(e)

esmeralda nf émeraude f

esmerarse vpr: ~ **(en)** se donner du mal (pour)

esmero nm soin m; **con** ~ avec soin

esnob adj inv, snob m/f;

esnobismo nm snobisme m

eso pron ce, cela; ~ **de su coche** cette histoire avec sa voiture; ~ **de ir al cine** cette histoire d'aller au cinéma; **a** ~ **de las cinco** vers cinq heures; **por** ~ c'est pour ça; ~ **es** c'est cela; ~ **mismo** cela-même; **y** ~ **que llovía** pourtant il pleuvait!

esos adj demos ver **ese**

ésos pron ver **ése**

espabilar vt = **despabilar**

espacial adj spatial(e)

espaciar vt espacer

espacio nm espace m; **el** ~ l'espace; ~ **aéreo/exterior** espace aérien/extérieur

espacioso, -a adj spacieux(-euse)

espada nf épée f; ~**s** nfpl (NAIPES) l'une des quatre couleurs du jeu de cartes espagnol

espaguetis nmpl spaghettis mpl

espalda nf dos msg; **a** ~**s de** **algn** dans le dos de qn; **estar de** ~**s** être de dos; **por la** ~ (atacar) par derrière; (disparar) dans le dos; **tenderse de** ~**s** s'allonger sur le dos; **volver la** ~ **a algn** tourner le dos à qn

espantajo nm,

espantapájaros nm inv épouvantail m

espantar vt (persona) effrayer; (animal) faire fuir; ~**se** vpr s'effrayer; (ahuyentar) déguerpir; (fig) se dissiper

espanto nm frayeur f; (terror) panique f

espantoso, -a adj effrayant(e); (fam: desmesurado) terrible; (: feísimo) repoussant(e)

España nf Espagne f

español, a adj espagnol(e) ♦ nm/f Espagnol(e) ♦ nm (LING) espagnol

esparadrapo nm sparadrap m

esparcimiento nm (fig) divertissement m

esparcir vt (objetos) éparpiller; (semillas) semer; (líquido, noticia) répandre; ~**se** vpr s'éparpiller; (noticia) se répandre

espárrago nm asperge f

esparto nm alfa m

espasmo nm spasme m

espátula nf spatule f

especia nf condiment m

especial adj spécial(e);

especialidad nf spécialité f; (ESCOL) spécialisation f

especialista nm/f spécialiste m/f

especialmente adv spécialement

especie nf espèce f; **una** ~ **de** une espèce de; **pagar en** ~ payer en espèces

especificar vt spécifier

específico, -a adj spécifique

espécimen (*pl* **especímenes**) *nm* spécimen *m*; (*muestra*) échantillon *m*

espectáculo *nm* spectacle *m*

espectador, a *nm/f* spectateur(-trice); (*de incidente*) badaud *m*; **los ~es** (*TEATRO*) les spectateurs

espectro *nm* spectre *m*

especular *vi* (*meditar*): **~ sobre** spéculer sur; **~ (en)** (*COM*) spéculer (en)

espejismo *nm* mirage *m*

espejo *nm* miroir *m*; **mirarse al ~** se regarder dans la glace; **~ retrovisor** rétroviseur *m*

espeluznante *adj* à faire dresser les cheveux sur la tête

espera *nf* attente *f*; **a la** *o* **en ~ de** dans l'attente de

esperanza *nf* espoir *m*; **hay pocas ~s de que venga** il y a peu de chances pour qu'il vienne; **~ de vida** espérance *f* de vie

esperar *vt* attendre; (*desear, confiar*) espérer ♦ *vi* attendre; **un bebé** attendre un enfant; **es de ~ que** il faut espérer que

esperma *nf* sperme *m*

espesar *vt* épaissir; **~se** *vpr* s'épaissir

espeso, -a *adj* épais(se)

espesor *nm* épaisseur *f*; (*densidad*) densité *f*

espía *nm/f* espion(ne); **espiar** *vt* espionner ♦ *vi*: **espiar para** être un espion à la solde de

espiga *nf* épi *m*

espigón *nm* (*BOT*) piquant *m*; (*NAUT*) digue *f*

espina *nf* (*BOT*) épine *f*; (*de pez*) arête *f*; **~ dorsal** épine dorsale

espinaca *nf* (*BOT*) épinard *m*; **~s** (*CULIN*) épinards *mpl*

espinazo *nm* épine *f* dorsale

espinilla *nf* (*ANAT*) tibia *m*; (*MED*) point *m* noir

espinoso, -a *adj* épineux(euse)

espionaje *nm* espionnage *m*

espiral *adj* en spirale ♦ *nf* spirale *f*; (*anticonceptivo*) stérilet *m*

espirar *vt*, *vi* expirer

espíritu *nm* esprit *m*; **~ de cuerpo/de equipo** esprit de corps/d'équipe; **~ de lucha** naturel *m* bagarreur; **E~ Santo** Saint-Esprit *m*; **espiritual** *adj* spirituel(le)

espita *nf* robinet *m*

espléndido, -a *adj* splendide; (*generoso*) généreux(-euse)

esplendor *nm* splendeur *f*

espolear *vt* (*fig: persona*) tanner

espoleta *nf* goupille *f*

espolón *nm* (*de ave*) ergot *m*; (*malecón*) jetée *f*

espolvorear *vt* saupoudrer

esponja *nf* éponge *f*; **~ de baño** éponge de toilette

esponjoso, -a *adj* spongieux(-euse); (*bizcocho*) imbibé(e)

esponsorización *nf* sponsoring *m*

espontaneidad *nf* spontanéité *f*

espontáneo, -a *adj* spontané(e)

esposar *vt* passer les menottes à

esposo, -a *nm/f* époux(-ouse); **esposas** *nfpl* (*para detenidos*) menottes *fpl*

espray *nm* aérosol *m*

espuela *nf* éperon *m*

espuma *nf* mousse *f*; (*sobre olas*) écume *f*; **~ de afeitar** mousse à raser

espumadera *nf* écumoire *f*

espumoso, -a *adj* moussant(e)

esqueleto *nm* squelette *m*

esquema *nm* schéma *m*; (*guión*) plan *m*

esquí (pl **~s**) nm ski m; **~ acuático** ski nautique; **esquiar** vi skier

esquilar vt tondre

esquimal adj esquimau(de) ♦ nm/f Esquimau(de)

esquina nf coin m; **doblar la ~** tourner au coin de la rue

esquinazo nm: **dar ~ a algn** planter là qn

esquirol nm briseur m de grève

esquivar vt esquiver

esquivo, -a adj (huraño) asocial(e); (desdeñoso) dédaigneux(-euse)

esta adj ver **este²**

está vb ver **estar**

ésta pron ver **éste**

estabilidad nf stabilité f; **estable** adj stable

establecer vt établir; **~se** s'établir; **establecimiento** nm établissement m

establo nm étable f

estaca nf (palo) piquet m; (con punta) pieu m

estación nf gare f; (del año) saison f; **~ de radio** station d'émission; **~ de servicio** station-service f; **~ meteorológica** station météorologique

estacionamiento nm stationnement m

estacionar vt (AUT) garer; **~se** vpr (AUT) se garer; (MED) se stabiliser

estacionario, -a adj (estado) stationnaire; (mercado) calme

estadio nm stade m

estadista nm (POL) homme m d'Etat

estadística nf statistique f

estado nm état m; **el E~** l'Etat; **estar en ~ (de buena esperanza)** attendre un heureux événement; **~ civil** état civil; **~ de ánimo** état d'âme; **~ de cuenta(s)** relevé m de compte; **~ de emergencia** o **excepción** état d'urgence; **~ de sitio** état de siège; **~ mayor** (MIL) état-major m; **E~s Unidos** Etats-Unis

estadounidense adj américain(e) ♦ nm/f Américain(e)

estafa nf escroquerie f; **estafar** vt escroquer; **les estafaron 8 millones** ils les ont escroqués de 8 millions

estafeta nf bureau m de poste

estáis vb ver **estar**

estallar vi (bomba) exploser; **estallido** nm explosion f; (fig: de guerra) déclenchement m

estampa nf estampe f; (porte) allure f

estampado, -a adj imprimé(e) ♦ nm (dibujo) imprimé m

estampar vt imprimer

estampida (esp AM) nf débandade f

estampido nm détonation f

están vb ver **estar**

estancado, -a adj stagnant(e)

estancar vt stagner; **~se** vpr stagner; (fig: progreso) piétiner; (persona): **~se en** s'enliser dans

estancia nf séjour m; (sala) salle f; (AM) ferme f d'élevage;

estanciero (AM) nm (AGR) éleveur m

estanco nm bureau m de tabac

Estanco

L'**estanco** est l'équivalent espagnol du bureau de tabac: on y achète cigarettes, tabac, timbres et timbres fiscaux. On trouve également des cigarettes et du *tabac dans les bars et les "quioscos", mais ils y sont généralement vendus plus chers.*

estándar *adj* normal(e); (*medio*) standard ♦ *nm* standard *m*;
estandarizar *vt* standardiser;
estandarizarse *vpr* se standardiser
estandarte *nm* étendard *m*
estanque *vb ver* **estancar** ♦ *nm* bassin *m*
estanquero, -a *nm/f* buraliste *m/f*
estante *nm* (*de mueble*) rayonnage *m*; (*adosado*) étagère *f*; (AM: *soporte*) étai *m*; **estantería** *nf* rayonnage *m*
estaño *nm* étain *m*

PALABRA CLAVE

estar *vi* **1** (*posición*) être; **está en la Plaza Mayor** il est sur la Plaza Mayor; **¿está Juan?** (est-ce que) Juan est là?; **estamos a 30 km de Junín** nous sommes à 30 km de Junín
2 (+ *adj o adv: estado*) être; **estar enfermo** être malade; **estar lejos** être loin; **está muy elegante** il est très élégant; **¿cómo estás?** comment vas-tu?; *ver tb* **bien**
3 (+ *gerundio*) être en train de; **estoy leyendo** je suis en train de lire
4 (*uso pasivo*): **está condenado a muerte** il est condamné à mort; **está envasado en ...** c'est enveloppé dans ...
5 (*tiempo*): **estamos en octubre/1994** nous sommes en octobre/1994
6 (*estar listo*): **¿está la comida?**

le repas est prêt?; **¿estará para mañana?** ce sera prêt pour demain?; **ya está** ça y est
7 (*sentar*) aller; **el traje le está bien** le costume lui va bien
8: **estar a** (*con fechas*): **¿a cuántos estamos?** nous sommes le combien?; **estamos a 5 de mayo** nous sommes le 5 mai; (*con precios*): **las manzanas están a cien** les pommes sont à cent pesetas; (*con grados*): **estamos a 25º** il fait 25º
9: **estar de** (*ocupación*): **estar de vacaciones/viaje** être en vacances/voyage; (*trabajo*): **está de camarero** il travaille comme garçon de café
10: **estar en** (*consistir*) résider dans
11: **estar para** (*a punto de*): **está para salir** il est prêt à sortir; (*con humor de*): **no estoy para bromas** je ne suis pas d'humeur à plaisanter
12: **estar por** (*a favor de*) être pour; **estoy por dejarlo** je suis pour le laisser tomber; (*sin hacer*): **está por limpiar** ça reste à nettoyer
13: **estar que**: **¡está que trina!** il en est fumasse!
14: **estar sin**: **estar sin dinero** ne pas avoir d'argent; **la casa está sin terminar** la maison n'est pas finie
15 (*locuciones*): **¡ya estuvo!** (AM: *fam*) ça suffit!; **¿estamos?** (*¿de acuerdo?*) d'accord?; **¡ya está bien!** bon, ça va!
estarse *vpr*: **se estuvo en la cama toda la tarde** il est resté au lit tout l'après-midi

estas *adj* demos *ver* **este**

éstas pron ver **éste**

estatal adj (política) gouvernemental(e); (enseñanza) public(-ique)

estático, -a adj statique

estatua nf statue f

estatura nf stature f

estatuto nm statut m

este¹ adj, nm est m

este², **esta**, **estos**, **estas** adj (demostrativo: sg) ce (cette); (: pl) ces ♦ excl (AM: fam: esto) euh!

esté vb ver **estar**

éste, **ésta**, **éstos**, **éstas** pron (sg) celui-ci (celle-ci); (pl) ceux-ci (celles-ci); **ése ... ~ ...** celui-ci ... celui-là ...

estelar adj (ASTRON) stellaire; (actuación) de star; (reparto) prestigieux(-euse)

estén vb ver **estar**

estepa nf steppe f

estera nf sparterie f

estéreo adj inv, nm stéréo f; **estereotipo** (pey) nm stéréotype m

estéril adj stérile

esterilizar vt stériliser

esterlina adj: **libra ~** livre f sterling

estés vb ver **estar**

estética nf esthétique f

estético, -a adj esthétique

estibador nm docker m

estiércol nm fumier m

estilarse vpr être en vogue

estilo nm style m; (NATACIÓN) nage f; **por el ~** de ce genre

estima nf estime f; **le tiene en mucha ~** il a beaucoup d'estime pour lui

estimación nf (valoración) estimation f; (estima) estime f

estimar vt estimer; **~ algo en** (valorar) estimer qch à

estimulante adj stimulant(e) ♦ nm stimulant m

estimular vt stimuler

estímulo nm stimulation f;

estipulación nf stipulation f;

estipular vt stipuler

estirado, -a adj tendu(e); (engreído) infatué(e)

estirar vt étirer; (brazo, pierna) tendre; (fig: dinero) faire durer ♦ vi tirer; **~se** vpr s'étirer; **~ las piernas** (fig) se dégourdir les jambes

estirón nm étirement m; **dar ~** pousser comme une asperge

estirpe nf souche f

estival adj estival(e)

esto pron cela, ça, c' ♦ excl (fam) euh!; **~ de la boda** cette affaire de la noce; **por ~** c'est pour ça

Estocolmo n Stockholm

estofado, -a adj cuit(e) à l'étouffée ♦ nm estouffade f

estofar vt cuire à l'étouffée

estómago nm estomac m

estorbar vt gêner ♦ vi gêner; **estorbo** nm gêne f

estornudar vi éternuer

estos adj ver **este²**

éstos pron ver **éste**

estoy vb ver **estar**

estrado nm estrade f

estrafalario, -a adj extravagant(e)

estrago nm: **hacer o causar ~s en** faire des ravages parmi

estragón nm estragon m

estrambótico, -a adj extravagant(e)

estrangular vt étrangler

Estrasburgo n Strasbourg

estratagema nf stratagème m

estrategia nf stratégie f

estratégico, -a adj stratégique

estrato nm strate f; **~ social** couche f sociale

estrechamente adv (íntimamente) étroitement; (pobremente) à l'étroit

estrechar vt rétrécir; (persona) serrer; (lazos de amistad) resserrer; **~se** vpr se rétrécir; (dos personas) se rapprocher; **~ la mano** serrer la main

estrechez nf étroitesse f; **estrecheces** nfpl (apuros) difficultés fpl financières

estrecho, -a adj étroit(e); (amistad) intime ♦ nm détroit m; **~ de miras** borné(e); **estar/ser muy ~s** être très serrés

estrella nf (tb: CINE etc) star f; **ver las ~s** (fam) voir trente-six chandelles; **~ de mar** étoile de mer; **~ fugaz** étoile filante

estrellado, -a adj en forme d'étoile; (cielo) étoilé(e)

estrellar vt briser en mille morceaux; (huevos) faire cuire sur le plat; **~se** vpr se briser en mille morceaux; (coche) s'écraser; (fracasar) échouer

estremecer vt bouleverser; (suj: miedo, frío) faire frissonner; **~se** vpr frissonner; (edificio) trembler; **~se de** frissonner de;

estremecimiento nm frisson m

estrenar vt (vestido) étrenner; (casa) pendre la crémaillère; (película, obra de teatro) donner la première de; **~se** vpr; **~se como** (persona) faire ses débuts de;

estreno nm inauguration f; (CINE, TEATRO) première f

estreñido, -a adj constipé(e)

estreñimiento nm constipation f

estrépito nm fracas msg

estrepitoso, -a adj (caída) spectaculaire; (gritos) perçant(e);

(fracaso, victoria) fracassant(e)

aplausos **~s** un tonnerre d'applaudissements

estrés nm stress m

estría nf (en tronco) strie f; (columna) striure f; **~s** (en la piel) vergetures fpl

estribación nf (GEO, frec pl) contrefort m

estribar vi: **~ en** reposer sur

estribillo nm refrain m

estribo nm (de jinete) étrier m; (de tren) marchepied m; (de puente, cordillera) contrefort m; **perder los ~s** (fig) monter sur ses grands chevaux

estribor nm (NÁUT) tribord m

estricto, -a adj strict(e)

estridente adj (color) criard(e); (voz) strident(e)

estropajo nm lavette f

estropear vt (material) abîmer; (máquina, coche) casser; (planes) détruire; (cosecha) gâter; (persona) ravager; **~se** vpr tomber en panne; (envejecer) vieillir

estructura nf structure f

estruendo nm vacarme m

estrujar vt (limón) presser; (bayeta, papel) tordre; (persona) serrer; **~se** vpr (personas) se serrer

estuario nm estuaire m

estuche nm trousse f

estudiante nm/f étudiant(e); **estudiantil** adj estudiantin(e)

estudiar vt étudier; (carrera) faire des études de ♦ vi étudier

estudio nm (piso) atelier m; (RADIO, TV etc: local) studio m; **~s** nmpl études fpl

estudioso, -a adj studieux(-euse) ♦ nm/f: **~ de** spécialiste f de

estufa nf radiateur m

estupefaciente adj stupéfiant(e)

♦ nm stupéfiant m

estupefacto, -a adj: **quedarse ~** être stupéfait(e); **me dejó ~** il m'a laissé stupéfait; **me miró ~** il m'a regardé avec stupéfaction

estupendo, -a adj formidable; **¡~! super!**

estupidez nf stupidité f

estúpido, -a adj stupide

estupor nm stupeur f

estuve etc vb ver **estar**

esvástica nf croix f gammée

ETA sigla f (POL) (= Euskadi Ta Askatasuna) ETA m

etapa nf étape f; **por ~s** par étapes

etarra adj, nm/f membre m/f de l'ETA

etc. abr (= etcétera) etc. (= et c(a)etera)

etcétera adv et cetera

eternidad nf éternité f

eterno, -a adj éternel(le); (fam: larguísimo) à n'en plus finir

ética nf éthique f; **~ profesional** éthique professionnelle

ético, -a adj éthique

Etiopía nf Éthiopie f

etiqueta nf étiquette f; **traje de ~** tenue f de soirée

étnico, -a adj ethnique

Eucaristía nf Eucharistie f

eufemismo nm euphémisme m

euforia nf euphorie f

eurodiputado, -a nm/f député(e) européen(ne)

Europa nf Europe f

europeo, -a adj européen(ne) ♦ nm/f Européen(ne)

Euskadi nm pays m basque

euskera nm basque m

eutanasia nf euthanasie f

evacuación nf évacuation f

evadir vt éviter; (impuesto) frauder; **~se** vpr s'évader

evaluar vt (valorar) évaluer; (calificar) noter

evangelio nm Évangile m

evaporar vt faire évaporer; **~se** vpr s'évaporer; (fam: persona) se volatiliser

evasión nf évasion f; **de ~** (novela, película) d'évasion; **~ de capitales** évasion des capitaux

evasiva nf réponse f évasive

evasivo, -a adj évasif(-ive)

evento nm événement m

eventual adj (circunstancias) éventuel(le); (trabajo) temporaire

evidencia nf évidence f; **poner en ~** (a algn) tourner en ridicule; (algo) mettre en évidence;
evidenciar vt rendre évident(e); **evidenciarse** vpr être manifeste

evidente adj évident(e)

evitar vt éviter; **~ hacer** éviter de faire

evocar vt évoquer

evolución nf évolution f;
evolucionar vi évoluer

ex prep ex; **el ~ ministro** l'ex-ministre

exacerbar vt exacerber; (persona) exaspérer

exactamente adv exactement

exactitud nf exactitude f; (fidelidad) fidélité f

exacto, -a adj exact(e); **¡~!** exactement!

exageración nf exagération f; **exagerar** vt, vi exagérer

exaltado, -a adj, nm/f exalté(e)

exaltar vt exalter; **~se** vpr s'exalter

examen nm examen m; **~ de conducir** épreuve f de conduite; **~ de ingreso** examen d'entrée; **~ final** examen final

examinar vt examiner; (ESCOL) faire passer un examen à; **~se** vpr

vpr: ~**se (de)** passer un examen (de)

exasperar *vt* exaspérer; ~**se** *vpr* s'irriter

Exc.ª *abr* = **Excelencia**

excavador, a *nm/f (persona)* mineur *m* ♦ *nf (TEC)* excavateur *m*, excavatrice *f*

excavar *vt, vi* excaver

excedencia *nf:* **estar en** ~ être en congé sabbatique; **pedir** *o* **solicitar la** ~ demander *o* solliciter un congé sabbatique

excedente *adj (producto, dinero)* excédentaire; *(funcionario)* en disponibilité ♦ *nm* excédent *m*; ~ **de cupo** exempté *m* de service militaire

exceder *vt* surpasser; ~**se** *vpr* dépasser; ~**se en gastos** faire trop de dépenses; ~**se en sus funciones** outrepasser ses pouvoirs

excelencia *nf* excellence *f*; **E~** *(tratamiento)* Excellence; **por** ~ par excellence; **excelente** *adj* excellent(e)

excentricidad *nf* excentricité *f*

excéntrico, -a *adj, nm/f* excentrique *m/f*

excepción *nf:* **ser/hacer una** ~ être/faire une exception; **a** *o* **con** ~ **de** à l'exception de; **sin** ~ sans exception; **excepcional** *adj* exceptionnel(le)

excepto *adv* excepté

exceptuar *vt* excepter

excesivo, -a *adj* excessif(-ive)

exceso *nm* excès *msg*; *(COM)* excédent *m*; ~**s** *nmpl (desórdenes)* excès *mpl*; **con** *o* **en** ~ à l'excès; ~ **de equipaje/peso** excédent de bagages/poids; ~ **de velocidad** excès de vitesse

excitación *nf* excitation *f*

excitar *vt* exciter; ~**se** *vpr* s'exciter

exclamación *nf* exclamation *f*; **exclamar** *vt, vi* s'exclamer

excluir *vt (descartar)* exclure; *(no incluir)* ~ **(de)** exclure (de);

exclusión *nf* exclusion *f*; **con exclusión de** à l'exclusion de

exclusiva *nf* exclusivité *f*; **modelo en** ~ modèle *m* exclusif

exclusivo, -a *adj* exclusif(-ive); **derecho** ~ droit *m* exclusif

Excmo. *abr (= Excelentísimo)* titre de courtoisie

excomulgar *vt* excommunier

excomunión *nf* excommunication *f*

excursión *nf (por el campo)* randonnée *f*; *(viaje)* excursion *f*; **ir de** ~ faire une excursion; **excursionista** *nm/f (por campo)* randonneur(-euse)

excusa *nf* excuse *f*

excusar *vt* excuser; ~**se** *vpr* s'excuser; ~ **(de hacer)** *(eximir)* excuser (de faire)

exhalar *vt* exhaler

exhaustivo, -a *adj* exhaustif(-ive)

exhausto, -a *adj* épuisé(e)

exhibición *nf* exhibition *f*

exhibir *vt* exhiber; ~**se** *vpr* s'exhiber

exhortar *vt:* ~ **a** exhorter à

exigencia *nf* exigence *f*; ~**s del trabajo/de la situación** exigences du travail/de la situation; **exigente** *adj* exigeant(e)

exigir *vt (reclamar)* exiger; *(necesitar)* demander ♦ *vi* être exigeant(e)

exiliado, -a *adj, nm/f* exilé(e)

exilio *nm* exil *m*

eximir *vt:* ~ **a algn (de)**

exempter qn (de)

existencia nf existence f; **~s** nfpl (artículos) stock m; **en ~** (COM) en stock

existir vi exister

éxito nm succès m; **tener ~** avoir du succès

exonerar vt: **~ de** (de cargo) destituer de; (de obligación) dispenser de

exorbitante adj exorbitant(e)

exorcizar vt exorciser

exótico, -a adj exotique

expandirse vpr se dilater; se répandre

expansión nf expansion f; (diversión) distraction f; **~ económica** expansion économique

expansivo, -a adj (onda) de propagation; (carácter) expansif(-ive)

expatriarse vpr s'expatrier

expectativa nf expectative f; (perspectiva) perspective f

expedición nf expédition f

expediente nm (JUR: procedimiento) procédure f, (: papeles) démarches fpl; (ESCOL: tb: **~ académico**) dossier m scolaire; **abrir/formar ~ a algn** ouvrir un dossier au nom de qn/ instruire le dossier de qn

expedir vt (carta, mercancías) expédier; (documento) délivrer

expendedor, a nm/f vendeur(-euse) ♦ nm (tb: **~ automático**) guichet m automatique; **~ de cigarrillos** distributeur m de cigarettes

expensas nfpl (JUR) frais mpl; **a ~ de** aux frais de

experiencia nf expérience f

experimentado, -a adj expérimenté(e)

experimentar vt (en laboratorio) expérimenter; (deterioro, aumento) connaître; (sensación) ressentir;

experimento nm expérience f

experto, -a adj, nm/f expert(e)

expiar vt expier

expirar vi expirer

explanada nf esplanade f

explayarse vpr s'étendre; **~ con algn** se confier à qn

explicación nf explication f;

explicar vt expliquer;

explicarse vpr s'expliquer; **explicarse algo** s'expliquer qch

explícito, -a adj explicite

explique etc vb ver **explicar**

explorador, a nm/f explorateur(-trice); (MIL) éclaireur(-euse)

explorar vt explorer

explosión nf explosion f

explosivo, -a adj explosif(-ive) ♦ nm explosif m

explotación nf exploitation f

explotar vt exploiter ♦ vi exploser

exponer vt exposer; **~se a (hacer) algo** s'exposer à (faire) qch

exportación nf exportation f;

exportar vt exporter

exposición nf exposition f; **E~ Universal** exposition universelle

exprés adj inv (café) express

expresamente adv (decir) expressément; (ir) exprès

expresar vt exprimer; **~se** vpr s'exprimer; **expresión** nf expression f

expresivo, -a adj (vivo) expressif(-ive); (cariñoso) expansif(-ive)

expreso, -a adj (explícito) exprès(-esse); (claro) explicite; (tren) express ♦ nm (FERRO) express m

exprimidor *nm* presse-citrons
msg

exprimir *vt* presser

expropiar *vt* exproprier

expuesto, -a *pp de* **exponer ♦**
adj exposé(e)

expulsar *vt* expulser; *(humo)*
cracher; **expulsión** *nf* expulsion
f; *(de humo)* émission f

exquisito, -a *adj* exquis(e)

éxtasis *nm* extase f

extender *vt* étendre; *(mantequilla,
pintura)* étaler; *(certificado,
documento)* délivrer; *(cheque,
recibo)* établir; **~se** *vpr* s'étendre

extendido, -a *adj* étendu(e);
(costumbre, creencia) répandu(e)

extensión *nf* étendue f; (TELEC)
poste m; **por ~** par extension

extenso, -a *adj* étendu(e)

extenuar *vt* exténuer

exterior *adj* extérieur(e) ♦ *nm*
extérieur m; *(países extranjeros)*
étranger m; **al ~** à l'extérieur; **en
el ~** en extérieur

exterminar *vt* exterminer;
exterminio *nm* extermination f

externo, -a *adj* externe; *(culto)*
extérieur(e) ♦ *nm/f* externe m/f;
de uso ~ (MED) à usage externe

extinguir *vt* *(fuego)* éteindre;
(raza) provoquer l'extinction de;
~se *vpr* s'éteindre

extinto, -a *adj* disparu(e)

extintor *nm* (tb: **~ de
incendios**) extincteur m

extirpar *vt* *(mal)* déraciner; (MED)
extirper

extorsión *nf* extorsion f;
(molestia) gêne f

extra *adj inv (tiempo, paga)* supplémentaire; *(chocolate)* extra; *(calidad)* super ♦ *nm/f* (CINE) figu-
rant(e) ♦ *nm (bono)* bonus m inv;
(de menú, cuenta) supplément m

extracción *nf* extraction f

extracomunitario, -a *adj*
extracommunautaire

extracto *nm* résumé m; *(de café,
hierbas)* extrait m

extradición *nf* extradition f

extraer *vt* extraire

extraescolar *adj:* **actividad ~**
activité f extrascolaire

extralimitarse *vpr:* **~ (en)**
dépasser les limites (de)

extranjero, -a *adj, nm/f*
étranger(-ère) ♦ *nm* étranger m;
en el ~ à l'étranger

extrañar *vt* étonner; (AM: *echar de
menos*) regretter; *(algo nuevo)* ne
pas reconnaître; **~se**: **~se
(de)** s'étonner (de); **te extraño
mucho** tu me manques
beaucoup

extrañeza *nf (rareza)* singularité
f; *(asombro)* étonnement m

extraño, -a *adj* étranger(-ère);
(raro) bizarre ♦ *nm/f*
étranger(-ère); **... lo que por ~
que parezca ...** ce qui, aussi
bizarre que cela puisse paraître

extraordinario, -a *adj*
extraordinaire; *(edición)* spécial(e)
♦ *nm (de periódico)* numéro m
spécial; **horas extraordinarias**
heures fpl supplémentaires

extrarradio *nm* banlieue f

extravagancia *nf* extravagance
f; **extravagante** *adj*
extravagant(e)

extraviar *vt (objeto)* égarer; **~se**
vpr s'égarer; **extravío** *nm* objet
m perdu

extremar *vt* pousser à l'extrême

extremaunción *nf* extrême-
onction f

extremeño, -a *adj* d'Estrémadure

extremidad *nf* extrémité f; **~es**
nfpl (ANAT) extrémités fpl

extremo, -a adj extrême ♦ nm (punta) extrémité f; (fig) extrême m; **en último ~** en dernière extrémité; **E~ Oriente** Extrême-Orient m

extrovertido, -a adj, nm/f extraverti(e)

exuberancia nf exubérance f;

exuberante adj exubérant(e)

eyacular vi éjaculer

F, f

fa nm fa.m

fábrica nf usine f; **de ~** (ARQ) en brique; **marca/precio de ~** marque f/prix m de fabrique

fabricación nf fabrication f; **de ~ casera** fait(e) maison; **~ en serie** fabrication en série

fabricante nm/f fabricant(e)

fabricar vt fabriquer

fábula nf (tb chisme, mentira) fable f

fabuloso, -a adj fabuleux(-euse)

facción nf (POL) faction f; **facciones** nfpl (del rostro) traits mpl

faceta nf facette f

facha (fam) adj, nm/f (pey) facho m/f ♦ nf (aspecto) aspect m; **estar hecho una ~** ressembler à un épouvantail

fachada nf façade f

fácil adj facile; **es ~ que venga** il est probable qu'il vienne

facilidad nf facilité f; **~es** nfpl (condiciones favorables) facilités fpl; **~ de palabra** facilité d'élocution

facilitar vt faciliter; (proporcionar) fournir

fácilmente adv facilement

facsímil nm fac-similé m

factible adj faisable

factor nm facteur m

factoría nf (fábrica) fabrique f

factura nf facture f

facturación nf (COM) facturation f; **~ de equipajes** enregistrement m des bagages;

facturar vt (COM) facturer; (equipaje) enregistrer

facultad nf faculté f

faena nf tâche f; **~s domésticas** tâches fpl domestiques; **hacerle una ~ a algn** (fam) ficher la frousse à qn

faisán nm faisan m

faja nf (para la cintura) ceinture f; (de mujer) gaine f; (de tierra, libro etc) bande f

fajo nm liasse f

falacia nf fausseté f

falda nf jupe f; (GEO) versant m; **~ pantalón** jupe-culotte f

falla nf (GEO) faille f

fallar vt (JUR) prononcer ♦ vi échouer; (cuerda, rama) céder; (motor) tomber en panne; (frenos) lâcher; **le falló la memoria** il a eu un trou de mémoire; **le ~on las piernas** les jambes lui ont manqué; **sin ~** sans faute

---

Fallas

Les **Fallas** ou fêtes de la Saint-Joseph, en l'honneur du saint patron de la ville, ont lieu chaque année à Valence, la semaine du 19 mars. Le terme **fallas** désigne les grandes figures en papier mâché et en bois, à l'effigie d'hommes politiques et de personnalités connues, qui sont réalisées pendant l'année par les différentes équipes en compétition. Ces figures sont ensuite examinées par un jury et brûlées dans des feux de joie.

*Seules les meilleures échappent
aux flammes.*

fallecer vi décéder;
fallecimiento nm décès m
fallido, -a adj avorté(e)
fallo nm (JUR) jugement m;
(defecto, INFORM) défaut m; (error)
erreur f; **~ cardíaco** crise f
cardiaque
falsedad nf fausseté f; (mentira)
mensonge m
falsificar vt falsifier
falso, -a adj faux (fausse);
declarar en ~ faire une fausse
déclaration
falta nf (carencia) manque m;
(defecto, en comportamiento)
défaut m; (ausencia) absence f; (en
examen, ejercicio, DEPORTE) faute f;
echar en ~ (persona, clima)
regretter; **hace ~ hacerlo** il faut
le faire; **me hace ~ un lápiz** j'ai
besoin d'un crayon; **a/por ~ de**
faute de; **~ de educación**
manque d'éducation; **~ de
ortografía** faute d'orthographe
faltar vi manquer; (escasear) se
faire rare; **faltan 2 horas para
llegar** il reste encore 2 heures
avant que l'on arrive; **¡no faltaba
o ~ía más!** (naturalmente) mais
comment donc!; (¡ni hablar!) pas
question!
falto, -a adj: **está ~ de** il (elle)
manque de
fama nf (celebridad) célébrité f;
(reputación) réputation f; **tener ~
de** avoir la réputation de
famélico, -a adj famélique
familia nf famille f
familiar adj familial(e); (conocido,
informal) familier(-ère) ♦ nm/f
parent(e); **familiaridad** nf

familiarité f; **familiaridades** nfpl
(pey) familiarités fpl
familiarizarse vpr: **~ con** se
familiariser avec
famoso, -a adj célèbre
fanático, -a adj, nm/f fanatique
m/f; **ser un ~ de** être un
fanatique de; **fanatismo** nm
fanatisme m
fanfarrón, -ona adj, nm/f
fanfaron(ne)
fango nm fange f
fangoso, -a adj fangeux(-euse);
(consistencia) visqueux(-euse)
fantasía nf fantaisie f; **~s** nfpl
(ilusiones) illusions fpl; **joyas de
~** bijoux mpl fantaisie
fantasma nm fantôme m
fantástico, -a adj fantastique
farmacéutico, -a adj
pharmaceutique ♦ nm/f
pharmacien(ne)
farmacia nf pharmacie f; **~ de
guardia** pharmacie de garde
fármaco nm médicament m
faro nm (NÁUT, AUTO) phare m; **~s
antiniebla/delanteros/
traseros** feux mpl
antibrouillard/avant/arrière
farol nm lanterne f; **echarse o
tirarse un ~** (fam) frimer
farola nf réverbère m
farsa nf farce f; **¡es una ~!** (fig)
quelle farce!
farsante nm farceur(-euse)
fascículo nm fascicule m
fascinar vt fasciner
fascismo nm fascisme m;
fascista adj, nm/f fasciste m/f
fase nf phase f
fastidiar vt (molestar) ennuyer;
(estropear) gâcher; **~se** vpr
prendre sur soi
fastidio nm ennui m; **¡qué ~!**
c'est trop bête!

fastidioso, -a adj fastidieux(-euse)

fastuoso, -a adj fastueux(-euse)

fatal adj fatal(e); (fam: malo) dur(e) ♦ adv très mal; **fatalidad** nf fatalité f

fatiga nf fatigue f

fatigar vt fatiguer; **~se** vpr se fatiguer

fatigoso, -a adj (tarea) pénible; (respiración) difficile

favor nm faveur f; **haga el ~ de ...** faites-moi le plaisir de ...; **por ~** s'il vous plaît; **a ~ de** en faveur de; **favorable** adj favorable; **ser favorable a algo** être favorable à qch

favorecer vt favoriser; (suj: vestido, peinado) avantager

favorito, -a adj, nm/f favori(te)

fax nm fax m

fe nf foi f; **de buena/mala ~** de bonne/mauvaise foi; **dar ~ de** faire foi de; **tener ~ en algo/algn** avoir foi en qch/qn; **~ de bautismo/de vida** certificat m de baptême/de vie

fealdad nf laideur f

febrero nm février m; ver tb **julio**

febril adj fiévreux(-euse); (fig) fébrile

fecha nf date f; **en ~ próxima** prochainement; **hasta la ~** jusqu'à aujourd'hui; **~ de caducidad** (de alimentos) date limite de consommation; **~ límite** o **tope** date limite; **fechar** vt dater

fecundar vt féconder

fecundo, -a adj (mujer, fig) fécond(e); (tierra) fertile

federación nf fédération f

federal adj fédéral(e)

felicidad nf bonheur m; (dicha) félicité f; **~es** tous mes etc vœux

felicitación nf (enhorabuena) vœux mpl; (tarjeta) carte f de vœux

felicitar vt: **~ (por)** féliciter (pour); **me felicitó por mi cumpleaños** il me souhaita un bon anniversaire

feligrés, -esa nm/f fidèle m/f

feliz adj heureux(-euse)

felpudo, -a adj paillasson m

femenino, -a adj féminin(e); (ZOOL, BIO) femelle ♦ nm (LING) féminin m

feminista adj, nm/f féministe m/f

fenomenal adj (fam: enorme) phénoménal(e); (: estupendo) sensationnel(le) ♦ adv vachement bien

fenómeno nm phénomène m ♦ adv: **lo pasamos ~** on s'est vachement bien amusé ♦ excl super!

feo, -a adj laid(e); **esto se está poniendo ~** ça va mal tourner

féretro nm cercueil m

feria nf foire f; (AM: mercado de pueblo) marché m; (MÉX: cambio) monnaie f; **~s** nfpl (fiestas) fêtes fpl

fermentar vi fermenter

ferocidad nf férocité f

feroz adj féroce

férreo, -a adj ferreux(-euse); (fig) de fer

ferretería nf ferronnerie f

ferrocarril nm chemin m de fer

ferroviario, -a adj ferroviaire

fértil adj (tierra, fig) fertile; (persona) fécond(e)

ferviente adj fervent(e)

fervor nm ferveur f

fervoroso, -a adj = **ferviente**

festejar vt fêter; **festejo** nm fête f; **festejos** nmpl (fiestas) festivités fpl

festín nm festin m

festival nm festival m

festividad nf festivité f

festivo, -a adj festif(-ive); (alegre) joyeux(-euse); **día** m de fête

fétido, -a adj fétide

feto nm fœtus msg

fiable adj (persona) digne de confiance; (máquina) fiable; (criterio, versión) valable

fiador, a nm/f garant(e)

fiambre adj (CULIN) froid(e) ♦ nm (CULIN) charcuterie f

fianza nf caution f; **libertad bajo ~** (JUR) liberté f sous caution

fiar vt vendre à crédit ♦ vi vendre à crédit; **~se** vpr: **~se de algn/ algo** avoir confiance en qn/qch; **es de ~** on peut se fier à lui

fibra nf fibre f; **~ de vidrio** fibre de verre; **~ óptica** (INFORM) fibre optique

ficción nf fiction f; **literatura/ obra de ~** littérature f/œuvre f de fiction

ficha nf fiche f; (en juegos, casino) jeton m; **fichar** vt ficher; (DEPORTE) recruter; (fig) classer; (trabajador) pointer; **estar fichado** être fiché; **fichero** nm fichier m

ficticio, -a adj (imaginario) fictif(-ive); (falso) simulé(e)

fidelidad nf fidélité f; **alta ~** haute fidélité

fideos nmpl vermicelles mpl

fiebre nf fièvre f; **tener ~** avoir de la fièvre; **~ amarilla** fièvre jaune; **~ del heno** rhume m des foins; **~ palúdica** paludisme m

fiel adj fidèle; **los ~es** (REL) les fidèles mpl

fieltro nm feutre m

fiera nf bête f féroce

fiero, -a adj féroce

fiesta nf fête f; (vacaciones: tb: **~s**) fêtes fpl; **hoy/mañana es ~** aujourd'hui/demain c'est fête; **~ de guardar** (REL) Fête d'obligation

---

Fiestas

Les **Fiestas** correspondent à des fêtes légales ou à des jours fériés institués par chaque région autonome. Elles coïncident souvent avec des fêtes religieuses. De nombreuses **fiestas** sont également organisées dans toute l'Espagne en l'honneur de la Sainte Vierge ou du saint patron de la ville ou du village. Les festivités, qui durent généralement plusieurs jours, peuvent comporter des processions, des défilés de carnaval, des courses de taureaux et des bals.

---

figura nf figure f

figurar vt, vi figurer; **~se** vpr se figurer; **¡figúrate!** figure-toi!

fijador nm fixateur m

fijar vt fixer; (sellos) coller; (cartel) afficher; **~se** vpr: **~se (en)** observer; **~ algo a** attacher qch à; **¡fíjate!** figure-toi!

fijo, -a adj fixe; (sujeto): **~ (a)** fixé(e) (à) ♦ adv: **mirar ~** regarder fixement; **de ~** assurément

fila nf file f; (DEPORTE, TEATRO) rang m; **~s** nfpl (MIL) service m militaire; **ponerse en ~** se mettre en file; **~ india** file indienne

filántropo, -a nm/f philanthrope m/f

filatelia nf philatélie f

filete nm filet m

filial adj filial(e) ♦ nf filiale f

Filipinas nfpl: **las (Islas) ~** les (îles) Philippines fpl

filipino, -a adj philippin(e) ♦ nm/f Philippin(e)

filmar vt filmer

filo nm fil m; **sacar ~ a** aiguiser; **arma de doble ~** (fig) arme f à double tranchant

filón nm filon m

filosofía nf philosophie f

filósofo, -a nm/f philosophe m/f

filtrar vt filtrer ♦ vi s'infiltrer; **~se** vpr (líquido) s'infiltrer; (luz, noticia) filtrer

filtro nm filtre m; (papel) buvard m; **filtro de aceite** (AUTO) filtre à huile

fin nm fin f; **al ~ a** la fin; **al ~ y al cabo** finalement; **a ~ de (que)** afin que; **a ~es de** à la fin de; **por/en ~** enfin; **~ de archivo** (INFORM) fin de fichier; **~ de semana** fin de semaine

final adj final(e) ♦ nm (de partido, tarde) fin f; (de calle, novela) bout m ♦ nf (DEPORTE) finale f; **al ~ à** la fin; **finalidad** nf finalité f; **finalista** nf/finaliste m/f;

finalizar vt terminer ♦ vi toucher à sa fin

financiar vt financer

financiero, -a adj financier(-ère) ♦ nm/f financier m

finca nf (rústica) ferme f; (urbana) propriété f

fingir vt feindre ♦ vi mentir; **~se** vpr: **~se dormido** faire semblant de dormir; **~se un sabio** se donner des airs de savant

finlandés, -esa adj finlandais(e) ♦ nm/f Finlandais(e) ♦ nm (LING) finnois m

Finlandia nf Finlande f

fino, -a adj fin(e); (de buenas maneras) délicat(e)

firma nf signature f; (COM) firme f

firmamento nm firmament m;

firmar vt, vi signer

firme adj solide; (fig) ferme ♦ nm chaussée f; **mantenerse ~** (fig) tenir ferme; **firmemente** adv fermement; **firmeza** nf fermeté f, (solidez) solidité f; (perseverancia) persévérance f

fiscal adj fiscal(e) ♦ nm (JUR) avocat m général

fisco nm fisc m

fisgar vt fouiner dans ♦ vi fouiner

fisgonear vt fureter dans ♦ vi fureter

física nf physique f; ver tb **físico**

físico, -a adj physique ♦ nm physique m ♦ nm/f physicien(ne)

fisura nf fissure f; (MED) fracture f

flác(c)ido, -a adj flasque

flaco, -a adj (delgado) maigre; **punto ~** point m faible

flagrante adj flagrant(e); **en ~ delito** en flagrant délit

flamante (fam) adj (vistoso) voyant(e); (nuevo) flambant neuf (neuve)

flamenco, -a adj (de Flandes) flamand(e); (baile, música) flamenco ♦ nm flamenco m

flan nm flan m au caramel

flaqueza nf faiblesse f

flash (pl **~es**) nm (FOTO) flash m

flauta nf flûte f

flecha nf flèche f

flechazo nm (enamoramiento) coup m de foudre

fleco nm frange f

flema nm flegme m

flequillo nm frange f

flexible adj (material) souple; (fig) flexible

flexión nf flexion f

flexo nm lampe f de bureau

flojera nf défaillance f; (AM) paresse f; **me da ~ (hacer)** j'ai la flemme de (faire)

flojo, -a adj (cuerda, nudo) lâche; (persona, COM: sin fuerzas) faible; (perezoso: esp AM) paresseux(-euse); (viento, vino, trabajo) léger(-ère)

flor nf fleur f; **en ~** en fleur; **en la ~ de la vida** dans la fleur de l'âge; **florecer** vi fleurir; **floreciente** adj fleurissant(e); **florero** nm pot m de fleurs

floristería nf fleuriste m

flota nf flotte f

flotador nm flotteur m; (para nadar) bouée f

flotar vi flotter; **flote** nm: **a flote** à flot

fluctuar vi fluctuer

fluidez nf fluidité f; **con ~** avec fluidité

fluido, -a adj ♦ nm fluide m

fluir vi couler

flujo nm flux m; **~ y reflujo** flux et reflux

fluvial adj fluvial(e)

foca nf phoque m

foco nm foyer m

fofo, -a adj (esponjoso) mou (molle); (carnes) flasque

fogata nf feu m de bois

fogón nm (de cocina) plaque f

fogoso, -a adj fougueux(-euse)

folio nm feuille f de papier

folklore nm folklore m

follaje nm feuillage m

folletín nm feuilleton m; (fig) mélodrame m

folleto nm (de propaganda) prospectus msg

follón nm (fam) bordel m; **armar un ~** faire du bordel

fomentar vt promouvoir; (odio, envidia) fomenter; **fomento** nm promotion f

fonda nf auberge f

fondo nm fond m; **~s** nmpl (COM, de museo, biblioteca) fonds msg; **a/de ~** à/de fond; **en el ~** au fond; **~ común** fonds msg commun; **~ del mar** fond de la mer

fontanería nf plomberie f

fontanero nm plombier m

footing nm footing m; **hacer ~** faire du footing

forastero, -a nm/f étranger(-ère)

forcejear vi lutter

forense nm/f (tb: **médico ~**) médecin m légiste

forjar vt forger; (imperio, fortuna) bâtir

forma nf forme f; (manera) façon f, manière f; **en (plena) ~** en (pleine) forme; **guardar las ~s** se tenir convenablement; **de todas ~s** de toute façon

formación nf formation f; **~ profesional** formation professionnelle

formal adj (defecto) de forme; (requisito, promesa) formel(le); (persona: de fiar) sérieux(-euse); **formalidad** nf sérieux m; (trámite) formalité f; **formalizar** vt officialiser; **formalizarse** vpr se ranger

formar vt (formación), (hacer) faire; **~se** vpr se former; **~ parte de** faire partie de

formatear vt (INFORM) formater

formativo, -a adj formateur(-trice)

formato nm format m

formidable adj formidable

fórmula nf formule f; (fig: método) solution f; **~ de cortesía** formule de courtoisie;

uno (AUTO) formule un
formular vt formuler; (idea)
émettre
formulario nm formulaire m
fornido, -a adj corpulent(e)
forrar vt (abrigo) doubler; (libro,
sofá) recouvrir; **~se** vpr (fam)
amasser une petite fortune; **forro**
nm (de abrigo) doublure f; (de libro)
couverture f; (de sofá) tissu m
fortalecer vt fortifier; (músculos)
endurcir
fortaleza nf (MIL) forteresse f;
(fuerza) force f
fortuito, -a adj fortuit(e)
fortuna nf fortune f; **por ~** par
hasard
forzar vt forcer; (proceso)
accélérer; **~ a algn a hacer
algo** forcer qn à faire qch
forzoso, -a adj inévitable
fosa nf fosse f; **~s nasales**
fosses fpl nasales
fósforo nm phosphore m; (AM:
cerilla) allumette f
fósil adj, nm fossile m
foso nm (hoyo, AUTO) fosse f;
(TEATRO) fosse d'orchestre; (de
castillo) douves fpl
foto nf photo f; **sacar** o **hacer
una ~** prendre une photo
fotocopia nf photocopie f;
fotocopiadora nf
photocopieuse f; **fotocopiar** vt
photocopier
fotografía nf photographie f
fotógrafo, -a nm/f photographe
m/f
fracasar vi échouer; **fracaso**
nm échec m; (desastre)
catastrophe f
fracción nf fraction f; (POL)
scission f; **fraccionamiento**
(AM) nm lotissement m
fractura nf fracture f; (grieta)

cassure f
fragancia nf parfum m
frágil adj fragile
fragmento nm fragment m; (MÚS)
morceau m choisi
fragua nf forge f; **fraguar** vt
forger ♦ vi prendre
fraile nm moine m
frambuesa nf framboise f
francamente adv franchement
francés, -esa adj français(e) ♦
nm/f Français(e) ♦ nm (LING)
français m
Francia nf France f
franco, -a adj franc(he) ♦ nm
franc m; **de ~** (CSUR) en
permission
francotirador, a nm/f franc-
tireur m
franela nf flanelle f
franja nf (en vestido, bandera)
frange f; (de tierra, luz) bande f
franquear vt (paso, entrada)
débarrasser; (carta etc) affranchir;
(obstáculo) franchir
franqueo nm affranchissement m
franqueza nf franchise f; **con ~**
avec franchise
frasco nm flacon m
frase nf phrase f; (locución)
expression f; **~ hecha** expression
f figée; (despectivo) cliché m
fraterno, -a adj fraternel(le)
fraude nm fraude f;
fraudulento, -a adj
frauduleux(-euse)
frazada (AM) nf couvre-lit m
frecuencia nf fréquence f; **con
~** fréquemment
frecuentar vt fréquenter
frecuente adj fréquent(e);
(habitual) habituel(le)
fregadero nm lave-vaisselle m
fregado, -a (fam) adj (AM:
molesto) embêtant(e) ♦ nm

dispute f

fregar vt laver; (AM: fam) énerver

fregona nf serpillière f; (pey: sirvienta) boniche f

freír vt frire

frenar vt, vi freiner

frenazo nm coup m de frein

frenético, -a adj frénétique; (persona) hors de soi

freno nm frein m; (de cabalgadura) mors m; ~ **de mano** frein à main

frente nm front m ♦ nf front ♦ adv (esp CSUR: fam): ~ **mío/ nuestro** etc en face de moi/nous etc; ~ **a** en face de; (en comparación con) par rapport à; **chocar de** ~ se heurter de front; **hacer** ~ **a** faire face à; **ir/ ponerse al** ~ **de** être/se mettre à la tête de

fresa nf (ESP) fraise f

fresco, -a adj frais (fraîche); (ropa) léger(-ère); (descarado) insolent(e) ♦ nm (aire) frais m; (ARTE) fresque f; (AM) boisson f fraîche ♦ nm/f (fam: descarado) insolent(e); (: desvergonzado) effronté(e); **hace** ~ il fait frais; **estar/quedarse tan** ~ demeurer imperturbable; **tomar el** ~ prendre le frais; **frescura** nf fraîcheur f; (descaro) insolence f

frialdad nf (frío) froideur f; (indiferencia) froideur glaciale

fricción nf friction f

frigidez nf frigidité f

frigorífico, -a adj frigorifique ♦ nm réfrigérateur m; **camión** ~ camion m frigorifique

frijol (AM) nm haricot m sec; (verde) haricot vert

frío, -a adj froid(e); (fig: poco entusiasta) pas très chaud(e); (relaciones) tendu(e) ♦ nm froid m;

tener ~ avoir froid; **hace** ~ il fait froid

frito, -a pp de **freír** ♦ adj (CULIN) frit(e) ♦ nm: ~**s** (CULIN) friture f; **me tiene** o **trae** ~ ese **hombre** (fam) ce type me fait barbant

frívolo, -a adj frivole

frontal adj frontal(e); (choque) de front

frontera nf frontière f; **sin** ~**s** sans limite

fronterizo, -a adj (pueblo, paso) frontalier(-ère)

frontón nm (cancha) fronton m; (juego) pelote f basque

frotar vt, vi frotter; ~**se** vpr: ~**se las manos** se frotter les mains

fructífero, -a adj fructueux(-euse)

fruncir vt froncer

frustrar vt frustrer

fruta nf fruit m; **frutería** nf boutique f de fruits et légumes

frutero, -a adj fruitier(-ère) ♦ nm/f marchand(e) de fruits et légumes ♦ nm compotier m

frutilla (AND, CSUR) nf fraise f

fruto nm fruit m; ~**s secos** fruits mpl secs

fue vb ver **ser**; **ir**

fuego nm feu m; **prender** o **pegar** ~ **a** mettre le feu à; **¿tienes** ~? t'as du feu?; ~**s artificiales** o **de artificio** feux mpl d'artifice

fuente nf fontaine f; (bandeja) plateau m; (fig) source f; ~ **de soda** (AM) buvette f

fuera vb ver **ser**; **ir** ♦ adv dehors; (de viaje) en voyage ♦ prep: ~ **de** hors de; (fig) sauf; **¡**~**!** dehors!; **por** ~ au dehors

fuera-borda nm inv hors-bord m

fuerte adj fort(e); (resistente) solide ♦ adv (sujetar) solidement;

(*golpear*) violemment; (*llover*) à
verse; (*gritar*) fort
fuerza *vb ver* **forzar** ♦ *nf* force *f*;
(MIL: *tb*: **~s**) forces *fpl*; **a ~ de** à
force de; **cobrar ~s** prendre des
forces; **tener ~** avoir de la force;
tener ~s para hacer avoir la
force de faire; **a** *o* **por la ~** de
force; **por ~** forcément; **~s
aéreas/armadas** forces
aériennes/armées; **~ de voluntad**
volonté *f*
fuga *nf* fugue *f*; (*de gas, agua*)
fuite *f*
fugarse *vpr* s'enfuir; (*amantes*)
faire une fugue
fugaz *adj* fugitif(-ive)
fugitivo, -a *adj* en fuite ♦ *nm/f*
fugitif(-ive)
fui *etc vb ver* **ser**; **ir**
fulano, -a *nm/f* un(e) tel(le)
fulminante *adj* explosif(-ive);
(MED, *fig*) foudroyant(e); (*fam:
éxito*) fulgurant(e)
fumador, a *nm/f* fumeur(-euse)
fumar *vt, vi* fumer; **~se** *vpr*
fumer; (*fam: herencia*) manger; (:
clases, trabajo) manquer; **~ en
pipa** fumer la pipe
función *nf* fonction *f*; (TEATRO *etc*)
représentation *f*; **entrar en
funciones** entrer en fonction; **~
de tarde/de noche** matinée *f*/
soirée *f*; **en ~ de** en fonction de;
**presidente/director en
funciones** président/directeur
par intérim
funcional *adj* fonctionnel(le)
funcionar *vi* fonctionner; **"no
funciona"** "en panne"
funcionario, -a *nm/f*
fonctionnaire *m/f*
funda *nf* étui *m*; (*de almohada*)
taie *f*
fundación *nf* fondation *f*

fundamental *adj* fondamental(e)
fundamentar *vt* (*fig*): **~ (en)**
fonder (sur); **fundamento** *nm*
fondement *m*
fundar *vt* fonder; (*fig: basar*): **~
en** fonder sur; **~se** *vpr*: **~se en**
se fonder sur
fundición *nf* (*fábrica*) fonderie *f*
fundir *vt* fondre; (COM, *fig*)
fusionner; (ELEC, *nieve, mantequilla*)
fondre; (*fig*) fusionner
fúnebre *adj* funèbre
funeral *nm* funérailles *fpl*
funeraria *nf* pompes *fpl* funèbres
funesto, -a *adj* funeste
furgón *nm* (*camión*) camion *m*;
(FERRO) wagon *m*; **furgoneta** *nf*
fourgonnette *f*
furia *nf* furie *f*
furibundo, -a *adj* furibond(e)
furioso, -a *adj* furieux(-euse);
furor *nm* fureur *f*
furtivo, -a *adj* furtif(-ive);
(*cazador*) braconnier *m*
fusible *nm* fusible *m*
fusil *nm* fusil *m*; **fusilar** *vt* fusiller
fusión *nf* fusion *f*
fútbol *nm* football *m*; **futbolista**
nm/f footballeur(-euse)
futuro, -a *adj* futur(e) ♦ *nm*
avenir *m*; **futura madre** future
maman *f*

G, g

gabardina *nf* imperméable *m*;
(*tela*) gabardine *f*
gabinete *nm* cabinet *m*; (*de
abogados*) étude *f*
gaceta *nf* gazette *f*
gachas *nfpl* polenta *f*
gafas *nfpl* lunettes *fpl*; **~ de sol**
lunettes de soleil
gafe *adj*: **ser ~** porter la poisse

gaita *nf* cornemuse *f*

gajes *nmpl*: ~ **del oficio** aléas *mpl* du métier

gajo *nm* (de naranja) quartier *m*

gala *nf* gala *m*; ~s *nfpl* (atuendo) atours *mpl*; **de ~** de gala; **vestir de ~** mettre sa tenue de gala; **hacer ~ de** se targuer de

galante *adj* galant(e);
galantería *nf* galanterie *f*;
(cumplido) courtoisie *f*

galápago *nm* tortue *f* marine

galaxia *nf* galaxie *f*

galera *nf* (nave) galère *f*

galería *nf* galerie *f*; ~ **comercial** galerie commerciale

Gales *nm*: (**el País de**) ~ le pays de Galles

galés, -esa *adj* gallois(e) ♦ *nm/f* Gallois(e) ♦ *nm* gallois *msg*

galgo, -a *nm/f* lévrier (levrette)

Galicia *nf* Galice *f*, Galicie *f*

galimatías *nm inv* galimatias *msg*

gallardía *nf* (en aspecto) grâce *f*; (al actuar) vaillance *f*

gallego, -a *adj* galicien(ne) ♦ *nm/f* Galicien(ne) ♦ *nm* (LING) galicien *m*

galleta *nf* galette *f*

gallina *nf* poule *f* ♦ *nm* (fam) poule mouillée; **carne de ~** chair *f* de poule

gallinero *nm* poulailler *m*

gallo *nm* coq *m*; (pescado) raie *f*

galón *nm* galon *m*

galopar *vi* galoper

gama *nf* gamme *f*

gamba *nf* crevette *f*

gamberro, -a *nm/f* vandale *m/f*, voyou *m*

gamuza *nf* (bayeta) peau *f* de chamois

gana *nf* (deseo) envie *f*; (apetito) faim *f*; **de buena/mala ~** volontiers/à contrecœur; **me dan**

~**s de hacer** ça me donne envie de faire; **tener ~s de (hacer)** avoir envie de (faire); **no me da la (real)** ~ je n'en ai pas (vraiment) envie

ganadería *nf* bétail *m*; (cría) élevage *m*; (comercio) commerce *m* du bétail

ganado *nm* bétail *m*; ~ **bovino** o **vacuno** bovins *mpl*

ganador, a *adj*, *nm/f* gagnant(e)

ganancia *nf* gain *m*; ~**s** *nfpl* (ingresos) revenus *mpl*; (beneficios) gains *mpl*

ganar *vt* gagner; (fama, experiencia) acquérir; (premio) remporter ♦ *vi* (DEPORTE) gagner; ~**se** *vpr*: ~**se la vida** gagner sa vie; **le gana en simpatía** il est plus sympathique

ganchillo *nm* crochet *m*; **hacer ~** faire du crochet

gancho *nm* crochet *m*

gandul, a *adj*, *nm/f* feignant(e)

ganga *nf* (COM) affaire *f*

gangrena *nf* gangrène *f*

gángster (*pl* ~s) *nm* gangster *m*

ganso, -a *nm/f* jars (oie); (fam) tarte *f*

ganzúa *nf* crochet *m*

garabatear *vt* griffonner ♦ *vi* avoir une écriture de chat

garabato *nm* gribouillage *m*; ~**s** *nmpl* (escritura) pattes *fpl* de mouche

garaje *nm* garage *m*

garante *adj*, *nm/f* garant(e)

garantía *nf* garantie *f*

garantizar *vt* garantir

garbanzo *nm* pois *msg* chiche

garbo *nm* allure *f*

garfio *nm* (TEC) crochet *m*

garganta *nf* gorge *f*

gargantilla *nf* collier *m*

gárgara *nf* gargarisme *m*; **hacer**

~s faire des gargarismes

garita *nf* guérite *f*

garra *nf* griffe *f*; *(de ave)* serre *f*;
caer en las ~s de algn tomber
entre les griffes de qn

garrafa *nf* carafe *f*

garrapata *nf* puce *f*

garrote *nm (palo)* gourdin *m*;
(porra) massue *f*; *(ejecución)* garrot
m

garza *nf* héron *m*

gas *nm* gaz *m*; **a todo ~** plein gaz; **~s
lacrimógenos** gaz *mpl*
lacrymogènes

gasa *nf* gaze *f*; *(de pañal)* couche
f

gaseosa *nf* limonade *f*

gaseoso, -a *adj* gazeux(-euse)

gasoil, gasóleo *nm* gas-oil *m*

gasolina *nf* essence *f*;
gasolinera *nf* station-service *f*

gastado, -a *adj (ropa)* usé(e);
(mechero) fini(e); *(bolígrafo)* qui
n'a plus d'encre

gastar *vt* dépenser; *(malgastar)*
perdre; *(desgastar)* user; **~se** *vpr*
s'user; **~ bromas** faire des
blagues; **¿qué número gastas?**
quelle est ta pointure?

gasto *nm* dépense *f*; **~s** *nmpl*
(desembolsos) dépenses *fpl*

gastritis *nf* gastrite *f*

gastronomía *nf* gastronomie *f*

gata *nf* ver **gato**

gatear *vi* marcher à quatre pattes

gatillo *nm* gâchette *f*

gato, -a *nm/f* chat(te) ♦ *nm (TEC)*
cric *m*; **andar a gatas** marcher à
quatre pattes; **dar a algn ~ por
liebre** rouler qn

gaviota *nf* mouette *f*

gay *adj, nm* homo *m*

gazpacho *nm* gaspacho *m* *(soupe
froide espagnole)*

gel *nm (de ducha)* gel *m*; *(de baño)*
bain *m* moussant

gelatina *nf* gélatine *f*

gema *nf* gène *m*

gemelo, -a *adj, nm/f*
jumeau(-elle); **~s** *nmpl (de
camisa)* boutons *mpl* de
manchette; *(anteojos)* jumelles *fpl*;
~s de campo/de teatro
jumelles de campagne/de
spectacle

gemido *nm* gémissement *m*

Géminis *nm (ASTROL)* Gémeaux
mpl; **ser ~** être (des) Gémeaux

gemir *vi* gémir; *(animal)* geindre

gen *nm* gène *m*

generación *nf* génération *f*

general *adj* général(e) ♦ *nm*
général *m*; **en o por lo ~** en
général; **Generalitat** *nf*
gouvernement catalan;

generalizar *vt, vi* généraliser;

generalizarse *vpr* se généraliser;

generalmente *adv*
généralement

generar *vt (energía)* générer

género *nm (COM)* genre *m*; *(COM)* article
m; **~s** *nmpl (productos)* articles
mpl; **~s de punto** tricots *mpl*; **~
humano** genre humain

generosidad *nf* générosité *f*

generoso, -a *adj*
généreux(-euse)

genial *adj (artista, obra)* de génie;
(fam: idea) génial(e)

genio *nm* tempérament *m*; *(mal
carácter)* mauvais caractère *m*;
tener mal ~ être soupe au lait
inv, être emporté(e)

genital *adj* génital(e) ♦ *nm*: **~es**
organes *mpl* génitaux

gente *nf* gens *mpl*; *(fam: familia)*
petite famille *f*; **~ de la calle**
gens comme vous et moi; **~
menuda** les tout petits

gentileza nf: **tener la ~ de hacer** avoir la gentillesse de faire; **por gentileza de** avec l'aimable autorisation de

gentío nm foule f

genuino, -a adj authentique

geografía nf géographie f

geología nf géologie f

geometría nf géométrie f

geranio nm géranium m

gerencia nf direction f; **gerente** nm/f (supervisor) gérant(e); (jefe) directeur(-trice)

geriatría nf gériatrie f

germen nm germe m

germinar vi germer

gesticular vi gesticuler; (hacer muecas) faire des grimaces

gestión nf gestion f; (trámite) démarche f; **gestionar** vt s'occuper de

gesto nm geste m; (mueca) grimace f

Gibraltar nm Gibraltar m

gibraltareño, -a adj de Gibraltar ♦ nm/f natif(-ive) o habitant(e) de Gibraltar

gigante adj géant(e) ♦ nm/f géant(e); (fig) génie m

gigantesco, -a adj gigantesque

gilipollas (fam!) adj inv, nm/f inv con(ne) (fam!)

gimnasia nf gymnastique f; **gimnasio** nm gymnase m; **gimnasta** nm/f gymnaste m/f

gimotear vi pleurnicher

ginebra nf genièvre m

ginecólogo, -a nm/f gynécologue m/f

gira nf excursion f; (de grupo) tournée f

girar vt (hacer girar) faire tourner; (dar la vuelta) tourner; (giro postal, letra de cambio) virer ♦ vi tourner; **~ (a/hacia)** (torcer) virer (à); **~**

en torno a (conversación) s'orienter vers

girasol nm tournesol m

giratorio, -a adj tournant(e)

giro nm tour m; (COM) virement m; (tb: **~ postal**) mandat (postal) m; **dar un ~** tourner; **~ bancario** virement bancaire

gis (MÉX) nm craie f

gitano, -a adj gitan(e) ♦ nm/f Gitan(e)

glacial adj (zona) glaciaire; (frío, fig) glacial(e)

glaciar nm glacier m

glándula nf glande f

global adj global(e)

globo nm globe m; (para volar, juguete) ballon m; **~ terráqueo** o **terrestre** globe terrestre

glóbulo nm: **~ blanco/rojo** globule m blanc/rouge

gloria nf gloire f; (REL) paradis m; **estar en la ~** être aux anges; **es una ~** (fam) quel délice

glorieta nf (de jardín) tonnelle f; (AUTO, plaza) rond-point m

glorificar vt glorifier

glorioso, -a adj glorieux(-euse)

glosario nm glossaire m

glotón, -ona adj, nm/f glouton(ne)

glucosa nf glucose m

gobernador, a nm/f gouverneur m; **G~ civil** représentant du gouvernement au niveau local; **G~ militar** gouverneur militaire

gobernante adj gouvernant(e) ♦ nm gouvernant m

gobernar vt gouverner; (nave) piloter ♦ vi gouverner; (NÁUT) piloter

gobierno vb ver **gobernar** ♦ nm gouvernement m; (NÁUT) pilotage m

goce vb ver **gozar**

gol nm but m; **meter un ~** marquer un but

golf nm golf m

golfa (fam) nf pute f

golfo¹ nm golfe m

golfo² nm voyou m; (gamberro) casse-pieds m inv; (hum: pillo) radin m

golondrina nf hirondelle f

golosina nf gourmandise f

goloso, -a adj gourmand(e)

golpe nm coup m; **no dar ~** ne pas en ficher une rame; **de un ~** en un clin d'œil; **golpear** vt frapper, heurter ♦ vi cogner; (lluvia) tomber dru; (puerta) battre

goma nf gomme f; (gomita, COSTURA) élastique m; **~ de pegar** colle f

gordo, -a adj gros(se); (libro, árbol, tela) épais(se); (fam: problema) de taille; (accidente) catastrophique ♦ nm/f gros homme (grosse femme) ♦ nm (tb: **premio ~**) gros lot m; (de la carne) gras msg; **ese tipo me cae ~** ce type ne me revient pas

---
El Gordo

El Gordo désigne le gros lot attribué au tirage de la loterie nationale espagnole "Lotería Nacional", en particulier à Noël. Le tirage au sort exceptionnel "Sorteo Extraordinario de Navidad" du 22 décembre atteint une valeur de plusieurs millions de francs. Étant donné le coût élevé des billets, les Espagnols jouent souvent en groupe et se partagent ensuite les gains.
---

gordura nf obésité f

gorila nm gorille m; (CSUR: fam: jefe militar) chef m

gorjear vi triller

gorra nf casquette f, béret m; (de niño) bonnet m; **de ~** (sin pagar) à l'œil

gorrión nm moineau m

gorro nm bonnet m

gorrón, -ona nm/f parasite m/f

gota nf goutte f; **gotear** vi goutter; (lloviznar) pleuvoter; **gotera** nf gouttière f; (mancha) tache f d'humidité

gozar vi jouir; **~ de** jouir de

gozne nm gond m

gozo nm (alegría) plaisir m; (placer) jouissance f

gr. abr (= gramo(s)) g (= gramme(s))

grabación nf enregistrement m

grabado, -a adj (MÚS) enregistré(e) ♦ nm gravure f

grabadora nf magnétophone m

grabar vt (en piedra, ARTE) graver; (discos, en vídeo, INFORM) enregistrer

gracia nf grâce f; (humor) humour m; **¡muchas ~s!** merci beaucoup!; **~s a** grâce à; **tener ~** (chiste etc) être amusant(e); (irónico) être très amusant(e); **no me hace ~ (hacer)** ça ne m'amuse pas (de faire); **dar las ~s a algn por algo** remercier qn de o pour qch

gracioso, -a adj amusant(e)

grada nf marche f; **~s** nfpl (de estadio) gradins mpl

gradería nf gradins mpl; **~ cubierta** stade m couvert

grado nm degré m; (ESCOL) classe f; (UNIV) titre m; (MIL) grade m; **de buen ~** de bon gré; **~ centígrado/Fahrenheit** degré centigrade/Fahrenheit

graduación nf (del alcohol) degré m; (MIL) grade m

graduado, -a adj gradué(e) ♦ nm/f (UNIV) diplômé(e) ♦ nm: ~ **escolar** ≃ brevet m des collèges; ~ **social** ≃ B.T.S. m d'assistance sociale

gradual adj progressif(-ive)

graduar vt graduer; (volumen) mesurer; (MIL): ~ **a algn de** conférer à qn le grade de; ~**se** vpr (UNIV) être diplômé(e); (MIL): ~**se (de)** obtenir son grade (de); ~**se la vista** se faire vérifier la vue

gráfica nf courbe f

gráfico, -a adj graphique; (revista) d'art ♦ nm graphique m; ~**s** nmpl graphiques mpl; ~ **de barras** (COM) graphique à barres

gragea nf (MED) pilule f

grajo nm corbeau m

Gral. abr (MIL) (= General) Général

gramática nf grammaire f; ver tb **gramático**

gramatical adj grammatical(e)

gramático, -a nm/f grammairien(ne)

gramo nm gramme m

gran adj ver **grande**

granada nf grenade f; ~ **de mano** grenade à main

granate adj grenat adj inv ♦ nm grenat m

Gran Bretaña nf Grande-Bretagne f

grande adj grand(e) ♦ nm grand m; **gran miedo** grand peur; **los zapatos le están** o **quedan** ~**s** ces chaussures sont trop grandes pour lui; **grandeza** nf grandeur f

grandioso, -a adj grandiose

granel nm: **a** ~ (COM) en vrac

granero nm grenier m

granito nm granit m

granizado nm jus m de fruit glacé

granizar vi grêler; **granizo** nm grêlon m

granja nf ferme f; ~ **avícola** ferme avicole

granjear vt (amistad, simpatía) gagner; ~**se** vpr gagner

granjero, -a nm/f fermier(-ère)

grano nm grain m; (MED) bouton m

granuja nm (bribón) fripouille f; (golfillo) filou m

grapa nf agrafe f

grapadora nf agrafeuse f

grasa nf graisse f; (sebo) gras m

grasiento, -a adj gras(se); (sucio) graisseux(-euse)

graso, -a adj gras(se)

gratificación nf gratification f; **gratificar** vt (recompensar) gratifier

gratis adj inv, adv gratis inv

gratitud nf gratitude f

grato, -a adj agréable

gratuito, -a adj gratuit(e)

gravamen nm (carga) poids msg; (impuesto) servitude f, hypothèques f

gravar vt (JUR: propiedad) grever; ~ **(con impuesto)** (producto) imposer

grave adj grave; **gravedad** nf gravité f

gravilla nf gravillon m

gravitar vi graviter

graznar vi (cuervo) croasser; (pato) cancaner

Grecia nf Grèce f

gremio nm corporation f

greña nf (tb: ~**s**) tignasse f

gresca nf altercation f

griego, -a adj grec(que) ♦ nm/f Grec(que)

grieta nf (en pared, madera) fente f; (en terreno, MED) crevasse f

grifo nm robinet m; (AND) station-service f

grilletes nmpl fers mpl

grillo nm grillon m

gripe nf grippe f

gris adj gris(e) ♦ nm gris msg

gritar vt, vi crier; **grito** nm cri m; **a gritos** en criant; **dar gritos** pousser des cris

grosella nf groseille f; ~ **negra** cassis msg

grosería nf grossièreté f

grosero, -a adj grossier(-ère)

grosor nm grosseur f

grotesco, -a adj grotesque

grúa nf grue f

grueso, -a adj épais(se); (persona) corpulent(e) ♦ nm grosseur f; **el ~ de** le gros de

grulla nf grue f

grumo nm grumeau m

gruñido nm grognement m

grupa nf (ZOOL) croupe f

grupo nm groupe m; ~ **de apoyo** groupe de parole; ~ **de presión** groupe de pression; ~ **sanguíneo** groupe sanguin

gruta nf grotte f

guadaña nf serpe f

guagua nf (ANT, CANARIAS) autobus msg; (AND, CSUR) bébé m

guante nm gant m; ~**s de goma** gants de caoutchouc

guantera nf (AUTO) boîte f à gants

guapo, -a adj beau (belle) ♦ nm (AND: fam) beau gosse m; **estar ~** être beau

guarda nm/f gardien(ne); ~ **forestal** garde m forestier; ~ **jurado** vigile m; **guardabosques** nm/f inv garde m forestier; **guardacostas** nm inv garde m côte; **guardaespaldas** nm/f inv garde m/f du corps; **guarda-**

meta nm gardien m de but; **guardar** vt garder; (poner: en su sitio) mettre; (: en sitio seguro) ranger; **guardarse** vpr garder; (ocultar) garder (pour soi); **guardar cama/silencio** garder le lit/le silence; **guardarse de** (evitar) se garder de; **guardarse de hacer** (abstenerse) se garder de faire; **se la tengo guardada** il me le paiera; **guardarropa** nm (en establecimiento público) vestiaire m

guardería nf garderie f

guardia nf garde f ♦ nm/f (de tráfico, municipal etc) agent m; (policía) policier (femme policier); **estar de ~** être de garde; **estar/ponerse en ~** être sur ses gardes/se mettre en garde; **montar ~** monter la garde; **la G~ Civil** la Garde Civile espagnole; **un ~ civil** = un gendarme; **G~ Nacional** (NIC, PAN) ≃ gendarmerie f nationale

guardián, -ana nm/f gardien(ne)

guarecer vt héberger; ~**se** vpr: ~**se (de)** s'abriter (de)

guarida nf abri m

guarnecer vt garnir; (TEC) revêtir; **guarnición** nf (de vestimenta) ornement m; (de piedra preciosa) chaton m; (CULIN) garniture f; (MIL) garnison f

guarro, -a adj (fam) sale ♦ nm/f cochon (truie); (fam: persona) cochon(ne)

guasa nf blague f; **con** o **de ~** pour rire

guasón, -ona adj, nm/f blagueur(-euse)

Guatemala nf Guatemala m

gubernativo, -a adj du gouvernement

guerra nf guerre f; **Primera/**

Segunda G~ Mundial
Première/Deuxième Guerre
mondiale; **dar ~** donner du fil à
retordre; **~ atómica/
bacteriológica/nuclear/
psicológica** guerre atomique/
bactériologique/nucléaire/
psychologique; **~ civil/fría**
guerre civile/froide; **guerrear** vi
guerroyer
guerrero, -a adj de guerre;
(carácter) guerrier(-ère) ♦ nm/f
guerrier(-ère)
guerrilla nf guérilla f
guerrillero, -a nm/f guérillero m
guía vb ver **guiar** ♦ nm/f (persona)
guide m/f ♦ nf (libro) guide m;
~ de ferrocarriles horaire m des
trains; **~ telefónica** annuaire m
guiar vt guider; (AUTO) diriger;
~se vpr: **~se por** suivre
guijarro nm caillou m
guillotina nf guillotine f; (para
papel) coupe-papier m inv
guinda nf griotte f
guindilla nf piment m
guiñapo nm (harapo) haillon m;
(persona) chiffe f molle
guiñar vt cligner de
guión nm (LING) tiret m; (esquema)
plan m; (CINE) scénario m;
guionista nm/f scénariste m/f
guirnalda nf guirlande f
guisado nm ragoût m
guisante nm petit pois msg
guisar vt, vi faire cuire; (fig)
tramer; **guiso** nm plat m
guitarra nf guitare f
gula nf gloutonnerie f
gusano nm vers msg; (de
mariposa, pey) larve f
gustar vt goûter ♦ vi plaire; **~ de
hacer** prendre plaisir à faire; **me
gustan las uvas** j'aime le raisin;
le gusta nadar il aime nager;

**me gusta ese chico/esa
chica** j'aime bien ce garçon/cette
fille
gusto nm goût m; (afición) intérêt
m; **a su** etc **~** à votre etc aise; **dar
~ a algn** faire plaisir à qn; **de
buen/mal ~** de bon/mauvais
goût; **estar/sentirse a ~** être/
se sentir à l'aise; **¡mucho** o **tanto
~ (en conocerle)!** enchanté(e)
o ravi(e) de faire votre
connaissance; **coger** o **tomar ~
a algo** prendre goût à qch
gustoso, -a adj
savoureux(-euse); **aceptar ~**
accepter avec joie

H, h

ha vb ver **haber**
haba nf fève f
Habana nf: **la ~** la Havane
habano nm havane m
habéis vb ver **haber**

PALABRA CLAVE

---

haber vb aux **1** (tiempos
compuestos) avoir; (con verbos
pronominales y de movimiento)
être; **he/había comido** j'ai/
j'avais mangé; **antes/después
de haberlo visto** avant/après
l'avoir vu
2: haber de (+ infin): **he de
hacerlo** je dois le faire; **ha de
llegar mañana** il doit arriver
demain; **no ha de tardar** (AM) il
arrivera bientôt; **has de estar
loco** (AM) tu dois être tombé sur
la tête
♦ vb impers **1** (existencia) avoir;
**hay un hermano/dos
hermanos** il y a un frère/deux
frères; **¿cuánto hay de aquí a**

Sucre? il y a combien d'ici à Sucre?

2 (*tener lugar*) **¿hay partido mañana?** il y a un match demain?

3: ¡no hay de *o* **por** (*AM*) **qué!** il n'y a pas de quoi!

4: ¿qué hay? (*¿qué pasa?*) qu'est-ce qu'il y a?; (*¿qué tal?*) ça va?; **¡qué hubo!** (*¿qué húbole!* (*esp MÉX, CHI: fam*) salut!

5 (*haber que + infin*): **hay que apuntarlo para acordarse** il faut le marquer pour s'en souvenir; **¡habrá que decírselo!** il faudra le lui dire!

6: ¡hay que ver! il faut voir!

7: he aquí las pruebas voici les preuves

8 ¡hubiera visto ...! (*MÉX: si hubiera visto*) si vous aviez vu ...!;

haberse *vpr*: **voy a habérmelas con él** je vais m'expliquer avec lui

♦ *nm* **1** (*COM*) crédit *m*; **¿cuánto tengo en el haber?** il y a combien sur mon compte?; **tiene varias novelas en su haber** il a plusieurs romans à son actif

2 haberes *nmpl* avoirs *mpl*

habichuela *nf* haricot *m*

hábil *adj* habile; **día** *o* jour *m* ouvrable; **habilidad** *nf* habileté *f*

habilitar *vt* ~ (**para**) (*casa, local*) aménager (pour); ~ **a algn para hacer** habiliter qn à faire

hábilmente *adv* habilement

habitación *nf* pièce *f*; (*dormitorio*) chambre *f*; ~ **doble** *o* **de matrimonio** chambre double; ~ **sencilla** *o* **individual** chambre simple

habitante *nm/f* habitant(e)

habitar *vt, vi* habiter

hábito *nm* (*costumbre*) habitude *f*; (*traje*) habit *m*

habitual *adj* habituel(le)

habituar *vt*: ~ **a algn a (hacer)** habituer qn à (faire); ~**se** *vpr*: ~**se a (hacer)** s'habituer à (faire)

habla *nf* (*capacidad de hablar*) parole *f*; (*forma de hablar*) langage *m*; (*dialecto*) parler *m*; **perder el** ~ perdre l'usage de la parole; **de** ~ **francesa/española** de langue française/espagnole; **estar/ponerse al** ~ être en train de parler/se mettre à parler; **estar al** ~ (*TELEC*) être à l'appareil; **¡González al** ~! (*TELEC*) González à l'appareil!

hablador, a *adj, nm/f* bavard(e)

habladuría *nf* commérage *m*; ~**s** *nfpl* (*chismes*) commérages *mpl*

hablante *nm/f* (*LING*) locuteur(-trice); **los** ~**s de catalán** les personnes parlant catalan

hablar *vt, vi* parler; ~**se** *vpr* se parler; ~ **con** parler avec; **¡ni** ~! pas question!; ~ **de** parler de; **"se habla francés"** "on parle français"; **no se hablan** ils ne se parlent plus; **no me hablo con mi hermana** je ne parle plus à ma sœur

habré *etc vb ver* **haber**

hacendoso, -a *adj* travailleur(-euse)

PALABRA CLAVE

hacer *vt* **1** (*producir, ejecutar*) faire; **hacer una película/un ruido** faire un film/un bruit; **hacer la compra** faire les courses; **hacer la comida** faire à manger; **hacer la cama** faire le lit

2 (*obrar*) faire; **¿qué haces?**

qu'est-ce que tu fais?; **eso no se hace** ça ne se fait pas; **¡bien hecho!** bravo!

3 (*dedicarse a*) faire de; **hacer español/económicas** faire de l'espagnol/de l'économie; **hacer yoga/gimnasia/deporte** faire du yoga/de la gym/du sport

4 (*causar*): **hacer ilusión** faire plaisir; **hacer gracia** faire rire

5 (*conseguir*): **hacer amigos** se faire des amis; **hacer una fortuna** faire une fortune

6 (*dar aspecto de*): **ese peinado te hace más joven** cette coiffure te rajeunit

7 (*cálculo*): **esto hace 100** et voilà 100

8 (*como sustituto de vb*) faire; **él bebió y yo hice lo mismo** il a bu et j'ai fait la même chose

9 (+ *inf*, + *que*): **les hice venir** je les ai fait venir; **hacer trabajar a los demás** faire travailler les autres; **aquello me hizo comprender** cela m'a fait comprendre; **hacer reparar algo** faire réparer qch; **esto nos hará ganar tiempo** ça nous fera gagner du temps

♦ *vi* **1**: **no le hace** (*AM: no importa*) ça ne fait rien

2: **haz como que no lo sabes** fais comme si tu ne savais rien

3: **hacer de** (*objeto*) servir de; **la tabla hace de mesa** la planche sert de table; **hacer de madre** jouer le rôle de mère; (*pey*) jouer les mères poules; (*TEATRO*): **hacer de Otelo** jouer Othello

♦ *vb impers* **1**: **hace calor/frío** il fait chaud/froid; *ver tb* **bueno**; **sol**; **tiempo**

2 (*tiempo*): **hace 3 años** il y a 3 ans; **hace un mes que voy/no**

voy cela fait un mois que j'y vais/ je n'y vais plus

hacerse *vpr* **1** (*volverse*) se faire; **hacerse viejo** se faire vieux; **se hicieron amigos** ils sont devenus amis

2 (*resultar*): **se me hizo muy duro el viaje** j'ai trouvé le voyage très pénible

3 (*acostumbrarse*): **hacerse a** se faire à

4 (*obtener*): **hacerse de** o **con algo** obtenir qch

5 (*fingir*): **hacerse el sordo** o **el sueco** faire la sourde oreille

6: **hacerse idea de algo** se faire une idée de qch

7: **se me hace que** (*AM: me parece que*) il me semble que

hacha *nf* hache *f*

hachís *nm* haschisch *m*

hacia *prep* vers; (*actitud*) envers; ~ **adelante/atrás/dentro/fuera** devant/derrière/dedans/dehors; ~ **abajo/arriba** en bas/haut; **mira** ~ **acá** regarde par ici; ~ **mediodía/finales de mayo** vers midi/la fin mai

hacienda *nf* (*propiedad*) propriété *f*; (*finca*) ferme *f*; (*AM*) hacienda *f*; **(Ministerio de) H~** (ministère *m* des) Finances *fpl*; ~ **pública** trésor *m* public

hada *nf* fée *f*

haga *etc vb ver* **hacer**

halagar *vt* flatter; (*agradar*) réjouir

halago *nm* flatterie *f*

halagüeño, -a *adj* réjouissant(e); (*lisonjero*) flatteur(-euse)

halcón *nm* faucon *m*

hallar *vt* trouver; ~**se** *vpr* se trouver; **hallazgo** *nm* trouvaille *f*

halterofilia *nf* haltérophilie *f*

hamaca *nf* hamac *m*; (*asiento*)

chaise f longue

hambre nf faim f; **tener ~** avoir faim

hambriento, -a adj, nm/f affamé(e)

hamburguesa nf hamburger m

hamburguesería nf sandwicherie f

han vb ver **haber**

harapiento, -a adj en haillons

harapos nmpl haillons mpl

haré etc vb ver **hacer**

harina nf farine f; **~ de maíz/de trigo** farine de maïs/de blé

hartar vt (de comida) gaver; (fastidiar) fatiguer; **~se** vpr (cansarse) se lasser; (de comida): **~se (de)** se gaver (de); **~se de leer/reír** se lasser de lire/rire; **hartazgo** nm: **darse un hartazgo** nm avoir son content (de)

harto, -a adj: **~ (de)** rassasié(e) (de); (cansado) fatigué(e) (de); **estar ~ de hacer/algn** en avoir marre de faire/qn; **¡estoy ~ de decírtelo!** je te l'ai assez dit!

has vb ver **haber**

hasta adv même, voire ♦ prep jusqu'à ♦ conj: **~ que** jusqu'à ce que; (CAM, COL, MÉX: no ... hasta): **viene ~ las cuatro** il ne vient pas avant quatre heures; **~ luego** o **ahora** (fam), **~ siempre** (ARG) salut!; **~ mañana/el sábado** à demain/samedi; **¿~ qué punto?** à quel point?; **~ tal punto que ...** à tel point que ...; **~ ayer empezó** (AM) cela n'a commencé qu'hier

hastiar vt fatiguer; **~se** vpr: **~se de (hacer)** se lasser de (faire); **hastío** nm ennui m

hatillo nm affaires fpl

hay vb ver **haber**

Haya nf: **la ~** La Haye

haya vb ver **haber** ♦ nf hêtre m

haz vb ver **hacer** ♦ nm botte f; (de luz) faisceau m

hazaña nf exploit m

hazmerreír nm inv: **ser/ convertirse en el ~ de** être/ devenir la risée de

he vb ver **haber**

hebilla nf boucle f

hebra nf fil m

hebreo, -a adj hébreu (sólo m), hébraïque ♦ nm/f Hébreu m ♦ (LING) hébreu m

hechizar vt ensorceler

hechizo nm sorcellerie f; (encantamiento) enchantement m

hecho, -a pp de **hacer** ♦ adj fait(e); (hombre, mujer) mûr(e); (vino) arrivé(e) à maturation; (ropa) de prêt-à-porter ♦ nm fait m; (factor) facteur m ♦ excl c'est fait!; **¡bien ~!** bravo!, bien joué!; **muy/poco ~** (CULIN) très/peu cuit(e); **bien/mal ~** bien/mal fait(e); **de ~** de fait; **el ~ es que ...** le fait est que ...

hechura nf (confección) confection f; (corte, forma) coupe f

hectárea nf hectare m

heder vi puer

hediondo, -a adj puant(e); (fig) dégoûtant(e)

hedor nm puanteur f

helada nf gelée f

heladera (CSUR) nf réfrigérateur m

helado, -a adj congelé(e); (muy frío) gelé(e) ♦ nm glace f; **quedarse ~** être abasourdi(e)

helar vt congeler; (BOT) geler; (dejar atónito) abasourdir ♦ vi geler; **~se** vpr geler; **~se de frío** mourir de froid

helecho nm fougère f

hélice nf hélice f

helicóptero nm hélicoptère m

hembra nf femelle f; (mujer) femme f

hemorragia nf hémorragie f; ~ **nasal** saignement m de nez

hemorroides nfpl hémorroïdes fpl

hemos vb ver **haber**

hendidura nf fente f; (GEO) faille f

heno nm foin m

herbicida nm herbicide m

heredad nf domaine m

heredar vt hériter

heredero, -a nm/f héritier(-ère) f

hereje nm/f hérésiarque m/f

herencia nf héritage m; (BIO) hérédité f

herida nf blessure f; ver tb **herido**

herido, -a adj, nm/f blessé(e)

herir vt blesser

hermana nf sœur f; ~ **política** belle-sœur

hermanastro, -a nm/f demi-frère (demi-sœur)

hermandad nf congrégation f

hermano nm frère m; ~ **político** beau-frère

hermético, -a adj hermétique

hermoso, -a adj beau (belle); (espacioso) spacieux(-euse);

hermosura nf beauté f

hernia nf hernie f; ~ **discal** hernie discale

héroe nm héros msg

heroína nf (mujer, droga) héroïne f

heroísmo nm héroïsme m

herradura nf fer m à cheval

herramienta nf outil m

herrero nm forgeron m

herrumbre nf rouille f

hervidero nm (fig: de personas) foule f; (: de animales) troupeau m; (: de pasiones) déchaînement m

hervir vt (faire) bouillir ♦ vi bouillir; (fig): ~ **de** bouillir de; **hervor** nm: **dar un hervor a** faire bouillir

hice etc vb ver **hacer**

hidratante adj: **crema** ~ crème f hydratante

hidratar vt hydrater

hidrato nm: ~**s de carbono** hydrates mpl de carbone

hidráulica nf hydraulique f

hidráulico, -a adj hydraulique

hidroeléctrico, -a adj hydroélectrique

hidrofobia nf hydrophobie f

hidrógeno nm hydrogène m

hiedra nf lierre m

hiel nf bile f

hielo vb ver **helar** ♦ nm glace f; ~**s** nmpl (escarcha) gelées fpl

hiena nf hyène f

hierba nf herbe f; **mala** ~ mauvaise herbe; **hierbabuena** nf menthe f

hierro nm fer m; (trozo, pieza) bout m de fer; **de** ~ en fer; (fig: persona) fort(e) comme un bœuf; (: voluntad, salud) de fer

hígado nm foie m

higiene nf hygiène f

higiénico, -a adj hygiénique

higo nm figue f; ~ **seco** figue sèche; **higuera** nf figuier m

hija nf fille f; ~ **política** belle-fille

hijastro, -a nm/f beau-fils (belle-fille); ~**s** beaux-enfants mpl

hijo nm (retoño) fils msg; ~**s** nmpl (hijos e hijas) enfants mpl; ~ **adoptivo** fils adoptif; ~ **de mamá/papá** fils à maman/papa; ~ **de puta** (fam!) fils de pute (fam!); ~ **político** gendre m

hilar vt filer

hilera nf rangée f

hilo nm fil m; (de metal) filon m

(de agua, luz, voz) filet m;
perder/seguir el ~ (de relato,
pensamientos) perdre/suivre le fil
hilvanar vt (COSTURA) ourler
himno nm hymne m; **~ nacional**
hymne national
hincapié nm: **hacer ~ en**
mettre l'accent sur
hincar vt planter; **~se** vpr
s'enfoncer; **~le el diente a**
(comida) mordre à belles dents
dans; (fig: asunto) s'attaquer à;
~se de rodillas s'agenouiller
hincha nm/f (fam: DEPORTE) fan
m/f
hinchado, -a adj (MED)
enflammé(e); (inflado) enflé(e)
hinchar vt gonfler; (fig) exagérer;
~se vpr (MED) s'enflammer; **~se
de (hacer)** en avoir marre de
(faire); **hinchazón** nf
inflammation f
hinojo nm fenouil m
hipermercado nm hypermarché
m
hípico, -a adj (concurso)
hippique; (carrera) de chevaux
hipnotismo nm hypnotisme m;
hipnotizar vt hypnotiser
hipo nm hoquet m; **me ha
entrado ~** j'ai le hoquet; **tener
~** avoir le hoquet
hipocresía nf hypocrisie f;
hipócrita adj, nm/f hypocrite
m/f
hipódromo nm hippodrome m
hipopótamo nm hippopotame m
hipoteca nf (MED); **pagar
la ~** rembourser l'hypothèque
hipótesis nf inv hypothèse f
hiriente adj blessant(e)
hispánico, -a adj hispanique
hispano, -a adj espagnol(e); (en
EEUU) hispano-américain(e) ♦ nm/f
Espagnol(e); (en EEUU) Hispano-

Américain(e); **Hispanoamérica**
nf Amérique f latine
hispanoamericano, -a adj
hispano-américain(e) ♦ nm/f
Hispano-Américain(e)
histeria nf hystérie f
historia nf histoire f; **~s** nfpl
(chismes) histoires fpl drôles;
déjate de ~s ne me raconte pas
d'histoires; **pasar a la ~** passer à
la postérité
historiador, a nm/f historien(ne)
historial nm (profesional)
curriculum vitae m inv; (MED)
antécédents mpl
histórico, -a adj historique;
(estudios) d'histoire
historieta nf bande f dessinée
hito nm (fig) fait m historique
hizo vb ver **hacer**
Hno(s). abr (= Hermano(s)) Fre(s)
(= frère(s))
hocico nm museau m
hockey nm hockey m; **~ sobre
hielo/patines** hockey sur glace/
patins
hogar nm foyer m
hogareño, -a adj (ambiente)
familial(e); (escena) de famille;
(persona) casanier(-ère)
hoguera nf feu m de bois
hoja nf feuille f; (de cuchillo) lame
f; **~ de afeitar** lame de rasoir; **~
de pedido** bon m de commande;
~ de servicios états mpl de
service; **~ informativa** circulaire
f
hojalata nf fer m blanc
hojaldre nm pâte f feuilletée
hojear vt feuilleter
hola excl salut!
Holanda nf Hollande f
holandés, -esa adj hollandais(e)
♦ nm/f Hollandais(e) ♦ nm (LING)
hollandais msg

holgado, -a adj (prenda) ample; (situación) aisé(e); **iban muy ~s en el coche** ils étaient au large dans la voiture

holgar vi: **huelga decir que** inutile de dire que

holgazán, -ana adj, nm/f paresseux(-euse)

holgura nf ampleur f; (TEC) jeu m; **vivir con ~** vivre dans l'aisance

hollín nm suie f

hombre nm homme m; (raza humana): **el ~** l'homme ♦ excl dis donc!; **buen ~** bon gars msg; **pobre ~** pauvre homme; **¡sí, ~!** mais si!; **~ de mundo** homme du monde; **~ de negocios** homme d'affaires; **~-rana** (pl **~s-rana**) homme-grenouille m

hombrera nf épaulette f

hombro nm épaule f; **al ~** sur l'épaule; **encogerse de ~s** hausser les épaules; **llevar/traer a ~** porter sur les épaules

hombruno, -a adj hommasse

homenaje nm hommage m

homicida adj (arma) du crime; (carácter) meurtrier(-ère) ♦ nm/f meurtrier(-ère); **homicidio** nm homicide m

homologar vt homologuer

homólogo, -a nm/f: **su** etc **~** son etc homologue

homosexual adj, nm/f homosexuel(le)

hondo, -a adj profond(e); **en lo ~ de** au fin fond de

hondonada nf creux msg

Honduras nf Honduras m

hondureño, -a adj du Honduras ♦ nm/f natif(-ive) o habitant(e) du Honduras

honestidad nf honnêteté f

honesto, -a adj honnête

hongo nm champignon m; **~s**

nmpl (MED) champignons mpl, mycose f

honor nm honneur m; **en ~ a la verdad ...** la vérité est que ...; **en ~ de algn** en l'honneur de qn; **honorable** adj honorable

honorario, -a adj honoraire ♦ nm: **~s** honoraires mpl

honra nf honneur m; **~s fúnebres** honneurs funèbres

honradez nf honnêteté f; (de mujer) vertu f

honrado, -a adj honnête

honrar vt honorer

honroso, -a adj (que da honra) tout à l'honneur de qn; (decoroso) pour sauver l'honneur

hora nf heure f; **¿qué ~ es?** quelle heure est-il?; **¿a qué ~?** à quelle heure?; **media ~** une demi-heure; **a la ~ de comer/del recreo** à l'heure du repas/de la récréation; **a primera/última ~** à la première/dernière heure; **~ tras ~** heure après heure; **a altas ~s (de la noche)** à des heures tardives; **entre ~s** (comer) entre les repas; **a todas ~s** à toute heure; **en mala ~** par malchance; **me han dado ~ para mañana** ils m'ont fixé rendez-vous pour demain; **dar la ~** donner l'heure; **pedir ~** demander un rendez-vous; **poner el reloj en ~** mettre sa montre à l'heure; **~s de oficina/de trabajo/de visita** heures de bureau/de travail/de visite; **~s extraordinarias** heures supplémentaires

horadar vt forer

horario, -a adj, nm horaire m; **~ comercial** heures fpl ouvrables

horca nf potence f

horcajadas: a ~ adv à

califourchon
horchata *nf* ≈ sirop *m* d'orgeat
horizontal *adj* horizontal(e)
horizonte *nm* horizon *m*
horma *nf* forme *f*
hormiga *nf* fourmi *f*
hormigón *nm* béton *m*; **~ armado** béton armé
hormigueo *nm* fourmis *fpl*; *(fig)* agitation *f*
hormona *nf* hormone *f*
hornada *nf* fournée *f*
hornillo *nm* réchaud *m*; **~ de gas** réchaud à gaz
horno *nm* four *m*; *(CULIN)* four, fourneau *m*; **alto(s) ~(s)** haut(s) fourneau(x); **~ crematorio** four crématoire; **~ microondas** four à micro-ondes
horóscopo *nm* horoscope *m*
horquilla *nf* peigne *m*; *(AGR)* fourche *f*
horrendo, -a *adj* affreux(-euse)
horrible *adj* horrible
horripilante *adj* horripilant(e)
horror *nm* horreur *f*; **~es** *nmpl* *(atrocidades)* horreurs *fpl*; **¡qué ~!** *(fam)* quelle horreur!; **me da ~ cela me fait horreur; **tener ~ a (haaer)** avoir horreur de (faire);
horrorizar *vt* horrifier;
horrorizarse *vpr*: **se horrorizó de pensarlo** il a été horrifié à cette idée
horroroso, -a *adj* affreux(-euse); *(hambre, sueño)* terrible
hortaliza *nf* légume *m*
hortelano, -a *nm/f* maraîcher(-ère)
hortera *(fam)* *adj*, *nm/f* plouc *m/f*
hosco, -a *adj* *(persona)* antipathique
hospedar *vt* loger; **~se** *vpr* se loger
hospital *nm* hôpital *m*

hospitalario, -a *adj* hospitalier(-ère); **hospitalidad** *nf* hospitalité *f*
hostal *nm* pension *f*
hostelería *nf* hôtellerie *f*
hostia *nf* *(REL)* hostie *f*; *(fam!)* beigne *f* *(fam!)* ♦ *excl*: **¡~(s)!** *(fam!)* putain! *(fam!)*
hostigar *vt* *(MIL, fig)* harceler; *(caballería)* cravacher
hostil *adj* hostile; **hostilidad** *nf* hostilité *f*
hotel *nm* hôtel *m*

Hotel

*Il existe en Espagne différents types d'hébergement dont le prix est fonction des services offerts aux voyageurs. Les voici, par ordre décroissant de prix : l'*hôtel* (du 5 étoiles au 1 étoile), l'*hostal*, la* pensión*, la* casa de huéspedes *et la* fonda*. L'État gère également un réseau d'hôtels de luxe, appelés "paradores", généralement situés dans des lieux à caractère historique ou installés dans des monuments historiques.*

---

hotelero, -a *adj*, *nm/f* hôtelier(-ère)
hoy *adv* aujourd'hui; **de ~ en adelante** dorénavant
hoyo *nm* fosse *f*; **hoyuelo** *nm* fossette *f*
hoz *nf* faux *fsg*
hube *etc vb ver* **haber**
hucha *nf* tirelire *f*
hueco, -a *adj* creux(-euse) ♦ *nm* creux *m*; *(espacio)* place *f*; **hacerle (un) ~ a algn** faire une place a qn; **~ de la escalera/ del ascensor** cage *f* d'escalier/

huela d'ascenseur

huela etc vb ver **oler**

huelga vb ver **holgar** ♦ nf grève f; **declararse/estar en ~** se mettre/être en grève; **~ de brazos caídos** grève sur le tas; **~ de celo** grève du zèle; **~ de hambre** grève de la faim; **~ general** grève générale

huelguista nm/f gréviste m/f

huella nf trace f; **~ dactilar** trace de doigt; **~ digital** empreinte f digitale

huérfano, -a adj: **~ (de)** orphelin(e) (de) ♦ nm/f orphelin(e); **quedar(se) ~** devenir orphelin(e)

huerta nf verger m; (en Murcia, Valencia) huerta f

huerto nm (de verduras) jardin m potager; (de árboles frutales) verger m

hueso nm os m sg; (de fruta) noyau m

huésped, a nm/f hôte m/f; (en hotel) client(e)

huesudo, -a adj osseux(-euse)

huevas nfpl œufs mpl de poisson

huevera nf (para servir) coquetier m; (para transportar) boîte f à œufs

huevo nm œuf m; **~ duro/ escalfado/frito** œuf dur/ poché/au plat; **~ estrellado** œuf sur le plat; **~s revueltos** œufs mpl brouillés; **~ pasado por agua** o (AM) **tibio** œuf à la coque

huida nf fuite f

huidizo, -a adj (tímido) farouche; (mirada, frente) fuyant(e)

huir vt, vi fuir; **~ de** fuir

hule nm toile f cirée

humanidad nf humanité f

humanitario, -a adj humanitaire

humano, -a adj humain(e) ♦ nm

humain m; **ser ~** être humain

humareda nf nuage m de fumée

humedad nf humidité f; **a prueba de ~** résiste à l'humidité; **humedecer** vt humidifier; **humedecerse** vpr s'humidifier

húmedo, -a adj humide

humildad nf humilité f; **humilde** adj humble

humillación nf humiliation f

humillar vt humilier; **~se** vpr: **~se (ante)** s'humilier (devant)

humo nm fumée f; **~s** nmpl (fig: altivez) air m hautain; **echar ~** fumer; **bajar los ~s a algn** rabattre son caquet à qn

humor nm humeur f; **de buen/ mal ~** de bonne/mauvaise humeur; **humorista** nm/f humoriste m/f

humorístico, -a adj humoristique

hundimiento nm (de barco) naufrage m; (de edificio) écroulement m; (de tierra) éboulement m

hundir vt (barco, negocio) couler; (edificio) raser; (fig: persona) abattre; **~se** vpr (barco, negocio) couler; (edificio) s'écrouler

húngaro, -a adj hongrois(e) ♦ nm/f Hongrois(e)

Hungría nf Hongrie f

huracán nm ouragan m

huraño, -a adj désagréable; (poco sociable) peu sociable

hurgar vt remuer ♦ vi: **~ (en)** fouiner (dans); **~se** vpr: **~se (las narices)** se curer (le nez)

hurón nm furet m

hurtadillas: a ~ adv à la dérobée

hurtar vt dérober; **hurto** nm vol m

husmear vt humer ♦ vi fouiner; **~ en** (fam) se mêler de

huyendo *etc vb ver* **huir**

I, i

iba *etc vb ver* **ir**

ibérico, -a *adj* ibérique

iberoamericano, -a *adj* latino-américain(e) ♦ *nm/f* Latino-américain(e)

Ibiza *nf* Ibiza *f*

iceberg (*pl* **~s**) *nm* iceberg *m*

icono *nm* icône *f*

iconoclasta *adj, nm/f* iconoclaste *m/f*

ictericia *nf* jaunisse *f*

ida *nf* aller *m*; **~ y vuelta** aller et retour

idea *nf* idée *f*; (*propósito*) intention *f*; **no tengo la menor ~** je n'en ai pas la moindre idée; **cambiar de ~** changer d'idée; **¡ni ~!** aucune idée!

ideal *adj* idéal(e) ♦ *nm* idéal *m*;

idealista *adj, nm/f* idéaliste *m/f*;

idealizar *vt* idéaliser

idear *vt* concevoir

idem *pron* idem

idéntico, -a *adj*: **~ (a)** identique (à)

identidad *nf* identité *f*

identificación *nf* identification *f*

identificar *vt* identifier; **~se** *vpr*: **~se (con)** s'identifier (à)

ideología *nf* idéologie *f*

idilio *nm* idylle *f*

idioma *nm* langue *f*

idiota *adj, nm/f* idiot(e); **idiotez** *nf* idiotie *f*

ídolo *nm* idole *f*

idóneo, -a *adj* idéal(e)

iglesia *nf* église *f*

ignorancia *nf* ignorance *f*;

ignorante *adj, nm/f* ignorant(e)

ignorar *vt* ignorer

PALABRA CLAVE

igual *adj* **1** (*idéntico*) pareil(le); **Pedro es igual que tú** Pedro est comme toi; **X es igual a Y** (*MAT*) X est égal à Y; **son iguales** ils sont pareils; **van iguales** (*en carrera, competición*) ils sont à égalité; **él, igual que tú, está convencido de que ...** comme toi, il est convaincu que ...; **¡es igual!** (*no importa*) ça ne fait rien!; **me da igual** ça m'est égal **2** (*liso: terreno, superficie*) égal(e) ♦ *nm/f* (*persona*) égal(e); **sin igual** sans égal

♦ *adv* **1** (*de la misma manera*) de la même façon, pareil (*fam*); **visten igual** ils s'habillent de la même façon

2 (*fam: a lo mejor*) peut-être que; **igual no lo saben todavía** peut-être qu'ils ne le savent pas encore

3 (*esp CSUR: fam: a pesar de todo*) quand même; **era inocente pero me expulsaron igual** j'étais innocent mais ils m'ont renvoyé quand même

---

igualar *vt* égaliser; **~se** *vpr* (*diferencias*) s'aplanir; **~se (con)** (*compararse*) se comparer (avec)

igualdad *nf* égalité *f*; **en ~ de condiciones** dans les mêmes conditions

igualmente *adv*: **¡felices vacaciones! - ~** bonnes vacances! - à toi aussi

ilegal *adj* illégal(e)

ilegible *adj* illisible

ilegítimo, -a *adj* illégitime

ileso, -a *adj*: **resultar** *o* **salir ~ (de)** sortir indemne (de), sortir sain(e) et sauf (sauve) (de)

ilícito, -a *adj* illicite

ilimitado, -a *adj* illimité(e)

ilógico, -a *adj* illogique

iluminación *nf* illumination *f*, éclairage *m*; *(de local, habitación)* éclairage

iluminar *vt* illuminer, éclairer; *(adornar con luces)* illuminer; *(colorear: ilustración)* enluminer

ilusión *nf* illusion *f*; *(alegría)* joie *f*; *(esperanza)* espoir *m*; **hacerle ~ a algn** faire plaisir à qn; **hacerse ilusiones** se faire des illusions

ilusionado, -a *adj*: **estar ~ (con)** se réjouir (de)

ilusionar *vt* réjouir (de); **~se** *vpr*: **~se (con)** se réjouir (de)

ilusionista *nm/f* illusionniste *m/f*

iluso, -a *adj* naïf(-ive) ♦ *nm/f* rêveur(-euse)

ilusorio, -a *adj* illusoire

ilustración *nf* illustration *f*; *(cultura)* instruction *f*, culture *f*; **la I~** le Siècle des lumières

ilustrado, -a *adj* illustré(e); *(persona)* cultivé(e), instruit(e)

ilustrar *vt* illustrer

ilustre *adj* illustre, célèbre

imagen *nf* image *f*

imaginación *nf* imagination *f*; **imaginaciones** *nfpl* *(suposiciones)* idées *fpl*

imaginar *vt* imaginer; *(idear)* imaginer, concevoir; **~se** *vpr* s'imaginer; **~ que ...** *(suponer)* imaginer que ...

imaginario, -a *adj* imaginaire

imaginativo, -a *adj* imaginatif(-ive)

imán *nm* aimant *m*

imbécil *adj, nm/f* imbécile *m/f*

imitación *nf* imitation *f*; *(parodia)* imitation, pastiche *m*; **de ~** en imitation

imitar *vt* imiter; *(parodiar)* imiter, pasticher

impaciencia *nf* impatience *f*;

impaciente *adj* impatient(e); **estar ~** se tracasser; *(deseoso)* être impatient; **estar impaciente (por hacer)** être impatient (de faire), avoir hâte (de faire)

impacto *nm* impact *m*; *(esp AM: fig)* impression *f*

impar *vt* impair(e)

imparcial *adj* impartial(e)

impartir *vt* *(clases)* donner; *(orden)* intimer

impasible *adj* impassible

impecable *adj* impeccable

impedimento *nm* empêchement *m*, obstacle *m*

impedir *vt* *(imposibilitar)* empêcher; *(estorbar)* gêner; **~ a algn hacer o que haga algo** empêcher qn de faire qch

impenetrable *adj* impénétrable

imperar *vi* régner

imperativo, -a *adj* impératif(-ive); **~s** *nmpl* *(exigencias)* impératifs *mpl*

imperceptible *adj* imperceptible

imperdible *nm* épingle *f* à nourrice

imperdonable *adj* impardonnable

imperfección *nf* *(en prenda, joya, vasija)* défaut *m*; *(de persona)* imperfection *f*

imperfecto, -a *adj* défectueux(-euse); *(tarea, LING)* imparfait(-e)

imperial *adj* impérial(e);

imperialismo *nm* impérialisme *m*

imperio *nm* empire *m*

imperioso, -a *adj* impérieux(-euse)

impermeable *adj, nm*
impermeable *m*
impersonal *adj* impersonnel(le)
impertinencia *nf* impertinence *f*;
impertinente irrévérencieux(-euse)
imperturbable *adj*
imperturbable
ímpetu *nm* (*violencia*) violence *f*;
(*energía*) énergie *f*
impetuoso, -a *adj*
impétueux(-euse); (*paso, ritmo*)
soutenu(e)
impío, -a *adj* (*sin fe*) impie;
(*irreverente*) irrévérencieux(-euse)
implacable *adj* implacable
implantar *vt* implanter; ~**se** *vpr*
s'implanter
implicar *vt* impliquer; ~ **a algn**
en algo impliquer qn dans qch
implícito, -a *adj* (*tácito*) tacite;
(*sobreentendido*) implicite; **llevar**
~ comporter implicitement
implorar *vt* implorer
imponente *adj* imposant(e);
(*fam*) sensationnel(le)
imponer *vt* imposer; (*respeto*)
inspirer; ~**se** *vpr* (*moda,
costumbre*) s'imposer; (*razón,
equipo*) l'emporter; ~**se (a)**
s'imposer (à); ~**se (hacer)**
s'imposer (de faire); **imponible**
adj (*COM*) imposable
impopular *adj* impopulaire
importación *nf* importation *f*
importancia *nf* importance *f*;
darse ~ faire l'important; **sin** ~
sans importance; **importante** *adj*
important(e)
importar *vt* importer; (*ascender a:
cantidad*) se monter à, coûter ♦ *vi*
importer; **me importa un bledo**
o **rábano** je m'en fiche pas mal;
¿le importa que fume? ça
vous ennuie si je fume?; **¿y a ti
qué te importa?** qu'est-ce que

ça peut (bien) te faire?; **no
importa** ce n'est pas grave, ça ne
fait rien
importe *nm* (*coste*) coût *m*; (*total*)
montant *m*
importunar *vt* importuner
imposibilidad *nf* impossibilité *f*;
imposibilitar *vt* rendre
impossible; (*impedir*) empêcher
imposible *adj*: **hacer lo ~ por**
faire l'impossible pour
imposición *nf* (*de moda*)
introduction *f*; (*sanción, condena*)
application *f*; (*mandato*) ordre *m*;
(*COM: impuesto*) imposition *f*; (:
depósito) dépôt *m*
impostor, a *nm/f* imposteur *m*
impotencia *nf* impuissance *f*;
impotente *adj* impuissant(e) ♦
nm impuissant *m*
impracticable *adj* (*camino*)
impraticable
impreciso, -a *adj* imprécis(e)
impregnar *vt* imprégner; ~**se**
vpr s'imprégner
imprenta *nf* (*aparato*) presse *f*;
letra de ~ caractère *m*
d'imprimerie
imprescindible *adj*
indispensable
impresión *nf* impression *f*
impresionable *adj*
impressionnable
impresionante *adj*
impressionnant(e)
impresionar *vt* impressionner;
(*conmover*) bouleverser, toucher;
~**se** *vpr* être impressionné(e); **se
impresiona con facilidad** il ne
faut pas grand-chose pour
l'impressionner
impreso, -a *pp de* **imprimir** ♦
adj imprimé(e) ♦ *nm* (*solicitud*)
imprimé *m*, formulaire *m*; ~**s**
nmpl (*material impreso*) imprimés

mpl; **impresora** *nf* (*INFORM*)
imprimante *f*
imprevisto, -a *adj* imprévu(e) ♦
nm imprévu *m*
imprimir *vt* imprimer
improbable *adj* improbable
improcedente *adj* inopportun(e)
improductivo, -a *adj*
improductif(-ive)
improperio *nm* insulte *f*, injure *f*
impropio, -a *adj* impropre; ~ **de**
o **para** peu approprié(e) à
improvisado, -a *adj*
improvisé(e)
improvisar *vt, vi* improviser
improviso *adv*: **de ~** à
l'improviste
imprudencia *nf* imprudence *f*;
(*indiscreción*) indiscrétion *f*;
imprudente *adj* imprudent(e);
(*indiscreto*) indiscret(-ète)
impúdico, -a *adj* impudique,
indécent(e)
impuesto, -a *pp de* **imponer** ♦
nm impôt *m*; **libre de ~s**
exonéré(e) d'impôt; ~ **directo/
indirecto** impôt direct/indirect;
~ **sobre el valor añadido** *o*
(*AM*) **agregado** taxe à la valeur
ajoutée; ~ **sobre la renta/
sobre la renta de las
personas físicas** impôt sur le
revenu/sur le revenu des
personnes physiques
impugnar *vt* contester; (*refutar*)
réfuter
impulsar *vt* propulser; (*economía*)
stimuler; **él me impulsó a
hacerlo** *o* **a que lo hiciera** il
m'a poussé à le faire
impulsivo, -a *adj* impulsif(-ive)
impulso *nm* impulsion *f*; (*fuerza*)
élan *m*; **dar ~ a** donner une
impulsion à
impune *adj* impuni(e)

impureza *nf* impureté *f*; **~s** *nfpl*
(*de agua, aire*) impuretés *fpl*
impuro, -a *adj* impur(e)
imputar *vt* imputer
inacabable *adj* interminable
inaccesible *adj* inaccessible
inacción *nf* inaction *f*
inaceptable *adj* inacceptable
inactividad *nf* inactivité *f*
inactivo, -a *adj* inactif(-ive)
inadecuado, -a *adj* inadéquat(e)
inadmisible *adj* inadmissible
inadvertido, -a *adj*: **pasar ~**
passer inaperçu(e)
inagotable *adj* inépuisable,
intarissable
inaguantable *adj* insupportable
inalterable *adj* inaltérable;
(*persona*) entier(-ère)
inanición *nf* inanition *f*
inanimado, -a *adj* inanimé(e)
inapreciable *adj* (*poco
importante*) insignifiant(e); (*de gran
valor*) inestimable
inaudito, -a *adj* inouï(e)
inauguración *nf* inauguration *f*;
inaugurar *vt* inaugurer
inca *adj* inca *inv* ♦ *nm/f* Inca *m/f*
incalculable *adj* incalculable
incandescente *adj*
incandescent(e)
incansable *adj* infatigable
incapacidad *nf* incapacité *f*; ~
física incapacité physique
incapacitar *vt*: ~ (**para**)
(*inhabilitar*) rendre inapte (à);
(*descalificar*) déclarer inapte (à)
incapaz *adj* incapable
incautación *nf* saisie *f*
incautarse *vpr*: ~ **de** s'emparer
de
incauto, -a *adj* (*imprudente*)
imprudent(e)
incendiar *vt* incendier; **~se** *vpr*
prendre feu, brûler

incendiario, -a adj incendiaire

incendio nm incendie m

incentivo nm stimulation f,
aiguillon m

incertidumbre nf incertitude f

incesante adj incessant(e)

incesto nm inceste m

incidencia nf (repercusión)
incidence f

incidente nm incident m

incidir vi: ~ **en** affecter; ~ **en un
error** tomber dans l'erreur

incienso nm encens msg

incineración nf incinération f

incinerar vt incinérer

incipiente adj naissant(e)

incisión nf incision f

incisivo, -a adj (fig) incisif(-ive) ♦
nm incisive f

incitar vt inciter

inclemencia nf sévérité f; **~s**
nfpl (del tiempo) rigueurs fpl

inclinación nf inclinaison f; (fig)
inclination f, penchant m; **tener
~ por algn/algo** avoir un
penchant pour qn/qch

inclinar vt incliner; (cabeza,
cuerpo) incliner, pencher; **~se** vpr
pencher; (persona) se pencher;
me inclino a pensar que ...
j'incline à penser que ...

incluir vt (abarcar) comprendre;
(meter) inclure

inclusive adv (incluido) inclus, y
compris; (incluso) même

incluso adv, prep même

incógnito: de ~ adv incognito

incoherente adj incohérent(e)

incomodar vt incommoder; **~se**
vpr se fâcher

incomodidad nf ennui m; (de
vivienda, asiento) manque m de
confort

incómodo, -a adj (vivienda)
inconfortable; (asiento) peu

confortable; (molesto)
incommodant(e); **sentirse ~** se
sentir mal à l'aise

incomparable adj incomparable

incompatible adj: ~ **(con)**
incompatible (avec)

incompetencia nf incompétence
f; **incompetente** adj
incompétent(e)

incompleto, -a adj
incomplet(-ète)

incomprensible adj
incompréhensible

incomunicado, -a adj (aislado:
persona) isolé(e); (: pueblo)
coupé(e) de tout; (preso) mis(e) au
régime cellulaire

inconcebible adj inconcevable

incondicional adj
inconditionnel(le)

inconexo, -a adj décousu(e)

inconfundible adj caractéristique

incongruente adj incongru(e); ~
(con) (actitud) en désaccord
(avec)

inconsciencia nf inconscience f;
inconsciente adj
inconscient(e); **inconsciente de**
inconscient(e) de

inconsecuente adj: ~ **(con)**
inconséquent(e) (avec)

inconsiderado, -a adj
inconsidéré(e)

inconsistente adj inconsistant(e)

inconstancia nf inconstance f;
inconstante adj inconstant(e)

incontable adj innombrable,
incalculable

incontestable adj incontestable

incontinencia nf incontinence f

inconveniencia nf
inconvenance f; **inconveniente**
adj déplacé(e) ♦ nm inconvénient
m; **el inconveniente es que
...** l'inconvénient, c'est que ...

incordiar (*fam*) *vt* emmerder (*fam!*)

incorporación *nf* incorporation *f*

incorporar *vt* incorporer; (*enderezar*) lever; **~se** se lever; **~se a** (*puesto*) se présenter à

incorrección *nf* incorrection *f*

incorrecto, -a *adj* incorrect(e)

incorregible *adj* incorrigible

incredulidad *nf* incrédulité *f*

incrédulo, -a *adj* incrédule

increíble *adj* incroyable

incremento *nm* augmentation *f*

increpar *vt* admonester

incubar *vt* couver

inculcar *vt* inculquer

inculpar *vt* inculper

inculto, -a *adj* inculte ♦ *nm/f* ignorant(e)

incumplimiento *nm* (*de promesa*) manquement *m*; **~ de contrato** rupture *f* de contrat

incurrir *vi*: **~ en** (*error*) tomber dans; (*crimen*) en arriver à

indagación *nf* recherche *f*

indagar *vt* rechercher

indecente *adj* indécent(e)

indecible *adj* indicible

indeciso, -a *adj* indécis(e)

indefenso, -a *adj* (*animal, persona*) sans défense

indefinido, -a *adj* (*indeterminado*) indéfini(e); (*ilimitado*) indéterminé(e)

indeleble *adj* indélébile

indemne *adj*: **salir ~** sortir indemne de

indemnizar *vt*: **~ (de)** indemniser (de)

independencia *nf* indépendance *f*

independiente *adj* indépendant(e)

indeterminado, -a *adj* indéterminé(e)

India *nf*: **la ~** l'Inde *f*

indicación *nf* indication *f*; (*señal: de persona*) signe *m*; **indicaciones** *nfpl* (*instrucciones*) indications *fpl*

indicador *nm* indicateur *m*; (AUTO) panneau *m* de signalisation

indicar *vt* indiquer

índice *nm* index *m*; **~ de materias** table *f* des matières

indicio *nm* indice *m*

indiferencia *nf* indifférence *f*; **indiferente** *adj*: **indiferente (a)** indifférent(e) (à); **me es indiferente hacerlo hoy o mañana** cela m'est égal de le faire aujourd'hui ou demain; **a Alfonso le era indiferente Carmen** Carmen laissait Alfonso indifférent

indígena *adj, nm/f* indigène *m/f*

indigencia *nf* indigence *f*

indigestión *nf* indigestion *f*

indigesto, -a *adj* indigeste; (*persona*) insupportable

indignación *nf* indignation *f*

indignar *vt* indigner; **~se** *vpr*: **~se (por)** s'indigner (de)

indigno, -a *adj*: **~ (de)** indigne (de)

indio, -a *adj* indien(ne) ♦ *nm/f* Indien(ne); **hacer el ~** faire l'imbécile

indirecta *nf* allusion *f*

indirecto, -a *adj* indirect(e)

indiscreción *nf* indiscrétion *f*

indiscreto, -a *adj* indiscret(-ète)

indiscriminado, -a *adj* (*golpes*) distribué(e) au hasard; **de un modo ~** sans discrimination

indiscutible *adj* indiscutable

indispensable *adj* indispensable

indisponer *vt* indisposer; **~se** *vpr* (MED) se sentir indisposé(e); **~se con** *o* **contra algn** se

brouiller avec qn
indisposición nf indisposition f
indistinto, -a adj indistinct(e)
individual adj individuel(le);
(habitación, cama) simple ♦ nm
(DEPORTE) simple m
individuo nm individu m
índole nf (naturaleza) nature f;
(clase) caractère m
indómito, -a adj indomptable
inducir vt induire; ~ **a algn a**
hacer inciter qn à faire
indudable adj indubitable
indulgencia nf indulgence f
indultar vt gracier; **indulto** nm
grâce f
industria nf industrie f;
industrial adj industriel(le)
inédito, -a adj inédit(e)
inefable adj ineffable
ineficaz adj (medida,
medicamento) inefficace; (persona)
peu efficace
inepto, -a adj inepte ♦ nm/f
incapable m/f
inequívoco, -a adj clair(e)
inercia nf inertie f
inerme adj (sin armas)
désarmé(e); (indefenso) sans
défense
inerte adj inerte
inesperado, -a adj inattendu(e)
inestable adj instable
inevitable adj inévitable
inexactitud nf inexactitude f
inexacto, -a adj inexact(e)
inexperto, -a adj
inexpérimenté(e)
infalible adj infaillible
infame adj infâme
infancia nf enfance f
infantería nf infanterie f
infantil adj (programa, juego) pour
les enfants; (población) enfantin(e);
(pey) puéril(e)

infarto nm (tb: ~ **de miocardio**)
infarctus msg
infatigable adj infatigable
infección nf infection f
infeccioso, -a adj (MED)
infectieux(-euse)
infectar vt infecter; ~**se** vpr
s'infecter
infeliz adj, nm/f
malheureux(-euse)
inferior adj, nm/f inférieur(e); ~
(a) inférieur(e) (à)
inferir vt inférer
infestar vt infester
infidelidad nf infidélité f; ~
conyugal infidélité conjugale
infiel adj, nm/f infidèle m/f
infierno nm (REL) enfer m
infiltrarse vpr s'infiltrer
ínfimo, -a adj infime
infinidad nf: **una ~ de** une
infinité de
infinito, -a adj infini(e) ♦ nm
infini m
inflación nf (ECON) inflation f
inflacionario, -a adj
inflationniste
inflamar vt enflammer; ~**se** vpr
s'enflammer; (hincharse) s'enfler
inflar vt gonfler; (fig) exagérer;
~**se** vpr s'enfler; ~**se de**
(chocolate etc) se bourrer de
inflexible adj (material)
indéformable; (persona) inflexible
infligir vt infliger
influencia nf influence f;
influenciar vt influencer
influir vt influencer ♦ vi agir; ~ **en**
o **sobre** influer sur, influencer
influjo nm influence f
influyendo etc vb ver **influir**
influyente adj influent(e)
información nf (sobre un asunto,
INFORM) Information f; (noticias,
informe) informations fpl; **I~**

(oficina, TELEC) Renseignements
mpl; (mostrador) Information

informal adj (persona) peu
sérieux(-euse); (estilo, lenguaje)
informel(le)

informar vt informer ♦ vi (dar
cuenta de): ~ **de/sobre** informer
de/sur; ~**se** vpr: ~**se (de)**
s'informer (de); **(les) informó
que ...** il (les) a informé(s) que ...

informática nf informatique f

informe adj informe ♦ nm rapport
m

infortunio nm infortune f

infracción nf infraction f

infranqueable adj
infranchissable

infringir vt transgresser

infructuoso, -a adj
infructueux(-euse)

infundado, -a adj peu fondé(e)

infundir vt: ~ **ánimo** o **valor**
insuffler du courage; ~ **respeto**
inspirer le respect; ~ **miedo**
inspirer de la crainte

infusión nf infusion f

ingeniar vt inventer; ~**se** vpr:
~**se** o **ingeniárselas para
hacer** se débrouiller pour faire

ingeniería nf ingénierie f

ingeniero, -a nm/f ingénieur m;
(esp MÉX: título de cortesía: tb: **I~**)
Monsieur (Madame); ~ **de
caminos** ingénieur des travaux
publics; ~ **de sonido** ingénieur
du son

ingenio nm génie m

ingenioso, -a adj (hábil)
ingénieux(-euse); (divertido)
spirituel(le)

ingenuidad nf ingénuité f

ingenuo, -a adj ingénu(e)

ingerir vt ingérer

Inglaterra nf Angleterre f

ingle nf aine f

inglés, -esa adj anglais(e) ♦
nm/f Anglais(e) ♦ nm (LING) anglais
msg

ingratitud nf ingratitude f

ingrato, -a adj ingrat(e)

ingrediente nm ingrédient m

ingresar vt (dinero) déposer;
(enfermo) faire entrer ♦ vi: ~ **(en)**
(en facultad, escuela) être admis(e)
(à); (en club etc) s'inscrire (à); (en
ejército) entrer (dans); (en hospital)
entrer (à)

ingreso nm admission f; ~**s** nmpl
(dinero) revenus mpl; (: COM)
recettes fpl

inhabitable adj inhabitable

inhalar vt inhaler

inherente adj: ~ **a** inhérent(e) à

inhibir vt (MED) inhiber; ~**se** vpr:
~**se (de hacer)** s'abstenir (de
faire)

inhóspito, -a adj
inhospitalier(-ère)

inhumano, -a adj inhumain(e)

inicial adj initial(e); (letra)
premier(-ère) ♦ nf initiale f

iniciar vt commencer; ~ **(en)**
(persona) initier (à)

iniciativa nf initiative f; **la ~
privada** l'initiative privée; **tomar
la ~** prendre l'initiative

inicio nm début m

internauta nmf internaute mf

ininterrumpido, -a adj
ininterrompu(e)

injerencia nf ingérence f

injertar vt greffer

injuria nf injure f; **injuriar** vt
injurier

injurioso, -a adj injurieux(-euse)

injusticia nf injustice f

injusto, -a adj injuste

inmadurez nf immaturité f

inmediaciones nfpl environs
mpl

inmediato, -a adj immédiat(e); (*contiguo*) contigu(ë); ~ **a** contigu(ë) à; **de ~** (*esp AM*) tout de suite

inmejorable adj excellent(e)

inmenso, -a adj immense

inmerecido, -a adj (*críticas*) injustifié(e)

inmigración nf immigration f

inmigrante adj, nm/f immigrant(e)

inmiscuirse vpr: ~ (**en**) s'immiscer (dans)

inmobiliaria nf (tb: **agencia ~**) agence f immobilière

inmobiliario, -a adj immobilier(-ère)

inmoral adj immoral(e)

inmortal adj immortel(le); **inmortalizar** vt immortaliser

inmóvil adj immobile

inmueble adj: **bienes ~s** biens mpl immeubles ♦ nm immeuble m

inmundicia nf saleté f

inmundo, -a adj (*lugar*) immonde

inmune adj: ~ (**a**) immunisé(e) (contre)

inmunidad nf immunité f

inmutarse vpr se troubler

innato, -a adj inné(e)

innecesario, -a adj pas nécessaire

innoble adj ignoble

innovación nf innovation f

inocencia nf innocence f

inocentada nf (*broma*) ≃ poisson m d'avril

inocente adj, nm/f innocent(e)

Día de los Santos Inocentes

Le 28 décembre, jour des saints Innocents, l'Église commémore le massacre des enfants de Judée ordonné par Hérode. Cette journée est l'occasion pour les Espagnols de se faire des plaisanteries et de se jouer des tours appelés **inocentadas**, un peu comme lors du premier avril en France.

inocuo, -a adj inoffensif(-ive)

inodoro, -a adj inodore ♦ nm cabinet m

inofensivo, -a adj inoffensif(-ive)

inolvidable adj inoubliable

inopinado, -a adj inopiné(e)

inoportuno, -a adj inopportun(e)

inoxidable adj inoxydable; **acero ~** acier m inoxydable

inquebrantable adj (*fe*) inébranlable; (*promesa*) solennel(le)

inquietar vt inquiéter; ~**se** vpr s'inquiéter

inquieto, -a adj inquiet(-ète); (*niño*) turbulent(e); **inquietud** nf inquiétude f; (*agitación*) dissipation f

inquilino, -a nm/f locataire m/f

inquirir vt s'enquérir de

insalubre adj insalubre

inscribir vt inscrire; ~**se** vpr (ESCOL etc) s'inscrire

inscripción nf inscription f

insecticida nm insecticide m

insecto nm insecte m

inseguridad nf insécurité f; (*inestabilidad*) instabilité f; (*de carácter*) manque m de confiance; (*indecisión*) indécision f; ~ **ciudadana** insécurité urbaine

inseguro, -a adj incertain(e); (*persona*) pas sûr(e) de soi; (*lugar*) peu sûr(e); (*terreno*) instable; (*escalera*) branlant(e); **sentirse ~** ne pas se sentir en sécurité

insensato, -a adj insensé(e)

insensibilidad nf insensibilité f
insensible adj insensible
insertar vt insérer
inservible adj inutilisable
insidioso, -a adj insidieux(-euse)
insignia nf (emblema) insigne m; (estandarte) enseigne f; **buque ~** vaisseau m amiral
insignificante adj insignifiant(e)
insinuar vt insinuer
insípido, -a adj insipide
insistencia nf insistance f; **con ~** avec insistance
insistir vi: **~ (en)** insister (sur)
insolación nf insolation f
insolencia nf insolence f;
insolente adj insolent(e)
insólito, -a adj insolite
insoluble adj (problema) insoluble; **~ (en)** (sustancia) insoluble (dans)
insolvencia nf (COM) insolvabilité f
insomnio nm insomnie f
insondable adj insondable
insonorizar vt insonoriser
insoportable adj insupportable
insospechado, -a adj insoupçonné(e)
inspección nf inspection f;
inspeccionar vt inspecter
inspector, a nm/f inspecteur(-trice)
inspiración nf inspiration f
inspirar vt inspirer; **~se** vpr: **~se en** s'inspirer de
instalación nf installation f;
instalaciones nfpl (de centro deportivo, hotel) installations fpl; **~ eléctrica** installation électrique
instalar vt installer; **~se** vpr s'installer
instancia nf instance f; **en última ~** en dernier ressort
instantánea nf instantané m

instantáneo, -a adj instantané(e); **café ~** café m instantané
instante nm instant m; **a cada ~** à tout instant; **al ~** à l'instant
instar vt: **~ a algn a hacer** o **para que haga** prier instamment qn de faire
instaurar vt instaurer
instigar vt: **~ a algn a (hacer)** inciter qn à (faire)
instinto nm instinct m; **por ~** d'instinct
institución nf institution f;
instituciones nfpl (de un país) institutions fpl
instituir vt instituer; **instituto** nm (ESCOL) lycée m; (de investigación, cultural etc) institut m; **Instituto de Bachillerato** (ESP) lycée
institutriz nf préceptrice f
instrucción nf instruction f;
instrucciones nfpl (normas de uso, órdenes) instructions fpl; **~ del sumario** (JUR) instruction
instructivo, -a adj instructif(-ive)
instruir vt (JUR) instruire
instrumento nm instrument m
insubordinarse vpr: **~ (contra)** se rebeller (contre)
insuficiencia nf insuffisance f;
insuficiente adj insuffisant(e) ♦ nm (ESCOL) note f inférieure à la moyenne
insufrible adj = **insoportable**
insular adj insulaire
insultar vt insulter; **insulto** nm insulte f
insuperable adj (excelente) incomparable; (invencible) insurmontable
insurgente adj, nm/f insurgé(e)
insurrección nf insurrection f
intachable adj irréprochable

intacto, -a *adj* intact(e)
integral *adj* intégral(e); *(idiota)* parfait(e); **pan ~** pain *m* complet
integrar *vt* composer; **~se** *vpr* s'intégrer
integridad *nf* intégrité *f*
íntegro, -a *adj* intègre
intelectual *adj, nm/f* intellectuel(le)
inteligencia *nf* intelligence *f*; **inteligente** *adj* intelligent(e)
inteligible *adj* intelligible
intemperie *nf* intempérie *f*; **a la ~** sans abri
intempestivo, -a *adj* intempestif(-ive)
intención *nf* intention *f*; **con segundas intenciones** avec des intentions cachées; **buena/mala ~** bonne/mauvaise intention; **de buena/mala ~** bien/mal intentionné(e)
intencionado, -a *adj* intentionnel(le); **bien/mal ~** bien/mal intentionné(e)
intensidad *nf* intensité *f*; **llover con ~** pleuvoir dru
intenso, -a *adj* intense
intentar *vt*: **~ (hacer)** essayer *o* tenter de (faire); **intento** *nm* essai *m*, tentative *f*
intercalar *vt* intercaler
intercambio *nm* échange *m*
interceder *vi*: **~ (por)** intercéder (en faveur de)
interceptar *vt* intercepter
intercesión *nf* intercession *f*
interés *nm* intérêt *m*; **intereses** *nmpl* (dividendos, aspiraciones) intérêts *mpl*; **sentir/tener ~ en** éprouver/avoir de l'intérêt pour; **tipo de ~** (COM) taux *msg* d'intérêt; **intereses creados** coalition *f* d'intérêts; **~ propio** intérêt personnel

interesado, -a *adj, nm/f* intéressé(e); **~ en/por** intéressé(e) par
interesante *adj* intéressant(e)
interesar *vt* intéresser ♦ *vi* être intéressant(e); **~se** *vpr*: **~se en** *o* **por** s'intéresser à; **no me interesan los toros** les courses de taureaux ne m'intéressent pas
interferencia *nf* (RADIO, TV, TELEC) interférence *f*; **~ (en)** (injerencia) ingérence *f* (dans)
interferir *vt* (TELEC) brouiller ♦ *vi* (persona): **~ (en)** s'immiscer (dans)
interfono *nm* interphone *m*
interino, -a *adj* intérimaire ♦ *nm/f* intérimaire *m/f*; (MED) remplaçant(e)
interior *adj* intérieur(e) ♦ *nm* intérieur *m*; **Ministerio del I~** ministère *m* de l'Intérieur; **ropa ~** linge *m* de corps
interjección *nf* interjection *f*
interlocutor, a *nm/f* interlocuteur(-trice)
intermediario, -a *adj, nm/f* intermédiaire *m/f*
intermedio, -a *adj* intermédiaire ♦ *nm* (TEATRO, CINE) intervalle *m*
interminable *adj* interminable
intermitente *adj* intermittent(e) ♦ *nm* (AUTO) clignotant *m*
internacional *adj* international(e)
internado *nm* internat *m*
internar *vt* interner; **~se** *vpr* (penetrar): **~se en** pénétrer dans
Internet *nm* Internet *m*
interno, -a *adj* interne; (POL etc) intérieur(e) ♦ *nm/f* (alumno) interne *m/f*
interponer *vt* interposer; (JUR: apelación) interjeter; **~se** *vpr* s'interposer; **~ (entre)** interposer

(entre)
interpretación nf interprétation f

interpretar vt interpréter; ~ **mal** mal interpréter; **intérprete** nm/f interprète m/f

interrogación nf interrogation f; (tb: **signo de ~**) point m d'interrogation

interrogar vt interroger

interrumpir vt interrompre

interrupción nf interruption f

interruptor nm (ELEC) interrupteur m

intersección nf intersection f

interurbano, -a adj interurbain(e)

intervalo nm intervalle m; **a ~s** à intervalles

intervención nf intervention f

intervenir vt (MED) pratiquer une intervention sur; (suj: policía) saisir; (teléfono) placer sous écoute téléphonique; (cuenta bancaria) bloquer ♦ vi intervenir

interventor, a nm/f (en elecciones) inspecteur(-trice); (COM) audit m/f

interviú nf interview f

intestino nm intestin m

intimar vt: ~ **a algn a que ...** intimer à qn de ... ♦ vi se lier d'amitié

intimidad nf intimité f; (amistad) amitié f; **en la ~** dans l'intimité

íntimo, -a adj intime

intolerable adj intolérable

intoxicación nf intoxication f; ~ **alimenticia** intoxication f alimentaire

intranquilizarse vpr s'inquiéter

intranquilo, -a adj inquiet(-ète)

intransigente adj intransigeant(e)

intransitable adj impraticable

intrépido, -a adj intrépide

intriga nf intrigue f; **intrigar** vt, vi intriguer

intrincado, -a adj (camino) embrouillé(e); (bosque) impénétrable; (problema, asunto) inextricable

intrínseco, -a adj intrinsèque

introducción nf introduction f

introducir vt introduire; **~se** vpr s'introduire

intromisión nf intromission f

introvertido, -a adj, nm/f introverti(e)

intruso, -a nm/f intrus(e)

intuición nf intuition f

inundación nf inondation f; **inundar** vt inonder; **inundarse** vpr s'inonder

inusitado, -a adj (espectáculo) insolite; (hora, calor) inhabituel(le)

inútil adj (herramienta) inutilisable; (esfuerzo) inutile; (: persona: minusválido) handicapé(e); (: pey) bon(ne) à rien, inepte; **inutilidad** nf inutilité f; (ineptitud) ineptie f

inutilizar vt rendre inutilisable

invadir vt envahir

inválido, -a adj invalide ♦ nm/f handicapé(e)

invariable adj invariable

invasión nf invasion f

invasor, a adj envahissant(e) ♦ nm/f envahisseur m

invención nf invention f

inventar vt inventer

inventario nm inventaire m

inventiva nf inventivité f

invento nm invention f

inventor, a nm/f inventeur(-trice)

invernadero nm serre f

inverosímil adj invraisemblable

inversión nf (COM) investissement m

inverso, -a adj inverse; **en**

orden ~ dans l'ordre inverse; **a la inversa** à l'inverse

inversor, a *nm/f* (COM) investisseur *m*

invertir *vt* (COM) investir; (*poner del revés*) intervertir; (*tiempo*) consacrer

investigación *nf* recherche *f*; ~ **del mercado** étude *f* de marché

investigar *vt* (*indagar*) chercher; (*estudiar*) faire des recherches en

invierno *nm* hiver *m*

invisible *adj* invisible

invitación *nf* invitation *f*

invitado, -a *nm/f* invité(e)

invitar *vt* inviter; ~ **a algn a hacer algo** inviter qn à faire qch

invocar *vt* invoquer

involucrar *vt*: ~ **a algn en** impliquer qn dans; ~**se** *vpr*: ~**se en** s'impliquer dans

involuntario, -a *adj* involontaire

inyección *nf* piqûre *f*, injection *f*; **ponerse una** ~ se faire une piqûre

inyectar *vt* (MED) injecter

PALABRA CLAVE

ir *vi* **1** aller; **ir andando** marcher; **fui en tren** j'y suis allé en train; **¡(ahora) voy!** j'y vais!

2 (*ir a*) por: **ir (a) por el médico** aller chercher le docteur

3 (*progresar*) aller; **el trabajo va muy bien** le travail marche très bien; **¿cómo te va?** tu t'y fais?; **me va muy bien** ça va très bien; **le fue fatal** ça n'a pas du tout été

4 (*funcionar*) **el coche no va muy bien** la voiture ne marche pas très bien

5 (*sentar*) **me va estupendamente** (*ropa, color*) cela me va à merveille;

(*medicamento*) c'est exactement ce qu'il me fallait

6 (*aspecto*): **ir con zapatos negros** porter des chaussures noires; **iba muy bien vestido** il était très bien habillé

7 (*combinar*): **ir con algo** aller avec qch

8 (*excl*): **¡que va!** (*no*) mais non!; **vamos, no llores** allons, ne pleure pas; **vamos a ver** voyons voir; **¡vaya coche!** (*admiración*) quelle super voiture!; (*desprecio*) quelle voiture minable!; **que le vaya bien** (*esp* AM: *despedida*) salut!; **¡vete a saber!** allez savoir!

9: no vaya a ser: tienes que correr, no vaya a ser que pierdas el tren il faut que tu te dépêches, sinon tu vas rater ton train

♦ *vb aux* **1**: **ir a: voy/iba a hacerlo hoy** je vais/j'allais le faire aujourd'hui

2 (+ *gerundio*): **iba anocheciendo** il commençait à faire nuit; **todo se me iba aclarando** tout devenait clair pour moi

3 (+ *pp* = *pasivo*): **van vendidos 300 ejemplares** 300 exemplaires ont déjà été vendus

irse *vpr* **1**: **¿por dónde se va al parque?** comment va-t-on au parc?

2: **irse (de)** (*marcharse*) s'en aller (de); **ya se habrán ido** ils doivent être déjà partis; **¡vámonos!** allons-y!, on y va!

---

ira *nf* colère *f*

Irak *nm* = **Iraq**

Irán *nm* Iran *m*; **iraní** *adj* iranien(ne) ♦ *nm/f* Iranien(ne)

Iraq nm Irak m; **iraquí** adj
irakien(ne), iraquien(ne) ♦ nm/f
Irakien(ne), Iraquien(ne)

iris nm inv (ANAT) iris msg

Irlanda nf Irlande f; **~ del Norte**
Irlande du Nord

irlandés, -esa adj irlandais(e) ♦
nm/f Irlandais(e)

ironía nf ironie f

irónico, -a adj ironique

IRPF (ESP) sigla m (= Impuesto
sobre la Renta de las Personas
Físicas) ≈ IRPP m (= impôt sur le
revenu des personnes physiques)

irracional adj irrationnel(le)

irreal adj irréel(le)

irrecuperable adj irrécupérable

irreflexión nf irréflexion f

irregular adj irrégulier(-ère)

irremediable adj irrémédiable

irreparable adj irréparable

irresoluto, -a adj irrésolu(e)

irrespetuoso, -a adj
irrespectueux(-euse)

irresponsable adj irresponsable

irreversible adj irréversible

irrigar vt irriguer

irrisorio, -a adj dérisoire

irritación nf irritation f

irritar vt irriter; **~se** vpr s'irriter

irrupción nf irruption f

isla nf île f

Islam nm Islam m

islandés, -esa adj islandais(e) ♦
nm/f Islandais(e)

Islandia nf Islande f

isleño, -a adj, nm/f insulaire m/f

Israel nm Israël m; **israelí** adj
israélien(ne) ♦ nm/f Israélite m/f

istmo nm isthme m

Italia nf Italie f

italiano, -a adj italien(ne) ♦ nm/f
Italien(ne)

itinerario nm itinéraire m

IVA (ESP) sigla m (COM) (= Impuesto

sobre el Valor Añadido) TVA f (=
taxe à la valeur ajoutée)

izar vt hisser

izdo. abr (= izquierdo) g (=
gauche)

izquierda nf gauche f; (lado
izquierdo) côté m gauche; **a la ~**
à gauche

izquierdista adj (POL) de gauche
♦ nm/f gauchiste m/f

izquierdo, -a adj gauche

J, j

jabalí nm sanglier m

jabalina nf javelot m

jabón nm savon m; **~ en polvo**
savon en poudre; **jabonar** vt
savonner; **jabonarse** vpr se
savonner

jaca nf bidet m

jacinto nm jacinthe f

jactarse vpr: **~ (de)** se vanter
(de)

jadear vi haleter; **jadeo** nm
halètement m

jaguar nm jaguar m

jalea nf gelée f

jaleo nm (barullo) tapage m; (riña)
grabuge m; **armar un ~** faire
(toute) une histoire

jalón nm (AM: estirón) coup m

jamás adv jamais

jamón nm jambon m; **~
serrano/de York** jambon cru/
cuit

Japón nm Japon m

japonés, -esa adj japonais(e) ♦
nm/f Japonais(e)

jaque nm (AJEDREZ) échec m; **~
mate** échec et mat

jaqueca nf migraine f

jarabe nm sirop m

jarcia nf (NÁUT) cordage m

jardín nm jardin m; **~ de (la) infancia** o **de infantes** (AM) jardin d'enfants; **jardinería** nf jardinage m

jardinero, -a nm/f jardinier(-ère)

jarra nf jarre f

jarro nm broc m

jaula nf cage f

jauría nf meute f

jazmín nm jasmin m

jefa nf ver **jefe**

jefatura nf (liderato) commandement m; (sede) direction f; **~ de policía** préfecture f de police

jefe, -a nm/f chef m; **ser el ~** (fig) être le chef; **comandante en ~** commandant m en chef; **~ de estación** chef de gare; **~ de estado** chef d'état; **~ de estudios** surveillant m général; **~ de gobierno** chef de gouvernement

jeque nm cheik m

jerarquía nf hiérarchie f

jerárquico, -a adj hiérarchique

jerez nm xérès msg, jerez msg

jerga nf jargon m

jeringa nf seringue f; (esp AM: fam) ennui m

jeringuilla nf seringue f

jeroglífico nm hiéroglyphe m; (pasatiempo) rébus m

jersey (pl **~s** o **jerséis**) nm pull-over m

Jerusalén n Jérusalem

Jesucristo nm Jésus-Christ m

jesuita adj/nm jésuite

Jesús nm Jésus m; **¡~!** mon Dieu!; (al estornudar) à tes o vos souhaits!

jinete nm cavalier m

jipijapa nm (AM) panama m

jirafa nf girafe f

jirón nm lambeau m; (PE: calle) rue f

jocoso, -a adj cocasse

jofaina nf cuvette f

jornada nf journée f; **(trabajar a) ~ intensiva/partida** (faire la) journée continue/discontinue

jornal nm journée f; **jornalero** nm journalier m

joroba nf bosse f

jorobado, -a adj, nm/f bossu(e)

jota nf (letra) j m inv; (danza) jota f; **no entiendo ni ~** je n'y pige rien; **no sabe ni ~** il n'en sait rien; **no veo ni ~** je n'y vois rien

joven adj jeune ♦ nm jeune homme m; (MÉX: señor) monsieur m ♦ nf jeune fille f; **¡oiga, ~!** eh, jeune homme!

jovial adj jovial(e)

joya nf bijou m; (persona) perle f; **~s de fantasía** bijoux mpl fantaisie; **joyería** nf bijouterie f; **joyero** nm bijoutier m; (caja) coffret m à bijoux

juanete nm (del pie) oignon m

jubilación nf retraite f

jubilado, -a adj, nm/f retraité(e)

jubilar vt mettre à la retraite; (fam: algo viejo) mettre au rancart; **~se** vpr prendre sa retraite

júbilo nm joie f

judía nf haricot m; **~ verde** haricot vert; **~ blanca** flageolet m; ver tb **judío**

judicial adj judiciaire

judío, -a adj, nm/f juif(-ive)

judo nm judo m

juego vb ver **jugar** ♦ nm jeu m; **fuera de ~** hors-jeu; **hacer ~ con** aller avec, faire pendant à; **~ de palabras** jeu de mots; **J~s Olímpicos** Jeux olympiques

juerga nf fête f

jueves nm inv jeudi m; ver tb **sábado**

juez nm/f (f tb: **jueza**) juge m; **~**

de instrucción juge d'instruction; **~ de línea** juge de touche; **~ de salida** starter *m*

jugada *nf* (*en juego*) coup *m*; (*fig*) mauvais tour *m*

jugador, a *nm/f* joueur(-euse)

jugar *vt*, *vi* jouer; **~se** *vpr* (*partido*) se jouer; (*lotería*) être tiré(e); (*vida, puesto, futuro*) jouer; **~ a** jouer à

jugo *nm* jus *msg*; **~ de naranja/ de piña** jus d'orange/d'ananas

jugoso, -a *adj* juteux(-euse); (*fig*) savoureux(-euse)

juguete *nm* jouet *m*; **juguetear** *vi* jouer; **juguetería** *nf* magasin *m* de jouets

juguetón, -ona *adj* joueur(-euse)

juicio *nm* jugement *m*; (*sensatez*) esprit *m*; (*opinión*) avis *msg*; (*JUR*) procès *msg*; **a mi** *etc* **~** à mon *etc* avis; **estar fuera de ~** avoir perdu l'esprit; **perder el ~** perdre la tête

juicioso, -a *adj* sage

julio *nm* juillet *m*; **el uno de ~** le premier juillet; **el dos/once de ~** le deux/onze juillet; **a primeros/finales de ~** début/fin juillet

junco *nm* jonc *m*

jungla *nf* jungle *f*

junio *nm* juin *m*; *ver tb* **julio**

junta *nf* comité *m*; (*organismo*) assemblée *f*, conseil *m*; (*TEC: punto de unión*) joint *m*; **~ de culata** (*AUTO*) joint de culasse; **~ directiva** équipe *f* de direction

juntar *vt* (*grupo, dinero*) rassembler; (*rodillas, pies*) joindre; **~se** *vpr* (*ríos, carreteras*) se rejoindre; (*personas*) se rassembler; (: *citarse*) se voir; (: *acercarse*) se rapprocher; (: *vivir juntos*) vivre à

la colle; **~se a** *o* **con algn** rejoindre qn

junto, -a *adj* ensemble ♦ *adv*: **todo ~** tout ensemble; **~ a** (*cerca de*) à côté de; **~** ci-joint; **~s** ensemble; (*próximos*) rapprochés; (*en contacto*) joints

jurado *nm* jury *m*; (*individuo: JUR*) juré *m*; (: *de concurso*) membre *m* du jury

juramento *nm* serment *m*; (*maldición*) juron *m*; **prestar ~** prêter serment; **tomar ~ a** faire prêter serment de

jurar *vt*, *vi* jurer; **~ en falso** se parjurer; **jurárse la(s) a algn** garder un chien de sa chienne à qn

jurídico, -a *adj* juridique

jurisdicción *nf* juridiction *f*

jurisprudencia *nf* jurisprudence *f*

jurista *nm/f* juriste *m/f*

justamente *adv* justement

justicia *nf* justice *f*; **en ~** en toute justice; **hacer ~** rendre la justice

justiciero, -a *adj* justicier(-ère)

justificación *nf* justification *f*; **justificar** *vt* justifier; **justificarse** *vpr* se justifier

justo, -a *adj* juste; (*preciso*) précis(e) ♦ *adv* précisément; **venir muy ~** (*dinero, comida*) être (tout) juste suffisant

juvenil *adj* juvénile; (*equipo*) junior; (*moda, club*) de jeunes; (*aspecto*) jeune

juventud *nf* jeunesse *f*; (*jóvenes*) jeunes *mpl*

juzgado *nm* tribunal *m*

juzgar *vt* juger; (*opinar*) penser; **a ~ por ...** à en juger par ...; **lo juzgo mi deber** j'estime que c'est mon devoir

K, k

karate, kárate nm karaté m

Kg., kg. abr (= kilogramo(s)) kg, K (= kilogramme(s))

kilo nm kilo m; **kilobit** nm kilobit m; **kilogramo** nm kilogramme m; **kilometraje** nm kilométrage m; **kilómetro** nm kilomètre m; **kilómetro cuadrado** kilomètre carré; **kilovatio** nm kilowatt m

kiosco nm = **quiosco**

km abr (= kilómetro(s)) km (= kilomètre(s))

kv abr (= kilovatio(s)) kW (= kilowatt)

L, l

l. abr (= litro(s)) l (= litre(s)) (JUR) = **ley**

la art def la ♦ pron (a ella) la, l'; (usted) vous; (cosa) la ♦ nm (MÚS) la m inv; ~ **del sombrero rojo** celle qui porte un chapeau rouge

laberinto nm labyrinthe m

labia nf (locuacidad) volubilité f; (pey) bagout m

labio nm lèvre f

labor nf travail m, labeur m; (AGR) labour m; (obra) travail; (COSTURA, de punto) ouvrage m; ~ **de equipo** travail d'équipe; ~ **de ganchillo** ouvrage au crochet; ~**es domésticas** o **del hogar** tâches fpl domestiques; **laborable** adj (AGR) labourable; **día laborable** jour m ouvrable; **laboral** adj du travail; **laboratorio** nm laboratoire m; **laborioso, -a** adj (persona) travailleur(-euse); (negociaciones,

trabajo) laborieux(-euse)

labrado, -a adj (campo) labouré(e); (madera) travaillé(e); (metal, cristal) ciselé(e)

labrador, a nm/f cultivateur(-trice)

labrar vt (tierra) labourer; (madera, cuero) travailler; (metal, cristal) ciseler; (porvenir, ruina) courir à

labriego, -a nm/f paysan(ne)

laca nf laque f

lacayo nm laquais msg

lacio, -a adj raide

lacónico, -a adj laconique

lacra nf (fig) fléau m; ~ **social** fléau de la société

lacrar vt cacheter; **lacre** nm cire f (à cacheter)

lactancia nf allaitement m

lácteo, -a adj: **productos ~s** produits mpl laitiers

ladear vt pencher; ~**se** vpr se pencher

ladera nf versant m

lado nm côté m; (de cuerpo, MIL) flanc m; **al ~ (de)** à côté (de); **poner de ~** mettre o placer de côté; **por un ~ ..., por otro ~ ...** d'un côté ..., d'un autre côté ...

ladrar vi aboyer; **ladrido** nm aboiement m

ladrillo nm brique f

ladrón, -ona nm/f voleur(-euse) ♦ nm (ELEC) prise f multiple

lagartija nf lézard m

lagarto nm lézard m; (AM: caimán) caïman m

lago nm lac m

lágrima nf larme f

laguna nf lagune f

laico, -a adj, nm/f laïque m/f

lamentable adj (desastroso) déplorable; (lastimoso) lamentable

lamentar vt (desgracia, pérdida) pleurer; **~ se** vpr: lamenter (sur); **lamento tener que decirle ...** je regrette d'avoir à vous dire ...; **lo lamento mucho** je regrette beaucoup; **lamento** nm plainte f

lamer vt lécher

lámina nf (de metal, papel) feuille f; (ilustración, de madera) planche f

lámpara nf lampe f; (mancha) tache f; **~ de alcohol/de gas** lampe à alcool/à gaz; **~ de pie** lampe de chevet

lana nf laine f

lancha nf canot m, vedette f; **~ de socorro** canot de sauvetage; **~ motora** canot à moteur

langosta nf (insecto) sauterelle f; (crustáceo) langouste f

langostino nm langoustine f

languidecer vi languir;

languidez nf langueur f

lánguido, -a adj languissant(e)

lanza nf lance f

lanzamiento nm lancer m; (de cohete, COM) lancement m; **~ de pesos** lancer du poids

lanzar vt lancer; **~ se** vpr: **~ se a** se jeter à; (al vacío) se jeter dans; (fig) se lancer à; **~ se contra algn/algo** se lancer contre qn/qch

lapa nf bernicle f, bernique f

lapicero nm crayon m; (AM: bolígrafo) stylo m

lápida nf pierre f tombale; **~ conmemorativa** plaque f commémorative

lapidario, -a adj, nm lapidaire m

lápiz nm crayon m (à papier); **~ de color** crayon de couleur; **~ de labios/de ojos** rouge m à lèvres/crayon pour les yeux

lapón, -ona adj lapon(e) ♦ nm/f

Lapon(e)

lapso nm (tb: **~ de tiempo**) laps msg de temps; (error) lapsus msg

lapsus nm inv lapsus msg

largar vt (NÁUT: cable) larguer; (fam: dinero, bofetada) allonger; (: discurso) infliger; (AM) lancer ♦ vi (fam: hablar) causer; **~ se** vpr (fam) se casser; **~ se a** (AM) se mettre à

largo, -a adj long (longue) ♦ nm longueur f; **dos horas largas** deux bonnes heures; **tiene 9 metros de ~** il fait 9 mètres de long; **~ y tendido** (hablar) en long et en large; **a lo ~ de** (espacio) le long de; (tiempo) pendant; **a la larga** à la fin

largometraje nm long métrage m

laringe nf larynx msg; **laringitis** nf laryngite f

larva nf larve f

las art def les; **~ que cantan** celles qui chantent

lasaña nf lasagne f inv

lascivo, -a adj lascif(-ive)

láser nm laser m

lástima nf pitié f; **dar ~** faire pitié; **es una ~ que** quel dommage que; **¡qué ~!** quel dommage!; **estar hecho una ~** faire pitié à voir

lastimar vt (herir) blesser; **~ se** vpr se blesser

lastimero, -a adj navrant(e)

lastre nm (TEC, NÁUT) leste m; (fig) poids msg mort

lata nf (metal) fer m blanc; (envase) boîte f de conserve; (fam) plaie f; **en ~** en conserve; **dar la ~** enquiquiner

latente adj latent(e)

lateral adj latéral(e) ♦ nm (de iglesia, camino) côté m; (DEPORTE)

aile f
latido nm battement m
latifundio nm latifundio m,
latifundium m; **latifundista** nm/f
propriétaire m/f d'un latifundio
latigazo nm coup m de fouet
látigo nm fouet m
latín nm (LING) latin m
latino, -a adj latin(e)
Latinoamérica nf Amérique f
latine
latinoamericano, -a adj latino-
américain(e) ♦ nm/f Latino-
américain(e)
latir vi battre
latitud nf latitude f; **~es** nfpl
(región) latitudes fpl
latón nm laiton m
latoso, -a adj enquiquinant(e)
laúd nm (MÚS) luth m
laurel nm laurier m
lava nf lave f
lavabo nm lavabo m; (servicio)
toilettes fpl
lavado nm nettoyage m; (de
cuerpo) toilette f; **~ de cerebro**
lavage m de cerveau
lavadora nf machine f à laver
lavanda nf lavande f
lavandería nf blanchisserie f; **~
automática** laverie f
automatique
lavaplatos nm inv lave-vaisselle
m inv
lavar vt laver; **~se** vpr se laver; **~
y marcar** (pelo) faire un
shampooing et une mise en plis; **~
en seco** nettoyer m à sec; **~se
las manos** se laver les mains
lavavajillas nm inv =
lavaplatos
laxante nm laxatif m
lazada nf nœud m
lazarillo nm: **perro ~** chien m
d'aveugle

lazo nm nœud m; (para animales)
lasso m; (trampa) piège m;
(vínculo) lien m
le pron (directo) le; (: usted) vous;
(indirecto) lui; (: usted) vous
leal adj loyal(e); **lealtad** nf
loyauté f
lección nf leçon f
leche nf lait m; **tener o estar
de mala ~** (fam) être de mauvais
poil; **~ condensada/
descremada o desnatada** lait
condensé/écrémé; **~ en polvo**
lait en poudre; **lechera** nf
(recipiente) pot m à lait; ver tb
lechero
lechero, -a adj, nm/f laitier(-ère)
lecho nm lit m, couche f; **~ de
río** lit de la rivière
lechón nm cochon m de lait
lechoso, -a adj laiteux(-euse)
lechuga nf laitue f
lechuza nf chouette f
lector, a nm/f lecteur(-trice)
lectura nf lecture f
leer vt lire
legado nm (JUR, fig) legs msg;
(enviado) légat m
legajo nm dossier m
legal adj légal(e); **legalidad** nf
légalité f; (normas) législation f;
legalizar vt légaliser
legaña nf chassie f
legar vt (JUR, fig) léguer
legendario, -a adj légendaire
legión nf (MIL, fig) légion f
legionario nm légionnaire m
legislación nf législation f;
legislar vi légiférer
legislatura nf législature f
legitimar vt légitimer
legítimo, -a adj (genuino)
véritable; (legal) légitime
lego, -a adj (REL) séculaire;
(ignorante) profane

legua *nf* lieue *f*

legumbres *nfpl* légumes *mpl*

leído, -a *adj* instruit(e)

lejanía *nf* éloignement *m*

lejano, -a *adj* éloigné(e); **L~ Oriente** Extrême-Orient *m*

lejía *nf* lessive *f*

lejos *adv* loin; **a lo ~** au loin; **de** *o* **desde ~** de loin; **~ de** loin de

lelo, -a *adj* bébête

lema *nm* devise *f*; (POL) slogan *m*

lencería *nf* (ropa interior) lingerie *f*

lengua *nf* langue *f*; **morderse la ~** (fig) se mordre les doigts; **~s clásicas** langues mortes

lenguado *nm* sole *f*

lenguaje *nm* langage *m*; **en ~ llano** simplement; **~ comercial** langage commercial; **~ de programación** (INFORM) langage de programmation; **~ ensamblador** *o* **de bajo nivel** (INFORM) assembleur *m*; **~ máquina** (INFORM) langage machine; **~ periodístico** langage journalistique

lengüeta *nf* (de zapatos, MÚS) languette *f*

lente *nf* lentille *f*; **~s** *nmpl* (gafas) lorgnon *m*; **~s de contacto** lentilles de contact; **~s progresivas** verres *mpl* progressifs

lenteja *nf* lentille *f*; **lentejuela** *nf* paillette *f*

lentilla *nf* lentille *f*

lentitud *nf* lenteur *f*; **con ~** avec lenteur

lento, -a *adj* lent(e)

leña *nf* (para el fuego) bois *msg*

leñador, a *nm/f* bûcheron(ne)

leño *nm* tronc *m*

Leo *nm* (ASTROL) Lion *m*; **ser ~** être (du) Lion

león *nm* lion *m*; **~ marino** otarie *f*

leopardo *nm* léopard *m*

leotardos *nmpl* collants *mpl*

lepra *nf* lèpre *f*

leproso, -a *nm/f* lépreux(-euse)

lerdo, -a *adj* lent(e)

les *pron* (directo) les; (: ustedes) vous; (indirecto) leur; (: ustedes) vous

lesbiana *nf* lesbienne *f*

lesión *nf* lésion *f*

lesionado, -a *adj* blessé(e)

letal *adj* létal(e)

letanía *nf* (REL) litanie *f*

letargo *nm* léthargie *f*

letra *nf* lettre *f*; (escritura) écriture *f*; (COM) traite *f*; (MÚS: de canción) paroles *fpl*; **L~s** *nfpl* (UNIV, ESCOL) Lettres *fpl*; **~ de cambio** (COM) lettre de change; **~ de imprenta** *o* **de molde** caractère *m* d'imprimerie

letrado, -a *adj* instruit(e) ♦ *nm/f* avocat(e); **letrero** *nm* panneau *m*; (anuncio) écriteau *m*

letrina *nf* latrines *fpl*

leucemia *nf* leucémie *f*

levadizo, -a *adj*: **puente ~** pont *m* basculant; (HIST) pont-levis *m*

levadura *nf* levure *f*

levantamiento *nm* soulèvement *m*; (de castigo, orden) levée *f*; **~ de pesos** haltérophilie *f*

levantar *vt* lever; (velo, telón) relever; (paquete, niño) soulever; (construir) élever; **~se** *vpr* se lever; **~ el ánimo** ranimer les esprits

levante *nm* (GEO) levant *m*; **el L~** le Levant

levar *vt*: **~ anclas** lever l'ancre

leve *adj* léger(-ère); **levedad** *nf* légèreté *f*; (de herida) caractère *m* bénin

levita *nf* redingote *f*

léxico, -a *adj* lexical(e) ♦ *nm*

lexique m

ley nf loi f; (de sociedad) règlement m; **de ~** (oro, plata) au titre

leyenda nf légende f

leyendo etc vb ver **leer**

liar vt (atar) lier; (enredar) embrouiller; (cigarrillo) rouler; (envolver) enrouler; **~se** vpr (fam) s'embrouiller; **~se a palos** se taper dessus

Líbano nm: **el ~** le Liban

libelo nm libelle m

libélula nf libellule f

liberación nf libération f

liberal adj, nm/f (POL, ECON) libéral(e); **liberalidad** nf libéralité f

liberar vt libérer

libertad nf liberté f; **~es** nfpl (pey) libertés fpl; **~ bajo fianza/ bajo palabra** liberté sous caution/sur parole; **~ condicional** liberté conditionnelle; **~ de comercio** libre-échange m; **~ de culto/de expresión/de prensa** liberté du culte/d'expression/de presse

libertar vt (preso) délivrer

libertino, -a adj, nm/f libertin(e)

libra nf livre f; **L~** (ASTROL) Balance f; **ser L~** être (de la) Balance; **~ esterlina** livre sterling

librar vt (de castigo, obligación) soustraire; (de peligro) sauver; (batalla) livrer; (cheque) virer; (JUR) exempter ♦ vi avoir un jour de congé; **~se** vpr: **~se de algn/ algo** échapper à qn/qch

libre adj libre; **~ de impuestos** exonéré(e) d'impôts; **tiro ~** coup m franc; **los 100 metros ~s** le 100 mètres nage libre; **al aire ~** à l'air libre

librería nf librairie f

librero, -a nm/f libraire m/f ♦ nm

(MÉX) librairie f

libreta nf cahier m; **~ de ahorros** livret m de caisse d'épargne

libro nm livre m; **~ de bolsillo** livre de poche; **~ de caja (auxiliar)** (COM) livre de (petite) caisse; **~ de texto** manuel m; **~ electrónico** livre électronique

licencia nf (ADMIN, JUR) licence f, autorisation f; **~ de armas/de caza** permis msg de port d'arme/de chasse; **~ fiscal** patente f

licenciado, -a adj (soldado) libéré(e); (UNIV) titulaire d'une maîtrise ♦ nm/f titulaire m/f d'une maîtrise; **L~** (abogado) Maître;

licenciar vt (soldado) libérer;

licenciarse vpr terminer son service militaire; (UNIV) passer sa maîtrise

licencioso, -a adj licencieux(-euse)

licitar vt faire une enchère sur

lícito, -a adj (legal) licite; (justo) juste; (permisible) permis(e)

licor nm liqueur f

licuadora nf mixeur m

licuar vt passer au mixeur

lid nf lutte f; **~es** nfpl matière f

líder nm/f leader m

liderazgo nm leadership m

lidia nf (TAUR) combat m; (: una lidia) corrida f; **toros de ~** taureaux mpl de combat; **lidiar** vt combattre ♦ vi: **lidiar con** (dificultades, enemigos) batailler avec

liebre nf lièvre m; (CHI: microbús) minibus msg

lienzo nm toile f

liga nf (de medias) porte-jarretelles m inv; (DEPORTE) compétition f; (POL) ligue f

ligadura *nf* ligature *f*

ligamento *nm* ligament *m*

ligar *vt* lier; (MED) ligaturer ♦ *vi* (fam: persona) draguer; **~se** *vpr* (fig) se lier

ligereza *nf* légèreté *f*

ligero, -a *adj* léger(-ère) ♦ *adv* (andar) d'un pas léger; (moverse) avec légèreté; **a la ligera** à la légère

liguero *nm* porte-jarretelles *m inv*

lija *nf* (pez) roussette *f*; (tb: **papel de ~**) papier *m* de verre

lila (BOT) lilas *msg*

lima *nf* (herramienta, BOT) lime *f*; **~ de uñas** lime à ongles; **limar** *vt* limer

limitación *nf* limitation *f*;

limitaciones *nfpl* (carencias) limites *fpl*; **~ de velocidad** limitation de vitesse

limitar *vt* limiter; (terreno, tiempo) délimiter ♦ *vi*: **~ con** (GEO) faire frontière avec; **~se** *vpr*: **~se a (hacer)** se limiter à (faire)

límite *nm* limite *f*; **~s** *nmpl* (de finca, país) limites *fpl*; **fecha ~** date *f* limite; **~ de velocidad** limitation *f* de vitesse

limítrofe *adj* limitrophe

limón *nm* citron *m* ♦ *adj*: **amarillo ~** jaune citron *inv*; **limonada** *nf* limonade *f*

limosna *nf* aumône *f*

limpiaparabrisas *nm inv* essuie-glace *m*

limpiar *vt* nettoyer

limpieza *nf* propreté *f*; (acto, POLICÍA) nettoyage *m*; (habilidad) adresse *f*; **~ de operación de ~** (MIL) opération *f* de nettoyage; **~ en seco** nettoyage à sec; **~ étnica** purification *f* ethnique

limpio, -a *adj* propre; (conducta, negocio) net(te) ♦ *adv*: **jugar ~**

(fig) jouer franc jeu; **pasar a ~** mettre au propre

linaje *nm* lignée *f*

lince *nm* lynx *msg*

linchar *vt* lyncher

lindar *vi*: **~ con** border; **linde** *nm o f* (de bosque, terreno) limite *f*

lindero *nm* = **linde**

lindo, -a *adj* joli(e) (AM) bien; **canta muy ~** (AM) il chante très bien; **de lo ~** (fam: muy bien) vachement

línea *nf* ligne *f*; **en ~** (INFORM) en ligne; **~ aérea** ligne aérienne; **~ de meta** (DEPORTE) ligne de touche; (: de carrera) ligne d'arrivée; **~ discontinua** (AUTO) ligne discontinue; **~ fija** (TELEC) ligne fixe; **~ recta** ligne droite

lingote *nm* lingot *m*

lingüística *nf* linguistique *f*

lino *nm* lin *m*

linóleo *nm* linoléum *m*

linterna *nf* lampe *f* de poche

lío *nm* paquet *m*; (desorden) fatras *msg*; (jaleo: follón) bordel *m*; **hacerse un ~** s'emmêler les pédales

liquen *nm* lichen *m*

liquidación *nf* (de empresa) dépôt *m* de bilan; (de salario) prime *f*; (de existencias, cuenta, deuda) liquidation *f*

liquidar *vt* liquider

líquido, -a *adj* liquide; (ganancia) net(te) ♦ *nm* liquide *m*

lira *nf* (MÚS) lyre *f*; (moneda) lire *f*

lírico, -a *adj* lyrique

lirio *nm* iris *msg*

lirón *nm* loir *m*

Lisboa *n* Lisbonne

lisiado, -a *adj*, *nm/f* estropié(e)

lisiar *vt* estropier

liso, -a *adj* (superficie, cabello) lisse; (tela, color) uni(e)

lisonja *nf* flatterie *f*

lista *nf* liste *f*; (*franja*) rayure *f*; **pasar ~** faire la liste; **tela a ~s** tissu *m* rayé; **~ de correos** poste *f* restante; **~ de espera** liste d'attente; **~ de precios** tarif *m*

listo, -a *adj* intelligent(e); (*preparado*) prêt(e)

listón *nm* planche *f*

litera *nf* (*en barco, tren*) couchette *f*; (*en dormitorio*) lit *m* superposé

literal *adj* littéral(e)

literario, -a *adj* littéraire

literatura *nf* littérature *f*

litigar *vi* (*JUR*) plaider

litigio *nm* (*JUR, fig*) litige *m*

litografía *nf* lithographie *f*

litoral *adj* littoral(e) ♦ *nm* littoral *m*

litro *nm* litre *m*

lívido, -a *adj* livide

llaga *nf* plaie *f*

llama *nf* flamme *f*; (*ZOOL*) lama *m*

llamada *nf* (*telefónica*) appel *m*; **~ al orden** *o* **de atención** rappel *m* à l'ordre

llamado (*AM*), **llamamiento** *nm* appel *m*

llamar *vt* appeler

llamarada *nf* flambée *f*

llamativo, -a *adj* voyant(e); (*color*) criard(e)

llano, -a *adj* (*superficie*) plat(e); (*persona, estilo*) simple ♦ *nm* plaine *f*; **Los L~s** (*VEN*) les Plaines

llanta *nf* jante *f*; (*AM: cámara*) chambre *f* à air

llanto *nm* pleurs *mpl*, larmes *fpl*

llanura *nf* plaine *f*

llave *nf* clé *f*, clef *f*; (*MEC*) clé; (*de la luz*) interrupteur *m*; **cerrar con ~** *o* **echar la ~** fermer à clé; **~ de contacto** (*AUTO*) clé de contact; **~ de judo** prise *f* de judo; **~ de paso** robinet d'arrêt;

~ inglesa clé anglaise; **~ maestra** passe-partout *m inv*

llavero *nm* porte-clefs *msg*

llegada *nf* arrivée *f*

llegar *vi* arriver; (*ruido*) parvenir; (*bastar*) suffire; **~se** *vpr*: **~se a** aller à; **~ a arriver à**; **~ a saber** finir par savoir; **~ a (ser) famoso/jefe** devenir célèbre/le. patron

llenar *vt* remplir; (*satisfacer*) combler ♦ *vi* rassasier; **~se** *vpr*: **~se (de)** se remplir (de); (*al comer*) se rassasier (de)

lleno, -a *adj* plein(e), rempli(e); (*persona: de comida*) rassasié(e) ♦ *nm* (*TEATRO*) salle *f* comble; **~ de polvo/de gente/de errores** rempli(e) de poussière/de gens/d'erreurs

llevar *vt* porter; (*en coche*) emmener; (*transportar*) transporter; (*dinero*) avoir sur soi; **~se** *vpr* (*estar de moda*) se porter beaucoup; **me llevó una hora hacerlo** j'ai mis une heure à le faire; **llevamos dos días aquí** nous sommes ici depuis deux jours; **llevo un año estudiando** cela fait un an que j'étudie; **~ hecho/vendido/estudiado** avoir fait/vendu/étudié; **~ los libros** (*COM*) tenir les registres; **~se un susto/disgusto/sorpresa** être effrayé(e)/mécontent(e)/surpris(e); **~se bien/mal (con algn)** bien/ne pas s'entendre (avec qn)

llorar *vt, vi* pleurer; **~ de risa** pleurer de rire

lloriquear *vi* pleurnicher

lloro *nm* pleur *m*

llorón, -ona *adj, nm/f* pleurnichard(e)

lloroso, -a *adj* (*ojos*) gonflé(e)

par les larmes; (*persona*) qui a pleuré

llover *vi* pleuvoir

llovizna *nf* bruine *f*; **lloviznar** *vi* pleuvoir

llueve *etc vb ver* **llover**

lluvia *nf* pluie *f*; **~ radioactiva** pluie radioactive

lluvioso, -a *adj* pluvieux(-euse)

PALABRA CLAVE

lo *art def* **1**: **lo bueno/caro** ce qui est bon/cher; **lo mejor/peor** le mieux/pire; **lo mío** ce qui est à moi; **olvidaste lo esencial** tu as oublié l'essentiel

2: **lo + de** (*pron dem*): **¿sabes lo del presidente?** tu es au courant pour le président?

3: **lo que** (*pron rel*): **lo que yo pienso** ce que je pense; **lo que más me gusta** ce que j'aime le plus; **lo que pasa es que ...** ce qu'il y a, c'est que ...; **lo que quieras** ce que tu veux *o* voudras; **lo que sea** quoi que ce soit; **(a) lo que** (*AM: en cuanto*) dès que

4: **lo cual**: **lo cual es lógico** ce qui est logique

♦ *pron pers* **1** (*a él*) le, l'; **lo han despedido** ils l'ont renvoyé; **no lo conozco** je ne le connais pas **2** (*a usted*) vous; **lo escucho señor** je vous écoute, monsieur **3** (*cosa, animal*) le, l'; **te lo doy** je te le donne **4** (*concepto*) le, l'; **no lo sabía** je ne le savais pas; **voy a pensarlo** je vais y réfléchir

loable *adj* louable

loar *vt* louer

lobo *nm* loup *m*; **~ de mar** (*fig*) loup de mer

lóbrego, -a *adj* sombre

lóbulo *nm* lobe *m*

local *adj* local(e) ♦ *nm* local *m*; (*bar*) bar *m*; **localidad** *nf* localité *f*; (*TEATRO*) place *f*; **localizar** *vt* localiser; **localizarse** *vpr* (*dolor*) être localisé(e)

loción *nf* lotion *f*

loco, -a *adj, nm/f* (*MED*) fou (folle); **estar ~ con algo/por algn** être fou (folle) de qch/de qn; **me vuelve ~** (*me gusta mucho*) j'en suis fou (folle); (*me marea*) il me rend fou (folle)

locomotora *nf* locomotive *f*

locuaz *adj* loquace

locución *nf* (*LING*) locution *f*

locura *nf* folie *f*; **con ~** follement

locutor, a *nm/f* (*RADIO, TV*) speaker(ine)

locutorio *nm* cabine *f* téléphonique

lodo *nm* boue *f*

lógica *nf* logique *f*

lógico, -a *adj* logique; **es ~ que ...** il est logique que ...

logística *nf* logistique *f*

logotipo *nm* logo *m*

logrado, -a *adj* réussi(e)

lograr *vt* réussir; (*victoria*) remporter; **~ hacer algo** réussir à faire qch; **~ que algn venga** réussir à faire venir qn

logro *nm* réussite *f*

loma *nf* colline *f*

lombriz *nf* (*ZOOL*) ver *m* de terre; (*MED*) ver

lomo *nm* (*de animal*) dos *msg*, échine *f*; (*CULIN: de cerdo*) épaule *f*; (: *de vaca*) entrecôte *f*; (*de libro*) dos

lona *nf* toile *f* cirée

loncha *nf* tranche *f*

lonche (*AM*) *nm* petit-déjeuner *m*; **lonchería** (*AM*) *nf* cafétéria *f*

Londres n Londres

longaniza nf sorte de merguez

longitud nf longueur f; (GEO)
longitude f; **tener 3 metros de
~** avoir 3 mètres de long; **~ de
onda** (FÍS) longueur d'onde

lonja nf (edificio) halle f (de
jamón, embutido) tranche f; **~ de
pescado** halle f au poisson

loro nm perroquet m

los art def les ♦ pron les; (ustedes)
vous; **mis libros y ~ de usted**
mes livres et les vôtres

losa nf dalle f; **~ sepulcral**
pierre f tombale

lote nm (de libros, COM, INFORM) lot
m; (de comida) portion f

lotería nf loterie f

Lotería

D'importantes sommes d'argent
sont dépensées chaque année en
Espagne à ce jeu de hasard.
L'État a institué deux loteries,
dont il perçoit directement les
gains : la Lotería Primitiva et
la Lotería Nacional. Une des
loteries les plus célèbres est
organisée par l'influente et
prospère association d'aide aux
aveugles, "la ONCE".
---

loza nf (material) faïence f; (vajilla)
vaisselle f

lozano, -a adj vigoureux(-euse)

lubricante adj lubrifiant(e) ♦ nm
lubrifiant m

lubricar vt lubrifier

luces nfpl de **luz**

lucha nf lutte f; **~ contra/por**
lutte contre/pour; **~ de clases**
lutte des classes; **~ libre** lutte
libre; **luchar** vi lutter; **luchar
contra/por** (problema) lutter

contre/pour

lucidez nf lucidité f

lúcido, -a adj lucide; **estar ~**
être lucide

luciérnaga nf ver m luisant

lucir vt (vestido, coche) étrenner;
(conocimientos) étaler; (habilidades)
exhiber ♦ vi briller; (AM: parecer)
sembler; **~se** vpr (presumir) se
montrer; **¡te has lucido!**
(irónico) bien joué!; **la casa luce
limpia** (AM) la maison a l'air très
propre

lucro (pey) nm lucre m

lúdico, -a adj ludique

luego adv (después) après; (más
tarde) puis; (AM: fam: en seguida)
tout de suite ♦ conj (consecuencia)
donc; **desde ~** évidemment;
¡hasta ~! à plus tard!, salut!; **~
luego** (esp MÉX) dare-dare

lugar nm lieu m, endroit m; (en
lista) place f; **en ~ de** au lieu de;
dar ~ a donner lieu à; **fuera de
~** (comentario, comportamiento)
déplacé(e); **tener ~** avoir lieu; **~
común** lieu commun

lugareño, -a nm/f villageois(e)

lugarteniente nm remplaçant m

lúgubre adj lugubre

lujo nm luxe m; **de ~** de luxe

lujoso, -a adj luxueux(-euse)

lujuria nf luxure f

lumbre nf feu m (de bois)

lumbrera nf (genio) lumière f

luminoso, -a adj lumineux(-euse)

luna nf lune f; (vidrio) glace f;
estar en la ~ être dans la lune;
~ de miel lune de miel; **~
llena/nueva** pleine/nouvelle
lune

lunar adj lunaire ♦ nm grain m de
beauté; (diseño) pois msg; **tela de
~es** tissu m à pois

lunes nm inv lundi m; ver tb

sábado

lupa *nf* loupe *f*

lustrar *vt* lustrer; (*AM: zapatos*) cirer; **lustre** *nm* lustre *m*; **dar lustre a algo** faire briller qch

lustroso, -a *adj* brillant(e)

luto *nm* deuil *m*; **ir** *o* **vestirse de ~** porter des habits de deuil

Luxemburgo *nm* Luxembourg *m*

luz (*pl* **luces**) *nf* lumière *f*; **dar a ~ un niño** mettre un enfant au monde; **dar la ~** donner de la lumière; **encender** (*ESP*) *o* **prender** (*esp AM*)/**apagar la ~** allumer/éteindre la lumière; **a todas luces** de toute évidence; **se hizo la ~ sobre ...** la lumière se fit sur ...; **sacar a la ~** tirer au clair; **tener pocas luces** ne pas être une lumière

M, m

m. *abr* (= *metro(s)*) m (= *mètre(s)*) (= *minuto(s)*) min. (= *minute(s)*) (= *masculino*) m (= *masculin*)

macarrones *nmpl* (*CULIN*) macarons *mpl*

macedonia *nf*: **~ de frutas** macédoine *f* de fruits

macerar *vt* macérer

maceta *nf* pot *m* de fleurs

machacar *vt* (*ajos*) réduire en purée ♦ *vi* insister

machete *nm* machette *f*

machismo *nm* machisme *m*

machista *adj, nm/f* machiste *m/f*

macho *adj* (*BOT, ZOOL*) mâle; (*fam*) macho ♦ *nm* mâle *m*

macizo, -a *adj* massif(-ive) ♦ *nm* (*GEO, de flores*) massif *m*

madeja *nf* (*de lana*) écheveau *m*

madera *nf* bois *msg*; **una ~** un morceau de bois; **tiene ~ de**

profesor il a l'étoffe d'un professeur

madero *nm* madrier *m*

madrastra *nf* belle-mère *f*

madre *adj* (*lengua*) maternel(le); (*acequia*) maîtresse ♦ *nf* mère *f*

Madrid *nm* Madrid

madriguera *nf* terrier *m*

madrileño, -a *adj* madrilène ♦ *nm/f* Madrilène *m/f*

madrina *nf* marraine *f*; **~ de boda** demoiselle *f* d'honneur

madrugada *nf* aube *f*

madrugador, -a *adj* lève-tôt *inv*

madrugar *vi* se lever tôt

madurar *vt, vi* mûrir; **madurez** *nf* maturité *f*

maduro, -a *adj* mûr(e); (*hombre, mujer*) d'âge mûr

maestra *nf ver* **maestro**

maestría *nf* maestria *f*

maestro, -a *adj* maître(sse) ♦ *nm/f* (*de escuela*) maître(sse) (d'école), instituteur(-trice); (*en la vida*) maître ♦ *nm* maître *m*; (*MÚS*) maestro *m*; **~ albañil** maître maçon

magdalena *nf* madeleine *f*

magia *nf* magie *f*

mágico, -a *adj* magique

magisterio *nm* (*enseñanza*) études *fpl* d'instituteur(-trice); (*profesión*) métier *m* d'instituteur(-trice)

magistrado *nm* (*JUR*) magistrat *m*; **primer M~** (*AM*) président *m*

magnánimo, -a *adj* magnanime

magnate *nm* magnat *m*

magnético, -a *adj* magnétique; **magnetizar** *vt* magnétiser

magnetofón *nm* magnétophone *m*

magnetofónico, -a *adj*: **cinta magnetofónica** bande *f* magnétique

magnetófono *nm* =
magnetofón

magnífico, -a *adj* magnifique;
(*carácter*) exceptionnel(le)

magnitud *nf* (*física*) grandeur *f*;
(*de problema etc*) ampleur *f*

mago, -a *nm/f* mage *m*; **los
Reyes M~s** les Rois *mpl* Mages

magro, -a *adj*, *nm* maigre *m*

maguey *nm* (BOT) agave *m*

magullar *vt* contusionner;
(*lastimar*) abîmer

mahometano, -a *adj*
mahométan(e) ♦ *nm/f*
Mahométan(e)

mahonesa *nf* = **mayonesa**

maíz *nm* maïs *msg*

majadero, -a *adj* imbécile

majestad *nf*: **Su M~** Sa Majesté

majestuoso, -a *adj*
majestueux(-euse)

majo, -a *adj* beau (belle);
(*persona, apelativo*) mignon(ne)

mal *adv* mal; (*oler, saber*) mauvais
♦ *adj* = **malo** ♦ *nm*: **el ~** le mal;
me entendió ~ il m'a mal
compris; **haces** ~ **en callarte**
tu as tort de te taire; **¡menos ~!**
heureusement!

malabarismo *nm* jonglerie *f*;
malabarista *nm/f*
jongleur(-euse)

malaria *nf* malaria *f*

malcriado, -a *adj* mal élevé(e)

maldad *nf* méchanceté *f*

maldecir *vt* = **de** maudire

maldición *nf* malédiction *f*

maldito, -a *adj* maudit(e); **¡~
sea!** (*fam*) maudit(e) soit ...!

maleante *nm/f* malfaiteur *m*,
criminel(le)

maledicencia *nf* médisance *f*

maleducado, -a *adj* mal élevé(e)

malentendido *nm* malentendu
m

malestar *nm* malaise *m*

maleta *nf* valise *f*; **hacer la ~**
faire sa valise; **maletera** (AM) *nf*,
maletero *nm* (AUTO) coffre *m*

maletín *nm* (*de uso profesional*)
serviette *f*; (*de viaje*) mallette *f*

maleza *nf* (*arbustos*) fourré *m*

malgastar *vt* gaspiller;
(*oportunidades*) laisser passer

malhechor, a *nm/f* malfaiteur *m*

malhumorado, -a *adj* de
mauvaise humeur

malicia *nf* méchanceté *f*; (*de
niño*) malice *f*

malicioso, -a *adj*
malicieux(-euse); (*con mala
intención*) méchant(e); (*de
malpensado*) mauvais(e)

maligno, -a *adj* (MED) malin
(maligne); (*ser*) méchant(e)

malla *nf* (*esp* AM) maillot *m* de
bain; (*tb*: **~s**) collants *mpl*

Mallorca *nf* Majorque *f*

malo, -a *adj* (*antes de nmsg*: **mal**)
mauvais(e); **estar ~** (*persona*)
être malade; (*comida*) être
mauvais(e); **lo ~ es que ... le**
problème, c'est que ...; **por las
malas** de force

malograrse *vpr* (*plan*) tomber à
l'eau; (*cosecha*) être gâché(e);
(*carrera profesional*) se briser; (*PE:
fam*) s'abîmer; **el malogrado
actor** l'acteur mort
prématurément

malparado, -a *adj*: **salir ~** s'en
tirer mal

malpensado, -a *adj*
malveillant(e)

malsano, -a *adj* malsain(e)

maltratar *vt* maltraiter

maltrecho, -a *adj* en mauvais
état

malvado, -a *adj* méchant(e)

malversar *vt* détourner

Malvinas *nfpl*: **las (Islas) ~** les (îles) Malouines *fpl*

malvivir *vi* vivre à l'étroit

mama *nf* mamelle *f*

mamá *nf* (*fam*) maman *f*; (*AM*: *cortesía*) mère *f*

mamar *vt, vi* téter; **dar de ~** allaiter

mamarracho *nm* (*persona despreciable*) rien-du-tout *m/f inv*

mamífero, -a *adj, nm* mammifère *m*

mampara *nf* (*entre habitaciones*) cloison *f*; (*biombo*) écran *m*

mampostería *nf* maçonnerie *f*

manada *nf* (*de leones, lobos*) horde *f*; (*de búfalos, elefantes*) troupeau *m*

manantial *nm* source *f*

manar *vt* laisser couler ♦ *vi* jaillir

mancha *nf* tache *f*; **manchar** *vt, vi* tacher; **mancharse** *vpr* se tacher

manchego, -a *adj* de la Manche

manco, -a *adj* manchot(e)

mancomunar *vt* mettre en commun; (*JUR*) rendre solidaires;

mancomunidad *nf* (*de bienes*) copropriété *f*; (*de personas, JUR*) association *f*; (*de municipios*) syndicat *m*

mandamiento *nm* (*REL*) commandement *m*; **~ judicial** mandat *m* d'arrêt

mandar *vt* ordonner; (*MIL*) commander; (*enviar*) envoyer ♦ *vi* commander; **~ hacer un traje** se faire un costume

mandarina *nf* mandarine *f*

mandato *nm* (*orden*) ordre *m*; (*POL*) mandat *m*; (*INFORM*) commande *f*; **~ judicial** mandat d'arrêt

mandíbula *nf* mandibule *f*

mandil *nm* tablier *m*

mando *nm* (*MIL*) commandement *m*; (*de organización, país*) direction *f*; (*TEC*) commande *f*; **al ~ (de)** sous la responsabilité (de); **~ a distancia** télécommande *f*

manejable *adj* maniable; (*libro*) peu encombrant(e)

manejar *vt* manier; (*máquina*) manœuvrer; (*pey: a personas*) manœuvrer; (*casa, negocio*) mener; (*dinero, números*) brasser; (*idioma*) maîtriser; (*AM: AUTO*) conduire; **~se** *vpr* se débrouiller

manejo *nm* maniement *m*; (*de máquinas*) manœuvre *f*; (*AM: de negocio*) conduite *f*; **manejos** *nmpl* (*pey*) manœuvres *fpl*

manera *nf* manière *f*, façon *f*; **~s** *nfpl* (*modales*) manières *fpl*; **¡de ninguna ~!** en aucun cas!; **de otra ~** autrement; **de todas ~s** de toute manière; **no hay ~ de persuadirle** il n'y a pas moyen de le persuader

manga *nf* manche *f*; **~ de riego** tuyau d'irrigation

mangar (*fam*) *vt* piquer

mango *nm* manche *m*; (*BOT*) mangue *f*

mangonear (*pey*) *vt* commander ♦ *vi* se mêler de tout

manguera *nf* lance *f* d'arrosage

manía *nf* manie *f*; **tener ~ a algn/algo** avoir de l'antipathie pour qn/qch

maníaco, -a *adj, nm/f* maniaque *m/f*

maniatar *vt* ligoter

maniático, -a *adj, nm/f* maniaque *m/f*

manicomio *nm* asile *m* (de fous)

manifestación *nf* manifestation *f*

manifestar *vt* manifester; (*declarar*) déclarer; **~se** *vpr* (*POL*) manifester

manifiesto, -a *pp de*
manifestar ♦ *adj* manifeste ♦ *nm*
(ARTE, POL) manifeste *m*

manillar *nm* guidon *m*

maniobra *nf* manœuvre *f*; **~s**
nfpl (MIL, *pey*) manœuvres *fpl*;
maniobrar *vi* manœuvrer; (MIL)
faire des manœuvres

manipulación *nf* manipulation *f*;
manipular *vt* manipuler

maniquí *nm/f* mannequin *m/f* ♦
nm (*de escaparate*) mannequin *m*

manirroto, -a *adj, nm/f*
dépensier(-ère)

manivela *nf* manivelle *f*

manjar *nm* mets *msg*

mano *nf* main *f*; (*de pintura*)
couche ♦ *nm* (MÉX: *fam*) copain
m; **a ~** à la main; **estar/tener**
algo a ~ être/avoir qch à portée
de la main; **a ~ derecha/**
izquierda à (main) droite/
gauche; **de segunda ~**
d'occasion; **darse la(s) ~(s)** se
donner la main; **echar una ~**
donner un coup de main; **~ de**
obra main-d'œuvre *f*

manojo *nm* (*de hierbas*) brassée *f*;
(*de llaves*) trousseau *m*

manopla *nf* moufle *f*

manoseado, -a *adj* (*tema*)
rebattu(e); (*papel*) manipulé(e);
manosear *vt* (*libro*) manipuler;
(*flores*) écraser; (*tema, asunto*)
rebattre; (*fam: una persona*)
tripoter

manotazo *nm* gifle *f*

mansalva: **a ~** *adv* sans risque

mansedumbre *nf* (*de persona*)
douceur *f*; (*de animal*) docilité *f*

mansión *nf* demeure *f*

manso, -a *adj* (*persona*) doux
(douce); (*animal*) apprivoisé(e)

manta *nf* couvre-lit *m*; (AM)

poncho *m*

manteca *nf* (*de cerdo*) saindoux
m; (*de cacao, AM*) beurre *m*

mantel *nm* nappe *f*

mantendré *etc vb ver* **mantener**

mantener *vt* maintenir; (*familia*)
subvenir aux besoins de; (TEC)
assurer la maintenance de;
(*actividad*) conserver; (*edificio*)
soutenir; **~se** *vpr* (*edificio*) être
soutenu(e); (*no ceder*) se
maintenir; **~ el equilibrio** garder
l'équilibre; **~se (de *o* con)** vivre
(de); **~se en pie** rester debout;
~se firme rester ferme;

mantenimiento *nm* (TEC)
maintenance *f*; (*de orden,*
relaciones) maintien *m*; (*sustento*)
subsistance *f*

mantequilla *nf* beurre *m*

manto *nm* cape *f*

mantuve *etc vb ver* **mantener**

manual *adj* manuel(le) ♦ *nm*
manuel *m*

manufactura *nf* manufacture *f*

manufacturado, -a *adj*
manufacturé(e)

manuscrito *nm* manuscrit *m*

manutención *nf* (*de persona*)
subsistance *f*; (*de alimentos, dinero*)
conservation *f*

manzana *nf* pomme *f*; (*de*
edificios) pâté *m*

manzanilla *nf* camomille *f*

manzano *nm* pommier *m*

maña *nf* adresse *f*; **~s** *nfpl*
(*artimañas*) ruses *fpl*

mañana *adv* demain ♦ *nm*: **(el) ~**
(le) lendemain ♦ *nf* matin *m*; **de** *o*
por la ~ le matin; **¡hasta ~!** à
demain!; **~ por la ~** demain
matin

mañoso, -a *adj* adroit(e)

mapa *nm* carte *f*

maqueta *nf* maquette *f*

maquillaje *nm* maquillage *m*

maquillar *vt* maquiller; **~se** *vpr* se maquiller

máquina *nf* machine *f*; (*de tren*) locomotive *f*; (AM) voiture *f*; **~ escrito a ~** tapé à la machine; **~ de coser/de escribir/de vapor** machine à coudre/à écrire/à vapeur

maquinación *nf* machination *f*

maquinal *adj* machinal(e)

maquinaria *nf* machinerie *f*

maquinilla *nf* (*tb*: **~ de afeitar**) rasoir *m*

maquinista *nm* mécanicien *m*

mar *nm o f* mer *f*; **~ adentro** au large; **en alta ~** en haute mer; **es la ~ de guapa** elle est très jolie; **el M~ Negro/Báltico** la Mer Noire/Baltique

maraña *nf* enchevêtrement *m*

maratón *nm* marathon *m*

maravilla *nf* merveille *f*;

maravillar *vt* émerveiller;

maravillarse *vpr*:

maravillarse (de) s'émerveiller (de)

maravilloso, -a *adj* merveilleux(-euse)

marca *nf* marque *f*; (DEPORTE) record *m*; **de** (COM) de marque; **~ de fábrica** marque *m*

marcador *nm* (DEPORTE) tableau *m* cardiaque

marcapasos *nm inv* stimulateur *m* cardiaque

marcar *vt* marquer; (*número de teléfono*) composer **y la** (DEPORTE) marquer; (TELEC) composer le numéro

marcha *nf* marche *f*; (AUTO) vitesse *f*; (*fam: animación*) fête *f*; **dar ~ atrás** (AUTO, *fig*) faire marche arrière; **estar en ~** être en marche; (*negocio*) marcher;

poner en ~ faire démarrer

marchar *vi* marcher; (*ir*) partir; **~se** *vpr* s'en aller

marchitarse *vpr* se faner

marcial *adj* martial(e)

marco *nm* cadre *m*; (*moneda*) Mark *m*

marea *nf* marée *f*; **~ negra** marée noire

marear *vt* (MED) donner mal au cœur à; (*fam*) harceler; **~se** *vpr* avoir le mal de mer; (*desmayarse*) s'évanouir; (*estar aturdido*) être abruti(e)

maremoto *nm* raz-de-marée *m inv*

mareo *nm* mal *m* au cœur; (*en barco*) mal de mer; (*en avión*) mal de l'air; (*en coche*) des transports; (*desmayo*) évanouissement *m*; (*aturdimiento*) abrutissement *m*

marfil *nm* ivoire *m*

margarina *nf* margarine *f*

margarita *nf* marguerite *f*

margen *nm o f* (*de río, camino*) bord *m*; (*de página*) marge *f* ♦ *nm* marge; **dar ~ para** donner l'occasion de; **dejar a algn al ~** laisser qn en plan; **mantenerse al ~** rester en marge

marginar *vt* (*socialmente*) marginaliser

marica *nm* (*fam!: homosexual*) pédé *m* (*fam!*); (: *cobarde*) poule *f* mouillée

maricón *nm* (*fam!: homosexual*) pédé *m* (*fam!*); (: *insulto*) connard *m* (*fam!*)

marido *nm* mari *m*

marihuana *nf* marijuana *f*

marina *nf* (MIL) marine *f*;

mercante marine marchande

marinero, -a *adj* marin(e) ♦ *nm* marin *m*

marino, -a *adj* marin(e) ♦ *nm*

marin *m*
marioneta *nf* marionnette *f*
mariposa *nf* papillon *m*
mariquita *nf* coccinelle *f*
marisco *nm* fruit *m* de mer
marítimo, -a *adj* maritime
mármol *nm* marbre *m*
marqués, -esa *nm/f* marquis(e)
marrón *adj* marron
marroquí *adj* marocain(e) ♦ *nm/f*
Marocain(e) ♦ *nm* (*cuero*)
maroquin *m*
Marruecos *nm* Maroc *m*
martes *nm inv* mardi *m*; *ver tb*
sábado

Martes y Trece

*En Espagne, selon une
superstition, le mardi, et en
particulier le mardi 13, est un
jour qui porte malheur.*

---

martillo *nm* marteau *m*
mártir *nm/f* martyr(e); **martirio**
nm martyre *m*
marxismo *nm* marxisme *m*;
marxista *adj, nm/f* marxiste *m/f*
marzo *nm* mars *msg*; *ver tb* **julio**
mas *conj* mais

PALABRA CLAVE

más *adv* **1** (*compar*) plus; **más
grande/inteligente** plus
grand/intelligent; **trabaja más
(que yo)** il travaille plus (que
moi); **más de mil** plus de mille;
más de lo que yo creía plus
que je ne croyais
2 (+ *sustantivo*) plus de; **más
libros** plus de livres; **más
tiempo** plus longtemps
3 (*tras sustantivo*) en plus, de
plus; **3 personas más (que
ayer)** 3 personnes de plus
(qu'hier)
4 (*superl*): **el más ...** le plus ...;
el más inteligente (de) le plus
intelligent (de); **el coche más
grande** la voiture la plus grande;
el que más corre le plus rapide
5 (*adicional*): **deme una más**
donnez m'en encore une; **un
poco más** encore un peu; **¿qué
más?** quoi d'autre?, quoi
encore?; **¿quién más?** qui
d'autre?; **¿quieres más?** en
veux-tu *o* davantage?
6 (*negativo*): **no tengo más
dinero** je n'ai plus d'argent; **no
viene más por aquí** il ne vient
plus par ici; **no sé más** je n'en
sais pas plus *o* davantage; **nunca
más** plus jamais; **no hace más
que hablar** il ne fait que parler;
no lo sabe nadie más que él
il n'y a que lui qui le sache
7 (+ *adj*: *valor intensivo*): **¡qué
perro más sucio!** comme ce
chien est sale!; **¡es más tonto!**
qu'est-ce qu'il est bête!
8 (*locuciones*): **más o menos**
plus ou moins; **los más** la
plupart; **es más, acabamos
pegándonos** on a même fini par
se battre; **más aún** mieux
encore; **más bien** plutôt; *ver tb*
cada
9: **de más**: **veo que aquí
estoy de más** je vois que je suis
de trop ici; **tenemos uno de
más** nous en avons un de trop
10 (*AM*): **no más** seulement; **así
no más** comme ça; **ayer no
más** pas plus tard qu'hier
11: **por más**: **por más que lo
intento** j'ai beau essayer; **por
más que quisiera ...** j'ai beau
vouloir ...
12 (*MAT*): **2 más 2 son 4** 2 plus

2 font 4

♦ nm (MAT: signo) signe m plus; **este trabajo tiene sus más y sus menos** ce travail a de bons et de mauvais côtés

masa nf masse f; **las ~s** nmpl (POL) les masses fpl; **en ~** en masse

masacre nf massacre m

masaje nm massage m

máscara nf masque m; **~ antigás/de oxígeno** masque à gaz/à oxygène; **mascarilla** nf (MED, en cosmética) masque m

masculino, -a adj masculin(e); (BIO) masculin(e), mâle ♦ nm (LING) masculin m

masificación nf encombrement m

masivo, -a adj massif(-ive)

masón nm franc-maçon m

masoquista adj, nm/f masochiste m/f

máster nm (ESCOL) mastère m

masticar vt, vi mastiquer

mástil nm mât m; (de guitarra) manche m

mastín nm mâtin m

masturbación nf masturbation f

masturbarse vpr se masturber

mata nf (esp AM) arbuste m; (de espinas) brassée f; (de perejil) bouquet m

matadero nm abattoir m

matador nm (TAUR) matador m

matamoscas nm inv tue-mouches m inv

matanza nf (de gente) massacre m; (de cerdo: acción) abattage m du cochon

matar vt tuer; (hambre, sed) apaiser; **~se** vpr se tuer

matasellos nm inv cachet m de la poste

mate adj mat(e); (AND, CSUR: hierba, infusión) maté m, thé m des Jésuites; (: vasija) récipient m pour le maté; **~ de coca/de menta** thé à la coca/à la menthe

matemáticas nfpl mathématiques fpl, maths fpl; ver tb **matemático**

matemático, -a adj mathématique ♦ nm/f mathématicien(ne)

materia nf matière f; **en ~ de** en matière de; **~ prima** matière première; **material** adj matériel(le) ♦ nm matière f, matériau m; (dotación) matériel m; (cuero) peau f; **materialista** adj matérialiste; **materialmente** adv: **es materialmente imposible** c'est matériellement impossible

maternal adj maternel(le)

maternidad nf maternité f

materno, -a adj maternel(le)

matinal adj matinal(e)

matiz nm nuance f; **matizar** vt, vi préciser

matón nm dur m

matorral nm buisson m

matraca nf matraque f

matrícula nf (ESCOL) inscription f; (AUTO) immatriculation f; (: placa) plaque f d'immatriculation; **~ de honor** ≃ mention f très bien; **matricular** vt (coche) immatriculer; (alumno) inscrire; **matricularse** vpr s'inscrire

matrimonial adj (contrato) de mariage; (vida) conjugal(e)

matrimonio nm (pareja) couple m; (boda) mariage m

matriz nf (ANAT) utérus msg; (TEC, MAT) matrice f

maullar vi miauler

máxime adv particulièrement

máximo, -a adj maximal(e),
maximum; (longitud, altitud)
maximal(e) ♦ nm maximum m; **al
~** au maximum

mayo nm mai m; ver tb **julio**

mayonesa nf mayonnaise f

mayor adj (adulto) adulte; (de
edad avanzada) âgé(e); (MÚS, fig)
majeur(e); (compar: de tamaño)
plus grand(e); (: de edad) plus
âgé(e); (superl: ver compar) très
grand(e); très âgé(e); **~es** nmpl
adultes mpl; **al por ~** en gros; **~
de edad** majeur(e)

mayordomo nm majordome m

mayoría nf majorité f

mayorista m/f grossiste m/f

mayúscula nf (tb: **letra ~**)
majuscule f

mayúsculo, -a adj (susto)
terrible; (error) magistral(e)

mazapán nm pâte f d'amande

mazo nm maillet m

me pron me; (: en imperativo) moi;
¡**dámelo!** donne-le-moi!

mear (fam) vt, vi pisser

mecánica nf mécanique f

mecánico, -a adj mécanique ♦
nm/f mécanicien(ne)

mecanismo nm mécanisme m

mecanografía nf dactylographie f

mecanógrafo, -a nm/f
dactylo(graphe) m/f

mecate (AM) nm corde f

mecedor (AM) nm, **mecedora**
nf fauteuil m à bascule

mecer vt balancer; **~se** vpr se
balancer

mecha nf mèche f; **~s** nfpl (en el
pelo) mèches fpl

mechero nm briquet m

mechón nm (de pelo) mèche f

medalla nf médaille f

media nf moyenne f; (prenda de
vestir) bas msg; (AM) chaussette f

mediano, -a adj moyen(ne); **el
~** celui du milieu

medianoche nf minuit m

mediante adv grâce à

mediar vi servir d'intermédiaire;
(problema: interponerse)
s'interposer; **~ por algn**
intercéder en faveur de qn

medicación nf (acción) prise f de
médicaments; (medicamentos)
médicaments mpl

medicamento nm médicament
m

medicina nf (ciencia) médecine f;
(medicamento) médicament m

medición nf mesure f

médico, -a adj médical(e) ♦ nm/f
médecin m/f

medida nf mesure f; **~s** nfpl (de
persona) mesures fpl; **en cierta ~**
dans une certaine mesure; **en
gran ~** en grande partie; **un
traje a la ~** un costume sur
mesure; **~ de cuello** encolure f;
a ~ de mi etc **capacidad/
necesidad** dans la mesure de
mes etc possibilités/besoins; **a ~
que ...** à mesure que ...

medio, -a adj moyen(ne) ♦ adv à
moitié ♦ nm milieu m; (método)
moyen m; **~s** nmpl moyens mpl;
a medias à moitié; **~ litro** un
demi-litre; **media hora/
docena/manzana** une demi-
heure/douzaine/pomme; **las tres
y media** trois heures et demie; **~
dormido/enojado** à moitié
endormi/fâché; **en ~**, entre
medias au milieu; **por ~ de** au
moyen de; **~ ambiente**
environnement m; **~s de
comunicación/transporte**
moyens de communication/
transport

medioambiental adj (efectos) sur l'environnement; (política) écologique

mediocre (pey) adj médiocre

mediodía nm midi m; **a ~** à midi

medir vt mesurer; ¿**cuánto mides?** - **mido 1.50 m** tu mesures combien? - je mesure 1 m 50

meditar vt méditer ♦ vi: **~ (sobre)** méditer (sur)

mediterráneo, -a adj méditerranéen(ne) ♦ nm: **el (mar) M~** la (Mer) Méditerranée

médula nf moelle f; **~ espinal** moelle épinière

medusa (ESP) nf méduse f

megafonía nf sono f; (técnica) sonorisation f

megáfono nm porte-voix m inv

megalómano, -a nm/f mégalomane m/f

mejicano, -a (ESP) adj mexicain(e) ♦ nm/f Mexicain(e)

Méjico (ESP) nm Mexique m

mejilla nf joue f

mejillón nm moule f

mejor adj meilleur(e) ♦ adv mieux; **será ~ que vayas** il vaut mieux que tu t'en ailles; **a lo ~** peut-être; **~ dicho** plutôt; **¡(tanto) ~!** tant mieux!; **~ vámonos** (esp AM: fam) allons-y; **tu, ~ te callas** (esp AM: fam) toi, tu ferais mieux de te taire

mejora nf amélioration f; **mejorar** vt améliorer ♦ vi s'améliorer; (enfermo) se rétablir

mejoría nf (de enfermo) rétablissement m; (del tiempo) amélioration f

melancólico, -a adj mélancolique

melena nf (de persona) chevelure f; (de león) crinière f

mellizo, -a adj, nm/f jumeau(-elle); **~s** nmpl (AM) jumelles fpl; (de ropa) boutons mpl de manchette

melocotón (ESP) nm pêche f

melodía nf mélodie f

melodrama nm mélodrame m

melón nm melon m

membrete nm en-tête m

membrillo nm (fruto) coing m; (tb: **carne de ~**) confiture f de coings

memorable adj mémorable

memoria nf mémoire f; **~s** nfpl (de autor) mémoires fpl; **aprender/saber/recitar algo de ~** apprendre/savoir/réciter par cœur; **memorizar** vt mémoriser

menaje nm (de cocina) ustensiles mpl de cuisine; (del hogar) ustensiles de ménage

mencionar vt mentionner

mendigar vt, vi mendier

mendigo, -a nm/f mendiant(e)

mendrugo nm quignon m

menear vt remuer; (cadera) balancer; **~se** vpr remuer

menester nm: **es ~ hacer algo** il faut faire qch; **~es** nmpl devoirs mpl

menestra nf: **~ de verduras** macédoine f de légumes (parfois avec des morceaux de viande)

menguante adj décroissant(e); **menguar** vt diminuer ♦ vi décroître; (número) réduire; (días) diminuer

meningitis nf méningite f

menopausia nf ménopause f

menor adj (más pequeño: compar) plus petit(e); (número: superl) moindre; (más joven) plus jeune; (MÚS) mineur(e) ♦ nm/f (tb: **~ de edad**) mineur(e); **no tengo la ~**

idea je n'en ai pas la moindre idée; **al por ~** au détail

Menorca *nf* Minorque *f*

PALABRA CLAVE
---

menos *adv* **1** (*compar*) moins; **me gusta menos (que el otro)** je l'aime moins (que l'autre); **menos de 50** moins de 50; **menos de lo que espera-ba** moins que je n'en attendais **2** (+ *sustantivo*) moins de; **menos gente** moins de gens; **menos coches** moins de voitures

3 (*tras sustantivo*) de moins; **3 libros menos (que ayer)** 3 livres de moins (qu'hier)

4 (*superl*): **es la menos lista (de su clase)** c'est la moins intelligente (de sa classe); **el libro menos vendido** le livre le moins vendu; **de todas ellas es la que menos me agrada** c'est celle qui me plaît le moins parmi elles; **es el que menos culpa tiene** c'est celui qui est le moins coupable; **lo menos que ...** le moins que ...

5 (*locuciones*): **no quiero verle y menos visitarle** je ne veux pas le voir, encore moins lui rendre visite; **menos aún cuando ...** d'autant moins que ...; **¡menos mal (que ...)!** heureusement (que ...)!; **al o por lo menos** (tout) au moins; **si al menos ...** si seulement ...

6 (*MAT*): **5 menos 2** 5 moins 2
♦ *prep* (*excepto*) sauf; **todos menos él** tous sauf lui
♦ *conj*: **a menos que: a menos que venga mañana** à moins qu'il ne vienne demain

menospreciar *vt* sous-estimer

mensaje *nm* message *m*; **~ de texto** minimessage *m*, Texto *m* ®

mensajero, -a *nm/f* messager(-ère)

menstruación *nf* menstruation *f*

mensual *adj* mensuel(elle); **mensualidad** *nf* mensualité *f*

menta *nf* menthe *f*

mental *adj* mental(e); **mentalidad** *nf* mentalité *f*

mentalizar *vt* faire prendre conscience à; **~se** *vpr*: **~se (de/de que)** se faire à l'idée (de/de que)

mentar *vt* mentionner

mente *nf* esprit *m*; **tener en ~ (hacer)** avoir dans l'idée (de faire)

mentir *vi* mentir

mentira *nf* mensonge *m*; **parece ~ que ...** on ne dirait vraiment pas que ...; (*como reproche*) cela paraît incroyable que ...

mentiroso, -a *adj, nm/f* menteur(-euse)

menú *nm* menu *m*

menudo, -a *adj* (*muy pequeño*) menu(e); **¡~ negocio!** drôle d'affaire!; **¡~ chaparrón/lío!** quelle engueulade/histoire!; **¡~ sitio/actor!** (*pey*) drôle d'endroit/d'acteur!; **a ~** souvent

meñique *nm* (*tb: dedo ~*) auriculaire *m*

meollo *nm*: **el ~ del asunto** le fond du problème

mercado *nm* marché *m*; **M~ Común** marché commun

mercancía *nf* marchandise *f*

mercantil *adj* commercial(e)

mercenario, -a *adj, nm* mercenaire *m*

mercería *nf* mercerie *f*; **artículos/sección de ~** mercerie

mercurio nm mercure m

merecer vt mériter; **merece la pena** ça vaut la peine

merecido, -a adj mérité(e); **recibir su ~** en prendre pour son grade

merendar vt prendre pour son goûter ♦ vi prendre son goûter

merengue nm meringue f

meridiano nm méridien m

merienda vb ver **merendar** ♦ nf goûter m; (en el campo) pique-nique m

mérito nm mérite m

merluza nf colin m

merma nf perte f; **mermar** vt diminuer ♦ vi (comida) réduire; (fortuna) diminuer

mermelada nf confiture f

mero, -a adj simple; (CAM, MÉX: fam: verdadero) vrai(e); (: principal) principal(e); (: exacto) précis(e)

merodear vi: **~ por (un lugar)** rôder dans (un endroit)

mes nm mois msg

mesa nf table f; **poner/quitar la ~** mettre/débarrasser la table; **~ electoral** bureau m de vote; **~ redonda** table ronde

mesero, -a (esp MÉX) nm/f garçon (serveuse)

meseta nf plateau m

mesilla nf (tb: **~ de noche**) table f de nuit

mesón nm restaurant m

mestizo, -a adj, nm/f métis(-isse)

mesura nf (moderación) mesure f

meta nf but m

metabolismo nm métabolisme m

metáfora nf métaphore f

metal nm métal m; (MÚS) cuivres mpl

metálico, -a adj métallique ♦ nm: **en ~** en espèces

metalurgia nf métallurgie f

meteoro nm météore m

meteorología nf météorologie f

meter vt mettre; (involucrar) mêler; (COSTURA) raccourcir; (miedo) faire; (paliza) flanquer; **~se** vpr: **se en** (un lugar) entrer dans; (negocios, política) se lancer dans; (entrometerse) se mêler de; **~ algo en** o (esp AM) **a** mettre qch dans; **~se a escritor** se lancer dans la littérature; **~se con algn** s'en prendre à qn; (en broma) taquiner qn

meticuloso, -a adj méticuleux(-euse)

metódico, -a adj méthodique

método nm méthode f; **con ~** avec méthode

metodología nf méthodologie f

metralleta nf mitraillette f

metro nm mètre m; (tren: tb: **~politano**) métro m

mexicano, -a (AM) adj mexicain(e) ♦ nm/f Mexicain(e)

México nm Mexique m; **Ciudad de ~** Mexico

mezcla nf mélange m; **mezclar** vt mélanger; (cosas, ideas dispares) mêler; **mezclarse** vpr se mélanger; **mezclar a algn en** (pey) mêler qn à; **mezclarse en algo** (pey) se mêler de qch

mezquino, -a adj mesquin(e)

mezquita nf mosquée f

mg. abr (= miligramo(s)) mg (= milligramme(s))

mi adj mon (ma) ♦ nm (MÚS) mi m; **~ hijo** mon fils; **mis hijos** mes enfants

mí pron moi

michelín nm bourrelet m

micro nm micro m; (AM: microordenador) micro-ordinateur

m; (: *microbús*) minibus *msg*
microbio *nm* microbe *m*
micrófono *nm* microphone *m*
microondas *nm inv* (tb: **horno**
~) four *m* à micro-ondes
microscopio *nm* microscope *m*
miedo *nm* peur *f*; **tener** ~ avoir
peur; **tener** ~ **de que** avoir peur
que
miedoso, -a *adj* peureux(-euse)
miel *nf* miel *m*
miembro *nm* membre *m*; ~ **viril**
membre viril
mientras *conj* pendant que ♦ *adv*
en attendant; ~ **viva/pueda** tant
que je vivrai/pourrai; ~ **que** tandis
que; ~ **tanto** entre-temps
miércoles *nm inv* mercredi *m*;
ver tb **sábado**
mierda (*fam!*) *nf* merde *f* (*fam!*)
miga *nf* mie *f*; (*una miga*) miette *f*;
hacer buenas ~s (*fam*) faire
bon ménage
migración *nf* migration *f*
mil *adj, nm* mille *m*; **dos ~ libras**
deux milles livres
milagro *nm* miracle *m*; **de ~** par
miracle
milagroso, -a *adj*
miraculeux(-euse)
milésimo, -a *adj, nm/f* millième *m*
mili *nf*: **la ~** (*fam*) le service
(militaire)
milicia *nf* milice *f*
milímetro *nm* millimètre *m*
militante *adj, nm/f* militant(e)
militar *adj, nm/f* militaire *m* ♦ *vi*:
~ **en** (*POL*) militer dans
millar *nm* millier *m*
millón *nm* million *m*
millonario, -a *adj, nm/f*
millionnaire *m/f*
mimar *vt* gâter
mimbre *nm o f* osier *m*

mímica *nf* mimique *f*
mimo *nm* (*gesto cariñoso*)
mamours *mpl*; (*en trato con niños*:
pey) indulgence *f*; (*TEATRO*) mime
m
mina *nf* mine *f*; **minar** *vt* miner
mineral *adj* minéral(e) ♦ *nm*
minéral *m*
minero, -a *adj* minier(-ière) ♦
nm/f mineur *m*
miniatura *nf* miniature *f*; **en** ~
en miniature
minifalda *nf* mini-jupe *f*
mínimo, -a *adj* (*temperatura,*
salario) minimal(e); (*detalle,*
esfuerzo) minime ♦ *nm* minimum
m
ministerio *nm* ministère *m*
ministro, -a *nm/f* ministre *m*
minoría *nf* minorité *f*
minucioso, -a *adj*
minutieux(-euse)
minúscula *nf* minuscule *f*
minusválido, -a *adj, nm/f*
handicapé(e)
minuta *nf* (*de abogado etc*)
minute *f*
minutero *nm* aiguille *f* des
minutes
minuto *nm* minute *f*
mío, -a *adj* mien(-enne) ♦ *pron* le
mien (la mienne); **un amigo** ~
un de mes amis
miope *adj* myope
mira *nf* (*de arma*) viseur *m*; **con**
la ~ **de** (*hacer*) dans le but de
(faire); **con ~s a** (*hacer*) en vue
de (faire)
mirada *nf* regard *m*;
(*momentánea*) coup *m* d'œil;
echar una ~ **a** jeter un coup
d'œil à
mirado, -a *adj* réservé(e); **estar**
bien/mal ~ être bien/mal vu(e)
mirador *nm* mirador *m*

mirar vt regarder; (considerar)
penser a ♦ vi regarder; (suj:
ventana etc) donner sur; **~se**
se regarder; **~ (hacia/por)**
regarder (vers/par); **~ bien/mal a algn**
apprécier/ne pas apprécier qn; **~
por algn/algo** veiller sur qn/qch

mirilla nf judas msg

mirlo nm merle m

misa nf messe f

miserable adj, nm/f misérable
m/f

miseria nf misère f; **una ~** (muy
poco) une misère

misericordia nf miséricorde f

misil nm missile m

misión nf mission f; **misiones**
nfpl (REL) missions fpl

misionero, -a nm/f missionnaire
m/f

mismo, -a adj: **el ~ libro/
apellido** le même livre/nom de
famille; (con pron personal): **mi** etc
~ moi etc même ♦ adv: **aquí/hoy
~** (dando énfasis) ici/aujourd'hui
même; (por ejemplo) par exemple
ici/aujourd'hui; **ayer ~** pas plus
tard qu'hier ♦ conj: **lo ~ que** de
même que; **el ~ color** la même
couleur; **ahora ~** à l'instant; **yo
~ lo vi** je l'ai vu de mes propres
yeux; **quiero lo ~** je veux la
même chose; **es** o **da lo ~** peu
importe; **~ que** (MÉX: esp en
prensa) qui

misterio nm mystère m; **hacer
algo con (mucho) ~** faire qch
en (grand) secret

misterioso, -a adj
mystérieux(-euse)

mitad nf moitié f; (centro) milieu
m; **a ~ de precio** à moitié prix;
en o **a ~ del camino** à mi-
chemin; **cortar por la ~**

partager en deux

mitigar vt atténuer

mitin nm (esp POL) meeting m

mito nm mythe m

mixto, -a adj mixte; (ensalada)
composé(e)

mobiliario nm mobilier m

mochila nf sac m à dos

moción nf motion f

moco nm morve f

moda nf mode f; **estar de ~** être
à la mode; **pasado de ~**
démodé(e)

modales nmpl manières fpl

modalidad nf modalité f

modelar vt modeler

modelo adj inv modèle ♦ nm/f
modèle m; (en moda, publicitario)
mannequin m ♦ nm (a imitar)
modèle

moderado, -a adj modéré(e)

moderar vt modérer; **~se (en)**
se modérer (dans)

modernizar vt moderniser

moderno, -a adj moderne

modestia nf modestie f

modesto, -a adj modeste

módico, -a adj modique

modificar vt modifier

modisto, -a nm/f couturier(-ère)

modo nm (manera) manière f; **~s**
nmpl (modales): **buenos/malos
~s** bonnes/mauvaises manières;
"~ de empleo" "mode
d'emploi"; **de ningún ~** en
aucune façon; **de todos ~s** de
toute manière

modorra nf léthargie f

mofa nf: **hacer ~ de algn** se
moquer de qn

mofarse vpr: **~ de** se moquer de

moho nm (en pan etc) moisi m

mojar vt mouiller; **~se** vpr se
mouiller

mojón nm borne f

molde nm moule m

mole nf masse f ♦ nm (MÉX) (sorte f de viande en) daube f

moler vt moudre

molestar vt (suj: olor, ruido) gêner; (: visitas, niño) déranger; (: zapato, herida) faire mal à; (: comentario, actitud) vexer; **~se** vpr se déranger; (ofenderse) se vexer; **~se (en)** prendre la peine (de)

molestia nf gêne f; (MED) douleur f; **tomarse la ~** de prendre la peine de; **no es ninguna ~** cela ne me dérange pas du tout, je vous en prie; **"perdonen las ~s"** "veuillez nous excuser pour le désagrément"

molesto, -a adj gênant(e), désagréable; **estar ~** (MED) se sentir mal; (enfadado) être fâché(e); **estar ~ con algn** ne pas être à l'aise avec qn

molido, -a adj: **estar ~** être crevé(e)

molinillo nm: **~ de café** moulin m à café

molino nm moulin m

momentáneo, -a adj momentané(e)

momento nm moment m; **es el/no es el ~ de (hacer)** c'est/ce n'est pas le moment de (faire); **de ~** pour le moment

momia nf momie f

monarca nm monarque m; **monarquía** nf monarchie f

monárquico, -a adj monarchique ♦ nm/f monarchiste m/f

monasterio nm monastère m

La Moncloa

Le palais de la Moncloa à Madrid est la résidence officielle du chef du gouvernement espagnol. Par extension, la Moncloa désigne souvent le chef du gouvernement et ses collaborateurs.

mondar vt éplucher; **~se** vpr: **~se de risa** (fam) se tordre de rire

moneda nf (unidad monetaria) monnaie f; (pieza) pièce f de monnaie; **monedero** nm porte-monnaie m inv

monetario, -a adj monétaire

monitor, a nm/f moniteur(-trice) ♦ nm (TV, INFORM) moniteur m

monja nf religieuse f

monje nm moine m

mono, -a adj beau (belle) ♦ nm/f singe (guenon) ♦ nm (prenda: entera) bleu m de travail

monólogo nm monologue m

monopolio nm monopole m; **monopolizar** vt monopoliser

monotonía nf monotonie f

monótono, -a adj monotone

monstruo nm monstre m

monstruoso, -a adj monstrueux(-euse)

montaje nm montage m

montaña nf montagne f; **~ rusa** montagne russe

montar vt, vi monter; **~ a caballo** monter à cheval; **botas de ~** bottes fpl d'équitation; **~ en cólera** se mettre en colère

monte nm mont m; (área sin cultivar) bois msg; **~ de piedad** mont de piété

montón nm tas msg; (de gente, dinero) flopée f

monumento nm monument m

moño nm chignon m

moqueta nf moquette f

mora nf (BOT) mûre f

morada nf demeure f

morado, -a adj violet(-ette) ♦ nm violet m

moral adj moral(e) ♦ nf morale f; (ánimo) moral m ♦ nm (BOT) mûrier m

moraleja nf morale f

moralidad nf moralité f

morboso, -a adj morbide

morcilla nf (CULIN) ≃ boudin m noir

mordaz adj (crítica) sévère

mordaza nf bâillon m

morder vt mordre; **mordisco** nm petite morsure f

moreno, -a adj brun(e); (de pelo) mat(e); **estar ~** être bronzé(e); **ponerse ~** se bronzer

morfina nf morphine f

moribundo, -a adj, nm/f moribond(e)

morir vi mourir; **~se** vpr mourir; **fue muerto a tiros/en un accidente** il a été tué par balles/dans un accident; **~se de envidia/de ganas/de vergüenza** mourir de jalousie/d'envie/de honte

moro, -a adj maure (mauresque) ♦ nm/f Maure (Mauresque)

moroso, -a adj retardataire ♦ nm (COM) mauvais payeur m

morral nm musette f

morro nm museau m; (AUTO, AVIAT) devant m; **beber a ~** boire au goulot; **estar de ~s (con algn)** faire la gueule (à qn); **tener mucho ~** (fam) avoir du toupet

mortadela nf mortadelle f

mortaja nf linceul m

mortal adj, nm/f mortel(-elle);

mortalidad nf mortalité f

mortero nm mortier m

mortífero, -a adj meurtrier(-ère)

mortificar vt mortifier

mosca nf mouche f

Moscú n Moscou

mosquear (fam) vt (hacer sospechar) faire soupçonner; (fastidiar) agacer; **~se** (fam) vpr se vexer

mosquitero nm moustiquaire f

mosquito nm moustique m

mostaza nf moutarde f

mostrador nm comptoir m

mostrar vt montrer; (el camino) montrer, indiquer; (explicar) expliquer; **~se** vpr: **~se amable** se montrer aimable

mota nf poussière f; (en tela: dibujo) nœud m

mote nm surnom m

motín nm mutinerie f

motivar vt motiver, encourager, stimuler; **motivo** nm motif m

moto, motocicleta nf moto f

motor, a adj moteur(-trice) ♦ nm moteur m; **~ a o de reacción/ de explosión** moteur à réaction/à explosion

motora nf canot m

movedizo, -a adj: **arenas movedizas** sables mpl mouvants

mover vt bouger; (máquina) mettre en marche; **~se** vpr se déplacer; (tierra) glisser; **~ a algn a hacer** (empujar) pousser qn à faire; **~ la cabeza** (para negar) hocher la tête de droite à gauche

móvil adj mobile; (pieza de máquina) roulant(e) ♦ nm (de crimen) mobile m; **movilidad** nf mobilité f; **movilizar** vt mobiliser

movimiento nm mouvement m

moza nf jeune fille f

mozo nm jeune homme m; (en hotel) groom m; (camarero) garçon m; (MIL) conscrit m

muchacha nf fille f; (criada)

domestique f
muchacho *nm* garçon *m*
muchedumbre *nf* foule *f*

PALABRA CLAVE
---

mucho, -a *adj* **1** (*cantidad, número*) beaucoup de; **mucha gente** beaucoup de monde; **mucho dinero** beaucoup d'argent; **hace mucho calor** il fait très chaud; **muchas amigas** beaucoup d'amies
2 (*sg: fam: grande*): **ésta es mucha casa para él** cette maison est bien trop grande pour lui
3 (*sg: demasiados*): **hay mucho gamberro aquí** il y a beaucoup de voyous par ici
♦ *pron*: **tengo mucho que hacer** j'ai beaucoup de (choses) à faire; **muchos dicen que ...** beaucoup de gens disent que ...; *ver tb* **tener**
♦ *adv* **1**: **te quiero mucho** je t'aime beaucoup; **lo siento mucho** je regrette beaucoup, je suis vraiment désolé; **mucho antes/mejor** bien avant/meilleur; **come mucho** il mange beaucoup; **¿te vas a quedar mucho?** tu vas rester longtemps?
2 (*respuesta*): **leo como mucho un libro al mes** je lis au maximum un livre par mois; **el mejor con mucho** de loin le meilleur; **ni mucho menos!** loin de là!; **él no es ni mucho menos trabajador** il est loin d'être travailleur
4: por mucho que: por mucho que le quieras tu as

beau l'aimer

muda *nf* (*de ropa*) linge *m* de rechange
mudanza *nf* déménagement *m*; **camión/casa de ~s** camion *m*/entreprise *f* de déménagement
mudar *vt* changer; (*ZOOL*) muer; **~se** *vpr*: **~se (de ropa)** se changer; **~ de** (*opinión, color*) changer de; **~se (de casa)** déménager; **la voz le está mudando** il est en train de muer
mudo, -a *adj* muet(te); (*callado*) silencieux(-euse)
mueble *nm* meuble *m*
mueca *nf* grimace *f*
muela *vb ver* **moler** ♦ *nf* (*diente de atrás*) molaire *f*; **~ del juicio** dent *f* de sagesse
muelle *nm* ressort *m*; (*NÁUT*) quai *m*
muera *etc vb ver* **morir**
muerte *nf* mort *f*; **dar ~ a** donner la mort à
muerto, -a *pp de* **morir** ♦ *adj* mort(e) ♦ *nm/f* mort(e)
muestra *vb ver* **mostrar** ♦ *nf* (*COM, COSTURA*) échantillon *m*; (*de sangre*) prélèvement *m*; (*en estadística*) échantillonnage *m*; (*señal*) preuve *f*
muestreo *nm* (*estadístico*) échantillonnage *m*
mueva *etc vb ver* **mover**
mugir *vi* mugir
mugre *nf* (*suciedad*) crasse *f*; (*: grasienta*) cambouis *msg*
mugriento, -a *adj* crasseux(-euse)
mujer *nf* femme *f*; **mujeriego** *adj, nm* coureur *m*
mula *nf* mule *f*
muleta *nf* (*para andar*) béquille *f*; (*TAUR*) muleta *f*

mullido, -a adj moelleux(-euse)
multa nf amende f; **multar** vt condamner à une amende
multicines nmpl cinéma m multisalle
multinacional adj multinational(e) ♦ nf multinationale f
múltiple adj multiple
multiplicar vt multiplier; **~se** vpr se multiplier; (para hacer algo) se démener, se mettre en quatre
multitud nf foule f; **~ de** multitude de
mundano, -a adj mondain(e)
mundial adj mondial(e)
mundo nm monde m; **todo el ~** tout le monde; **tiene mundo** il sait comment se comporter en société
munición nf munition f
municipal adj municipal(e) ♦ nm/f (tb: **policía ~**) agent m de police
municipio nm municipalité f
muñeca nf (ANAT) poignet m; (juguete, mujer) poupée f; (AND, CSUR: fam) prise f de courant
muñeco nm (juguete) baigneur m; (marioneta, fig) pantin m
mural nm peinture f murale
muralla nf muraille f
murciélago nm chauve-souris fsg
murmullo nm murmure m
murmuración nf médisance f; **murmurar** vt, vi murmurer; **murmurar (de)** (criticar) dire du mal (de)
muro nm mur m
muscular adj musculaire
músculo nm muscle m
museo nm musée m
musgo nm mousse f
música nf musique f; ver tb **músico**

musical adj musical(e)
músico, -a nm/f musicien(ne)
muslo nm cuisse f
mustio, -a adj (planta) flétri(e)
musulmán, -ana adj, nm/f musulman(e)
mutación nf mutation f
mutilar vt mutiler
mutismo nm mutisme m
mutuo, -a adj mutuel(-elle)
muy adv très; **M~ Señor mío/Señora mía** cher Monsieur/chère Madame; **~ de noche** tard dans la nuit

N, n

N abr (= norte) N (= nord)
N. sigla f (= carretera nacional) RN f (= route nationale)
n. abr (= nacido, a) né(e)
nabo nm navet m
nácar nm nacre f
nacer vi naître; (vegetal, barba, vello) pousser; (río) prendre sa source; (columna, calle) commencer
nacido, -a adj: **~ en** né(e) en; **naciente** adj naissant(e); **el sol naciente** le soleil levant; **nacimiento** nm naissance f; (de Navidad) crèche f; (de río) source f
nación nf nation f; **nacional** adj national(e)
nacionalidad nf nationalité f; **nacionalismo** nm nationalisme m; **nacionalista** adj, nm/f nationaliste m/f; **nacionalizar** vt nationaliser; **nacionalizarse** vpr se faire naturaliser
nada pron, adv rien; **no decir ~** ne rien dire; **de ~** de rien; **por ~** pour rien
nadador, a nm/f nageur(-euse)

nadar *vi* nager

nadie *pron* personne; **~ habló** personne n'a parlé; **no había ~** il n'y avait personne

nado *adv*: **a ~** à la nage

nafta (*CSUR*) *nf* (*gasolina*) essence *f*

naipe *nm* carte *f*

nalgas *nfpl* fesses *fpl*

nana *nf* berceuse *f*

naranja *adj inv* orange ♦ *nm* (*color*) orange *m* ♦ *nf* (*fruta*) orange *f*; **media ~** (*fam*) moitié *f*;

naranjada *nf* orangeade *f*;

naranjo *nm* oranger *m*

narciso *nm* narcisse *m*

narcótico, -a *adj*, *nm* narcotique *m*; **narcotizar** *vt* administrer des narcotiques à

nardo *nm* nard *m*

narigón, -ona, narigudo, -a *adj*: **un tipo ~** un type au grand nez

nariz *nf* nez *m*; **narices** *nfpl* narines *fpl*; **delante de las narices de algn** au nez de qn; **~ chata/respingona** nez épaté/en trompette

narración *nf* narration *f*

narrador, -a *nm/f* narrateur(-trice)

narrar *vt* raconter; **narrativa** *nf* genre *m* narratif

nata *nf* crème *f*

natación *nf* natation *f*

natal *adj* natal(e); **natalidad** *nf* natalité *f*; **control de natalidad** contrôle *m* des naissances

natillas *nfpl* crème *f* renversée

nativo, -a *adj* (*costumbres*) local(e), du pays; (*lengua*) maternel(le); (*país*) natal(e) ♦ *nm/f* natif(-ive)

nato, -a *adj*: **un actor/pintor/músico ~** un acteur/peintre/musicien né

natural *adj* naturel(le); (*luz*) du jour; (*flor, fruta*) vrai(e); **~ de** natif(-ive) de

naturaleza *nf* nature *f*

naturalidad *nf* naturel *m*

naturalmente *adv* naturellement; **¡~!** naturellement!

naufragar *vi* faire naufrage; **naufragio** *nm* naufrage *m*

náufrago, -a *nm/f* naufragé(e)

náuseas *nfpl* nausées *fpl*; **me da ~** ça me donne la nausée

náutico, -a *adj* nautique

navaja *nf* couteau *m* (de poche); **~ (de afeitar)** rasoir *m* à main

naval *adj* naval(e)

Navarra *nf* Navarre *f*

nave *nf* (*barco*) navire *m*; (*ARQ*) nef *f*; **~ espacial** vaisseau *m* spatial; **~ industrial** atelier *m*

navegación *nf* navigation *f*; (*viaje*) voyage *m* en mer; **~ aérea/costera/fluvial** navigation aérienne/côtière/fluviale; **navegante** *nm/f* navigateur(-trice); **navegar** *vi* naviguer

navidad *nf* (*tb*: **~es**) fêtes *fpl* de Noël; (*tb*: **día de ~**) la Noël; (*REL*) Noël *m*

navideño, -a *adj* de Noël

navío *nm* navire *m*

nazca *etc vb ver* **nacer**

nazi *adj* nazi(e) ♦ *nm/f* Nazi(e)

NE *abr* (= *nor(d)este*) N.-E. (= *nord-est*)

neblina *nf* brume *f*

nebulosa *nf* nébuleuse *f*

necesario, -a *adj*: **~ (para)** nécessaire (pour); **(no) es ~ que** il (n')est (pas) nécessaire que

neceser *nm* nécessaire *m*

necesidad *nf* besoin *m*; (*cosa necesaria*) nécessité *f*; (*miseria*) pauvreté *f*; **en caso de ~** en cas de besoin; **hacer sus ~es** faire ses besoins

necesitado, -a adj
nécessiteux(-euse); **estar ~ de**
avoir grand besoin de

necesitar vt: ~ **(hacer)** avoir
besoin de (faire) ♦ vi: ~ **de** avoir
besoin de

necio, -a adj, nm/f idiot(e)

néctar nm nectar m

nectarina nf nectarine f

nefasto, -a adj néfaste

negación nf négation f

negar vt (hechos) nier; (permiso,
acceso) refuser; **~se** vpr: **~se a
hacer algo** se refuser à faire qch

negativa nf négative f; (rechazo)
refus msg

negativo, -a adj négatif(-ive) ♦
nm (FOTO) négatif m

negligencia nf négligence f;
negligente adj négligent(e)

negociado nm bureau m

negociante nm/f (COM)
négociant(e); (pey) trafiquant(e)

negociar vt négocier ♦ vi: ~ **en** o
con (COM) faire le commerce de o
du commerce avec

negocio nm affaire f; (tienda)
commerce m; **los ~s** les affaires
fpl; **hacer ~** faire des affaires;
¡eso es un ~! ça rapporte!; **~
sucio** affaire f louche; **¡mal ~!**
(fam) ça va mal!

negra nf (MÚS) noire f; (mala
suerte) poisse f

negro, -a adj noir(e) ♦ nm (color)
noir m ♦ nm/f (persona) noir(e);
(AM: color) chéri(e)

nene, -a nm/f petit(e)

nenúfar nm nénuphar m

neón nm: **luz** o **lámpara de ~**
néon m

neoyorquino, -a adj new-
yorkais(e)

nervio nm nerf m; (BOT, ARQ)

nervure f; **nerviosismo** nm état
m d'agitation, nervosité f

nervioso, -a adj nerveux(-euse)

neto, -a adj net (nette)

neumático nm pneu m; **~ de
recambio** roue f de secours

neurona nf neurone m

neutral adj neutre; **neutralizar**
vt neutraliser

neutro, -a adj neutre; (BIO)
asexué(e)

neutrón nm neutron m

nevada nf chute f de neige

nevar vi neiger

nevera (ESP) nf réfrigérateur m

nexo nm lien m

ni conj ni; (tb: ~ **siquiera**) même
pas; ~ **aunque** même si; ~
blanco ~ negro ni blanc ni noir

Nicaragua nf Nicaragua m;
nicaragüense adj
nicaraguayen(ne) ♦ nm/f
Nicaraguayen(ne)

nicho nm niche f

nicotina nf nicotine f

nido nm nid m

niebla nf brouillard m

niego etc, **niegue** etc vb ver
negar

nieto, -a nm/f petit-fils (petite-
fille); **los ~s** nmpl les petits-
enfants

nieve vb ver **nevar** ♦ nf neige f;
(AM: helado) glace f

Nilo nm: **el (Río) ~** le Nil

nimiedad nf bagatelle f

nimio, -a adj insignifiant(e), sans
importance

ninfa nf nymphe f

ningún adj ver **ninguno**

ninguno, -a adj aucun(e) ♦ pron:
personne; **de ninguna manera**
en aucune manière

niña nf (petite) fille f; (del ojo)
pupille f

niñera nf nourrice f; **niñería**
(pey) nf enfantillage m

niñez nf enfance f

niño, -a adj jeune; (pey) puéril(e)
♦ nm enfant m; (chico) (petit)
garçon m; (bebé) petit enfant m

nipón, -ona adj nippon(e o ne)

níquel nm nickel m; **niquelar** vt
nickeler

níspero nm néflier m

nitidez nf (de imagen) netteté f;
(de atmósfera) pureté f

nítido, -a adj (imagen) net(te);
(cielo) dégagé(e); (atmósfera)
pur(e)

nitrato nm nitrate m

nitrógeno nm azote m

nivel nm niveau m; **~ del aceite**
niveau d'huile; **~ de vida** niveau
de vie; **nivelar** vt niveler;
(ingresos, categorías) égaliser

NN. UU. abr (= Naciones Unidas)
NU (= Nations unies)

PALABRA CLAVE

no adv **1:** ¡no! (en respuesta) non!;
ahora no pas maintenant; **no**
mucho pas tellement, pas
beaucoup; **¡cómo no!** bien sûr!
2 (con verbo) ne ... pas; **no viene**
il ne vient pas; **no es el mío** ce
n'est pas le mien
3 (no + sustantivo): **pacto de no**
agresión pacte m de non-
agression; **los países no**
alineados les pays non-alignés
4: **no sea que haga frío** au cas
où il ferait froid
5: **no bien hubo terminado**
se marchó à peine eut-il terminé
qu'il s'en alla
6: ¡a que no lo sabes! je parie
que tu ne le sais pas!

noble adj, nm/f noble m/f;

nobleza nf noblesse f; **la**
nobleza la noblesse

noche nf nuit f; (la tarde) soir m;
de ~, por la ~ le soir; (de
madrugada) la nuit; **se hace de**
~ la nuit tombe; **es de ~** il fait
nuit

Noche de San Juan

La fête de la **Noche de San**
Juan a lieu le 24 juin. Cette fête,
qui coïncide avec le solstice d'été,
a remplacé d'anciennes fêtes
païennes. Durant les festivités, où
selon la tradition le feu joue un
rôle important, on danse autour
de feux de joie dans les villes et
les villages.

Nochebuena nf nuit f de Noël

Nochebuena

Dans les pays de langue
espagnole, comme en France, on
fête Noël la nuit du 24 décembre;
c'est **Nochebuena**. Les familles
se réunissent autour d'un grand
repas et les plus pieux assistent à
la messe de minuit. Bien que la
tradition veuille que les cadeaux
soient apportés par les Rois mages
le 6 janvier, il est de plus en plus
fréquent de s'offrir des cadeaux la
veille de Noël.

Nochevieja nf nuit f de la Saint
Sylvestre

Nochevieja

En Espagne, "las campanadas",
les douze coups de l'horloge de la
"Puerta del Sol" à Madrid, qui
sont retransmis en direct pour

marquer le début de chaque nouvelle année, représentent le temps fort du réveillon de la Saint-Sylvestre **Nochevieja**. *Lorsque minuit sonne, la tradition connue sous le nom de "las uvas de la suerte" ou "las doce uvas", veut que l'on mange douze grains de raisin, un pour chaque coup.*

noción *nf* notion *f*

nocivo, -a *adj* nocif(-ive)

noctámbulo, -a *adj, nm/f* noctambule *m/f*

nocturno, -a *adj* nocturne; *(club)* de nuit; *(clases)* du soir ♦ *nm (MÚS)* nocturne *m*

nodriza *nf* nourrice *f*; **buque/ nave ~** bateau *m*/navire *m* de ravitaillement

nogal *nm* noyer *m*

nómada *adj, nm/f* nomade *m/f*

nombramiento *nm* nomination *f*

nombrar *vt* nommer

nombre *nm* nom *m*; *(tb: ~ completo)* nom (et prénom); **~ y apellidos** nom et prénoms; **~ común** nom commun; **~ de pila** prénom *m*; **~ de soltera** nom de jeune fille; **~ propio** nom propre

nómina *nf (de personal)* liste *f*; *(hoja de sueldo)* feuille *f* de paie

nominal *adj* nominal(e)

nominar *vt* nommer

nominativo, -a *adj (LING)* nominatif(-ive); **un cheque ~ a X** un chèque à l'ordre de X

nordeste *adj* nord-est ♦ *nm* nord-est *m*

nórdico, -a *adj (zona)* nord; *(escandinavo)* nordique

noreste *adj, nm* = **nordeste**

noria *nf (AGR)* noria *f*; *(de feria)* grande roue *f*

normal *adj* normal(e);
normalidad *nf* normalité *f*;
restablecer la normalidad rétablir l'ordre; **normalizar** *vt* normaliser; *(gastos)* régulariser;
normalizarse *vpr* se normaliser

normando, -a *adj* normand(e) ♦ *nm/f* Normand(e)

normativa *nf* réglementation *f*

noroeste *adj* nord-ouest ♦ *nm* nord-ouest *m*

norte *adj* nord ♦ *nm* nord *m*

norteamericano, -a *adj* américain(e) ♦ *nm/f* Américain(e)

Noruega *nf* Norvège *f*

noruego, -a *adj* norvégien(ne) ♦ *nm/f* Norvégien(ne)

nos *pron* nous; **~ levantamos a las 7** nous nous levons à 7 heures

nosotros, -as *pron* nous

nostalgia *nf* nostalgie *f*

nota *nf* note *f*; **~s** *nfpl (apuntes)* notes *fpl*; *(ESCOL)* résultats *mpl*

notar *vt (darse cuenta de)* remarquer; *(frío, calor)* sentir; **~se** *vpr (efectos, cambio)* se faire sentir; *(mancha)* se voir; **se nota que ...** on voit que ...

notarial *adj* notarial(e); **acta ~** acte *m* notarié

notario *nm* notaire *m*

noticia *nf* nouvelle *f*; **las ~s** *(TV)* les informations; **tener ~s de algn** avoir des nouvelles de qn

noticiero *nm* journal *m*

notificación *nf* notification *f*;
notificar *vt* notifier

notoriedad *nf* notoriété *f*

notorio, -a *adj* notoire

novato, -a *adj, nm/f* nouveau(-velle)

novecientos, -as *adj* neuf

cents; *ver tb* **seiscientos**

novedad *nf* nouveauté f; (*noticia*) nouvelle f

novel *adj* débutant(e)

novela *nf* roman *m*

noveno, -a *adj, nm/f* neuvième *m/f*; *ver tb* **sexto**

noventa *adj inv, nm inv* quatre-vingt-dix *m inv*; *ver tb* **sesenta**

novia *nf ver* **novio**

noviazgo *nm* fiançailles *fpl*

novicio, -a *adj* (REL) novice ♦ *nm/f* (REL) novice *m/f*

noviembre *nm* novembre *m*; *ver tb* **julio**

novillada *nf* course de jeunes taureaux

novillero *nm* torero combattant de jeunes taureaux

novillo *nm* jeune taureau *m*; **hacer novillos** (*fam*) faire l'école buissonnière

novio, -a *nm/f* (*amigo íntimo*) petit(e) ami(e); (*prometido*) fiancé(e); (*en boda*) marié(e); **los ~s** les fiancés *mpl*; (*en boda*) les mariés *mpl*

nubarrón *nm* gros nuage *m*

nube *nf* nuage *m*; (*de mosquitos*) nuée f; (MED: *ocular*) taie f

nublado, -a *adj* nuageux(-euse); (*día*) gris(e)

nubosidad *nf* nuages *mpl*; **había mucha ~** il y avait beaucoup de nuages

nuca *nf* nuque f

nuclear *adj* nucléaire

núcleo *nm* noyau *m*; **~ de población** agglomération f; **~ urbano** centre *m* urbain

nudillo *nm* jointure f

nudista *adj, nm/f* nudiste *m/f*

nudo *nm* nœud *m*; **~ de carreteras** nœud routier; **~ de comunicaciones** nœud de communications

nudoso, -a *adj* noueux(-euse)

nuera *nf* belle-fille f

nuestro, -a *adj* à nous ♦ *pron* notre; **~ padre** notre père; **un amigo ~** un de nos amis; **es el ~** c'est le nôtre

nueva *nf* nouvelle f

nuevamente *adv* à nouveau

Nueva York *n* New York

Nueva Zelanda *nf* Nouvelle-Zélande f; **Nueva Zelandia** (AM) *nf* = **Nueva Zelanda**

nueve *adj inv, nm inv* neuf *m inv*; *ver tb* **seis**

nuevo, -a *adj* nouveau(-velle); (*no usado*) neuf (neuve); **de ~** de nouveau

nuez (*pl* **nueces**) *nf* noix *fsg*; **~ (de Adán)** pomme f d'Adam; **~ moscada** noix muscade

nulidad *nf* nullité f; **es una ~** (*pey*) il est nul

nulo, -a *adj* nul(le); **soy ~ para la música** je suis nul(le) en musique

núm. *abr* (= *número*) n° (= *número*)

numeración *nf* (*de calle, páginas*) numérotation f; (*sistema*) chiffres *mpl*

numeral *nm* numéral *m*

numerar *vt* numéroter

número *nm* nombre *m*; (*de zapato*) pointure f; (TEATRO, *de publicación, de lotería*) numéro *m*; **estar en ~s rojos** être à découvert; **~ atrasado** vieux numéro; **~ de matrícula/de teléfono** numéro d'immatriculation/de téléphone; **~ decimal/impar/par** nombre décimal/impair/pair; **~ romano** chiffre romain

numeroso, -a *adj*

nombreux(-euse); *ver tb* **familia**
nunca *adv* jamais
nupcias *nfpl*: **en segundas ~** en secondes noces
nutria *nf* loutre *f*
nutrición *nf* nutrition *f*
nutrido, -a *adj* nourri(e); *(grupo, representación)* dense; **bien/mal ~** bien/mal nourri(e)
nutrir *vt* nourrir; **~se** *vpr*: **~se de** se nourrir de
nutritivo, -a *adj* nutritif(-ive)
nylon *nm* nylon *m*

Ñ, ñ

ñato, -a *(CSUR) adj (de nariz chata)* camus(e)
ñoñería *nf (de persona sosa)* fadeur *f*; *(de persona melindrosa)* pudibonderie *f*; *(una ñoñería)* niaiserie *f*
ñoño, -a *adj (soso)* fadasse *(fam)*; *(melindroso)* pudibond(e)

O, o

O *abr (= oeste)* O *(= ouest)*
o *conj* ou
o/ *nm (= orden)* commande *f*
oasis *nm inv* oasis *msg o fsg*
obedecer *vt* obéir à ♦ *vi* obéir; **~ a** *(MED, fig)* succomber à; **obediencia** *nf* obéissance *f*; **obediente** *adj* obéissant(e)
obertura *nf (MÚS)* ouverture *f*
obesidad *nf* obésité *f*
obeso, -a *adj* obèse
obispo *nm* évêque *m*
objeción *nf* objection *f*
objetar *vt*: **~ que** objecter que ♦ *vi* être objecteur de conscience
objetivo, -a *adj* objectif(-ive) ♦

nm objectif *m*
objeto *nm* objet *m*; *(finalidad)* objet, but *m*; **ser ~ de algo** être l'objet de qch
objetor *nm* *(tb:* **~ de conciencia)** objecteur *m* de conscience
oblicuo, -a *adj* oblique
obligación *nf* obligation *f*; **obligaciones** *nfpl* obligations *fpl*; **cumplir con mi** *etc* **~** remplir mon *etc* devoir
obligar *vt* obliger
obligatorio, -a *adj* obligatoire
oboe *nm* hautbois *msg*
obra *nf* œuvre *f*; *(tb:* **~ dramática** *o* **de teatro)** pièce *f*; **~s** *nfpl* travaux *mpl*; **ser ~ de algn** être l'œuvre de qn; **por ~ de** à cause de; **~ maestra** chef-d'œuvre *m*; **~s públicas** travaux publics; **obrar** *vi* agir
obrero, -a *adj* ouvrier(-ère) ♦ *nm/f* ouvrier(-ère); *(del campo)* ouvrier(-ère) (agricole); **clase obrera** classe *f* ouvrière
obscenidad *nf* obscénité *f*
obsceno, -a *adj* obscène
obscu... = oscu...
obsequiar *vt*: **~ a algn con algo** faire cadeau de qch à qn; **obsequio** *nm (regalo)* présent *m*
observación *nf* observation *f*
observador, a *adj* observateur(-trice) ♦ *nm/f* observateur *m*
observar *vt* observer
obsesión *nf* obsession *f*
obsesivo, -a *adj* obsessionnel(le)
obsoleto, -a *adj (máquina)* obsolète; *(ideas)* désuet(ète)
obstáculo *nm* obstacle *m*
obstante *adv*: **no ~** cependant
obstinado, -a *adj* obstiné(e)
obstinarse *vpr* s'obstiner; **~ en**

s'obstiner à

obstrucción *nf* obstruction *f*;
obstruir *vt* obstruer; (*plan, labor, proceso*) faire obstacle à

obtener *vt* obtenir

obturador *nm* obturateur *m*

obvio, -a *adj* évident(e)

ocasión *nf* occasion *f*; **¡~!** (COM) offre spéciale; **de ~** (*libro*) d'occasion; **ocasionar** *vt* occasionner

ocaso *nm* (*puesta de sol*) coucher *m* du soleil

occidente *nm* occident *m*; **el O~** l'Occident *m*

O.C.D.E. *sigla f* (= *Organización para la Cooperación y el Desarrollo Económico*) OCDE *f* (= *Organisation de coopération et de développement économique*)

océano *nm* océan *m*

ochenta *adj inv, nm inv* quatre-vingts *m inv*; *ver tb* **sesenta**

ocho *adj inv, nm inv* huit *m inv*; *ver tb* **seis**

ochocientos, -as *adj* huit cents; *ver tb* **seiscientos**

ocio *nm* (*tiempo*) loisir *m*

ocioso, -a *adj*: **estar ~** être oisif(-ive)

octavilla *nf* (*esp POL*) tract *m*

octavo, -a *adj, nm/f* huitième *f*; *ver tb* **sexto**

octubre *nm* octobre *m*; *ver tb* **julio**

ocular *adj* (*inspección*) des yeux; **testigo ~** témoin *m* oculaire

oculista *nm/f* oculiste *m/f*

ocultar *vt* cacher

oculto, -a *adj* (*puerta, persona*) dissimulé(e); (*razón*) caché(e)

ocupación *nf* occupation *f*

ocupado, -a *adj* occupé(e);

ocupar *vt* occuper; **ocuparse** *vpr*: **ocuparse de** s'occuper de

ocurrencia *nf* (*idea*) idée *f*; (:
graciosa) trait *m* d'esprit; **¡qué ~!** (*pey*) quelle drôle d'idée!

ocurrir *vi* (*suceso*) se produire, se passer; **~se** *vpr*: **se me ha ocurrido que ...** il m'est venu à l'esprit que ...; **¿qué te ocurre?** qu'est-ce que tu as?; **¡qué cosas se te ocurren!** tu as de ces idées!

odiar *vt* (*a algn*) haïr; **odio** *nm* haine *f*

odioso, -a *adj* (*persona*) odieux(-euse); (*tiempo*) exécrable; (*trabajo, tema*) insupportable

odontólogo, -a *nm/f* odontologiste *m*

O.E.A. *sigla f* (= *Organización de Estados Americanos*) OEA *f* (= *Organisation des États américains*)

oeste *nm* ouest *m*; **película del ~** western *m*; *ver tb* **norte**

ofender *vt* offenser; **~se** *vpr* s'offenser; **ofensa** *nf* offense *f*

ofensiva *nf* offensive *f*

ofensivo, -a *adj* (*palabra etc*) offensant(e); (MIL) offensif(-ive)

oferta *nf* offre *f*; (COM: *de bajo precio*) promotion *f*; **la ~ y la demanda** l'offre et la demande; **artículos de o en ~** articles *mpl* en promotion

oficial *adj* officiel(le) ♦ *nm/f* (MIL) officier *m*; (*en un trabajo*) ouvrier(-ère) qualifié(e)

oficina *nf* bureau *m*; **~ de información** bureau d'information; **~ de turismo** office *m* du tourisme; **oficinista** *nm/f* employé(e) de bureau

oficio *nm* travail *m*

oficioso, -a *adj* officieux(-euse)

ofrecer *vt* offrir; **~se** *vpr*: **~se a o para hacer algo** s'offrir pour faire qch; **¿qué se le ofrece?**,

¿se le ofrece algo? puis-je vous aider?; **~se de** s'offrir comme

ofrecimiento nm offre f

oftalmólogo, -a nm/f ophtalmologue f

ofuscar vt aveugler; **~se** vpr se troubler

oída nf: **de ~s** par ouï-dire

oído nm (ANAT) oreille f; (sentido) ouïe f

olga etc vb ver **oír**

oír vt entendre; (atender a, esp AM) écouter; **¡oye!, ¡oiga!** écoute!, écoutez!

O.I.T. sigla f (= Organización Internacional del Trabajo) OIT f (= Organisation internationale du travail)

ojal nm boutonnière f

ojalá excl si seulement!, espérons! ♦ conj (tb: **~ que**) si seulement, espérons que; **~ (que) venga hoy** espérons qu'il viendra aujourd'hui

ojeada nf coup m d'œil

ojera nf cerne m; **tener ~s** avoir les yeux cernés

ojeriza nf: **tener ~ a** prendre en grippe

ojeroso, -a adj (cara, aspecto) fatigué(e); (ojos) cerné(e)

ojo nm œil m; (de puente) arche f; (de cerradura) trou m; (de aguja) chas msg ♦ excl attention!; **tener ~ para** avoir l'œil pour

okupa nm/f (fam) squatteur(-euse) mf

ola nf vague f

olé excl olé!

oleada nf vague f

oleaje nm vagues fpl

óleo nm: **un ~** une peinture à l'huile; **al ~** à l'huile; **oleoducto** nm oléoduc m

oler vt sentir ♦ vi (despedir olor) sentir; **huele a tabaco** ça sent le tabac

olfatear vt renifler; (con el hocico) flairer; (fig) pressentir

olfato nm odorat m

oligarquía nf oligarchie f

olimpíada nf olympiade f; **~s** nfpl Jeux mpl olympiques

oliva nf olive f; **aceite de ~** huile f d'olive; **olivo** nm olivier m

olla nf marmite f; (comida) ragoût m; **~ a presión** cocotte-minute f

olmo nm orme m

olor nm odeur f

oloroso, -a adj odorant(e)

olvidar vt oublier; **~se** vpr: **~se (de)** oublier (de); **~se de hacer algo** oublier de faire qch; **se me olvidó (hacerlo)** j'ai oublié (de le faire)

olvido nm oubli m

ombligo nm nombril m

omiso, -a adj: **hacer caso ~ de** passer outre à

omitir vt omettre

omnipotente adj omnipotent(e)

omoplato nm omoplate f

OMS sigla f (= Organización Mundial de la Salud) OMS f (= Organisation mondiale de la santé)

ONCE sigla f (= Organización Nacional de Ciegos Españoles) entreprise et organisme d'aide aux aveugles

once adj inv, nm inv onze m inv ♦ nf (AM: refrigerio, merienda): **la ~, las ~s** le goûter, le thé; ver tb **seis**

onda nf (FÍS) onde f; **~ corta/larga/media** onde courte/longue/moyenne; **ondear** vi onduler

ondular vt, vi onduler; **~se** vpr onduler

ONG sigla f (= Organización no

gubernamental) ONG f
ONU *sigla f* (= *Organización de las Naciones Unidas*) ONU f (= *Organisation des Nations unies*)
opaco, -a *adj* opaque
opción *nf* (*elección*) choix *m*; (*una opción*) option f; (*derecho*): ~ **a** choix entre
opcional *adj* facultatif(-ive)
O.P.E.P. *sigla f* (= *Organización de Países Exportadores del Petróleo*) OPEP f (= *Organisation des pays exportateurs de pétrole*)
ópera *nf* opéra *m*
operación *nf* opération f
operar *vt* opérer ♦ *vi* opérer; (*COM*) faire des transactions; ~**se** *vpr* (*cambio*) s'opérer; ~**se** (**de**) être opéré(e) (de)
opereta *nf* opérette f
opinar *vt* penser ♦ *vi*: ~ (**de** *o* **sobre**) donner son avis (sur)
opinión *nf* opinion f, avis *msg*; **cambiar de opinión** changer d'avis
opio *nm* opium *m*
oponente *nm/f* adversaire *m/f*
oponer *vt* opposer; ~**se** *vpr*: ~**se** (**a**) s'opposer (à); **¡me opongo!** je m'y oppose!
oportunidad *nf* (*ocasión*) occasion f; (*posibilidad*) opportunité f; ~**es** *nfpl* (*COM*) promotions *fpl*
oportuno, -a *adj* opportun(e); (*persona*) judicieux(-euse); **en el momento** ~ au moment opportun
oposición *nf* opposition f; **oposiciones** *nfpl* (*ESP*) concours *msg*; **la** ~ (*POL*) l'opposition
opresivo, -a *adj* (*régimen*) oppressif(-ive); (*medidas*) de répression
opresor, a *nm/f* oppresseur *m*

oprimir *vt* (*botón*) presser; (*cinturón, ropa*) serrer; (*suj: obrero, campesino*) opprimer
optar *vi*: ~ **por** opter pour; ~ **a** aspirer à
optativo, -a *adj* (*asignatura*) facultatif(-ive)
óptica *nf* (*tienda*) opticien *m*; (*FÍS, TEC*) optique f
óptico, -a *adj* optique ♦ *nm/f* opticien(ne)
optimismo *nm* optimisme *m*;
optimista *adj, nm/f* optimiste *m/f*
óptimo, -a *adj* optimal(e)
opuesto, -a *pp de* **oponer** ♦ *adj* opposé(e)
opulencia *nf* opulence f
opulento, -a *adj* opulent(e)
oración *nf* (*REL*) prière f; (*LING*) énoncé *m*
orador, a *nm/f* orateur(-trice)
oral *adj* oral(e-)
orangután *nm* orang-outang *m*
orar *vi* prier
oratoria *nf* éloquence f, bagou *m*
órbita *nf* orbite f
orden *nm* ordre *m* ♦ *nf* (*mandato, REL*) ordre *m*; **por** ~ par ordre; **de primer** ~ de premier ordre; ~ **del día** ordre du jour
ordenado, -a *adj* ordonné(e)
ordenador *nm* (*INFORM*) ordinateur *m*
ordenanza *nf* (*militar, municipal*) ordonnance f
ordenar *vt* (*mandar*) ordonner; (*papeles, juguetes*) ranger; (*habitación, ideas*) mettre de l'ordre (dans); ~**se** *vpr* (*REL*) être ordonné(e)
ordeñar *vt* traire
ordinario, -a *adj* ordinaire; (*pey*) grossier(-ère)
orégano *nm* origan *m*

oreja nf oreille f
orfanato nm orphelinat m
orfandad nf fait d'être orphelin
orfebrería nf orfèvrerie f
orgánico, -a adj organique; (todo) organisé(e)
organigrama nm organigramme m
organismo nm organisme m
organización nf organisation f; **organizar** vt organiser; (crear) fonder; **organizarse** vpr s'organiser; (escándalo) se produire
órgano nm organe m; (MÚS) orgue m
orgasmo nm orgasme m
orgía nf orgie f
orgullo nm orgueil m
orgulloso, -a adj orgueilleux(-euse)
orientación nf orientation f
orientar vt orienter; (esfuerzos) diriger; **~se** vpr s'orienter; **~se (en, sobre)** s'orienter (vers, d'après)
oriente nm orient m; **O~ Medio-/Próximo** Moyen-/ Proche-Orient; **Lejano O~** Extrême-Orient
origen nm origine f; **de ~ español** d'origine espagnole; **de ~ humilde** d'origine modeste
original adj original(e); (relativo al origen) original(le); **originalidad** nf originalité f
originar vt causer, provoquer; **~se** vpr: **~se (en)** trouver son origine (dans)
originario, -a adj originaire; **~ de** originaire de
orilla nf bord m
orina nf urine f; **orinal** nm pot m de chambre; **orinar** vi uriner; **orinarse** vpr faire pipi; **orines** nmpl urines fpl

oriundo, -a adj: **~ de** originaire de
ornitología nf ornithologie f
oro nm or m; ver tb **oros**
oropel nm oripeau m
oros nmpl (NAIPES) l'une des quatre couleurs du jeu de cartes espagnol
orquesta nf orchestre m
orquídea nf orchidée f
ortiga nf ortie f
ortodoxo, -a adj orthodoxe
ortografía nf orthographe f
ortopedia nf orthopédie f
ortopédico, -a adj orthopédique
oruga nf chenille f
orzuelo nm orgelet m
os pron vous
osa nf ourse f
osadía nf audace f
osar vi oser
oscilación nf oscillation f
oscilar vi osciller; (precio, temperatura) fluctuer
oscurecer vt obscurcir ♦ vi commencer à faire nuit; **~se** vpr s'obscurcir
oscuridad nf obscurité f
oscuro, -a adj obscur(e); (color etc) foncé(e); (día, cielo) sombre; **a oscuras** dans l'obscurité
óseo, -a adj osseux(-euse)
oso nm ours msg; **~ de peluche** ours en peluche; **~ hormiguero** tamanoir m
ostentación nf ostentation f
ostentar vt arborer; (cargo, título, récord) posséder
ostra nf huître f
OTAN sigla f (= Organización del Tratado del Atlántico Norte) OTAN f (= Organisation du traité de l'Atlantique Nord)
otear vt scruter
otitis nf otite f
otoñal adj automnal(e)

otoño nm automne m

otorgar vt octroyer, concéder; (perdón) accorder

otorrinolaringólogo, -a nm/f oto-rhino(-laryngologiste) m/f

PALABRA CLAVE

otro, -a adj 1 (distinto: sg) un(e) autre; (: pl) d'autres; **otra persona** une autre personne; **con otros amigos** avec d'autres amis

2 (adicional): **tráigame otro café (más), por favor** apportez-moi un autre café, s'il vous plaît; **otros 10 días más** encore 10 jours; **otros 3** 3 autres; **otra vez** encore une fois

3 (un nuevo): **es otro Mozart** c'est un nouveau Mozart

4: **otro tanto: comer otro tanto** manger autant; **recibió una decena de telegramas y otras tantas llamadas** il a reçu une dizaine de télégrammes et autant de coups de téléphone

♦ pron 1: **el otro/la otra** l'autre; **otros/otras** d'autres; **los otros/las otras** les autres; **no cojas esa gabardina, que es de otro** ne prends pas cet imperméable, il est à quelqu'un d'autre; **que lo haga otro** que quelqu'un d'autre le fasse

2 (recíproco): **se odian (la) una a (la) otra** elles se détestent l'une l'autre; **unos y otros** les uns et les autres

ovación nf ovation f

ovalado, -a adj ovale

óvalo nm ovale m

ovario nm ovaire m

oveja nf brebis fsg

overol (AM) nm salopette f

ovillo nm pelote f; **hacerse un ~** se pelotonner

OVNI sigla m (= objeto volante (o volador) no identificado) OVNI m (= objet volant non identifié)

ovulación nf ovulation f; **óvulo** nm ovule m

oxidar vt oxyder, rouiller; **~se** vpr s'oxyder, se rouiller

óxido nm oxyde m; (sobre metal) rouille f

oxigenado, -a adj (agua) oxygéné(e)

oxígeno nm oxygène m

oyendo etc vb ver **oír**

oyente nm/f auditeur(-trice)

P, p

P abr (REL = Padre) P.; (= Père) (= Papa); (= pregunta) Q. (= question)

pabellón nm pavillon m

pacer vi paître

paciencia nf patience f

paciente adj, nm/f patient(e)

pacificar vt pacifier

pacífico, -a adj pacifique; **el (Océano) P~** le (o l'océan) Pacifique

pacifismo nm pacifisme m; **pacifista** nm/f pacifiste m/f

pacotilla nf: **de ~** de pacotille

pactar vt, vi pactiser

pacto nm pacte m

padecer vt (dolor, enfermedad) souffrir de; (injusticia) pâtir de; (consecuencias, sequía) subir ♦ vi: **~ de** souffrir de; **padecimiento** nm souffrance f

padrastro nm beau-père m

padre nm père m ♦ adj (fam): **una juerga ~** une bringue à tout casser; **~s** nmpl (padre y madre) parents mpl; **~ político** beau-

père m
padrino nm parrain m; **~s** nmpl
le parrain et la marraine; **~ de
boda** témoin m de mariage
padrón nm recensement m
paella nf paella f
paga nf paie f, paye f

Paga Extraordinaria

En Espagne, la plupart des
contrats de travail à durée
indéterminée ou de longue durée
stipulent un treizième et
quatorzième mois de salaire. En
juin et en décembre, la majorité
des salariés reçoivent donc un
mois double, appelé **paga
extraordinaria** ou **paga extra**.

---

pagano, -a adj, nm/f païen(ne)
pagar vt, vi payer
pagaré nm billet m à ordre
página nf page f
pago nm paiement m; **~(s)** (esp
AND, CSUR) région fsg; **~ a cuenta**
acompte m
pág(s). abr (= página(s)) pp (=
page(s))
pague etc vb ver **pagar**
país nm pays msg; **los Países
Bajos** les Pays Bas; **el P~ Vasco**
le Pays Basque
paisaje nm paysage m
paisano, -a nm/f compatriote
m/f; (esp CSUR) paysan(ne) ♦ adj
(esp CSUR) paysan(ne); **vestir de
~** être en civil
paja nf paille f; (fig) remplissage m
pajarita nf nœud m papillon
pájaro nm oiseau m
pajita nf paille f
pala nf pelle f; (de pingpong,
frontón) raquette f
palabra nf mot m; (promesa,

facultad, en asamblea) parole f;
faltar a su ~ manquer à sa
parole; **no encuentro ~s para
expresar ...** je ne trouve pas les
mots pour exprimer ...
palabrota nf gros mot m
palacio nm palais msg; **~ de
justicia** palais de justice
paladar nm (tb fig) palais msg;
paladear vt savourer
palanca nf levier m; **~ de
cambio/mando** levier de
changement de vitesse/de
commande
palangana nf cuvette f
palco nm (TEATRO) loge f
Palestina nf Palestine f
palestino, -a adj palestinien(ne)
♦ nm/f Palestinien(ne)
paleta nf (de albañil) truelle f;
(ARTE) palette f; (AM) esquimau m;
ver tb **paleto**
paleto, -a adj, nm/f
péquenaud(e)
paliar vt pallier; **paliativo** nm
palliatif m
palidecer vi pâlir; **palidez** nf
pâleur f
pálido, -a adj pâle
palillo nm cure-dents msg; **~s**
nmpl (para comer: tb: **~s chinos**)
baguettes fpl
paliza nf raclée f; **dar una ~ a
algn** flanquer une raclée à qn
palma nf (de mano) paume f;
(árbol) palmier m; **batir o dar ~s**
battre des mains; **palmada** nf
tape f; **palmadas** fpl (aplauso)
applaudissements mpl; (en música)
battements mpl de mains
palmar (fam) vi (tb: **~la**) clamser
palmear vi applaudir
palmera nf palmier m
palmo nm empan m; (fig) pied m;
~ a ~ (recorrer) d'un bout à

l'autre; (*registrar*) de fond en comble

palo *nm* (*de madera*) bâton *m*; (*poste*) piquet *m*; (*mango*) manche *m*; (*golpe*) coup *m*; (*de golf*) club *m*; (*NÁUT*) mât *m*; (*NAIPES*) couleur *f*

paloma *nf* pigeon *m*; **la ~ de la paz** la colombe de la paix

palomitas *nfpl* (*tb:* **~ de maíz**) pop-corn *msg*

palpar *vt* palper

palpitación *nf* palpitation *f*

palpitante *adj* palpitant(e); (*fig*) brûlant(e)

palpitar *vi* palpiter

palta (*AND, CSUR*) *nf* avocat *m*

paludismo *nm* paludisme *m*

pamela *nf* capeline *f*

pampa (*AM*) *nf* pampa *f*

pan *nm* pain *m*; **un ~** un pain; **barra de ~** baguette *f*, flûte *f*; **~ de molde** pain de mie; **~ integral** pain complet; **~ rallado** chapelure *f*

pana *nf* velours *msg* côtelé

panadería *nf* boulangerie *f*

Panamá *nm* Panama *m*

panameño, -a *adj* panaméen(ne) ♦ *nm/f* Panaméen(ne)

pancarta *nf* pancarte *f*

panda *nm* panda *m*

pandereta *nf* tambourin *m*

pandilla *nf* bande *f*

panel *nm* panneau *m*

panfleto *nm* pamphlet *m*

pánico *nm* panique *f*

panorama *nm* panorama *m*

pantalla *nf* écran *m*; (*de lámpara*) abat-jour *m*

pantalón *nm*, **pantalones** *nmpl* pantalon *msg*

pantano *nm* (*ciénaga*) marécage *m*; (*embalse*) barrage *m*

panteón *nm*: **~ familiar** caveau

m de famille

pantera *nf* panthère *f*

pantis *nmpl* collant *msg*

pantomima *nf* pantomime *f*

pantorrilla *nf* mollet *m*

panty(s) *nm(pl)* collant *msg*

panza *nf* panse *f*

pañal *nm* lange *m*

paño *nm* (*tela*) étoffe *f*; (*trapo*) torchon *m*; **en ~s menores** en petite tenue

pañuelo *nm* (*para la nariz*) mouchoir *m*; (*para la cabeza*) foulard *m*

Papa *nm* Pape *m*

papa (*AM*) *nf* pomme de terre *f*

papá (*fam*) *nm* papa *m*; **~s** *nmpl* (*padre y madre*) parents *mpl*

papada *nf* double menton *m*

papagayo *nm* perroquet *m*

paparrucha *nf* (*tontería*) bourde *f*; (*rumor falso*) bobard *m*

papaya *nf* papaye *f*

papel *nm* papier *m*; (*TEATRO, fig*) rôle *m*; **~ carbón** papier carbone; **~ de aluminio** papier aluminium; **~ de calco/de lija** papier calque/de verre; **~ de envolver** papier d'emballage; **~ de estaño** o **plata** papier aluminium; o *MÉX* **sanitario/secante** papier hygiénique/buvard; **~ higiénico**; **~ moneda** papier-monnaie *m*

papeleo *nm* paperasserie *f*

papelera *nf* corbeille *f* à papiers; (*en la calle*) poubelle *f*

papelería *nf* papeterie *f*

papeleta *nf* (*de rifa*) billet *m*; (*POL*) bulletin *m*; (*ESCOL: calificación*) relevé *m* de notes

paperas *nfpl* oreillons *mpl*

papilla *nf* bouillie *f*

paquete *nm* paquet *m*; (*esp AM: fam*) ennui *m*; **~s postales** colis *mpl* postaux

par *adj* pair(e) ♦ *nm* (*de guantes, calcetines*) paire *f*; **un ~ de veces/días** deux foix/jours; (*pocos*) deux ou trois fois/jours; **abrir de ~ en ~** ouvrir tout grand; **sin ~** unique

para *prep* pour; **decir ~ sí** se dire; **¿~ qué?** pourquoi faire?; **¿~ qué lo quieres?** que veux-tu en faire?; **~ entonces** à ce moment-là; **estará listo ~ mañana** ça sera prêt demain; **ir ~ casa** aller chez soi; **tengo bastante ~ vivir** j'ai de quoi vivre; **~ el caso que me haces** vu l'intérêt que tu me portes

parábola *nf* parabole *f*

parabólico, -a *adj* (*tb:* **antena ~**) antenne *f* parabolique

parabrisas *nm inv* pare-brise *m inv*

paracaídas *nm inv* parachute *m*; **paracaidista** *nm/f* parachutiste *m/f*

parachoques *nm inv* pare-chocs *m inv*

parada *nf* arrêt *m*; **~ de autobús/de taxis** arrêt d'autobus/station *f* de taxis

paradero *nm* (*AND, CSUR*) halte *f*

parado, -a *adj* arrêté(e); (*sin empleo*) au chômage; (*AM*) debout ♦ *nm/f* chômeur(-euse)

paradoja *nf* paradoxe *m*

parador *nm* (*tb:* **~ de turismo**) parador *m* (*hôtel de première catégorie géré par l'état*)

Parador Nacional

Le réseau des paradores a été mis en place par le gouvernement dans les années 50, au début de l'essor du tourisme en Espagne. Il

s'agit d'hôtels de première catégorie, dans des sites uniques ou des lieux à caractère historique, souvent établis dans d'anciens châteaux et monastères. Il existe actuellement 57 paradores, tous classés trois-étoiles ou plus, offrant des prestations de qualité ainsi qu'un large éventail de spécialités locales.

paráfrasis *nf inv* paraphrase *f*

paraguas *nm inv* parapluie *m*

Paraguay *nm* Paraguay *m*

paraguayo, -a *adj* paraguayen(ne) ♦ *nm/f* Paraguayen(ne)

paraíso *nm* paradis *msg*

paraje *nm* parage *m*

paralelo, -a *adj, nm* parallèle *m*

parálisis *nf inv* paralysie *f*

paralítico, -a *adj, nm/f* paralytique *m/f*

paralizar *vt* paralyser; **~se** *vpr* être paralysé(e)

paramilitar *adj* paramilitaire

páramo *nm* plateau *m* nu

parangón *nm*: **sin ~** sans égal(e)

paranoico, -a *adj* paranoïaque ♦ *nm/f* paranoïaque *m/f*; (*fig*) maniaque, obsédé(e)

parar *vt* arrêter ♦ *vi* s'arrêter; **~se** *vpr* s'arrêter; (*AM*) se lever; **sin ~** sans arrêt; **ha parado de llover** il ne pleut plus; **fue a ~ a la comisaría** il a atterri au commissariat

pararrayos *nm inv* paratonnerre *m*

parásito, -a *adj, nm* parasite *m*

parcela *nf* parcelle *f*

parche *nm* (*de rueda*) rustine *f*; (*de ropa*) pièce *f*

parcial *adj* (*pago, eclipse*)

partiel(le) (*juicio*) partial(e);
parcialidad *nf* partialité *f*
pardillo, -a *adj, nm/f*
péquenaud(e) (*fam*) ♦ *nm* (*ZOOL*)
bouvreuil *m*
parecer *nm* opinion *f* ♦ *vi*
sembler; (*asemejarse a*) ressembler
à; **~se** *vpr* se ressembler; (*persona*) se
ressembler à; **al ~** à ce qu'il
paraît; **me parece bien/**
importante que ... je trouve
que c'est bien/qu'il est important
que ...
parecido, -a *adj* semblable ♦ *nm*
ressemblance *f*; **un hombre bien**
~ un bel homme
pared *nf* mur *m*
pareja *nf* paire *f*; (*hombre y mujer*)
couple *m*; (*persona*) partenaire
m/f; **una ~ de guardias** deux
gendarmes
parentela *nf* parenté *f*
parentesco *nm* parenté *f*
paréntesis *nm inv* parenthèse *f*
parezca *etc vb ver* **parecer**
pariente, -a *nm/f* parent(e)
parir *vt* (*hijo*) accoucher de;
(*animal*) mettre bas ♦ *vi* (*mujer*)
accoucher; (*animal*) mettre bas
París *n* Paris
parisiense, parisino, -a *adj*
parisien(ne) ♦ *nm/f* Parisien(ne)
parking *nm* parking *m*
parlamentario, -a *adj, nm/f*
parlementaire *m/f*
parlamento *nm* parlement *m*;
P~ Europeo Parlement européen
parlanchín, -ina *adj, nm/f*
bavard(e)
paro *nm* (*huelga*) arrêt *m*;
(*desempleo, subsidio*) chômage *m*;
estar en ~ être au chômage; **~**
cardíaco arrêt cardiaque
parodia *nf* parodie *f*; **parodiar**
vt parodier

parpadear *vi* clignoter
párpado *nm* paupière *f*
parque *nm* parc *m*; **~ de**
atracciones parc d'attractions;
~ de bomberos caserne *f* de
pompiers
parquímetro *nm* parcmètre *m*,
parcmètre *m*
parra *nf* treille *f*
párrafo *nm* paragraphe *m*
parrilla *nf* grill *m*; **carne a la ~**
viande *f* grillée; **parrillada** *nf*
grillade *f*
párroco *nm* curé *m*
parroquia *nf* paroisse *f*
parsimonia *nf* parcimonie *f*
parte *nm* rapport *m* ♦ *nf* partie *f*,
(*lado*) côté *m*; (*lugar, de reparto*)
part *f*; **en alguna ~ de Europa**
quelque part en Europe; **por**
todas ~s partout; **por la (gran) ~**
en (grande) partie; **la mayor ~**
de los españoles la plupart des
Espagnols; **de ~ de algn** de la
part de qn; **¿de ~ de quién?**
(*TELEC*) de la part de qui?; **por ~**
de de la part de qn; **yo por mí ~** en
ce qui me concerne, quant à moi;
por una ~ ... por otra ~ d'une
part ... d'autre part; **dar ~ a algn**
communiquer à qn; **formar ~ de**
faire partie de; **tomar ~ (en)**
prendre part (à); **~**
meteorológico bulletin *m*
météorologique
partición *nf* partage *m*
participación *nf* participation *f*;
(*de lotería*) tranche *f*
participante *nm/f* participant(e)
participar *vt* communiquer ♦ *vi*:
~ (en) participer (à)
partícipe *nm/f*: **hacer ~ a algn**
de algo faire part à qn de qch
particular *adj* particulier(-ière) ♦
nm (*punto, asunto*) sujet *m*,

chapitre m; (*individuo*) particulier m; **clases ~es** cours mpl particuliers; **en ~** en particulier

partida nf départ m; (COM: *de mercancía*) lot m; (: *de cuenta, factura*) entrée f; (: *de presupuesto*) chapitre m; (*juego*) partie f; **~ de defunción/de matrimonio** extrait m d'acte de décès/de mariage; **~ de nacimiento** extrait de naissance

partidario, -a adj; **ser ~ de** être partisan(e) de ♦ nm/f (*seguidor*) partisan(e)

partido nm parti m; (DEPORTE) match m; **sacar ~ de** tirer parti de; **tomar ~** prendre parti; **~ judicial** arrondissement m

partir vt (*dividir*) partager; (*romper*) casser; (*rebanada, trozo*) couper ♦ vi partir; **~se** vpr se casser; **a ~ de** à partir de, à compter de; **~ de** partir de

partitura nf partition f

parto nm (*de una mujer*) accouchement m; (*de un animal*) mise bas f; **estar de ~** être en couches

pasa nf raisin m sec

pasada nf (*con trapo, escoba*) coup m; **de ~** (*leer, decir*) au passage; **mala ~** mauvais tour m

pasadizo nm passage m

pasado, -a adj passé(e); (*muy hecho*) trop cuit(e) ♦ nm passé m; **~ mañana** après-demain; **el mes ~** le mois dernier; **~ de moda** démodé(e)

pasador nm verrou m; (*de pelo*) barrette f; (*de corbata*) épingle f

pasaje nm passage m; (*de barco, avión*) billet m; (*los pasajeros*) passagers mpl

pasajero, -a adj, nm/f passager(-ère)

pasamontañas nm inv passe-montagne m

pasaporte nm passeport m

pasar vt passer; (*barrera, meta*) franchir; (*frío, calor, hambre*) avoir; (: *con énfasis*) souffrir de ♦ vi passer; (*ocurrir*) se passer; (*entrar*) entrer; **~se** vpr se passer; (*excederse*) exagérer; **~ a (hacer)** en venir à (faire); **~ de** dépasser de; **~ de (hacer) algo** (*fam*) se ficher de (faire) qch; ¡**pase**! entrez!; **~ por un sitio/una calle** passer par un endroit/une rue; **~ por alto** faire fi de, passer sous silence; **~ sin algo** se passer de qch; **~se bien/mal** s'amuser; ¿**qué te pasa?** que t'arrive-t-il?; **pase lo que pase** quoi qu'il en soit, advienne que pourra; **se hace ~ por médico** il se fait passer pour médecin; **pásate por casa/la oficina** passe chez moi/par mon bureau; **~se al enemigo** passer à l'ennemi; **me lo pasé bien/mal** cela s'est bien/mal passé; **se me pasó** j'ai complètement oublié

pasarela nf passerelle f; (*de modas*) podium m

pasatiempo nm passe-temps msg; **~s** nmpl (*en revista*) jeux mpl

Pascua, pascua nf (tb: **~ de Resurrección**) Pâques fpl; **~s** nfpl Noël msg; ¡**felices ~s!** joyeux Noël!; **de ~s a Ramos** tous les trente-six du mois

pase nm passage m; (COM) passavant m; (CINÉ) projection f

pasear vt, vi promener; **~se** vpr se promener

paseo nm promenade f; (*distancia corta*) pas msg; **dar un paseo** faire une promenade; **paseo marítimo** front m de mer

pasillo nm couloir m

pasión nf passion f

pasivo, -a adj passif(-ive) ♦ nm (COM) passif m

pasmar vt ébahir; **pasmo** nm stupéfaction f

paso, -a adj sec(sèche) ♦ nm passage m; (pisada, de baile) pas msg; (modo de andar) pas, allure f; (TELEC) unité f; **a ese ~** à cette allure; **salir al ~ de** répliquer à; **salir al ~** passer à la contre-offensive; **de ~,** ... au passage, ...; **estar de ~** être de passage; **prohibido el ~** passage interdit; **ceda el ~** céder le passage, priorité; **~ a nivel** passage à niveau; **~ de peatones/de cebra** passage pour piétons/clouté; **~ elevado** saut-de-mouton m; **~ subterráneo** passage souterrain

pasota (fam) adj, nm/f je-m'en-foutiste m/f

pasta nf pâte f; (tb: **~ de té**) petit four m; (fam: dinero) fric m; (encuadernación) reliure f; **~ dentífrica** o **de dientes** dentifrice m

pastar vi paître

pastel nm gâteau m; (de carne) friand m; (ARTE) pastel m; **pastelería** nf pâtisserie f

pasteurizado, -a adj pasteurisé(e)

pastilla nf (de jabón) savonnette f; (de chocolate) tablette f; (MED) comprimé m, cachet m

pastillero, a nm/f (fam) accro mf aux petites pilules

pasto nm pâture f

pastor, a nm/f berger(-ère) ♦ nm (REL) pasteur m; **~ alemán** berger allemand

arriba (caer) les quatre fers en l'air; (revuelto) sens dessus dessous; **meter la ~** mettre les pieds dans le plat; **tener mala ~** ne pas avoir de chance; **~ de cabra** (TEC) pince f à levier; **~ de gallo** pied-de-poule;

patada nf coup m de pied

patalear vi trépigner

patata nf pomme f de terre; **~s fritas** frites fpl; (en rebanadas) chips fpl

paté nm pâté m

patear vt piétiner ♦ vi trépigner

patentar vt breveter

patente adj manifeste ♦ nf patente f, brevet m; (CSUR) immatriculation f

paternal adj paternel(le)

paterno, -a adj paternel(le)

patético, -a adj pathétique

patilla nf (de gafas) branche f; **~s** nfpl (de la barba) favoris mpl

patín nm patin m; **patinaje** nm patinage m; **patinar** vi patiner; (fam: equivocarse) se gourer

patio nm cour f; **~ de butacas** (CINE, TEATRO) orchestre m; **~ de recreo** cour de récréation

pato nm canard m; **pagar el ~** (fam) payer les pots cassés

patológico, -a adj pathologique

patoso, -a adj lourdaud(e)

patraña nf mensonge m

patria nf patrie f

patrimonio nm patrimoine m

patriota nm/f patriote m/f; **patriotismo** nm patriotisme m

patrocinar vt (sufragar) sponsoriser, parrainer; (apoyar) appuyer, parrainer; **patrocinio** nm parrainage m

patrón, -ona nm/f patron(ne); (de pensión) hôte (hôtesse) ♦ nm patron m

patronal adj: **la clase ~** classe

patronale ♦ nf patronat m

patrulla nf patrouille f

pausa nf pause f

pausado, -a adj posé(e)

pauta nf modèle m

pavimento nm pavement m

pavo nm dindon m; **~ real** paon m

pavor nm frayeur f

payaso, -a nm/f clown m

payo, -a nm/f gadjo m/f

paz (pl **paces**) nf paix f; (tranquilidad) calme m; **hacer las paces** faire la paix

P.D. abr (= posdata) P.S. (= post-scriptum)

peaje nm péage m

peatón nm piéton m

peca nf tache f de rousseur

pecado nm péché m

pecador, a adj, nm/f pécheur(-eresse)

pecar vi pécher; **~ de generoso** pécher par excès de générosité

pecho nm poitrine f; (fig) cœur m; **dar el ~** a donner le sein à; **tomar algo a ~** prendre qch à cœur

pechuga nf (de ave) blanc m

peculiar adj caractéristique; (particular) particulier(-ère);
peculiaridad nf particularité f

pedal nm pédale f; **pedalear** vi pédaler

pedante adj, nm/f pédant(e);
pedantería nf pédanterie f

pedazo nm morceau m; **hacer algo ~s** réduire qn en mille morceaux; **hacer ~s a algn** mettre qn en bouillie; **caerse algo a ~s** tomber en ruine; **ser un ~ de pan** (fig) avoir un cœur d'or

pediatra nm/f pédiatre m/f

pedido nm commande f

pedir vt demander; (COM) commander ♦ vi mendier; **~ disculpas** demander des excuses; **~ prestado** emprunter; **¿cuánto piden por el coche?** combien demande-t-on pour cette voiture?

pedo (fam!) nm (ventosidad) pet m

pega nf (obstáculo) problème m; (fam: pregunta) colle f; **de ~** à la gomme, de pacotille; **nadie me puso ~s** personne n'a trouvé à redire

pegadizo, -a adj (canción) entraînant(e)

pegajoso, -a adj collant(e)

pegamento nm colle f

pegar vt coller; (enfermedad, costumbre) passer; (golpear) frapper ♦ vi (adherirse) se coller; (armonizar) aller bien; (el sol) taper; **~se** vpr se coller; (costumbre, enfermedad) s'attraper; (dos personas) se frapper; **~ un grito** pousser un cri; **~ un salto** faire un saut; **~ en** toucher; **~se un tiro** se tirer une balle dans la tête

pegatina nf adhésif m

pegote (fam) nm emplâtre m; **tirarse un ~** (fam) s'envoyer des fleurs

peinado nm coupe f

peinar vt peigner; **~se** vpr se peigner

peine nm peigne m; **peineta** nf grand peigne m

p.ej. abr (= por ejemplo) p. ex. (= par exemple)

Pekín n Pékin

pelado, -a adj pelé(e); (cabeza) tondu(e); (fam) fauché(e)

pelaje nm pelage m

pelar vt (fruta, animal) peler;

(patatas, marisco) éplucher; (cortar el pelo) couper; **~se** vpr (la piel) peler

peldaño nm marche f

pelea nf (lucha) lutte f; (discusión) discussion f

peleado, -a adj: **estar ~ (con algn)** être brouillé(e) (avec qn)

pelear vi se battre; (discutir) se disputer; **~se** vpr se battre; se disputer; (enemistarse) se brouiller

peletería nf pelleterie f

pelícano nm pélican m

película nf film m; (capa fina, FOTO) pellicule f; **de ~** (fam) sensass; **~ de dibujos (animados)** dessin m animé; **~ del oeste** western m; **~ muda** film muet

peligro nm danger m; **correr ~ de** courir le risque de

peligroso, -a adj dangereux(-euse)

pelirrojo, -a adj roux (rousse), rouquin(e) ♦ nm/f rouquin(e)

pellejo nm peau f

pellizcar vt pincer

pellizco nm pincement m; (pizca) pincée f

pelma, pelmazo, -a (fam) nm/f casse-pieds m/fsg

pelo nm cheveux mpl; (un pelo) cheveu m; (: en el cuerpo) poil m; **a ~** (sin abrigo) peu couvert(e); **venir al ~** tomber à pic; **por los ~s** de justesse; **con ~s y señales** en long et en large; **no tener ~s en la lengua** ne pas mâcher ses mots; **tomar el ~ a algn** se payer la tête de qn

pelota nf pelote f; (tb: **~ vasca**) pelote; **en ~(s)** (fam) à poil; **hacer la ~ (a algn)** lécher les bottes (à qn)

pelotón nm peloton m

peluca nf perruque f

peluche nm: **muñeco de ~** peluche f

peludo, -a adj (cabeza) chevelu(e); (persona, perro) poilu(e)

peluquería nf salon m de coiffure

peluquero, -a nm/f coiffeur(-euse)

pelusa nf (BOT) duvet m; (de tela) peluche f; (de polvo) mouton m

pelvis nf bassin m

pena nf peine f; (AM) honte f; **~s** nfpl pénalités fpl; **merecer/valer la ~** valoir la peine; **a duras ~s** à grand-peine; **me da ~ cela me fait de la peine; ¡qué ~!** quel dommage!; **~ de muerte** peine de mort

penal adj pénal; **antecedentes ~es** casier msg judiciaire

penalidades nfpl souffrances fpl

penalti, penalty nm penalty m

pendiente adj (asunto) en suspens; (asignatura) à repasser; (terreno) en pente ♦ nm boucle f d'oreille ♦ nf pente f; **estar ~ de algo/algn** (vigilar) garder un œil sur qch/qn; **estar ~ de los labios/de las palabras de algn** être pendu(e) aux lèvres de qn/boire les paroles de qn

pene nm pénis m

penetración nf pénétration f

penetrante adj pénétrant(e)

penetrar vt, vi pénétrer

penicilina nf pénicilline f

península nf péninsule f; **peninsular** adj péninsulaire

penique nm penny m

penitencia nf pénitence f

penoso, -a adj pénible

pensador, -a nm/f penseur(-euse)

pensamiento nm pensée f

pensar vt, vi penser; **~ (hacer)** penser (faire); **~ en** penser à; **he pensado que** j'ai pensé que; **~ mal de algn** avoir une mauvaise opinion de qn

pensativo, -a adj pensif(-ive)

pensión nf pension f; **media ~** (en hotel) demi-pension f; **~ completa** pension complète; **pensionista** nm/f (jubilado) pensionné(e)

penúltimo, -a adj, nm/f avant-dernier(-ière)

penumbra nf pénombre f

penuria nf pénurie f

peña nf rocher m; (grupo) amicale f

peñasco nm rocher m

peñón nm piton m; **el P~** Gibraltar

peón nm manœuvre m, ouvrier m; (esp AM) ouvrier agricole; (AJEDREZ) pion m

peor adj (compar) moins bon, pire; (superl) pire ♦ adv (compar) moins bien, pis; (superl) moins bien; **de mal en ~** de mal en pis

pepinillo nm cornichon m

pepino nm concombre m; **(no) me importa un ~** je m'en fiche complètement

pepita nf pépin m; (de mineral) pépite f

pequeñez nf petitesse f

pequeño, -a adj, nm/f petit(e)

pera nf adj inv (fam) ≃ BCBG inv ♦ nf poire f

percance nm contretemps msg

percatarse vpr: **~ de** se rendre compte de

percepción nf perception f

percha nf cintre m; (en la pared) portemanteau m

percibir vt percevoir

percusión nf percussion f

perdedor, a adj, nm/f perdant(e)

perder vt perdre; (tren) rater ♦ vi perdre; **~se** vpr se perdre; **echar a ~** (comida) gâcher, gâter

perdición nf perdition f

pérdida nf perte f; **~s** nfpl (COM) pertes fpl; **una ~ de tiempo** une perte de temps

perdido, -a adj perdu(e); **tonto ~** (fam) bête à manger du foin, bête comme ses pieds

perdiz nf perdrix f

perdón nm pardon m; **¡~!** pardon!; **perdonar** vt pardonner; (la vida) gracier; (eximir) dispenser, exempter ♦ vi pardonner; **¡perdone (usted)!** pardon!

perdurar vi perdurer; (continuar) durer

perecedero, -a adj périssable

perecer vi périr

peregrino, -a adj (idea) curieux(-euse), bizarre ♦ nm/f pèlerin(e)

perejil nm persil m

perenne adj: **hoja ~** feuille persistante

pereza nf paresse f

perezoso, -a adj paresseux(-euse)

perfección nf perfection f; **perfeccionar** vt perfectionner

perfectamente adv parfaitement; **¡~!** parfaitement!, certainement!

perfecto, -a adj parfait(e)

perfil nm profil m; **~es** nmpl (de figura) contours mpl; **de ~** de profil; **perfilar** vt profiler

perforación nf perforation f

perforar vt perforer

perfume nm parfum m

pericia nf adresse f

periferia nf périphérie f

periférico, -a adj périphérique ♦

nm (AM: AUTO) (boulevard m)
périphérique m
perímetro nm périmètre m
periódico, -a adj périodique ♦
nm journal m
periodismo nm journalisme m;
periodista nm/f journaliste m/f
periodo, período nm période f;
(menstruación) règles fpl
perito, -a nm/f expert(e);
(técnico) technicien(ne)
perjudicar vt nuire à, porter
préjudice à; **perjudicial** adj
néfaste, préjudiciable; **perjuicio**
nm préjudice m
perla nf perle f; **me viene de ~s**
ça tombe à pic
permanecer vi séjourner, rester;
(seguir) rester
permanencia nf (estancia) séjour
m
permanente adj permanent(e) ♦
nf permanente f
permiso nm permission f;
(licencia) licence f, permis msg;
con ~ avec votre permission;
estar de ~ être en permission; **~
de conducir** permis de conduire
permitir vt permettre
pernicioso, -a adj
pernicieux(-euse)
pero conj mais ♦ nm objection m;
¡~ bueno! mais (enfin) bon!
perpendicular adj
perpendiculaire
perpetrar vt perpétrer
perpetuar vt perpétuer
perpetuo, -a adj perpétuel(le)
perplejo, -a adj perplexe
perra nf chienne f
perrera nf chenil m
perrito nm: **~ caliente** hot-dog
m
perro nm chien m
persa adj persan(e) ♦ nm/f

Persan(e)
persecución nf poursuite f; (REL,
POL) persécution f
perseguir vt poursuivre; (atosigar,
REL, POL) persécuter
perseverante adj persévérant(e)
perseverar vi persévérer; **~ en**
persévérer dans
persiana nf persienne f
persignarse vpr se signer
persistente adj persistant(e)
persistir vi: **~ (en)** persister
(dans)
persona nf personne f; **~
jurídica** personne morale
personaje nm personnage m
personal adj personnel(le); (aseo)
intime ♦ nm personnel m;
personalidad nf personnalité f
personarse vpr: **~ (en)** se
présenter (à)
personificar vt personnifier
perspectiva nf perspective f; **~s**
nfpl (de futuro) perspectives fpl
perspicacia nf perspicacité f
perspicaz adj perspicace
persuadir vt persuader; **~se** vpr
se persuader; **persuasión** nf
persuasion f
persuasivo, -a adj
persuasif(-ive)
pertenecer vi: **~ a** appartenir à;
perteneciente adj: **ser
perteneciente a** appartenir à;
pertenencia nf possession f; (a
organización, club) affiliation f;
pertenencias nfpl (posesiones)
biens mpl
pertenezca etc vb ver
pertenecer
pértiga nf perche f; **salto de ~**
saut m à la perche
pertinente adj pertinent(e),
(momento etc) approprié(e)
perturbado, -a adj troublé(e) ♦

nm/f (tb: ~ mental) malade *m/f* mental(e)

perturbar *vt* perturber, troubler; *(MED)* troubler

Perú *nm* Pérou *m*

peruano, -a *adj* péruvien(ne) ♦ *nm/f* Péruvien(ne)

perversión *nf* perversion *f*

perverso, -a *adj* pervers(e)

pervertido, -a *adj, nm/f* pervers(e)

pervertir *vt* pervertir; **~se** *vpr* se pervertir

pesa *nf* poids *msg; (DEPORTE)* haltère *m;* **hacer ~s** faire des haltères

pesadez *nf* lourdeur *f; (fastidio)* ennui *m*

pesadilla *nf* cauchemar *m*

pesado, -a *adj* lourd(e); *(difícil, duro)* pénible; *(aburrido)* ennuyeux(-euse) ♦ *nm/f* enquiquineur(-euse)

pésame *nm* condoléances *fpl;* **dar el ~** présenter ses condoléances

pesar *vt* peser ♦ *vi* peser; *(fig: opinión)* compter ♦ *nm (remordimiento)* remords *msg; (pena)* chagrin *m;* **a ~ de** en dépit de; **a ~ de que** bien que; **(no) me pesa haberlo hecho** je (ne) regrette (pas) de l'avoir fait

pesca *nf* pêche *f;* **ir de ~** aller à la pêche

pescadería *nf* poissonnerie *f*

pescadilla *nf* merlan *m*

pescado *nm* poisson *m*

pescador, a *nm/f* pêcheur(-euse)

pescar *vt* pêcher; *(fam)* choper; *(novio)* se dénicher; *(delincuente)* cueillir ♦ *vi* pêcher

pescuezo *nm* cou *m*

peseta *nf* peseta *f*

pesimista *adj, nm/f* pessimiste

pésimo, -a *adj* lamentable

peso *nm* poids *msg; (balanza)* balance *f; (AM: moneda)* peso *m;* **vender a ~** vendre au poids; **~ bruto** poids brut; **~ neto** poids net; **~ pesado/pluma** *(BOXEO)* poids lourd/plume

pesquero, -a *adj (industria)* de la pêche; *(barco)* de pêche

pesquisa *nf* recherche *f*

pestaña *nf* cil *m; (borde)* bord *m;* **pestañear** *vi* cligner des yeux

peste *nf* peste *f; (mal olor)* puanteur *f*

pesticida *nm* pesticide *m*

pestillo *nm* verrou *m; (picaporte)* poignée *f*

petaca *nf (para cigarros)* porte-cigarettes *m inv; (para tabaco)* tabatière *f; (para beber)* flasque *f*

pétalo *nm* pétale *m*

petardo *nm* pétard *m*

petición *nf* demande *f; (JUR)* requête *f*

petrificar *vt* pétrifier

petróleo *nm* pétrole *m*

petrolero, -a *adj* pétrolier(-ère) ♦ *nm* pétrolier *m*

peyorativo, -a *adj* péjoratif(-ive)

pez *nm* poisson *m;* **~ espada** poisson-épée *m;* **~ gordo** *(fig)* grosse légume *f*

pezón *nm* mamelon *m*

pezuña *nf (de animal)* sabot *m*

piadoso, -a *adj (devoto)* pieux(-euse)

pianista *nm/f* pianiste *m/f*

piano *nm* piano *m*

piar *vi* piailler

pibe, -a *(AM) nm/f* gosse *m/f*

picadillo *nm* hachis *msg*

picado, -a *adj* haché(e); *(hielo)* pilé(e); *(mar)* agité(e); *(diente)* gâté(e); *(tabaco)* découpé(e); *(enfadado)* piqué(e) ♦ *nm:* **en ~**

en piqué

picador nm (TAUR) picador m;
(minero) piqueur m

picadura nf piqûre f; (tabaco
picado) tabac m gris

picante adj épicé(e); (comentario,
chiste) piquant(e)

picaporte nm poignée f

picar vt piquer; (ave) picoter;
(CULIN) hacher ♦ vi piquer; (el sol)
brûler; (pez) mordre; **~se** vpr
(vino) se piquer; (muela) se gâter;
(ofenderse) prendre la mouche;
me pica el brazo mon bras me
démange

picardía nf sournoiserie f;
(astucia) astuce f; (travesura)
espièglerie f

pícaro, -a adj astucieux(-euse);
(travieso) espiègle ♦ nm canaille f;
(LIT) pícaro m

pichón, -ona nm/f pigeon m

pico nm bec m; (de mesa,
ventana) coin m; (GEO,
herramienta) pic m

picotear vt, vi (fam) grignoter ♦
vi (ave) picorer

picudo, -a adj au bec pointu;
(zapato, tejado) pointu(e)

pidiendo etc vb ver **pedir**

pie nm pied m; (de página) bas
msg; **ir a ~** aller à pied; **al ~ de**
au pied de; **estar a ~** être
debout; **ponerse de ~** se mettre
debout; **al ~ de la letra** au pied
de la lettre; **en ~ de igualdad**
sur un pied d'égalité; **dar ~ a**
donner prise à; **hacer ~** (en el
agua) avoir pied

piedad nf pitié f

piedra nf pierre f; **~ preciosa**
pierre précieuse

piel nf peau f; (de animal, abrigo)
fourrure f

pienso vb ver **pensar** ♦ nm (AGR)

tourteau m

pierda etc vb ver **perder**

pierna nf jambe f; (de cordero)
gigot m

pieza nf pièce f; **~ de recambio**
o **de repuesto** pièce de
rechange

pigmeo, -a adj pygmée

pijama nm pyjama m

pila nf pile f; (fregadero) évier m;
(lavabo) lavabo m

píldora nf pilule f; **la ~
(anticonceptiva)** la pilule
(contraceptive)

pileta (esp CSUR) nf évier m;
(piscina) piscine f

pillaje nm pillage m

pillar vt coincer; (fam: coger,
sorprender) pincer; (: conseguir) se
dégoter; (: atropellar) faucher; (:
alcanzar) attraper; **me pilla
cerca/lejos** c'est près/loin de
chez moi; **~ una borrachera**
(fam) prendre une cuite; **~ un
resfriado** (fam) choper un
rhume

pillo, -a adj malin(-igne),
coquin(e) ♦ nm/f fripouille f

piloto nm/f pilote m ♦ nm (ARG)
imperméable m; **~ automático**
pilote automatique

pimentón nm piment m doux

pimienta nf poivre m

pimiento nm poivron m

pinacoteca nf galerie f de
peintures

pinar nm pinède f

pincel nm pinceau m

pinchar vt piquer; (neumático)
crever; (teléfono) mettre sur (table
d')écoute; **~se** vpr se piquer

pinchazo nm piqûre f; (de llanta)
crevaison f; **~ telefónico** écoute
f téléphonique

pincho nm pointe f; (de planta)

épine f; (CULIN) amuse-gueule m
inv; **~ moruno** (chiche-)kebab m
pingüino nm pingouin m
pino nm pin m
pinta nf (mota) tache f; (aspecto)
mine f
pintar vt peindre; (con lápices de
colores) colorier; (fig) dépeindre ♦
vi peindre; (fam) compter; **~se**
vpr se maquiller; (uñas) se faire
pintor, a nm/f peintre m/f
pintoresco, -a adj pittoresque
pintura nf peinture f; **~ a la
acuarela** aquarelle f; **~ al óleo**
peinture à l'huile
pinza nf pince f; (para colgar ropa)
pince à linge; **~s** nfpl pinces fpl;
(para depilar) pince à épiler
piña nf (fruto del pino) pomme f
de pin; (fruta) ananas msg
piñón nm pignon m
piojo nm pou m
pionero, -a adj, nm/f
pionnier(-ère)
pipa nf pipe f; (BOT) pépin m; **~s**
nfpl (de girasol) graines fpl (de
tournesol); **pasarlo ~** (fam) bien
s'amuser
pique vb ver **picar** ♦ nm brouille
f; (rivalidad) compétition f; **irse a
~** couler à pic; (familia, negocio)
aller à la dérive
piquete nm piquet m
piragua nf pirogue f; (DEPORTE)
canoë m; **piragüismo** nm
canoë-kayak m
pirámide nf pyramide f
pirata adj: **edición/disco ~**
édition f/disque m piraté ♦ nm
pirate m
Pirineo(s) nm(pl) Pyrénées fpl
pirómano, -a nm/f pyromane
m/f
piropo nm compliment m
pis (fam) nm pipi m, pisse f;

hacer ~ pisser
pisada nf pas msg
pisar vt fouler, marcher sur;
(apretar con el pie, fig) écraser;
(idea, puesto) piquer ♦ vi marcher;
me has pisado tu m'as marché
dessus
piscina nf piscine f
Piscis nm (ASTROL) Poissons mpl;
ser ~ être Poissons
piso nm (planta) étage m;
(apartamento) appartement m;
(suelo) sol m; **primer ~** premier
étage; (AM: de edificio) rez-de-
chaussée m inv
pista nf piste f; **~ de aterrizaje**
piste d'atterrissage; **~ de baile**
piste de danse; **~ de carreras**
champ m de courses; **~ de hielo**
patinoire f; **~ de tenis** court m
de tennis
pistola nf pistolet m
pistolero nm gangster m
pistón nm piston m
pitar vt siffler; (AUTO) klaxonner ♦
vi siffler; (AUTO) klaxonner; (fam)
gazer; (AM) fumer
pitillo nm (fam) sèche f
pito nm sifflement m; (silbato)
sifflet m; (de coche) klaxon m
pitón nm python m
pitorreo nm moquerie f; **estar
de ~** se payer la tête des gens
pizarra nf ardoise f; (encerado)
tableau m (noir)
pizca nf pincée f; (de pan) miette
f; (fig) petit morceau m; **ni ~** pas
une miette
pizza nf pizza f
placa nf plaque f; **~ de
matrícula** plaque
d'immatriculation
placentero, -a adj agréable
placer nm plaisir m
plácido, -a adj placide; (día, mar)

calme

plaga *nf* fléau *m*; **plagar** *vt* infester

plagio *nm* plagiat *m*; (AM) kidnapping *m*

plan *nm* plan *m*, projet *m*; (idea) idée *f*; **en ~ económico** (fam) pour pas cher; **vamos en ~ de turismo** on y va en touristes; **si te pones en ese ~ ...** si tu le vois comme ça ...

plana *nf* page *f*; **a toda ~** sur toute une page; **la primera ~** la une; **~ mayor** (MIL) état-major *m*

plancha *nf* (para planchar) fer *m* (à repasser); (de metal, madera, TIP) planche *f*; **pescado a la ~** poisson *m* grillé; **planchado, -a** *adj* repassé(e) ♦ *nm* repassage *m*; **planchar** *vt*, *vi* repasser

planeador *nm* planeur *m*

planear *vt* planifier ♦ *vi* planer

planeta *nm* planète *f*

planicie *nf* plaine *f*

planificación *nf* planification *f*; **~ familiar** planning familial

plano, -a *adj* plat(e) ♦ *nm* plan *m*; **primer ~** (CINE) premier plan; **caer de ~** tomber de tout son long

planta *nf* plante *f*; (TEC) usine *f*; (piso) étage *m*; **~ baja** rez-de-chaussée *m inv*

plantación *nf* plantation *f*

plantar *vt* planter; (novio, trabajo) laisser tomber; **~se** *vpr* se planter

plantear *vt* exposer; (problema) poser; (proponer) proposer; **~se** *vpr* envisager

plantilla *nf* (de zapato) semelle *f*; (personal) personnel *m*; **estar en ~** faire partie du personnel

plasmar *vt* (representar) reproduire; **~se** *vpr*: **~se en** se concrétiser

plástico, -a *adj* plastique ♦ *nm* plastique *m*

plastilina ® *nf* pâte *f* à modeler

plata *nf* (metal, dinero) argent *m*; (cosas de plata) argenterie *f*

plataforma *nf* plate-forme *f*; (tribuna) estrade *f*; **~ de lanzamiento** rampe *f* de lancement; **~ petrolera/de perforación** plate-forme pétrolière/de forage

plátano *nm* banane *f*; (árbol) bananier *m*

platea *nf* orchestre *m*

plateado, -a *adj* argenté(e); (TEC) plaqué(e) argent

platillo *nm* soucoupe *f*; **~ volante** soucoupe volante

platino *nm* platine *m*; **~s** *nmpl* (AUTO) vis *fpl* platinées

plato *nm* assiette *f*; **~ combinado** menu *m* express

playa *nf* plage *f*; **~ de estacionamiento** (AM) place *f* de stationnement

playera *nf* (AM) T-shirt *m*; **~s** *nfpl* chaussures *fpl* en toile

plaza *nf* place *f*; (mercado) place *f* du marché; **~ de toros** arène *f*

plazo *nm* délai *m*; (pago parcial) terme *m*; **a corto/largo ~** à court/long terme; **comprar a ~s** acheter à tempérament

pleamar *nf* pleine mer *f*

plebe (pey) *nf* plèbe *f*

plebiscito *nm* plébiscite *m*

plegable *adj* pliable

plegar *vt* plier; **~se** *vpr* se plier

pleito *nm* procès *msg*; (fig) conflit *m*

pleno, -a *adj* plein(e) ♦ *nm* plenum *m*; **en ~ día/verano** en plein jour/été; **en plena cara** en plein visage

pliego *vb ver* **plegar** ♦ *nm* (hoja)

feuille f (de papier); **~ de cargos** charges fpl produites contre l'accusé; **~ de condiciones** cahier m des charges; **~ de descargo** témoignages mpl à la décharge de l'accusé

pliegue vb ver plegar ♦ nm pli m
plomero (AM) nm plombier m
plomo nm plomb m; **~s** nmpl (ELEC) plombs mpl; **(gasolina) sin ~** (essence) sans plomb
pluma nf plume f; **~ (estilográfica)** stylo-plume m; **~ fuente** (AM) stylo-plume m
plumón nm (AM) stylo-feutre m
plural adj pluriel(le) ♦ nm pluriel m; **pluralidad** nf pluralité f
pluriempleo nm cumul m d'emplois
plusvalía nf (COM) plus-value f
población nf population f; (pueblo, ciudad) peuplement m
poblado, -a adj peuplé(e) ♦ nm hameau m; **densamente ~** densément peuplé(e)
poblar vt peupler; **~se** vpr: **~se de** se peupler de
pobre adj, nm/f pauvre m/f; **los ~s** les pauvres mpl; **pobreza** nf pauvreté f
pocilga nf porcherie f

poco, -a adj 1 (sg) peu de; **poco tiempo** peu de temps; **de poco interés** peu intéressant; **poca cosa** peu de chose
2 (pl) peu de; **pocas personas lo saben** peu de gens le savent; **unos pocos libros** quelques livres
♦ adv (comer, trabajar) peu; **poco amable/inteligente** peu aimable/intelligent; **cuesta poco** cela ne coûte pas cher; **a poco**

que se interese ... pour peu qu'il montre de l'intérêt ...
♦ pron 1: **unos/as pocos/as** quelques-uns/unes
2 (casi): **por poco me caigo** j'ai failli tomber
3 (locuciones de tiempo): **a poco de haberse casado** peu après s'être marié; **poco después** peu après
4: **poco a poco** peu à peu
♦ nm: **un poco** un peu; **un poco triste** un peu triste; **un poco de dinero** un peu d'argent

podar vt élaguer

poder vb aux (capacidad, posibilidad, permiso) pouvoir; **no puedo hacerlo** je ne peux pas le faire; **puede llegar mañana** il peut arriver demain; **pudiste haberte hecho daño** tu aurais pu te faire mal; **no se puede fumar en este hospital** on n'a pas le droit de fumer dans cet hôpital; **podías habérmelo dicho** tu aurais pu me le dire
♦ vi 1 pouvoir; **¿se puede?** on peut entrer?; **¡no puedo más!** je n'en peux plus!; **¡es tonto a más no poder!** il est on ne peut plus idiot!
2: **¿puedes con eso?** tu peux y arriver?; **no puedo con este crío** je n'arrive pas à venir à bout de cet enfant
3: **A le puede a B** (fam) A est plus fort que B
♦ vb impers: **¡puede (ser)!** cela se peut!; **¡no puede ser!** ce n'est pas possible!; **puede que llueva** il pourrait pleuvoir
♦ nm pouvoir m; **ocupar el**

poder détenir le pouvoir; **detentar el poder** s'emparer du pouvoir; **estar en el poder** être au pouvoir; **en mi/tu** etc **poder** (posesión) en ma/ta etc possession; **en poder de** entre les mains de; **por poderes** (JUR) par procuration; **poder adquisitivo** pouvoir d'achat; **poder ejecutivo/legislativo** (POL) pouvoir exécutif/législatif

---

poderoso, -a adj puissant(e)
podio, podium nm podium m
podrido, -a adj pourri(e); (fig) corrompu(e)
podrir vt = **pudrir**
poema nm poème m
poesía nf poésie f
poeta nm/f poète m
póker nm poker m
polaco, -a adj polonais(e) ♦ nm/f Polonais(e)
polar adj polaire; **polaridad** nf polarité f
polarizar vt polariser; **~se** vpr se polariser
polea nf poulie f
polémica nf polémique f
polémico, -a adj controversé(e)
polen nm pollen m
policía nf police f ♦ nm/f policier, femme-policier, agent(e) (de police) ♦ nf police f
policíaco, -a, policial adj policier(-ière)
polideportivo nm complexe m omnisports
poligamia nf polygamie f
polilla nf mite f
polio nf polio f
política nf politique f; **~ agraria** politique agricole; **~ económica** politique économique
político, -a adj politique ♦ nm/f

homme/femme politique; **padre/hermano ~** beau-père/-frère m; **madre política** belle-mère f
póliza nf police f; (sello) timbre m fiscal; **~ de seguro(s)** police d'assurance
polizón nm passager(-ère) clandestin(e)
pollera (AM) nf jupe f
pollería nf marchand m de volailles
pollo nm poulet m
polo nm pôle m; (helado) glace f; (DEPORTE, suéter) polo m; **P~ Norte/Sur** Pôle Nord/Sud
Polonia nf Pologne f
poltrona (esp AM) nf fauteuil m
polvo nm poussière f; **~s** nmpl (en cosmética etc) poudre fsg; **en ~** en poudre; **estar hecho ~** (fam) être fichu; (: persona) être crevé
pólvora nf poudre f
polvoriento, -a adj poussiéreux(-euse)
pomada nf pommade f
pomelo nm pomélo m
pomo nm poignée f
pompa nf bulle f; (ostentación) pompe f
pomposo, -a (pey) adj prétentieux(-euse); (lenguaje, estilo) pompeux(-euse)
pómulo nm pommette f
pon vb ver **poner**
ponche nm punch m
poncho nm poncho m
ponderar vt soupeser; (elogiar) porter aux nues
pondré etc vb ver **poner**

PALABRA CLAVE

---

poner vt **1** (colocar) mettre, poser; (ropa, mesa) mettre

2 (*imponer: tarea*) donner; (*multa*) condamner à

3 (*obra de teatro, película*) passer; **¿qué ponen en el Excelsior?** qu'est-ce qui passe à l'Excelsior?; (*instalar: gas etc*) (faire) mettre

4 (*radio, TV*) mettre; **ponlo más alto** mets-le plus fort

5 (*suponer*): **pongamos que ...** mettons que ...

6 (*contribuir*): **el gobierno ha puesto un millón** le gouvernement a mis un million

7 (+ *adj*) rendre; **me estás poniendo nerviosa** tu commences à m'énerver

8 (*dar nombre*): **al hijo le pusieron Diego** ils ont appelé leur fils Diego

9 (*huevos*) pondre

♦ *vi* (*gallina*) pondre

ponerse *vpr* **1** (*colocarse*): **se puso a mi lado** il s'est mis à côté de moi; **ponte en esa silla** mets-toi sur cette chaise

2 (*vestido, cosméticos*) mettre; **¿por qué no te pones el vestido nuevo?** pourquoi ne mets-tu pas ta nouvelle robe?

3 (*sol*) se coucher

4 (+ *adj*) devenir; **se puso muy serio** il a pris un air très sérieux

poniente *nm* couchant *m*
pontífice *nm* pontife *m*
popa *nf* poupe *f*
popular *adj* populaire
popularidad *nf* popularité *f*
popularizar *vt* populariser; **~se** *vpr* se populariser

PALABRA CLAVE

por *prep* **1** (*objetivo, en favor de*) pour; **luchar por la patria** combattre pour la patrie; **hazlo**

por mí fais-le pour moi

2 (+ *infin*) pour; **por no llegar tarde** pour ne pas arriver tard; **por citar unos ejemplos** pour citer quelques exemples

3 (*causa, agente*) par; **por escasez de fondos** par manque de fonds; **le castigaron por desobedecer** il a été puni pour avoir désobéi; **por eso** c'est pourquoi; **escrito por él** écrit par lui

4 (*tiempo*) **por la mañana/Navidad** le matin/vers Noël

5 (*duración*): **se queda por una semana** il reste une semaine; **se fue por 3 días** il est parti pour 3 jours

6 (*lugar*): **pasar por Madrid** passer par Madrid; **ir a Guayaquil por Quito** aller à Guayaquil via Quito; **caminar por la calle/por las Ramblas** déambuler dans la rue/sur les Rambles; **por fuera/dentro** par dehors/dedans; **vive por aquí** il habite par ici; *ver tb* **toda**

7 (*cambio, precio*): **te doy uno nuevo por el que tienes** je t'en donne un neuf contre le tien; **lo vendo por 1.000 pesetas** je le vends pour 1 000 pesetas

8 (*valor distributivo*): **550 pesetas por hora/cabeza** 550 pesetas de l'heure/par tête; **100km por hora** 100 km à l'heure; **veinte por ciento** vingt pour cent

9 (*modo, medio*) par; **por avión/correo** par avion/la poste; **caso por caso** cas par cas; **por tamaños** par ordre de taille

10: 25 por 4 son 100 4 fois 25 font 100

11: ir/venir por algo/algn
aller/venir chercher qch/qn;
estar/quedar por hacer être/
rester à faire
12 (*evidencia*): **por lo que
dicen** d'après ce qu'ils disent
13: **por si (acaso)** au cas où
14: **¿por qué?** pourquoi?; **¿por
qué no?** pourquoi pas?

porcelana *nf* porcelaine *f*
porcentaje *nm* pourcentage *m*
porción *nf* portion *f*
pordiosero, -a *nm/f*
mendiant(e)
pormenor *nm* détail *m*
pornografía *nf* pornographie *f*
poro *nm* pore *m*
poroso, -a *adj* poreux(-euse)
porque *conj* parce que
porqué *nm* pourquoi *m*
porquería *nf* cochonnerie *f*,
saleté *f*; (*algo sin valor*)
cochonnerie; **~s** *nfpl* (*comida*)
cochonneries *fpl*
porra *nf* matraque *f*; **¡vete a la
~!** va te faire voir!
porrazo *nm* coup *m*
porrón *nm* gourde *f*
portada *nf* couverture *f*
portador, -a *nm/f* porteur(-euse);
(*COM*) porteur *m*
portaequipajes *nm inv*
(*maletero*) coffre *m*; (*baca*) porte-
bagages *m inv*
portal *nm* (*entrada*) vestibule *m*;
(*puerta*) porte *f*
portamaletas *nm inv* =
portaequipajes
portarse *vpr* se comporter; **~
bien/mal** bien/mal se comporter
portátil *adj* portatif(-ive);
(*ordenador*) portable
portavoz *nm/f* porte-parole *m inv*
portazo *nm*: **dar un ~** claquer la

porte
porte *nm* (*COM*) port *m*
portento *nm* prodige *m*
porteño, -a *adj* de Buenos Aires
portería *nf* loge *f* (de concierge);
(*DEPORTE*) but *m*
portero, -a *nm/f* concierge *m/f*;
(*de club*) portier *m*; (*DEPORTE*)
gardien(ne) de but; **~
automático** interphone *m*
pórtico *nm* portique *m*
portorriqueño, -a *adj*
portoricain(e)
Portugal *nm* Portugal *m*
portugués, -esa *adj*
portugais(e) ♦ *nm/f* Portugais(e) ♦
nm (*LING*) portugais *msg*
porvenir *nm* avenir *m*
pos: **en ~ de** *prep* après, en quête
de
posada *nf* auberge *f*; **dar ~ a**
héberger
posar *vt, vi* poser; **~se** *vpr* se
poser; (*polvo*) se déposer
posavasos *nm inv* sous-verre *m*
posdata *nf* post-scriptum *m inv*
pose *nf* pose *f*
poseedor, a *nm/f* possesseur *m*
poseer *vt* posséder;
(*conocimientos, belleza*) avoir;
(*récord, título*) détenir
posesión *nf* possession *f*
posesivo, -a *adj* possessif(-ive)
posgrado *nm* = **postgrado**
posibilidad *nf* possibilité *f*
posible *adj* possible; **es ~ que** il
est possible que
posición *nf* position *f*
positivo, -a *adj* positif(-ive) ♦ *nf*
(*FOTO*) cliché *m*
poso *nm* (*de café*) marc *m*; (*de
vino*) lie *f*
posponer *vt* subordonner;
(*aplazar*) ajourner
posta *nf*: **a ~** exprès

postal adj postal(e) ♦ nf carte f postale

poste nm poteau m

póster nm poster m

postergar vt reléguer; (esp AM: aplazar) retarder

posteridad nf postérité f

posterior adj de derrière; (parte) postérieur(e); (en el tiempo) ultérieur(e); **posterioridad** nf: **con posterioridad** par la suite

postgrado nm troisième cycle m

postizo, -a adj faux (fausse), postiche ♦ nm postiche m

postor, a nm/f offrant m

postre nm dessert m

postrero, -a adj dernier(-ière)

postulado nm postulat m

póstumo, -a adj posthume

postura nf position f, posture f; (ante hecho, idea) position f

potable adj potable

potaje nm potage m

pote nm pot m

potencia nf puissance f; **en ~ en** puissance

potencial adj potentiel(le) ♦ nm potentiel m; **potenciar** vt promouvoir

potente adj puissant(e)

potro nm poulain m; (DEPORTE) cheval m d'arçon

pozo nm puits msg; (de río) endroit le plus profond

p.p. abr (= por poderes) p.p.

práctica nf pratique f; **~s** nfpl (ESCOL) travaux mpl pratiques; (MIL) entraînement m; **en la ~** dans la pratique

practicante adj (REL) pratiquant(e) ♦ nm/f (MED) aide-soignant(e)

practicar vt, vi pratiquer

práctico, -a adj pratique

practique etc vb ver **practicar**

pradera nf prairie f

prado nm pré m; (AM) gazon m

Praga n Prague

pragmático, -a adj pragmatique

preadolescentes nmpl préados mpl

preámbulo nm préambule m

precario, -a adj précaire

precaución nf précaution f

precaverse vpr: **~ de o contra algo** se prémunir contre qch

precavido, -a adj prévoyant(e)

precedente adj précédent(e) ♦ nm précédent m

preceder vt précéder

precepto nm précepte m

preciado, -a adj précieux(-euse)

preciarse vpr se vanter; **~ de** se vanter de

precinto nm (COM: tb: **~ de garantía**) cachet m

precio nm prix msg; **a ~ de saldo** en réclame; **~ al detalle** prix de détail; **~ al por menor** prix de détail; **~ de ocasión** prix avantageux; **~ de venta al público** prix de vente conseillé

preciosidad nf (cosa bonita) merveille f; **es una ~** c'est une merveille

precioso, -a adj (hermoso) beau (belle); (de mucho valor) précieux(-euse)

precipicio nm précipice m

precipitación nf précipitation f

precipitado, -a adj précipité(e)

precipitar vt précipiter; **~se** vpr se précipiter

precisamente adv précisément

precisar vt (necesitar) avoir besoin de; (determinar, presión) préciser

precisión nf précision f; **de ~** de précision

preciso, -a adj précis(e); (necesario) nécessaire

preconcebido, -a *adj*
préconçu(e)

precontratación *nf*
préembauche *f inv*

precoz *adj* précoce

precursor, a *nm/f* précurseur *m*

predecir *vt* prédire

predestinado, -a *adj*
prédestiné(e)

predicar *vt, vi* prêcher

predicción *nf* prédiction *f*

predilecto, -a *adj* préféré(e)

predisponer *vt* prédisposer;
predisposición *nf*
prédisposition *f*

predominante *adj*
prédominant(e)

predominar *vi* prédominer;
predominio *nm* prédominance *f*

preescolar *adj* préscolaire

prefabricado, -a *adj*
préfabriqué(e)

prefacio *nm* préface *f*

preferencia *nf* (*predilección*)
préférence *f*; (*AUTO, ventaja*)
priorité *f*

preferible *adj* préférable

preferir *vt* préférer; ~ **hacer/**
que préférer faire/que

prefiera *etc vb ver* **preferir**

prefijo *nm* (*TELEC*) indicatif *m*

pregonar *vt* crier

pregunta *nf* question *f*; **hacer**
una ~ poser une question

preguntar *vt, vi* demander; ~**se**
vpr se demander; ~ **por algn**
demander qn

prehistórico, -a *adj*
préhistorique

prejuicio *nm* préjugé *m*

preliminar *adj, nm* préliminaire
m

preludio *nm* prélude *m*

premeditación *nf* préméditation
f

premiar *vt* récompenser; (*en un*
concurso) décerner un prix à

premio *nm* récompense *f*; (*de*
concurso etc) prix *msg*

premonición *nf* prémonition *f*

prenatal *adj* prénatal(e)

prenda *nf* (*ropa*) vêtement *m*;
(*garantía*) gage *m*

prendedor *nm* broche *f*

prender *vt* (*sujetar*) attacher;
(*delincuente*) arrêter; (*esp AM*:
encender) allumer ♦ *vi* (*idea,*
miedo) s'enraciner; (*planta,*
fuego) prendre; ~**se** *vpr* prendre feu;
(*esp AM: encenderse*) s'allumer; ~
fuego a algo mettre le feu à qch

prendido, -a (*AM*) *adj* (*luz etc*)
allumé(e)

prensa *nf* presse *f*; **prensar** *vt*
(*papel, uva*) presser

preñado, -a *adj* (*mujer*) enceinte;
~ **de** chargé(e) de

preocupación *nf* souci *m*

preocupado, -a *adj*
soucieux(-euse)

preocupar *vt* préoccuper; ~**se**
vpr (*inquietarse*) se soucier; ~**se**
de algo (*hacerse cargo*) s'occuper
de qch

preparación *nf* préparation *f*

preparado, -a *adj* (*dispuesto*)
prêt(e); (*platos, estudiante etc*) pré-
paré(e) ♦ *nm* (*MED*) préparation *f*

preparar *vt* préparer; ~**se** *vpr* se
préparer; ~**se para hacer algo**
se préparer à faire qch; **pre-**
parativos *nmpl* préparatifs *mpl*

preparatoria (*AM*) *nf* terminale *f*

prerrogativa *nf* prérogative *f*

presa *nf* (*de animal*) proie *f*; (*de*
agua) barrage *m*

presagio *nm* présage *m*

prescindir *vi*: ~ **de** (*privarse de*)
se passer de; (*descartar*) faire
abstraction de

prescribir vt prescrire;
prescripción nf prescription f
presencia nf présence f;
presencial adj: **testigo**
presencial témoin m oculaire;
presenciar vt (accidente,
discusión) être témoin de;
(ceremonia etc) assister à
presentación nf présentation f
presentador, a nm/f
présentateur(-trice)
presentar vt présenter; (JUR:
pruebas, documentos) produire;
~se vpr se présenter
presente adj présent(e) ♦ nm
présent m; **tener ~** se souvenir
de
presentimiento nm
pressentiment m
presentir vt pressentir; **~ que**
pressentir que
preservativo nm préservatif m
presidencia nf présidence f
presidente nm/f président(e)
presidiario nm forçat m
presidio nm prison f
presidir vt (reunión) présider
presión nf pression f; **cerrar a ~**
fermer avec des pressions; **~**
atmosférica pression
atmosphérique; **presionar** vt
(coaccionar) faire pression sur ♦ vi:
presionar para o **por** faire
pression pour
preso, -a adj: **~ de terror/**
pánico pris(e) de terreur/panique
♦ nm/f (en la cárcel)
prisonnier(-ière)
prestación nf (ADMIN) prestation
f; **prestaciones** nfpl (TEC, AUTO)
performances fpl
prestado, -a adj emprunté(e);
pedir ~ emprunter
préstamo nm prêt m; **~**
hipotecario prêt hypothécaire

prestar vt prêter
presteza nf promptitude f
prestigio nm prestige m
presumido, -a adj, nm/f
prétentieux(-euse); (preocupado de
su aspecto) coquet(te)
presumir vt présumer ♦ vi (tener
aires) s'afficher; **~ de listo** se
croire fin; **presunción** nf
présomption f
presunto, -a adj présumé(e);
(heredero) présomptif(-ive)
presuntuoso, -a adj
présomptueux(-euse)
presuponer vt présupposer
presupuesto pp de
presuponer ♦ nm (FIN) budget
m; (de costo, obra) devis msg
pretencioso, -a adj
prétentieux(-euse)
pretender vt prétendre; **~ que**
prétendre que; **pretendiente,**
-a nm/f prétendant(e);
pretensión nf prétention f;
pretensiones nfpl (pey)
prétentions fpl
pretexto nm (excusa) prétexte m
prevalecer vi prévaloir
prevención nf prévention f
prevenido, -a adj: (estar) **~**
(preparado) (être) prévenu(e);
(ser) **~** (cuidadoso) (être) averti(e)
prevenir vt prévenir; **~se** vpr se
préparer; **~ (en) contra de/a**
favor de prévenir contre/en
faveur de; **~se contra** se
prémunir contre
preventivo, -a adj préventif(-ive)
prever vt prévoir
previo, -a adj (anterior) préalable;
~ pago de los derechos
moyennant l'acquittement
préalable des droits
previsión nf prévision f; **en ~ de**
en prévision de

prima *nf* prime *f; ver tb* **primo**

primacía *nf* primauté *f*

primario, -a *adj* primaire

primavera *nf* printemps *m*

primera *nf* première *f*; **a la ~** du premier coup

primero, -a *adj (delante de nmsg:* **primer)** premier(-ière) ♦ *adv (en primer lugar)* d'abord; *(más bien)* plutôt ♦ *nm:* **ser/llegar el ~** être/arriver le premier

primicia *nf* primeur *f*

primitivo, -a *adj* primitif(-ive)

primo, -a *adj (MAT)* premier(-ière) ♦ *nm/f* cousin(e); *(fam)* idiot(e); **materias primas** matières *fpl* premières; **~ hermano** cousin *m* germain

primogénito, -a *adj* aîné(e)

primordial *adj* primordial(e)

princesa *nf* princesse *f*

principal *adj* principal(e)

príncipe *nm* prince *m*

principiante *nm/f* débutant(e)

principio *nm (comienzo)* début *m*; *(fundamento, moral, tb QUÍM)* principe *m*; **en ~** en principe

pringoso, -a *adj* gras(se)

pringue *nm (grasa)* graisse *f*

prioridad *nf* priorité *f*

prisa *nf* hâte *f; (rapidez)* rapidité *f*; **correr ~** être urgent(e); **darse ~** se presser; **tener ~** être pressé(e)

prisión *nf* prison *f*

prisionero, -a *nm/f* prisonnier(-ière)

prismáticos *nmpl* jumelles *fpl*

privación *nf* privation *f*

privado, -a *adj* privé(e)

privar *vt (despojar)* priver; **~se** *vpr:* **~se de** *(abstenerse)* se priver de

privilegiado, -a *adj, nm/f* privilégié(e)

privilegio *nm* privilège *m*

pro *nm* profit *m* ♦ *prep:* **asociación ~ ciegos** association *f* au profit des aveugles ♦ *pref:* **~ soviético/americano** pro-soviétique/américain; **en ~ de** en faveur de; **los ~s y los contras** le pour et le contre

proa *nf (NÁUT)* proue *f*

probabilidad *nf* probabilité *f*; **~es** *nfpl (perspectivas)* chances *fpl*; **probable** *adj* probable

probador *nm* cabine *f* d'essayage

probar *vt* essayer; *(demostrar)* prouver; *(comida)* goûter ♦ *vi* essayer; **~se** *vpr:* **~se un traje** essayer un costume

probeta *nf* éprouvette *f*; **bebé-~** bébé *m* éprouvette

problema *nm* problème *m*

proceder *vi (actuar)* procéder; *(ser correcto)* convenir ♦ *nm (comportamiento)* procédé *m*; **~ a** procéder à; **~ de** provenir de; **procedimiento** *nm (JUR, ADMIN)* procédure *f; (proceso)* processus *msg; (método)* procédé *m*

procesado, -a *nm/f (JUR)* prévenu(e)

procesador *nm:* **~ de textos** *(INFORM)* machine *f* de traitement de texte

procesar *vt (JUR)* accuser

procesión *nf* procession *f*

proceso *nm (desarrollo, procedimiento)* processus *msg; (JUR)* procès *msg*

proclamar *vt* proclamer

procreación *nf* procréation *f*

procrear *vt, vi* procréer

procurador, -a *nm/f (JUR)* avoué *m; (POL)* député *m*

procurar *vt (intentar)* essayer de; *(proporcionar)* procurer; **~se** *vpr* se procurer

prodigio nm prodige m
prodigioso, -a adj
prodigieux(-euse)
producción nf production f; **~ en serie** production en série
producir vt produire; **~se** vpr se produire
productividad nf productivité f
productivo, -a adj
productif(-ive)
producto nm produit m
productor, a adj, nm/f
producteur(-trice)
proeza nf prouesse f
profanar vt profaner
profano, -a adj, nm/f profane m/f
profecía nf prophétie f
proferir vt proférer
profesión nf profession f;
profesional adj, nm/f
professionnel(le)
profesor, a nm/f professeur m
profeta nm prophète m;
profetizar vt, vi prophétiser
prófugo, -a nm/f fugitif(-ive) ♦
nm (MIL) insoumis msg
profundidad nf profondeur f;
~es nfpl (de océano etc)
profondeurs fpl; **profundizar** vi:
profundizar en (fig) approfondir
profundo, -a adj profond(e)
programa nm programme m; **~ de estudios** programme m;
programación nf
programmation f
programador, a nm/f
programmeur(-euse) ♦ nm
programmateur m; **programar**
vt programmer
progresar vi progresser;
progresista adj, nm/f
progressiste m/f
progresivo, -a adj
progressif(-ive); **progreso** nm

(avance) progrès msg; **el progreso** le progrès
prohibición nf interdiction f;
(ADMIN, JUR) prohibition f
prohibir vt interdire; (ADMIN, JUR)
prohiber; **"prohibido fumar"**
"défense de fumer"; **"prohibida la entrada"** "entrée interdite"
prójimo nm prochain m
proletariado nm prolétariat m
proletario, -a adj, nm/f
prolétaire m/f
proliferación nf prolifération f
proliferar vi proliférer
prolífico, -a adj prolifique
prólogo nm prologue m
prolongación nf prolongation f
prolongado, -a adj (largo)
prolongé(e); (alargado) allongé(e)
prolongar vt prolonger; **~se** vpr
se prolonger
promedio nm moyenne f
promesa nf promesse f
prometer vt: **~ hacer algo**
promettre de faire qch ♦ vi
promettre; **~se** vpr (dos personas)
se fiancer
prometido, -a adj promis(e) ♦
nm/f promis(e), fiancé(e)
prominente adj proéminent(e);
(artista) en vue; (político)
important(e)
promiscuo, -a (pey) adj
(persona) de mœurs légères
promoción nf promotion f
promotor, a nm/f
promoteur(-trice)
promover vt promouvoir;
(escándalo, juicio) provoquer
promulgar vt promulguer
pronombre nm pronom m
pronosticar vt pronostiquer
pronóstico nm pronostic m;
pronóstico del tiempo
prévisions fpl météorologiques

pronto, -a *adj* (*rápido*) rapide ♦ *adv* rapidement; (*dentro de poco*) bientôt; (*temprano*) tôt ♦ *nm* (*impulso*) élan m; ~ (: de ira) accès m; **de ~** tout à coup; **por lo ~** pour l'instant

pronunciación *nf* (LING) prononciation f

pronunciar *vt* prononcer; **~se** *vpr* (MIL) se soulever; (*declararse*) se prononcer

propaganda *nf* propagande f

propagar *vt* propager; **~se** *vpr* se propager

propenso, -a *adj*: ~ a enclin(e) à; **ser ~ a hacer algo** être enclin(e) à faire qch

propicio, -a *adj* propice

propiedad *nf* propriété f; ~ **particular** propriété privée

propietario, -a *nm/f* propriétaire m

propina *nf* pourboire m

propio, -a *adj* propre; (*mismo*) en personne; **el ~ ministro** le ministre en personne; **¿tienes casa propia?** as-tu une maison à toi?

proponer *vt* proposer; **~se** *vpr*: **~se hacer** se proposer de faire

proporción *nf* proportion f; **proporciones** *nfpl* (*dimensiones, tb fig*) proportions *fpl*

proporcionado, -a *adj* proportionné(e); **proporcionar** *vt* offrir; (COM) fournir

proposición *nf* proposition f

propósito *nm* intention f ♦ *adv*: **a ~** à propos; **a ~ de** à propos de

propuesta *nf* proposition f

propulsar *vt* (*impulsar*) propulser; **propulsión** *nf* propulsion f

prórroga *nf* (*de plazo*) prorogation f; (DEPORTE) prolongations *fpl*; (MIL) sursis m;

prorrogar *vt* (*plazo*) proroger; (*decisión*) différer

prorrumpir *vi*: ~ **en lágrimas/carcajadas** éclater en sanglots/de rire; **el público prorrumpió en aplausos** les applaudissements ont fusé dans le public

prosa *nf* (LIT) prose f

proscrito, -a *adj, nm/f* proscrit(e)

proseguir *vt* poursuivre ♦ *vi* poursuivre; (*discusiones etc*) se poursuivre

prospección *nf* prospection f

prospecto *nm* (MED) notice f

prosperar *vi* prospérer; **prosperidad** *nf* prospérité f; **próspero, -a** *adj* prospère; ~ **año nuevo** bonne année!

prostíbulo *nm* bordel m

prostitución *nf* prostitution f

prostituir *vt* prostituer; **~se** *vpr* se prostituer

prostituta *nf* prostituée f

protagonista *nm/f* protagoniste m/f

protagonizar *vt* (*película, suceso*) être le/la protagoniste de

protección *nf* protection f

protector, -a *adj* (*barrera, gafas, crema*) de protection ♦ *nm/f* protecteur(-trice)

proteger *vt* protéger; **~se** *vpr*: **~se (de)** se protéger (de)

proteína *nf* protéine f

protesta *nf* protestation f

protestante *adj* protestant(e)

protestar *vt* (*cheque*) protester ♦ *vi* protester

protocolo *nm* protocole m

prototipo *nm* prototype m

prov. *abr* = **provincia**

provecho *nm* profit m; **¡buen ~!** bon appétit!; **en ~ de** au profit

de; **sacar ~ de** tirer profit de
proveer vt (suministrar) fournir
provenir vi provenir
proverbio nm proverbe m
providencia nf providence f
provincia nf province f; (ADMIN)
≈ département m
provinciano, -a (pey) adj
provincial(e)
provisión nf (abastecimiento)
provision f; **provisiones** nfpl
(víveres) provisions fpl
provisional adj provisoire
provocación nf provocation f
provocar vt provoquer; (AM): **¿te
provoca un café?** ça te dit, un
café?
provocativo, -a adj
provocant(e)
próximamente adv
prochainement
proximidad nf proximité f; **~es**
nfpl (cercanías) proximité fsg
próximo, -a adj (cercano) proche;
(parada, año) prochain(e)
proyectar vt projeter
proyectil nm projectile m
proyecto nm projet m
proyector nm projecteur m
prudencia nf prudence f;
prudente adj prudent(e)
prueba vb ver **probar** ♦ nf (gen)
épreuve f; (testimonio) témoignage
m; (JUR) preuve f; (de ropa)
essayage m; **a ~** à l'épreuve; **a ~
de** à l'épreuve de; **a ~ de
agua/fuego** étanche/à l'épreuve
du feu; **poner/someter a ~**
mettre/soumettre à l'épreuve
prurito nm démangeaison f
psico... pref psycho...;
psicoanálisis nm psychanalyse
f; **psicología** nf psychologie f;
psicológico, -a adj
psychologique; **psicópata** nm/f

psychopathe m/f; **psicosis** nf
inv psychose f
psiquiatra nm/f psychiatre m/f
psiquiátrico, -a adj
psychiatrique
psíquico, -a adj psychique
PSOE sigla m (= Partido Socialista
Obrero Español)
pta(s). abr = peseta(s)
pts. abr = pesetas
púa nf (de planta) piquant m;
(para guitarra) médiator m;
alambre de ~s fil m de fer
barbelé
pubertad nf puberté f
publicación nf publication f
publicar vt publier
publicidad nf publicité f
publicitario, -a adj publicitaire
público, -a adj public(-ique) ♦
nm public m; **en ~** en public
puchero nm (CULIN: olla) marmite
f; (: guiso) pot-au-feu m; **hacer
~s** bouder
púdico, -a adj pudique
pudiendo etc vb ver **poder**
pudor nm pudeur f
pudrir vt pourrir; **~se** vpr pourrir
pueblo vb ver **poblar** ♦ nm
peuple m; (población pequeña)
village m; **~ joven** (PE) quartier m
de bidonvilles
pueda etc vb ver **poder**
puente nm (gen) pont m; **hacer
~** (fam) faire le pont; **~ aéreo/
colgante** pont aérien/suspendu;
~ levadizo pont-levis m
puerco, -a adj cochon(ne) ♦
nm/f (ZOOL) porc (truie); (fam)
porc (cochonne)
pueril adj puéril(e)
puerro nm poireau m
puerta nf porte f; (de coche)
portière f; (de jardín) portail m,
porte f; (portería: DEPORTE) but m;

a ~ cerrada à huis clos; **~ giratoria** tourniquet m, porte à tambour

puerto nm port m; (de montaña) col m

puertorriqueño, -a adj portoricain(e) ♦ nm/f Portoricain(e)

pues conj (en tal caso) donc; (puesto que) car ♦ adv (así que) donc; **¡~ claro!** bien sûr!; **~ ... no sé** eh bien ... je ne sais pas

puesta nf: **~ al día/a punto** mise f à jour/au point; **~ del sol** coucher m du soleil; **~ en marcha** mise en marche

puesto, -a pp de **poner** ♦ adj: **ir bien/muy ~** être bien habillé/tiré à quatre épingles ♦ nm poste m; (MIL: en clasificación) rang m; (tb: **~ de trabajo**) poste; (COM: en mercado) étal m, éventaire m; (: de flores, periódicos) kiosque m ♦ conj: **~ que** puisque

pugna nf lutte f; **pugnar** vi: **pugnar por** lutter pour

pujar vi (en subasta) surenchérir

pulcro, -a adj propre

pulga nf puce f

pulgada nf (medida) pouce m

pulgar nm pouce m

pulir vt polir

pulla nf (broma) pique f

pulmón nm poumon m; **pulmonía** nf pneumonie f

pulpa nf pulpe f

pulpería nf (AM) épicerie f

púlpito nm (REL) chaire f

pulpo nm poulpe m

pulsación nf pulsation f

pulsar vt (tecla) frapper; (botón) appuyer sur

pulsera nf bracelet m

pulso nm (MED) pouls msg; **a ~** (tb fig) à la force du poignet

pulverizador nm pulvérisateur m

pulverizar vt pulvériser

puna (AND, CSUR) nf (MED) puna f

punitivo, -a adj punitif(-ive)

punta nf pointe f; (de lengua, dedo) bout m; **horas ~** heures fpl de pointe; **sacar ♦** (a lápiz) tailler

puntada nf (COSTURA) point m

puntal nm étai m

puntapié (pl **~s**) nm coup m de pied

puntear vt (dibujar) pointiller

puntería nf (de arma) visée f; (destreza) précision f

puntero, -a adj (industria, país) de pointe ♦ nm (vara) baguette f

puntiagudo, -a adj pointu(e)

puntilla nf (COSTURA) dentelle f fine; **(andar) de ~s** (marcher) sur la pointe des pieds

punto nm point m; **a ~** (listo) au point; **estar a ~ de** être sur le point de; **dos ~s** (TIP) deux points; **de ~** tricoté(e); **en ~** (horas) pile; **estar en su ~** (CULIN) être à point; **hacer ~** tricoter; **~ acápite** (AM) point, à la ligne; **~ de vista** point de vue; **~ muerto** point mort; **~ y coma** point-virgule

puntuación nf (signos) ponctuation f; (puntos) points mpl

puntual adj ponctuel(le); **puntualidad** nf ponctualité f; **puntualizar** vt préciser

puntuar vt (LING, TIP) ponctuer ♦ vi (DEPORTE) compter

punzada nf (puntura) piqûre f

punzante adj (dolor) aigu(ë), lancinant(e); (herramienta) pointu(e); **punzar** vt (pinchar) piquer

puñado nm poignée f

puñal nm poignard m; **puñalada** nf coup m de poignard

puñetazo nm coup m de poing

puño nm (ANAT) poing m; (de ropa) poignet m; (de herramienta) manche m

pupila nf (ANAT) pupille f

pupitre nm pupitre m

puré nm (CULIN) purée f; **~ de patatas/de verduras** purée de pommes de terre/de légumes

pureza nf pureté f

purga nf purge f; **purgante** adj purgatif(-ive) ♦ nm purgatif m; **purgar** vt purger

purgatorio nm purgatoire m.

purificar vt purifier

puritano, -a adj, nm/f puritain(e)

puro, -a adj pur(e); (esp MÉX) même ♦ nm (tabaco) cigare m ♦ adv (esp MÉX) uniquement; **de ~ cansado** à force de fatigue; **por pura casualidad/curiosidad** par pur hasard/pure curiosité

púrpura nf pourpre f

purpúreo, -a adj pourpré(e)

pus nm pus msg

puse etc vb ver **poner**

pústula nf pustule f

puta (fam!) nf putain f, pute f (fam!)

putrefacción nf putréfaction f

PVP (ESP) sigla m = Precio de Venta al Público

Q, q

PALABRA CLAVE

---

que pron rel **1** (sujeto) qui; **el hombre que vino ayer** l'homme qui est venu hier

2 (objeto) que; **el sombrero que te compraste** le chapeau que tu t'es acheté; **la chica**

que invité la fille que j'ai invitée

3 (circunstancial, con prep): **el día que yo llegué** le jour où je suis arrivé; **el piano con que toca** le piano sur lequel il joue; **el libro del que te hablé** le livre dont je t'ai parlé; **la cama en que dormí** le lit dans lequel j'ai dormi; ver tb **el**

♦ conj **1** (con oración subordinada) que; **dijo que vendría** il a dit qu'il viendrait; **espero que lo encuentres** j'espère que tu le retrouveras; ver tb **el**

2 (con verbo de mandato): **dile que me llame** dis-lui de m'appeler

3 (en oración independiente): **¡que entre!** (él) entre!; **¡que se mejore tu padre!** j'espère que ton père ira mieux!; **que lo haga él** qu'il le fasse, lui; **que yo sepa** que je sache

4 (enfático): **¿me quieres? - ¡que sí!** tu m'aimes? - oh oui!

5 (consecutivo): **es tan grande que no lo puedo levantar** c'est si gros que je ne peux pas le soulever

6 (en comparaciones) que; **es más alto que tú** il est plus grand que toi; **ese libro es igual que el otro** ce livre est pareil que l'autre; ver tb **más**; **menos**; **mismo**

7 (porque): **no puedo, que tengo que quedarme en casa** je ne peux pas, je dois rester à la maison

8 (valor condicional): **que no puedes, no lo haces** si tu ne peux pas, ne le fais pas

9 (valor final): **sal a que te vea** sors pour que je te voie

10: todo el día toca que toca
il joue toute la sainte journée

qué adj quel(le) ♦ pron que, quoi;
¿~ edad tienes? quel âge as-
tu?; **¡~ divertido/asco!** comme
c'est drôle/dégoûtant!; **¡~ día
más espléndido!** quelle journée
splendide!; **¿~?** quoi?; **¿~
quieres?** qu'est-ce que tu veux?;
¿de ~ me hablas? de quoi me
parles-tu?; **¿~ tal?** (comment) ça
va?; **¿~ más?** autre chose?; **no
sé ~ quiere hacer** je ne sais pas
ce qu'il veut faire; **¡y ~!** et alors!

quebradizo, -a adj cassant(e);
(persona, salud) fragile
quebrado, -a adj (roto) cassé(e);
(línea) brisé(e) ♦ nm (MAT) fraction
f
quebrantar vt (moral) casser;
(ley, secreto, promesa) violer;
(salud) affaiblir; **~se** vpr (persona,
fuerzas) s'affaiblir
quebranto nm (en salud)
affaiblissement m; (en fortuna)
perte f
quebrar vi casser ♦ vi faire faillite;
~se vpr se casser; (línea, cordillera)
se briser; (MED) se faire une hernie
quedar vi rester; (encontrarse) se
donner rendez-vous; **~ en** convenir de; **~ en
nada** ne pas aboutir; **~ por
hacer** rester à faire; **no te
queda bien ese vestido** cette
robe ne te va pas bien;
quedamos allí on se retrouve là;
quedamos a las seis (en
pasado) on a dit 6 heures; (en
presente) on se voit à 6 heures;
eso queda muy lejos c'est très
loin; **quedan dos horas** il reste
deux heures; **~se ciego/mudo**
devenir aveugle/muet, **~se (con**

algo garder qch
quedo, -a adj (voz) bas (basse);
(pasos) feutré(e) ♦ adv (hablar)
doucement; (andar) à pas feutrés
quehacer nm tâche f; **~es
(domésticos)** tâches fpl
(domestiques)
queja nf plainte f
quejarse vpr se plaindre; **~ de
que ...** se plaindre que ...;
quejido nm gémissement m,
plainte f
quemado, -a adj brûlé(e) ♦ nm:
oler a ~ sentir le brûlé; **estar ~**
(fam: irritado) être en pétard; (:
político, actor) être fini
quemadura nf brûlure f
quemar vt brûler; (fig: malgastar)
gâcher; (: deteriorar: imagen,
persona) détruire ♦ vi brûler; **~se**
vpr (consumirse) brûler; (del sol)
attraper un (des) coup(s) de soleil
quemarropa: a ~ adv (disparar)
à bout portant; (preguntar) à
brûle-pourpoint
quepo etc vb ver **caber**
querella nf (JUR) plainte f;
(disputa) querelle f
querellarse vpr porter plainte

PALABRA CLAVE

querer vt **1** (desear) vouloir;
quiero más dinero je veux plus
d'argent; **quisiera o querría un
té** je voudrais un thé; **sin querer**
sans le vouloir
2 (+ vb dependiente): **quiero
ayudar/que vayas** je veux
aider/que tu t'en ailles; **¿qué
quieres decir?** que veux-tu
dire?
3 (para pedir algo): **¿quiere
abrir la ventana?** vous voulez
bien ouvrir la fenêtre?
4 (amar) aimer; (amigo, perro)

aimer bien; **quiere mucho a sus hijos** elle aime beaucoup ses enfants

5 *(requerir)*: **esta planta quiere más luz** cette plante a besoin de plus de lumière

querido, -a *adj (mujer, hijo)* chéri(e); *(tierra, amigo, en carta)* cher (chère) ♦ *nm/f* amant(e); **¡sí, ~!** oui, chéri!

queso *nm* fromage *m*; ~ **cremoso** fromage crémeux

quicio *nm* gond *m*; **sacar a algn de ~** mettre qn hors de soi

quiebra *nf* effondrement *m*; *(COM)* faillite *f*

quiebro *vb ver* **quebrar**

quien *pron (relativo: sujeto)* qui; *(: complemento)* qui, que; **la persona a ~ quiero** la personne que j'aime; **~ dice eso es tonto** *(indefinido)* celui qui dit cela est un idiot; **hay ~ piensa que** il y a des gens qui pensent que; **no hay ~ lo haga** il n'y a personne qui le fasse

quién *pron (interrogativo)* qui; **¿~ es?** qui est-ce?

quienquiera *(pl* **quienesquiera)** *pron* quiconque

quiera *etc vb ver* **querer**

quieto, -a *adj (manos, cuerpo)* immobile; **quietud** *f (inmovilidad)* immobilité *f*

quilate *nm* carat *m*

quilla *nf* quille *f*

quimera *nf* chimère *f*

química *nf* chimie *f*

químico, -a *adj* chimique ♦ *nm/f* chimiste *m/f*

quince *adj inv, nm inv* quinze *m inv*; *ver tb* **seis**

quinceañero, -a *adj, nm/f* adolescent(e); **quincena** *nf*

quinzaine *f*; **quincenal** *adj (pago, reunión)* bimensuel(le)

quiniela *nf (impreso)* grille *f* o feuille *f* de paris; **~s** *nfpl* = Loto *msg* sportif; **~ hípica** ≃ tiercé *m*

quinientos, -as *adj* cinq cents; *ver tb* **seiscientos**

quinina *nf* quinine *f*

quinto, -a *adj* cinquième; *ver tb* **sexto**

quiosco *nm* kiosque *m*

quirófano *nm* salle *f* d'opération

quirúrgico, -a *adj* chirurgical

quise *etc vb ver* **querer**

quisquilloso, -a *adj (susceptible)* chatouilleux(-euse); *(meticuloso)* pointilleux(-euse)

quiste *nm* kyste *m*

quitaesmalte *nm* dissolvant *m*

quitamanchas *nm inv* détachant *m*

quitanieves *nm inv* chasse-neige *m inv*

quitar *vt* enlever; *(ropa)* enlever, ôter; *(dolor)* éliminer ♦ *vi*: **¡quita de ahí!** hors d'ici!; **~se** *vpr (mancha)* partir; *(ropa)* ôter; *(vida)* se donner la mort; **quítalo de ahí** enlève ça de là; **se quitó el sombrero** il ôta son chapeau; **~se de** renoncer à

quite *nm (TAUR)* action de détourner l'attention du taureau

Quito *n* Quito

quizá(s) *adv* peut-être

R, r

rábano *nm* radis *msg*; **me importa un ~** je m'en moque comme de l'an quarante

rabia *nf* rage *f*; **rabiar** *vi (MED)* avoir la rage; **rabiar por hacer algo** mourir d'envie de faire qch

rabieta nf crise f de colère
rabino nm rabbin m
rabioso, a adj (perro) enragé(e); (dolor, ganas) fou (folle)
rabo nm queue f
racha nf (de viento) rafale f; **buena/mala ~** bonne/mauvaise passe f
racial adj racial(e)
racimo nm grappe f
raciocinio nm raisonnement m
ración nf ration f; (en bar) portion f
racional adj rationnel(le); **animal ~** être m doué de raison; **racionalizar** vt rationaliser
racionar vt rationner
racismo nm racisme m; **racista** adj, nm/f raciste m/f
radar nm radar m
radiactivo, -a adj = **radioactivo**
radiador nm radiateur m
radiante adj radieux(-euse)
radical adj radical(e)
radicar vi: **~ en** (consistir) résider en; (estar situado) être basé à; **~se** vpr s'établir
radio nf (AM: a veces nm) radio f ♦ nm rayon m; **por ~** à la radio
radioactividad nf radioactivité f
radioactivo, -a adj radioactif(-ive)
radiocasete nm radio-cassette m; **radiodifusión** nf radio-diffusion f; **radioemisora** nf station f (de radio); **radiografía** nf radiographie f; **radioterapia** nf radiothérapie f; **radioyente** nm/f auditeur(-trice)
ráfaga nf rafale f; (de luz) jet m
raído, -a adj (ropa) râpé(e)
raigambre nf racines fpl
raíz (pl **raíces**) nf racine f; **~ cuadrada** racine carrée; **a ~ de**

(como consecuencia de) à la suite de
raja nf (de melón, limón) tranche f; (en muro, madera) fissure f; **rajar** vt (tela) couper; (madera) fendre; (fam: herir) entailler; **rajarse** vpr se fendre; (fam) se dégonfler
rajatabla: a ~ adv à la lettre
rallador nm râpe f
rallar vt râper
rama nf branche f; **andarse o irse por las ~s** (fig, fam) tourner autour du pot; **ramaje** nm ramage m; **ramal** nm (FERRO) embranchement m; (AUTO) bretelle f
rambla nf rambla f
ramificación nf ramification f
ramificarse vpr se ramifier
ramillete nm bouquet m
ramo nm bouquet m; (de industria) branche f
rampa nf rampe f; **~ de acceso** rampe d'accès
ramplón, -ona adj vulgaire
rana nf grenouille f
ranchero nm (AM) fermier m
rancho nm (comida) popote f; (AM) ranch m; (: pequeño) petite ferme f; (choza) cabane f
rancio, -a adj rance; (vino, fig) vieux (vieille)
rango nm rang m
ranura nf rainure f; (de teléfono) fente f
rapar vt raser
rapaz adj (ave) de proie ♦ nf rapace m ♦ nm gamin m
rape nm (pez) baudroie f; **al ~** ras inv
rapé nm chique f
rapidez nf rapidité f
rápido, -a adj rapide ♦ adv rapidement ♦ nm (FERRO) rapide m; **~s** nmpl (de río) rapides mpl

rapiña nm rapine f; **ave de ~** oiseau m de proie

raptar vt enlever; **rapto** nm rapt m, enlèvement m

raqueta nf raquette f

raquítico, -a adj rachitique; **raquitismo** nm rachitisme m

rareza nf rareté f; (fig) manie f

raro, -a adj rare; (extraño) curieux(-euse)

ras nm: **a ~ de tierra/del suelo** à ras de terre/au ras du sol

rascacielos nm inv gratte-ciel m inv

rascar vt gratter; (raspar) racler; **~se** vpr se gratter

rasgar vt déchirer

rasgo nm trait m; **~s** nmpl (de rostro) traits mpl; **a grandes ~s** à grands traits

rasguñar ~se vpr s'égratigner; **rasguño** nm égratignure f

raso, -a adj ras(e) ♦ nm satin m; **cielo ~** ciel m dégagé

raspadura nf (marca) rayure f; **~s** nfpl (restos) restes mpl

raspar vt gratter; (arañar) rayer; (limar) râper

rastra nf: **a ~s** en traînant; (fig) à contrecœur

rastreador nm (de huellas, pistas) pisteur m; **~ de minas** dragueur m de mines

rastrear vt (pista) suivre

rastrero, -a adj (BOT) grimpant(e); (ZOOL, fig) rampant(e)

rastro nm trace f; (mercado) marché m aux puces

rastrojo nm chaume m

rasurarse (AM) vpr se raser

rata nf rat m

ratear vt voler

ratero, -a nm/f voleur(-euse); (AM: de casas) cambrioleur(-euse)

ratificar vt ratifier; **~se** vpr: **~se**

en algo réaffirmer qch

rato nm moment m; **a ~s** par moments; **al poco ~** peu après; **hay para ~** il y en a pour un bon bout de temps; **pasar el ~** passer le temps; **pasar un buen/mal ~** passer un bon/ mauvais moment

ratón nm souris f sg; **ratonera** nf souricière f

raudal nm torrent m; **a ~es** à flots

raya nf raie f; (en tela) rayure f; (TIP) tiret m; **a ~s** à rayures; **pasarse de la ~** dépasser les bornes; **tener a ~** tenir en respect; **rayar** vt rayer ♦ vi: **rayar en o con** confiner à o avec; (parecerse a) friser; **raya en la cincuentena** il frise la cinquantaine

rayo nm rayon m; (en una tormenta) foudre f; **ser un ~** (fig) être très vif (vive); **~s X** rayons X

raza nf race f; **~ humana** race humaine

razón nf raison f; (MAT) relation f; **a ~ de 10 cada día** à raison de 10 par jour; **"~: aquí"** "s'adresser ici"; **en ~ de** en raison de; **dar la ~ a algn** donner raison à qn; **tener/no tener ~** avoir/ne pas avoir raison; **~ directa/inversa** relation directe/indirecte; **~ de ser** raison d'être; **razonable** adj raisonnable; **razonamiento** nm raisonnement m; **razonar** vt raisonner; (COM: cuenta) détailler ♦ vi raisonner

reacción nf réaction f; **avión a ~** avion m à réaction; **reaccionar** vi réagir

reaccionario, -a adj, nm/f réactionnaire m/f

reacio, -a adj réticent(e)

reactivar vt (economía, negociaciones) relancer; **~se** vpr reprendre

reactor nm réacteur m

readaptación nf: **~ profesional** réadaptation f professionnelle

reajuste nm réajustement m; **~ ministerial** remaniement m ministériel

real adj (verdadero) réel(le); (del rey, fig) royal(e)

Real Academia Española

La **Real Academia Española** ou (RAE), a été créée en 1713 et approuvée par le roi Philippe V en 1714 sous la devise "limpia, fija y da esplendor" dans le but de protéger la pureté de la langue espagnole. Les 46 membres de cette institution, nommés à vie, comptent parmi les plus grands écrivains et linguistes d'Espagne. Le premier dictionnaire, "Diccionario de Autoridades" en six volumes, a été publié entre 1726 et 1739. Depuis la version condensée en un volume parue en 1780, plus d'une vingtaine de nouvelles éditions ont été publiées.

---

realce vb ver **realzar** ♦ nm relief m; **poner de ~** mettre en relief; **dar ~ a algo** (fig) mettre qch en relief

realidad nf réalité f

realista adj réaliste ♦ nm/f réaliste m/f

realización nf réalisation f

realizador, -a nm/f (TV, CINE) réalisateur(-trice)

realizar vt réaliser; **~se** vpr se réaliser

realmente adv réellement; (con adjetivo) vraiment; **es ~ apasionante** c'est vraiment passion

realquilar vt (subarrendar) sous-louer

realzar vt (TEC) surélever; (belleza) rehausser, mettre en valeur; (importancia) augmenter

reanimar vt ranimer; **~se** vpr se ranimer

reanudar vt renouer; (historia, viaje) reprendre

reaparición nf réapparition f

rearme nm réarmement m

rebaja nf solde m; **rebajar** vt rabaisser

rebanada nf tranche f

rebañar vt racler

rebaño nm troupeau m

rebasar vt dépasser

rebatir vt réfuter

rebeca nf cardigan m

rebelarse vpr se rebeller

rebelde adj rebelle ♦ nm/f (POL) rebelle m/f; (JUR) accusé(e) défaillant(e); **rebeldía** nf rébellion f; (JUR) contumace f

rebelión nf rébellion f

reblandecer vt ramollir

rebobinar vt rembobiner

rebosante adj: **~ de** (fig) débordant(e) de

rebosar vi, vt déborder

rebotar vi rebondir; **rebote** nm rebondissement m; **de rebote** (fig) par ricochet

rebozado, -a adj enrobé(e) de pâte à frire

rebozar vt enrober de pâte à frire

rebuscado, -a adj recherché(e)

rebuscar vt rechercher ♦ vi: **~ (en o por)** chercher (dans)

rebuznar vi braire

recado nm course f; (mensaje) message m

recaer vi rechuter; **~ en** (responsabilidad) retomber sur

recalcar vt (fig) souligner

recalcitrante adj récalcitrant(e)

recámara nf (habitación) dressing-room m; (de arma) magasin m; (AM) chambre f

recambio nm (de pieza) pièce f détachée; (de pluma) recharge f

recapacitar vi réfléchir

recargado, -a adj surchargé(e)

recargar vt recharger; (pago) alourdir; **recargo** nm majoration f de prix; (aumento) augmentation f

recatado, -a adj réservé(e)

recato nm réserve f

recaudación nf recette f; (acción) perception f

recaudador, a nm/f (tb: **~ de impuestos**) percepteur(-trice)

recelar vt: **~ que** (sospechar) soupçonner que; (temer) craindre que ♦ vi se méfier; **~se** vpr se méfier; **recelo** nm (desconfianza) méfiance f; (temor) crainte f

receloso, -a adj (suspicaz) méfiant(e); (temeroso) craintif(-ive)

recepción nf réception f; **recepcionista** nm/f réceptionniste m

receptáculo nm réceptacle m

receptivo, -a adj réceptif(-ive)

receptor, a nm/f réceptionneur m/f ♦ nm (TELEC, radio) récepteur m

recesión nf récession f

receta nf (CULIN) recette f; (MED) ordonnance f

rechazar vt (ataque, oferta) repousser; (idea, acusación) rejeter

rechazo nm rejet m; (sentimiento) refoulement m

rechinar vi grincer

rechistar vi: **sin ~** sans rechigner

rechoncho, -a (fam) adj trapu(e)

rechupete: de ~ adj à s'en lécher les babines o doigts

recibidor nm vestibule m

recibimiento nm accueil m

recibir vt, vi recevoir; **~se** vpr (AM: ESCOL): **~se de** obtenir le diplôme de; **recibo** nm reçu m

reciclaje nm recyclage m

reciclar vt recycler

recién adv récemment; (AM: sólo) seulement; **~ casado** jeune marié; **el ~ llegado/nacido** le nouveau venu/-né; **~ a las seis me enteré** (AM) je ne l'ai appris qu'à six heures

reciente adj récent(e); (pan, herida) frais (fraîche)

recientemente adv récemment

recinto nm enceinte f

recio, -a adj résistant(e); (voz) fort(e) ♦ adv fortement

recipiente nm (objeto) récipient m

reciprocidad nf réciprocité f

recíproco, -a adj réciproque

recital nm récital m

recitar vt réciter

reclamación nf réclamation f

reclamar vt, vi réclamer

reclamo nm (en caza) appeau m; (incentivo) appât m; **reclamo publicitario** réclame f

reclinar vt incliner; **~se** vpr s'incliner

recluir vt enfermer; **~se** vpr vivre en reclus; **~ en su casa** s'enfermer chez soi

reclusión nf réclusion f; (voluntario) retraite f

recluta nm/f recrue f ♦ nf recrutement m

reclutar vt recruter
recobrar vt récupérer; **~se** vpr:
~**se (de)** se remettre (de); ~ **el
sentido** reprendre connaissance
recodo nm coude m
recoger vt (firmas, dinero)
recueillir; (fruta) cueillir; (del suelo)
ramasser; (ordenar) ranger; (juntar)
rassembler; (pasar a buscar)
prendre; (dar asilo) recueillir;
(polvo) prendre; ~**se** vpr se retirer;
(pelo) se ramasser
recogida nf (AGR) cueillette f; (de
basura) ramassage m; (de cartas)
levée f
recogido, -a adj (lugar) retiré(e);
(pequeño) petit(e)
recolección nf (AGR) récolte f;
(de datos, dinero) collecte f
recomendación nf
recommandation f
recomendar vt recommander
recompensa nf récompense f;
recompensar vt récompenser
recomponer vt réparer
reconciliación nf réconciliation f
reconciliar vt réconcilier; ~**se**
vpr se réconcilier
recóndito, -a adj (lugar) retiré(e)
reconfortar vt réconforter
reconocer vt reconnaître
reconocido, -a adj reconnu(e);
reconocimiento nm
reconnaissance f
reconquista nf reconquête f
reconstituyente nm
reconstituant m
reconstruir vt reconstruire;
(suceso) reconstituer
reconversión nf reconversion f
recopilación nf (resumen)
résumé m; (colección) recueil m,
compilation f; **recopilar** vt
compiler
récord (pl **records** o **~s**) adj inv

record ♦ nm record m
recordar vt se rappeler ♦ vi
(acordarse de) se rappeler; ~ **algo
a algn** rappeler qch à qn
recorrer vt parcourir; **recorrido**
nm parcours msg; **tren de largo
recorrido** train m de grandes
lignes
recortado, -a adj découpé(e);
(barba) taillé(e)
recortar vt découper;
(presupuesto, gasto) réduire;
recorte nm (de telas, chapas:
acto) coupe f; (: fragmento)
découpure f; (de prensa) coupure
f; (de presupuestos, gastos)
compression f
recostado, -a adj penché(e);
estar ~ être allongé(e)
recostar vt appuyer; ~**se** vpr
s'appuyer
recoveco nm (de camino, río)
coude m; (en casa) coin m
recreación nf récréation f
recrear vt recréer; ~**se** vpr: ~**se
con/en** prendre plaisir à
recreativo, -a adj récréatif(-ive);
sala ~a salle f de jeux; **recreo**
nm récréation f
recriminar vt reprocher ♦ vi
récriminer
recrudecer vi redoubler
d'intensité; ~**se** vpr redoubler
d'intensité
recrudecimiento nm
recrudescence f
recta nf ligne f droite
rectángulo, -a adj, nm rectangle
m
rectificar vt rectifier ♦ vi se
corriger
rectitud nf rectitude f
recto, -a adj droit(e) ♦ nm (ANAT)
rectum m
rector, a adj, nm/f recteur(-trice)

recuadro nm case f; (TIP) entrefilet m

recubrir vt: ~ (con) recouvrir (de)

recuento nm décompte m; **hacer el ~ de** faire le décompte de

recuerdo vb ver **recordar** ♦ nm souvenir m; **¡~s a tu madre!** amitiés à ta mère!

recuperable adj récupérable

recuperación nf récupération f; (de enfermo) rétablissement m; (ESCOL) rattrapage m

recuperar vt récupérer; **~se** vpr se récupérer; **~ fuerzas** reprendre ses forces

recurrir vi (JUR) faire appel; **~ a algo/a algn** recourir à qch/à qn

recurso nm recours msg

recusar vt récuser

red nf (tejido, trampa) filet m; (organización) réseau m

redacción nf rédaction f

redactar vt rédiger

redactor, a nm/f rédacteur(-trice)

redada nf (tb: **~ policial**) descente f

redicho, -a adj maniéré(e)

redil nm bercail m

redimir vt racheter

rédito nm (ECON) intérêt m

redoblar vt redoubler ♦ vi battre le tambour

redomado, -a adj (astuto) rusé(e); **sinvergüenza ~** fieffée canaille

redonda nf (MÚS) ronde f; **a la ~** à la ronde

redondear vt (negocio, velada) conclure; (cifra, objeto) arrondir

redondel nm cercle m

redondo, -a adj rond(e); (completo) bon(ne); **en números**

~s en chiffres ronds

reducción nf réduction f

reducido, -a adj réduit(e)

reducir vt réduire; **~se** vpr se réduire; **~se a** (fig) se réduire à

redundancia nf redondance f

reembolsar vt rembourser

reembolso nm remboursement m

reemplazar vt remplacer

reemplazo nm remplacement m; **de reemplazo** (MIL) du contingent

reencuentro nm rencontre f

referencia nf référence f; **~s** nfpl (de trabajo) références fpl; **con ~ a** en ce qui concerne

referéndum (pl **~s**) nm référendum m

referente adj: **~ a** relatif(-ive) à

referir vt rapporter; **~se** vpr: **~se a** se référer à

refilón: de ~ adv en passant

refinado, -a adj raffiné(e)

refinamiento nm raffinement m

refinar vt (petróleo, azúcar) raffiner; (modales) affiner

refinería nf raffinerie f

reflejar vt refléter

reflejo, -a adj réflexe ♦ nm reflet m; (ANAT) réflexe m; **~s** nmpl (en el pelo) reflets mpl

reflexión nf réflexion f; **reflexionar** vi réfléchir; **reflexionar sobre** réfléchir sur

reflexivo, -a adj (carácter) réflexif(-ive); (LING) réfléchi(e)

reflujo nm reflux m

reforma nf réforme f; **~s** nfpl (obras) transformations fpl

reformar vt réformer; (ARQ) transformer; **~se** vpr se réformer

reformatorio nm (tb: **~ de menores**) maison f de redressement o correction

reforzar vt renforcer

refractario, -a adj réfractaire

refrán nm proverbe m

refregar vt frotter

refrenar vt (deseos) refréner

refrendar vt ratifier

refrescante adj rafraîchissant(e)

refrescar vt rafraîchir ♦ vi se
rafraîchir; **~se** vpr se rafraîchir

refresco nm rafraîchissement m

refriega vb ver **refregar** ♦ nf
bagarre f

refrigeración nf réfrigération f

refrigerador (esp AM) nm,
refrigeradora (AM) nf
réfrigérateur m

refrigerar vt réfrigérer

refuerce vb ver **reforzar**

refuerzo nm renfort m; **~s** nmpl
(MIL) renforts mpl

refugiado, -a nm/f réfugié(e)

refugiarse vpr se réfugier

refugio nm refuge m

refunfuñar vi ronchonner

refutar vt réfuter

regadera nf arrosoir m; (MÉX:
ducha) douche f

regadío nm irrigation f; **tierras
de ~** terres irriguées

regalado, -a adj (gratis) gratis m;
(vida) de château

regalar vt offrir; (mimar) cajoler

regaliz nm réglisse m o f

regalo nm cadeau m; (gusto) régal
m; (comodidad) aisance f

regañadientes: **a ~** adv en
rechignant

regañar vt gronder ♦ vi se fâcher;
(dos personas) se disputer

regar vt arroser; (fig) semer

regatear vt marchander ♦ vi
(COM) marchander; **regateo** nm
(COM) marchandage m

regazo nm giron m

regeneración nf régénération f

regenerar vt régénérer

regentar vt (empresa, negocio)
régenter; (local, bar) tenir;
regente, -a nm/f (COM)
gérant(e); (POL) régent(e); (MÉX:
alcalde) maire m

régimen (pl **regímenes**) nm
régime m

regimiento nm régiment m

regio, -a adj royal(e); (AM: fam)
formidable

región nf région f

regir vt (ECON, JUR, LING) régir ♦ vi
(ley) être en vigueur

registrar vt fouiller; (anotar)
enregistrer; **~se** vpr (inscribirse)
s'inscrire; (ocurrir) avoir lieu

registro nm registre m;
(inspección) fouille f; (de datos)
enregistrement m; **~ civil** état m
civil

regla nf règle f; **en ~** en règle

reglamentar vt réglementer

reglamentario, -a adj
réglementaire; **reglamento** nm
règlement m

regocijarse vpr: **~ de** o **por** se
réjouir de; **regocijo** nm
réjouissance f

regodearse vpr: **~ con** o **en
algo** se délecter de qch; (pey) se
réjouir de qch; **regodeo** nm
délectation f

regresar vi retourner; **~se** vpr
(AM) retourner

regresivo, -a adj régressif(-ive);
regreso nm retour m

reguero nm traînée f

regulador, a adj
régulateur(-trice) ♦ nm régulateur
m

regular adj régulier(-ière);
(mediano) moyen(ne); (fam: no
bueno) médiocre ♦ vt régler;
(normas, salarios) contrôler; **por**

lo ~ en général; **regularidad** nf régularité f; **regularizar** vt régulariser

regusto nm arrière-goût m

rehabilitación nf (de drogadicto) rééducation f; (ARQ, de memoria) réhabilitation f

rehabilitar vt (drogadicto) rééduquer; (ARQ, memoria) réhabiliter

rehacer vt refaire; **~se** vpr se rétablir

rehén nm otage m

rehuir vt fuir

rehusar vt, vi refuser

reina nf reine f; **~ de (la) belleza/de las fiestas** reine de beauté/de la fête; **prueba ~** épreuve f phare; **reinado** nm règne m

reinante adj régnant(e)

reinar vi régner

reincidir vi (JUR) récidiver; **~ (en)** (recaer) retomber (dans)

reincorporarse vpr: **~ a** réintégrer; (MIL) être réincorporé dans

reino nm royaume m; **~ animal/vegetal** règne m animal/végétal; **el R~ Unido** le Royaume-Uni

reintegrar vt réintégrer; **~se** vpr: **~se a** réintégrer

reír vi rire; **~se** vpr rire; **~se de** rire de

reiterar vt réitérer

reivindicación nf revendication f

reivindicar vt revendiquer

reja nf grille f

rejilla nf grillage m; (en muebles) cannage m; (en hornillo, de ventilación) grille f; (para equipaje) filet m

rejuvenecer vt, vi rajeunir

relación nf relation f; (narración) récit m; **con ~ a, en ~ con** par rapport à; **relaciones públicas** relations publiques; **relacionar** vt mettre en rapport;

relacionarse vpr fréquenter

relajación nf relaxation f

relajado, -a adj (costumbres, moral) relâché(e); (persona) détendu(e)

relajar vt (mente, cuerpo) décontracter; (disciplina, moral) relâcher; **~se** vpr (distraerse) se détendre

relamerse vpr se pourlécher

relamido, -a (pey) adj (pulcro) bichonné(e); (afectado) collet monté inv

relámpago adj inv: **visita/ huelga ~** visite f/grève f éclair ♦ nm éclair m

relatar vt relater

relativo, -a adj relatif(-ive); **en lo ~ a** en ce qui concerne

relato nm récit m

relegar vt reléguer

relevante adj remarquable

relevar vt relever; **~se** vpr se relayer; **~ a algn de su cargo** relever qn de ses fonctions

relevo nm relève f; **carrera de ~s** course f de relais

relieve nm relief m; **bajo ~** bas-relief m; **poner de ~** mettre en relief

religión nf religion f

religioso, -a adj, nm/f religieux(-euse)

relinchar vi hennir; **relincho** nm hennissement m

reliquia nf relique f

rellano nm (ARQ) palier m

rellenar vt remplir; (CULIN) farcir

relleno, -a adj plein(e) ♦ nm (CULIN) farce f (de cojín) rembourrage m

reloj nm montre f; ~ **(de pulsera)** montre; ~ **despertador** réveille-matin m inv; ~ **digital** montre à affichage numérique

relojero, -a nm/f horloger(-ère)

reluciente adj reluisant(e)

relucir vi reluire; **sacar algo a ~** remettre qch sur le tapis

relumbrar vi reluire

remachar vt river; (fig) insister sur; **remache** nm rivet m

remanente nm (COM) surplus msg; (de producto) excédent m

remangarse vpr retrousser ses manches

remanso nm (de río) bras msg mort

remar vi ramer

rematar vt achever; (trabajo) parfaire; (COM) liquider ♦ vi (en fútbol) tirer; ~ **de cabeza** faire une tête

remate nm fin f; (extremo) couronnement m; (DEPORTE) tir m; (ARQ) sommet m; (COM) liquidation f; **de ~** (tonto) complètement; **para ~** pour couronner le tout

remediar vt remédier à; (evitar) éviter

remedio nm remède m; (JUR) secours msg; **poner ~ a** remédier à; **no tener más ~** ne pas avoir le choix; **¡qué ~!** c'est comme ça!, qu'y faire!; **sin ~** sans rémission

remendar vt raccommoder; (con parche) rapiécer

remesa nf envoi m

remiendo vb ver **remendar** ♦ nm raccommodage m; (con parche) rapiéçage m

remilgado, -a adj (melindroso) minaudier(-ière); (afectado) maniéré(e)

remilgo nm (melindre) minauderie f; (afectación) manière f

reminiscencia nf réminiscence f

remite nm expéditeur m;
remitente nm/f expéditeur(-trice)

remitir vt envoyer ♦ vi (tempestad) se calmer; (fiebre) baisser; ~**se** vpr: ~**se a** s'en remettre à

remo nm rame f

remojar vt laisser tremper

remojo nm: **dejar la ropa en ~** laisser tremper le linge

remolacha nf betterave f

remolcador nm remorqueur m

remolcar vt remorquer

remolino nm remous msg

remolque vb ver **remolcar** ♦ nm remorque f; (cuerda) câble m de remorquage; **llevar a ~** prendre en remorque

remontar vt remonter; ~**se** vpr s'élever; ~**se a** (COM) s'élever à; ~ **el vuelo** monter en flèche

remorder vt causer du remords à; **me remuerde la conciencia** j'ai des remords;
remordimiento nm remords msg

remoto, -a adj éloigné(e)

remover vt remuer

remozar vt (ARQ) rafraîchir

remuneración nf rémunération f

remunerar vt rémunérer

renacer vi renaître;
renacimiento nm renaissance f; **el Renacimiento** la Renaissance

renacuajo nm têtard m

renal adj rénal(e)

rencilla nf querelle f

rencor nm (resentimiento) rancœur f

rencoroso, -a adj

rancunier(-ière)

rendición nf reddition f

rendido, -a adj épuisé(e); **su ~ admirador** votre admirateur passionné

rendija nf fente f

rendimiento nm rendement m

rendir vt rapporter; (agotar) épuiser ♦ vi (COM) rapporter; **~se** vpr (tb: **cansarse**) se rendre; **homenaje/culto a** rendre hommage/un culte à; **~ cuentas a algn** rendre des comptes à qn

renegar vi renier; (quejarse) grommeler; (con imprecaciones) blasphémer

RENFE, Renfe sigla f (FERRO) (= Red Nacional de los Ferrocarriles Españoles) société nationale des chemins de fer espagnols

renglón nm ligne f; (COM) chapitre m; **a ~ seguido** à la ligne

renombrado, -a adj renommé(e)

renombre nm renom m; **de ~** de renom

renovación nf (de contrato, sistema) renouvellement m; (ARQ) rénovation f

renovar vt renouveler; (ARQ) rénover

renta nf revenu m; (esp AM: alquiler) loyer m; **~ disponible** revenu (individuel) disponible; **~ nacional (bruta)** revenu national (brut); **rentable** adj rentable; **rentar** vt rapporter

renuncia nf renonciation f

renunciar vi renoncer

reñido, -a adj (batalla, debate, votación) serré(e); **estar ~ con algn** être brouillé(e) avec qn

reñir vt gronder ♦ vi (pareja, amigos) se disputer; (físicamente)

se battre

reo nm/f (JUR) accusé(e); **~ de muerto** condamné à mort

reojo: de ~ adv (mirar) à la dérobée

reparación nf réparation f

reparar vt réparer ♦ vi: **~ en** (darse cuenta de) s'apercevoir de; (poner atención en) remarquer

reparo nm (duda) doute m; (inconveniente) obstacle m; **poner ~s** formuler des objections; **poner ~s a algo** contester qch

repartición nf répartition f

repartidor, a nm/f livreur(-euse)

repartir vt distribuer; (COM) livrer; **reparto** nm (de dinero, poder) répartition f; (CINE, CORREOS) distribution f

repasar vt réviser; **repaso** nm révision f

repatriar vt rapatrier

repelente adj repoussant(e)

repensar vt reconsidérer

repente nm: **de ~** soudain; **~ de ira** accès de colère

repentino, -a adj (súbito) subit(e)

repercusión nf répercussion f

repercutir vi répercuter; **~ en** (fig) répercuter sur

repertorio nm répertoire m

repetición nf répétition f

repetir vt répéter; (ESCOL) redoubler; (plato, TEATRO) reprendre ♦ vi (ESCOL) redoubler; (sabor) revenir; (en comida) en reprendre; **~se** vpr se répéter

repicar vi (campanas) sonner, carillonner

repique vb ver **repicar** ♦ nm (de campanas) volée f; **repiqueteo** nm (de campanas) volée f

repisa nf étagère f; (ARQ) console f; (de chimenea) dessus msg; (de

ventana) rebord m
repitiendo *etc vb ver* **repetir**
replantear *vt* reconsidérer
replegarse *vpr* se replier
repleto, -a *adj* plein(e)
réplica *nf* réplique f
replicar *vt, vi* répliquer; ¡**no repliques!** et pas de discussion!
repliegue *vb ver* **replegarse** ♦ *nm* (MIL) repli m
repoblación *nf* repeuplement m; **~ forestal** reboisement m
repoblar *vt* repeupler
repollo *nm* chou m
reponer *vt* (volver a poner) réinstaller; (TEATRO) reprendre; **~se** *vpr* se remettre; **~ que** répondre que
reportaje *nm* reportage m
reportero, -a *nm/f* reporter m
reposacabezas *nm inv* appui-tête m
reposado, -a *adj* reposé(e); (tranquilo) calme
reposar *vi* reposer
reposición *nf* (de dinero) réinvestissement m; (maquinaria) remplacement m; (CINE, TEATRO) reprise f
reposo *nm* repos msg
repostar *vt* se ravitailler en ♦ *vi* se ravitailler; (AUTO) se ravitailler en carburant
repostería *nf* pâtisserie f
repostero, -a *nm/f* pâtissier(-ière)
reprender *vt* (persona) réprimander; (comportamiento) blâmer
represa *nf* barrage m
represalia *nf* représailles *fpl*
representación *nf* représentation f; **en ~ de** en représentation de
representante *nm/f* (POL, COM)

representant(e); **representante diplomático** (POL) représentant diplomatique
representar *vt* représenter; (significar) signifier; **~se** *vpr* se représenter
representativo, -a *adj* représentatif(-ive)
represión *nf* répression f
reprimenda *nf* réprimande f
reprimir *vt* réprimer
reprobar *vt* réprouver
reprochar *vt* reprocher
reproche *nm* reproche m
reproducción *nf* reproduction f
reproducir *vt* reproduire; **~se** *vpr* se reproduire
reproductor, a *adj* reproducteur(-trice)
reptil *nm* reptile m
república *nf* république f
republicano, -a *adj, nm/f* républicain(e)
repudiar *vt* répudier
repuesto *pp de* **reponer** ♦ *nm* (pieza de recambio) pièce f de rechange; (abastecimiento) ravitaillement m; **rueda de ~** roue f de secours
repugnancia *nf* répugnance f; **repugnante** *adj* répugnant(e)
repugnar *vt, vi* répugner
repulsa *nf* condamnation f
repulsión *nf* répulsion f
repulsivo, -a *adj* répulsif(-ive)
reputación *nf* réputation f
requemado, -a *adj* brûlé(e)
requerimiento *nm* requête f; (JUR) mise f en demeure
requerir *vt* requérir
requesón *nm* fromage m blanc
requete... *pref* très
réquiem *nm* requiem m
requisito *nm* condition f requise
res *nf* bête f

resaca nf (en el mar) ressac m; (de alcohol) gueule f de bois

resaltar vt détacher ♦ vi se détacher

resarcir vt (reparar) dédommager; **~se** vpr se rattraper

resbaladizo, -a adj glissant(e)

resbalar vi glisser; (gotas) couler; **~se** vpr glisser; **resbalón** nm glissade f; (fig) faux-pas msg

rescatar vt sauver; (pagando rescate) payer la rançon de; (objeto) récupérer

rescate nm sauvetage m; (dinero) rançon f; (de objeto) récupération f; **pagar un ~** payer une rançon

rescindir vt résilier

rescisión nf résiliation f

rescoldo nm braises fpl

resecar vt dessécher; (MED) disséquer; **~se** vpr se dessécher

reseco, -a adj desséché(e)

resentido, -a adj (envidioso) jaloux(-ouse); (dolido) aigri(e)

resentimiento nm ressentiment m

resentirse vpr: **~ de** o **con** se ressentir de; **su salud se resiente** sa santé s'en ressent

reseña nf (descripción) description f; (informe, LIT) compte m rendu

reseñar vt décrire; (LIT) faire le compte rendu de

reserva nf réserve f; (de entradas) réservation f, location f; **a ~ de que ...** (AM) sous réserve que ...; **con ~** (con cautela) sous toutes réserves; (con condiciones) sous réserve; **gran ~** (vino) grand cru m

reservado, -a adj réservé(e) ♦ nm cabinet m particulier

reservar vt réserver; (TEATRO) réserver, louer; **~se** vpr se réserver

resfriado nm rhume m

resfriarse vpr s'enrhumer

resfrío (esp AM) nm rhume m

resguardar vt protéger; **~se** vpr: **~se de** se protéger de; **resguardo** nm abri m; (justificante, recibo) reçu m

residencia nf résidence f; **~ de ancianos** maison f de retraite; **residencial** adj résidentiel(le); (AND, CHI) hôtel m modeste

residente adj, nm/f résident(e)

residir vi résider; **~ en** (habitar en: ciudad) résider à; (: país) résider en o à

residuo nm (sobrante) résidu m; (desperdicios) résidus mpl

resignación nf résignation f

resignarse vpr: **~ a** se résigner à

resina nf résine f

resistencia nf résistance f; **no ofrece ~** il n'offre pas de résistance; **resistente** adj résistant(e)

resistir vt résister à; (peso, calor, persona) supporter ♦ vi résister; **~se** vpr résister; **~se a** (decir, salir) refuser de; (cambio, ataque) résister à

resolución nf résolution f; (arrojo) détermination f

resolver vt résoudre; **~se** vpr se résoudre

resonancia nf résonance f; (fig) retentissement m

resonar vi résonner

resoplar vi haleter; **resoplido** nm halètement m

resorte nm (TEC, fig) ressort m

respaldar vt appuyer; **~se** vpr (en asiento) s'adosser; **~se en** (fig) s'appuyer sur; **respaldo** nm (de sillón) dossier m; (fig) appui m

respectivamente adv respectivement

respectivo, -a adj respectif(-ive); **en lo ~ a** en ce qui concerne

respecto nm: **al ~** à ce sujet; **con ~ a** en ce qui concerne; **~ de** par rapport à

respetable adj respectable

respetar vt respecter; **respeto** nm respect m; **respetos** nmpl respects mpl

respetuoso, -a adj respectueux(-euse)

respingo nm: **dar** o **pegar un ~** sursauter

respiración nf respiration f; **~ asistida** respiration assistée

respirar vt, vi respirer

respiratorio, -a adj respiratoire; **respiro** nm répit m

resplandecer vi resplendir; (belleza) resplendir, rayonner; **resplandeciente** adj resplendissant(e); **resplandor** nm éclat m

responder vt répondre ♦ vi répondre; **~ de** o **por** répondre de o pour

respondón, -ona adj effronté(e)

responsabilidad nf responsabilité

responsabilizar vt responsabiliser, rendre responsable; **~se** vpr: **~se de** (atentado) revendiquer; (crisis, accidente) assumer la responsabilité de

responsable adj, nm/f responsable m/f

respuesta nf réponse f

resquebrajar vt fendiller, fissurer; **~se** vpr s'écailler

resquicio nm fente f; (fig) possibilité f, rayon m

resta nf soustraction f

restablecer vt rétablir; **~se** vpr se rétablir

restallar vi claquer

restante adj restant(e); **lo ~** le reste, ce qui reste

restar vt (MAT) soustraire; (fig) ôter ♦ vi rester

restauración nf restauration f

restaurante nm restaurant m

restaurar vt restaurer

restitución nf restitution f

restituir vt restituer

resto nm reste m; **~s** nmpl (CULIN, de civilización etc) restes mpl; **echar el ~** jouer le tout pour le tout

restregar vt frotter

restricción nf restriction f

restrictivo, -a adj restrictif(-ive)

restringir vt restreindre

resucitar vt, vi ressusciter

resuello nm (aliento) souffle m

resuelto, -a pp de **resolver** ♦ adj résolu(e)

resultado nm résultat m; **resultante** adj résultant(e)

resultar vi (ser) être; (llegar a ser) finir par être; (salir bien) réussir; (ser consecuencia) résulter; **~ de** résulter de; **resulta que ...** il se trouve que ...; **el conductor resultó muerto** le chauffeur est mort; **no resultó** cela n'a pas réussi; **me resulta difícil hacerlo** il m'est difficile de le faire

resumen nm résumé m; **en ~** en résumé

resumir vt résumer

resurgir vi ressurgir

resurrección nf résurrection f

retablo nm retable m

retaguardia nf arrière-garde f

retahíla nf chapelet m

retal nm coupon m

retar vt défier

retardar vt (demorar) retarder;

(*hacer más lento*) ralentir

retazo *nm* coupon *m*

retención *nf* retenue *f*; (*MED*) rétention *f*; ~ **de tráfico** embouteillage *m*, bouchon *m*; ~ **fiscal** prélèvement *m* fiscal

retener *vt* retenir; (*suj: policía*) garder à vue; (*impuestos, sueldo*) prélever

retina *nf* rétine *f*

retintín *nm*: **decir algo con ~** dire qch d'un ton malicieux

retirada *nf* (*MIL*) retraite *f*; (*de dinero*) retrait *m*; **batirse en ~** battre en retraite

retirado, -a *adj* (*lugar*) retiré(e); (*vida*) calme; (*jubilado*) retraité(e) ♦ *nm/f* retraité(e)

retirar *vt* retirer; (*jubilar*) mettre à la retraite; **~se** *vpr* se retirer; **retiro** *nm* retraite *f*; (*DEPORTE*) abandon *m*

reto *nm* défi *m*

retocar *vt* retoucher

retoño *nm* rejeton *m*

retoque *vb ver* **retocar** ♦ *nm* retouche *f*

retorcer *vt* (*tela*) essorer; (*brazo*) tordre; **~se** *vpr* se tortiller; (*persona*) se contorsionner

retorcido, -a *adj* (*tronco*) tordu(e); (*columna*) tors(e); (*personalidad*) retors(e); (*mente*) mal tourné(e)

retórica *nf* rhétorique *f*

retórico, -a *adj* rhétorique

retornar *vt* (*cartas*) renvoyer; (*dinero*) rendre à) ♦ *vi*: ~ **(a)** retourner (à); **retorno** *nm* retour *m*

retortijón *nm* (*tb*: ~ **de tripas**) crampe *f* (d'estomac)

retozar *vi* folâtrer

retozón, -ona *adj* folâtre

retracción *nf* rétraction *f*

retractarse *vpr* se rétracter; **me retracto** je me rétracte

retraer *vt* (*antena*) rentrer; (*órgano*) rétracter; **~se** *vpr*: **~se (de)** se retirer (de)

retraído, -a *adj* renfermé(e)

retraimiento *nm* (*timidez*) réserve *f*

retransmisión *nf* retransmission *f*

retransmitir *vt* retransmettre

retrasado, -a *adj* en retard; (*MED: tb*: ~ **mental**) attardé(e); **estar ~** (*reloj*) être en retard, retarder

retrasar *vt, vi* retarder; **~se** *vpr* (*persona, tren*) être en retard; (*reloj*) retarder; (*quedarse atrás*) s'attarder

retraso *nm* retard *m*; ~**s** *nmpl* (*COM*) arriérés *mpl*; **llegar con ~** arriver en retard; ~ **mental** déficience *f* mentale

retratar *vt* (*ARTE*) faire le portrait de; (*FOTO*) photographier; (*fig*) décrire; **~se** *vpr* se faire faire son portrait; (*fig*) se révéler; **retrato** *nm* portrait *m*; **ser el vivo retrato de** être tout le portrait de; **retrato-robot** (*pl* **retratos-robot**) *nm* portrait-robot *m*

retreta *nf* (*MIL*) retraite *f*

retrete *nm* toilettes *fpl*

retribución *nf* rétribution *f*

retribuir *vt* rétribuer

retro... *pref* rétro...

retroactivo, -a *adj* rétroactif(-ive)

retroceder *vi* reculer; **la policía hizo ~ a la multitud** la police a fait reculer la foule

retroceso *nm* recul *m*

retrógrado, -a *adj* rétrograde

retrospectivo, -a *adj*

rétrospectif(-ive)
retrovisor nm rétroviseur m
retumbar vi retentir
reuma, reúma nm rhumatisme m
reumatismo nm rhumatisme m
reunificar vt réunifier
reunión nf réunion f
reunir vt réunir; (recoger) rassembler, réunir; (personas) rassembler; **~se** vpr se réunir
revalidar vt (título) confirmer
revancha nf revanche f
revelación nf révélation f
revelado nm développement m
revelar vt révéler; (FOTO) développer
reventa nf revente f
reventar vt (globo) faire éclater; (presa) céder ♦ vi éclater
reventón nm crevaison f
reverencia nf révérence f; **reverenciar** vt révérer
reverendo, -a adj révérend(e)
reverente adj révérencieux(-euse)
reversible adj réversible
reverso nm revers msg
revertir vi revenir
revés nm envers msg; (fig, TENIS) revers msg; **al ~** à l'envers; **volver algo al** o **del ~** retourner qch
revestir vt revêtir; **~se con** o **de** s'armer de
revisar vt réviser
revisión nf révision f; **revisión salarial** révision des salaires
revisor, a nm/f contrôleur(-euse)
revista vb ver **revestir** ♦ nf revue f, magazine m; **pasar ~ a** passer en revue; **~ literaria** revue littéraire; **~s del corazón** presse f du cœur
revivir vt, vi revivre
revocación nf révocation f

revocar vt révoquer
revolcarse vpr se vautrer
revolotear vi voltiger
revoltijo nm embrouillamini m
revoltoso, -a adj turbulent(e)
revolución nf révolution f; (TEC) tour m; **revolucionar** vt révolutionner
revolucionario, -a adj, nm/f révolutionnaire m/f
revolver vt remuer; (casa) mettre sens dessus dessous; (mezclar) remuer, agiter; (POL) soulever ♦ vi: **~ en** fouiller dans; **~se contra** se retourner contre
revólver nm revolver m
revuelo nm vol m; (fig) trouble m
revuelta nf révolte f; (pelea) bagarre f
revuelto, -a pp de **revolver** ♦ adj (desordenado) sens dessus dessous
rey nm roi m; **el deporte ~** le sport roi

Reyes Magos

Selon la tradition espagnole, les Rois mages apportent des cadeaux aux enfants pendant la nuit qui précède l'Épiphanie. Le lendemain soir, le 6 janvier, les Rois mages arrivent dans la ville par mer ou par terre, et participent à une procession connue sous le nom de **cabalgatas**, à la plus grande joie des enfants.

---

reyerta nf rixe f
rezagado, -a adj: **quedar ~** être en retard
rezagar vt retarder; **~se** vpr traîner
rezar vi prier; **~ con** (fam) aller avec; **rezo** nm prière f

rezongar vi ronchonner

rezumar vt laisser couler ♦ vi suinter

ría nf ria f

riada nf crue f, inondation f

ribera nf rive f, berge f; (área) rivage m, littoral m

ribete nm (de vestido) liseré m; **~s** nmpl (atisbos) côtés mpl; **muestra ~s de filósofo** il a un côté philosophe

ricino nm: **aceite de ~** huile f de ricin

rico, -a adj riche; (comida) délicieux(-euse); (niño) gentil(le) ♦ nm/f riche m/f; **~ en** riche en

rictus nm rictus msg

ridiculez nf ridicule m; (nimiedad) insignifiance f

ridiculizar vt ridiculiser

ridículo, -a adj ridicule; **hacer el ~** se couvrir de ridicule; **poner a algn en ~** tourner qn en ridicule

riego vb ver **regar** ♦ nm arrosage m; **~ sanguíneo** irrigation f

riel nm (FERRO) rail m; (de cortina) tringle f

rienda nf rêne f; **dar ~ suelta a** donner libre cours à

riesgo nm risque m; **correr el ~ de** courir le risque de

rifa nf tombola f; **rifar** vt tirer au sort; **rifarse** vpr se disputer

rifle nm rifle m

rigidez nf rigidité f

rígido, -a adj rigide

rigor nm rigueur f; **de ~** de rigueur

riguroso, -a adj rigoureux(-euse)

rima nf rime f; **~s** nfpl (composición) rimes fpl

rimbombante adj (fig) ronflant(e)

rímel nm rimmel m

rímmel nm = **rímel**

rincón nm coin m

rinoceronte nm rhinocéros msg

riña nf (disputa) dispute f; (pelea) bagarre f

riñón nm (ANAT) rein m; (CULIN) rognon m

río vb ver **reír** ♦ nm (que desemboca en otro río) rivière f; (que desemboca en el mar) fleuve m; (fig) flot m; **~ abajo/arriba** en aval/amont

Río de la Plata n Rio de la Plata

rioja nf rioja m

rioplatense adj de Rio de la Plata

riqueza nf richesse f

risa nf rire m; **¡qué ~!** que c'est drôle!

risco nm rocher m escarpé

risotada nf éclat m de rire

ristra nf chapelet m

risueño, -a adj souriant(e)

ritmo nm rythme m; **a ~ lento** au ralenti; **trabajar a ~ lento** travailler au ralenti; **~ de vida** rythme de vie

rito nm rite m

ritual adj rituel(le) ♦ nm rituel m

rival adj, nm/f rival(e); **rivalidad** nf rivalité f; **rivalizar** vi rivaliser

rizado, -a adj (pelo) frisé(e) ♦ nm frisure f

rizar vt friser; **~se** vpr (el pelo) se friser; (agua, mar) moutonner; **rizo** nm boucle f

RNE abr = Radio Nacional de España

robar vt voler

roble nm chêne m

robo nm vol m

robot (pl **~s**) nm robot m; **~ de cocina** robot

robustecer vt fortifier

robusto, -a adj robuste

roca nf roche f

roce *vb ver* rozar ♦ *nm*
frottement *m*; *(caricia)* frôlement
m; *(TEC)* friction *f*; *(señal)* éraflure
f; (: *en la piel)* égratignure *f*;
tener un ~ con s'accrocher
avec, avoir une prise de bec avec

rociar *vt* arroser

rocín *nm* rosse *f*

rocío *nm* rosée *f*

rock *adj, nm (MÚS)* rock *m*

rocoso, -a *adj* rocailleux(-euse)

rodado, -a *adj*: **tráfico ~**
circulation *f* routière

rodaja *nf* tranche *f*

rodaje *nm (CINE)* tournage *m*; **en
~** *(AUTO)* en rodage

rodar *vt (vehículo)* roder; *(película)*
tourner ♦ *vi* rouler; *(CINE)* tourner

rodear *vt* entourer; **~se** *vpr*: **~se
de amigos** s'entourer d'amis

rodeo *nm* détour *m*; *(AM: DEPORTE)*
rodéo *m*; **hablar sin ~s** parler
sans détours

rodilla *nf* genou *m*; **de ~s** à
genoux

rodillo *nm* rouleau *m*

roedor, a *adj* rongeur(-euse) ♦
nm rongeur *m*

roer *vt* ronger

rogar *vt, vi* prier; **se ruega no
fumar** prière de ne pas fumer

rojizo, -a *adj* rougeâtre

rojo, -a *adj* rouge ♦ *nm* rouge *m*;
al ~ (vivo) *(metal)* rouge; *(fig)*
chauffé(e) à blanc

rol *nm* rôle *m*

rollizo, -a *adj* rondelet(te)

rollo *nm* rouleau *m*; *(fam: película)*
navet *m*; *(libro)* ouvrage *m* de bas
étage; **¡qué ~!** quelle barbe!,
quelle scie!

Roma *n* Rome

romance *nm (LING)* roman *m*;
(relación) idylle *f*

romanticismo *nm* romantisme

m

romántico, -a *adj* romantique

rombo *nm* losange *m*

romería *nf (REL)* fête *f* patronale,
≈ pardon *m*; *(excursión)*
pèlerinage *m*

Romería

À l'origine un pèlerinage vers un
lieu saint ou une église, la romería
en l'honneur de la Sainte Vierge ou
du saint local, la romería donne
également lieu de nos jours à une
fête populaire. Les participants,
parfois venus de loin, apportent à
boire et à manger, et les festivités
durent toute une journée.

---

romero, -a *nm/f* pèlerin *m* ♦ *nm*
(BOT) romarin *m*

romo, -a *adj* émoussé(e)

rompecabezas *nm inv* casse-
tête *m inv*

rompeolas *nm inv* brise-lames *m*
inv

romper *vt* casser; *(papel, tela)*
déchirer; *(contrato)* rompre ♦ *vi*
(olas) briser; *(diente)* casser; **~se**
vpr se casser; **~ el día**
commencer à faire jour; **~ a** se
mettre à; **~ a llorar** éclater en
sanglots; **~ con algn** rompre
avec qn

ron *nm* rhum *m*

roncar *vi* ronfler

ronco, -a *adj* rauque

ronda *nf (de bebidas,
negociaciones)* tournée *f*; *(patrulla)*
ronde *f*; **hacer la ~** *(MIL)* faire sa
ronde; **rondar** *vt (vigilar)*
surveiller ♦ *vi* faire une ronde; *(fig)*
rôder; **la cifra ronda el millón**
le chiffre frise le million

ronquido *nm* ronflement *m*

ronronear *vi* ronronner;
ronroneo *nm* ronronnement
m

roña *nf* (VETERINARIA) gale *f*;
(*mugre*) crasse *f*; (*óxido*) rouille *f*

roñoso, -a *adj* (*mugriento*)
crasseux(-euse); (*tacaño*) radin(e)

ropa *nf* vêtements *mpl*; ~
blanca/de casa linge *m* blanc/
de maison; ~ **de cama** literie *f*; ~
interior *o* **íntima** linge de corps;
ropaje *nm* vêtements *mpl*

ropero *nm* (*de ropa de cama*)
armoire *f* (à linge); (*guardarropa*)
garde-robe *f*

rosa *adj inv* rose ♦ *nf* (BOT) rose *f*
♦ *nm* (*color*) rose *m*; ~ **de los
vientos** rose *f* des vents

rosado, -a *adj* rose ♦ *nm* rosé *m*

rosal *nm* rosier *m*

rosario *nm* chapelet *m*;
(*oraciones*) rosaire *m*

rosca *nf* pas *msg*; (*pan*) couronne
f

rosetón *nm* (ARQ) rosace *f*

rosquilla *nf* beignet à pâte dure en
forme d'anneau

rostro *nm* visage *m*; **tener
mucho ~** (*fam*) avoir un sacré
culot *o* toupet

rotación *nf* rotation *f*; ~ **de
cultivos** rotation des cultures

rotativo *nm* journal *m*

roto, -a *pp de* **romper** ♦ *adj*
cassé(e); (*tela, papel*) déchiré(e);
(CHI: *de clase obrera*) ouvrier(-ière)
♦ *nm/f* (CHI) ouvrier(-ière) ♦ *nm*
(*en vestido*) accroc *m*

rotonda *nf* rotonde *f*

rótula *nf* rotule *f*

rotulador *nm* crayon *m* feutre

rotular *vt* (*carta, documento*)
légender; **rótulo** *nm* (*título*)
enseigne *f*; (*letrero*) écriteau *m*

rotundamente *adv*

catégoriquement

rotundo, -a *adj* catégorique

rotura *nf* rupture *f*; (MED) fracture
f

roturar *vt* défricher

rozadura *nf* (*huella*) éraflure *f*;
(*herida*) écorchure *f*

rozar *vt* frôler; (*tocar ligeramente,
fig*) effleurer; **~se** *vpr* se
frôler; **~se (con)** (*tratar*) se
frotter (à)

Rte. *abr* (= *remite, remitente*) exp.
(= *expéditeur*)

RTVE *sigla f* = *Radiotelevisión
Española*

rubí *nm* rubis *msg*

rubio, -a *adj, nm/f* blond(e);
tabaco ~ tabac *m* blond

rubor *nm* (*sonrojo*) rougeur *f*;
(*vergüenza*) honte *f*

ruborizarse *vpr* rougir

rúbrica *nf* (*de firma*) paraphe *m*,
parafe *m*; **rubricar** *vt* (*firmar*)
parapher *o* parafer; (*concluir*)
couronner

rudimentario, -a *adj*
rudimentaire

rudimentos *nmpl* rudiments
mpl

rudo, -a *adj* (*material*) rude;
(*modales, persona*) grossier(-ière)

rueda *nf* roue *f*; (*corro*) ronde *f*; ~
de prensa conférence *f* de
presse; ~ **de recambio** *o* **de
repuesto** roue de secours; ~
delantera/trasera roue avant/
arrière

ruedo *vb ver* **rodar** ♦ *nm* (TAUR)
arène *f*; (*corro*) ronde *f*

ruego *vb ver* **rogar** ♦ *nm* prière *f*

rufián *nm* ruffian *m*

rugby *nm* rugby *m*

rugido *nm* rugissement *m*

rugir *vi* rugir

rugoso, -a *adj* rugueux(-euse)

ruido nm bruit m; (alboroto) bruit, grabuge m

ruidoso, -a adj bruyant(e); (fig) tapageur(-euse)

ruin adj (vil) vil(e); (fig) pingre

ruina nf ruine f; **~s** nfpl ruines fpl

ruindad nf mesquinerie f; (acto) bassesse f

ruinoso, -a adj ruineux(-euse)

ruiseñor nm rossignol m

ruleta nf roulette f

rulo nm rouleau m

Rumania, Rumanía nf Roumanie f

rumba nf rumba f

rumbo nm (ruta) cap m; (ángulo de dirección) rumb m, rhumb m; (fig) direction f; **poner ~ a** mettre le cap sur; **sin ~ fijo** au hasard

rumboso, -a (fam) adj généreux(-euse)

rumiante nm ruminant m

rumiar vt, vi ruminer

rumor nm (ruido sordo) rumeur f; (chisme) bruit m

rumorearse vpr: **se rumorea que** le bruit court que

runrún nm rumeur f; (fig) rengaine f

rupestre adj: **pintura ~** peinture f rupestre

ruptura nf rupture f

rural adj rural(e)

Rusia nf Russie f

ruso, -a adj russe ♦ nm/f Russe m/f

rústica nf: **libro en ~** livre m broché

rústico, -a adj (del campo) rustique; (ordinario) rustre

ruta nf route f

rutina nf routine f

rutinario, -a adj routinier(-ière)

S, s

S abr (= sur) S (= sud)

S. abr (= san) S (= Saint)

s. abr = **siglo; siguiente**

S.A. abr (COM = Sociedad Anónima) SA f (= société anonyme); (= Su Alteza) SA (= Son Altesse)

sábado nm samedi m

sábana nf drap m

sabandija nf (ZOOL) bestiole f

sabañón nm engelure f

PALABRA CLAVE

saber vt savoir; **a saber** à savoir; **no lo supe hasta ayer** je ne l'ai appris qu'hier; **¿sabes conducir/nadar?** sais-tu conduire/nager?; **¿sabes francés?** sais-tu parler français?; **saber de memoria** savoir o connaître par cœur; **lo sé** je (le) sais; **hacer saber** faire savoir; **que yo sepa** que je sache; **¡vete a saber!** va savoir!; **¿sabes?** tu vois?

♦ vi: **saber a** avoir le goût de; **sabe a fresa** ça a un goût de fraise; **saber mal/bien** (comida, bebida) avoir bon/mauvais goût; **le sabe mal que otro saque a bailar a su mujer** ça ne lui plaît pas que d'autres gens invitent sa femme à danser; **saberse** vpr: **se sabe que ...** on sait que ...; **no se sabe todavía** on ne sait toujours pas

sabiduría nf savoir m; (buen juicio) sagesse f

sabiendas: a ~ adv en connaissance de cause

sabio, -a adj savant(e); (prudente)

sage ♦ *nm/f* savant(e)

sabor *nm* goût *m*, saveur *f*;

saborear *vt* savourer

sabotaje *nm* sabotage *m*

saboteador, a *nm/f* saboteur(-euse)

sabré *etc vb ver* **saber**

sabroso, -a *adj* savoureux(-euse); *(salado)* salé(e)

sacacorchos *nm inv* tire-bouchon *m*

sacapuntas *nm inv* taille-crayon *m*

sacar *vt* sortir; *(dinero, entradas)* retirer; *(beneficios)* tirer; *(premio)* remporter; *(datos)* extraire; *(conclusión)* arriver à; *(esp AM: ropa)* enlever; **~ adelante** *(hijos)* élever; *(negocio)* faire démarrer; **~ una foto** faire une photo; **~ la lengua** tirer la langue; **~ buenas/malas notas** avoir de bonnes/mauvaises notes

sacarina *nf* saccharine *f*

sacerdote *nm* prêtre *m*

saciar *vt* assouvir; **~se** *vpr* se rassasier

saco *nm* sac *m*; *(AM: chaqueta)* veste *f*; **~ de dormir** sac de couchage

sacramento *nm* sacrement *m*

sacrificar *vt* sacrifier; **~se** *vpr*: **~se por** se sacrifier pour;

sacrificio *nm* sacrifice *m*

sacrilegio *nm* sacrilège *m*

sacristía *nf* sacristie *f*

sacudida *nf* secousse *f*; **~ eléctrica** décharge *f* électrique

sacudir *vt* secouer

sádico, -a *adj, nm/f* sadique *m/f*;

sadismo *nm* sadisme *m*

saeta *nf* flèche *f*

sagacidad *nf* sagacité *f*; **sagaz** *adj* sagace

Sagitario *nm* (ASTROL) Sagittaire *m*; **ser ~** être (du) Sagittaire

sagrado, -a *adj* sacré(e)

Sáhara *nm*: **el ~** le Sahara

sal *vb ver* **salir** ♦ *nf* sel *m*; *(encanto)* grâce *f*; **~es de baño** sels de bain

sala *nf* salle *f*; *(sala de estar)* salle de séjour; *(JUR)* tribunal *m*; **~ de espera** salle d'attente; **~ de fiestas** salle des fêtes

salado, -a *adj* salé(e); *(fig)* piquant(e); **agua salada** eau *f* salée

salar *vt* saler

salarial *adj (aumento)* de salaire; *(revisión)* salarial(e)

salario *nm* salaire *m*

salchicha *nf* saucisse *f*;

salchichón *nm* saucisson *m*

saldar *vt* solder; *(deuda, diferencias)* régler; **saldo** *nm* solde *m*; *(de deuda)* règlement *m*

saldré *etc vb ver* **salir**

salero *nm* (CULIN) salière *f*

salga *etc vb ver* **salir**

salida *nf* sortie *f*; *(de tren, AVIAT, DEPORTE)* départ *m*; *(puerta)* sortie, issue *f*; *(fig)* issue; *(: de estudios)* débouché *m*; **calle sin ~** voie *f* sans issue; **a la ~ del teatro** à la sortie du théâtre; **~ de emergencia/de incendios** sortie de secours

saliente *nm* saillie *f*

PALABRA CLAVE

---

salir *vi* **1** *(ir afuera)* sortir; *(tren, avión)* partir; **salir de** sortir de; **Juan ha salido** Juan est sorti; **salió de la cocina** il est sorti de la cuisine

2 *(aparecer: sol)* se lever; *(flor, pelo, dientes)* pousser; *(disco, libro)* sortir; **anoche salió el**

reportaje en la tele le reportage est passé hier soir à la télé; **su foto salió en todos los periódicos** sa photo est parue dans tous les journaux **3** (*resultar*): **salir bien/mal** réussir/rater; **el niño nos ha salido muy estudioso** notre fils se révèle très studieux; **la comida te ha salido exquisita** ton repas est très réussi; **sale muy caro** c'est très cher **4** (*mancha*) partir; (*tapón*) s'enlever **5: le salió un trabajo** il a trouvé du travail **6: salir adelante** s'en sortir; **no sé como haré para salir adelante** je ne sais pas comment faire pour m'en sortir

salirse *vpr* (*líquido*) se renverser; (*animal*) sortir; (*de la carretera*) quitter; (*persona: de asociación*) quitter

saliva *nf* salive *f*
salmo *nm* psaume *m*
salmón *nm* saumon *m*
salmuera *nf* saumure *f*
salón *nm* salon *m*; ~ **de belleza** institut *m* de beauté
salpicadero *nm* (*AUTO*) tableau *m* de bord
salpicar *vt* éclabousser; (*esparcir*) parsemer
salsa *nf* sauce *f*; (*MÚS*) salsa *f*
saltamontes *nm inv* sauterelle *f*
saltar *vt* sauter ♦ *vi* sauter; (*al agua*) plonger; (*quebrarse: cristal*) se briser; (*explotar: persona*) exploser; **~se** *vpr* sauter; **~se un semáforo** brûler un feu
salto *nm* saut *m*; (*al agua*) plongeon *m*; ~ **de agua** chute *f* d'eau; ~ **de altura/de longitud**

saut en hauteur/en longueur; ~ **mortal** saut périlleux
saltón, -ona *adj* (*ojos*) globuleux(-euse); (*dientes*) en avant
salud *nf* santé *f*; **¡(a su) ~!** (à votre) santé!; **saludable** *adj* sain(e)
saludar *vt* saluer; **salude de mi parte a X** saluez X de ma part; **saludo** *nm* salut *m*; **saludos** *nmpl* (*en carta*) salutations *fpl*
salva *nf* (*MIL, de aplausos*) salve *f*
salvación *nf* sauvetage *m*; (*REL*) salut *m*
salvado *nm* (*AGR*) son *m*
salvador *nm* sauveur *m*; **El S~** (*GEO*) El Salvador; **San S~** San Salvador
salvaguardar *vt* sauvegarder
salvajada *nf* sauvagerie *f*
salvaje *adj, nm/f* sauvage *m/f*
salvamento *nm* sauvetage *m*
salvapantallas *nm inv* économiseur *m* d'écran
salvar *vt* sauver; (*obstáculo, distancias*) franchir; (*exceptuar*) excepter; **~se** *vpr*: **se** (**de**) se sauver (de)
salvavidas *adj inv*: **bote/ chaleco/cinturón ~** canot *m/* gilet *m/*bouée *f*de sauvetage
salvo, -a *adj*: **a ~** en lieu sûr ♦ *adv* sauf; ~ **que** sauf que;
salvoconducto *nm* sauf-conduit *m*
san *nm* saint *m*; ~ **Juan** Saint Jean
sanar *vt, vi* guérir
sanatorio *nm* sanatorium *m*
sanción *nf* sanction *f*; (*aprobación*) approbation *f*; **sancionar** *vt* sanctionner; (*aprobar*) approuver
sandalia *nf* sandale *f*
sandía *nf* pastèque *f*

sandwich (pl ~s o ~es) nm
  sandwich m
saneamiento nm assainissement
  m
sanear vt assainir

Sanfermines

  Les Sanfermines de Pampelune
est un festival d'une semaine,
rendu célèbre par Hemingway. À
partir du 7 juillet, fête patronale
de "San Fermín", les habitants de
la ville, principalement les jeunes,
se rassemblent dans les rues pour
chanter, boire et danser. Tôt le
matin, on lâche des taureaux
dans les rues étroites qui
conduisent à l'arène. Selon une
coutume répandue dans de
nombreux villages espagnols, des
jeunes gens font acte de courage
en s'élançant devant les taureaux,
au risque de leur vie.

---

sangrar vt saigner ♦ vi saigner;
  sangre nf sang m
sangría nf (MED) saignée f; (CULIN)
  sangria f
sangriento, -a adj sanglant(e)
sanguijuela nf sangsue f
sanguinario, -a adj sanguinaire
sanguíneo, -a adj sanguin(e)
sanidad nf (ADMIN) santé f; (de
  ciudad, clima) salubrité f; **~
  pública** santé publique

San Isidro

  San Isidro, saint patron de
Madrid, donne son nom à des
festivités d'une semaine qui ont
lieu aux alentours du 15 mai.
Foire Au XVIIIe siècle, la fête de
San Isidro consiste de nos jours
en diverses manifestations, telles

---

que bals, musique, spectacles,
courses de taureaux et une célèbre
romería.

---

sanitario, -a adj sanitaire ♦ nm:
  ~s sanitaires mpl
sano, -a adj sain(e); (sin daños)
  intact(e); **~ y salvo** sain et sauf
Santiago n: **~ (de Chile)**
  Santiago (du Chili)
santiamén nm: **en un ~** en un
  clin d'œil
santidad nf sainteté f
santiguarse vpr se signer
santo, -a adj saint(e) ♦ nm/f (REL)
  Saint(e) ♦ nm fête f; **~ y seña**
  mot m de passe
santuario nm sanctuaire m
saña nf (crueldad) sauvagerie f;
  (furor) fureur f
sapo nm crapaud m
saque vb ver **sacar** ♦ nm (TENIS)
  service m; (FÚTBOL) remise f en jeu;
  ~ de esquina corner m
saquear vt piller; **saqueo** nm
  pillage m
sarampión nm rougeole f
sarcasmo nm sarcasme m
sarcástico, -a adj sarcastique
sardina nf sardine f
sargento nm (MIL) sergent m
sarmiento nm sarment m
sarna nf (MED, ZOOL) gale f
sarpullido nm (MED) éruption f
  (prurigineuse)
sarro nm tartre m
sartén nf o (AM) (CULIN) poêle f
  (à frire)
sastre nm tailleur m
Satanás nm Satan m
satélite nm satellite m
sátira nf satire f
satisfacción nf satisfaction f
satisfacer vt satisfaire; **~se** vpr

se satisfaire
satisfecho, -a pp de
satisfacer ♦ adj satisfait(e)
saturar vt saturer; **~se** vpr être
saturé(e)
sauce nm saule m; **~ llorón**
saule pleureur
sauna nf sauna m
savia nf sève f
saxofón nm saxophone m
sazonar vt mûrir; (CULIN) relever

PALABRA CLAVE

se pron **1** (reflexivo) se, s'; (: de Vd,
Vds) vous; **se divierte** il s'amuse;
lavarse se laver
2 (con complemento directo: sg)
lui; (pl) leur; (: Vd, Vds) vous; **se lo
dije** (a él) je le lui ai dit; (a ellos)
je le leur ai dit; (a usted(es)) je
vous l'ai dit; **se compró un
sombrero** il s'est acheté un
chapeau; **se rompió la pierna** il
s'est cassé la jambe
3 (uso recíproco) se; (: Vds) vous;
se miraron (el uno al otro) ils
se sont regardés (l'un l'autre);
**cuando (ustedes) se
conocieron** quand vous vous
êtes connus
4 (en oraciones pasivas): **se han
vendido muchos libros**
beaucoup de livres ont été vendus
5 (impersonal): **se dice que ...**
on dit que ...; **allí se come muy
bien** on y mange très bien; **se
ruega no fumar** prière de ne
pas fumer

sé vb ver **saber**; **ser**
sea etc vb ver **ser**
sebo nm sébum m
secador nm (tb: **~ de pelo**)
sèche-cheveux m inv
secadora nf sèche-linge m inv

secar vt sécher; **~se** vpr sécher;
(persona) se sécher
sección nf section f
seco, -a adj sec (sèche); **Juan, a
secas** Juan tout court; **parar/
frenar en ~** s'arrêter/freiner
brusquement
secretaría nf secrétariat m
secretario, -a nm/f secrétaire
m/f
secreto, -a adj secret(-ète) ♦ nm
secret m
secta nf secte f
sectario, -a adj sectaire
sector nm secteur m; **~
terciario** secteur tertiaire
secuela nf séquelle f
secuencia nf séquence f
secuestrar vt séquestrer; (avión)
détourner; (publicación) retirer de
la circulation; (bienes: JUR)
séquestrer, mettre sous séquestre;
secuestro nm (de persona)
séquestration f; (de avión)
détournement m
secular adj séculaire
secundar vt seconder
secundario, -a adj secondaire;
(INFORM) d'arrière-plan
sed nf soif f; **tener ~** avoir soif
seda nf soie f
sedal nm ligne f
sedante nm sédatif m
sede nf siège m; **Santa S~** Saint
Siège
sedentario, -a adj sédentaire
sediento, -a adj assoiffé(e)
sedimento nm sédiment m
sedoso, -a adj soyeux(-euse)
seducción nf séduction f
seducir vt séduire
seductor, a adj séducteur(-trice)
(personalidad, idea) séduisant(e) ♦
nm/f séducteur(-trice)
segar vt (mies) moissonner;

(hierba) faucher; *(vidas)* briser
seglar *adj* séculier(-ière)
segregación *nf* ségrégation *f*; ~
racial ségrégation raciale
segregar *vt* ségréguer; *(líquido)*
sécréter
seguida *nf*: **en** ~ tout de suite
seguido, -a *adj (semana)*
continu(e) ♦ *adv (derecho)* tout
droit; *(AM: a menudo)* souvent; **5
días** ~**s** 5 jours de suite
seguimiento *nm* suivi *m*
seguir *vt* suivre ♦ *vi (venir
después)* suivre; *(continuar)*
poursuivre; ~**se** *vpr*: ~**se (de)**
résulter (de); **sigo sin
comprender** je ne comprends
toujours pas; **sigue lloviendo** il
continue de pleuvoir; **¡siga!** *(AM)*
allez-y!
según *prep* d'après ♦ *adv (tal
como)* tel(le) que; *(depende que)*
selon; *(a medida que)* à mesure
que; ~ **esté el tiempo** selon le
temps qu'il fera; **está** ~ **lo
dejaste** c'est resté tel que tu
l'avais laissé
segundo, -a *adj* deuxième,
second(e) ♦ *nm* seconde *f* ♦ *nm/f*
deuxième *m/f*, second(e);
segunda (clase) *(FERRO)*
seconde (classe) *f*; **segunda
(marcha)** *(AUTO)* seconde; **con
segundas (intenciones)** avec
une arrière-pensée; **de segunda
mano** d'occasion; *ver tb* **sexto**
seguramente *adv* sûrement
seguridad *nf* sécurité *f*; *(certeza)*
certitude *f*; *(confianza)* confiance *f*;
~ **social** sécurité sociale
seguro, -a *adj* sûr(e) ♦ *adv* sûr ♦
nm sécurité *f*; *(COM)* assurance *f*;
(CAM, MÉX) épingle *f* à nourrice; ~
**a todo riesgo/contra
terceros** assurance tous risques/

au tiers
seis *adj inv, nm inv* six *m inv*; **el**
~ **de abril** le six avril
seiscientos, -as *adj* six cents;
~ **veinticinco** six cent vingt-cinq
seísmo *nm* séisme *m*
selección *nf* sélection *f*;
seleccionar *vt* sélectionner
selectividad *nf* (UNIV) sélection *f*
selecto, -a *adj* sélect(-e)
sellar *vt* sceller; *(pasaporte)*
tamponner
sello *nm* *(de correos)* timbre *m*;
(para estampar) tampon *m*;
(precinto) sceau *m*
selva *nf* *(bosque)* forêt *f*; *(jungla)*
jungle *f*
semáforo *nm* (AUTO) feu *m* rouge
o de circulation
semana *nf* semaine *f*; **S~ Santa**
semaine sainte

Semana Santa

*Les célébrations de la semaine
sainte en Espagne sont souvent
grandioses. "Viernes Santo" (le
Vendredi saint), "Sábado Santo"
(le Samedi saint) et "Domingo de
Resurrección" (le dimanche de
Pâques) sont des fêtes légales
auxquelles s'ajoutent d'autres
jours fériés dans chaque région.
Dans tout le pays, les membres
des "cofradías" (confréries), vêtus
de cagoules, avancent en
processions dans les rues,
précédant leurs "pasos", des chars
richement décorés sur lesquels se
dressent des statues religieuses.
Les processions de la semaine
sainte à Séville sont
particulièrement renommées.*

---

semanal *adj* hebdomadaire
semblante *nm* (traits *mpl* du)

visage m
sembrar vt semer
semejante adj, nm semblable m;
semejanza nf ressemblance f
semen nm sperme m, semence f
semestral adj semestriel(le)
semi... pref semi...
semicírculo nm demi-cercle m
semifinal nf demi-finale f
semilla nf graine f, semence f
seminario nm (REL) séminaire m;
(ESCOL) séance f de T.P.
sémola nf semoule f
Sena nm: **el ~** la Seine
senado nm sénat m
senador, a nm/f sénateur(-trice)
sencillez nf simplicité f
sencillo, -a adj simple
senda nf sentier m
sendero nm sentier m; **S~
Luminoso** (PE: POL) Sentier
lumineux
senil adj sénile
seno nm sein m; (MAT) sinus m; **~
materno** sein maternel
sensación nf sensation f;
sensacional adj sensationnel(le)
sensato, -a adj sensé(e)
sensible adj sensible
sensorial adj sensoriel(le)
sensual adj sensuel(le)
sentada nf (protesta) sit-in m
sentado, -a adj: **estar ~** être
assis(e); **dar por ~** considérer
comme réglé(e)
sentar vt asseoir; (noticia, hecho,
palabras) établir ♦ vi (vestido,
color) aller; **~se** vpr s'asseoir; **~
bien** (ropa) aller bien; (comida)
faire du bien; (vacaciones) réussir; **~
me ha sentado mal** (comida) je
ne l'ai pas digéré; (comentario)
cela m'a blessé
sentencia nf sentence f;
sentenciar vt (JUR) condamner

sentido, -a adj (pérdida)
regretté(e) ♦ nm sens msg; **mi
más ~ pésame** mes plus
sincères condoléances; **con ~
doble** à double sens; **tener ~**
avoir de sens; **~ común** bon sens;
~ del humor sens de l'humour;
~ único (AUTO) sens unique
sentimental adj sentimental(e);
vida ~ vie f sentimentale
sentimiento nm sentiment m
sentir nm opinion f ♦ vt sentir;
(lamentar) regretter; (esp AM)
entendre ♦ vi sentir; **~se** vpr se
sentir; **lo siento (mucho)** je suis
désolé(e); **~se bien/mal** se
sentir bien/mal
seña nf signe m; (MIL) mot m de
passe; **~s** nfpl (dirección) adresse
f; **~s personales** (descripción)
caractéristiques fpl physiques
señal nf signal m; (síntoma) signe
m; (marca, INFORM) marque f;
(COM) arrhes fpl; **en ~ de** en
signe de; **señalar** vt signaler;
(poner marcas) marquer; (con el
dedo) montrer du doigt; (hora)
donner; (fijar) déterminer
señor, a adj (fam) classe ♦ nm
monsieur m; (hombre) homme m;
(trato) monsieur; **Muy ~ mío**
cher Monsieur
señora nf madame f; (dama)
dame f; (mujer) femme f;
Nuestra S~ (REL) Notre-Dame
señorita nf (tratamiento)
mademoiselle f; (mujer joven)
demoiselle f, jeune fille f
señorito nm (pey) fils msg à papa
señuelo nm leurre m
sepa etc vb ver **saber**
separación nf séparation f;
(división) partage m; (distancia)
distance f
separar vt séparer; (dividir)

diviser; **~se** vpr se séparer;
(partes) se détacher; **~se de**
(persona: de un lugar) s'éloigner
de; (: de asociación) quitter
sepia nf (CULIN) seiche f
septiembre nm septembre m;
ver tb **julio**
séptimo, -a adj, nm/f septième
m/f; ver tb **sexto**
sepulcro nm sépulcre m
sepultar vt inhumer; (suj: aguas,
escombros) ensevelir; **sepultura**
nf (entierro) inhumation f; (tumba)
sépulture f
sequedad nf sécheresse f
sequía nf sécheresse f
séquito nm (de rey) cour f
SER sigla f (RADIO) (= Sociedad
Española de Radiodifusión) société
privée de radiodiffusion

PALABRA CLAVE

ser vi **1** (descripción, identidad)
être; **es médico/muy alto** il est
docteur/très grand; **soy Pepe**
(TELEC) c'est Pepe (à l'appareil)
2 (suceder): **¿qué ha sido eso?**
qu'est-ce que c'était?; **la fiesta
es en casa** la fête a lieu chez
nous
3 (ser + de: posesión): **es de
Joaquín** c'est à Joaquín; (origen):
ella es de Cuzco elle est de
Cuzco; (sustancia): **es de piedra**
c'est en pierre; **¿qué va a ser
de nosotros?** qu'allons nous
devenir?
4 (horas, fechas, números): **es la
una** il est une heure; **son las
seis y media** il est six heures et
demi; **es el 1 de junio** c'est le
1er juin; **somos/son seis** nous
sommes/ils sont six; **2 y 2 son 4**
2 et 2 font 4
5 (valer): **¿cuánto es?** c'est

combien?
6 (+ para): **es para pintar** c'est
pour peindre
7 (en oraciones pasivas): **ya ha
sido descubierto** ça a déjà été
découvert; **fue construido** ça a
été construit
8 (ser + de + vb): **es de esperar
que ...** il faut s'attendre à ce
que ...
9 (+ que): **es que no puedo**
c'est que je ne peux pas; **¿cómo
es que no lo sabes?** comment
se fait-il que tu ne le saches pas?
10 (locuciones: con subjun): **o sea**
c'est-à-dire; **sea él, sea su
hermana** soit lui, soit sa sœur
11 (con infinitivo): **a no ser ...** si
ce n'est ...; **a no ser que salga
mañana** à moins qu'il ne sorte
demain; **de no ser así** si ce
n'était pas le cas
12: **"érase una vez ..."** "il
était une fois ..."
♦ nm (ente) être m; **ser
humano/vivo** être humain/
vivant

serenarse vpr s'apaiser
sereno, -a adj serein(e); (tiempo)
calme ♦ nm veilleur m de nuit
serie nf série f; (TV: por capítulos)
feuilleton m; **fuera de ~** (COM)
hors série; (fig) hors norme;
fabricación en ~ fabrication f
en série
seriedad nf sérieux msg; (de
crisis) gravité f
serio, -a adj sérieux(-ieuse); **en ~**
sérieusement
sermón nm sermon m
seropositivo, -a adj
séropositif(-ive)
serpiente nf serpent m; **~ de
cascabel** serpent à sonnettes

serranía *nf* zone *f* montagneuse
serrar *vt* scier
serrín *nm* sciure *f* (de bois)
serrucho *nm* scie *f* égoïne
servicio *nm* service *m*; **~s** *nmpl*
(*wáter*) toilettes *fpl*; (ECON: *sector*)
services *mpl*; **~ incluido** service
compris; **~ militar** service
militaire
servil (*pey*) *adj* servile
servilleta *nf* serviette *f*
servir *vt, vi* servir; **~se** *vpr* se
servir; **~ (para)** servir (à); **~se
de algo** se servir de qch;
sírvase pasar veuillez entrer
sesenta *adj inv, nm inv* soixante
m inv
sesgo *nm* tournure *f*; **al ~**
(COSTURA) en biais
sesión *nf* séance *f*
seso *nm* cerveau *m*
seta *nf* champignon *m*; **~
venenosa** champignon
vénéneux
setecientos, -as *adj* sept cents;
ver tb **seiscientos**
setenta *adj inv, nm inv* soixante-
dix *m inv*; *ver tb* **sesenta**
seudónimo *nm* pseudonyme *m*
severidad *nf* sévérité *f*
severo, -a *adj* sévère
Sevilla *n* Séville
sevillano, -a *adj* sévillan(e) ♦
nm/f Sévillan(e)
sexo *nm* sexe *m*
sexto, -a *adj, nm/f* sixième *m/f*
sexual *adj* sexuel(le)
si *conj* si ♦ *nm* (MÚS) si *m*; **me
pregunto ~ ...** je me demande
si ...
sí *adv* oui; (*tras frase negativa*) si;
él no quiere pero yo ~ il ne
veut pas mais moi oui; **ella ~
vendrá** elle, elle viendra; **claro
que ~** bien sûr que oui/si; **creo**

que ~ je crois que oui/si; **porque
~** (*porque lo digo yo*) parce que;
¡~ que lo es! bien sûr que si!;
¡eso ~ que no! alors là, non! ♦
nm (*consentimiento*) oui *m* ♦ *pron*
(*uso impersonal*) soi; (*sg: m*) lui; (:
f) elle; (: *de cosa*) lui (elle); (*pl*)
eux; **por ~ solo/solos** à lui
seul/eux seuls; **volver en ~**
revenir à soi; **~ mismo/misma**
lui-/elle-même; **se ríe de ~
misma** elle rit d'elle-même;
hablaban entre ~ ils parlaient
entre eux; **de por ~** en soi-même
etc
siamés, -esa *adj, nm/f*
siamois(e)
SIDA, sida *sigla m* (= *síndrome de
inmuno-deficiencia adquirida*) SIDA
m, sida *m* (= *syndrome
immunodéficitaire acquis*)
siderúrgico, -a *adj* sidérurgique
sidra *nf* cidre *m*
siembra *vb ver* **sembrar** ♦ *nf*
(AGR) semence *f*
siempre *adv* toujours ♦ *conj*: **~
que** ... (*cada vez que*) chaque fois
que ...; (*a condición de que*)
seulement si; **como ~** comme
toujours; **para ~** pour toujours; **~
me voy mañana** (AM) de toute
façon, je pars demain
sien *nf* tempe *f*
siento *vb ver* **sentar**; **sentir**
sierra *vb ver* **serrar** ♦ *nf* (TEC)
scie *f*; (GEO) chaîne *f* de
montagnes; **S~ Leona** Sierra *f*
Leone
siervo, -a *nm/f* serf (serve)
siesta *nf* sieste *f*; **dormir la o
echarse una ~** faire une (petite)
sieste
siete *adj inv, nm inv* sept *m inv* ♦
excl (AM: *fam*): **¡la gran ~!**
punaise!; **se armó un follón de**

la gran ~ ça a fait un raffut de tous les diables; **hijo de la gran ~** (fam!) fils msg de pute; ver tb **seis**

sífilis nf syphilis fsg
sifón nm siphon m
siga etc vb ver **seguir**
sigla nf sigle m
siglo nm siècle m
significación nf signification f
significado nm signification f
significar vt signifier
significativo, -a adj significatif(-ive)
signo nm signe m; **~ de admiración** point m d'exclamation; **~ de interrogación** point d'interrogation
siguiendo etc vb ver **seguir**
siguiente adj suivant(e); **¡el ~!** au suivant!
sílaba nf syllabe f
silbar vt, vi siffler; **silbato** nm sifflet m; **silbido, silbo** nm sifflement m
silenciador nm silencieux msg
silenciar vt (AM: persona) faire taire; **silencio** nm silence m
silencioso, -a adj silencieux(-ieuse)
silla nf chaise f; (tb: **~ de montar**) selle f; **~ de ruedas** chaise roulante
sillón nm fauteuil m
silueta nf silhouette f
silvestre adj (BOT) sauvage
simbólico, -a adj symbolique
simbolizar vt symboliser
símbolo nm symbole m
simetría nf symétrie f
simiente nf graine f
similar adj similaire
simio nm singe m

simpatía nf sympathie f
simpático, -a adj (persona) sympathique
simpatizante nm/f sympathisant(e)
simpatizar vi: **~ con** sympathiser avec
simple adj simple ♦ nm/f (pey) simplet(te); **simplificar** vt simplifier
simposio nm symposium m
simular vt simuler
simultáneo, -a adj simultané(e)
sin prep sans ♦ conj: **~ que** (+subjun) sans que +subjun; **la ropa está ~ lavar** le linge n'est pas lavé; **~ embargo** cependant
sinagoga nf synagogue f
sinceridad nf sincérité f
sincero, -a adj sincère
sincronizar vt synchroniser
sindical adj syndical(e); **central ~ centrale** f syndicale;
sindicalista adj, nm/f syndicaliste m/f
sindicato nm syndicat m
síndrome nm syndrome m; **~ de abstinencia** symptômes mpl de la privation
sinfín nm: **un ~ de** une infinité de
sinfonía nf symphonie f
singular adj singulier(-ière); **singularidad** nf singularité f; **singularizar** vt singulariser; **singularizarse** vpr se singulariser
siniestro, -a adj sinistre ♦ nm sinistre m; (en carretera) accident m
sinnúmero nm = **sinfín**
sino nm destin m ♦ conj sinon
sinónimo, -a adj, nm synonyme m
síntesis nf inv synthèse f

sintético, -a adj (material) synthétique; (producto) de synthèse

sintetizar vt synthétiser

sintiendo etc vb ver **sentir**

síntoma nm symptôme m

sintonía nf (RADIO) réglage m; (melodía) indicatif m (musical)

sintonizar vt (RADIO) régler ♦ vi: ~ **con** régler sur

sinvergüenza adj, nm/f canaille f; (descarado) effronté(e)

siquiera conj même si ♦ adv au moins; **ni** ~ pas même; ~ **bebe algo** bois au moins qch

sirena nf sirène f

Siria nf Syrie f

sirviendo etc vb ver **servir**

sirviente, -a nm/f domestique m/f

sisear vi dire "chut"

sistema nm système m

Sistema educativo

La réforme du système scolaire espagnol (sistema educativo) date du début des années 90. Les cycles EGB, BUP et COU ont été remplacés respectivement par la "Primaria", cycle obligatoire de 6 ans, la "Secundaria", cycle obligatoire de 4 ans et le "Bachillerato", cycle facultatif de 2 ans dans le secondaire, indispensable à la poursuite d'études supérieures.

sistemático, -a adj systématique

sitiar vt assiéger

sitio nm endroit m, site m; (espacio) place f; (MIL) siège m; ~ **web** site m web

situación nf situation f

situado, -a adj situé(e)

situar vt situer; (socioeconómicamente) placer; ~**se** vpr se situer; (socioeconómicamente) réussir (dans la vie)

slip (pl ~**s**) nm slip m

SME sigla m (= Sistema Monetario Europeo) SME (= Système monétaire européen)

smoking (pl ~**s**) nm smoking m

snob nm = **esnob**

SO abr (= suroeste) S.-O. (= sudouest)

sobaco nm aisselle f

sobar vt tripoter

soberanía nf souveraineté f

soberano, -a adj souverain(e) ♦ nm/f souverain(e)

soberbia nf superbe f, orgueil m

soberbio, -a adj (persona) orgueilleux(-euse); (palacio, ejemplar) superbe

sobornar vt acheter, soudoyer; **soborno** nm (un soborno) pot-de-vin m; (el soborno) corruption f

sobra nf excès m sg; ~**s** nfpl (restos) restes m pl; **de** ~ en trop; **tengo de** ~ j'en ai plus qu'assez; **sobrante** adj restant(e) ♦ nm restant m

sobrar vi (quedar) rester

sobre prep sur; (por encima de) au-dessus de; (aproximadamente) environ ♦ nm enveloppe f; ~ **todo** surtout

sobredosis nf inv overdose f

sobreentender vt sous-entendre; ~**se** vpr: **se sobreentiende (que)** il est sous-entendu (que)

sobrehumano, -a adj surhumain(e)

sobrellevar vt supporter

sobremesa nf: **de** ~ (ordenador) de bureau; (programación) de

l'après-midi; **en la ~** après
manger
sobrenatural *adj* surnaturel(le)
sobrentender *vt* =
sobreentender
sobrepasar *vt* dépasser
sobreponerse *vpr*: **~ a algo**
surmonter qch
sobresaliente *adj* extraordinaire
♦ *nm* (ESCOL) ≃ mention *f* "très
bien"
sobresalir *vi* (punta) saillir;
(cabeza) dépasser; (fig) se
distinguer
sobresaltar *vt* faire sursauter;
~se *vpr* sursauter
sobrevenir *vi* survenir
sobreviviente *adj, nm/f*
survivant(e)
sobrevolar *vt* survoler
sobriedad *nf* sobriété *f*
sobrino, -a *nm/f* neveu (nièce)
sobrio, -a *adj* sobre
socarrón, -ona *adj* narquois(e)
socavar *vt* saper
socavón *nm* (en calle) trou *m*
sociable *adj* sociable
social *adj* social(e)
socialdemócrata *adj, nm/f*
social-démocrate *m/f*
socialista *adj, nm/f* socialiste *m/f*
sociedad *nf* société *f*; **~**
anónima société anonyme
socio, -a *nm/f* membre *m/f*;
(COM) associé(e)
sociología *nf* sociologie *f*
sociólogo, -a *nm/f* sociologue
m/f
socorrer *vt* secourir; **socorrista**
nm/f secouriste *m/f*; **socorro** *nm*
secours *msg*; (MIL) secours *mpl*;
¡socorro! au secours!
soda *nf* soda *m*
sofá *nm* canapé *m*; **sofá-cama**
nm canapé-lit *m*

sofocar *vt* suffoquer, étouffer;
(incendio, rebelión) étouffer; **~se**
vpr étouffer(r); (fig) suffoquer;
sofoco *nm* suffocation *f*
soga *nf* cordage *m*
sois *vb ver* **ser**
soja *nf* soja *m*
sol *nm* soleil *m*; **hace ~** il fait
soleil; **tomar el ~** prendre le
soleil
solamente *adv* seulement
solapa *nf* (de chaqueta) revers
msg; (de libro) rabat *m*
solar *adj* solaire ♦ *nm* terrain *m*
vague
solaz *nm* distraction *f*
solazarse *vpr* se distraire
soldado *nm* soldat *m*; **~ raso**
simple soldat
soldador, a *nm/f* soudeur(-euse)
♦ *nm* machine *f* à souder
soldar *vt* souder
soleado, -a *adj* ensoleillé(e)
soledad *nf* solitude *f*
solemne *adj* solennel(le);
solemnidad *nf* solennité *f*
soler *vi*: **~ hacer algo** avoir
l'habitude de faire qch; **suele**
salir a las ocho d'ordinaire, il
sort à 8 heures; **solíamos ir**
todos los años nous y allions
tous les ans
solicitar *vt* solliciter
solicitud *nf* sollicitation *f*
solidaridad *nf* solidarité *f*
solidario, -a *adj* solidaire
solidez *nf* solidité *f*
sólido, -a *adj* solide
soliloquio *nm* soliloque *m*
solista *nm/f* soliste *m/f*
solitario, -a, *adj, nm/f* solitaire
m/f ♦ *nm* (NAIPES) réussite *f*
sollozar *vi* sangloter; **sollozo**
nm sanglot *m*
solo, -a *adj* (único) seul(e) (et

sólo unique); (*sin compañía*) seul(e);
hay una sola dificultad il y a
une seule difficulté; **a solas**
tout(e) seul(e); (*dos personas*) seul
à seul

sólo *adv* seulement

solomillo *nm* aloyau *m*

soltar *vt* lâcher; (*preso*) relâcher;
(*pelo*) détacher; (*nudo*) défaire;
(*estornudo, carcajada*) laisser
échapper; **~se** *vpr* se détacher;
(*adquirir destreza*) se débrouiller

soltero, -a *adj, nm/f* célibataire
m/f

solterón, -ona *nm/f* vieux
garçon (vieille fille)

soltura *nf* (*al hablar, escribir*)
facilité *f*; (*agilidad*) adresse *f*

soluble *adj* soluble

solución *nf* solution *f*;

solucionar *vt* résoudre

solventar *vt* (*deudas*) régler;
(*conflicto*) résoudre

solvente *adj* (COM) solvable

sombra *nf* ombre *f*; **tener
buena/mala ~** (*suerte*) avoir de
la/pas de chance

sombrero *nm* chapeau *m*

sombrilla *nf* ombrelle *f*

sombrío, -a *adj* sombre

somero, -a *adj* sommaire

someter *vt* soumettre; (*alumnos,
familia*) faire obéir; **~se** *vpr* se
soumettre; **~ algo/a algn a**
soumettre qch/qn à; **~se a**
(*mayoría, opinión*) se soumettre à;
(*tratamiento*) subir

somnífero *nm* somnifère *m*

somnolencia *nf* somnolence *f*

somos *vb ver* **ser**

son *vb ver* **ser** ♦ *nm* son *m*; **en ~
de paz** en signe de paix

sonajero *nm* hochet *m*

sonámbulo, -a *adj*
somnambule *m/f*

sonar *vi* sonner; (*música, voz*)
retentir; (LING) être prononcé(e);
(*resultar conocido*) dire qch; **~se**
vpr: **~se (la nariz)** renifler; **me
suena ese nombre/esa cara**
ce nom/ce visage me dit quelque
chose

sonda *nf* sonde *f*

sondear *vt* (MED) examiner à la
sonde; **sondeo** *nm* sondage *m*;
(MED) examen *m* à la sonde

sonido *nm* son *m*

sonoro, -a *adj* sonore

sonreír *vi* sourire; **~se** *vpr*
sourire; **sonriente** *adj*
souriant(e); **sonrisa** *nf* sourire *m*

sonrojarse *vpr* rougir

soñar *vt, vi* rêver; **~ con algn/
algo** rêver de qn/qch

soñoliento, -a *adj* somnolent(e)

sopa *nf* soupe *f*

sopesar *vt* peser

soplar *vt* souffler ♦ *vi* souffler;
soplo *nm* souffle *m*

sopor *nm* somnolence *f*

soporífero, -a *adj* soporifique

soportar *vt* supporter; **soporte**
nm support *m*

soprano *nm/f* soprano *m/f*

sorber *vt* (*sopa*) avaler; (*refresco*)
siroter; (*absorber*) absorber

sorbo *nm* gorgée *f*

sordera *nf* surdité *f*

sórdido, -a *adj* sordide

sordo, -a *adj, nm/f* sourd(e)

sordomudo, -a *adj, nm/f* sourd-
muet (sourde-muette)

soroche (AM) *nm* mal *m* des
montagnes

sorprendente *adj* surprenant(e)

sorprender *vt* surprendre; **~se**
vpr: **~se (de)** être surpris(e) (de);
sorpresa *nf* surprise *f*

sortear *vt* tirer (au sort);
(*dificultad*) déjouer; **sorteo**

tirage *m* (au sort)
sortija *nf* bague *f*
sosegado, -a *adj* paisible
sosegar *vt* apaiser; **~se** *vpr*
s'apaiser; **sosiego** *vb ver*
sosegar ♦ *nm* calme *m*
soslayo: de ~ *adv* (*mirar*) de
côté; (*pasar*) sans s'arrêter
soso, -a *adj* insipide
sospecha *nf* soupçon *m*;
sospechar *vt*: **sospechar
(que)** soupçonner (que) ♦ *vi*:
sospechar de algn soupçonner
qn
sospechoso, -a *adj, nm/f*
suspect(e)
sostén *nm* soutien *m*
sostener *vt* soutenir; (*alimentar*)
faire vivre; **~se** *vpr* (*en pie*) rester;
(*económicamente*) survivre; (*seguir*)
se maintenir
sotana *nf* soutane *f*
sótano *nm* sous-sol *m*
soviético, -a *adj* soviétique ♦
nm/f Soviétique *m/f*
soy *vb ver* **ser**
Sr. *abr* (= *Señor*) M. (= *Monsieur*)
Sra. *abr* (= *Señora*) Mme (=
Madame)
S.R.C. *abr* (= *se ruega
contestación*) RSVP (= *répondez s'il
vous plaît*)
Sres. *abr* (= *Señores*) MM (=
Messieurs)
Srta. *abr* (= *Señorita*) Mlle (=
Mademoiselle)
Sta. *abr* (= *Santa*) Ste (= *Sainte*)
status *nm inv* statut *m*
Sto. *abr* (= *Santo*) St (= *Saint*)
su *adj* (de él, ella, una cosa) son
(sa); (*de ellos, ellas*) leur; (*de usted,
ustedes*) votre; **sus** (*de él, ella, una
cosa*) ses; (*de ellos, ellas*) leurs; (*de
usted, ustedes*) vos
suave *adj* doux (douce)

suavidad *nf* douceur *f*;
suavizar *vt* adoucir;
suavizarse *vpr* s'adoucir
subalimentado, -a *adj* sous-
alimenté(e)
subasta *nf* vente *f* aux enchères;
(*de obras, servicios*) appel *m*
d'offre; **subastar** *vt* vendre aux
enchères
subcampeón, -ona *nm/f*
second(e)
subconsciente *adj*
subconscient(e) ♦ *nm* subconscient
m
subdesarrollado, -a *adj* sous-
développé(e)
subdesarrollo *nm* sous-
développement *m*
subdirector, a *nm/f* sous-
directeur(-trice)
súbdito, -a *nm/f* sujet *m*
subestimar *vt* sous-estimer
subida *nf* montée *f*
subir *vt* (*mueble, niño*) soulever;
(*cabeza*) lever; (*volumen*)
augmenter; (*calle*) remonter;
(*montaña, escalera*) monter, gravir;
(*precio*) augmenter; (*producto*)
augmenter le prix de ♦ *vi* monter;
(*precio, temperatura, calidad*)
augmenter; **~se** *vpr*: **~se a**
monter dans
súbito, -a *adj* subit(e), soudain(e)
subjetivo, -a *adj* subjectif(-ive)
sublevación *nf* soulèvement *m*
sublevar *vt* soulever; **~se** *vpr* se
soulever
sublime *adj* sublime
submarinismo *nm* plongée *f*
sous-marine
submarino, -a *adj* sous-marin(e)
♦ *nm* sous-marin *m*
subnormal *adj* anormal(e) ♦ *nm/f*
handicapé(e) mental(e)
subordinado, -a *adj, nm/f*

subordonné(e)

subrayar vt souligner

subsanar vt pallier

subscribir vt = **suscribir**

subsidio nm (de enfermedad, paro, etc) allocation f

subsistencia nf subsistance f

subsistir vi subsister

subterráneo, -a adj souterrain(e) ♦ nm souterrain m

subtítulo nm sous-titre m

suburbano, -a adj de banlieue ♦ nm train de banlieue

suburbio nm banlieue f

subvención nf subvention f

subvencionar vt subventionner

subversión nf subversion f

subversivo, -a adj subversif(-ive)

subyugar vt opprimer

sucedáneo nm ersatz m

suceder vi se passer; **~ a** succéder à; **lo que sucede es que ...** ce que se passe, c'est que ...; **sucesión** nf succession f

sucesivamente adv: **y así ...** et ainsi de suite

sucesivo, -a adj successif(-ive); **en lo ~** à l'avenir

suceso nm événement m

suciedad nf saleté f

sucinto, -a adj succinct(e)

sucio, -a adj sale; (negocio) malhonnête

suculento, -a adj succulent(e)

sucumbir vi succomber

sucursal nf succursale f

Sudáfrica nf Afrique f du Sud

Sudamérica nf Amérique f du Sud

sudamericano, -a adj sud-américain(e) ♦ nm/f Sud-Américain(e)

sudar vi suer

sudeste adj sud-est inv ♦ nm

sud-est m

sudoeste adj sud-ouest inv ♦ nm sud-ouest m

sudor nm sueur f

Suecia nf Suède f

sueco, -a adj suédois(e) ♦ nm/f Suédois(e)

suegro, -a nm/f beau-père (belle-mère)

suela nf semelle f

sueldo vb ver **soldar** ♦ nm salaire m

suelo vb ver **soler** ♦ nm sol m; **caerse al ~** tomber par terre

suelto, -a vb ver **soltar** ♦ adj (hojas) volant(e); (pelo, pieza) détaché(e); (preso) libéré(e); (por separado: ejemplar) séparé(e) ♦ nm monnaie f; **dinero ~** (petite) monnaie

sueño vb ver **soñar** ♦ nm sommeil m; (lo soñado, fig) rêve m; **descabezar** o **echarse un ~** faire une somme; **tener ~** avoir sommeil

suero nm (MED) sérum m; (de leche) petit-lait m

suerte nf (fortuna) chance f; (azar) hasard m; (destino) destin m; **lo echaron a ~s** ils ont tiré au sort; **tener ~** avoir de la chance; **tener mala ~** ne pas avoir de chance

suéter (pl **~s**) nm pull m

suficiente adj suffisant(e)

sufragio nm suffrage m

sufrimiento nm souffrance f

sufrir vt souffrir de; (malos tratos, cambios) subir; (fam: soportar) sentir ♦ vi souffrir

sugerencia nf suggestion f

sugerir vt suggérer

sugestión nf suggestion f; **sugestionar** vt influencer; **sugestionarse** vpr se faire des idées

sugestivo, -a *adj* suggestif(-ive); *(idea)* séduisant(e)

suicida *adj* suicidaire ♦ *nm/f (que se mata)* suicidé m

suicidarse *vpr* se suicider

suicidio *nm* suicide m

Suiza *nf* Suisse f

suizo, -a *adj* suisse ♦ *nm/f* Suisse m/f

sujeción *nf* assujettissement m

sujetador *nm* soutien-gorge m

sujetar *vt* attacher; **~se** *vpr* s'attacher; *(someterse)* se soumettre

sujeto, -a *adj* attaché(e) ♦ *nm* sujet m; **~ a cambios** susceptible d'être modifié

suma *nf* somme f; *(operación)* addition f; **en ~** en somme

sumamente *adv*: **~ agradecido/necesario** extrêmement reconnaissant/ absolument nécessaire

sumar *vt* additionner ♦ *vi* faire une addition; **~se** *vpr*: **~se (a)** s'additionner (à)

sumario, -a *adj* sommaire ♦ *nm (JUR)* mise f en accusation

sumergir *vt* submerger; **~se** *vpr* plonger

suministrar *vt* fournir; **suministro** *nm* approvisionnement m; **suministros** *nmpl (provisiones)* provisions fpl

sumir *vt* submerger; *(fig)* plonger; **~se** *vpr*: **~se en** se plonger dans

sumisión *nf* soumission f

sumiso, -a *adj* soumis(e)

sumo, -a *adj (cuidado)* extrême; *(grado)* supérieur(e)

suntuoso, -a *adj* somptueux(-euse)

supe *etc vb ver* saber

supeditar *vt*: **~ algo a algo** faire passer qch avant qch; **~se** *vpr*: **~se a** se plier à

super *(fam) adv* hyper ♦ *adj inv* super-; **~ caro** hyper cher; **~ oferta** offre f exceptionnelle

super... *pref* super...; *(fam: +adjetivo)* hyper; *(: +adverbio)* super-

superar *vt* surpasser; *(crisis, prueba)* surmonter; **~se** *vpr* se surpasser

superávit *(pl* **~s)** *nm (ECON)* excédent m

superficial *adj* superficiel(le)

superficie *nf* surface f; *(área)* superficie f

superfluo, -a *adj* superflu(e)

superior *adj, nm/f* supérieur(e); **superioridad** *nf* supériorité f

supermercado *nm* supermarché m

superponer *vt* superposer

supersónico, -a *adj* supersonique

superstición *nf* superstition f

supersticioso, -a *adj* superstitieux(-ieuse)

supervisar *vt* superviser

supervivencia *nf* survie f

superviviente *adj, nm/f* survivant(e)

suplantar *vt* supplanter

suplemento *nm* supplément m

suplente *adj* remplaçant(e) ♦ *nm/f* remplaçant(e); *(actor)* doublure f

supletorio, -a *adj* supplémentaire ♦ *nm (tb:* **teléfono ~)** second poste m

súplica *nf* supplication f; *(JUR)* placet m

suplicar *vt* supplier

suplicio *nm* supplice m

suplir *vt* suppléer; *(objeto)*

replacer

supo etc vb ver **saber**
suponer vt supposer;
suposición nf supposition f
supremacía nf suprématie f
supremo, -a adj suprême
supresión nf suppression f
suprimir vt supprimer
supuesto, -a pp de **suponer** ♦
adj supposé(e) ♦ nm supposition f;
¡por ~! évidemment!
sur adj sud ♦ nm Sud m
surcar vt sillonner; **surco** nm
sillon m
surgir vi surgir
surtido, -a adj (galletas) assorti(e)
♦ nm assortiment m
surtir vt fournir; (efecto) produire
susceptible adj susceptible; ~
de susceptible de
suscitar vt susciter
suscribir vt (firmar) souscrire;
(respaldar) approuver; **~se** vpr:
~se (a) souscrire (à); (a periódico
etc) s'abonner (à); **suscripción**
nf souscription f; (a periódico etc)
abonnement m
susodicho, -a adj susdit(e),
susmentionné(e)
suspender vt suspendre; (ESCOL)
recaler ♦ vi (ESCOL) échouer, être
recalé(e); **suspensión** nf
suspension f; (de empleo,
garantías) suppression f
suspenso, -a adj (ESCOL:
asignatura) pas passé(e); (:
alumno) recalé(e) ♦ nm (ESCOL)
échec m; **quedar** o **estar en ~**
rester en suspens
suspicacia nf suspicion f;
suspicaz adj suspicieux(-ieuse)
suspirar vi soupirer; **suspiro**
nm soupir m
sustancia nf substance f
sustentar vt (familia) faire vivre;

(idea, moral) soutenir; **sustento**
nm (alimento) subsistance f
sustituir vt substituer;
(temporalmente) remplacer; ~ **A**
por B substituer B à A, remplacer
A par B
susto nm peur f
sustraer vt utiliser; (MAT)
soustraire
susurrar vi susurrer; **susurro**
nm susurrement m
sutil adj subtil(e); **sutileza** nf
subtilité f
suyo, -a adj (después del verbo
ser: de él, ella) le sien (la sienne),
à lui (à elle); (: de ellos, ellas) le(-la)
leur, à eux (à elles); (: de usted,
ustedes) le(-la) vôtre, à vous ♦
pron: **el ~/la suya** (de él, ella) le
sien (la sienne); (de ellos, ellas) le
(la) leur; (de usted, ustedes) le (la)
vôtre

T, t

Tabacalera nf ≃ SEITA f
tabaco nm tabac m
taberna nf taverne f
tabique nm cloison f
tabla nf (de madera) planche f; (de
falda) pli m; (ARTE) panneau m; **~s**
nfpl (TEATRO) planches fpl;
tablado nm plancher m, estrade
f; (TEATRO) scène f
tablao nm (tb: ~ **flamenco**) bar
où l'on donne des représentations
de flamenco
tablero nm planche f; (de ajedrez,
damas) damier m; ~ **de**
anuncios panneau m
d'affichage; ~ **de mandos** (AUTO,
AVIAT) tableau de bord
tableta nf (MED) comprimé m; (de
chocolate) tablette f

tablón *nm* (*de suelo*) planche *f*;
(*de techo*) poutre *f*; **~ de
anuncios** panneau *m* d'affichage
tabú *nm* tabou *m*
tabular *vt* (*TIP*) mettre en
colonnes
taburete *nm* tabouret *m*
tacaño, -a *adj* radin(e)
tacha *nf* défaut *m*; (*TEC*) clou *m* (à
grosse tête), broquette *f*; **tachar**
vt rayer; **le tachan de
irresponsable** ils l'accusent
d'être irresponsable
tácito, -a *adj* tacite
taciturno, -a *adj* taciturne,
morose
taco *nm* (*tarugo*) cheville *f*, taquet
m; (*libro de entradas*) carnet *m*;
(*AM*: *tacón*) talon *m*; (*tb*: **~ de
billar**) queue *f*; (: *palabrota*)
grossièreté *f*, gros mot *m*; (*CAM,
MÉX*) crêpe *m* de maïs fourrée
tacón *nm* talon *m*; **de ~ alto** à
talons hauts; **taconeo** *nm* bruit
m des talons sur le sol
táctica *nf* tactique *f*
táctico, -a *adj* tactique
tacto *nm* toucher *m*; (*fig*) tact *m*
taimado, -a *adj* rusé(e),
sournois(e)
tajada *nf* tranche *f*
tajante *adj* catégorique; (*persona*)
abrupt(e)
tajo *nm* (*corte*) coupure *f*; (*GEO*)
gorge *f*
tal *adj* tel (telle); (*semejante*) un(e)
tel (telle), pareil(le) ♦ *pron*
(*persona*) un(e) tel (telle); (*cosa*)
une telle chose ♦ *adv*: **~ como**
(*igual*) tel (telle) que ♦ *conj*: **con
~ (de) que** pourvu que, du
moment que; **~ día a ~ hora** tel
jour à telle heure; **jamás vi ~
desvergüenza** je n'ai jamais vu
une telle effronterie *o* une

effronterie pareille; **~es cosas** de
telles choses; **el ~ cura** le curé en
question; **un ~ García** un certain
García; **~es como** tels (telles)
que; **son ~ para cual** les deux
font la paire; **hablábamos de
que si ~ que si cual** nous
parlions de choses et d'autres;
fuimos al cine y ~ nous avons
été au ciné et tout ça; **~ cual**
(*como es*) tel (telle) quel (quelle);
~ como lo dejé tel que je l'ai
laissé; **¿qué ~?** ça va?; **¿qué
has comido?** tu as bien
mangé?; **con ~ de llamar la
atención** du moment que *etc*
attire l'attention
taladrar *vt* percer; **taladro** *nm*
perceuse *f*; (*hoyo*) trou *m* (fait à la
perceuse)
talante *nm* humeur *f*
talar *vt* abattre
talco *nm* (*tb*: **polvos de ~**) talc
m
talego *nm* sac *m*
talento *nm* talent *m*; (*capacidad,
don*) don *m*
Talgo *sigla m* (*FERRO*) (= *tren
articulado ligero Goicoechea-Oriol*)
train rapide
talismán *nm* talisman *m*
talla *nf* taille *f*; (*fig*) envergure *f*;
(*figura*) sculpture *f*
tallado, -a *adj* taillé(e), sculpté(e)
♦ *nm* sculpture *f*
tallar *vt* tailler, sculpter; (*medir*)
toiser
tallarines *nmpl* nouilles *fpl*
talle *nm* taille *f*
taller *nm* atelier *m*
tallo *nm* (*de planta*) tige *f*; (*de
hierba*) brin *m*
talón *nm* talon *m*; (*COM*) chèque
m
talonario *nm* carnet *m*; (*de*

cheques) carnet de chèques

tamaño, -a *adj* tel (telle) ♦ *nm* taille *f*; **de ~ natural** grandeur *f* nature; **de ~ grande/pequeño** de grande/petite taille

tamarindo *nm* tamarinier *m*

tambalearse *vpr* chanceler; (*vehículo*) bringuebaler

también *adv* aussi; (*además*) de plus

tambor *nm* tambour *m*; (*ANAT*) tympan *m*; **~ del freno/de lavadora** tambour de frein/de machine à laver

tamiz *nm* tamis *m sg*; **tamizar** *vt* tamiser

tampoco *adv* non plus; **yo ~ lo compré** je ne l'ai pas acheté non plus

tampón *nm* tampon *m*

tan *adv* si; **~ ... como** aussi ... que; **¡qué cosa ~ rara!** comme c'est bizarre!; **no es una idea ~ buena** ce n'est pas une si bonne idée

tanda *nf* série *f*; (*de personas*) équipe *f*

tangente *nf* tangente *f*

Tánger *n* Tanger

tangible *adj* tangible

tanque *nm* (*MIL*) char *m* d'assaut; (*depósito: AUTO*) citerne *f*; (: *NÁUT*) tanker *m*; (: *de agua*) réservoir *m*

tantear *vt* jauger; (*probar*) essayer ♦ *vi* (*DEPORTE*) compter les points; **tanteo** *nm* (*cálculo*) calcul *m* approximatif; (*prueba*) essai *m*; (*DEPORTE*) score *m*

tanto, -a *adj* (*cantidad*) tant de, tellement de; (*en comparaciones*) autant de ♦ *adv* tant, autant; (*tiempo*) si longtemps ♦ *nm* (*suma*) quantité *f*; (*proporción*) tant *m*; (*punto*) point *m*; (*gol*) but *m* ♦ *pron*: **cada uno paga ~** chacun

paie tant ♦ *suf*: **veintitantos** vingt et quelques; **tiene ~s amigos** il a tellement *o* tant d'amis; **~ dinero como tú** autant d'argent que toi; **~ gusto** (*al ser presentado*) enchanté(e); **~ que** tellement que; **~ como él** autant que lui; **~ como eso** pas tant que ça; **~ es así que ...** c'est si vrai que ...; **~ más cuanto que ...** d'autant plus que ..., **~ mejor/peor** tant mieux/pis; **~ quejarse para nada** tant de plaintes pour rien; **~ tú como yo** toi autant que moi; **me he vuelto ronco de** *o* **con ~ hablar** je me suis enroué à force de parler; **no quiero ~** je n'en veux pas autant; **gasta ~ que ...** il dépense tellement que ...; **viene ~** il vient si souvent; **ni ~ así** (*fam*) pas une miette; **ni ~ ni tan clavo** n'exagérons rien; **¡no es para ~!** ce n'est pas si gravel; **¡y ~!** je ne vous *o* te le fais pas dire!; **en ~ que** pendant que; **entre ~** entre-temps; **por ~, por lo ~** donc, par conséquent; **~ alzado** forfait *m*; **~ por ciento** tant pour cent; **estar al ~** être au courant; **estar al ~ de los acontecimientos** être au courant des événements; **un ~ perezoso** un tant peu paresseux; **uno o ~s** un parmi d'autres; **he visto ~** j'en ai tellement vu; **a ~s de agosto** tel jour *o* telle date en août; **cuarenta y ~s** quarante et quelques; **se quedó en el bar hasta las tantas** il est resté au café jusqu'à une heure impossible

tapa *nf* couvercle *m*; (*de libro*) couverture *f*; (*comida*) amuse-gueule *m inv*, tapa *f*

tapadera *nf* couvercle *m*

tapar vt couvrir; (*hueco, ventana*) fermer, boucher; (*ocultar*) dissimuler; (*vista*) boucher; (*AM: dientes*) plomber; **~se** vpr se couvrir

tapete nm tapis msg

tapia nf mur m de pisé; **tapiar** vt murer

tapicería nf (*para muebles*) tissu m d'ameublement; (*para coches*) garniture f

tapiz nm tapisserie f; **tapizar** vt (*muebles*) recouvrir

tapón nm bouchon m; (TEC) bonde f; (MED: de cera) bouchon de cire; **~ de rosca** o **de tuerca** bouchon à vis

taquigrafía nf sténographie f

taquígrafo, -a nm/f sténo m/f

taquilla nf guichet m; (*suma recogida*) recette f

taquillero, -a adj: **función taquillera** spectacle m qui fait recette ♦ nm/f guichetier(-ère)

tara nf tare f

tarántula nf tarentule f

tararear vt fredonner

tardar vi (*tomar tiempo*) mettre longtemps, tarder; (*llegar tarde*) être en retard; **¿tarda mucho el tren?** le train arrive bientôt?; **a más ~** au plus tard; **~ en hacer algo** mettre longtemps o tarder à faire qch; **no tardes en venir** ne tarde pas en chemin

tarde adv tard ♦ nf (*de día*) après-midi m o f inv; (*de noche*) soir m; **de ~ en ~** de temps en temps; **¡buenas ~s!** (*de día*) bonjour!; (*de noche*) bonsoir!; **a o por la ~** l'après-midi o le soir

tardío, -a adj tardif(-ive)

tarea nf travail m, tâche f

tarifa nf tarif m

tarima nf plate-forme f

tarjeta nf carte f; (DEPORTE) carton m; **~ de crédito/de embarque/de transporte** carte de crédit/d'embarquement/de transport; **~ de identificación fiscal** carte d'immatriculation fiscale; **~ postal/de Navidad** carte postale/de Noël; **~ verde** (MÉX) permis m de travail

tarro nm pot m

tarta nf tarte f

tartamudear vi bégayer

tartamudo, -a adj, nm/f bègue

tártaro, -a adj tartare ♦ nm/f Tartare m/f

tasa nf (*valoración*) évaluation f; (*precio*) taxe f; (*índice*) taux msg; (*medida*) mesure f, règle f; **~ de cambio/de interés** taux de change/d'intérêt; **tasación** nf taxation f

tasador, -a nm/f taxateur m

tasar vt (*fijar el precio*) taxer; (*valorar*) évaluer

tasca (fam) nf bistro(t) m

tatarabuelo, -a nm/f trisaïeul(e)

tatuaje nm tatouage m

tatuar vt tatouer

taurino, -a adj taurin(e)

Tauro nm (ASTROL) Taureau m; **ser ~** être (du) Taureau

tauromaquia nf tauromachie f

taxi nm taxi m

taxista nm/f chauffeur m de taxi

taza nf tasse f; (*fam: de retrete*) cuvette f; **~ de/para café** tasse de/à café; **tazón** nm bol m

te pron (*delante de vocal*) t'; (*con imperativo*) toi; **¿~ duele mucho el brazo?** ton bras te fait très mal?; **tu as très mal au bras?**; **~ equivocas** tu te trompes; **¡cálmate!** calme-toi!

té nm thé m

teatral adj théâtral(e)

teatro nm théâtre m; **~ de la
ópera** opéra m

tebeo nm bande f dessinée, BD f

techo nm plafond m; (tejado) toit
m

tecla nf (INFORM, MÚS, TIP) touche f;
teclado nm clavier m; **teclear**
vi (MÚS: fam) pianoter; (INFORM, TIP)
taper

técnica nf technique f

técnico, -a adj technique ♦ nm/f
technicien(ne)

tecnología nf technologie f

tecnológico, -a adj
technologique

tedio nm ennui m

tedioso, -a adj ennuyeux(-euse)

teja nf tuile f; **tejado** nm toit m

tejemaneje nm (intriga)
manigances fpl

tejer vt tisser; (fig) ourdir; **tejido**
nm tissu m

tel. abr (= teléfono) tél. (=
téléphone)

tela nf toile f; **~ de araña** toile
d'araignée; **telar** nm (máquina)
métier m à tisser; **telares** nmpl
(fábrica) usine f textile

telaraña nf toile f d'araignée

tele (fam) nf télé f

tele... pref télé...;
telecomunicación nf
télécommunication f;
telecontrol nm télécommande
f; **telediario** nm journal m
télévisé; **teledifusión** nf
télédiffusion f

teledirigido, -a adj téléguidé(e)

teléf. abr (= teléfono) tél. (=
téléphone)

teleférico nm téléphérique m

telefonear vt, vi téléphoner

telefónico, -a adj téléphonique

telefonillo nm interphone m

telefonista nm/f standardiste m/f

teléfono nm téléphone m; **está
hablando por ~** il est au
téléphone

telegrafía nf télégraphie f

telégrafo nm télégraphe m

telegrama nm télégramme m

teleimpresor nm téléimprimeur
m

telepatía nf télépathie f

telescópico, -a adj
télescopique; **telescopio** nm
télescope m; **telesilla** nm
télésiège m

telespectador, a nm/f
téléspectateur(-trice); **telesquí**
nm téléski m; **teletipo** nm
téléimprimeur m

televidente nm/f
téléspectateur(-trice)

televisar vt téléviser

televisión nf télévision f; **~ en
blanco y negro/en color**
télévision en noir et blanc/en
couleurs

televisor nm téléviseur m

télex nm télex m

telón nm rideau m; **~ de acero**
rideau de fer; **~ de fondo** toile f
de fond

tema nm thème m, sujet m; (MÚS)
thème

temática nf thématique f

temático, -a adj thématique

temblar vi trembler

temblón, -ona adj
tremblotant(e)

temblor nm tremblement m;
~ de tierra tremblement de
terre

tembloroso, -a adj tremblant(e)

temer vt craindre, avoir peur de ♦
vi avoir peur; **temo que Juan
llegue tarde** je crains que Juan
n'arrive tard; **~ por** avoir peur
pour

temerario, -a *adj* téméraire;
temeridad *nf* témérité *f*; (*una temeridad*) acte *m* irréfléchi

temeroso, -a *adj* craintif(-ive), peureux(-euse)

temible *adj* redoutable

temor *nm* crainte *f*, peur *f*

témpano *nm* (*tb*: **~ de hielo**) banquise *f*

temperamento *nm* tempérament *m*

temperatura *nf* température *f*

tempestad *nf* tempête *f*

tempestuoso, -a *adj* orageux(-euse)

templado, -a *adj* tempéré(e); (*en el comer, beber*) modéré(e); (*agua*) tiède; (*nervios*) solide, bien trempé(e) **templanza** *nf* tempérance *f*

templar *vt* tempérer, modérer; (*agua, brisa*) tiédir; (*MÚS*) accorder; (*acero*) tremper; **temple** *nm* (*serenidad, TEC*) trempe *f*; (*MÚS*) accord *m*; (*pintura*) détrempe *f*

templo *nm* temple *m*; (*iglesia*) église *f*

temporada *nf* période *f*; **de ~** saisonnier(-ière)

temporal *adj* temporaire; (*REL*) temporel(le) ♦ *nm* tempête *f*

tempranero, -a *adj* (*BOT*) précoce; (*persona*) matinal(e)

temprano, -a *adj* précoce ♦ *adv* tôt; (*demasiado pronto*) trop tôt

ten *vb ver* **tener**

tenacidad *nf* ténacité *f*

tenacillas *nfpl* pincettes *fpl*

tenaz *adj* résistant(e)

tenaza(s) *nf(pl)* pince(s) *f(pl)*

tendedero *nm* séchoir *m* à linge; (*cuerda*) corde *f* à linge

tendencia *nf* tendance *f*

tendencioso, -a *adj* tendancieux(-euse)

tender *vt* étendre; (*vía férrea, cable*) poser; (*cuerda, trampa*) tendre ♦ *vi*: **~ a** tendre à; **~se** *vpr* s'étendre, s'allonger; **~ la cama** (*AM*) faire le lit; **~ la mesa** (*AM*) mettre la table; **~ la mano** tendre la main

tenderete *nm* (*puesto*) étalage *m*

tendero, -a *nm/f* commerçant(e)

tendido, -a *adj* étendu(e), allongé(e); (*colgado*) accroché(e), pendu(e) ♦ *nm* (*TAUR*) gradins *mpl*; **a galope ~** au triple galop

tendón *nm* tendon *m*

tendré *etc vb ver* **tener**

tenebroso, -a *adj* sombre

tenedor, a *nm/f* détenteur(-trice) ♦ *nm* fourchette *f*; **~ de libros** comptable *m/f*

tenencia *nf* (*de propiedad*) possession *f*

PALABRA CLAVE

tener *vt* **1** avoir; (*sostener*) tenir; **¿tienes un boli?** tu as un stylo?; **¿dónde tienes el libro?** où astu mis le livre?; **va a tener un niño** elle va avoir un enfant; **¡ten!, ¡aquí tienes!** tiens!, voilà!; **¡tenga!, ¡aquí tiene!** tenez!, voilà!

2 (*edad*) avoir; (*medidas*) faire; **tiene 7 años** il a 7 ans; **tiene 15 cm de largo** cela fait 15 cm de long; *ver tb* **calor**; **hambre** *etc*

3 (*sentimiento, dolor*) avoir; **tener admiración/cariño** avoir de l'admiration/l'affection; **tener miedo** avoir peur; **¿qué tienes, estás enfermo?** qu'est-ce que tu as, tu es malade?

4 (*considerar*): **lo tengo por brillante** je le considère comme quelqu'un de brillant; **tener en**

mucho/poco a algn avoir beaucoup/peu d'estime pour qn
5: tengo que acabar este trabajo hoy il faut que je finisse ce travail aujourd'hui
6 (+ *pp* = *pretérito*): **tengo terminada ya la mitad del trabajo** j'ai déjà fait la moitié du travail
7 (+ *adj*, + *gerundio*): **nos tiene muy contentos/hartos** nous sommes très satisfaits de lui/nous avons assez de lui; **me ha tenido tres horas esperando** il m'a fait attendre pendant trois heures
8: las tiene todas consigo il a tout pour lui
tenerse *vpr* **1**: **tenerse en pie** se tenir debout
2: tenerse por se croire; **se tiene por muy listo** il se croit très intelligent

tenga *etc vb ver* **tener**
tenia *nf* ténia *m*
teniente *nm* lieutenant *m*
tenis *nm* tennis *msg*; **~ de mesa** tennis de table, ping-pong *m*; **tenista** *nm/f* joueur(-euse) de tennis
tenor *nm* (*MÚS*) ténor *m*; **a ~ de** d'après
tensar *vt* tendre; (*arco*) bander
tensión *nf* tension *f*; **de alta ~** (*ELEC*) haute tension; **tener la ~ alta** avoir de la tension; **~ arterial** tension artérielle
tenso, -a *adj* tendu(e)
tentación *nf* tentation *f*
tentáculo *nm* tentacule *m*
tentador, a *adj* tentant(e); (*gesto*) tentateur(-trice) ♦ *nm/f* tentateur(-trice)
tentar *vt* tenter; (*palpar, MED*) tâter; (*incitar*) inciter

tentativa *nf* tentative *f*; **tentativa de asesinato** tentative d'assassinat
tentempié (*fam*) *nm* casse-croûte *m inv*
tenue *adj* (*hilo*) mince; (*neblina*) léger(-ère)
teñir *vt* teindre; (*fig*) teinter; **~se el pelo** se (faire) teindre les cheveux
teología *nf* théologie *f*
teorema *nm* théorème *m*
teoría *nf* théorie *f*; **en ~** en principe; **teóricamente** *adv* théoriquement
teórico, -a *adj* théorique ♦ *nm/f* théoricien(ne); **teorizar** *vi* théoriser
tequila *nf* tequila *f*
terapéutico, -a *adj* thérapeutique
terapia *nf* thérapie *f*
tercer *adj ver* **tercero**
tercermundista *adj* tiers-mondiste
tercero, -a *adj* (*delante de nmsg*: **tercer**) troisième ♦ *nm* (*JUR*) tiers; *ver tb* **sexto**
terceto *nm* (*MÚS*) trio *m*
terciar *vt* (*bolsa etc*) mettre en bandoulière ♦ *vi* intervenir; **~se** *vpr* se présenter; **si se tercia** à l'occasion
terciario, -a *adj* tertiaire
tercio *nm* tiers *msg*
terciopelo *nm* velours *msg*
terco, -a *adj* têtu(e)
tergal ® *nm* tergal *m* ®
tergiversar *vt* déformer
termal *adj* thermal(e)
termas *nfpl* thermes *mpl*
terminación *nf* extrémité *f*; (*finalización*) achèvement *m*
terminal *adj* terminal(e); (*enfermo*) en phase terminale ♦ *nm*

(ELEC) borne f; (INFORM) terminal m
♦ nf (AVIAT) aérogare f; (FERRO)
terminus msg
terminante adj catégorique;
(decisión) final(e)
terminantemente adv
catégoriquement
terminar vt finir, terminer ♦ vi
finir; **~se** vpr finir; **~ por hacer
algo** finir par faire qch
término nm terme m, fin f;
(parada) terminus msg; (límite: de
espacio) bout m; **~s** nmpl (COM)
termes mpl; **~ medio** moyenne f;
en ~s de en termes de
terminología nf terminologie f
termo ® nm thermos m o f ®
termodinámico, -a adj
thermodynamique
termómetro nm thermomètre m
termonuclear adj
thermonucléaire
termo(s) ® nm thermos m o f
®
termostato nm thermostat m
ternero, -a nm/f veau (génisse)
ternura nf tendresse f
terquedad nf entêtement m
terrado nm terrasse f
terraplén nm terre-plein m;
(cuesta) renflement m
terrateniente nm propriétaire m
terrien
terraza nf terrasse f
terremoto nm tremblement m de
terre
terrenal adj terrestre
terreno nm terrain m
terrestre adj terrestre; (ruta)
intérieur(e)
terrible adj terrible
territorio nm territoire m
terrón nm (de azúcar) morceau m;
(de tierra) motte f
terror nm terreur f

terrorífico, -a adj terrifiant(e)
terrorismo nm terrorisme m
terrorista adj, nm/f terroriste
m/f
terso, -a adj lisse; **tersura** nf
douceur f
tertulia nf cercle m
tesis nf inv thèse f
tesón nm (firmeza) acharnement
m; (tenacidad) persévérance f
tesorero, -a nm/f trésorier(-ière)
tesoro nm trésor m
test nm test m
testaferro nm prête-nom m
testamentario, -a adj
testamentaire ♦ nm/f (JUR)
exécuteur(-trice) testamentaire
testamento nm testament m;
Nuevo/Antiguo T~ Nouveau/
Ancien Testament
testar vi tester, faire son
testament
testarudo, -a adj entêté(e)
testículo nm testicule m
testificar vt, vi témoigner
testigo nm/f témoin m; **~ de
cargo/de descargo** témoin à
charge/à décharge; **~ ocular**
témoin oculaire
testimoniar vt témoigner de;
testimonio nm témoignage m
teta nf (fam) téton m, nichon m;
niño de ~ nourrisson m
tétanos nmsg tétanos msg
tetera nf théière f
tétrico, -a adj sombre
textil adj textile; **~es** nmpl
textiles mpl
texto nm texte m; **textual** adj
textuel(le)
textura nf (de tejido) tissage m;
(estructura) texture f
tez nf (cutis) peau f; (color) teint m
ti pron toi
tía nf tante f; (fam) bonne femme

f, nana f
tibieza nf tiédeur f
tibio, -a adj tiède
tiburón nm requin m
tic nm tic m
tictac nm tic-tac m inv
tiempo nm temps msg; **a ~** à
temps; **a un o al mismo ~** en
même temps; **al poco ~** peu
après; **hace buen/mal ~** il fait
beau/mauvais temps; **hace ~** il y
a quelque temps; **hacer ~** passer
le temps; **motor de 2 ~s** moteur
m deux temps
tienda vb ver **tender** ♦ nf
magasin m; **~ de campaña**
tente f
tiene etc vb ver **tener**
tienta nf: **andar a ~s** avancer à
tâtons
tiento vb ver **tentar** ♦ nm tact m;
(precaución) prudence f
tierno, -a adj tendre
tierra nf terre f; (país) pays msg; **~
adentro** à l'intérieur des terres; **~
firme** terre ferme
tieso, -a adj (rígido) raide;
(erguido) droit(e); (fam: orgulloso)
fier(-ère); **dejar ~ a algn** (fam:
matar) refroidir qn; (: sorprender)
laisser qn pantois(e)
tiesto nm pot m de fleurs
tifoidea nf typhoïde f
tifón nm typhon m
tifus nm typhus msg
tigre nm tigre m; (AM) jaguar m
tijera nf (tb: **~s**) ciseaux mpl; (:
para plantas) sécateur m
tijeretear vt découper
tildar vt: **~ de** traiter de
tilde nf (TIP) tilde m
tilín nm drelin m
timar vt (dinero) escroquer
timbal nm (MÚS) timbale f
timbrar vt timbrer

timbre nm (MÚS, sello) timbre m;
(de estampar) cachet m; (de
puerta) sonnette f; (tono) sonnerie
f
timidez nf timidité f
tímido, -a adj timide
timo nm escroquerie f
timón nm (NÁUT) gouvernail m;
(AM: AUTO) volant m; **timonel** nm
(NÁUT) timonier m
tímpano nm (ANAT) tympan m;
(MÚS) tympanon m
tina nf cuve f; (AM) baignoire f;
tinaja nf jarre f
tinglado nm (fig) ruse f
tinieblas nfpl ténèbres fpl; **estar
en ~** (fig) être dans le brouillard
tino nm adresse f; (juicio) doigté m
tinta nf encre f; (TEC) teinture f;
(ARTE) couleur f; **sudar ~** trimer,
suer sang et eau; **(re)cargar las
~s** en rajouter
tinte nm teinture f; (tintorería)
teinturerie f
tintero nm encrier m
tintinear vi (cascabel)
tintinnabuler; (campana) tinter
tinto nm rouge m; (COL) café m
noir
tintorería nf teinturerie f
tintura nf teinture f
tío nm oncle m; (fam: viejo) père
m; (: individuo) type m, mec m
tiovivo nm manège m, chevaux
mpl de bois
típico, -a adj typique; (traje)
régional
tipo nm type m; (ANAT) physique
m; (: de mujer) silhouette f; (TIP)
caractère m; **~ bancario/de
cambio/de descuento/de
interés** taux msg bancaire/de
change/d'escompte/d'intérêt
tipografía nf typographie f;
(lugar) imprimerie f

tipográfico, -a adj
typographique

tique nm, **tíquet** (pl ~s) nm
ticket m; (en tienda) ticket m de
caisse

tira nf (cinta) bande f ♦ nm: ~ **y
afloja** tiraillements mpl

tirabuzón nm (rizo) boucle f

tirachinas nm inv lance-pierre m

tirada nf lancer m, jet m;
(distancia) trotte f; (TIP) tirage m;
de una ~ d'une traite

tirado, -a adj (fam: barato) bon
marché; (: fácil) facile

tirador, a nm/f tireur(-euse) ♦ nm
(mango) poignée f

tiralíneas nm inv tire-ligne m

tiranía nf tyrannie f

tirano, -a nm/f tyran m

tirante adj tendu(e); ~s nmpl
bretelles fpl; **tirantez** nf tension f

tirar vt jeter, lancer; (volcar)
renverser; (derribar) abattre,
démolir; (desechar) jeter; (dinero)
dilapider; (imprimir, tirador) tirer;
(golpe) décocher ♦ vi tirer; (fig)
attirer; (fam: andar) aller; (tender)
tendre; ~**se** vpr (abalanzarse) se
lancer; (tumbarse) se jeter; ~
abajo descendre; **tira a su
padre** il tient de son père; **ir
tirando** aller comme ci comme
ça; **se tiró toda la mañana
hablando** il a passé toute la
matinée à parler

tirita nf pansement m (adhésif)

tiritar vi grelotter

tiro nm tir m; (TENIS, GOLF) drive m;
(alcance) portée f; (de chimenea)
tirage m; **caballo de** ~ cheval m
de trait; **andar de** ~**s largos**
être tiré(e) à quatre épingles; **al** ~
(CHI) tout de suite

tirón nm coup m; (muscular)
crampe f; **de un** ~ d'un trait

tiroteo nm (disparos) fusillade f

tísico, -a adj, nm/f phtisique m/f

tisis nf phtisie f

títere nm marionnette f

titiritero, -a nm/f marionnettiste
m/f

titubeante adj (indeciso)
hésitant(e)

titubear vi (dudar) hésiter;
(moverse) vaciller; **titubeo** nm
hésitation f

titulado, -a pp de **titular** ♦ nm/f
diplômé(e)

titular adj titulaire ♦ nm/f (de
cargo) titulaire m/f ♦ nm (escrito)
vt intituler; ~**se** vpr s'intituler;
(UNIV) obtenir son diplôme; **título**
nm titre m; (COM) valeur f; (ESCOL)
diplôme m; **a título de** à titre de

tiza nf craie f

tiznar vt souiller

tizo, tizón nm tison m

toalla nf serviette f; **arrojar la** ~
baisser les bras

tobillo nm cheville f

tobogán nm (rampa) toboggan m
(de cargo) toboggan m

tocadiscos nm inv tourne-
disques m inv

tocado, -a adj (fruta) abîmé(e) ♦
nm coiffure f

tocador nm (mueble) coiffeuse f

tocante: ~ a prep touchant à

tocar vt toucher; (timbre) tirer;
(MÚS) jouer de; (topar con) heurter;
(referirse a) aborder ♦ vi (a la
puerta) frapper; (ser de turno) être
le tour de; (atañer) concerner;
~**se** vpr se toucher; (cubrirse la
cabeza) se coiffer; **por lo que a
mí me toca** en ce qui me
concerne

tocayo, -a nm/f homonyme m/f

tocino nm lard m

todavía adv encore; (en frases
afirmativas o con énfasis) toujours;

~ **más** encore plus; ~ **no** pas encore

PALABRA CLAVE

todo, -a *adj* **1** (*sg*) tout(e); **toda la noche** toute la nuit; **todo el libro** tout le livre; **toda una botella** toute une bouteille; **todo lo contrario** tout le contraire; **está toda sucia** elle est toute sale; **a todo esto** (*mientras tanto*) pendant ce temps-là; (*a propósito*) à propos
2 (*pl*) tous (toutes); **todos vosotros** vous tous; **todos los libros** tous les livres; **todas las noches** toutes les nuits; **todos los que quieran salir** tous ceux qui veulent sortir
♦ *pron* **1** tout; **todos/as** tous (toutes); **lo sabemos todo** nous savons tout; **todos querían ir** ils voulaient tous s'en aller; **nos marchamos todos** nous partons tous; **arriba del todo** tout en haut; **no me agrada del todo** ça ne me satisfait pas entièrement
2: con todo: con todo, él me sigue gustando malgré tout, il me plaît toujours
♦ *adv* tout; **vaya todo seguido** allez tout droit
♦ *nm*: **como un todo** comme un tout

todopoderoso, -a *adj* tout(e)-puissant(e)
toga *nf* robe *f*
Tokio *n* Tokyo
toldo *nm* (*para el sol*) parasol *m*; (*tienda*) marquise *f*
tolerancia *nf* tolérance *f*
tolerar *vt* tolérer
toma *nf* prise *f*; ~ **de tierra**

(*AVIAT*) atterrissage *m*
tomar *vt* prendre ♦ *vi* prendre; ~**se** *vpr* prendre; ~ **el sol** prendre le soleil; **tome la calle de la derecha** prenez la rue de droite; ~ **a bien/a mal** prendre bien/mal; ~ **en serio** prendre au sérieux; ~ **el pelo a algn** taquiner qn; ~**la con algn** s'en prendre à qn; ~**se por** se prendre pour
tomate *nm* tomate *f*
tomavistas *nm inv* caméra *f*
tomillo *nm* thym *m*
tomo *nm* tome *m*
ton *abr* (= *tonelada*) t (= *tonne*)
tonada *nf* air *m*
tonalidad *nf* tonalité *f*
tonel *nm* tonneau *m*
tonelada *nf* tonne *f*; **tonelaje** *nm* tonnage *m*
tónica *nf* (*bebida*) tonic *m*; (*tendencia*) tendance *f*
tónico, -a *adj* tonique ♦ *nm* (*MED*) remontant *m*
tonificar *vt* tonifier
tono *nm* ton *m*; **fuera de ~** hors de propos; **darse ~** se donner de grands airs
tontería *nf* sottise *f*, bêtise *f*
tonto, -a *adj* bête, idiot(e) ♦ *nm/f* idiot(e), sot (sotte); (*payaso*) idiot(e)
topar *vi*: ~ **con** tomber sur; ~**se** *vpr*: ~**se con** tomber sur; ~ **contra** *o* **en** buter contre
tope *adj* limite ♦ *nm* limite *f*; (*obstáculo*) difficulté *f*; (*de puerta*) butoir *m*; (*FERRO*) tampon *m*
tópico, -a *adj* rebattu(e); (*MED*) externe ♦ *nm* (*pey*) cliché *m*
topo *nm* taupe *f*
topografía *nf* topographie *f*
topógrafo, -a *nm/f* topographe *m/f*

toque vb ver **tocar** ♦ nm (de mano, pincel) coup m; (matiz) touche f; **dar un ~ a** passer un coup de fil à; (advertir) donner un avertissement à; **~ de diana** sonnerie de clairon; **~ de queda** couvre-feu m; **toquetear** vt tripoter

toquilla nf châle m

tórax nm thorax msg

torbellino nm tourbillon m; (fig) tornade f

torcedura nf torsion f

torcer vt tordre; (inclinar) pencher ♦ vi (cambiar de dirección) tourner; **~se** vpr se tordre; (inclinarse) pencher; (desviarse) dévier; (fracasar) se gâter; **~ la esquina** tourner au coin de la rue

torcido, -a adj tordu(e); (cuadro) penché(e)

tordo nm étourneau m

torear vt (toro) combattre; (evitar) esquiver ♦ vi toréer; **toreo** nm tauromachie f

torero, -a nm/f torero m

tormenta nf tempête f, orage m; (fig) orage; **una ~ en un vaso de agua** une tempête dans un verre d'eau

tormento nm torture f; (fig) tourment m

tornado nm tornade f

tornar vt (devolver) rendre; (transformar) transformer ♦ vi revenir; **~se** vpr (ponerse) devenir

tornasolado, -a adj (tela) chatoyant(e); (mar, superficie) irisé(e)

torneo nm tournoi m

tornillo nm vis fsg

torniquete nm tourniquet m

torno nm (TEC: grúa) treuil m; (: de carpintero, alfarero) tour m; **en ~ a** autour de

toro nm taureau m; (fam) malabar m; **los ~s** nmpl (fiesta) la corrida

toronja nf pamplemousse m

torpe adj maladroit(e); (necio) abruti(e); (lento) lent(e)

torpedo nm torpille f

torpeza nf maladresse f; (lentitud) lenteur f

torre nf tour f; **~ de perforación** foreuse f

torrefacto, -a adj: **café ~** café m torréfié

torrente nm torrent m

tórrido, -a adj torride

torrija nf pain m perdu

torsión nf torsion f

torso nm torse m

torta nf tarte f; (MÉX) omelette f; (fam) baffe f

torticolis nf o nm inv torticolis msg

tortilla nf omelette f; (AM) crêpe f de maïs; **~ española/francesa** tortilla f/omelette f

tórtola nf tourterelle f

tortuga nf tortue f

tortuoso, -a adj tortueux(-ueuse)

tortura nf torture f; **torturar** vt torturer; **torturarse** vpr se torturer

tos nf toux fsg; **~ ferina** coqueluche f

tosco, -a adj (material) brut(e); (artesanía) grossier(-ière); (sin refinar) rustre, grossier(-ière)

toser vi tousser

tostada nf pain m grillé, toast m

tostado, -a adj grillé(e); (por el sol) bronzé(e)

tostador nm grille-pain m inv

tostar vt (pan) faire griller; (café) torréfier; (al sol) dorer; **~se** vpr (al sol) se dorer

total adj total(e) ♦ adv au total ♦ nm total m; **en ~** au total; **~ que**

bref, somme toute
totalidad *nf* totalité *f*
totalitario, -a *adj* totalitaire
totalmente *adv* entièrement;
(*antes de adjetivo*) complètement
tóxico, -a *adj* toxique ♦ *nm*
produit *m* toxique
toxicómano, -a *nm/f*
toxicomane *m/f*
toxina *nf* toxine *f*
tozudo, -a *adj* têtu(e)
traba *nf* entrave *f*; (*de rueda*)
rayon *m*
trabajador, a *adj, nm/f*
travailleur(-euse); **~ autónomo** *o*
por cuenta propia travailleur
indépendant, free-lance *m/f*
trabajar *vt* travailler; (*intentar
conseguir*) s'occuper de ♦ *vi*
travailler; **~ de** travailler comme
trabajo *nm* travail *m*; (*fig*)
difficultés *fpl*; **tomarse el
trabajo de** se donner la peine
de; **trabajo por turnos/a
destajo** travail par roulement/à la
pièce; **trabajo a tiempo
parcial** travail à temps partiel;
trabajos forzados travaux
forcés
trabajoso, -a *adj*
laborieux(-ieuse)
trabalenguas *nm inv* phrase *f*
difficile à prononcer
trabar *vt* joindre; (*puerta*) coincer;
(*amistad, conversación*) nouer;
~se *vpr* bafouiller; **se le traba
la lengua** il bafouille
tracción *nf* traction *f*; **~
delantera/trasera** traction
avant/arrière
tractor *nm* tracteur *m*
tradición *nf* tradition *f*;
tradicional *adj* traditionnel(le)
traducción *nf* traduction *f*
traducir *vt* traduire

traductor, a *nm/f*
traducteur(-trice)
traer *vt* apporter; (*llevar: ropa*)
porter; (*incluir*) impliquer;
(*ocasionar*) apporter, causer; **~se**
vpr: **~se algo** tramer qch
traficar *vi*: **~ con** faire du trafic
de
tráfico *nm* (*AUTO*) trafic *m*,
circulation *f*; (*pey*) trafic
tragaluz *nm* vasistas *msg*
tragaperras *nf inv* machine *f* à
sous
tragar *vt* avaler; (*devorar*) dévorer;
(*suj: mar, tierra*) engloutir; **~se**
vpr avaler; (*dévorar*) dévorer;
(*desprecio, insulto*) ravaler;
(*discurso, rollo*) se farcir
tragedia *nf* tragédie *f*
trágico, -a *adj* tragique
trago *nm* gorgée *f*; (*fam: bebida*)
verre *m*; (*desgracia*) moment *m*
difficile
traición *nf* trahison *f*; **alta ~**
haute trahison; **a ~** en traître;
traicionar *vt* trahir
traicionero, -a *adj, nm/f* traître
(traîtresse)
traidor, a *adj, nm/f* traître
(traîtresse)
traiga *etc vb ver* **traer**
traje *vb ver* **traer** ♦ *nm* (*de
hombre, de época*) costume *m*; **~
de baño** maillot *m* de bain; **~ de
chaqueta** tailleur *m*; **~ de
luces** habit *m* de lumière
trajera *etc vb ver* **traer**
trajín *nm* agitation *f*; (*fam*) va-et-
vient *m inv*; **trajinar** *vi* s'affairer
trama *nf* (*de tejido*) trame *f*; (*de
obra*) intrigue *f*; (*intriga*)
machination *f*; **tramar** *vt* tramer,
ourdir
tramitar *vt* (*suj: departamento,
comisaría*) s'occuper de; (*:*

individuo) faire des démarches
pour obtenir

trámite *nm* démarche *f*; **~s** *nmpl*
(burocracia) formalités *fpl*; *(JUR)*
mesures *fpl*

tramo *nm (de escalera)* volée *f*; *(de
vía)* tronçon *m*

tramoya *nf (TEATRO)* machinerie *f*;
tramoyista *nm/f* machiniste *m*

trampa *nf* piège *m*; *(en el suelo)*
trappe *f*; *(fam: deuda)* dette *f*

trampolín *nm* tremplin *m*

tramposo, -a *adj, nm/f*
tricheur(-euse)

tranca *nf (palo)* trique *f*; *(de
puerta, ventana)* barre *f*; **trancar**
vt barrer

trance *nm (crítico)* moment *m*
critique; *(estado hipnótico)* transe *f*

tranquilidad *nf* tranquillité *f*

tranquilizar *vt* tranquilliser

tranquilo, -a *adj* calme;
(apacible) tranquille

Trans. *abr* = **transferencia**

trans... *pref* trans...; *ver tb*
tras...

transacción *nf* transaction *f*

transbordador *nm* transbordeur
m, bac *m*

transbordar *vt* transborder ♦ *vi*
changer de train; **transbordo**
nm transbordement *m*; **hacer
transbordo** changer

transcurrir *vi (tiempo)* passer;
(hecho, reunión) se dérouler

transcurso *nm (de tiempo)* cours
msg; *(de hecho)* déroulement *m*

transeúnte *nm/f* passant(e)

transferencia *nf* transfert *m*;
(COM) virement *m*

transferir *vt* transférer; *(dinero)*
virer

transformador *nm*
transformateur *m*

transformar *vt* transformer; **~**

en transformer en

tránsfuga *nm/f* transfuge *m*

transfusión *nf (tb:* **~ de
sangre)** transfusion *f* (sanguine)

transgénico *adj* transgénique

transgredir *vt* transgresser

transición *nf* transition *f*

transigir *vi* transiger

transistor *nm* transistor *m*

transitar *vi:* **~ (por)** circuler
(sur); **tránsito** *nm* passage *m*;
(AUTO) transit *m*

transitorio, -a *adj* transitoire

transmisión *nf* transmission *f*;
(RADIO, TV) diffusion *f*; **~ en
directo** diffusion en direct; **~
exterior** émission tournée en
extérieur

transmitir *vt* transmettre;
(aburrimiento, esperanza)
communiquer; *(RADIO, TV)* diffuser

transparencia *nf* transparence *f*;
(foto) transparent *m*

transparentar *vt (figura)* révéler
♦ *vi* être transparent(e); **~se** *vpr*
être transparent(e);

transparente *adj* transparent(e)

transpirar *vi (sudar)* transpirer

transportar *vt* transporter;
transporte *nm* transport *m*

transversal *adj* transversal(e)

tranvía *nm* tramway *m*

trapecio *nm* trapèze *m*;
trapecista *nm/f* trapéziste *m/f*

trapero, -a *nm/f* chiffonnier(-ière)

trapicheos *(fam) nmpl*
stratagèmes *mpl*, machinations *fpl*

trapo *nm* chiffon *m*; *(de cocina)*
torchon *m*

tráquea *nf* trachée *f*

traqueteo *nm* cahot *m*

tras *prep (detrás)* derrière;
(después) après; **~ de** en plus de

tras... *pref* trans...; *ver tb*
trans...

trasatlántico, -a adj, nm transatlantique m

trascendencia nf importance f

trascendental adj capital(e)

trascender vi (noticias) filtrer, transpirer; **~ de** dépasser

trasero, -a adj arrière ♦ nm (ANAT) postérieur m

trasfondo nm fond m

trashumante adj transhumant(e)

trasladar vt déplacer; (empleado, prisionero) transférer; (fecha) reporter; **~se** vpr (mudarse) déménager; (desplazarse) se déplacer; **traslado** nm déplacement m; (mudanza) déménagement m; (de empleado, prisionero) transfert m

traslucir vt laisser entrevoir; **~se** vpr (cristal) être translucide; (figura, color) se voir au travers; (fig) apparaître, se révéler

trasluz nm lumière f tamisée; **al ~** à la lumière

trasnochar vi se coucher tard; (no dormir) passer une nuit blanche

traspapelar vt égarer

traspasar vt transpercer; (propiedad, derechos) céder; (empleado, jugador) transférer; (límites) dépasser; (ley) transgresser; **traspaso** nm (de negocio, jugador) cession f, vente f

traspié nm (fig) faux pas, gaffe f

trasplantar vt transplanter

trasplante nm transplant m

traste nm (MÚS) touche f; **dar al ~ con algo** en finir avec qch

trastero nm débarras msg

trastienda nf arrière-boutique f

trasto nm (pey: cosa) saleté f; (: persona) propre m à rien

trastornado, -a adj (loco) détraqué(e)

trastornar vt déranger; (persona) troubler; (: enamorar) envoûter; (: enloquecer) rendre fou (folle); **~se** vpr (plan) échouer; (persona) devenir fou (folle); **trastorno** nm dérangement m; (confusión) désordre m

tratado nm traité m

tratamiento nm traitement m

tratar vt traiter; (dirigirse a) adresser; (tener contacto) fréquenter ♦ vi: **~ de** (hablar sobre) traiter de; (intentar) essayer de; **~se** vpr: **~se de** s'agir de; **~ con** (COM) être négociant en; **¿de qué se trata?** de quoi s'agit-il?; **trato** nm traitement m; (relaciones) rapport m; (manera de ser) manières fpl; (COM, JUR) marché m; (título) titre m

trauma nm trauma m

través nm: **al ~** en travers; **a ~ de** à travers de; (intentar) en travers de; (radio, teléfono, organismo) par, par l'intermédiaire de

travesaño nm (ARQ) traverse f; (DEPORTE) barre f transversale

travesía nf (calle) passage m; (NÁUT) traversée f

travesura nf diablerie f

travieso, -a adj (niño) espiègle, polisson(ne)

trayecto nm trajet m, chemin m; (tramo) section f; **trayectoria** nf trajectoire f

traza nf (aspecto) allure f; **trazado** nm (ARQ) plan m; (fig) grandes lignes fpl

trazar vt tracer; (plan) tirer; **trazo** nm (línea) trait m; (bosquejo) ébauche f

trébol nm trèfle m

trece adj inv, nm inv treize m inv;

ver tb **seis**

trecho *nm* (*distancia*) distance *f*; (*de tiempo*) moment *m*; **de ~ en ~** de temps en temps

tregua *nf* trêve *f*

treinta *adj inv, nm inv* trente *m inv*; *ver tb* **sesenta**

tremendo, -a *adj* (*terrible*) impressionnant(e); (*imponente*) terrible, impressionnant(e); (*fam*) terrible

trémulo, -a *adj* tremblant(e)

tren *nm* train *m*; **~ de aterrizaje** train d'atterrissage

trenza *nf* tresse *f*; **trenzar** *vt* tresser; **trenzarse** (*AM: fam*) *vpr* se mêler à une querelle

trepador, a *adj* (*planta*) grimpant(e) ♦ *nm/f* arriviste *m/f* ♦ *nf* (*planta*) plante *f* grimpante

trepar *vi* grimper

trepidante *adj* trépidant(e); (*ruido*) accablant(e)

tres *adj inv, nm inv* trois *m inv*; *ver tb* **seis**

trescientos, -as *adj* trois cents; *ver tb* **seiscientos**

tresillo *nm* salon *m* (*comprenant un canapé et deux fauteuils*); (*MÚS*) triolet *m*

treta *nf* machination *f*

triángulo *nm* triangle *m*

tribal *adj* tribal(e)

tribu *nf* tribu *f*

tribuna *nf* tribune *f*

tribunal *nm* (*JUR*) tribunal *m*

tributar *vt* payer; **tributo** *nm* tribut *m*, impôt *m*

tricotar *vt, vi* tricoter

trigal *nm* champ *m* de blé

trigo *nm* blé *m*

trigueño, -a *adj* (*pelo*) châtain-clair *inv*; (*piel*) basané(e)

trillado, -a *adj* (*AGR*) battu(e); (*fig*) rebattu(e); **trilladora** *nf* batteuse *f*

trillar *vt* battre

trimestral *adj* trimestriel(le)

trimestre *nm* trimestre *m*

trinar *vi* (*ave*) gazouiller

trinchar *vt* découper

trinchera *nf* (*MIL*) tranchée *f*

trineo *nm* traîneau *m*

trinidad *nf*: **la T~** la Trinité

trino *nm* gazouillement *m*

tripa *nf* (*ANAT*) intestin *m*; **~s** *nfpl* (*ANAT*) intestins *mpl*; (*CULIN, fig*) tripes *fpl*

triple *adj, nm* triple *m*

triplicado, -a *adj*: **por ~** en trois exemplaires

tripulación *nf* équipage *m*

tripulante *nm/f* membre *m* de l'équipage

tripular *vt* former l'équipage de; **nave espacial tripulada** vaisseau *m* spatial habité

tris *nm*: **estar en un ~ de hacer algo** être sur le point de faire qch

triste *adj* triste; **tristeza** *nf* tristesse *f*

triturar *vt* triturer, broyer; (*mascar*) mâcher

triunfar *vi* triompher, gagner; **triunfo** *nm* triomphe *m*

trivial *adj* banal(e), sans importance; **trivializar** *vt* minimiser, banaliser

triza *nf* morceau *m*, lambeau *m*; **hacer algo ~s** réduire qch en miettes

trocar (*COM*) troquer; **~se** *vpr* se changer; **~ (en)** changer (en); **~se (en)** se changer (en)

trocear *vt* couper en morceaux

trocha (*AM*) sentier *m*

troche: **a ~ y moche** *adv* à tort et à travers

trofeo *nm* trophée *m*

tromba nf trombe f

trombón nm trombone m

trombosis nf inv thrombose f

trompa nf (MÚS) cor m; (de
elefante, insecto, fam) trompe f;
cogerse una ~ (fam) prendre
une cuite

trompada nf, **trompazo** nm
coup m; (puñetazo) coup de
poing; **darse un ~** se donner un
coup

trompeta nf trompette f ♦ nm/f
trompettiste m/f

trompicón: a trompicones adv
par à-coups

trompo nm toupie f

tronar vt (CAM, MÉX: fam) tuer ♦ vi
(METEOROLOGÍA) tonner

tronchar vt (árbol) abattre; (vida,
esperanza) briser, détruire; **~se**
vpr se fendre, tomber

tronco nm tronc m

trono nm trône m

tropa nf troupe f

tropel nm (desorden) cohue f

tropezar vi trébucher; **~ con**
(fig) tomber sur; **tropezón** nm
faux pas msg

tropical adj tropical(e)

trópico nm tropique m

tropiezo vb ver **tropezar** ♦ nm
(error) erreur f, bévue f; (obstáculo)
difficulté f

trotamundos (fam) nm/f inv
globe-trotter m/f

trotar vi trotter; **trote** nm trot m;
(fam) activité f; **de mucho trote**
solide, résistant(e)

trozo nm morceau m

trucha nf truite f

truco nm truc m

trueno vb ver **tronar** ♦ nm
tonnerre m; (estampido)
détonation f

trueque vb ver **trocar** ♦ nm

échange m; (COM) troc m

trufa nf truffe f

truhán, -ana nm/f truand(e)

truncar vt tronquer; (vida)
abréger; (desarrollo) retarder;
(esperanzas) briser

tu adj ton (ta); **tus hijos** tes
enfants

tú pron tu

tubérculo nm tubercule m

tuberculosis nf tuberculose f

tubería nf tuyau m; (sistema)
tuyauterie f

tubo nm tube m; **~ de ensayo**
éprouvette f, tube à essai; **~ de
escape** pot m d'échappement

tuerca nf écrou m

tuerto, -a adj, nm/f borgne m/f

tuerza etc vb ver **torcer**

tuétano nm moelle f

tufo (pey) nm relent m

tul nm tulle m

tulipán nm tulipe f

tullido, -a adj estropié(e)

tumba nf tombe f

tumbar vt (extender en el suelo)
allonger; (en examen) recaler,
coller; (en competición) battre;
~se vpr s'allonger; (extenderse)
s'étendre

tumbo nm chute f; (de vehículo)
cahot m

tumbona nf chaise f longue

tumor nm tumeur f

tumulto nm tumulte m

tuna nf petit orchestre m
d'étudiants; ver tb **tuno**

Tuna

Une **tuna** est un groupe musical
constitué d'étudiants ou d'anciens
étudiants qui portent les costumes
de l'"Edad de Oro", l'âge d'or
espagnol. Ces groupes se
promènent dans les rues en

jouant de la guitare, du luth et du tambourin. Ils chantent des sérénades aux étudiantes dans les résidences universitaires et font des apparitions improvisées dans les mariages et les soirées, où pour quelques pesetas, ils chantent des airs traditionnels espagnols.

Turrón

Le Turrón est une sorte de nougat, d'origine orientale, fait avec du miel, des blancs d'œufs et des noisettes. On le consomme pendant la période de Noël. Il peut être dur et contenir des amandes entières (Alicante), ou tendre, à base d'amandes pilées (Jijona).

---

tunante *adj* coquin(e) ♦ *nm/f* coquin(e), garnement *m*; **¡~!** garnement!, vilain(e)!

tunda *nf* raclée *f*

túnel *nm* tunnel *m*

Túnez *n* Tunis

tuno *nm* membre *m* d'un orchestre d'étudiants

tupido, -a *adj* (*niebla, bosque*) épais(se); (*tela*) serré(e)

turba *nf* (*muchedumbre*) foule *f*

turbar *vt* (*paz, sueño*) troubler; (*preocupar*) inquiéter, troubler; (: *azorar*) gêner; **~se** *vpr* être gêné(e)

turbina *nf* turbine *f*

turbio, -a *adj, adv* trouble

turbulencia *nf* agitation *f*; (*fig*) turbulence *f*, agitation

turbulento, -a *adj* agité(e); (*fig*) agité(e), turbulent(e)

turco, -a *adj* turc (turque) ♦ *nm/f* Turc (Turque)

turismo *nm* tourisme *m*; (*coche*) voiture *f* (particulière); **turista** *nm/f* touriste *m/f*

turístico, -a *adj* touristique

turnar *vi* alterner; **~se** *vpr* se relever; **turno** *nm* tour *m*

turquesa *adj, nf* turquoise *f*

Turquía *nf* Turquie *f*

turrón *nm* touron *m* (*sorte de nougat*)

tutear *vt* tutoyer; **~se** *vpr* se tutoyer

tutela *nf* tutelle *f*; **tutelar** *adj* tutélaire ♦ *vt* avoir la tutelle de

tutor, a *nm/f* tuteur(-trice); (*ESCOL*) professeur *m* particulier

tuve *etc vb ver* **tener**

tuyo, -a *adj* ton (ta) ♦ *pron*: **el ~/la tuya** le tien/la tienne; **es ~** c'est à toi; **los ~s** (*fam*) les tiens

TV *sigla f* (= *televisión*)

TVE *sigla f* (= *Televisión Española*)

U, u

u *conj* ou

ubicar (*esp AM*) *vt* situer; (*encontrar*) trouver; **~se** *vpr* se trouver

ubre *nf* mamelle *f*

Ud(s) *abr* (= *usted(es)*) *ver* **usted**

UE *sigla f* (= *Unión Europea*) UE *f*

ufano, -a *adj* (*arrogante*) suffisant(e); (*satisfecho*) satisfait(e)

UGT *sigla f* (= *Unión General de Trabajadores*) *syndicat*

ujier *nm* (*JUR*) huissier *m*

úlcera *nf* ulcère *m*

ulcerar *vt* ulcérer; **~se** *vpr* s'ulcérer

últimamente *adv* dernièrement

ultimar vt finaliser; (preparativos) mettre la dernière main à; (AM: asesinar) abattre

ultimátum (pl ~s) nm ultimatum m

último, -a adj dernier(-ière); **a la última** (en moda) à la dernière mode; (en conocimientos) au goût du jour; **el ~ le** dernier; **en las últimas** (enfermo) à l'article de la mort; (sin dinero, provisiones) démuni(e); **por ~** enfin, en dernier lieu

ultra adj, nm/f (POL) ultra m/f

ultrajar vt outrager; **ultraje** nm outrage m

ultramar nm: **de ~** d'outre-mer

ultranza: a ~ adv à outrance

ultrasónico, -a adj hypersonique

ultratumba nf outre-tombe f

ultravioleta adj inv ultraviolet(te), ultra-violet(te)

umbral nm seuil m

un, una art indef **1** (sg) un(e); **una naranja** une orange; **un arma blanca** une arme blanche **2** (pl) des; **hay unos regalos para ti** il y a des cadeaux pour toi; **hay unas cervezas en la nevera** il y a des bières dans le frigo **3** (enfático): **¡hace un frío!** il fait un de ces froids!

unánime adj unanime; **unanimidad** nf unanimité f

undécimo, -a adj, nm/f onzième m/f; ver tb **sexto**

ungir vt oindre

ungüento nm onguent m

únicamente adv uniquement

único, -a adj unique

unidad nf unité f

unido, -a adj uni(e)

unificar vt unifier

uniformar vt uniformiser

uniforme adj uniforme; (color) uni(e) ♦ nm uniforme m;

uniformidad nf uniformité f

unilateral adj unilatéral(e)

unión nf union f; (TEC) jointure f; **la U~ Soviética** l'Union Soviétique

unir vt (piezas) assembler; (cuerdas) nouer; (tierras, habitaciones) relier; (esfuerzos, familia) unir; (empresas) fusionner; **~se** vpr (personas) s'unir; (empresas) fusionner; **~se a** se joindre à

unísono nm: **al ~** à l'unisson

universal adj universel(le)

universidad nf université f

universitario, -a adj universitaire ♦ nm/f étudiant(e)

universo nm univers msg

uno, -a adj un(e); **unos pocos** quelques uns; **unos cien** une centaine; **el día uno** le premier ♦ pron **1** un(e); **quiero uno solo** je m'en veux qu'un; **uno de ellos** l'un d'eux; **uno mismo** soi-même; **de uno en uno** un à un **2** (alguien) quelqu'un; **conozco a uno que se te parece** je connais quelqu'un qui te ressemble; **unos querían quedarse** quelques-uns voulaient rester **3: (los) unos ... (los) otros ...** certains o les uns ... les autres o d'autres; **se miraron el uno al otro** ils se sont regardés l'un l'autre; **se pegan unos a otros**

ils se battent entre eux
4 (enfático): **¡se montó una …!**
il y a eu une de ces pagailles!
♦ nf (hora): **es la una** il est une
heure
♦ nm (número) un m

untar vt (con aceite, pomada)
enduire; (en salsa, café) tremper;
(fig, fam) graisser la patte à
uña nf (ANAT) ongle m; (de felino)
griffe f
uranio nm uranium m
urbanidad nf courtoisie f
urbanismo nm urbanisme m
urbanización nf lotissement m
urbanizar vt urbaniser
urbano, -a adj urbain(e)
urbe nf grande ville f
urdimbre nf (de tejido) chaîne f
urdir vt ourdir
urgencia nf urgence f; **-s** nfpl
(MED) urgences fpl; **urgente** adj
urgent(e)
urgir vi être urgent(e); **me urge**
j'en ai besoin rapidement
urinario, -a nm urinoir m
urna nf urne f; (de cristal) vitrine f
urraca nf pie f
Uruguay nm Uruguay m
uruguayo, -a adj uruguayen(ne)
♦ nm/f Uruguayen(ne)
usado, -a adj usagé(e); (ropa etc)
usé(e), usagé(e)
usar vt utiliser; (ropa) porter;
(derecho etc) user de; **~se** vpr
s'utiliser; **uso** nm usage m;
(aplicación: de objeto, herramienta)
utilisation f
usted pron (sg: abr Ud (esp AM) o
Vd: formal) vous; **~es** (pl: abr Uds
(esp AM) o Vds: formal) vous
usual adj habituel(-le)
usuario, -a nm/f usager m;
(INFORM) utilisateur(-trice)

usura (pey) nf usure f
usurero, -a nm/f usurier(-ère)
usurpar vt usurper
utensilio nm instrument m; (de
cocina) ustensile m
útero nm utérus msg
útil adj utile; **-es** nmpl outils mpl;
utilidad nf utilité f; (provecho)
avantage m; (COM) bénéfice m;
utilizar vt utiliser
utopía nf utopie f
utópico, -a adj utopique
uva nf raisin m

V, v

v. abr (ELEC) (= voltio) V (= volt)
va vb ver **ir**
vaca nf vache f; (carne) bœuf m
vacaciones nfpl vacances fpl
vacante adj vacant(e) ♦ nf poste
m vacant
vaciar vt vider; (ARTE) mouler;
~se vpr se vider
vacilante adj vacillant(e);
(dudoso) hésitant(e)
vacilar vi hésiter; (mueble,
lámpara) chanceler; (luz, persona)
vaciller; (fam: bromear) plaisanter
vacío, -a adj vide; (puesto) libre ♦
nm vide m
vacuna nf vaccin m; **vacunar** vt
vacciner; **vacunarse** vpr se faire
vacciner
vacuno, -a adj bovin(e)
vacuo, -a adj vide
vadear vt passer à gué; **vado** nm
gué m
vagabundo, -a adj vagabond(e);
(perro) errant(e) ♦ nm/f
vagabond(e)
vagamente adv vaguement
vagancia nf paresse f
vagar vi errer, vagabonder

vagina nf vagin m

vago, -a adj vague; (perezoso) fainéant(e) ♦ nm/f fainéant(e)

vagón nm wagon m

vaguedad nf vague m, manque m de précision; **~es** nfpl: **decir ~es** rester dans le vague

vaho nm vapeur f; (aliento) buée f

vaina nf (de espada) fourreau m; (de guisantes, judías) cosse f

vainilla nf vanille f

vainita (AM) nf haricot m vert

vais vb ver **ir**

vaivén nm va-et-vient m inv; **vaivenes** nmpl (fig: de la vida) vicissitudes fpl

vajilla nf vaisselle f

val etc, **valdré** etc vb ver **valer**

vale nm bon m; (recibo) reçu m; (pagaré) billet m à ordre

valedero, -a adj valable

valenciano, -a adj valencien(ne) ♦ nm/f Valencien(ne)

valentía nf bravoure f

valer vt valoir ♦ vi servir; (ser válido) être valable; (estar permitido) être permis(e); (tener mérito) avoir du mérite; **~se** vpr: **~se de** (hacer valer) faire valoir; (servirse de) se servir de; **~ la pena** valoir la peine; **~ (para)** servir (à); **¡vale!** d'accord!; **más vale (hacer/que)** mieux vaut (faire/que)

valga etc vb ver **valer**

valía nf valeur f

validez nf validité f

válido, -a adj valable

valiente adj (soldado) brave, courageux(-euse); (niño, decisión) courageux(-euse) ♦ nm/f brave m/f

valioso, -a adj de valeur

valla nf clôture f; (DEPORTE) haie f; **~ publicitaria** panneau m publicitaire; **vallar** vt clôturer

valle nm vallée f; **~ de lágrimas** vallée de larmes

valor nm valeur f; (valentía) courage m; **~es** nmpl (ECON, COM) valeurs fpl, titres mpl; (morales) valeurs; **valorar** vt évaluer, estimer

vals nm valse f

válvula nf valve f

vamos vb ver **ir**

vampiro nm vampire m

van vb ver **ir**

vanagloriarse vpr: **~ (de)** se glorifier (de)

vandalismo nm vandalisme m

vándalo, -a nm/f (pey) vandale m/f

vanguardia nf avant-garde f

vanidad nf vanité f

vanidoso, -a adj vaniteux(-euse)

vano, -a adj vain(e) ♦ nm (ARQ) embrasure f; **en ~** en vain

vapor nm vapeur f; (tb: **barco de ~**) (bateau m à) vapeur m; **al ~** (CULIN) à la vapeur; **~ de agua** vapeur d'eau

vaporoso, -a adj vaporeux(-euse)

vapulear vt fustiger; (reprender) houspiller

vaquero nm (CINE) cow-boy m; (AGR) vacher m; **~s** nmpl (pantalones) jeans mpl

vaquilla (AM) nf génisse f

vara nf perche f; (de mando) bâton m

variable adj, nf variable f

variación nf changement m

variar vt (cambiar) changer; (poner variedad) varier ♦ vi varier

varices nfpl varices fpl

variedad nf variété f; **~es** nfpl (espectáculo) variétés fpl

varilla nf baguette f; (de paraguas, abanico) baleine f

vario, -a adj divers(e); **~s** plusieurs

varita nf: **~ mágica** baguette f magique

varón nm homme m; **hijo ~** enfant m mâle; **varonil** adj viril(e)

Varsovia n Varsovie

vas vb ver **ir**

vasco, -a adj basque ♦ nm/f Basque m/f ♦ nm (LING) basque m

vascongadas nfpl: **las V~** les provinces fpl basques

vaselina nf vaseline f

vasija nf pot m, récipient m

vaso nm verre m; (ANAT) vaisseau m

vástago nm (BOT) rejeton m; (TEC) tige f; (de familia) descendant m

vasto, -a adj vaste

Vaticano nm Vatican m

vatio nm watt m

vaya vb ver **ir** ♦ excl (fastidio) mince!, zut!; (sorpresa) eh bien!, tiens!; **¿qué tal? - ¡~!** ça va? - on fait aller!; **¡~ tontería!** quelle idiotie!; **¡~ mansión!** quelle maison!

Vd(s) abr (= usted(es)) ver **usted**

ve vb ver **ir**; **ver**

vecindad nf voisinage m

vecindario nm voisinage m, quartier m

vecino, -a adj voisin(e) ♦ nm/f voisin(e); (residente: de pueblo) habitant/e

veda nf (de pesca, caza) défense f, interdiction f

vedar vt interdire, défendre; (caza, pesca) interdire

vegetación nf végétation f

vegetal adj végétal(e) ♦ nm végétal m

vehemencia nf impétuosité f; (apasionamiento) véhémence f;

vehemente adj impétueux(-euse); (apasionado) véhément(e)

vehículo nm véhicule m

veinte adj inv, nm inv vingt m inv; ver tb **seis**

vejación nf brimade f

vejez nf vieillesse f

vejiga nf vessie f

vela nf bougie f; (NÁUT) voile f; **en ~** éveillé(e); (velando) à veiller

velar vt veiller; (FOTO, cubrir) voiler ♦ vi veiller; **~se** vpr (FOTO) se voiler; **~ por** veiller à

velatorio nm veillée f

veleidad nf inconstance f

velero nm (NÁUT) voilier m; (AVIAT) planeur m

veleta nm/f (pey) girouette f ♦ nf (para el viento) girouette

veliz (MÉX) nm valise f

vello nm duvet m

velo nm voile m

velocidad nf vitesse f; (rapidez) rapidité f

velocímetro nm compteur m de vitesse

veloz adj rapide

ven vb ver **venir**

vena nf veine f

venado nm grand gibier m

vencedor, a adj victorieux(-euse) ♦ nm/f vainqueur m

vencer vt vaincre; (obstáculos) surmonter ♦ vi vaincre; (plazo) expirer

vencido, -a adj vaincu(e); (COM: letra) arrivé(e) à échéance ♦ adv: **pagar ~** payer après échéance

vencimiento nm échéance f

venda nf pansement m; **vendar** vt bander

vendaval nm vent m violent

vendedor, a nm/f vendeur(-euse)

vender vt vendre; **~ al**

contado/al por mayor/al por menor/a plazos vendre au comptant/en gros/au détail/à crédit; **"se vende"** "à vendre"
vendimia *nf* vendange *f*
vendré *etc vb ver* **venir**
veneno *nm* poison *m*
venenoso, -a *adj* (*seta*) vénéneux(-euse); (*producto*) toxique
venerable *adj* vénérable;
 venerar *vt* vénérer
venéreo, -a *adj* vénérien(ne)
venezolano, -a *adj* vénézuélien(ne) ♦ *nm/f* Vénézuélien(ne)
Venezuela *nf* Venezuela *m*
venga *etc vb ver* **venir**
venganza *nf* vengeance *f*;
 vengar *vt* venger; **vengarse** *vpr* se venger
vengativo, -a *adj* vindicatif(-ive)
venia *nf* permission *f*
venial *adj* véniel(le)
venida *nf* venue *f*
venidero, -a *adj* futur(e), à venir
venir *vi* venir; (*en periódico, texto*) être; (*llegar, ocurrir*) arriver; **~se** *vpr*: **~se abajo** s'écrouler; (*persona*) s'effondrer; **~ de** venir de; **~ bien/mal** convenir/ne pas convenir; **el año que viene** l'année prochaine
venta *nf* vente *f*; **estar a la/en ~** être à la/en vente; **~ al contado** vente au comptant; **~ al detalle** vente au détail; **~ a plazos** vente à crédit; **~ al por mayor** vente en gros; **~ al por menor** vente au détail
ventaja *nf* avantage *m*
ventajoso, -a *adj* avantageux(-euse)
ventana *nf* fenêtre *f*; **ventanilla** *nf* guichet *m*

ventilación *nf* ventilation *f*, aération *f*; **ventilar** *vt* ventiler, aérer; (*ropa*) aérer; (*fig*) divulguer; (: *resolver*) éclaircir; **ventilarse** *vpr* s'aérer
ventisca *nf*, **ventisquero** *nm* bourrasque *f* de neige
ventrílocuo, -a *adj*, *nm/f* ventriloque *m/f*
ventura *nf* félicité *f*; (*suerte, destino*) fortune *f*; **a la (buena) ~** à l'aventure
ver *vt* voir; (*televisión, partido*) regarder; (*esp AM: mirar*) regarder ♦ *vi* voir; **~se** *vpr* se voir; (*hallarse*) se trouver; (*AM: fam*) avoir l'air; **(voy) a ~ que hay** je vais voir ce qu'il y a; **a ~** voyons voir; **no tener que ~ con** n'avoir rien à voir avec; **¡viera(n) qué casa!** (*MÉX: fam*) tu verrais la maison!; **¡hubiera(n) visto qué casa!** (*MÉX: fam*) si tu avais vu la maison!; **(ya) se ve que ...** on voit bien que ...; **te ves divina** (*AM*) tu es divine
vera *nf*: **a la ~ de** (*del camino*) au bord de; (*de algn*) auprès de
veracidad *nf* véracité *f*
veranear *vi* passer ses vacances d'été; **veraneo** *nm*: **ir de veraneo** partir en vacances d'été
veraniego, -a *adj* estival(e)
verano *nm* été *m*
veras *nfpl*: **de ~** vraiment
veraz *adj* véridique
verbal *adj* verbal(e)
verbena *nf* kermesse *f*
verbo *nm* verbe *m*
verdad *nf* vérité *f*; **¿~?** n'est-ce pas?; **de ~** vraiment; **¡es ~!** c'est vrai!; **la ~ es que ...** en fait ...
verdadero, -a *adj* vrai(e); (*antes del nombre*) vrai(e), véritable
verde *adj* (*tb POL*) vert(e); (*chiste*)

cochon(ne) ♦ *nm* vert *m*; *(hierba)*
verdure *f*; **viejo ~** vieux cochon
m; **verdear**, **verdecer** *vi* verdir;
verdor *nm (color)* couleur *f* verte,
vert *m*

verdugo *nm* bourreau *m*

verdura(s) *nf(pl)* légumes *mpl*

vereda *nf* sentier *m*; *(AM)* trottoir
m

veredicto *nm* verdict *m*

vergonzoso, -a *adj (persona)*
timide; *(acto, comportamiento)*
honteux(-euse)

vergüenza *nf* honte *f*; **me da ~
decírselo** j'ai honte de le lui
dire; **¡qué ~!** quelle honte!

verídico, -a *adj* véridique

verificar *vt* vérifier

verja *nf* grille *f*

vermut *(pl* **~s)** *nm* vermouth *m*;
(esp AND, CSUR: CINE) matinée *f*

verosímil *adj* vraisemblable

verruga *nf (MED)* verrue *f*

versado, -a *adj*: **~ en** versé(e)
en

versátil *adj (material)*
polyvalent(e); *(persona)* versatile

versión *nf* version *f*; **en ~
original** en version originale

verso *nm* vers *msg*

vértebra *nf* vertèbre *f*

verter *vt* verser; *(derramar)*
répandre

vertical *adj* vertical(e); *(postura,
piano)* droit(e)

vértice *nm* sommet *m*

vertiente *nf* versant *m*

vertiginoso, -a *adj*
vertigineux(-euse)

vértigo *nm* vertige *m*

vesícula *nf* vésicule *f*

vestíbulo *nm* vestibule *m*; *(de
teatro)* foyer *m*

vestido *nm (de mujer)* robe *f*

vestigio *nm* vestige *m*

vestimenta *nf* habillement *m*

vestir *vt* habiller; *(llevar puesto)*
porter ♦ *vi* s'habiller; *(ser elegante)*
habiller; **~se** *vpr* s'habiller; **ropa
de ~** vêtements *mpl* habillés

vestuario *nm* garde-robe *f*;
(TEATRO, CINE) costumes *mpl*; *(local:
TEATRO)* loge *f*; **~s** *nmpl (DEPORTES)*
vestiaires *mpl*

veta *nf (de mineral)* veine *f*, filon
m; *(en piedra, madera)* veine

vetar *vt* mettre son veto à

veterano, -a *adj* ancien(ne) ♦
nm/f vétéran *m*

veterinaria *nf* médecine *f*
vétérinaire

veterinario, -a *nm/f* vétérinaire
m/f

veto *nm* veto *m*

vez *nf* fois *fsg*; *(turno)* tour *m*; **a la
~** en même temps; **a su ~** à son
tour; **una ~** une fois; **en ~ de** au
lieu de; **a veces/algunas
veces** parfois; **otra ~** encore
(une fois); **una y otra ~** à
maintes reprises; **de ~ en
cuando** de temps en temps;
hacer las veces de tenir lieu
de, faire office de; **tal ~** peut-être

vía *nf* voie *f*; **por ~ judicial** par
voie de droit; **por ~ oficial** par la
voie officielle; **en ~s de** en voie
de; **Madrid-Berlín ~ París**
Madrid-Berlin via Paris; **~s
aéreas** voies *fpl* aériennes; **V~
Láctea** Voie lactée; **~ pública**
voie publique

viable *adj* viable

viaducto *nm* viaduc *m*

viajar *vi* voyager

viaje *nm* voyage *m*; **estar de
viaje** être en voyage; **viaje de
ida y vuelta** voyage aller-retour;
viaje de novios voyage de
noces

viajero, -a adj, nm/f voyageur(-euse)

vial adj (AUTO: seguridad) routier(-ière); (marca) au sol

víbora nf vipère f

vibración nf vibration f

vibrar vi vibrer

vicario nm vicaire m

vicepresidente nm/f vice-président(e)

viceversa adv: **y ~** et vice versa

viciado, -a adj (corrompido) dépravé(e); (postura) gauchi(e); (aire, atmósfera) vicié(e); **viciar** vt (persona, costumbres) pervertir; (JUR, aire) vicier; (objeto, postura) déformer; (mecanismo, dicción) fausser; (deformarse) se déformer; **viciarse con** (persona) devenir mordu(e) de

vicio nm vice m; (mala costumbre) mauvaise habitude f, défaut m

vicioso, -a adj, nm/f vicieux(-euse)

vicisitud nf vicissitude f

víctima nf victime f

victoria nf victoire f

victorioso, -a adj victorieux(-ieuse)

vid nf vigne f

vida nf vie f; **de por ~** (toute) ma etc vie; **en la/mi** etc **~** (nunca) de la/ma etc vie; **estar con ~** être en vie; **ganarse la ~** gagner sa vie; **de ~ o muerte** de vie ou de mort

vídeo nm vidéo f; (aparato) magnétoscope m

videocámara nf caméra f vidéo

videocas(s)et(t)e nm vidéocassette f

videoclub nm club m vidéo

videojuego nm jeu m vidéo

vidrio nm verre m; **~s** nmpl (objetos) objets mpl en verre;

pagar los ~s rotos payer les pots cassés

viejo, -a adj vieux (vieille); (tiempos) ancien(ne) ♦ nm/f vieux (vieille); **hacerse** o **ponerse ~** se faire vieux (vieille)

Viena n Vienne

viene etc vb ver **venir**

vienés, -esa adj viennois(e) ♦ nm/f Viennois(e)

viento nm vent m

vientre nm ventre m

viernes nm inv vendredi m; **V~ Santo** vendredi saint; ver tb **sábado**

Vietnam nm Vietnam m; **vietnamita** adj vietnamien(ne) ♦ nm/f Vietnamien(ne)

viga nf poutre f

vigencia nf (de ley, contrato) validité f; **estar/entrar en ~** être/entrer en vigueur; **vigente** adj (ley etc) en vigueur

vigésimo, -a adj, nm/f vingtième m/f

vigía nm/f guetteur(-euse)

vigilancia nf surveillance f

vigilante adj vigilant(e) ♦ nm gardien m

vigilar vt surveiller

vigilia nf veille f; (REL) vigile f

vigor nm vigueur f; **en ~** en vigueur; **entrar en ~** entrer en vigueur

vigoroso, -a adj vigoureux(-euse)

vil adj vil(e); **vileza** nf vilenie f

villa nf villa f; (población) ville f; **~ miseria** (CSUR) bidonville m

villancico nm chant m de Noël

vilo: en ~ adv (sostener, levantar) en l'air; **estar en ~** (fig) être sur des charbons ardents

vinagre nm vinaigre m

vinagreta nf vinaigrette f

vincular *vt* rapprocher; (*por contrato, obligación*) lier; **~se** *vpr*: **~se (a)** se rapprocher (de); **vínculo** *nm* lien *m*

vinicultura *nf* viticulture *f*

vino *vb ver* **venir** ♦ *nm* vin *m*; **~ blanco** vin blanc

viña *nf* vigne *f*

viñedo *nm* vignoble *m*

violación *nf* (*de una persona*) viol *m*; (*de derecho, ley*) violation *f*

violar *vt* violer

violencia *nf* violence *f*; **violentar** *vt* forcer; (*persona*) violenter

violento, -a *adj* violent(e); (*embarazoso*) embarrassant(e); (*incómodo*) mal à l'aise *inv*

violeta *adj* violet(te) ♦ *nf* (*BOT*) violette *f* ♦ *nm* (*color*) violet *m*

violín *nm* violon *m*

viraje *nm* virage *m*

virgen *adj* vierge *f*; **la (Santísima) V~** la (Sainte) Vierge

Virgo *nm* (*ASTROL*) la Vierge *f*; **ser ~** être (de la) Vierge

viril *adj* viril(e); **virilidad** *nf* virilité *f*

virtud *nf* vertu *f*; **en ~ de** en vertu de

virtuoso, -a *adj* vertueux(-euse) ♦ *nm/f* (*MÚS*) virtuose *m/f*

viruela *nf* variole *f*

virulento, -a *adj* virulent(e)

virus *nm inv* virus *m*

visa (*AM*) *nf*, **visado** *nm* visa *m*

víscera *nf* viscère *m*; **~s** *nfpl* viscères *mpl*

visceral *adj* viscéral(e)

viscoso, -a *adj* visqueux(-euse)

visera *nf* visière *f*; (*gorra*) casquette *f* à visière

visibilidad *nf* visibilité *f*; **visible** *adj* visible

visillo *nm* rideau *m*

visión *nf* vision *f*

visita *nf* visite *f*; **hacer una ~** rendre *o* faire une visite

visitar *vt* (*familia etc*) rendre visite à; (*ciudad, museo*) visiter

vislumbrar *vt* apercevoir, distinguer

viso *nm* (*de metal*) éclat *m*; (*de tela*) lustre *m*; (*aspecto*) luisant *m*

visón *nm* vison *m*

visor *nm* (*FOTO*) viseur *m*

víspera *nf* veille *f*; **la ~** *o* **en ~s de** (à) la veille de

vista *nf* vue *f*; **a primera** *o* **simple ~** à première vue, au premier abord; **hacer la ~ gorda** fermer les yeux; **está** *o* **salta a la ~ que** il saute aux yeux que; **conocer a algn de ~** connaître qn de vue; **en ~ de ...** vu ...; **en ~ de que** vu que; **¡hasta la ~!** à bientôt!; **con ~s a** (*al mar*) avec vue sur; (*al futuro, a mejorar*) dans le but de;

vistazo *nm* coup *m* d'œil; **dar** *o* **echar un vistazo a** donner *o* jeter un coup d'œil à

visto, -a *vb ver* **vestir** ♦ *pp de* **ver** ♦ *adj*: **estar muy ~** être très en vue ♦ *nm*: **~ bueno** autorisation *f*; **está ~ que** il est clair que; **está bien/mal ~** c'est bien/mal vu; **~ que** vu que; **por lo ~** apparemment

vistoso, -a *adj* voyant(e)

visual *adj* visuel(le)

vital *adj* vital(e); (*persona*) plein(e) de vitalité

vitalicio, -a *adj* viager(-ère); (*cargo*) à vie

vitalidad *nf* vitalité *f*

vitamina *nf* vitamine *f*

viticultor, a *nm/f* viticulteur(-trice); **viticultura** *nf*

viticulture f
vitorear vt acclamer
vitrina nf vitrine f
viudez nf veuvage m
viudo, -a adj, nm/f veuf (veuve)
viva excl vivat!; **¡~ el rey!** vive le roi!
vivacidad nf vivacité f
vivaracho, -a adj vivant(e)
vivaz adj vivace
víveres nmpl vivres mpl
vivero nm (HORTICULTURA) pépinière f; (criadero) vivier m
vivienda nf logement m, habitation f
viviente adj vivant(e)
vivir vt, vi vivre
vivo, -a adj vif (vive); (ser, recuerdo, planta) vivant(e); **en ~** (TV, MÚS) en direct
vocablo nm mot m
vocabulario nm vocabulaire m
vocación nf vocation f;
vocacional (MÉX) nf (ESCOL) collège m technique
vocal adj vocal(e) ♦ nm/f membre m ♦ nf (LING) voyelle f; **vocalizar** vt prononcer ♦ vi vocaliser
vocear vi vociférer; **vocerío** nm clameur f
vocero, -a (AM) nm/f porte-parole m inv
voces pl de **voz**
vociferar vi vociférer
vodka nm vodka f
vol abr (= volumen) vol. (= volume)
volandas: **en ~** adv en volant
volante nm volant m; (MED: de aviso) convocation f
volar vt faire exploser ♦ vi voler
volátil adj volatile
volcán nm volcan m
volcánico, -a adj volcanique
volcar vt (recipiente) vider; (contenido) verser; (vehículo)

renverser; (barco) faire chavirer ♦ vi (vehículo) capoter; (barco) chavirer; **~se** vpr (recipiente) se renverser; (esforzarse): **~se para hacer algo/con algn** se donner beaucoup de mal pour faire qch/avec qn
voleibol nm volley-ball m
volqué etc, **volquemos** etc vb ver **volcar**
voltaje nm voltage m
voltear vt faire tourner; (persona: en el aire) faire sauter en l'air; (AM) tourner; (: volcar) verser; **~se** vpr (AM) se retourner; **~ a hacer algo** (AM) recommencer (à faire) qch
voltereta nf (rodada) culbute f
voltio nm volt m
voluble adj volubile
volumen nm volume m; (COM) volume, chiffre m
voluminoso, -a adj volumineux(-euse)
voluntad nf volonté f
voluntario, -a adj, nm/f volontaire m f
voluntarioso, -a adj volontaire
voluptuoso, -a adj voluptueux(-euse)
volver vt tourner; (de atrás adelante) ramener; (transformar en: persona) rendre ♦ vi (regresar) revenir; (ir de nuevo) retourner; **~se** vpr (girar) se retourner; (convertirse en) devenir; **~ la espalda** tourner le dos; **~ a hacer algo** recommencer (à faire) qch; **~ en sí** revenir à soi; **~se loco/insociable** devenir fou/asocial
vomitar vt vomir ♦ vi vomir; **vómito** nm vomissement m; (lo vomitado) vomi m
voraz adj vorace; (hambre)

dévorant(e)

vos (AM) pron vous; (esp CSUR) tu

vosotros, -as pron vous; **entre ~** parmi vous

votación nf vote m; **por ~** par vote

votar vt, vi voter; **voto** nm vote m; (REL) vœu m; **hacer votos por** faire des vœux pour

voy vb ver **ir**

voz nf voix fsg; (grito) cri m; (rumor) bruit m; **dar voces** pousser des cris; **llamar a algn/hablar a voces** appeler qn en criant/crier; **a media ~** à mi-voix; **de viva ~** de vive voix; **en ~ alta/baja** à voix haute/basse; **~ de mando** ton m de commandement

vuelco vb ver **volcar** ♦ nm culbute f, chute f; (de coche) tonneau m, capotage m

vuelo vb ver **volar** ♦ nm vol m; (de falda, vestido) ampleur f; **cazar o coger al ~** attraper au vol; **~ libre** vol libre; **~ regular** vol régulier

vuelque etc vb ver **volcar**

vuelta nf tour m; (regreso) retour m; (en carreras, circuito) virage m; (de camino, río) méandre m; (de papel) verso m; (de pantalón, tela, fig) revers msg; (dinero) monnaie f; **a la ~** (ESP) au retour; **a la ~ (de la esquina)** au coin (de la rue); **a ~ de correo** par retour du courrier; **dar(se) la ~** (coche) faire demi-tour; (persona) se retourner; **dar la ~ a algo** retourner qch; (de atrás adelante) ramener qch; **dar ~s a algo** (comida) remuer qch; (manivela) tourner qch; **dar ~s a una idea** tourner et retourner une idée dans sa tête;

dar una ~ faire un tour; **~ ciclista** tour f (cycliste)

vuelto pp de **volver** ♦ nm (AM) monnaie f

vuelva etc vb ver **volver**

vuestro, -a adj votre ♦ pron: **el ~/la vuestra** le/la vôtre; **los ~s, las vuestras** les vôtres; **un amigo ~** un de vos amis; **¿son ~s?** c'est à vous?

vulgar adj (pey) vulgaire; (no refinado) grossier(-ière); (gustos, uso) commun(e); **vulgaridad** nf vulgarité f; (de gustos, rasgos) banalité f; (grosería) grossièreté f;

vulgarizar vt vulgariser

vulgo nm: **el ~** (pey) le commun des mortels

vulnerable adj vulnérable; (punto, zona) sensible

vulnerar vt (ley, acuerdo) transgresser; (derechos, reputación) bafouer; (intimidad) violer

W, w

wáter nm waters mpl

webcam nf webcam f

webmaster nm/f webmaster m, webmestre m

whisky nm whisky m

windsurf nm windsurf m, planche f à voile

X, x

xenofobia nf xénophobie f

xilófono nm xylophone m

Y, y

y *conj* et

ya *adv* déjà; (con presente: *ahora*) maintenant; (: *en seguida*) tout de suite; (con futuro: *pronto*) bientôt ♦ *excl* OK! ♦ *conj* déjà; **~ que** puisque; **~ no vamos** nous ne partons plus; **~ lo sé** je sais; **~ veremos** on verra bien; **que ~, ya** mais oui, c'est ça; **¡~ voy!** j'arrive, j'y vais!; **~ mismo** (*esp CSUR*) tout de suite; **desde ~** (*CSUR*) tout de suite; (: *claro*) évidemment; **~ vale (de hacer), ~ está bien** ça suffit

yacer *vi* gésir; **aquí yace** ci-gît

yacimiento *nm* gisement *m*

yanqui *adj* yankee ♦ *nm/f* Yankee *m/f*

yate *nm* yacht *m*

yazca *etc vb ver* **yacer**

yedra *nf* lierre *m*

yegua *nf* jument *f*

yema *nf* (del huevo) jaune *m*; (*BOT*) bourgeon *m*; **~ del dedo** bout *m* du doigt

yerga *etc*, **yergue** *etc vb ver* **erguir**

yermo, -a *adj* (no cultivado) inculte

yerno *nm* gendre *m*

yerre *etc vb ver* **errar**

yeso *nm* (*ARQ*) plâtre *m*

yo *pron* (*personal*) je; **soy ~** c'est moi

yodo *nm* iode *m*

yoga *nm* yoga *m*

yogur(t) *nm* yaourt *m*, yogourt *m*

yudo *nm* judo *m*

yugo *nm* joug *m*

Yugoslavia *nf* Yougoslavie *f*

yugular *adj, nf* jugulaire *f*

yunque *nm* enclume *f*

yunta *nf* attelage *m*

yuxtaponer *vt* juxtaposer;
yuxtaposición *nf* juxtaposition *f*

Z, z

zafarse *vpr*: **~ de** se libérer de

zafio, -a *adj* rustre

zafiro *nm* saphir *m*

zaga *nf*: **a la ~** à la traîne

zaguán *nm* vestibule *m*

zaherir *vt* mortifier

zalamería *nf* cajolerie *f*

zalamero, -a *adj* cajoleur(-euse)

zamarra *nf* veste *f* en cuir

zambullirse *vpr* plonger

zampar (*fam*) *vt* engouffrer

zanahoria *nf* carotte *f*

zancada *nf* enjambée *f*

zancadilla *nf* croc-en-jambe *m*;
echar *o* **poner la ~ a algn** barrer la route à qn

zanco *nm* échasse *f*

zancudo, -a *adj*: **ave ~** oiseau *m* aux longues pattes ♦ *nm* (*AM*) moustique *m*

zángano *nm* (*ZOOL*) faux bourdon *m*

zanja *nf* fossé *m*; **zanjar** *vt* trancher

zapata *nf* patin *m*

zapatear *vi* (*bailar*) danser le zapateádo

zapatería *nf* (*tienda*) magasin *m* de chaussures; (*oficio*) cordonnerie *f*

zapatero, -a *nm/f* cordonnier(-ière)

zapatilla *nf* (para casa, ballet)

chausson m; (para la calle)
chaussure f légère; ~ **de deporte**
chaussure f de sport
zapato nm chaussure f
zapping nm zapping m; **hacer ~**
zapper
zarandear vt secouer
zarpa nf griffe f
zarpar vi lever l'ancre
zarza nf ronce f; **zarzal** nm
fourré m
zarzamora nf (fruto) mûre f;
(planta) mûrier m
zarzuela nf zarzuela f
zigzag nm zigzag m;
zigzaguear vi zigzaguer
zinc nm zinc m
zócalo nm soubassement m
zodíaco nm zodiaque m
zona nf zone f
zoo nm zoo m
zoología nf zoologie f

zoológico, -a adj zoologique ♦
nm (tb: **parque ~**) zoo m
zoólogo, -a nm/f zoologue m
zoom nm zoom m
zopilote nm (AM) nm vautour m
zoquete (fam) adj, nm/f
abruti(e)
zorro, -a adj rusé(e) ♦ nm/f
renard(e)
zozobra nf angoisse f; **zozobrar**
vi (barco) couler; (fig: plan)
échouer
zueco nm sabot m
zumbar vi (abeja) bourdonner;
(motor) vrombir; **zumbido** nm
(de abejas) bourdonnement m; (de
motor) vrombissement m
zumo nm jus msg
zurcir vt (COSTURA) raccommoder
zurdo, -a adj (persona)
gaucher(-ère); (mano) gauche
zurrar vt (fam: pegar) tabasser

LOS VERBOS FRANCESES

1 Participe présent **2** Participe passé **3** Présent **4** Imparfait **5** Futur **6** Conditionnel **7** Subjonctif présent

acquérir 1 acquérant 2 acquis 3 acquiers, acquérons, acquièrent 4 acquérais 5 acquerrai 7 acquière

ALLER 1 allant 2 allé 3 vais, vas, va, allons, allez, vont 4 allais 5 irai 6 irais 7 aille

asseoir 1 asseyant 2 assis 3 assieds, asseyons, asseyez, asseyent 4 asseyais 5 assiérai 7 asseye

atteindre 1 atteignant 2 atteint 3 atteins, atteignons 4 atteignais 7 atteigne

AVOIR 1 ayant 2 eu 3 ai, as, a, avons, avez, ont 4 avais 5 aurai 6 aurais 7 aie, aies, ait, ayons, ayez, aient

battre 1 battant 2 battu 3 bats, bat, battons 4 battais 7 batte

boire 1 buvant 2 bu 3 bois, buvons, boivent 4 buvais 7 boive

bouillir 1 bouillant 2 bouilli 3 bous, bouillons 4 bouillais 7 bouille

conclure 1 concluant 2 conclu 3 conclus, concluons 4 concluais 7 conclue

conduire 1 conduisant 2 conduit 3 conduis, conduisons 4 conduisais 7 conduise

connaître 1 connaissant 2 connu 3 connais, connaît, connaissons 4 connaissais 7 connaisse

coudre 1 cousant 2 cousu 3 couds, cousons, cousez, cousent 4 cousais 7 couse

courir 1 courant 2 couru 3 cours, courons 4 courais 5 courrai 7 coure

couvrir 1 couvrant 2 couvert 3 couvre, couvrons 4 couvrais 7 couvre

craindre 1 craignant 2 craint 3 crains, craignons 4 craignais 7 craigne

croire 1 croyant 2 cru 3 crois, croyons, croient 4 croyais 7 croie

croître 1 croissant 2 crû, crue, crus, crues 3 croîs, croissons 4 croissais 7 croisse

cueillir 1 cueillant 2 cueilli 3 cueille, cueillons 4 cueillais 5 cueillerai 7 cueille

devoir 1 devant 2 dû, due, dus, dues 3 dois, devons, doivent 4 devais 5 devrai 7 doive

dire 1 disant 2 dit 3 dis, disons, dites, disent 4 disais 7 dise

dormir 1 dormant 2 dormi 3 dors, dormons 4 dormais 7 dorme

écrire 1 écrivant 2 écrit 3 écris, écrivons 4 écrivais 7 écrive

ÊTRE 1 étant 2 été 3 suis, es, est, sommes, êtes, sont 4 étais 5 serai 6 serais 7 sois, sois, soit, soyons, soyez, soient

FAIRE 1 faisant 2 fait 3 fais, fais, fait, faisons, faites, font 4 faisais 5 ferai 6 ferais 7 fasse

falloir 2 fallu 3 faut 4 fallait 5 faudrai 7 faille

FINIR 1 finissant 2 fini 3 finis, finis, finit, finissons, finissez, finissent 4 finissais 5 finirai 6 finirais 7 finisse

fuir 1 fuyant 2 fui 3 fuis, fuyons, fuient 4 fuyais 7 fuie

joindre 1 joignant 2 joint 3 joins, joignons 4 joignais 7 joigne

lire 1 lisant 2 lu 3 lis, lisons 4 lisais 7 lise

luire 1 luisant 2 lui 3 luis, luisons 4 luisais 7 luise

maudire 1 maudissant 2 maudit 3

625

maudis, maudissons 4 maudissait 7 maudisse

mentir 1 mentant 2 menti 3 mens, mentons 4 mentais 7 mente

mettre 1 mettant 2 mis 3 mets, mettons 4 mettais 7 mette

mourir 1 mourant 2 mort 3 meurs, mourons, meurent 4 mourais 5 mourrai 7 meure

naître 1 naissant 2 né 3 nais, naît, naissons 4 naissais 7 naisse

offrir 1 offrant 2 offert 3 offre, offrons 4 offrais 7 offre

PARLER 1 parlant 2 parlé 3 parle, parles, parle, parlons, parlez, parlent 4 parlais, parlais, parlait, parlions, parliez, parlaient 5 parlerai, parleras, parlera, parlerons, parlerez, parleront 6 parlerais, parlerais, parlerait, parlerions, parleriez, parleraient 7 parle, parles, parle, parlions, parliez, parlent *impératif* parle! parlez!

partir 1 partant 2 parti 3 pars, partons 4 partais 7 parte

plaire 1 plaisant 2 plu 3 plais, plaît, plaisons 4 plaisais 7 plaise

pleuvoir 1 pleuvant 2 plu 3 pleut, pleuvent 4 pleuvait 5 pleuvra 7 pleuve

pourvoir 1 pourvoyant 2 pourvu 3 pourvois, pourvoyons, pourvoient 4 pourvoyais 7 pourvoie

pouvoir 1 pouvant 2 pu 3 peux, peut, pouvons, peuvent 4 pouvais 5 pourrai 7 puisse

prendre 1 prenant 2 pris 3 prends, prenons, prennent 4 prenais 7 prenne

prévoir *como* voir 5 prévoirai

RECEVOIR 1 recevant 2 reçu 3 reçois, reçois, reçoit, recevons, recevez, reçoivent 4 recevais 5 recevrai 6 recevrais 7 reçoive

RENDRE 1 rendant 2 rendu 3 rends, rends, rend, rendons, rendez, rendent 4 rendais 5 rendrai 6 rendrais 7 rende

résoudre 1 résolvant 2 résolu 3 résous, résolvons 4 résolvais 7 résolve

rire 1 riant 2 ri 3 ris, rions 4 riais 7 rie

savoir 1 sachant 2 su 3 sais, savons, savent 4 savais 5 saurai 7 sache *impératif* sache, sachons, sachez

servir 1 servant 2 servi 3 sers, servons 4 servais 7 serve

sortir 1 sortant 2 sorti 3 sors, sortons 4 sortais 7 sorte

souffrir 1 souffrant 2 souffert 3 souffre, souffrons 4 souffrais 7 souffre

suffire 1 suffisant 2 suffi 3 suffis, suffisons 4 suffisais 7 suffise

suivre 1 suivant 2 suivi 3 suis, suivons 4 suivais 7 suive

taire 1 taisant 2 tu 3 tais, taisons 4 taisais 7 taise

tenir 1 tenant 2 tenu 3 tiens, tenons, tiennent 4 tenais 5 tiendra 7 tienne

vaincre 1 vainquant 2 vaincu 3 vaincs, vainc, vainquons 4 vainquais 7 vainque

valoir 1 valant 2 valu 3 vaux, vaut valons 4 valais 5 vaudrai 7 vaille

venir 1 venant 2 venu 3 viens, venons, viennent 4 venais 5 viendrai 7 vienne

vivre 1 vivant 2 vécu 3 vis, vivon 4 vivais 7 vive

voir 1 voyant 2 vu 3 vois, voyons voient 4 voyais 5 verrai 7 voie

vouloir 1 voulant 2 voulu 3 veux veut, voulons, veulent 4 voulais 5 voudrai 7 veuille *impératif* veuillez

VERBES ESPAGNOLS

1 Gerundio **2** Imperativo **3** Presente **4** Pretérito perfecto **5** Futuro **6** Presente de subjuntivo **7** Imperfecto de subjuntivo **8** Participio pasado **9** Imperfecto

agradecer 3 agradezco **6** agradezca *etc*

aprobar 2 aprueba **3** apruebo, apruebas, aprueba, aprueban **6** apruebe, apruebes, apruebe, aprueben

atravesar 2 atraviesa **3** atravieso, atraviesas, atraviesa, atraviesan **6** atraviese, atravieses, atraviese, atraviesen

caber 3 quepo **4** cupe, cupiste, cupo, cupimos, cupisteis, cupieron **5** cabré *etc* **6** quepa *etc* **7** cupiera *etc*

caer 1 cayendo **3** caigo **4** cayó, cayeron **6** caiga *etc* **7** cayera *etc*

cerrar 3 cierra **3** cierro, cierras, cierra, cierran **6** cierre, cierres, cierre, cierren

COMER 1 comiendo **2** come, comed **3** como, comes, come, comemos, coméis, comen **4** comí, comiste, comió, comimos, comisteis, comieron **5** comeré, comerás, comerá, comeremos, comeréis, comerán **6** coma, comas, coma, comamos, comáis, coman **7** comiera, comieras, comiera, comiéramos, comierais, comieran **8** comido **9** comía, comías, comía, comíamos, comíais, comían

conocer 3 conozco **6** conozca *etc*

contar 2 cuenta **3** cuento, cuentas, cuenta, cuentan **6** cuente, cuentes, cuente, cuenten

dar 3 doy **4** di, diste, dio, dimos, disteis, dieron **7** diera *etc*

decir 2 di **3** digo **4** dije, dijiste, dijo, dijimos, dijisteis, dijeron **5** diré *etc* **6** diga *etc* **7** dijera *etc* **8** dicho

despertar 2 despierta **3** despierto, despiertas, despierta, despiertan **6** despierte, despiertes, despierte, despierten

divertir 1 divirtiendo **2** divierte **3** divierto, diviertes, divierte, divierten **4** divirtió, divirtieron **6** divierta, diviertas, divierta, divirtamos, divirtáis, diviertan **7** divirtiera *etc*

dormir 1 durmiendo **2** duerme **3** duermo, duermes, duerme, duermen **4** durmió, durmieron **6** duerma, duermas, duerma, durmamos, durmáis, duerman **7** durmiera *etc*

empezar 2 empieza **3** empiezo, empiezas, empieza, empiezan **4** empecé **6** empiece, empieces, empiece, empecemos, empecéis, empiecen

entender 2 entiende **3** entiendo, entiendes, entiende, entienden **6** entienda, entiendas, entienda, entendamos, entendáis, entiendan

ESTAR 3 está **3** estoy, estás, está, están **4** estuve, estuviste, estuvo, estuvimos, estuvisteis, estuvieron **6** esté, estés, esté, estén **7** estuviera *etc*

HABER 3 he, has, ha, hemos, han **4** hube, hubiste, hubo, hubimos, hubisteis, hubieron **5** habré *etc* **6** haya *etc* **7** hubiera *etc*

HABLAR 1 hablando **2** habla, hablad **3** hablo, hablas, habla, hablamos, habláis, hablan **4** hablé,

627

hablaste, habló, hablamos, hablasteis, hablaron **5** hablaré, hablarás, hablará, hablaremos, hablaréis, hablarán **6** hable, hables, hable, hablemos, habléis, hablen **7** hablara, hablaras, hablara, habláramos, hablarais, hablaran **8** hablado **9** hablaba, hablabas, hablaba, hablábamos, hablabais, hablaban

hacer 2 haz **3** hago **4** hice, hiciste, hizo, hicimos, hicisteis, hicieron **5** haré *etc* **6** haga *etc* **7** hiciera *etc* **8** hecho

instruir 1 instruyendo **2** instruye **3** instruyo, instruyes, instruye, instruyen **4** instruyó, instruyeron **5** instruya *etc* **7** instruyera *etc*

ir 1 yendo **2** ve **3** voy, vas, va, vamos, vais, van **4** fui, fuiste, fue, fuimos, fuisteis, fueron **6** vaya, vayas, vaya, vayamos, vayáis, vayan **7** fuera *etc* **9** iba, ibas, iba, íbamos, ibais, iban

jugar 2 juega **3** juego, juegas, juega, juegan **4** jugué **6** juegue *etc*

leer 1 leyendo **2** leyó, leyeron **7** leyera *etc*

morir 1 muriendo **2** muere **3** muero, mueres, muere, mueren **4** murió, murieron **6** muera, mueras, muera, muramos, muráis, mueran **7** muriera *etc* **8** muerto

mover 2 mueve **3** muevo, mueves, mueve, mueven **6** mueva, muevas, mueva, movamos, mováis, mueva, muevan

negar 2 niega **3** niego, niegas, niega, niegan **4** negué **6** niegue, niegues, niegue, neguemos, neguéis, nieguen

ofrecer 3 ofrezco **6** ofrezca *etc*

oír 1 oyendo **2** oye **3** oigo, oyes, oye, oyen **4** oyó, oyeron **6** oiga *etc*

oler 2 huele **3** huelo, hueles, huele, huelen **6** huela, huelas, huela, huelan

parecer 3 parezco **6** parezca *etc*

pedir 1 pidiendo **2** pide **3** pido, pides, pide, piden **4** pidió, pidieron **6** pida *etc* **7** pidiera *etc*

pensar 2 piensa **3** pienso, piensas, piensa, piensan **6** piense, pienses, piense, piensen

perder 2 pierde **3** pierdo, pierdes, pierde, pierden **6** pierda, pierdas, pierda, pierdan

poder 1 pudiendo **2** puede **3** puedo, puedes, puede, pueden **4** pude, pudiste, pudo, pudimos, pudisteis, pudieron **5** podré *etc* **6** pueda, puedas, pueda, puedan **7** pudiera *etc*

poner 2 pon **3** pongo **4** puse, pusiste, puso, pusimos, pusisteis, pusieron **5** pondré *etc* **6** ponga *etc* **8** puesto

preferir 1 prefiriendo **2** prefiere **3** prefiero, prefieres, prefiere, prefieren **4** prefirió, prefirieron **6** prefiera, prefieras, prefiera, prefiramos, prefiráis, prefieran **7** prefiriera *etc*

querer 2 quiere **3** quiero, quieres, quiere, quieren **4** quise, quisiste, quiso, quisimos, quisisteis, quisieron **5** querré *etc* **6** quiera, quieras, quiera, quieran **7** quisiera *etc*

reír 2 ríe **3** río, ríes, ríe, ríen **4** rieron **6** ría, rías, ría, riamos, riáis, rían **7** riera *etc*

repetir 1 repitiendo **2** repite **3** repito, repites, repite, repiten **4** repitió, repitieron **6** repita *etc* **7** repitiera *etc*

rogar 2 ruega **3** ruego, ruegas, ruega, ruegan **4** rogué **6** ruegue, ruegues, ruegue, roguemos, roguéis, rueguen

saber 3 sé **4** supe, supiste, supo, supimos, supisteis, supieron **5** sabré *etc* **6** sepa *etc* **7** supiera *etc*

salir 2 sal **3** salgo **5** saldré *etc* **6** salga *etc*

seguir 1 siguiendo **2** sigue **3** sigo

sigues, sigue, siguen **4** siguió, siguieron **6** siga *etc* **7** siguiera *etc*

sentar 2 sienta **3** siento, sientas, sienta, sientan **6** siente, sientes, siente, sienten

sentir 1 sintiendo **2** siente **3** siento, sientes, siente, sienten **4** sintió, sintieron **6** sienta, sientas, sienta, sintamos, sintáis, sientan **7** sintiera *etc*

SER 2 sé **3** soy, eres, es, somos, sois, son **4** fui, fuiste, fue, fuimos, fuisteis, fueron **6** sea *etc* **7** fuera *etc* **9** era, eras, era, éramos, erais, eran

servir 1 sirviendo **2** sirve **3** sirvo, sirves, sirve, sirven **4** sirvió, sirvieron **6** sirva *etc* **7** sirviera *etc*

soñar 2 sueña **3** sueño, sueñas, sueña, sueñan **6** sueñe, sueñes, sueñe, sueñen

tener 2 ten **3** tengo, tienes, tiene, tienen **4** tuve, tuviste, tuvo, tuvimos, tuvisteis, tuvieron **5** tendré *etc* **6** tenga *etc* **7** tuviera *etc*

traer 1 trayendo **3** traigo **4** traje,

trajiste, trajo, trajimos, trajisteis, trajeron **6** traiga *etc* **7** trajera *etc*

valer 2 val **3** valgo **5** valdré *etc* **6** valga *etc*

venir 2 ven **3** vengo, vienes, viene, vienen **4** vine, viniste, vino, vinimos, vinisteis, vinieron **5** vendré *etc* **6** venga *etc* **7** viniera *etc*

ver 3 veo **6** vea *etc* **8** visto **9** veía *etc*

vestir 1 vistiendo **2** viste **3** visto, vistes, viste, visten **4** vistió, vistieron **6** vista *etc* **7** vistiera *etc*

VIVIR 1 viviendo **2** vive, vivid **3** vivo, vives, vive, vivimos, vivís, viven **4** viví, viviste, vivió, vivimos, vivisteis, vivieron **5** viviré, vivirás, vivirá, viviremos, viviréis, vivirán **6** viva, vivas, viva, vivamos, viváis, vivan **7** viviera, vivieras, viviera, viviéramos, vivierais, vivieran **8** vivido **9** vivía, vivías, vivía, vivíamos, vivías, vivían

volver 2 vuelve **3** vuelvo, vuelves, vuelve, vuelven **6** vuelva, vuelvas, vuelva, vuelvan **8** vuelto

629

LES NOMBRES

LOS NÚMEROS

un(e)	1	un(o)(-a)
deux	2	dos
trois	3	tres
quatre	4	cuatro
cinq	5	cinco
six	6	seis
sept	7	siete
huit	8	ocho
neuf	9	nueve
dix	10	diez
onze	11	once
douze	12	doce
treize	13	trece
quatorze	14	catorce
quinze	15	quince
seize	16	dieciséis
dix-sept	17	diecisiete
dix-huit	18	dieciocho
dix-neuf	19	diecinueve
vingt	20	veinte
vingt et un(e)	21	veintiun(o)(-a)
vingt-deux	22	veintidós
trente	30	treinta
trente et un(e)	31	treinta y uno(-a)
trente-deux	32	treinta y dos
quarante	40	cuarenta
cinquante	50	cincuenta
soixante	60	sesenta
soixante-dix	70	setenta
soixante et onze	71	setenta y uno(-a)
soixante-douze	72	setenta y dos
quatre-vingts	80	ochenta
quatre-vingt-un(e)	81	ochenta y uno(-a)
quatre-vingt-dix	90	noventa
quatre-vingt-onze	91	noventa y uno(-a)
cent	100	cien(to)
cent un(e)	101	ciento un(o)(-a)
cent cinquante-six	156	ciento cincuenta y seis
deux cents	200	doscientos(-as)
trois cent un(e)	301	trescientos(-as) uno(-a)
cinq cents	500	quinientos(-as)
mille	1 000	mil
cinq mille	5 000	cinco mil
un million	1 000 000	un millón

LES NOMBRES

premier (première), 1er (1ère)
deuxième, 2e, 2ème
troisième, 3e, 3ème
quatrième
cinquième
sixième
septième
huitième
neuvième
dixième
onzième
douzième
treizième
quatorzième
quinzième
seizième
dix-septième
dix-huitième
dix-neuvième
vingtième
vingt et unième
vingt-deuxième
trentième
centième
cent-unième
millième

LOS NÚMEROS

primer(o)(-a), 1o(1a)
segundo(-a), 2o(2a)
tercer(o)(-a), 3o(3a)
cuarto(-a)
quinto(-a)
sexto(-a)
séptimo(-a)
octavo(-a)
noveno(-a)
décimo(-a)
undécimo(-a)
duodécimo(-a)
decimotercero(-a)
decimocuarto(-a)
decimoquinto(-a)
decimosexto(-a)
decimoséptimo(-a)
decimoctavo(-a)
decimonoveno(-a)
vigésimo(-a)
vigésimo primero(-a)
vigésimo segundo(-a)
trigésimo(-a)
centésimo(-a)
centésimo primero(-a)
milésimo(-a)